Hongrie

guide de voyage

Steve Fallon

Hongrie – guide de voyage

1ère édition

Traduite de l'ouvrage *Hungary – a travel survival kit* (1st edition)

Publié par

Lonely Planet Publications
71 *bis*, rue du Cardinal Lemoine, 75005 Paris, France
Siège social : PO Box 617, Hawthorn, Victoria 3122, Australie
Filiales : Berkeley (Californie), États-Unis – Londres, Grande-Bretagne

Imprimé par

Colorcraft Ltd, Hong Kong

Photographies de

Steve Fallon (SF)
Office du tourisme de Hongrie (OIH)
Teresa Zent (TZ)
Berthold Daum (BD)

Photo de couverture : musicien, quartier du Château, Budapest (Image Bank, Alan Becker)
Photo en 4ᵉ de couverture : Fő tér et tour du Feu, Sopron (SF)

Traduction de

Dominique Lablanche et Elisabeth Kern

Dépôt légal

Juillet 1994

ISBN : 2-84070-020-4
ISSN : 1242-9244

Bien que les auteurs et l'éditeur aient essayé de donner des informations
aussi exactes que possible, ils ne sont en aucun cas responsables des pertes,
des problèmes ou des accidents que pourraient avoir les personnes utilisant
cet ouvrage.

Steve Fallon

Originaire de Boston, Steve Fallon a toujours été un passionné de voyages, de langues et de cultures étrangères. Dans sa jeunesse, il fait toutes sortes de métiers pour financer ses pérégrinations en Europe et en Amérique latine. Il obtient un diplôme de langues vivantes à la Georgetown University (USA) en 1975.

L'année suivante, il enseigne l'anglais à l'université de Silésie près de Katowice en Pologne. Après avoir travaillé plusieurs années dans la presse, il décroche un diplôme supérieur de journalisme. Par la suite, sa fascination pour l'Asie le conduit à Hong Kong où il reste 13 ans, occupant divers postes dans la presse avant de devenir rédacteur en chef du magazine *Business Traveller*.

En 1987, il quitte le journalisme et ouvre Wanderlust Books, l'unique librairie de voyage de toute l'Asie. Steve s'est installé à Budapest en 1992.

Un mot de l'auteur

Ce livre est dédié à Michael Rothschild, sans lequel il n'aurait pu être écrit, avec amour et gratitude pour son soutien au cours de longues et riches années.

Les personnes suivantes, en Hongrie, m'ont offert leur aide et/ou leur hospitalité sans compter. Je remercie : János Antal de TIE Tours à Debrecen ; Rita Arany d'Albatours à Székesfehérvár ; Mihály Aranyossy de Nyírtourist à Nyíregyháza ; Béla Bokodi de MÁV à Budapest ; Zoltán Bogáti de Volánbusz à Budapest ; Zoltan Bollók d'Eravis à Budapest ; Zsófia Darák de Zalatour à Zalaegerszeg ; Ferenc Galántai de MÁV ; Pál Gubán de Mecsek Tourist à Pécs ; Ildikó Hargitai de Tolna Tourist à Szekszárd ; Katalin Koronczi de Tourinform à Budapest ; Dr Miklós Kovács de Siotour à Siófok ; Dr Alán Kralovánszky du Musée National de Budapest ; Zsuzsa Liszkay à Hollókő ; Martha Magyar de Balatontourist à Veszprém ; Róbert Majer d'Eger Tourist à Gyöngyös ; Dr János Málovic de Szeged Tourist à Szeged ; István Mentényi de Volánbusz ; Maria Molnár de Hungarian Tourist Board à Budapest ; László Megyery de Epona à Debrecen ; Zsuzsa Neményi de Cartographia à Budapest ; Dr Ildikó Olasz de Békéstourist à Békéscsaba ; Ágnes Padányi de Tourinform ; Pauletta Paksi de Szeged Tourist à Hódmezővásárhely ; Angela Ded´k Petö de Pusztatourist à Kecskemét ; József Pfeil de Volánbusz ; Dr Imre Simon à Békéscsaba ; Mária Szvetlik Szandai de Nógrád Tourist à Balassagyarmat ; Ágnes Szabó de Mecsek Tourist à Mohács ; Andrea Szegedi à Nyíregyháza ; Nándor Tietze de Eger Tourist à Eger ; Pál Tóth de Hajdútourist à Debrecen ; Zsuzsa Turcsán de Cartographia ; Ferenc Uszkai de Albatours ; Mihály Varsányi à Aggtelek ; Edit Vendégh de Tolna Tourist ; János Világosi de Aquila à Debrecen.

Roslyn Findlay de Londres a corrigé et utilisé plusieurs parties du manuscrit ; j'ai tenu compte de ses commentaires. Zsóka Szirti, mon professeur de hongrois à Budapest, a relu les rubriques *Langue* et *Alimentation*, et a évidemment trouvé des erreurs.

Parmi les compagnons de voyage rencontrés au hasard des routes et qui m'ont apporté leurs concours, je citerai Jim Pitkethly de Toronto et Alisa Tanaka de Cincinnati, Ohio.

Enfin, je remercie chaleureusement Susan P. Girdwood à Hong Kong et, sur le mont

Gellért, Sophie Foxx-Benjamin et Whitey Tengerkutya. Elles ont toujours été là aux bons et aux mauvais moments. C'est une chance pour moi de connaître trois filles aussi formidables.

Un mot de l'éditeur

Philippe Maître a effectué la mise en page de cet ouvrage. La coordination éditoriale a été assurée par Isabelle Muller.

Nous remercions Françoise Botkine, Serge Bovet et Bertrand Lethiec pour leur collaboration au texte ainsi que Jean-Noël Doan pour la mise au point de l'alphabet hongrois.

Les cartes originales sont l'œuvre de Rachel Black assistée de Greg Herriman, Ann Jeffree, Chris Lee Ack, Ralph Roob et Sandra Smythe. Leur adaptation en français est due à Greg Herriman et Sally Woodward.

Les illustrations ont été également réalisées par Rachel Black. Merci à Dan Levin pour son adaptation des cartes climatiques.

Attention !

Nous insistons particulièrement sur le fait que tout bouge très vite en Hongrie (comme dans les autres pays de l'Est). Certains hôtels et restaurants ferment alors que d'autres ouvrent leur porte. Les noms de rues peuvent changer et la valeur du forint a toutes les chances de baisser. De même, il est vraisemblable que le prix des transports connaisse des augmentations.

Si les choses s'améliorent ou se détériorent, si vous découvrez des endroits ouverts récemment ou fermés depuis peu, n'hésitez pas à nous écrire. Vos lettres serviront à mettre à jour les prochaines éditions et, dans la mesure du possible, les changements importants seront insérés dans un encart spécial lors des réimpressions du guide. Toute information est bienvenue. Les auteurs des meilleures lettres se verront offrir un exemplaire de la prochaine édition, ou de tout autre titre Lonely Planet de leur choix.

Table des matières

Légende des cartes

LIMITES ET FRONTIÈRES

— · — · — · — .... Limites internationales
— · · — · · — ....Limites intérieures
+++++++++ ..... Parc national ou réserve
— — — — — — ....Équateur
· · · · · · · · · · · · · · .... Tropiques

SYMBOLES

◉ Capitale .... Capitale nationale
● Ville .... Ville > 50 000 hab.
● Ville .... Autre ville importante
● Village ....Petite ville/village
■ ....Hôtel
▼ ....Restaurant
✉ ....Poste
✈ .... Aéroport
𝐢 .... Office du tourisme
◉ ....Gare routière
66 ....Route Nationale N°
⚇✝🏛✝ ..... Mosquée, église, cathédrale
✡ ....Synagogue
∴ ....Temple ou ruines
✚ ....Hôpital
✳ .... Point de vue
⚑ ....Aire de camping
⌒ ....Grotte
▲ ....Montagne ou colline
+—+—+—+ ....Gare ferroviaire
═══ ....Pont routier
+—+—+ ....Pont ferroviaire
⇒ ⇐ ....Tunnel routier
↦⟩ ⟨↤ .... Tunnel ferroviaire
〰 ....Escarpement ou falaise
⌄ ....Col
⊓⊔⊓⊔ ....Mur d'enceinte historique

ROUTES

——————— Route principale ou autoroute
- - - - - - - Route principale non bitumée
——————— ....Route bitumée
- - - - - - - Route non bitumée ou piste
════════ .... Rue
+++++++++ .... Voie de chemin de fer
●—◉—● .... Ligne de métro
- - - - - - - ....Sentier pédestre
- - - - - - - .... Route de ferry
+H+H+H+H+ Téléphérique ou télécabine

HYDROGRAPHIE

〜〜 .... Rivière ou ruisseau
- - - - - .... Ruisseau intermittent
◯ ⟨◌⟩ ....Lac, lac intermittent
〜〜 ....Bande côtière
⌒ ....Source
⋛⫶ ....Cascade
ⱮⱮ Ɱ Ɱ .... Marais

░░░░ ....Lac salé ou récif

〰〰〰 ....Glacier

AUTRES

▓▓▓▓ Parc, jardin ou parc national

⊠✕ .... Région construite

⊞▨ Marché ou zone piétonnière

⊡⊠ .... Place

++++++++ ....Cimetière

Note : tous les symboles ne sont pas utilisés dans cet ouvrage

Introduction

Située au cœur de l'Europe, la Hongrie (Magyarország) a joué dans l'histoire de ce continent un rôle beaucoup plus important que ne le laisseraient supposer sa taille et sa population actuelles.

Les Hongrois – qui se désignent comme Magyars – possèdent une langue et une culture très particulières, sources depuis mille ans de fierté autant que de frustration. Fermement arrimé au bloc soviétique jusqu'à la fin des années 80, le pays est maintenant une République indépendante qui jouit de l'auto-détermination, pour la première fois depuis un demi-siècle.

La Hongrie a souvent craint l'attitude hégémonique de ses voisins. Le nationalisme hongrois est à la fois la cause et le résultat de cette angoisse.

Néanmoins, en dépit des guerres et des occupations interminables (qui ont réduit la taille du pays des deux tiers au cours du XXᵉ siècle), les Hongrois ont toujours pu conserver leur identité sans se fermer au monde extérieur. Avec un pied en Europe et un autre pratiquement en Asie, ils se sentent Occidentaux à part entière et, à l'exception de l'extrême-droite, le "cosmopolitisme" a toujours constitué un sujet de fierté. Aujourd'hui plus que jamais, la Hongrie se tourne vers l'Europe pour bâtir son avenir.

Les Hongrois n'ont peut-être pas toujours gagné la partie mais dès le départ, ils ont utilisé tous leurs atouts. Dans l'*Himnusz*, l'hymne national aux accents plaintifs, ils essayent de s'assurer une protection

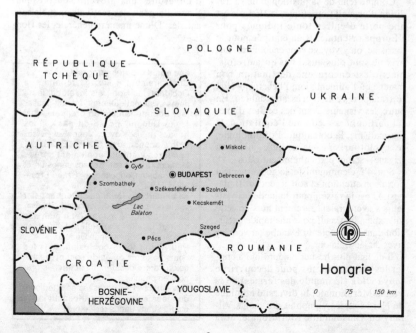

en demandant la bénédiction divine et le pardon anticipé parce que "ce peuple a largement payé, pour les temps passés et qui viennent".

Sous le communisme du "goulasch" (orienté vers la consommation) de János Kádár à la fin des années 60 et dans les années 70, la Hongrie était le pays le plus développé, le plus libéral et le plus riche de la région, alors que le reste de l'Europe de l'Est connaissait des restrictions de toutes sortes. A l'époque de cette économie de marché embryonnaire, les Hongrois disaient de leur pays qu'il était "le seul à faire l'amour toute la nuit tout en restant vierge". D'autres le qualifiaient de "caserne la plus distrayante du camp".

En 1989, l'effondrement du communisme s'accéléra quand la Hongrie se saisit de cisailles et sectionna les barbelés qui la séparaient de l'Autriche, permettant ainsi à des milliers d'Européens de l'Est de passer à l'Ouest.

Compte tenu de sa position et de sa tradition d'accueil touristique, la Hongrie est une porte d'entrée toute indiquée pour l'Europe orientale. Bien équipée pour le tourisme, on y voyage sans encombres. Les prix ne sont plus aussi bas qu'autrefois, mais c'est encore une destination bon marché où l'alimentation, l'hébergement et le transport restent très abordables. En outre, les visiteurs ayant des centres d'intérêt particuliers – comme l'équitation, le thermalisme, la botanique, l'ornithologie, le cyclotourisme, la culture juive ou tzigane – seront particulièrement gâtés.

Sous l'ère communiste, le gouvernement porta son attention et son argent sur Budapest. C'est la raison pour laquelle les visiteurs s'aventuraient rarement hors de cette ville splendide, sauf pour une rapide excursion dans la Boucle du Danube ou vers les rives du lac Balaton.

Il ne faut plus hésiter aujourd'hui à quitter les sentiers battus pour découvrir le *tanya világ* (le monde des fermes) de la Plaine Méridionale, la diversité ethnique du Nord-Est, les vignobles des monts Villány en Tansdanubie Méridionale, et la région traditionnelle d'Őrség dans l'extrême ouest. Il ne s'agit pas de promouvoir l'"authentique" au détriment du "touristique" ; une caisse de supermarché de Budapest fait partie intégrante de la Hongrie d'aujourd'hui au même titre qu'une vieille échoppe d'un village des monts Zemplén. Mais la vie de la province, plus simple, plus lente, plus chaleureuse, est plus évocatrice des temps anciens et l'on sera surpris de constater combien la tradition paysanne d'avant-guerre (notamment les costumes) est encore vivace.

Pour l'heure, les années 90 ne comptent pas parmi les meilleures années de la Hongrie. Un guide qui prétendrait le contraire serait fallacieux. Comme tous les pays de l'ancien bloc communiste, la Hongrie connaît de graves problèmes économiques touchant tous les aspects de la vie quotidienne. Des entreprises nouvelles se créent et disparaissent à une vitesse vertigineuse. Les musées réduisent leurs horaires d'ouverture sans prévenir, ou presque. Faute d'argent, des festivals annuels sont annulés. D'une manière générale, les Hon-

---

Les noms propres hongrois

Contrairement à l'usage répandu en Occident, les Hongrois inversent leurs noms systématiquement, faisant passer leur nom de famille en premier. Ainsi "Jean Dupont" ne se dit pas "János Kovács" mais "Kovács János" et "Élisabeth Coupechoux", "Szabó Erzsébet". Les titres viennent également après : M. Jean Dupont est "Kovács János úr" et Dr Élisabeth Coupechoux, "Szabó Erzsébet doktor".

La plupart des femmes se font appeler par le nom complet de leur mari. Si Élisabeth était marié à Jean (et n'était pas docteur), elle s'appellerait "Kovács Jánosné", Madame Jean Dupont.

Pour éviter toute confusion, tous les noms hongrois du guide sont présentés selon l'ordre occidental habituel, le prénom en premier.

En revanche, les adresses sont toujours données en hongrois : "Kossuth Lajos utca", "Arany János tér", etc. ∎

grois n'ont pas les moyens de sortir très souvent et doivent passer de longues heures à travailler. Ils se sentent parfois abandonnés par l'Occident, alors qu'ils pensaient qu'une nouvelle vie allait s'offrir à eux.

Être touriste en Hongrie, c'est y dépenser des devises fortes qui aideront en partie le pays à repartir d'un bon pied et si, en plus, vous arrivez avec un brin d'humour,

vous serez certainement bien accueilli. Tâchez alors de vous armer d'*egy kis türelmet*, d'un peu de patience, comme ils disent. Ils ont, pour leur part, passé beaucoup plus de temps à attendre..

« Beaucoup de gens pensent que la Hongrie n'est plus, quant à moi, j'aime à penser qu'elle va venir ! »

Comte István Széchenyi
Hitel (1830)

Présentation du pays

HISTOIRE

Les premiers habitants

Le bassin des Carpates, berceau de la Hongrie actuelle, fut fréquenté par l'homme préhistorique il y a des centaines de milliers d'années. Ensuite, il semble que des groupes humains plus récents furent attirés en Transdanubie par les sources chaudes de la région et par la profusion de gros mammifères dont ils se nourrissaient (ours, rennes, mammouths, etc.).

Vers 5000 av. J.-C., un retour à des conditions climatiques tempérées obligea peu à peu ce "gibier" à migrer vers le nord, et un nouveau mode de vie s'imposa alors. Abandonnant la chasse et la cueillette, la société devint productrice : ce fut le néolithique, période durant laquelle apparurent la domestication des animaux et les premières formes d'agriculture, comme partout en Europe.

Vers 2000 av. J.-C., des tribus indo-européennes venues des Balkans à bord de chariots à roues tirés par des chevaux traversèrent le bassin des Carpates, amenant dans leurs bagages des objets et des armes en cuivre.

Au cours du millénaire suivant, des envahisseurs arrivés de l'ouest (Illyriens, Thraces) et de l'est (Scythes) firent connaître la métallurgie du fer, mais son usage ne se répandit vraiment qu'après l'implantation des Celtes, au IIIe siècle av. J.-C.. Ils introduisirent également le verre et façonnèrent les beaux bijoux d'or que l'on peut admirer dans tous les musées du pays.

Au tout début de notre ère, les Romains conquirent l'actuelle Transdanubie à l'ouest du Danube et fondèrent la province de Pannonie. Plus tard, à la suite de victoires sur les Celtes, leur domination s'étendit au-delà du Tisza, jusqu'en Dacie (actuelle Transylvanie roumaine). Les Romains apportèrent l'écriture, la vigne, l'architecture de pierre ; ils élevèrent des villes de garnison, dont il reste des vestiges à Óbuda (Aquincum), Szombathely (Savaria), Pécs (Sophianae) et Sopron (Scarabantia), et construisirent des thermes près des sources chaudes du pays.

Les Grandes Migrations

Les premiers peuples nomades venus d'Asie, au cours de ce qu'on appelle les Grandes Migrations, touchèrent les confins orientaux de l'Empire romain dans la seconde moitié du IIe siècle et, en 270, les Romains furent contraints d'abandonner la Dacie. Au cours des deux siècles suivants, ils laissèrent la Pannonie aux Huns, qui y établirent un empire éphémère sous la houlette d'Attila. Auparavant, ce dernier avait soumis les Magyars sur le cours inférieur de la Volga, si bien que pendant des siècles on pensa que les deux groupes avaient des origines communes. Attila reste d'ailleurs un prénom très courant en Hongrie.

Les tribus germaines, Goths, Lombards et Gépides, occupèrent la région au cours des 150 années suivantes, jusqu'à l'arrivée des Avars, puissante peuplade turque qui s'empara du bassin des Carpates au cours du VIe siècle. Ils furent soumis à leur tour par Charlemagne en 796, qui les convertit au christianisme. Le bassin des Carpates était alors devenu pratiquement désert. Seules vivaient quelques tribus éparses de Turcs et de Germains dans les plaines, et de Slaves dans les monts du Nord.

Les Magyars et la conquête

L'origine des Magyars pose une véritable énigme. Une chose est cependant certaine : ils font partie du groupe finno-ougrien qui, dès 4000 av. J.-C., peuplait les forêts entre le cours moyen de la Volga et les monts de l'Oural en Sibérie occidentale.

Vers 2000 av. J.-C., la croissance de la population obligea la branche finno-estonienne à migrer vers l'ouest, jusqu'aux rivages de la mer Baltique où elle se fixa.

Les Ougriens descendirent des versants sud-est de l'Oural dans les vallées voisines où ils abandonnèrent la chasse et la pêche pour se consacrer à l'agriculture et à l'élevage, notamment de chevaux.

A la suite d'une période de sécheresse (vers 1500 av. J.-C.), leurs talents de cavaliers se révélèrent opportuns, car devenus bergers nomades, ils purent s'élancer vers les steppes du nord. Au début du Ve siècle av. J.-C., époque à laquelle l'usage du fer était déjà répandu parmi les tribus, un groupe se déplaça vers l'ouest jusqu'en Bachkirie, en Asie centrale, où ils rencontrèrent des Perses et des Bulgares. C'est alors qu'ils commencèrent à se désigner sous le nom de "Magyar" (du finno-ougrien *mon*, "parler", et *er*, "homme").

Des centaines d'années plus tard, un autre groupe se désolidarisa et prit la direction du sud, vers le Don, alors dominé par les Khazars. Avec différentes tribus, il forma une alliance appelée *Onogur* (les "dix peuples"), d'où dérive le mot Hongrie (Ungarn en allemand). Leur dernière migration avant la conquête du bassin des Carpates les amena dans une région que les Hongrois appellent aujourd'hui l'Etelköz, entre le Dniepr et le cours inférieur du Danube.

Des groupes nomades de Magyars atteignirent sans doute le bassin des Carpates dès le milieu du VIIIe siècle, où ils s'enrôlèrent comme mercenaires dans différentes armées. Il semblerait que les Pétchénègues, une peuplade guerrière venue des steppes, profitèrent ainsi de l'absence des hommes, partis en campagne, pour attaquer les campements de l'Etelköz. Craignant leur retour, sept tribus sous le commandement du *gyula* ou chef militaire Árpád, se mirent en route pour le bassin des Carpates, un endroit qui leur était déjà familier. Ils passèrent le col de Verecke en Ukraine vers 895 ou 896.

Les Magyars ne rencontrant aucune résistance, ils se dispersèrent dans trois directions, dont la Transylvanie. Les Bulgares furent rapidement repoussés vers l'est, tandis que les Germains avaient déjà refoulé des Slaves à l'ouest. Réputés pour être des cavaliers et des archers hors pair – "Préserve-nous, Seigneur, des flèches des Hongrois" disait une prière chrétienne de l'époque – et ne se satisfaisant plus de louer leurs services, les Magyars commencèrent à piller, à emmener des esclaves et à amasser du butin. Leurs raids sont signalés en Espagne, en Allemagne du nord et en Italie du sud, mais ils furent arrêtés par le roi germain Otton Ier à la bataille d'Augsbourg, en 955.

Cette défaite sema le trouble au sein des tribus magyares qui furent contraintes, comme leurs homologues bohémiennes, polonaises et russes de l'époque, de s'allier à l'un ou l'autre de leurs puissants voisins : Byzance et le Saint-Empire romain. Des chefs magyars rebelles voulurent faire cavalier seul, mais en 973, le prince Géza, arrière petit-fils d'Árpád, demanda à Otton II d'envoyer des missionnaires catholiques en Hongrie. Le prince Géza se fit baptiser, avec son fils Vajk qui prit le nom chrétien d'Étienne (István).

A la mort de Géza, Étienne gouverna comme prince pendant trois ans avant d'être sacré le jour de Noël de l'an 1000, "roi chrétien" Étienne Ier. La Hongrie, royaume et nation, était née.

Le roi Étienne Ier et la dynastie des Árpad

Saint Étienne consolida l'autorité royale en dépossédant les chefs de clans de leurs terres et en créant un système de comitat (*megye*) protégé par un comte dans un château fortifié (*vár*). Des terres furent cédées à des chevaliers (allemands pour la plupart) d'une loyauté éprouvée, et l'on battit monnaie. Étienne eut l'habileté de s'appuyer sur l'Église, et pour hâter la conversion du pays tout entier, il ordonna qu'une église soit construite pour chaque groupe de dix villages. Il créa également dix sièges épiscopaux, dont deux (Kalocsa et Esztergom) avec rang d'archevêché. Des monastères où enseignaient des maîtres étrangers virent le jour dans tout le pays. A sa mort, en 1038 (il sera plus tard canonisé), une

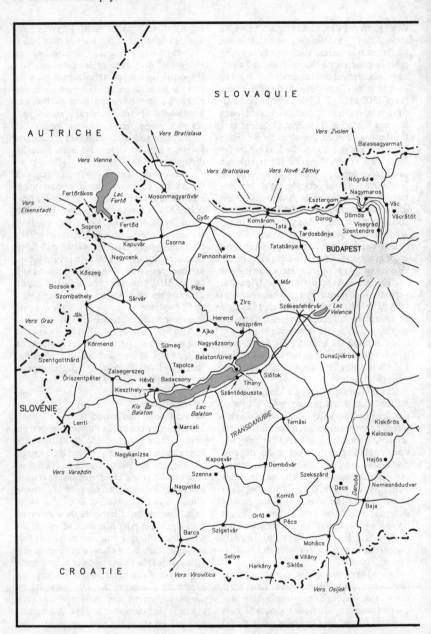

Hongrie

culture chrétienne pluri-ethnique et de plus en plus tournée vers l'ouest naissait en Hongrie.

Jusqu'au tout début du XIVe siècle, durant la dynastie des Árpád, le royaume fut constamment éprouvé par des rivalités entre les prétendants au trône, et qui eurent pour résultat d'affaiblir le pays face à ses puissants voisins. Le règne (1077-1095) de Ladislas Ier (László) qui repoussa les attaques de Byzance marque un bref temps de répit. Son successeur Koloman le Studieux (Könyves Kálmán) encouragea jusqu'à sa mort, en 1116, la littérature, les arts et la rédaction de chroniques.

Couronne du roi Étienne Ier
au Musée national de Budapest

La tension monta à nouveau quand l'empereur byzantin voulut s'emparer des provinces hongroises de Dalmatie et de Croatie. Béla III (1172-1196), souverain puissant qui se fit construire une résidence permanente à Esztergom (alors le siège alternatif de la royauté avec Székesfehérvár) l'en empêcha. Mais le fils de Béla, André II (András) (1205-1235) affaiblit la

couronne en cédant aux instances des *magnats* (grands nobles hongrois) qui réclamaient plus de terre, essentiellement pour financer ses propres rêves de croisade et d'aventure. En 1222, la Bulle d'Or, une sorte de grande charte qui limitait les pouvoirs du roi au profit de la noblesse, était signée à Székesfehérvár.

Quand Béla IV (1235-1270) tenta de récupérer ses terres, les magnats étaient en état de lui disputer le pouvoir d'égal à égal. Redoutant l'expansion mongole et constatant qu'il ne pouvait compter sur une aide locale, Béla se tourna vers l'Occident chrétien et essaya d'attirer des colons allemands et slovaques. En vain, car en 1241, les hordes mongoles dévastaient le royaume, laissant derrière elles un tas de cendres et massacrant, selon des estimations, un tiers de ses deux millions d'habitants.

Pour reconstruire le pays en toute hâte, Béla fit de nouveau appel à des Allemands et à des Saxons qui s'installèrent en Transdanubie, en Transylvanie et dans la Grande Plaine. Il édifia également un cordon de châteaux défensifs sur des hauteurs (dont ceux de Buda et Visegrád). Pour calmer les turbulents magnats, il leur livra de vastes portions de territoire, ce qui renforça encore leur position et leurs velléités d'indépendance. A la mort de Béla, toute la région était plongée dans l'anarchie. La dynastie s'éteignit avec André III qui mourut sans héritier en 1301.

La Hongrie médiévale

Plusieurs dynasties européennes bataillèrent pour le trône de Hongrie. Ce fut finalement Charles Robert (Károly Róbert) de la maison d'Anjou de Naples qui l'emporta avec la bénédiction du pape. Il régna jusqu'en 1342. Cet administrateur de talent parvint à briser le pouvoir des magnats (bien que la terre soit restée pour l'essentiel entre des mains privées) et chercha à s'allier avec ses voisins. En 1335, il rencontra les rois polonais et tchèque dans son nouveau palais de Visegrád pour régler des querelles territoriales et mettre sur pied une alliance qui ébranlerait le contrôle de

Vienne sur le commerce. (En 1992, c'est encore à Visegrád que l'on a décidé de se réunir pour étudier un plan de coopération régionale dit du "Groupe de Visegrád".)

Sous Louis le Grand (Nagy Lajos,1342-1382), son fils et héritier du trône, la Hongrie renoua avec une politique de conquête. Ce brillant stratège élargit ses possessions dans les Balkans jusqu'en Dalmatie, et dans le nord jusqu'en Pologne. Mais ses succès furent sans lendemain. La menace turque se précisait aux portes du royaume.

Janos Hunyadi

La fille de Louis, Marie, lui succéda, mais comme on pouvait s'y attendre, les magnats se révoltèrent contre le "trône en jupon" et peu de temps après, son mari Sigismond (Zsigmond) de Luxembourg fut couronné à sa place. Son long règne (1387-1437) apporta la paix et l'épanouissement de l'art et de l'architecture gothique en Hongrie. Mais s'il fut en mesure de s'assurer la couronne convoitée de Bohême et le titre d'empereur du Saint-Empire romain, il fut impuissant à arrêter l'avancée des Turcs dans les Balkans.

Le général János Hunyadi, un Transylvanien d'origine roumaine commença sa carrière à la cour de Sigismond, et fut nommé régent à la mort du roi. Sa victoire sur les Turcs à Belgrade (Nándorfehérvár en hongrois) en 1456 arrêta la progression ottomane pour soixante-dix ans et permit à son fils Mathias (Mátyás) Corvin, le plus grand monarque qu'ait connu la Hongrie médiévale, d'accéder au trône.

Mathias (1458-1490) entretint prudemment une force mercenaire payée par les taxes levées sur la noblesse. Cette "Armée noire" conquit la Moravie, la Silésie et des parties de l'Autriche. Sous son règne, la Hongrie entra dans son âge d'or et devint une des principales puissances de l'Europe. Sa seconde femme, la Napolitaine Béatrice, fit venir des maîtres artisans d'Italie qui reconstruisirent entièrement l'ancien palais gothique de Visegrád. La beauté et la taille de la demeure Renaissance qu'ils élevèrent étaient, à l'époque, sans égales en Europe. Le roi régnait avec justice et équité. La mythologie hongroise fourmille d'histoires témoignant de l'amour du "bon roi" Mathias pour ses sujets.

Mais absorbé par la centralisation du pouvoir, il négligea la puissance grandissante des Turcs. Son successeur Vladislav II

Le roi Mathias 1er Corvin

(Ulászló) (1490-1516) se montra incapable de maintenir ne fût-ce que l'autorité royale face aux membres de la Diète (l'assemblée se réunissant pour approuver les décrets royaux) qui gaspillaient l'argent de la Couronne et accaparaient la terre.

En 1514, une croisade organisée par l'ambitieux archevêque d'Esztergom dégénéra en soulèvement paysan contre les seigneurs, sous la conduite de György Dózsa. La révolte fut écrasée dans le sang. Près de 70 000 paysans périrent torturés et Dózsa fut brûlé vif sur un trône de fer chauffé au rouge. L'*Opus Tripartitum* d'esprit rétrograde qui suivit codifia les droits et privilèges de la noblesse et réduisit la paysannerie à un servage perpétuel. Quand le jeune roi Louis II (Lajos) monta sur le trône en 1516, il ne put compter sur la fidélité de quiconque.

La bataille de Mohács et l'occupation turque

La défaite d'une armée hongroise en lambeaux face aux Turcs ottomans dans la ville de Mohács en Transdanubie Méridionale, en 1526, marqua un tournant décisif dans l'histoire du pays. Elle mit fin à une Hongrie médiévale relativement prospère et indépendante et la jeta dans une spirale de partitions, de domination étrangère et de désespoir dont la trace est encore sensible de nos jours.

Il n'est pas juste d'en rejeter la faute sur la faiblesse et l'indécision de l'enfant-roi ou sur son commandant en chef, Pál Tomori, archevêque de Kalocsa. Les querelles de la noblesse et la brutale répression du soulèvement de Dózsa, douze ans auparavant, avaient durement affaibli la puissance militaire du pays et les coffres étaient pratiquement vides.

En 1526, le sultan ottoman Soliman le Magnifique s'était emparé de la majeure partie des Balkans, y compris Belgrade, et s'apprêtait à marcher sur Buda et Vienne à la tête de 100 000 hommes.

Ne pouvant, ou ne voulant pas, attendre les renforts de son rival de Transylvanie Jean Szapolyai, Louis se rua au combat avec une armée mal entraînée de 25 000 hommes et fut battu en moins de deux heures. Outre les évêques, les nobles et une masse de soldats estimée à 20 000 hommes, le roi en personne trouva la mort de manière peu glorieuse en se noyant dans une rivière alors qu'il tentait de battre en retraite. Jean Szapolyai qui était resté à l'abri au château de Tokaj fut couronné trois mois plus tard. Mais il eut beau s'abaisser devant les Turcs, il ne put jamais exercer effectivement le pouvoir qu'il avait recherché si avidement. La cupidité, l'intérêt personnel et l'ambition avaient eu raison de la Hongrie.

Soliman le Magnifique

Après la capitulation du château de Buda en 1541, le pays fut partagé en trois. Malgré des actes héroïques de résistance à Kőszeg (1532), Eger (1552) et Szigetvár (1566), le morcellement allait demeurer en l'état pendant un siècle et demi. La zone centrale était entre les mains des Turcs, tandis que la Transdanubie et l'actuelle Slovaquie était gouvernée depuis Bratislava (Pozsony en hongrois) par les Habsbourg d'Autriche avec le concours de la noblesse hongroise. La principauté de Transylvanie à l'est de la Tisza devint un État vassal prospère de l'Empire ottoman.

L'occupation turque fut marquée par des luttes perpétuelles entre ces trois parties. La "Hongrie royale" catholique s'opposait non seulement aux Turcs mais aux princes protestants de Transylvanie. Le prince Gábor Bethlen, qui gouverna de 1613 à 1629, tenta de mettre un terme à ces guerres incessantes en s'emparant de la Hongrie royale, avec une armée constituée de paysans haïdouks mercenaires, assistée des Turcs. Mais les Habsbourg et les Hongrois eux-mêmes, considérant les Ottomans comme la plus grande menace pour l'Europe depuis les Mongols, résistèrent à son avance.

Bien que la Transylvanie eût joui d'un semblant de renaissance culturelle au cours de cette période, la partie centrale sous occupation turque souffrit beaucoup. Nombre de ses habitants quittèrent la plaine dévastée pour se réfugier dans les monts du nord ou dans les villes, *khas*, placées sous la protection des sultans. L'occupation turque est restée dans les mémoires comme le "siècle du déclin".

Les Turcs construisirent peu, hormis quelques bains publics et quelques édifices à Pécs et Szigetvár ; ils se contentèrent de transformer les églises en mosquées et d'utiliser les bâtiments administratifs existants.

Dans le courant du XVIIe siècle, avec l'affaiblissement de la puissance ottomane, la résistance aux Habsbourg (qui avaient utilisé la Hongrie royale comme une zone-tampon entre l'Autriche et les Turcs) releva la tête.

En 1670, un complot du comte transylvanien Ferenc Rákóczi fut déjoué et une révolte animée par Imre Thököly et son armée de Kurucs (mercenaires anti-Habsbourg) fut réprimée en 1682. Mais en 1686, les forces autrichiennes et hongroises libéraient Buda, grâce à l'appui de l'armée polonaise. Une armée impériale commandée par Eugène de Savoie chassait la dernière armée turque du territoire hongrois à la bataille de Zenta (aujourd'hui Senta, en Serbie), treize ans plus tard.

Le règne des Habsbourg

L'expulsion des Turcs ne fut pas synonyme d'indépendance et de liberté pour la Hongrie, et la mise en œuvre de la contre-réforme dressa la noblesse hongroise contre les Habsbourg catholiques. En 1703, le fils de Rákóczi, Ferenc II, rassembla une armée de Kurucs contre les Autrichiens. La guerre traîna huit ans durant lesquels les Habsbourg furent "détrônés" par les rebelles, cependant la supériorité numérique des forces impériales et le manque d'argent contraignirent finalement les Kurucs à négocier une paix séparée dans le dos de Rákóczi.

Bien que la guerre d'indépendance de 1703-1711 fût un échec, Rákóczi se révéla le premier chef politique à pouvoir rassembler les Hongrois contre les Habsbourg.

L'impératrice Marie-Thérèse

La Hongrie était maintenant une simple province de l'empire autrichien. A l'accession au trône de Marie-Thérèse en 1740, la noblesse hongroise réunie à la Diète de Bratislava lui voua "sa vie et son sang" en échange de concessions. Ainsi fut inaugurée une période d'absolutisme éclairé qui devait se poursuivre sous le règne de son fils, Joseph II (1780-1790), le "roi en chapeau" (il ne fut jamais couronné en Hongrie).

Sous leurs règnes, la Hongrie fit de grands progrès dans les domaines économique et culturel. Les régions dépeuplées de l'est et du sud furent colonisées par des Roumains et des Serbes, tandis que des Souabes allemands s'installaient en Transdanubie. Des tentatives de modernisation de la société par la suppression des ordres religieux tout-puissants (et corrompus), l'abolition du servage et le remplacement du latin "neutre" par l'allemand comme langue officielle furent contrées par la noblesse hongroise, et l'empereur Joseph dut, sur son lit de mort, revenir sur certaines de ses décisions.

Des voix discordantes réussissaient néanmoins à se faire entendre, et les idéaux de la Révolution française commencèrent à s'infiltrer dans certains milieux intellectuels hongrois. En 1795, Ignác Martonovics et six autres républicains furent décapités à Vérmező (Budapest) pour complot contre la Couronne.

A une époque où 90% de la population travaillait la terre, les adeptes des idées révolutionnaires s'attaquèrent principalement aux problèmes de l'agriculture. Le libéralisme et la réforme sociale trouvèrent leurs plus grands supporters dans l'aristocratie. Le comte György Festetics (1755-1819) par exemple, créa le premier collège agricole d'Europe à Kesthely. Le comte István Széchenyi (1791-1860), un véritable homme de la Renaissance, surnommé "le plus grand des Hongrois" par ses contemporains soutint l'abolition du servage et céda une grande partie de ses terres aux paysans. Il régularisa le cours du Tisza et du Danube pour le commerce fluvial et l'irrigation, et encouragea la mode des courses de chevaux au sein de l'aristocratie, afin d'améliorer la qualité des animaux utilisés dans l'agriculture.

Les partisans de réformes graduelles furent rapidement débordés par une frange plus radicale demandant des actions immédiates. Elle comptait des personnalités comme Miklós Wesselényi, Ferenc Deák et le poète Ferenc Kölcsey, mais la figure dominante était Lajos Kossuth (1802-1894). C'est cet homme dynamique, avocat et journaliste, qui devait mener la Hongrie à la plus importante confrontation avec les Habsbourg.

Lajos Kossuth

La guerre d'indépendance et la double monarchie

L'empire des Habsbourg commença à décliner au début du XIXe siècle, tandis que le nationalisme hongrois prenait de la force. Certaines réformes furent mises en œuvre telles que le remplacement du latin comme langue officielle par le hongrois, et la loi donnant aux serfs la possibilité de se libérer par d'autres moyens de leurs obligations de corvées féodales.

Ces réformes furent trop limitées et trop tardives, et la Diète se montra de plus en plus méfiante vis-à-vis de la Couronne. Au même moment, la vague révolutionnaire qui balayait l'Europe donnait des espoirs à la faction la plus radicale. En 1848, le comte Lajos Batthyány fut nommé Premier ministre, et malgré la réticence des Habsbourg, l'abolition du servage et l'égalité devant la loi furent proclamées. Le 15 mars, le groupe des "Jeunes de mars" conduit par le poète Sándor Petőfi descendit dans la rue pour réclamer des réformes drastiques et faire la révolution. La patience des Habsbourg était à bout.

En septembre, les forces impériales dirigées par le gouverneur de la Croatie, Josip Jellacic, attaquèrent la Hongrie. Le gouvernement Batthyány fut renversé et une Commission de défense nationale réunie à la hâte. Le gouvernement s'installa à Debrecen et Kossuth fut élu à sa tête. En avril 1849, le Parlement proclama l'indépendance de la Hongrie et la déposition des Habsbourg.

Le nouvel empereur François-Joseph (1848-1916) qui n'avait pas hérité de la faiblesse de son prédécesseur, Ferdinand Ier, réagit promptement. Il demanda l'aide du tsar Nicolas Ier qui envoya une armée de 200 000 hommes. Mais le soutien à la révolution s'effritait déjà, surtout dans les régions de peuplement mélangé, où les Magyars étaient considérés comme des oppresseurs. Faibles et très inférieures en nombre, les troupes rebelles durent capituler durant l'été 1849.

Le pays fut durement frappé par les mesures de représailles qui suivirent. Batthyány et treize généraux furent exécutés et Kossuth exilé (Petőfi était mort au combat). L'armée autrichienne détruisit systématiquement les châteaux et les fortifications. Du peu d'architecture médiévale hongroise qui avait réchappé aux Turcs et de la guerre d'indépendance de 1703-1711, il ne resta plus que des décombres.

La Hongrie était à nouveau intégrée à l'empire austro-hongrois en tant que province conquise et l'absolutisme reprit ses droits. La résistance passive de la population et les défaites désastreuses des Habsbourg en 1859 et 1865 forcèrent néanmoins François-Joseph à négocier avec les libéraux hongrois conduits par Ferenc Deák.

Le Compromis de 1867 créait "la double monarchie" de l'empire autrichien et du royaume hongrois. C'était un État fédéral comportant deux Parlements et deux capitales, Vienne et Budapest (la ville fut constituée six ans plus tard avec la fusion de Buda, Pest et Óbuda). Seules la défense, les relations étrangères et les douanes étaient communes. La Hongrie fut même autorisée à lever une petite armée.

Cette "ère du dualisme" qui dura jusqu'en 1918 fut celle de la renaissance économique, culturelle et intellectuelle de la Hongrie. L'agriculture se développa, des usines furent construites, tandis que Franz (Ferenc) Liszt et Ferenc Erkel donnaient à la musique hongroise ses lettres de noblesse. Pendant ce temps, les bourgeois de Pest, surtout allemands et juifs, bâtissaient avec frénésie. La majeure partie de ce que l'on voit dans la capitale aujourd'hui – les grands boulevards et leurs immeubles de style éclectique, le Parlement et l'église Mathias, datent de cette époque. L'apogée de cet âge d'or coïncide avec l'exposition de 1896, qui dura six mois, organisée pour le millénaire de la conquête magyare.

Cependant, le prolétariat urbain n'avait aucun droit, et la situation des campagnes ne s'était pas améliorée. Les minorités sous contrôle hongrois, comme les Tchèques, les Slovaques, les Croates et les Roumains, étaient pressés de se "magyariser", de sorte qu'ils poussèrent de plus en plus ardemment au démembrement de l'Empire.

La Première Guerre mondiale, les Républiques et le traité du Trianon

En juillet 1914, un mois jour pour jour après l'assassinat de l'héritier des Habsbourg, François-Ferdinand, par un Serbe à Sarajevo, la double monarchie entrait en guerre au côté de l'Allemagne. Le résultat fut un désastre, entraînant d'importantes destructions et des centaines de milliers de morts sur les fronts russe et italien. A l'armistice de 1918, l'empire austro-hongrois n'existait plus. A Budapest, une république dirigée par le comte Mihály Károlyi fut proclamée immédiatement après la cessation des combats, et le monarque Habsbourg détrôné pour la troisième et dernière fois. La jeune république ne put se maintenir. L'immense pauvreté du pays, l'occupation par les vainqueurs et le succès de la révolution bolchevique avait radicalisé une grande partie de la classe ouvrière. En mars 1919, un groupe de communistes guidés par Béla Kun s'empara du pouvoir. La République dite "des Conseils" (ou soviets) nationalisa l'industrie et la propriété privée pour construire une société plus juste, mais l'opposition au régime provoqua l'instauration d'une "terreur rouge". Trois mois plus tard, Kun et ses camarades étaient renversés par une armée venue de Roumanie qui occupa la capitale.

En 1920, les Alliés décidèrent par le traité du Trianon d'agrandir certains États, d'en amputer d'autres et de créer plusieurs "États successeurs". La Hongrie faisait partie des pays vaincus et d'importantes minorités vivant sur la terre hongroise réclamaient l'indépendance. Ainsi, elle perdit les deux tiers de son territoire et son accès à la mer (et donc, sa marine). Le pays était devenu un État-nation assez uniforme mais des millions de Hongrois se trouvaient maintenant en minorité en Roumanie, en Yougoslavie et en Tchécoslovaquie.

"Trianon" est un mot abhorré en Hongrie, et l'on parle encore du *diktátum* comme s'il avait été signé hier. De nombreux problèmes actuels en sont directement issus et son ombre plane toujours sur les relations entre la Hongrie et ses voisins.

Les années Horthy et la Seconde Guerre mondiale

En 1920, lors des premières élections à bulletin secret de l'histoire du pays, la royauté fut choisie comme forme de gouvernement, avec l'amiral Miklós Horthy comme

La Hongrie avant le Traité du Trianon de 1920

régent ; il le resta jusqu'à la fin de la Seconde Guerre mondiale. Cet arrangement insolite surprit même le président Roosevelt. Après avoir été mis au courant de la situation hongroise par un conseiller, il aurait déclaré : "Voyons si je vous ai bien compris : la Hongrie est un royaume dirigé par un régent qui est un amiral sans marine ?"

Horthy déclencha une "terreur blanche", aussi brutale que la "rouge" qui avait précédé. Il s'attaqua aux communistes et aux juifs pour avoir soutenu la république des Conseils et orienta franchement le régime vers l'extrême-droite, prônant le renforcement des "valeurs traditionnelles" et du *status quo*. Le cadre parlementaire du système n'empêchait pas Horthy d'être tout-puissant. Très peu de réformes furent mises en œuvre et la situation des ouvriers et des paysans se détériora.

Néanmoins, tout le monde était d'accord sur un point : le retour des territoires perdus était essentiel au développement de la Hongrie. Très vite, le Premier ministre István Bethlen put négocier le retour de la ville de Pécs occupée illégalement par la Yougoslavie, et les citoyens de Sopron, consultés par plébiscite, votèrent en faveur du rattachement à la Hongrie. Mais ce n'était pas suffisant, et le pays ne pouvait pas compter sur l'aide de la France, de l'Angleterre ou des États-Unis. Il se tourna donc vers les gouvernements fascistes de l'Allemagne et de l'Italie. La dérive à droite s'accentua au cours des années 30, mais la Hongrie resta silencieuse quand la guerre éclata en 1939.

Horthy espérait que son alliance ne l'obligerait pas à entrer en guerre, mais après avoir récupéré le nord de la Transylvanie et une partie de la Croatie grâce aux efforts allemands, il ne put faire autrement que se joindre à l'Axe en 1941. La guerre s'avéra aussi désastreuse pour le pays que la précédente. Des centaines de milliers de soldats périrent sur le front russe où ils servaient de chair à canon. Se rendant compte, tardivement, que son pays était à nouveau du côté des perdants, Horthy voulut négocier une paix séparée avec les Alliés.

Les Allemands réagirent en occupant tout le pays en mars 1944. Horthy fut contraint de placer Ferenc Szálasi, le leader à moitié fou du parti nazi des Croix fléchées, à la tête du pays, avant d'être déporté en Allemagne. (Il mourut au Portugal en 1957 et son corps fut rapatrié en Hongrie en septembre 1993, en dépit de véhémentes protestations populaires, et enterré dans la propriété familiale à Kenderes, à l'est de Szolnok.)

Les Croix fléchées écrasèrent toute opposition et arrêtèrent des milliers de politiciens libéraux et de chefs syndicalistes. Des lois antijuives similaires à celles en vigueur en Allemagne furent édictées, et les Juifs, qui jouissaient jusque-là d'une relative sécurité furent regroupés par les nazis hongrois dans des ghettos.

Pendant l'été 1944, 400 000 hommes, femmes et enfants juifs furent déportés vers des camps de concentration ou d'extermination.

La Hongrie était devenue un champ de bataille international pour la première fois depuis l'occupation turque. Budapest fut bombardée. Des militants de tous bords, notamment des communistes, entrèrent dans la résistance qui livra des combats acharnés dans la campagne, surtout autour de Debrecen et de Székesfehérvár. A Noël, l'armée soviétique encercla Budapest et le siège de la ville commença après le rejet d'un plan de reddition par les nazis allemands et hongrois.

Au moment de la capitulation de la machine de guerre allemande, en avril 1945, beaucoup d'anciennes demeures, de monuments historiques, d'églises de Budapest, ainsi que tous les ponts de la capitale, étaient en ruines.

La République populaire

Aux élections libres de novembre 1945, le parti des petits propriétaires indépendants remporta 57% des suffrages, mais les agents politiques soviétiques appuyés par les forces d'occupation exigèrent que trois partis, dont les sociaux-démocrates et les communistes, restent dans la coalition. Une démocratie limitée était instituée et le ministre communiste de l'Agriculture, Imre Nagy, fit passer des lois de réforme de la propriété agraire qui effacèrent la structure féodale d'avant-guerre. La Hongrie fit également connaissance avec l'hyperinflation. Des billets de 10 000 milliards de pengő furent émis avant l'introduction du nouveau forint (Ft).

Deux ans après, les communistes étaient prêts à s'emparer de la totalité du pouvoir. En 1947, à l'issue d'un scrutin falsifié dans le cadre d'une nouvelle loi électorale complexe, ils déclarèrent leur candidat Mátyás Rákosi victorieux. Les sociaux-démocrates furent obligés de se fondre aux communistes dans le Parti socialiste ouvrier hongrois. C'est ce qu'on a appelé la "technique du salami", qui a fonctionné alors dans plusieurs pays de l'Est.

Rákosi, grand admirateur de Staline, commença les collectivisations et se lança dans l'industrialisation à outrance aux dépens de l'agriculture. Les paysans durent s'enrôler dans des fermes collectives, toute la production devant être livrée à l'État. Un réseau d'espions et d'informateurs dénonçaient les "ennemis de classe" à la police secrète (ÁVO) qui les jetaient en prison (comme le cardinal József Mindszenty), les envoyaient en exil intérieur ou les expédiaient dans des camps de travail, tel celui de Recsk dans les monts du Nord. On estime qu'à cette époque, un quart de la population adulte eut maille à partir avec la police ou la justice.

De graves dissensions agitaient le parti ; les purges et les procès spectaculaires étaient la norme. László Rajk, le ministre communiste de l'Intérieur (qui contrôlait aussi l'ÁVO) fut exécuté pour "titoïsme". Son successeur, János Kádár fut torturé et emprisonné. En août 1949, la Hongrie devenait République populaire.

Après la mort de Staline, en 1953, et la dénonciation de son régime par Krouchtchev trois ans plus tard, Rákosi quitta le pouvoir, mettant un terme à la terreur. Sous la pression à l'intérieur du parti, son successeur Ernő Gerő réhabilita la mémoire de

Rajk et réintégra Nagy dans le parti, qui en avait été exclu pour avoir suggéré des réformes.

Mais la ligne suivie par Gerő était aussi dure que celle de Rákosi, et en octobre 1956, lors des secondes obsèques de Rajk, les murmures en faveur d'une réforme réelle du système – un "communisme à visage humain" – se firent insistants.

Le soulèvement de 1956

La plus grande tragédie de la nation – un événement qui fit trembler le monde et le communisme et dressa une partie du pays contre l'autre – commença le 23 octobre 1956 à Buda par une manifestation d'étudiants scandant des slogans antisoviétiques et réclamant Imre Nagy comme Premier ministre. Cette nuit-là, la foule abattit la gigantesque statue de Staline proche de la place des Héros et des agents de l'ÁVO tirèrent sur un autre groupe rassemblé devant l'immeuble de la Radio hongroise à Pest. La Hongrie était en révolution.

Deux jours plus tard, Nagy constituait un gouvernement (où figurait János Kádár) et on crut un moment qu'il allait pouvoir faire de la Hongrie un État neutre et sans parti unique. Mais le 1er novembre, les chars soviétiques traversaient la frontière et, soixante-douze heures plus tard, investissaient la capitale et les grandes villes. Kádár, qui s'était enfui de Budapest pour rejoindre les envahisseurs, fut nommé chef du gouvernement.

De sanglants combats de rue se poursuivirent plusieurs jours faisant des milliers de morts. Les représailles furent terribles ; on estime à 20 000 le nombre des personnes arrêtées et à 2 000 celles qui furent exécutées, comme Nagy et ses associés, tandis que 200 000 personnes s'enfuirent vers l'Autriche.

Le gouvernement avait perdu le peu de crédit dont il avait pu bénéficier, et la nation certains de ses citoyens les plus compétents et les plus doués. Quant aux cicatrices physiques, il suffit de regarder à peu près n'importe quel immeuble de Pest, il porte encore les traces de balles et de grenades. D'une façon plus générale, cette répression en Hongrie a posé un grave problème de conscience aux communistes du monde entier.

La Hongrie sous János Kádár

La transformation de János Kádár, de traître haï par tout le pays, en réformateur respecté par ses compatriotes est un des destins politiques les plus étonnants de ce siècle. Nul doute qu'il continuera d'intéresser les historiens du siècle prochain.

Une fois le régime consolidé, Kádár entama une politique de compromis en vue de libéraliser la structure sociale et économique du pays (sa petite phrase la plus souvent citée est : "Qui n'est pas contre nous est avec nous", renversement du fameux slogan de Staline). En 1968, aidé de l'économiste Rezső Nyers, il inaugurait le "Nouveau mécanisme économique" (NME) qui devait introduire des éléments d'un marché dans l'économie planifiée. Mais c'était encore trop pour les conservateurs. Nyers fut remercié et le NME démantelé.

Ayant survécu à cette lutte de pouvoirs, Kádár se fixa à nouveau pour tâche d'introduire plus de consommation et de socialisme de marché. Au milieu des années 70, la Hongrie était à des années lumière des autres pays d'Europe de l'Est dans son niveau de vie, sa liberté de mouvement et les occasions données de critiquer le gouvernement. Peut-être fallait-il attendre sept ans pour avoir une Lada et douze ans pour le téléphone, mais la plupart des Hongrois disposaient d'une résidence secondaire à la campagne et d'une vie matérielle décente. Le "modèle hongrois" attirait l'attention des Occidentaux, et leurs investissements.

La situation se dégrada au cours de la décennie suivante. Le "socialisme du goulasch" qui paraissait "intemporel et éternel" comme le notait un auteur hongrois était incapable de faire face à des problèmes "non socialistes", tels que le chômage, l'inflation et la dette publique. Kádár refusa d'entendre parler d'une réforme du Parti, et fut mis sur la touche en 1988.

La rénovation et le changement

Trois réformateurs – Károly Grósz, Imre Pozsgay et Rezső Nyers – prirent les choses en main. Les conservateurs voulurent empêcher le changement en demandant la suspension de la libéralisation politique en échange de leur soutien à la politique économique du nouveau régime. Mais l'Histoire n'était plus de leur côté. Au cours de l'été et de l'automne 1988, de nouveaux partis politiques virent le jour et d'anciens furent reconstitués. En février 1989, constatant le changement de politique de Mikhail Gorbatchev, Pozsgay annonçait que les événements de 1956 avaient été un "soulèvement populaire", et non une "contre-révolution" comme le régime l'avait toujours prétendu. Quatre mois plus tard, une foule immense assistait aux funérailles solennelles d'Imre Nagy et des autres victimes de 1956.

En septembre, toujours à l'initiative de Pozsgay, la Hongrie coupait la clôture de barbelés électrifiés qui la séparait de l'Autriche. Une vague de vacanciers est-allemands se précipita dans cette brèche et des milliers d'autres s'apprêtaient à les suivre. L'effondrement des régimes communistes était désormais impossible à arrêter.

En octobre 1989, pour le trente-troisième anniversaire du soulèvement de 1956, le pays fut rebaptisé république de Hongrie. Les premières élections libres depuis quarante ans furent fixées au printemps suivant. Les candidats du Forum démocratique hongrois (MDF) qui faisaient campagne pour un "pouvoir calme" remportèrent 164 sièges et s'allièrent aux Petits Propriétaires indépendants (FKgP) et au Parti populaire chrétien-démocrate (KDNP) pour former un gouvernement conduit par József Antall et soutenu par 60% des députés.

Trois partis formaient l'opposition : l'Alliance des démocrates libres (SZDSZ), parti des intellectuels sociaux-démocrates ; la Fédération des jeunes démocrates (FIDESZ), réformiste, qui jusqu'en 1993 limita l'âge de ses adhérents à 35 ans pour que ses militants aient un passé non entaché de communisme, de corruption et de privilèges ; et le Parti socialiste hongrois (MSZP), une résurgence du vieux Parti ouvrier socialiste. Árpád Göncz du SZDSZ, le seul homme d'État de réelle envergure fut élu président. Dans les provinces, les candidats SZDSZ remportèrent le plus grand nombre de voix avec 18% des suffrages. A eux deux, le SZDSZ et le FIDESZ remportèrent 60% des sièges de l'Assemblée générale de Budapest.

En dépit de succès initiaux dans la maîtrise de l'inflation et l'abaissement des taux d'intérêt, une foule de problèmes économiques ont ralenti le rythme de développement, et le laxisme du gouvernement n'a pas arrangé les choses. On l'a surnommé un corps sans tête, tant sa politique économique manque d'orientation précise. Comme beaucoup de peuples de la région, les Hongrois s'attendaient à une amélioration beaucoup plus rapide de leur niveau de vie. La plupart des citoyens – 76% selon un sondage effectué en 1993 – sont très déçus.

Le gouvernement Antall est miné par les querelles internes. Une "guerre des médias" a opposé Antall à Göncz et à l'opposition durant presque toute l'année 1992. Le gouvernement a essayé (finalement sans succès) de faire passer une loi qui aurait imposé, selon l'opposition, des entraves de type communiste à l'activité des médias. Il cherchait également à remplacer les directeurs de la radio et de la télévision par ses propres hommes.

Les batailles de clans à l'intérieur du MDF et de la coalition continuent de plus belle. Environ 20% des parlementaires FKgP ont quitté la coalition pour former un parti rival, tandis que l'extrême-droite du MDF gagnait en puissance. Cette tendance était menée par István Csurka, un ancien auteur dramatique spécialisé dans les pièces nationalistes et romantiques. Son mouvement de la "Voie hongroise" qui appelle à ne "compter que sur soi" et à un rejet presque paranoïaque du communisme a su séduire certaines couches ouvrières qui se sentent trahies par la classe politique.

Les dirigeants hongrois
La liste ci-dessous regroupe les rois, dirigeants, dictateurs et chefs du gouvernement à travers l'histoire hongroise. Les noms sont donnés en français et leurs équivalents en hongrois sont entre parenthèses. Les dates sont celles de règne ou de pouvoir.

Dynastie des Árpád
Árpád 886-907
Géza 972-997
Étienne Ier (István) 997-1038
Ladislas Ier (László) 1077-95
Koloman le Studieux (Könyves Kálmán) 1095-1116
Béla III 1172-96
André II (András) 1205-35
Béla IV 1235-70
André III (András) 1290-1301

Dynasties diverses
Charles Robert (Károly Róbert) 1301-42
Louis le Grand (Nagy Lajos) 1342-82
Marie (Mária) 1383-87
Sigismond (Zsigmond) 1387-1437
János Hunyadi (régent) 1445-52
Mathias (Mátyás) Corvinus 1458-90
Vladislav II (Úlászló) 1490-1516
Louis II (Lajos) 1516-26
Jean Szapolyai (Zápolyai János) 1526-40

Dynastie des Habsbourg
Ferdinand Ier (Ferdinánd) 1526-64
Maximilien Ier (Miksa) 1564-76
Léopold Ier (Lipót) 1658-1705
Marie-Thérèse (Mária Terézia) 1740-80
Joseph II (József) 1780-90
Ferdinand V (Ferdinánd) 1835-48
François-Joseph (Ferenc József) 1848-1916
Charles IV (Károly) 1916-18

Chefs du gouvernement
Mihály Károlyi 1919
Béla Kun 1919
Miklos Horthy (régent) 1920-44
Ferenc Szálasi 1944-45
Mátyás Rákosi 1947-56
János Kádár 1956-88
Károly Grósz 1988-90
József Antall 1990-93

Mais l'ultra-nationalisme de Csurka a de forts relents antisémites, antidémocratiques voire fascistes qu'il a développés dans un essai publié le jour de la saint Étienne (la fête nationale la plus importante du pays). Expulsé du MDF en juin 1993, il a formé depuis son propre parti.

Autre sujet d'actualité important : la controverse sur l'exposition universelle de 1996 qui, à l'origine, devait être organisée conjointement avec Vienne. Après le retrait de la capitale autrichienne, la coalition au pouvoir décida de faire cavalier seul. L'opposition à l'équipe municipale de Budapest était absolument hostile au projet, faisant valoir que la ville n'avait ni l'infrastructure ni les moyens de ses ambitions. Mais l'avis ne fut pas entendu et l'exposition "Communications pour un monde meilleur" ouvrira ses portes au printemps 1996 à Buda, sur un terrain de 36 hectares au bord du Danube.

INSTITUTIONS POLITIQUES

La nouvelle Constitution instaure un système de gouvernement parlementaire unicaméral. L'Assemblée unique comprend 386 membres élus pour quatre ans au suffrage universel. Le chef de l'État est élu pour cinq ans par les députés. Le Premier ministre est le chef du gouvernement.

Six partis se partagent l'échiquier politique : le MDF, le FKgP et le KDNP pour la coalition au pouvoir, et le SZDSZ, le FIDESZ et le MSZP pour l'opposition. Il n'existe aucun parti d'extrême-droite ou d'extrême-gauche, ce qui n'est pas étonnant dans un pays où le fascisme et le communisme stalinien ont pris les rênes du pouvoir à cinq ans d'intervalle. Le MDF, qui dirigeait la coalition au pouvoir, était un rassemblement de groupes centristes dirigé par Antall, un ancien professeur d'université. Le parti agraire FKgP et le KDNP à base rurale et fortement lié à l'Église catholique sont deux formations d'avant-guerre ressuscitées à la fin des années 80.

En politique étrangère, le gouvernement suit une ligne prudente, avec le désir de se rapprocher de l'Europe occidentale, et

d'intégrer l'Union européenne. Hormis une livraison d'armes à la Croatie qui mit le gouvernement dans l'embarras, la Hongrie a refusé de s'impliquer dans la guerre civile en ex-Yougoslavie, malgré les protestations de certains extrémistes qui souhaiteraient "protéger" la minorité hongroise de Voïvodine en Serbie. La réélection massive des anciens dirigeants communistes en Roumanie et les poussées nationalistes notées dans quelques villes roumaines à forte population hongroise, comme Cluj-Napoca (Kolozsvár en hongrois), ont créé des tensions, mais le gouvernement a cherché un règlement du problème au niveau des instances internationales. L'éclatement de l'URSS et de la Tchécoslovaquie est aussi un sujet de préoccupation. L'un des plus gros soucis actuels est la poursuite par la Slovaquie des travaux sur le barrage du Danube à Gabíkovo. Budapest a renoncé à exécuter sa part du projet en 1989, sous la pression de groupes locaux et internationaux.

Emblèmes de la Hongrie

La griserie des premiers mois de 1990 a fait place à la désillusion comme en témoigne une plaisanterie qui court actuellement : "Qu'y a-t-il de pire que le communisme ?" Réponse : "Ce qui vient après, apparemment." D'après un sondage, les trois quarts des Hongrois sont déçus ou très déçus, et le processus démocratique n'intéresse plus l'électorat. Le taux de participation a été de 67% aux élections parlementaires de mars 1990, mais seulement de 40% aux élections locales, sept mois plus tard. En raison du décès de József Antall le 13 décembre 1993, la date des élections législatives a été avancée au mois de mai 1994. A l'heure où nous mettons sous presse, le résultat du second tour est encore inconnu.

ÉCONOMIE

Du fait que la Hongrie a entamé la libéralisation de son économie longtemps avant d'autres pays d'Europe de l'Est, les Hongrois comme les étrangers espéraient voir leur niveau de vie croître rapidement après le démantèlement des structures communistes. Mais au lieu de voir l'économie de marché se consolider, les premières années de la décennie n'ont livré que des chiffres décevants dans presque tous les domaines.

Le chômage est passé de 2% à plus de 13% en trois ans et l'on s'attend à 18% en 1994, avec un million de personnes sans emploi. L'inflation est redescendue dans la tranche des 20% après être montée à 35% pendant deux ans.

Les taux d'intérêt peuvent s'élever à 50%, et même le gouvernement est obligé de payer 20% d'intérêt sur ses emprunts pour combler le déficit budgétaire qui dépasse les 180 milliards Ft en 1993.

Le PNB (produit national brut) a diminué chaque année depuis 1990. En 1991, il était de 2 690 $ US par habitant (source INED).

Pour un pays protégé pendant quarante ans du chômage et de l'inflation, le choc a été rude. Les Hongrois, de surcroît, n'avaient jamais payé d'impôts ni de taxes ; or, du jour au lendemain, les salariés se trouvaient confrontés à un taux d'imposition maximum de 40% sur leurs revenus et à une TVA à deux taux sur les biens de consommation. La faillite d'une entreprise est aussi un concept nouveau pour les mentalités. La loi sur les faillites de 1992 a éliminé de nombreuses

sociétés en mauvaise santé en même temps qu'elle introduisait l'insécurité du travail et le chômage.

Cette situation n'est pas uniquement le fait du pays. En effet, l'éclatement de l'URSS a fait disparaître un important marché d'exportation. Ainsi, Ikarus, un constructeur d'autobus réputé, a toujours compté sur les achats de l'URSS, tout comme les coopératives vinicoles du Tokaj. Quant à la guerre civile en Yougoslavie, elle a porté un coup au tourisme occidental. Les Yougoslaves aisés, notamment, ne viennent plus dépenser leurs dinars en Hongrie. Depuis la réunification de l'Allemagne, les habitants de l'Est et de l'Ouest ne sont plus obligés d'aller sur les rives du lac Balaton "neutre" pour se réunir en famille. La météo s'est même mise de la partie : durant l'été 1992, l'une des pires sécheresses que l'Europe ait connu a fait chuter de 23% la production agricole.

Bien que la Hongrie ne soit pas aussi riche en complexes industriels colossaux que certains de ses voisins (la Slovaquie, par exemple), le secteur privé ne représente encore que 20% des emplois (alors que ce chiffre est de 50% en Pologne).

Le secteur étatique constitue une entrave majeure au développement économique, et les essais de privatisation n'ont pas été concluants. Si la plupart ont été constitués en sociétés autonomes aptes à se gérer selon les lois du commerce, beaucoup de lourds conglomérats sont incapables de générer du profit. Équipement obsolète, stocks invendables, personnel pléthorique et droit foncier peu clair ont rendu impossible la vente de certaines compagnies, même les plus cotées.

L'horizon, néanmoins, n'est pas entièrement bouché. Le niveau de vie n'est pas dramatique. L'économie parallèle est prospère ; même le gouvernement reconnaît son importance. Beaucoup d'impôts ne sont jamais payés parce que les petits entrepreneurs camouflent leurs revenus.

De fait, les mille stratagèmes pour échapper au percepteur sont un sujet de conversation aussi fréquent qu'en Italie.

Les ouvriers des compagnies étatiques ont souvent un second emploi auquel ils se consacrent pendant leurs heures de travail officielles. Le taux de chômage à Budapest est relativement bas (7%). Les régions les plus touchées jusqu'à présent sont le Nord-Est en pleine dépression et les centres industriels des monts du Nord.

Les familles peuvent encore passer leurs week-ends et leurs étés dans leurs *házikó* – maison secondaire à la campagne – même si elles ont dû faire des sacrifices. Les meilleurs restaurants sont maintenant fréquentés presque exclusivement par les étrangers, alors que dîner à l'extérieur a toujours été une des sorties favorites à la portée de la majorité des Hongrois. La crainte de perdre son emploi fait économiser, et le taux d'épargne (15%) est l'un des plus élevés du monde.

Le passage à une économie capitaliste a fait apparaître des coûts jusque-là ignorés : impôts sur le revenu, assurance automobile et frais de santé. Mais la plupart des Hongrois payent des loyers très faibles et beaucoup ont pu acquérir leur appartement ou leur maison lors d'opérations de privatisation pour un prix très inférieur à celui du marché. Il reste que l'inflation et la faiblesse des salaires maintient le pouvoir d'achat à des niveaux très bas.

Beaucoup d'observateurs espèrent, la Hongrie ayant été la première à plonger dans l'économie de marché, que le pire est passé. L'importante base agricole est relativement efficace, le pays n'est pas encombré d'usines préhistoriques en trop grand nombre et il a pu développer assez rapidement son secteur tertiaire .

Les exportations ont progressé de manière encourageante (ces fameux autobus Ikarus sont maintenant vendus en Asie et au Moyen-Orient, par exemple) ce qui lui permet d'honorer sa dette extérieure de 22 milliards de dollars. Les investissements des firmes étrangères comme General Electric, General Motors et Suzuki qui ont injecté 4 milliards de dollars dans l'économie à la fin de 1992, porteront leurs fruits à partir de 1994.

GÉOGRAPHIE

La Hongrie s'étend dans le bassin des Carpates, presque au centre de l'Europe. Depuis la dissolution de l'URSS et de la Yougoslavie, elle partage sa frontière avec sept pays : l'Autriche, la Slovaquie, l'Ukraine, la Roumanie, la Serbie, la Croatie et la Slovénie. Sa superficie est à peu près de 93 000 km², soit 1% de la superficie totale de l'Europe.

On y rencontre trois types de relief : les régions basses de la Grande Plaine (Nagyalföld) à l'est, au centre et au sud-est, et de la Petite Plaine (Kisalföld) au nord-ouest, qui représentent les deux tiers du territoire ; les chaînes montagneuses du nord ; et la région vallonnée de la Transdanubie, à l'ouest et au sud-ouest. Les grands fleuves sont le Danube et le Tisza qui divisent le pays en trois tiers, et le Dráva au sud-ouest, en commun avec la Croatie. Plus d'un millier de petits lacs et d'innombrables sources d'eau thermale parsèment le pays.

Les grandes régions

Les divisions topographiques ne reflètent pas fidèlement les subtiles différences géographiques et culturelles de la Hongrie. Le voyageur n'est pas aidé non plus par le découpage en dix-neuf départements administratifs. Il est préférable de partager le pays en huit grandes régions : Budapest et ses environs ; la Boucle du Danube ; la Transdanubie Occidentale ; la région du lac Balaton ; la Transdanubie Méridionale ; la Grande Plaine ; les monts du Nord ; et le Nord-Est.

L'agglomération de Budapest, la plus grande ville du pays avec plus de 2 millions d'habitants, est bordée au sud par l'île de Csepel sur le Danube, le début de la Grande Plaine à l'est, les collines de Buda à l'ouest et la Boucle du Danube au nord. Le Danube coupe la ville en deux, avec Pest à l'est (rive gauche) en terrain plat, et Buda à l'ouest en terrain vallonné. Une douzaine de bains, thérapeutiques ou non, exploitent les sources chaudes de la ville.

La Boucle du Danube est l'endroit où le fleuve coulant d'ouest en est vient buter

SLOVAQUIE

UKRAINE

AUTRICHE

Boucle du
Danube

Hautes Terres
du Nord

Nord-Est

Sárospatak

Miskolc •

Salgótarján •

Nyíregyháza •

Sopron •   Győr •

Eger •

Tatabánya •

Plaine Centrale

Plaine Orientale

Transdanubie Occidentale

Budapest

Debrecen •

• Szombathely

Székesfehérvár •

Veszprém •

Szolnok •

ROUMANIE

Zalaegerszeg •

Balaton

Lac
Balaton

• Kecskemét

Békéscsaba •

Transdanubie Méridionale

• Kalocsa

Plaine
Méridionale

SLOVÉNIE

Kaposvár •   Szekszárd •

• Szeged

Régions de
Hongrie

• Pécs

0   25   50 km

CROATIE   YOUGOSLAVIE

contre deux chaînes de montagnes qui dévient son cours vers le sud. C'est une région accidentée d'une grande beauté, au passé historique très riche, et que l'on visite facilement en une journée depuis Budapest. La principale ville de la Boucle du Danube est Esztergom.

La Transdanubie, la région "de l'autre côté du Danube" (autrement dit à l'ouest) est très variée. La Transdanubie Occidentale est vallonnée et plate (la Petite Plaine se trouve au nord) ; ses principaux centres sont Győr, Sopron et Szombathely. Le centre de la Transdanubie est dominé par le Balaton, le plus grand lac d'Europe hors Scandinavie, et l'antique ville de Székesfehérvár.

La Transdanubie Méridionale, avec Pécs pour capitale officieuse, est moins vallonnée mais son sous-sol est plus riche. On cultive la vigne dans les trois parties de la Transdanubie.

La Grande Plaine, dite la *puszta*, est une immense prairie dépassant à peine les 200 mètres d'altitude qui s'étend sur des centaines de kilomètres à l'est du Danube. C'était autrefois le royaume des bergers. La partie centrale, la plus industrialisée, a Szolnok pour "capitale". La Plaine orientale est pour l'essentiel un pâturage salé où paissent des troupeaux, dépendant économiquement de Debrecen. La Plaine méridionale est une riche terre agricole vouée aux cultures céréalières et fruitières, dont la monotonie est interrompue çà et là par des fermes. Les villes-marchés d'importance sont Kecskemét et Szeged.

Les monts du Nord n'ont pas plus de 400 à 800 mètres d'altitude. Le plus élevé, le Kékestető dans les monts Mátra dépasse tout juste 1 000 mètres. Les vallées et les monts boisés sont parsemés de vignes et de centres industriels (dont beaucoup sont sur le déclin). Miskolc et Eger sont les grandes villes de cette région.

Le Nord-Est est beaucoup plus bas que les Hautes Terres du Nord mais pas aussi plat que la Grande Plaine centrale. C'est une région fruitière, hétérogène d'un point de vue ethnique, où vit la majeure partie des Tziganes du pays. La ville de Nyiregyháza en est le centre économique.

Le peuplement

Environ 70% des terres hongroises sont mises en cultures et 14% sont recouvertes de forêts. La densité de la population est de 112 habitants au km², et 65% des Hongrois vivent dans des villes. Plus de la moitié des 3 500 villes et villages se trouvent en Transdanubie.

Les agglomérations sont de trois types selon la région. Le plan radial avec des rues débouchant dans la nature est fréquent dans la Plaine orientale. La rue unique le long de laquelle se concentrent toutes les maisons du village est habituelle dans les monts du Nord et en Transdanubie, tandis que certains villages de la Plaine méridionale sont disposés en damier. Dans certains villages, surtout dans le sud du pays, l'habitat est très clairsemé.

La pollution

On peut dire que la pollution est l'héritage le plus douloureux et, par bien des aspects, le plus coûteux de l'ancien régime communiste. Si l'unique centrale nucléaire du pays, à Paks en Transdanubie Méridionale produit presque 50% de l'électricité, le charbon de mauvaise qualité, qui alimente encore certaines industries et quelques maisons, dégage du dioxyde de soufre et crée des pluies acides qui menacent les forêts du nord. Les automobiles construites dans l'ancien bloc soviétique, notamment les Trabant est-allemandes au moteur à deux temps, ont élevé les taux d'oxyde d'azote aux niveaux les plus hauts d'Europe. Le nombre de cancers des poumons pour 1 000 habitants, à Budapest, a doublé en vingt ans et l'on estime qu'un décès sur dix-sept peut être attribué à la pollution de l'air. Les déchets de l'armée soviétique, notamment les dépôts enterrés de produits

chimiques toxiques et le kérosène jeté sans précaution, menacent le sol, les nappes phréatiques, les rivières et les lacs.

Des mesures ont été prises pour réparer les dégâts. Une taxe de 12% frappe les voitures neuves qui ne seraient pas équipées de pots catalytiques. En 1992, l'État a signé un accord avec les Russes dit "option-zéro" par lequel la note de nettoyage estimée à 2 milliards de dollars est effacée en échange de la cession des propriétés et des installations abandonnées. Les fonds consacrés à l'environnement sont minimes, mais certains progrès sont déjà notables dans les villes les plus touchées comme Esztergom, Veszprém et Debrecen. Mais, même à un rythme accéléré, la remise en état complète du pays, y compris de certaines zones arasées par les exercices de tir soviétiques, n'interviendra pas avant une quinzaine d'années.

CLIMAT

La Hongrie jouit d'un climat tempéré, variable, en général très agréable. Le bassin des Carpates est une cuvette bordée au sud-ouest par les monts Dinariques, les Alpes à l'ouest et les Carpates au nord et au sud-est. Ces chaînes déterminent les trois zones climatiques du pays : méditerranéenne au sud, continentale à l'est et océanique à l'ouest.

En Transdanubie Méridionale, le printemps survient précocement et son célèbre été indien peut se prolonger jusqu'en novembre. Les hivers sont doux et humides. Les saisons sont beaucoup plus accusées dans la Grande Plaine avec des hivers très froids et venteux, des étés chauds et en général secs (entrecoupés d'orages soudains). Le climat des Hautes Terres du Nord est également continental mais les automnes et les hivers sont plus ensoleillés qu'ailleurs.

Le printemps arrive début avril à Budapest et en Transdanubie Occidentale et se termine en averses. Les étés peuvent être très chauds et humides (surtout dans la capitale) ; il pleut presque tout le mois de novembre et le froid n'arrive vraiment que

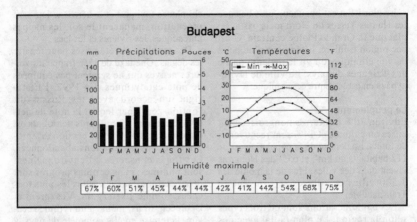

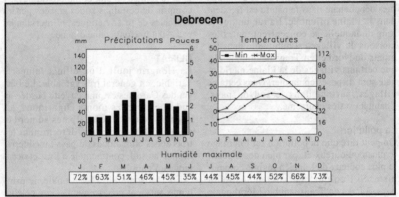

fin décembre. Les hivers sont assez courts, souvent couverts et humides, avec parfois un soleil éclatant. Le peu de neige que reçoit cette région fond après un jour ou deux.

La température moyenne du pays tout entier est de 11°C. Janvier est le mois le plus froid (-2°C) et juillet le plus chaud (23°C). L'ensoleillement annuel varie entre 1 900 et 2 500 heures, soit un des plus élevés d'Europe (il est d'environ 2 000 heures à Budapest). D'avril à fin septembre, on peut compter sur une moyenne de 10 heures de soleil par jour. Les précipitations varient suivant la région.

FAUNE ET FLORE

La Hongrie abrite plus de 2 000 espèces de fleurs dont beaucoup se rencontrent rarement sous ces latitudes. De nombreuses fleurs des monts Villány de Transdanubie Méridionale, par exemple, appartiennent à la flore méditerranéenne : quant à la région saline d'Hortobágy dans la plaine orientale, elle abrite des espèces maritimes.

La forêt de Gemenc sur le Danube près de Szekszárd : le Petit Balaton, au centre de la Transdanubie, et le bras mort du Tisza, à l'est de Kecskemét, sont d'importantes régions marécageuses. Les forêts

Cigogne

Outre les parcs, il existe aussi un millier de "paysages protégés" et de zones de "nature protégée", aussi divers que le Sashegy ("mont de l'aigle") à Buda, la péninsule entière de Tihany sur le lac Balaton, ou un groupe de vieux chênes dans le centre de Hajdúböszörmény.

POPULATION ET ETHNIES

Enrico Fermi (1901-1954), le prix Nobel de physique italo-américain, à qui l'on demandait s'il croyait à l'existence des extra-terrestres répondit : "Bien sûr qu'ils existent... [et] ils sont déjà parmi nous. On les appelle les Hongrois". Le Dr Fermi voulait naturellement parler des Magyars, un peuple asiatique d'origine obscure, qui ne parle pas une langue indo-européenne et qui constitue l'immense majorité des 10,37 millions d'habitants du pays.

Il faut y ajouter les Hongrois vivant hors des frontières nationales du fait du traité du Trianon, de la dernière guerre et du soulèvement de 1956, qui représenteraient, selon les estimations les plus sérieuses, près de la moitié de ce nombre. Les deux millions de Hongrois vivant en Transylvanie roumaine forment la plus grande minorité ethnique d'Europe. Mais ils sont aussi 700 000 en Slovaquie ou en République tchèque, 650 000 en Serbie ou en Croatie, 200 000 en Ukraine et 70 000 en Autriche. Ceux qui ont émigré aux États-Unis, au Canada et en Israël représentent encore un million.

La Hongrie n'est pas le pays homogène qu'il paraît être au premier abord. La minorité la plus importante sont les Tziganes, originaires d'Inde, et qui seraient entre 400 000 et 600 000. Environ 2% de la population hongroise se considère comme allemande ou parle allemand en première langue, un peu plus de 1% est slovaque, et 0,9% croate ou d'autre appartenance slave du Sud. Le nombre de Roumains est officiellement de 25 000, mais leur nombre réel - avec ceux qui se font passer pour des Transylvaniens hongrois - est certainement plus élevé. Ces minorités vivent surtout dans les régions frontalières et sont employées dans l'agriculture, malgré le

comportent essentiellement des chênes et des hêtres où se mêle un petit nombre de sapins.

Les animaux communs d'Europe y sont nombreux (cerfs, lièvres, sangliers, loutres) auxquels il faut ajouter quelques espèces rares (chats sauvages, chauves-souris des lacs, lézards de Pannonie).

Les trois quarts des 450 vertébrés du pays sont des oiseaux, surtout aquatiques, attirés par les rivières, les lacs et les marais. Certaines zones de la Grande Plaine et des Hautes Terres du Nord sont d'importants lieux de nidification pour les oiseaux migrateurs.

La Hongrie compte cinq parcs nationaux. Ceux de la Grande Plaine centrale – Hortobágy et Kiskunság – protègent la faune sauvage, les marécages et les prairies salées de la puszta. Deux autres sont situés dans les Hautes Terres du Nord : celui du massif de Bükk presque entièrement boisé, et celui de la région d'Aggtelek avec son vaste système de grottes et de cours d'eau karstiques taillés dans le calcaire. Le plus petit et le plus récent des parcs nationaux a été ouvert en Transdanubie Occidentale autour du lac Fertő que se partagent Hongrois et Autrichiens (qui l'appellent Neusiedlersee).

Couple de paysans hongrois

vaste exode rural des années 40 et 50. Les Allemands sont concentrés en Transdanubie Occidentale et à Pécs, les Slaves du Sud en Transdanubie Méridionale, les Slovaques en Transdanubie et dans la Grande Plaine, et les Tziganes dans le Nord-Est. Les Hongrois ne sont pas tous Magyars, mais ils sont réunis par la langue.

La relative aisance économique, la stabilité politique et le laxisme au passage des frontières depuis 1989 a fait du pays une plaque tournante de l'immigration clandestine et des réfugiés fuyant la crise économique ou la guerre, et venant de pays aussi proches que la Bosnie et aussi lointains que la Chine. Roumains, Ukrainiens, Hongrois de Transylvanie et Chinois de Chine populaire vendent leurs marchandises dans les rues et sur les marchés aux puces du pays. A la fin de 1992, on estimait à 115 000 le nombre d'immigrants clandestins, asiatiques, africains et arabes qui restent après l'expiration de leurs visas ou qui s'infiltrent d'une manière ou d'une autre. Les plus repérables ont été placés en camp de détention – dont celui, critiqué, de Kere-

pestarcsa à l'extérieur de Budapest – et retenus jusqu'à huit mois avant d'être renvoyés.

Hormis ces cas, les minorités ethniques ne souffrent pas de discrimination et leurs droits sont inscrits dans la nouvelle Constitution qui garantit également leur participation à la vie publique, la promotion de leurs cultures et l'usage de leurs langues – y compris à l'école. Les discriminations envers des groupes nationaux, ethniques, raciaux ou religieux sont punies par la loi.

Cela n'a pourtant pas empêché les agressions occasionnelles contre des étrangers non blancs, la montée préoccupante de l'antisémitisme et la haine et le rejet universel des Tziganes. Déjà traditionnellement sous-employés, ces derniers ont été les plus touchés par la récession économique et transformés sans aucun motif raisonné en boucs-émissaires, responsables dans certaines régions de tout ce qui va mal : de la montée de la criminalité à la perte des emplois. Leur habitat est le plus déshérité du pays ("qui voudrait vivre à côté d'un Tzigane ?" est le sentiment général de la population). Ils sont parfois malmenés par la police, et plus qu'aucune minorité, ils craignent les tendances au "renouveau national". Vous serez sûrement consterné par les propos que tiennent les Hongrois, même les mieux éduqués et les plus cosmopolites, sur les Tziganes et leur mode de vie.

L'espérance de vie est très faible comparée aux niveaux européens : 65 ans pour les hommes, 74 ans pour les femmes. Le taux de natalité est de 12 naissances pour 1 000 habitants (source INED). Le pays détient également le triste honneur d'avoir le taux de suicide le plus élevé du monde, juste devant la Finlande et l'Estonie, ses cousins linguistiques. Les psychologues et les sociologues se disputent sur les raisons d'un tel record. Pour certains, la propension des Hongrois à la mélancolie pourrait les mener jusqu'au passage à l'acte. D'autres décèlent un lien avec un phénomène assez répandu à la fin du siècle passé. Alors que l'aristocratie était en pleine déliquescence, les *nemesek* (nobles), dont certains ne vivaient pas mieux que la paysannerie locale, mettaient fin à leurs jours pour "sauver leur nom et leur honneur". Par conséquent, le suicide, hier comme aujourd'hui, n'est pas considéré comme une infamie et les victimes ont le droit à une sépulture en terre bénie. L'euphémisme habituel des notices nécrologiques est le suivant : "M. X a trouvé une mort soudaine et tragique." La pendaison est le moyen choisi dans 60% des cas.

SYSTÈME ÉDUCATIF

La Hongrie est un pays au niveau d'éducation élevé, avec un taux d'alphabétisation frôlant les 98%. L'école est obligatoire jusqu'à l'âge de 16 ans, et les trois quarts des enfants qui abandonnent leurs études ont suivi avec succès les huit premières classes.

Le système éducatif s'inspire du modèle allemand. L'école primaire ou élémentaire (*általános iskola*) est suivie de quatre ans d'école secondaire dans un lycée d'enseignement général (*gimnázium*) ou professionnel (*szakiskola*). 30% des plus de 18 ans possèdent un certificat d'études secondaires. L'inscription dans une université ou une grande école est l'enjeu d'une rude compétition. Le nombre de places est limité et les conditions requises draconiennes. Environ 10% de la population possède un diplôme universitaire, dont un quart de technologie ou d'économie.

La chute de la natalité depuis le milieu des années 70 a fait diminuer les inscriptions dans les écoles maternelles et primaires, tandis que la demande de places dans le secondaire a augmenté. Les lycées professionnels sont également en perte de vitesse, suivant en cela le déclin ou l'abandon total des programmes de formation des grandes compagnies étatiques.

La Hongrie est réputée à l'étranger pour certaines branches d'éducation spécialisée. Ainsi pour l'enseignement de la musique par exemple, on utilise une méthode élaborée par le compositeur Zoltán Kodály (1882-1967). Quant à l'Institut Petö de Budapest (dont une annexe vient d'ouvrir à Londres), il obtient de beaux succès dans l'apprentissage de la marche aux enfants atteints de paralysie cérébrale.

La chute du communisme a entraîné un changement radical du contenu de l'enseignement et du personnel enseignant. Les Églises dirigent désormais une quarantaine d'écoles primaires et secondaires. Le russe autrefois obligatoire est à peine recherché de nos jours, et les milliers de professeurs de langue ont dû se recycler. L'allemand et l'anglais sont maintenant choisis en priorité. L'interprétation marxiste-léniniste de l'histoire et de l'économie a disparu des programmes et les liens historiques et culturels de la Hongrie avec l'Europe occidentale sont soulignés avec force.

Si vous avez la chance de pénétrer à l'intérieur d'une entreprise, vous serez surpris de constater combien de jeunes diplômés occupent des postes relativement élevés dans les "nouvelles professions" (droit des sociétés, bourse, finance internationale). Pour l'instant, ce sont les seuls à posséder la formation suffisante pour occuper ces fonctions. En revanche, de nombreuses personnes d'un très haut niveau, en science, par exemple (domaine où les Hongrois excellent, comme en témoigne la quantité de prix Nobel), sont attirés en Europe occidentale et aux États-Unis où les rémunérations, les conditions de travail et le niveau de vie sont meilleurs. En 1991-1992, plus de 50 000 diplômés ont quitté le pays.

ARTS

L'art hongrois a tantôt souffert, tantôt profité des convulsions de l'histoire où le pays se trouva mêlé. La conversion du roi Étienne au catholicisme a ouvert la voie à l'art roman, puis gothique, tandis que l'occupation turque a étouffé la Renaissance hongroise dans l'œuf. Les Habsbourg ouvrirent grand les portes aux influences baroques et, sous la double monarchie, les arts furent florissants. Ils le restèrent en dépit de la mutilation du pays, et du joug fasciste. Le communisme apporta son esthétique des gerbes de blé et des métallurgistes musculeux, mais il en fallait plus pour impressionner la Hongrie, et l'argent fut surtout dépensé pour la musique et les "arts corrects" comme le théâtre classique.

Il serait insensé, sinon impossible, de laisser l'art populaire de côté dans un compte rendu sur les arts hongrois. Beaux-arts et arts populaires sont inextricablement liés depuis des siècles pendant lesquels ils se sont influencés mutuellement. La musique de Béla Bartók (1881-1945) et les sculptures en céramique de Margit Kovács (1902-1977) sont profondément enracinées dans la culture traditionnelle.

Partout en Hongrie, mais surtout en Transdanubie Méridionale et autour du lac Balaton, vous verrez de très beaux spécimens de maisons paysannes baroques ou néo-classiques.

L'architecture et la peinture

Les exemples de styles roman et gothique sont plus rares en Hongrie qu'en Slovaquie et en République tchèque. Les Mongols, les Turcs et les Habsbourg en ont détruit l'essentiel, mais l'abbatiale de Ják est un bel exemple d'architecture romane, et Nyírbátor et Sopron possèdent d'importantes églises gothiques. Pour admirer des peintures gothiques, il faut visiter le musée chrétien d'Esztergom et ses retables du XVe siècle. La chapelle du Corpus Christi de la cathédrale de Pécs et le Palais royal de Visegrád renferment de beaux éléments Renaissance.

Le baroque abonde en Hongrie ; il est présent dans presque toutes les villes. Pour ses ensembles imposants, il faut visiter le palais Esterházy à Fertőd ou l'église des Frères mineurs à Eger. Les retables largement sculptés de l'église des Frères mineurs de Nyírbátor et de l'abbatiale de Tihany sont des chefs-d'œuvre. Les plus grands représentants de ce style au cours du XVIIIe siècle furent les fresquistes Anton Maulbertsch (église de l'Ascension à Sümeg) et István Dorffmeister (palais épiscopal de Szombathely).

Une architecture proprement hongroise apparaît au milieu du XIXe siècle, avec Mihály Pollack, József Hild et Miklós Ybl qui construisirent des châteaux et des cathédrales dans tout le pays, et changèrent le visage de Budapest. La peinture héroïque de l'école romantique nationaliste, dont les chefs de file furent Bertalan Székely (1835-1910) et Gyula Bencúr (1844-1920) céda heureusement la place au réalisme de Mihály Munkácsy (1844-1900), le peintre de la puszta. Mais les meilleurs artistes de cette période furent Tivadar Kosztva Csontváry (1853-1919) et József Rippl-Rónai (1861-1927), dont les œuvres majeures sont visibles dans leurs musées respectifs, à Pécs et Kaposvár.

Les créateurs hongrois du XXe siècle les plus appréciés sont les expatriés Victor Vasarely (né en 1908), le père de l'Op-Art, Lásló Moholo-Nagy (l'un des fondateurs du Bauhaus), le sculpteur Amerigo Tot (1909-1984) ainsi que le photographe Brassaï (Guyla Halasz), né à Brasso en Transylvanie.

Deux artistes de grande renommée ont cependant choisi de travailler dans leur pays : le peintre Béla Czobel et Lajos Kassak, une figure de l'avant-garde.

Le style "romantique éclectique" d'Ödön Lechner (musée des Arts appliqués de Budapest) et l'Art Nouveau hongrois (palais Reök à Szeged) ont créé, à la fin du XIXᵉ et au début du XXᵉ siècle une architecture tout à fait spécifique. Les amateurs d'Art Nouveau verront ici les plus beaux exemples de ce style en dehors de Bruxelles et de Vienne.

L'architecture d'après-guerre est totalement insipide, à l'exception des constructions d'Imre Makovecz, qui a développé son propre style "organique" (pas toujours apprécié localement) à base de matériaux originaux comme des troncs d'arbre et du gazon. Ses œuvres sont partout, mais les exemples les plus déroutants sont le centre culturel de Sárospatak, l'église luthérienne de Siófok et le centre du parc de Visegrád.

Le cinéma

Le premier grand film muet hongrois remarqué fut *Aujourd'hui et demain* (1912) réalisé par un certain Mihaly Kertesz, qui connaîtra la gloire plus tard et plus loin sous le nom de Michaël Curtiz.

La Première Guerre mondiale, l'éphémère République des Conseils de Béla Kun, la dictature de l'amiral Horty, puis la période stalinienne ne permirent pas beaucoup aux créateurs hongrois de laisser s'exprimer leur talent... D'où une production peu intéressante jusqu'en 1953 et une forte émigration.

Les cinéastes hongrois expatriés. De nombreux cinéastes hongrois ont choisi le départ pour l'Europe ou Hollywood. C'est en effet Michaël Curtiz qui tourne l'un des films mythiques du cinéma américain : *Casablanca* (1943).

C'est à un autre Hongrois émigré, Alexander Korda (Sandor Kellner) que les Français doivent l'un des premiers grands succès du parlant : *Marius* (1931) sur un scénario de Pagnol avec Raimu, Fresnay et une partie de belote classée depuis lors Monument historique. En 1948, toute l'industrie du cinéma (production, distribu-

tion, exploitation) fut nationalisée. Entre la mort de Staline en 1953 et l'intervention des chars russes de 1956, une petite fenêtre de trois années permet néanmoins à un très beau film, *Un petit carrousel de fête* de Zoltan Fabri (1955) de connaître un grand succès populaire. Il a attiré l'attention de l'étranger sur la cinématographie magyare avant que les événements de 1956 ne plonge le pays dans le noir pendant dix ans.

Le "Nouveau cinéma" des années 60.

Après 1956, János Kádár a commencé sa timide libéralisation de la société magyare par les arts. C'est alors que s'ouvre la première grande période du cinéma hongrois appelée en Europe le "Nouveau cinéma hongrois".

Une nouvelle génération de réalisateurs va faire la réputation internationale du cinéma hongrois et l'imposer dans tous les grands festivals.

Outre Miklós Jancsó, il faut citer István Gaal : *Les Vertes Années* (1965), description de l'arbitraire stalinien, Ferenc Kosa : *Dix Mille Soleils*, prix de la mise en scène à Cannes en 1967 et c'est déjà István Szabó qui est le premier à évoquer directement l'insurrection de 1956 dans *L'Age des illusions* (1964). Ce film insère des images de novembre 1956 dans la description de la destinée parallèle de cinq jeunes gens en fin d'études. A la fin du film, les opératrices de téléphone répètent pendant deux ou trois minutes aux abonnés qu'elles sont chargées d'appeler : «Éveillez-vous ! Éveillez-vous ! Éveillez-vous !». Le message est clair.

Ce "Nouveau cinéma" a permis la reconnaissance de deux grandes réalisatrices : Judith Elek et surtout Marta Meszáros, attentive aux problèmes de la femme dans la très masculine société hongroise et reconnue internationalement grâce à *Cati* (1968) et surtout à *Journal intime* (1984).

Miklós Jancsó. Révélé par *Les Sans-Espoir* au festival de Cannes en 1965, il est la figure de proue du cinéma hongrois. Bien qu'il n'ait pas vécu les événements de novembre 1956 (il tournait alors en Chine), Jancsó est obsédé par l'oppression et la violence politique. Comme ses amis, il l'évoque surtout à travers les épisodes sanglants de l'histoire hongroise.

Toutefois, il s'exprime avec une certaine distance émotionnelle et une grande maîtrise des formes, construisant un style très personnel. On parlera alors d'une "sorte de ballet cruel et glacé" démontant les mécanismes de l'oppression : la haine, la délation, la peur. Marxiste convaincu, il parvient peut-être, grâce à l'abstraction, à laisser vivre son utopie. Car malgré l'échec sans cesse décrit, les films de Jancsó délivrent un message d'espoir dans l'avenir de la révolution.

Après *Rouges et Blancs* (1967) sur les Hongrois pris dans la guerre civile de 1920 en Russie, où les armées blanches furent vaincues par les bolcheviks à Moscou mais l'emportèrent à Budapest contre Béla Kun, puis *Ah ! ça ira !* (1968), plus influencé par l'élan révolutionnaire et l'utopie soulevés par le Mai 68 français et du printemps de Prague (de jeunes communistes sauvent des séminaristes en pleine période stalinienne), on a pu écrire de son cinéma qu'il utilisait l'histoire de la Hongrie dans des recompositions sans véritable "sens" où finalement Rouges et Blancs finissent par se confondre dans l'utilisation commune des mêmes méthodes de domination violente.

Cette interrogation de l'histoire qui dérive vers une recherche esthétique, une abstraction stylisée, a fait toute l'originalité du cinéma de Jancsó et assuré sa renommée internationale. Quiconque a vu un jour *Psaume rouge* (1971) ne peut oublier le style de Jancsó.

Il a aussi tourné quelques films en Italie, dont le fameux *Vices privés, Vertus publiques* (1976) sur le drame de Mayerling, où un réel érotisme, peu commun chez lui, vise peut-être à réagir aux critiques sur l'abstraction et la froideur de ses films précédents.

Revenu en Hongrie, Jancsó se remet au travail avec une ambitieuse trilogie historique : *Rhapsodie hongroise* dont les deux premiers volets sont sortis en 1978 et 1979 et présentent un style de narration plus classique.

Il conserve un grand prestige en Hongrie et chez les intellectuels occidentaux qui lui ont consacré de nombreux ouvrages et articles depuis les années 60.

Le cinéma hongrois post-communiste. Il est difficile de dire dès à présent ce que sera le cinéma hongrois d'après 1989. Un cinéma comme celui de Jancsó qui s'était habitué à se jouer de la censure peut-il survivre en économie de marché ?

Il semble que l'avenir repose sur des cinéastes comme István Szabó, révélé dans les années 80 au public international par *Méphisto* (Oscar du meilleur film étranger en 1981) et surtout le fameux *Colonel Redl* (1985), fresque admirable de la vie d'un officier de l'armée austro-hongroise du début du siècle.

Après 1989, István Szabó devient, comme nombre d'anciens cinéastes de l'Est un cinéaste "européen", trouvant à l'étranger les moyens de réaliser ses films. Cela donne une curieuse *Tentation de Vénus* (1991) avec Glenn Glose et Niels Arestup, qui permet à Szabó de gagner la confiance des producteurs.

Il peut ainsi tourner l'année suivante un brûlant *Chère Emma* (Ours d'argent au festival de Berlin en 1992) sur la société hongroise post-communiste vue par deux jeunes femmes, professeurs en lycée, qui veulent profiter de la vie mais qui souffrent aussi du vertige que provoque l'installation d'un nouveau système de valeurs morales et sociales. *Chère Emma* est certainement le film à voir avant de visiter le pays.

L'art populaire

Les traditions populaires hongroises sont parmi les plus riches d'Europe, et c'est certainement le domaine artistique – à la grande exception de la musique – où le pays a donné le meilleur de lui-même. Beaucoup de Hongrois citadins voudraient ne pas l'entendre, considérant l'art populaire comme un sous-art dont l'élévation fut l'œuvre du régime communiste. C'est pourtant la vérité.

Depuis le début du XVIIIe siècle, époque où une partie de la paysannerie accéda à l'aisance, les gens du peuple ont cherché à embellir leur cadre de vie en peignant et en décorant objets et vêtements.

Deux choses doivent être rappelées concernant l'art populaire. D'abord, à quelques très rares exceptions près (les peintures "primitives" du musée d'Art naïf de Kecskemét, par exemple), seuls les objets utilitaires étaient décorés. Ensuite, ce n'est pas un "art de cour" fabriqué par des artisans comme les cloisonnés de Chine ou les œufs de Fabergé. C'est l'œuvre de gens ordinaires essayant d'exprimer d'une manière sincère et originale le monde simple qui les entoure. Certains objets sont de grande qualité et l'on remarque même à l'occasion la trace du génie dans le travail d'un homme qui n'est sans doute jamais sorti de son village ou de sa ferme.

Bien que l'art populaire, hélas, soit moribond en dehors des musées (les régions hongroises de Transylvanie suivent un chemin différent), l'isolement ou le désir de continuer la tradition, pour des raisons économiques ou esthétiques, font que des foyers de création restent cependant actifs dans tout le pays. Laissez de côté les *népművészeti bolt* (magasins d'art populaire) : ils sont remplis de mièvreries de mauvais goût, produites en série.

Le grand centre du tissage artisanal est la région de Sárköz en Transdanubie Méridionale – ses tissus noir et rouge très reconnaissables sont partout reproduits. Des tissages plus simples sont vendus dans le Nord-Est, surtout autour de Tiszahát et près de Kisvárda.

Le roseau étant abondant dans ces régions autrefois marécageuses, les gens sont devenus d'habiles vanniers.

Trois communautés se distinguent dans la broderie, le sommet de l'art populaire hongrois : les Palóc des monts du Nord, surtout autour de Hollókő ; les Mátyó de Mezőkövesd et les femmes de Kalocsa.

Les caractères et les mérites sont discutés dans les chapitres appropriés, mais personne ne manie l'aiguille avec autant de perfection qu'une Mátyó. Les lourds manteaux en laine imperméable appelés *szűr*, que portaient autrefois les bergers de la Grande Plaine, étaient magnifiquement enrichis d'ornements brodés par des hommes utilisant un gros fil pelucheux.

La poterie est somptueuse. Aucune cuisine hongroise n'est complète sans ses quelques paires d'assiettes ou de bols peu profonds accrochés au mur. Le centre de cette industrie est la Grande Plaine – Hódmezővásárhely, Karcag et Tiszafüred – mais de beaux exemplaires proviennent aussi de Transdanubie, notamment de la région d'Őrség. On y trouve des pots, des pichets, des bols et des tasses. Les plus rares et les plus beaux sont ceux portant une inscription (d'habitude pour célébrer un mariage) ou les poteries en forme d'hommes et d'animaux, comme les pots

Cruche provenant de la Grande Plaine

Miska venant des bords du Tisza. Nádudvar près de Hajdúszoboszló produit une étonnante poterie noire, bien supérieure à la matière grisâtre proposée à Mohács en Transdanubie Méridionale.

Les objets de bois ou d'os – moules à pains d'épice, cadres de miroir, tabatières, salières – étaient habituellement taillés par les gardiens de troupeaux ou les fermiers en hiver. Les bergers et les porchers de Somogy au sud du lac Balaton et les vachers de Hortobágy excellaient dans ce

Gravure sur bois

travail. Leurs visions des fêtes et leurs portraits de "Robin des bois" locaux sont toujours amusants à regarder.

Tout le monde fabriquait et décorait son mobilier, surtout l'armoire du *tiszta szoba* (salon) et les coffres à trousseau ornés de tulipes peintes, les *tulipán láda*. Les tables et les chaises en peuplier doré et moucheté de la forêt de Gemenc près de Tolnale constituent le meilleur mobilier de Hongrie. Les coffres en chêne décorés de formes géométriques provenant de la

région d'Ormánság valent mieux que les banals *tulipán láda*.

Une forme d'art confine au domaine des beaux-arts, ce sont les peintures murales et de plafonds. On admirera les plus beaux plafonds dans les églises, surtout du Nord-Est (Tákos), des monts du Nord (Füzér) et de la région d'Ormánság en Transdanubie Méridionale. Les femmes de Kalocsa sont aussi expertes en peintures murales, parfois criardes à l'extrême.

La musique et la danse

Nous ne sommes guère renseignés sur la culture musicale des Magyars lors de leur arrivée dans le bassin des Carpates, mais nous savons, en revanche, que la musique religieuse commença à se répandre au cours du XIe siècle. Vers le XIIIe siècle, ce fut au tour de la musique profane de se développer grâce aux troubadours chantant les grandes épopées. Puis, la musique de cour fit son apparition ; elle verra son apogée au XVe siècle, avec la venue en Hongrie de musiciens italiens, français et flamands. L'arrivée des Turcs au XVIe siècle stoppa la progression de l'art musical hongrois, si l'on excepte quelques trouvères qui, s'accompagnant au luth, incitaient les Hongrois à résister. Après le départ des Ottomans, et sous les Habsbourg, la musique, décidément résistante, reprit la musique turque kuruc comme symbole de la lutte contre l'occupant.

Si à la fin du XVIIIe siècle, le compositeur autrichien Joseph Haydn s'inspire de la musique folklorique magyare dans un grand nombre de ses œuvres, il faut attendre le XIXe siècle pour qu'un immense musicien hongrois connaisse enfin une gloire internationale. Né en 1811 dans une petite ville près de la frontière autrichienne, Ferenc (Franz) Liszt (mort à Bayreuth en 1886) fut un pianiste prodige qui eut pour professeur Karl Czerny (pédagogue autrichien d'origine tchèque). Il fonda l'académie de musique de Budapest et, revendiquant son amour de ce qu'il croyait être la musique populaire de son pays, il utilisa en fait de nombreux éléments de la tradition tzigane. Certaines de ses pièces, comme *Rhapsodies, Hungarian, Sept portraits hongrois pour piano,* en sont largement inspirées.

Son ami, Zoltán Erkel (1810-1893) est le père de l'opéra hongrois. Deux de ses œuvres, *Bánk Bán,* un opéra passionnément nationaliste tiré de la pièce de József Katona, et *László Hunyadi,* sont des standards du répertoire de l'opéra national de Budapest. Il est aussi l'auteur de l'hymne

Franz Liszt

national. Imre Kálmán (1882-1953) est le créateur d'opérettes le plus apprécié. *La Reine des Csárdás* est sa plus célèbre et plus extravagante composition.

Béla Bartók (1881-1945) et Zoltán Kodály (1882-1967), tous deux amoureux fous de culture populaire, se mettent à étudier les sources véritables de la musique hongroise au cours de voyages d'exploration, véritables enquêtes ethnologiques. Ils parcourent le pays de long en large et enregistrent plusieurs dizaines de milliers de disques de chansons qui seront analysées et répertoriées. Le résultat de ces recherches sera publié dans les années 50 sous le titre de *Corpus musicæ popularis hungaricæ.* Tous deux ont intégré quelques-unes de leurs trouvailles dans leurs propres compo-

sitions, Bartók dans le *Château de Barbe Bleue,* par exemple, et Kodály dans ses *Variations du paon.* Bartók a étendu ses recherches à la musique folklorique des Balkans et Kodály mit au point une méthode originale d'enseignement de la musique reposant sur la pratique vocale. Son système est très largement utilisé aussi bien en Hongrie que dans le monde entier, et l'Institut Kodály de Kecskemét attire des étudiants venus du monde entier. Ces deux grands créateurs ont comme principaux successeurs, Lászlo Lajtha (1892-1963), qui fit presque toute sa carrière en France, et György Ligeti, auteur d'un *Requiem.* Ce dernier, né en 1923, a émigré en Allemagne après 1956.

Il est important de distinguer la musique tzigane de la musique populaire hongroise. La première, que l'on entend dans les restaurants hongrois, de Budapest à Boston, se limite à des rengaines élaborées sur des airs entraînants (*verbunkos*) qu'on jouait pendant la guerre d'indépendance de Rákóczi.

L'orchestre comprend au moins deux violons, une contrebasse et un cymbalum (un curieux instrument à cordes joué avec des baguettes). Pour écouter cette sirupeuse musique de *csárdás,* un restaurant du quartier du château à Budapest fera l'affaire, sinon vous pouvez acheter une cassette de Sándor Lakatos ou de son fils Déki.

Pour compliquer les choses, la musique tzigane véritable n'utilise pas d'instruments d'accompagnement. Elle se chante *a capella* (avec parfois l'appui d'une guitare et d'une percussion). *Magyarországi Cigány Népdalok* est une très bonne cassette de chants folkloriques tziganes hongrois, produite par Hungaroton.

Le meilleur groupe moderne des "gens du voyage" est Kalyi Jag (Feu noir) conduit par Gusztav Várga originaire du Nord-Est. Ce groupe pratique toutes sortes d'instruments non conventionnels et donne parfois des concerts dans les salles de danse (*táncházak*) de Budapest.

Les *táncház* sont le lieu idéal pour entendre de la musique folklorique hongroise, et accessoirement pour apprendre à danser. On y passe de bons moments et elles sont faciles à trouver à Budapest d'où est partie la renaissance des salles de danse, encore limitée à la capitale (les villageois préfèrent les vidéos et les discothèques de week-end).

La musique folklorique se joue sur une gamme à cinq notes, avec des cithares, des orgues de Barbarie, des cornemuses et des luths. Elle est un peu monotone à la longue, mais après quelques verres, il n'y paraît plus. Les groupes sont nombreux mais Méta et Muzsikás (surtout quand Marta Sebestyén chante) retiendront l'attention. Il ne faut pas hésiter non plus à se déplacer pour écouter la musique obsédante de la région de Csángó en Transylvanie orientale.

La Hongrie possède cinq compagnies de ballet, à Budapest (deux), Győr, Pécs et Szeged. Les spectacles des groupes comme l'Ensemble folklorique d'État s'adressent surtout aux touristes. Mieux vaut visiter une táncház. Les orchestres symphoniques sont nombreux dans la capitale et en province. Le Philharmonique de Budapest est excellent, tout comme le Miskolc Symphony.

La littérature

C'est l'écrivain Gyula Illyés (1902-1983) qui déclarait : "La langue hongroise est à la fois notre plus tendre berceau et notre cercueil le plus solide." La difficulté et la subtilité de la langue magyare entravent l'accès des étrangers à la littérature hongroise et, malheureusement, une très petite partie seulement a été traduite, surtout des œuvres récentes. Il serait merveilleux de pouvoir lire les odes fanfaronnes et les poèmes d'amour de Bálint Balassi (1554-1594), ou le *Danger à Sziget* (1651) de Miklós Zrínyi dans le texte original mais la plupart des lecteurs devront se contenter de ce qu'ils pourront trouver en français (voir la rubrique *Livres et cartes* dans le chapitre *Renseignements pratiques*).

Sándor Petőfi (1823-1849) est le poète le plus célèbre et le plus accessible. Un vers de son *Chant national* est devenu le cri de ralliement à la guerre d'indépendance de 1848-1849, durant laquelle Petőfi trouva la mort. Une pièce philosophique d'Imre Madách (1823-1864), *La Tragédie de l'homme*, publiée dix ans après la défaite de la Hongrie est encore considérée comme la plus grande œuvre théâtrale du pays.

La défaite poussa de nombreux écrivains à chercher consolation et inspiration dans le romantisme : héros, vainqueurs, chevaliers en armure étincelante. Le frère d'armes de Petőfi, János Arany (1817-1882) dont la langue est un modèle de perfection est l'auteur d'une poésie épique (*Trilogie Toldi*) et de ballades. Un autre ami de Petőfi, le romancier prolifique Mór Jókai (1825-1904) a glorifié l'héroïsme et l'honnêteté dans des œuvres magnifiques comme *Diamants noirs*. Ce "Dickens hongrois" jouit encore d'une grande popularité. Cette autre gloire éternelle, Kálmán Mikszáth (1847-1910), a écrit des histoires satiriques comme *Les bons Palóc* et *Le Parapluie de saint Pierre*, où il fait rire aux dépens de l'aristocratie déclinante.

Zsigmond Móricz (1879-1942) est un écrivain d'un genre très différent. Ses ouvrages, dans la lignée du naturalisme à la Zola, traitaient de la dure réalité de la vie des paysans au tournant du siècle. Son contemporain, Mihály Babits (1883-1941), poète et éditeur du très influent magazine littéraire *Nyugat* (Occident), fit de la rénovation de la littérature hongroise l'objectif de son œuvre.

Deux poètes du XXe siècle ont accédé au panthéon des lettres hongroises. Le premier, Endre Ady (1877-1919) que l'on présente parfois comme le successeur de Petőfi, fut un réformateur qui attaqua impitoyablement la suffisance et le matérialisme de la Hongrie du début du siècle. Le second, le socialiste Attila József (1905-1937), traita de l'aliénation et du trouble des consciences à l'âge technologique (*Près du Danube*). József se mit à dos les communistes du mouvement clandestin et le régime de Horthy. Il se jeta sous un train près du lac Balaton à l'âge de 32 ans. Lorsque János Kádár initia un mouvement de libéralisation, dans les années 60, apparut une nouvelle génération d'écrivains radicalement opposés au stalinisme. On peut nommer Tibor Déry (1896-1977), László Németh (1901-1975) et surtout István Örkény (1912-1979), critique impitoyable de la société. Dix ans plus tard, firent leur apparitions des romanciers plus ou moins libérés de la pression politique : Gyula Illyés (1902-1983) et György Konrád (né en 1933), dont l'humour noir et grinçant fait merveille. Plusieurs auteurs de cette nouvelle vague sont traduits en français. Ainsi, Péter Esterházy (né en 1950) a signé *Trois anges me surveillent* et *Indirect* ; quant à Miklos Meszöly (né en 1921), il a publié *Saül ou la Porte des brebis*

Enfin, n'oublions pas Georges Lukács : l'apport de ce philosophe hongrois, que l'on pourrait qualifier d'humaniste marxiste, fut essentiel dans la pensée du XXe siècle. Il fut un des pères de l'existentialisme, s'attachant à montrer le caractère tragique de la prise de conscience par l'individu de ses propres limites et de sa propre mort ; il a replacé la pensée marxiste dans sa dimension dialectique, contre le "marxisme orthodoxe" alors au pouvoir, en opposant les notions de totalité, de société à celles de l'individu et du sujet. Il a forgé de nouveaux outils intellectuels permettant l'analyse et la critique de la sociologie, de l'histoire, de la littérature, replacées dans leur dimension historique et structurelle.

Les artistes bénéficient désormais d'une absolue liberté, des ouvrages longtemps interdits sont ou seront publiés, et nous ne devrions pas tarder à en recevoir des échos. La période d'effervescence actuelle devrait être propice à une renaissance encore plus large de la création littéraire, et il est important de rester à l'écoute.

CULTURE
Les traditions populaires
Les cérémonies et pratiques traditionnelles, sinon complètement mortes, sont en voie de disparition même dans les villages. Mariages, naissances et décès se déroulent selon les usages européens modernes, hormis au sein de certaines minorités comme les Allemands et les Slovaques.

A part la fête de Busójárás à Mohács, le Farsang et d'autres carnavals précédant le Carême sont célébrés par des bals et des soirées privées. Certains vont costumés, mais c'est exceptionnel. L'aspersion d'eau ou de parfum sur les jeunes filles le lundi de Pâques se fait rare, mais la tradition de Noël du Betlehemzés s'observe encore dans certaines campagnes : des adolescents et des garçonnets vont de maison en maison portant des maquettes d'églises contenant une crèche, et jouent une scène de la Nativité.

Une fête très prisée des citadins sevrés de la campagne est le *disnótor*, l'abattage d'un porc suivi de réjouissances très arrosées (le sacrifice du cochon est opéré discrètement dans une cour par un paysan compétent). Les réjouissances des vendanges sont devenues des manifestations commerciales avec groupes de rock et soirées dansantes en plein air. Elles ont lieu dans toutes les régions viticoles en septembre-octobre.

Les sports et les loisirs
Si la crise économique a contraint une partie de la population à prendre un deuxième et même un troisième emploi, ce revenu supplémentaire est souvent consacré aux vacances ou à l'achat d'objets de luxe (friteuse, congélateur ou magnétoscope), qui tendent à se généraliser dans les intérieurs citadins. La journée de travail est assez courte dans l'ensemble (de 8h30 à 16h et même plus tôt le vendredi). Tout le monde se réserve le week-end pour exercer d'autres emplois rémunérés ou la pratique d'un "hobby". Pendant leurs loisirs, les Hongrois lisent beaucoup (mais le prix des livres et des magazines monte en flèche) et, comme tous Européens, regardent la télévision et des cassettes vidéo ou font du sport.

La natation est extrêmement populaire, comme le water-polo. Même les petites villes ont en général deux piscines, une couverte et l'autre découverte. La Hongrie, comparativement à sa taille, est très performante aux jeux Olympiques. En 1992 à Barcelone, elle fut classée huitième avec trente médailles dont onze en or. Les échecs sont aussi très appréciés. La jeune championne Judit Polgár et ses deux sœurs sont les premières stars féminines de ce jeu ayant acquis un rayonnement international. Le football est le sport le plus regardé et l'on parle encore du "match du siècle" à Wembley en 1953 quand la Hongrie battit l'Angleterre 6-3 ; c'était la première fois que l'Angleterre perdait sur son terrain.

Si un voyageur d'autrefois a écrit que les "Hongrois ne savent pas prendre leurs plaisirs gaiement", ils apprécient en tout cas leurs vacances. En août, beaucoup partent vers la montagne, au bord des lacs ou à l'étranger et ils repartent à d'autres époques de l'année. De nos jours, il est fréquent en appelant des amis ou des relations d'affaires d'apprendre qu'ils sont partis faire du ski en Autriche ou se faire bronzer aux Canaries.

Presque tous les citadins possèdent, ou ont accès, à une petite maison de campagne ou au moins à un terrain où ils peuvent jouer les négociants en vins durant les week-ends ou distiller quelques gouttes de leur propre *pálinka* de fruit (voir à ce sujet la rubrique *Boissons* dans le chapitre *Renseignements pratiques*).

La vie sociale

Bien que dans l'ensemble les Hongrois soient mieux lotis matériellement que les autres peuples d'Europe de l'Est, ils ne sont guère satisfaits de leur sort, et l'Autriche reste le modèle envié. Il vous le feront d'ailleurs bien vite savoir.

Les Hongrois ne sont pas aussi dénués de retenue que les Roumains ou les Slaves qui rient ou pleurent à la moindre occasion (ou dès qu'ils ont bu un verre). Ils sont réservés, très formalistes, et prompts à la mélancolie. Ne comptez pas rencontrer le stéréotype du Tzigane insouciant et exalté, il n'existe pas. L'hymne national qualifie les Hongrois de "peuple déchiré par le destin" et l'humeur dominante est à la *honfibú* (littéralement la "tristesse patriotique" qui trahit en fait un penchant à broyer du noir), mâtinée d'une dose suffisante d'espoir pour continuer à vivre. Le Premier ministre Antall lui-même n'était pas vraiment un joyeux drille : "Comme je l'ai déjà dit, je rirai quand il y aura vraiment de quoi rire" annonçait-il à ses concitoyens en guise de message de fin d'année.

Cette humeur est bien antérieure au communisme. Pour illustrer ce qu'elle appelle "la veine sombre du tempérament hongrois", l'ancienne correspondante américaine Flora Lewis raconte dans *Europe, une tapisserie de nations* une histoire qui, dans les années 30, fit le tour de l'Europe : "On disait qu'une chanson appelée *Dimanche mélancolique* avait tellement remué l'âme des habitants de Budapest que chaque fois qu'on la jouait, une poignée d'entre eux courait se suicider en se jetant du haut d'un pont du Danube". La chanson a été interprétée notamment par Billie Holiday et Sinead O'Connor.

Les Hongrois sont d'une politesse extrême dans leurs rapports sociaux, et leur langage est très courtois, même avec le boucher ou le coiffeur. Un homme d'un certain âge fait souvent le baise-main à une femme, et la formule de politesse standard d'un jeune envers un aîné est *Csókolom*, "Je baise la main". Des gens de tous âges, même des amis proches, se serrent la main à profusion.

Mais si toute cette courtoisie met de l'huile dans les rouages d'une société qui a parfois du mal à tourner correctement, elle sert aussi à maintenir les gens extérieurs à une bonne distance (étrangers ou Hongrois). Par un prolongement normal, sans doute, de ce désir de huiler les rapports sociaux, les Hongrois sont toujours extrêmement serviables et prêts à intervenir si besoin est – en cas d'accident, de vol ou simplement pour indiquer son chemin à un passant.

Comme les Espagnols, les Polonais et certains peuples de culture catholique, les Hongrois fêtent davantage le jour de leur saint patron que leur anniversaire. Tous les noms, même les moins courants, ont un jour de fête que signalent les calendriers. D'après la tradition, on peut offrir les cadeaux jusqu'à huit jours après la fête.

L'alcool est un élément important de la vie sociale dans un pays qui produit du vin et des alcools de fruit depuis des millénaires. La consommation par habitant est élevée et seulement dépassée par la France et l'Allemagne. Les excès de boisson ne sont pas aussi visibles qu'en Pologne, par exemple, mais l'alcoolisme est néanmoins répandu, dans les *borozó* (bars à vin) enfumés qui ouvrent à l'aube et ne désemplissent pas de la journée, ou dans la cuisine où la maîtresse de maison sirote sa demi-bouteille de vodka tout en accomplissant ses tâches ménagères. D'après les chiffres officiels, 620 000 Hongrois (6% de la population) sont gravement atteints, mais d'après les experts, c'est 40% à 50% de la population masculine qui a un problème de boisson. En tant qu'étranger, il n'est pas nécessaire de se laisser entraîner à boire (surtout les femmes) et si vous n'avez pas envie du verre d'eau de vie d'abricot que l'on vous tend, refusez poliment.

Les Hongrois ont un amour immodéré des chiens. Vous ne manquerez pas de remarquer deux races indigènes, le *puli* (ou berger hongrois) au pelage bouclé et le *komondor*, un grand chien à poil blanc. Les Hongrois de tous âges deviennent quasi gâteux dès qu'ils voient un gentil toutou.

Pas d'impair !

Il n'y a pas, pour les étrangers, de règle spéciale à observer dans les relations interpersonnelles, même si entre eux, les Hongrois sont très sensibles à des choses telles que le *viszonzás* ou le *protekció*, un système de "retour d'ascenseur" qui garantit la réciprocité dans les faveurs, et dont ils ont usé et abusé sous le régime communiste. Mais cela ne vous concerne pas.

Si vous êtes invité, apportez un bouquet de fleurs (on en trouve à profusion pendant toute l'année) ou une bouteille d'un bon vin local. On peut parler de tout, mais l'argent est un sujet délicat qu'il est mal vu d'aborder. De nos jours, personne ne se

juge satisfait de sa situation, et les employés des services publics sous-payés sont souvent jaloux de ceux qui sont allés chercher fortune dans le privé. Votre salaire, aussi maigre soit-il en France, en Belgique, en Suisse ou au Québec, laissera la plupart des Hongrois ébahis. Bien qu'il soit difficile de faire une évaluation juste (l'économie parallèle étant si importante), un ouvrier ou un jeune diplômé très bien rémunérés gagnent actuellement 25 000 Ft par mois (environ 1 790 FF).

Enfin, attendez-vous à ce qu'on vous pose à tout propos la question : *Tetszik neki Magyarország ?* Aimez-vous la Hongrie ?

RELIGION

Tout au long de l'histoire du pays, la religion a souvent été une question d'opportunisme. Sous le roi Étienne, le catholicisme l'emporta sur l'orthodoxie.

Plus tard, alors que la majorité était passée sans état d'âme au protestantisme à la fin du XVIe siècle, beaucoup endossèrent un nouvel uniforme sous la contre-réforme des Habsbourg. Sous l'occupation turque, des milliers de Hongrois se convertirent à l'islam – pas toujours de leur plein gré.

D'où une approche plus pragmatique des questions religieuses que leurs voisins, et pratiquement aucun sectarisme dans ce domaine. On est même allé jusqu'à prétendre que ce scepticisme serait à l'origine de la réussite des Hongrois en sciences et en mathématiques.

Sauf dans les villages et lors des grandes fêtes (Pâques, Ascension et Noël), les églises ne sont jamais pleines. La communauté juive de Budapest, quant à elle, connaît depuis quelques années un grand retour aux pratiques religieuses.

Au sein de la population déclarant une appartenance religieuse, 68% se disent catholiques romains, 21% réformés (calvinistes) et 6% évangéliques (luthériens). Il existe aussi des petites communautés grecque catholique et orthodoxe. Les juifs ne sont plus qu'environ 80 000, après avoir été près d'un million avant la dernière guerre. Quelque 400 000 d'entre eux sont morts en déportation sous le gouvernement fasciste de 1944. Beaucoup ont émigré après 1956.

LANGUE

Les Hongrois aiment à se vanter de posséder une langue parmi les plus difficiles à apprendre de la planète, avec le japonais et l'arabe. Toutes les langues sont difficiles à maîtriser pour un étranger, mais il est vrai que le hongrois est un "casse-tête". Pour autant, que cela ne vous dissuade pas d'apprendre quelques mots ou phrases, car si vous ne parlez pas allemand, ce sera bien souvent le seul moyen de vous faire comprendre.

Le hongrois appartient au groupe finno-ougrien apparenté (de façon extrêmement distante) au finnois (cinq millions de locuteurs) à l'estonien (plus d'un million), et à une douzaine d'autres langues très minoritaires de Russie et de Sibérie occidentale. Ce n'est pas une langue indo-européenne, ce qui signifie que le français (vocabulaire et syntaxe) est plus proche de l'anglais, du russe et de l'hindi que du hongrois.

Très peu de mots vous sembleront familiers, à l'exception d'expressions comme *disco* ou *hello*, la manière à la mode pour les jeunes de se dire au revoir. Pour commander une bière ou un verre de vin, n'essayez pas de baragouiner en diverses langues, les mots sont *sör* et *bor*.

Pour diverses raisons (notamment l'étude obligatoire du russe jusque dans les années 80) les Hongrois ne sont pas polyglottes, et même s'ils ont quelques notions d'une langue étrangère, ils manqueront de pratique ou hésiteront à en faire usage. C'est le moment de lancer quelques mots en hongrois (*magyarul*) qui feront impression et seront reçus avec beaucoup de chaleur.

La seconde langue qui vous sera le plus utile est l'allemand. Des liens historiques, la proximité géographique et le fait qu'elle fut la langue préférée des intellectuels jusqu'à l'époque moderne lui ont donné ce statut semi-officiel. Pourtant, en dehors de Budapest et de la Transdanubie, l'allemand reste peu et mal parlé. Sorti de la capitale,

on entendra peu l'anglais, mais en cas d'urgence, vous pouvez tenter votre chance auprès d'un jeune de moins de 25 ans, de préférence. Pour des raisons évidentes, il vaut mieux éviter le russe victime d'une quasi-paranoïa nationale, et beaucoup se plaisent à déplorer combien peu il leur en reste "malgré toutes ces années passées à l'étudier à l'école". N'oubliez pas que ce n'est pas un pays slave où le russe, même s'il fut un instrument d'oppression pendant un demi-siècle, n'en est pas moins apprécié comme langue d'une riche culture et de la même famille linguistique (c'est une langue facile pour les Polonais, les Tchèques, les Slovaques, les Croates et les Serbes). L'italien est de mieux en mieux compris à cause du tourisme. Le français et l'espagnol sont quasi inutiles ; cela dit, à mon arrivée à Budapest, j'ai communiqué très aisément en espagnol avec le vétérinaire qui s'est occupé de mes chiens.

Le hongrois est une langue agglutinante. On part d'une racine et on ajoute des suffixes pour le cas et le nombre, entre autres dérivés. Les terminaisons en "-t", "-et" ou "-ot" (ou d'autres selon les règles de consonance des voyelles) sont des formes de l'accusatif. Un "-k" (ou "-ek", "-ok", etc.) est la forme du pluriel. Les suffixes traduisent aussi la possession ("mon", "notre", "leur") et la position ("vers", "dans", "hors de").

Si les temps sont relativement peu nombreux, les verbes se présentent tous sous deux formes : définie et indéfinie. "Je veux les livres" (défini) se dit *A könyveket kérem.* "Je veux des livres" (indéfini) se dit *könyveket kérek.* Ce système se prête à toutes sortes de complications. L'infinitif se termine en -ni : *enni* (manger), *beszélni* (parler), *kérni* (vouloir, demander).

Voici quelques rudiments de grammaire à retenir : *a* (ou *az* devant un nom commençant par une voyelle) signifie "le".

Il n'y a pas d'article indéfini à proprement parler, mais on peut utiliser *egy* (un). "Ce -ci" et "ce -là" sont *ez a/az* plus le nom (au pluriel : *ezek a/az* et *azok a/az*). "Non" et la négation de base se disent *nem*.

Comme en anglais, les adjectifs épithètes précèdent toujours le nom : *a piros könyv* (le rouge livre).

Bonne nouvelle : les exceptions sont rares. Avec une conjugaison, on les connaît à peu près toutes (sauf les habituels cas particuliers des verbes "être", "aller", etc). Deuxième bonne nouvelle, c'est une langue facile à prononcer. Les voyelles et les consonnes se prononcent toujours de la même façon. L'accent porte sur la première syllabe, sans exception, ce qui donne parfois un rythme un peu saccadé à la phrase.

La prononciation

Dans l'ensemble, les consonnes se prononcent comme en français, avec en plus quelques groupes de consonnes, considérées en hongrois comme des lettres à part entière, et dont nous donnons la liste ci-après. Quand les consonnes sont doublées il faut bien marquer le redoublement.

c	se prononce "tz" comme tzigane
cs	se prononce "tch" tchador
gy	se prononce "dj" la langue collée au palais, comme djinn
j	i mouillé comme dans "paille"
ly	comme dans pille
ny	n mouillé comme dans "agneau"
r	légèrement roulé
s	se prononce toujours "ch"
sz	se prononce comme "s" sourd dans "sac"
ty	se prononce "tiou", la langue collée au palais
w	se prononce "v". L'important sigle *WC* se prononce "vé tzé"
zs	se prononce "z"

Les voyelles ne posent pas de problèmes particuliers si ce n'est qu'il faut bien marquer la différence entre les voyelles accentuées et non accentuées. *Hát* signifie "dos", *hat* "six" ; *kérek* signifie "je veux", *kerek* "rond".

Le sens se déduit du contexte, mais attendez-vous à quelques réactions de surprise de la part des Hongrois peu accoutumés aux étrangers.

a	se prononce très ouvert, presque "an"
á	comme "a" en français
e	comme "e" bref en français
é	comme "é" en français
i	comme "i" en français
í	"i" long
o	comme "o" fermé
ó	"o" long
ö	comme "eu"
ő	"ö" long
u	se prononce "ou"
ú	"ou" long
ü	"u" en français
ű	"u" long et soufflé, comme dans "hue"

Comme en français, le hongrois comporte un vouvoiement et un tutoiement. Leur emploi obéit aux mêmes règles délicates du français, mais le tutoiement (*te* et *ti*) est plus rapide et fréquent en hongrois. Tous les jeunes se tutoient, même s'ils ne se connaissent pas ; il en de même, curieusement, des automobilistes qui s'adressent la parole dans les embouteillages.

Les quelques phrases suivantes sont données au pluriel de politesse (*Ön* et *Önök*), sauf dans les situations où vous essayez manifestement d'établir un contact personnel.

Les formules de politesse
Bonjour
 Jó napot kívánok (poli)
 Szia ou *Szervusz* (familier)
Au revoir
 Viszontlátásra (poli)
 Szia ou *Szervusz* (familier)
Bonjour
 Jó napot (formule très fréquente)
Bonjour (le matin)
 Jó reggelt
Bonsoir
 Jó estét
S'il vous plaît
 Kérem (en demandant quelque chose)
 Tessék (en remettant quelque chose ou en invitant)
Merci (beaucoup)
 Köszönöm (szépen)
 Köszi (familier)

Il n'y a pas de quoi
  Szívesen
Oui
  Igen
Non
  Nem
Peut-être
  Talán
Excusez-moi
  Legyen szíves (pour appeler l'attention)
  Bocsánat (si l'on marche sur les pieds
  de quelqu'un)
Désolé
  Sajnálom ou *Elnézést*
Comment allez-vous ?
  Hogy van ?
Comment ça va ?
  Hogy vagy ?
Très bien, merci
  Köszönöm, jól

Un petit lexique de base
Écrivez-le s'il vous plaît
  Kérem, írja le
Pouvez-vous me montrer (sur le plan) ?
  Meg tudná nekem matatni (a térképen) ?
Je (ne) comprends (pas)
  (Nem) Értem
Je ne parle pas hongrois
  Nem beszélek magyarul
Parlez-vous français (allemand, anglais,
italien) ?
  *Beszél franciául (németül/angolul/
  olaszul) ?*
D'où êtes-vous ?
  Honnan jön ?
Quel âge avez-vous (as-tu) ?
  (Te) Hány éves vagy ? (tu)
  (Ön) Hány éves ? (vous)
J'ai (20) ans
  (Húsz) éves vagyok
J'ai un visa/permis
  Nekem van vízum/engedélykem
Nom de famille
  Vezetéknév ou *családnév*
Prénom
  Utónév
Date de naissance
  Születési dátum

Lieu de naissance
  Születési hely
Nationalité/citoyenneté
  Nemzetiség/állampolgárság
Sexe (masculin/féminin)
  Nem (férfi/nő)
Passeport
  Útlevél
Carte d'identité
  Személyi igazolvány
Au secours !
  Segítség !
Allez-vous en !
  Menjen el !
Laissez-moi
  Hagyjon békén
Surveillez vos mains !
  Neffogdosson !
Appelez un médecin/la police
  Hívjon orvost/rendőrt
Je suis allergique à la pénicilline/aux anti-
biotiques
  *Penicillinre/antibiotikumra allergiás
  vagyok*
Je suis diabétique
  Cukorbeteg vagyok

De petites conversations
Quel est votre nom ?
  Hogy hívják ?
  Mi a neved ? (familier)
Je m'appelle...
  A nevem...
Je suis un touriste/étudiant/guérisseur
  Turista/diák/ördögűző vagyok
Êtes-vous marié ?
  (Ön) férjezett/ (Te) férjezett vagy ?
  (vous/tu à une femme)
  (Ön) nős/(Te) nős vagy ?
  (vous/tu à un homme)
Aimez-vous (la Hongrie) ?
  Tetszik neki/neked (Magyarország) ?
  (vous/tu)
Je l'aime beaucoup
  Nagyon tetszik
Je n'aime pas (la Slovaquie/la Roumanie)
  Nekem nem tetszik (Szlovákia/Románia)
Juste une minute
  Egy pillanat

Puis-je ?
 Lehet ? (permission en général)
 Szabad ? (pour une chaise)
Je vous en prie/pas de problème
 Rendben van/Nem baj
Comment dites-vous en hongrois ?
 Hogy mondják magyarul... ?

Pour se déplacer

Je veux aller à (Esztergom/Debrecen/Pécs)
 (Esztergomba/Debrecenbe/Pécsre aka-rok menni
Je veux réserver une place pour (Prague/Paris/Moscou)
 Szeretnék heljet foglalni (Prágába/Párizsba/Moszkvába)
A quelle heure part/arrive... ?
 Mikor indul/érkezik... ?
le bus/tram
 az autóbusz ou *a busz/a villamos*
le train
 a vonat
le bateau/ferry
 a hajó/komp
l'avion
 a repülőgép
Combien de temps dure le voyage ?
 Mennyi ideig tart az út ?
Le train est en retard/annulé/à l'heure/en avance
 A vonat késik/nem jár/pontosan/korábban érkezik
Faut-il que je change ?
 Át kell szállnom ?
Vous devez changer de train/de quai
 Át kell szállni/Másik vágányhoz kell menni
Consigne
 Csomagmegőrző
Billet
 Jegy
Un aller simple
 Egy útra ou *csak oda*
Un aller-retour
 Oda-vissza ou *retúrjegy*
Gare
 Vasútállomás ou *pályaudvar*
Gare routière
 Autóbuszállomás

Quai
 Vágány
Guichet de vente des billets
 Jegyiroda ou *pénztár*
Tableau des horaires
 Menetrend
J'aimerais louer une voiture
 Autót szeretnék bérelni
J'aimerais louer un/une...
 ...szeretnék kölcsönözni
bicyclette/moto
 kerékpárt/motorkerékpárt
cheval
 lovat
Je voudrais louer un guide
 Szeretnék kérni egy idegenvezetőt

Pour se diriger

Comment puis-je me rendre à... ?
 Hogy jutok... ?
Où est... ?
 Hol van... ?
Est-ce près/loin ?
 Közel/messze van ?
Quelle est... ?
 Ez melyik... ?
rue/route
 utca/út
numéro de rue
 házszám
quartier
 kerület
ville
 város
village
 falu ou *község*
(Allez) tout droit
 (Menyen) egyenesen előre
(Tournez) à gauche
 (Forduljon) balra
(Tournez) à droite
 (Forduljon) jobbra
Aux feux de circulation
 a közlekedési lámpánál
au prochain/second/troisième tournant
 a kevetkező/második/harmadik saroknál
en haut/en bas
 fent/lent
derrière/devant
 mögött/előtt

en face
  szemben
ici/là/partout
  itt/ott/mindenhol
nord/sud
  észak/dél
est/ouest
  kelet/nyugat

Quelques indications utiles

Entrée
  Bejárat
Sortie
  Kijárat
Occupé
  Foglalt
Toilettes
  WC ou *Toalett*
Messieurs
  Férfiak ou *Urak*
Dames
  Nők ou *Hölgyek*
Pension
  Fogadó ou *Vedégház*
Hôtel
  Szálloda ou *Szálló*
Information
  Információ ou *Felvilágosítás*
Ouvert/Fermé
  Nyitva/Zárva
Police
  Rendőrség
Commissariat de police
  Rendőrkapitányság
Interdit
  Tilos
Chambres à louer
  Szoba Kiadó
  (*Zimmer frei* en allemand)
Terrain de camping
  Camping ou *Kemping*
Auberge de jeunesse
  Ifjúsági szálló

En ville

Où est... ?
  Hol van... ?
Une banque/un bureau de change
  bank/pénzváltó

Le centre-ville
  a város központ ou a centrum
L'ambassade de....
  a... nagykövetség
L'hôpital
  a kórház
Le marché
  a piac
La poste
  a posta
Les toilettes publiques
  nyilvános WC
Un restaurant
  étterem
Le bureau du téléphone
  telefonközpont
L'office du tourisme
  idegenforgalmi iroda
Je veux appeler ce numéro
  Szeretném felhívni ezt a számot
Je voudrais changer...
  Szeretnék ... váltani
de l'argent/des chèques de voyage
  pénzt/utazási csekket
plage
  strand
pont
  híd
château
  vár
cathédrale
  székesegyház
église
  templom
synagogue
  zsinagóga
île
  sziget
lac
  tó
place/place centrale
  tér/fő tér
mosquée
  mecset
palais
  palota
hôtel particulier
  kastély
· ruines
  romok

tour
torony

Le logement
Je cherche ...
... keresem
Le patron/propriétaire
a főnököt/a tulajdonosot
Quelle est l'adresse ?
Mi a cím ?
Avez-vous un(e) ... de libre ?
Van szabad ... ?
lit
...ágyuk
chambre pas chère
...olcsó szobájuk
chambre simple/double
...egyágyas szobájuk/kétágyas szobá-juk
pour une/deux nuits
...egy/kettő éjszakára
C'est combien par nuit/par personne ?
Mennyibe kerül éjszakánként/személyenként ?
Le service est-il compris ?
A kiszolgálás benne van ?
Puis-je voir la chambre ?
Megnézhetem a szobát ?
Où sont les toilettes/la salle de bains ?
Hol van a WC/fürdőszoba ?
C'est très sale/bruyant/cher
Ez nagyon piskos/zajos/drága
Je pars/nous partons
El megyek/El megyünk
Avez-vous ... ?
Van ... ?
un drap propre
...tiszta lepedő
de l'eau chaude
...meleg víz
une clef
...kulcs
une douche
...zuhany

L'alimentation
Reportez-vous aussi aux rubriques *Alimentation* et *Boissons* dans le chapitre *Renseignements pratiques*.

J'ai faim/soif
Éhes/szomjas vagyok
petit déjeuner
reggeli
déjeuner
ebéd
dîner
vacsora
menu fixe (quotidien)
napi menü
stand d'alimentation
laci konyha ou *pecsenyesütő*
épicerie/traiteur
ABC ou *élelmiszer/csemege*
Je voudrais le menu fixe, s'il vous plaît
Mai menüt kérnék
Le service est-il inclus dans la note ?
Az ár tartalmazza a kiszolgálást ?
Je suis végétarien
Vegetáriánus vagyok
J'aimerais ...
Kérnék ...
Un autre ..., s'il vous plaît
Még egy ... kérek szépen
Un autre
Még egyet
Je ne mange pas ...
Nem eszem ...
de porc
...disznóhúst
de poisson
...halat
bière
sör
pain
kenyér
poulet
csirke
café
kávé
œufs
tojás
poisson
hal
nourriture
étel
fruit
gyümölcs
viande
hús

lait
tej
eau minérale
ásvány víz
poivre
bors
porc
disznóhús
sel
só
soupe
leves
sucre
cukor
thé
tea
légumes
zöldség
eau
viz
chaud/froid
meleg/hideg
avec/sans sucre
cukorral/cukor nélkül
avec/sans glace
jéggel/jég nélkül

Le shopping

Combien cela coûte-t-il ?
Mennyibe kerül ?
J'aimerais l'acheter
Szeretném megvenni ezt
C'est trop cher pour moi
Ez túl drága nekem
Puis-je le voir ?
Megnézhetem ?
Je regarde simplement
Csak nézegetek
Je cherche ...
Keresem ...
la pharmacie
...a patikát
des vêtements
...ruhát
des souvenirs
...emléktárgyat
Acceptez-vous les chèques de voyage ?
Elfogadnak úticsekket is ?
Avez-vous une autre couleur/taille ?
Van ez más színben/méretben is ?
grand/plus grand
nagy/nagyobb
petit/plus petit
kicsi/kisebb
plus/moins
több/kevesebb
pas cher/moins cher
olcsó/olcsóbb

Les heures et les dates

Quand/A quelle heure ?
Mikor/Hány órakor ?
aujourd'hui
ma
ce soir
ma este
demain
holnap
après-demain
halnapután
hier
tegnap
toute la journée/tous les jours
egész nap/minden nap

lundi
hétfő
mardi
kedd
mercredi
szerda
jeudi
csütörtök
vendredi
péntek
samedi
szombat
dimanche
vasárnap

janvier
január
février
február
mars
március
avril
április
mai
május

juin
június
juillet
július
août
augusztus
septembre
szeptember
octobre
október
novembre
november
décembre
december

Quelle heure est-il ?
Hány óra ?
Il est ...
...óra van
du matin
reggel...
du soir
este...
1h15
negyed kettő (un quart de deux)
1h30
fél kettő (la demie de deux)
1h45
háromnegyed kettő (trois quarts de deux)
2h
Két óra van
3h
Három óra van
4h
Négy óra van
5h
Öt óra van
6h
Hat óra van
7h
Hét óra van
8h
Nyolc óra van
9h
Kilenc óra van
10h
Tíz óra van
11h
Tizenegy óra van

12h
Tizenkét óra van
midi
dél
minuit
éjfél

Les nombres

0	*nulla*
1	*egy*
2	*kettő*
3	*három*
4	*négy*
5	*öt*
6	*hat*
7	*hét*
8	*nyolc*
9	*kilenc*
10	*tíz*
11	*tizenegy*
12	*tizenkettő*
13	*tizenhárom*
14	*tizennégy*
15	*tizenöt*
16	*tizenhat*
17	*tizenhét*
18	*tizennyolc*
19	*tizenkilenc*
20	*húsz*
21	*huszonegy*
22	*huszonkettő*
30	*harmincs*
40	*negyven*
50	*ötven*
60	*hatvan*
70	*hetven*
80	*nyolcvan*
90	*kilencven*
100	*száz*
110	*száztíz*
1 000	*ezer*
1 million	*egymillió*

La santé

Je suis diabétique/épileptique/asthmatique
Cukorbeteg/epilepsziás/asztmás vagyok
Je suis allergique à la pénicilline/aux antibiotiques
Penicillinre/antibiotikumra allergiás vagyok

antiseptique
  fertőzésgátló
aspirine
  aszpirin
préservatifs
  óvszer ou *gumi*
contraceptif
  fogamzásgátló
J'ai la diarrhée

Hasmenésem van
J'ai des nausées
  Hányingerem van
médicament
  orvosság
crème bronzante/écran total
  napozókrém/fényvedőkrém
tampons
  tampon

Renseignements pratiques

VISAS ET AMBASSADES

Les formalités d'entrée en Hongrie se sont considérablement assouplies. Depuis 1990, les touristes français, belges, suisses et canadiens n'ont plus besoin de visa pour un séjour de 90 jours maximum ; il leur suffit de présenter un passeport en cours de validité. Il en est de même pour les ressortissants de la majeure partie des pays européens. Les Allemands entrent avec la seule carte d'identité. Il vaut mieux quand même se renseigner avant de partir car les règles en la matière peuvent changer très rapidement. Contactez le consulat ou un office du tourisme dans votre pays. Une succursale de *Malév Hungarian Airlines* peut aussi vous renseigner.

Il existe des visas de tourisme à entrée simple et multiple, de même que des visas de transit. Un visa de tourisme doit être utilisé dans les six mois de sa délivrance ; il est valable de 30 à 90 jours selon la nationalité et peut être prorogé dans le commissariat le plus proche à condition d'en faire la demande 48 heures avant son expiration. Un visa de transit n'est valable que pour une durée de 48 h, vous devez avoir un visa du pays de votre destination suivante (si nécessaire) ; l'entrée et la sortie du territoire doivent se faire en des points différents. Les visas sont délivrés séance tenante. En plus du formulaire rempli, il faut présenter deux photos d'identité et l'équivalent de 800 Ft (pour un visa de tourisme à entrée unique) ou 1 600 Ft (pour un visa de transit) en devises fortes. Pour un visa multiple il faut 4 photos et 5 150 Ft.

Si vous n'avez pas pris vos précautions avant de partir, vous obtiendrez un visa dans n'importe quelle ambassade ou consulat de Hongrie dont la liste suit ; à la plupart des postes frontières routiers, à l'arrivée à l'aéroport de Ferihegy ou au débarcadère du ferry-boat international du Danube sur Belgrád rakpart à Budapest. Les photos d'identité sont indispensables et il n'est pas toujours possible d'en obtenir sur place (photomaton à l'aéroport). En outre, les douaniers de certains postes frontières reculés ne seront peut-être pas encore familiarisés avec les récents changements de procédure. Sachez qu'on ne délivre pas de visa dans les trains.

L'hôtel, l'auberge, le terrain de camping ou le propriétaire de votre chambre d'hôte devront signaler votre présence à la police. Dans d'autres situations (si vous logez chez des amis ou dans votre famille, par exemple), vous devez vous en charger vous-même dans les 72 heures. Cette formalité n'est pas obligatoire, si vous possédez un visa de transit. Ne vous inquiétez pas si vous ne l'avez pas fait. Cette mesure n'est pas appliquée avec autant de rigueur qu'autrefois. Les formulaires d'enregistrement des étrangers (*lakcímbejelentő lap külföldiek részére*) sont fournis dans la plupart des bureaux de postes.

Si vous décidez de rester plus de 3 mois, le visa peut se proroger dans les commissariats de police centraux des villes. A Budapest, c'est le Bureau d'enregistrement des étrangers, KEOKH (☎ 112 3456, poste 21 652), VI Izabella utca 61 (donnant dans Andrássy út) qui s'en charge. On pourra vous demander de justifier de ressources suffisantes et/ou d'un billet de transport de départ, mais cela arrive rarement. Le plus simple est de sortir du pays et d'y revenir avec un nouveau visa délivré à la frontière ou dans un bureau consulaire hongrois.

Les ambassades et les consulats de Hongrie

Allemagne
    Turmstrasse 30, 5300 Bonn 2 (Plittersdorf) (☎ 0228-37 67 97)
    Vollmannstrasse 2, 8000 Munich 81 (☎ 089-91 10 32)
Autriche
    1 Bankgasse 4-6, 1010 Vienne (☎ 0222-533 26 31)

Belgique
    41, rue Edmond-Picard, 1180 Bruxelles (☎ 2-343 67 90)
Canada
    1200 Mc Gill College Street, 2030 Montréal Québec H3B4G7 (☎ 514-393 33 02)
    7 Delaware Ave, Ottawa, Ontario K2P 0Z2 (☎ 613-232 1711)
Croatie
    ulica Cvijetno Naselje 17/b, 41000 Zagreb (☎ 041-610 430)
États-Unis
    3910 Shoemaker St NW, Washington, DC 20008 (☎ 202-362 6737)
    8 East 75th Street, New York, NY 10021 (☎ 212-794 8696)
France
    92 rue Bonaparte, 75006 Paris (☎ 1-43 54 66 96)
Grèce
    16 Kalvou Psychiko, 15452 Athènes (☎ 1-671 4889)
Italie
    Via dei Villini 12-16, 00161 Rome (☎ 06-884 02 41)
Pologne
    ulica Chopina 2, 00559 Varsovie (☎ 02-628 44 51)
République tchèque
    ulice I V Miurina 1, 12537 Prague (☎ 02-365 041)
Roumanie
    Strada A Sahia 63, Bucarest (☎ 0-146 621)
Royaume-Uni
    35/b Eaton Place, Londres SW1X 8BY (☎ 071-235 7191)
Russie
    ulica Mosfilmovskaya 62, Moscou (☎ 095-143 86 11)
    ulitsa Marata 15, St Pétersbourg (☎ 812-312 64 58)
Serbie
    ulica Ivana Milutinovica 74, Belgrade 11000 (☎ 011-444 0472)
Slovaquie
    Palisády 54, 81100 Bratislava (☎ 07-331 076)
Suisse
    5 Eigerplatz, 11e étage, 3007 Berne (☎ 31-352 85 72)
Ukraine
    ulitsa Rejterskaya 33, Kiev (☎ 044-212 4004)

Ambassades étrangères en Hongrie
La liste ci-après donne quelques adresses à Budapest (indicatif téléphonique : 1).
    Les chiffres romains précédant le nom des rues indiquent l'arrondissement.

Allemagne
    XIV Izsó utca 5 (☎ 251 8999)
Autriche
    VI Benczúr utca 16 (☎ 121 3213)
Belgique
    Toldy Ferencutca 13 (☎ 115 2276)
Canada
    XII Budakeszi út 32 (☎ 176 7711)
Croatie
    V Váci utca 19-21 (☎ 138 2444)
États-Unis
    V Szabadság tér 12 (☎ 112 6450)
France
    VI Lendvay utca 27 (☎ 132 4980)
Italie
    XIV Stefánia út 95 (☎ 121 2450)
Pologne
    II Törökvész út 15 (☎ 142 8135)
République tchèque
    XIV Stefánia út 22-24 (☎ 251 1700)
Roumanie
    XIV Thököly út 72 (☎ 142 6944)
Royaume-Uni
    V Harmincad utca 6 (☎ 266 2888)
Russie
    VI Bajza utca 35 (☎ 132 0911)
Serbie
    VI Dózsa György út 92/b (☎ 142 0566)
Slovaquie
    VI Szegfű utca 4 (☎ 142 1754)
Slovénie
    VI Lendvay utca 23 (☎ 112 6896)
Suisse
    Népstation út 107 (122 9491)
Ukraine
    XII Nógrádi utca 8 (☎ 155 9609)

FORMALITÉS COMPLÉMENTAIRES
Sauf si vous conduisez (voir le chapitre *Comment circuler*), aucun papier spécial n'est requis en dehors du passeport en cours de validité (et du visa si nécessaire). Sinon, rajoutez la carte grise, le permis international (en principe) et une assurance voiture valable pour la Hongrie (carte verte obligatoire). Vu le nombre important des immigrants clandestins, les contrôles d'identité ne sont pas rares, surtout à Budapest. Il est donc conseillé d'avoir en permanence son passeport sur soi.

DOUANE
Les objets habituels peuvent être introduits en Hongrie en franchise douanière : effets personnels, 250 cigarettes, deux bouteilles

de vin et un litre d'alcool. Stupéfiants et pornographie (en quantité dépassant l'usage personnel !) et armes sans permis sont strictement interdites. En quittant le pays, vous ne pouvez emporter d'antiquités de prix sans un "certificat des musées" (délivré par le magasin) ni de viande ou produits dérivés. Il est interdit d'entrer ou de sortir avec plus de 500 Ft en monnaie hongroise.

Les contrôles ou les fouilles aux frontières et à l'aéroport sont superficiels ou inexistants. On se contente de vous demander si vous avez des forints sur vous. Le passage de la frontière avec la Roumanie est plus délicat ; la police est convaincue que la drogue venue d'Asie transite désormais par ce pays depuis l'effondrement de la Yougoslavie. En été, les automobilistes attendent parfois jusqu'à quinze heures avant de passer la douane. Votre qualité d'étranger ne vous donne droit à aucun traitement de faveur. Armez-vous de patience, d'un bon livre, ou profitez-en pour pratiquer les langues étrangères avec vos compagnons d'infortune.

QUESTIONS D'ARGENT

La monnaie nationale est le forint (Ft). Il est toujours bon d'être en possession de devises fortes (*valuta*), dollars ou deutsche marks de préférence, mais les chèques de voyage sont plus sûrs. Ceux d'American Express sont les plus répandus, mais ceux de Visa et de Thomas Cook sont acceptés par certaines banques également.

Les billets d'avion, de train et d'autobus doivent encore se payer en valuta. Si ce n'est par commodité, il n'y a plus aucune raison de régler vos achats en devise étrangère. Dans certaines localités, vous pourrez avoir des difficultés à les changer si les banques sont fermées.

On peut changer du liquide, des chèques de voyage et des Eurochèques (15 000 Ft maximum par transaction) dans les banques (la Caisse nationale d'épargne OTP possède des succursales presque partout) et dans les offices du tourisme qui prennent une commission de 1% à 2%. La quasi-totalité des bureaux de poste pourront vous changer des espèces mais rarement des chèques. Les bureaux de change privés – une nouveauté en Hongrie – sont pratiques mais onéreux. Ibusz possède un bureau ouvert 24 heures sur 24 au V Petőfi tér 3, où vous pourrez retirer du liquide avec votre carte Visa. American Express se trouve au V Deák Ferenc utca 10, avec un distributeur accessible en permanence pour des retraits de forints ou la remise de chèques de voyage en dollars, mais la commission est de 3% et Amex offre l'un des taux de change les moins avantageux. Quelques rues plus au sud, auprès de Creditanstalt dans Szevita tér, vous obtiendrez les meilleurs taux.

Ne changez que la somme dont vous avez besoin pour deux ou trois jours ou pour le week-end. Vous pouvez changer les forints qui vous restent en devises fortes mais la procédure est compliquée, limitée et chère. Vous devez produire le reçu officiel de change avec la date et le numéro de votre passeport clairement lisible, le maximum autorisé est de 50% de chacune de vos transactions et la retenue est de 7%. Obtenir des dollars en liquide contre vos chèques de voyage en dollars revient cher également. Amex, par exemple, change d'abord vos chèques contre des forints à un bas cours d'achat, puis change les forints en dollars à un haut cours de vente.

Il n'y a aucune raison d'avoir recours au marché noir. C'est illégal et vous êtes pratiquement sûr de vous faire rouler. Toute personne offrant davantage que 10% de plus sur le taux officiel ou essayant de vous payer en petites coupures est louche à coup sûr. Ces changeurs douteux opèrent en général en duo. L'un d'entre eux vous aborde, puis, au beau milieu de la transaction, le comparse vient vous distraire "Change mo ? Change mo ?", donnant l'occasion au premier de disparaître avec l'argent, rapidement suivi du second, et il ne vous reste qu'une poignée de dinars yougoslaves sans valeur ou qu'une petite partie des forints que vous attendiez. Ceux que cela intéresse quand même trouveront des changeurs dans les grandes gares de Budapest (celle de Keleti est la plus sûre) et dans Váci utca.

Le paiement en carte de crédit se répand, surtout en American Express, Visa et MasterCard, mais il est encore limité aux restaurants, magasins et hôtels de luxe, aux agences de voyages et de location de voitures et à quelques stations-service. Ne comptez pas trop sur elle pour vos achats.

L'envoi d'argent par le système Moneygram d'American Express est très simple. Il n'est pas nécessaire d'être détenteur d'une carte et l'opération prend moins d'une journée. Vous devez connaître le nom complet de l'expéditeur, la somme exacte et le numéro de référence. Muni de votre passeport, on vous délivrera la somme en dollars ou en forints. L'expéditeur paye les frais (70 $ sur des montants compris entre 500 $ et 1000 $). En passant par le système bancaire hongrois, aux complications byzantines, vous perdrez votre patience et votre temps.

La monnaie nationale

Le forint hongrois (dont le nom dérive du "florin") est divisé en 100 fillér, petites pièces d'aluminium qui n'ont plus aucune valeur aujourd'hui et qu'on ne frappe plus (*filléres* signifie "bon marché"). Il existe des pièces de 10, 20 et 50 fillér, 1, 2, 5, 10 et 20 forints. De nouvelles pièces aux motifs simples et non socialistes sont entrées en circulation en 1993, et l'on a ajouté à la liste les valeurs de 50, 100 et 200 Ft.

Les billets ont cinq valeurs : 50, 100, 500, 1 000 et 5 000 Ft. Le billet bleu de 20 Ft portant un portrait du révolutionnaire du XVIᵉ siècle György Dózsa et un "héros" en petite tenue brandissant un marteau et une gerbe de blé a été retiré de la circulation. Le billet brun de 50 Ft porte l'effigie du chef du mouvement d'indépendance du XVIIIᵉ siècle, Ferenc Rákóczi, sur la face, et le même à cheval, combattant les Habsbourgs, au revers. Le billet bordeaux de 100 Ft représente le héros national Lajos Kossuth (1802-1894) d'un côté, et un couple de paysans en charrettes

à chevaux fuyant devant un orage dans la puszta, de l'autre. Le poète du début du siècle Endre Ady et le pont Elizabeth de Budapest figurent sur le billet pourpre de 500 Ft.

Quant au 1 000 Ft vert, il est orné du compositeur Béla Bartók et de la *Nourrice* du sculpteur Ferenc Medgyessy. Le billet de 5 000 Ft d'un orange brun hideux montre un portrait de l'homme d'État et réformateur du XIXᵉ siècle, le comte István Széchenyi. Au revers, on voit une marque en braille et une gravure de l'Académie des sciences réalisée non pas d'après une image de l'époque du grand comte (qui la fonda) mais d'après une photo moderne – en regardant attentivement on aperçoit quatre voitures d'Europe de l'Est dont une Trabant.

Le taux de change

Pour tenter de contrer l'inflation, le gouvernement dévalue le forint tous les quatre mois environ de 1% à 2%.

Les chiffres que nous publions ici seront donc dépassés d'ici quelques mois, mais ils fourniront une approximation :

1 FF	=	14 Ft
1 FS	=	69 Ft
1 FB	=	3 Ft
1 ECU	=	113 Ft
1 $Can	=	73 Ft
1 $US	=	95 Ft
100 ASch	=	851 Ft
1 DM	=	60 Ft
100 Ks	=	330 Ft
1 £UK	=	146 Ft

Les taux de change avec d'autres devises de la région, comme le dinar croate, le tolar slovène, le lei roumain ou le rouble, changent à une telle rapidité qu'ils sont dépassés presque immédiatement. Les ambassades vous renseigneront sur les taux officiels ; si vous voulez connaître les taux réels (c'est-à-dire au marché noir) dans certains de ces pays, informez-vous en Hongrie auprès des vendeurs d'un marché aux puces.

Le coût de la vie

Malgré la hausse constante des prix, dont certains atteignent des niveaux occidentaux, la Hongrie reste une destination très abordable. Si vous logez chez l'habitant, prenez vos repas dans des restaurants de catégorie moyenne et voyagez en seconde classe, vous pouvez, sans vous restreindre, ne dépenser que 2 000/2 500 Ft par jour. En descendant dans des auberges ou des campings et en mangeant dans les self-service ou aux stands de rue vous réduirez encore les frais. Le prix de la nourriture en province est inférieur de moitié ou des deux tiers à celui de Budapest. En effet, une récente étude d'un cabinet suisse a révélé, quant au coût de la vie pour les résidents étrangers, que Budapest était au 86e rang sur 97 villes (derrière Prague et Moscou).

L'inflation est toujours élevée – environ 20% par an – mais les étrangers dont les devises s'apprécient par rapport au forint ne sont pas vraiment concernés. Ce problème en revanche touche les classes hongroises défavorisées.

Les pourboires

La Hongrie est un pays où le pourboire est de rigueur pour toutes sortes de services – serveurs de café, coiffeurs, chauffeurs de taxi, médecins et même pompistes. Le montant standard est de 10% (15% si vous êtes généreux), mais il n'y a aucune règle stricte. C'est le pourboire tel qu'il se pratiquait au bon vieux temps : on donne quand on le souhaite et uniquement dans ce cas. Si vous êtes moins que satisfait par le service du restaurant, la course en taxi ou la coupe de cheveux, abstenez-vous ou laissez très peu. Surtout si on vous a trompé ou roulé. Le message sera reçu et on sera aussi poli avec vous que si vous aviez octroyé 20% de pourboire.

La procédure dans les restaurants est un peu inhabituelle. Vous ne laissez jamais l'argent sur la table, ce qui serait considéré comme grossier et stupide, mais vous dites au serveur combien vous devez en tout. Si la note est de 260 Ft, que vous réglez avec un billet de 500 Ft et pensez que le serveur mérite ses 15%, demandez d'abord si le service est compris (quelques restaurants de Budapest l'ajoutent automatiquement à la note). S'il ne l'est pas, annoncez que vous payez 300 Ft ou que vous désirez qu'on vous rende 200 Ft. Ne vous inquiétez pas si le porteur de la note n'est pas le serveur qui a suscité votre générosité : les pourboires sont partagés.

Le marchandage

Pratique inconnue sous le régime communiste où tout le monde, à l'exception des privilégiés, payait la même chose au poids et au volume pour les biens en vente libre, y compris pour une boule de crème glacée. On ne marchande pas dans les magasins, sauf si vous avez affaire à un capitaliste en herbe qui pourrait vous accorder une ristourne de 10% pour un article de démonstration. Vous pouvez tenter de marchander sur les marchés aux puces ou avec les vendeurs d'artisanat folklorique, mais là aussi l'usage n'est pas courant. En général, les commerçants affichent un prix et s'y tiennent.

Les taxes à la consommation

La taxe à la valeur ajoutée, ÁFA en hongrois, frappe tous les biens et services qu'ils soient de luxe comme les matériels électroniques d'importation et les prestations des hôtels de luxe (25%) ou ordinaires comme les livres et l'alimentation (à l'exception du pain et des laitages) qui supportent une taxe de 10%. Les prix indiqués sont souvent TVA incluse, mais pas toujours ; faites attention. Les visiteurs peuvent demander un remboursement de la TVA pour des montants d'achats dépassant 25 000 Ft, moyennant une procédure assez complexe. Il faut faire sortir les articles du pays dans un délai de 90 jours, les reçus de TVA (délivrés par les commerçants) doivent être tamponnés à la frontière et la demande de remboursement doit parvenir dans les six mois suivant l'achat.

Les bureaux compétents à Budapest sont l'APEH (☎ 118 1910) au V Sas utca 2, et Inteltrade (☎ 118 8544) au X Csarnok tér 3-4.

QUAND PARTIR

Toutes les saisons ont leur charme, mais je vous en conjure, renoncez à l'idée romantique d'un hiver sur la puszta. Sans parler du froid souvent glacial, presque tous les sites intéressants en dehors de Budapest ferment entre novembre et mars, surtout dans la période actuelle de restrictions budgétaires. Vous ne voudriez pas, comme cela m'est arrivé avec un groupe de visiteurs, vous retrouver à Esztergom par un dimanche de fin d'automne, devant le musée Chrétien fermé jusqu'au printemps, le Palais Royal fermé à double tour sans explication et la crypte de la cathédrale ouverte à des horaires réduits.

Quant aux défenseurs des animaux, ils seront contents d'éviter la saison pendant laquelle la moitié des femmes s'emmitouflent dans des fourrures !

Le printemps est une saison merveilleuse, même si le mois de mai et début juin sont parfois très arrosés. L'été est chaud et ensoleillé, et d'une longueur inaccoutumée, mais les stations balnéaires sont surpeuplées. En évitant le lac Balaton et certains endroits des monts Mátra, vous passerez un agréable moment. Comme à Paris, la vie à Budapest s'arrête complètement en août (appelée "la saison du concombre" car c'est à peu près le seul événement notable qui survient). C'est le mois le plus inconfortable. Très peu de bureaux et de magasins sont climatisés.

L'automne est une belle saison surtout dans les monts entourant Budapest et dans les monts du Nord. En Transdanubie et dans la Grande Plaine, c'est l'époque des récoltes et des vendanges, mais novembre est l'un des mois les plus humides. Reportez-vous également à la rubrique *Climat* du chapitre *Présentation du pays*.

QUE PRENDRE AVEC SOI

On ne trouve pas toujours ce que l'on veut mais la Hongrie des années 90 change tous les matins. Un jour, personne n'aura jamais vu de fil dentaire au supermarché ; et la semaine suivante, vous aurez un choix de trois marques différentes à côté d'un nouveau rayon de produits asiatiques offrant des nouilles déshydratées, de l'huile pimentée et des boîtes de lait de coco. Rien à signaler côté vestimentaire si ce n'est de prendre un parapluie à la fin du printemps et en automne et un chapeau en hiver (tout le monde en porte). N'oubliez pas le maillot de bain pour les stations thermales et les piscines, et les sandales.

Quant à la manière de s'habiller, les Hongrois y prêtent très peu d'attention. Encore très récemment, la mode était inconnue et on se distinguait en portant un jeans et une chemise en laine. Certains vont à l'opéra en jeans, et même le juge devant qui j'ai dû comparaître récemment pour infraction au code de la route n'était pas en costume.

Si vous voulez dormir dans les auberges et les dortoirs de collèges prenez une serviette et une boîte à savon. Les draps et couvertures sont toujours fournis ; si vous êtes délicat, emportez un sac à viande. Enfin, vous dormirez plus tranquille avec un cadenas sur le casier que la plupart des auberges mettent à votre disposition.

OFFICES DU TOURISME

La Hongrie est le pays de l'Est le mieux pourvu en offices du tourisme. Au besoin, les agences de voyages privées qui se multiplient depuis 1990 peuvent vous aider.

Les offices gérés par la Commission du tourisme hongrois retiendront particulièrement votre attention dans les villes de province. Certains s'appellent maintenant Tourinform, mais d'autres ont des noms différents dans chacun des dix-neuf départements du pays (Savaria Tourist dans le Vas, Mecsek Tourist dans le Baranya, Tiszatour dans le Jász-Nagykun-Szolnok, etc). En général, ils connaissent mieux leur ville et leur région que les autres grandes agences, le personnel est agréable et il se trouve presque toujours quelqu'un parlant un peu d'anglais. Ils distribuent (ou vendent) des plans et des brochures utiles.

Les autres grands bureaux sont : Ibusz, la plus ancienne agence de voyages du monde, avec 125 agences en Hongrie et à

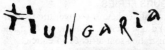

EUROPE'S HIDDEN TREASURE.

l'étranger ; Express, spécialisé dans la clientèle jeune et étudiante ; Cooptourist et Volántourist.

Les agences locales

Les adresses des agences centrales (toutes à Budapest) des cinq grands du tourisme hongrois sont données ci-après.

Pour les agences en province, se reporter dans les rubriques *Renseignements* de chaque ville. La meilleure source d'informations générales est Tourinform à Budapest. Ils sont ouverts tous les jours toute l'année, de 8h à 20h et le personnel parle cinq langues dont le français. Vous pouvez leur demander n'importe quoi sur place ou par téléphone, des horaires d'un bus de province au nom de la cantatrice qui passe le soir à l'opéra.

Tourinform
    V Sütő utca 2 (☎ 117 9800 ; fax 117 9578)
Hungarotours
    VII Akácfa utca 20 (☎ 141 3889 ; fax 122 7453)
Ibusz
    V Ferenciek tere 5 (☎ 118 1120 ; fax 118 6536)
    Service logement : V Petőfi tér 3 (☎ 118 5707 ; fax 117 9099)
Express
    V Szabadság tér 16 (☎ 131 7777 ; fax 153 1715)
Cooptourist
    V Kossuth tér 13-15 (☎ 112 1017 ; fax 111 6683)
Volántourist
    VI Teréz körút 38 (☎ 53 2555 ; fax 112 9816)

Les offices du tourisme hongrois à l'étranger

La Commission touristique hongroise possède des bureaux dans tous les pays dont la liste suit.

Allemagne
    Berliner Strasse 72, 6000 Frankfurt-am-Main (☎ 069-20 929)
Autriche
    Parking 12, III/6, 1010 Vienne (☎ 0222-513 9122)
Espagne
    Juan Alvarez Mendizabal 1-3, 28008 Madrid (☎ 01-541 2544)
France
    92, rue Bonaparte, 75006 Paris (☎ 1-43 54 66 96)

Ibusz est présent dans vingt-cinq pays. Pour les pays importants dépourvus d'agence, nous avons donné l'adresse du bureau de la compagnie aérienne Malév.

Allemagne
    Karl Liebknecht Strasse 9-11, 102 Berlin (☎ 030-242 35 59)
    Schäfergasse 17, 6000 Frankfurt-am-Main (☎ 069-299 8870)
Autriche
    Krugerstrasse 4, 1010 Vienne (☎ 0222-555 550)
Belgique
    Malév, Cantersteen 49, Bruxelles 1000 (☎ 25 11 18 78
Canada
    Malév, Suite 712, 175 Bloor St East, Toronto, Ont M4W 3R8 (☎ 416-944 00 93/4)
États-Unis
    Suite 1104, 1 Parker Plaza, Fort Lee, NJ 07024 (☎ 201-592 8585)
    Suite 1308, 233 North Michigan Ave, Chicago, IL 60601 (☎ 312-819 3150)
France
    27, rue du 4 Septembre, 75002 Paris (☎ 1-47 42 50 25)
    Malév, 7, rue de la Paix, 75002 Paris (☎ 1-42 61 57 90)
Grèce
    Malév, 1er étage, 15 av. Panepistimiou, Athènes (☎ 01-324 1116)
Pologne
    ulica Marszalkowska 80, 00157 Varsovie (☎ 022-259 915)
République tchèque
    ulice Kaprova 5, 11000 Prague (☎ 02-232 4009)
Roumanie
    Malév, Strada Cosmonautilor 3, 70141 Bucarest (☎ 0-594 436)
Royaume-Uni
    Danube Travel, 6 Conduit St, Londres W1R 9TG (☎ 071-493 0263)

Russie
   ulitsa Medvedjeva 5, 103006 Moscou (☎ 095-299 7402)
Slovaquie
   ulice Panska, 81101 Bratislava (☎ 07-330 575)
Suisse
   Malév, Pelikanstrasse 36, Zurich 8040 (☎ 12 11 65 65)
Ukraine
   Malév, ulitsa Vladimirskaya 20, Kiev (☎ 044-229 3661)

Brochures touristiques

A travers les offices de tourisme, les agences Malév, les bureaux Tourinform et les hôtels de luxe, le Bureau touristique hongrois diffuse quelques brochures fort instructives. Elles sont souvent écrites en hongrois, avec un bref texte d'introduction en anglais ou en allemand. A titre indicatif, vous pourrez trouver :

Programme in Ungarn/in Hungary
   Agenda mensuel des événements culturels et sportifs en allemand et en anglais
Budapest Panorama
   Un extrait du *Programme* qui concerne uniquement la capitale
Budapest et ses environs
   Une brochure en couleur et très utile
Camping et *hotel*
   Une liste complète des campings et de l'hébergement dans le pays avec les numéros de téléphone et un classement selon le confort
Castle Hotels and Mansions in Hungary
   Brochure illustrée des hôtels les plus romantiques du pays
Folk Art in Hungary
   Un bon guide d'introduction à la culture et aux traditions hongroises
The Flavours of Hungary
   Le livre n'est pas intéressant mais les recettes de cuisine sont bonnes
The Architecture of a Central European Country
   Cette brochure insiste sur les sites architecturaux les plus esthétiques et les moins connus que sur ceux décrits habituellement dans les guides
Skansens : Village Museums in Hungary
   Une liste complète des villages-musées de la Hongrie
National Parks of Hungary et *Nature Protection Areas*
   Le premier décrit les cinq grands parcs nationaux ; le second donne des détails sur les parcs plus modestes

HEURES D'OUVERTURE ET JOURS FÉRIÉS

En général, les heures d'ouverture (*nyitvatartás*) d'une société, d'un musée ou d'une administration sont affichés à l'entrée.

Les épiceries et marchés alimentaires sont ouverts de 7h à 19h en semaine et jusqu'à 13h le samedi, mais les grands supermarchés comme Skála ou Julius Meinl à Budapest et dans les chefs-lieux de département restent ouverts un peu plus tard. Depuis trois ou quatre ans, les petits magasins ouverts 24 heures sur 24 et vendant de l'alimentation, des boissons et des cigarettes ont fait leur apparition dans tout le pays.

Les grands magasins, boutiques de vêtements et librairies sont ouverts moins longtemps : de 10h à 18h environ, et de 9h à 13h le samedi. D'autre services, comme les blanchisseries, ont des horaires beaucoup plus fluctuants. Beaucoup de boutiques privées ferment tôt le vendredi et durant le mois d'août.

Les restaurants de Budapest restent ouverts jusqu'à minuit ou plus, mais en province, il vaut mieux se présenter avant 21h si l'on veut dîner normalement.

Les horaires des banques sont variables, mais en général, elles sont ouvertes de 8h à 15h (13h le vendredi).

La poste centrale des villes de province et des arrondissements de Budapest (dont l'adresse est donnée dans les rubriques *Renseignements* de ce livre) est ouverte de 8h à 19h ou 20h en semaine et jusqu'à 13h ou 14h le samedi. Les postes annexes ferment beaucoup plus tôt, pas plus tard que 15h30 en général, et ne sont pas ouvertes le week-end.

Normalement, les musées sont ouverts de 10h à 18h du mardi au dimanche, mais les subventions de l'État étant ce qu'elles sont, beaucoup écourtent leurs horaires en hiver (de novembre à mars) ou ferment carrément. Pas de musée ouvert le lundi. La plupart ont un jour de gratuité pour tous, le plus souvent le mardi ou le mercredi. Les étudiants en possession d'une carte ISIC ou d'une carte hongroise ont droit à un demi-

Masque du carnaval
de Busó à Mohács

tarif ou à la gratuité. De toute façon, l'entrée est toujours modique.

Les horaires des agences de voyages sont variables ; ils sont donnés avec l'adresse dans les rubriques *Renseignements*. On peut néanmoins escompter les trouver ouvertes de 8h30 à 16h30 en semaine uniquement.

La Hongrie a neuf jours fériés : le jour de l'An, la fête de la Révolution de 1848-1849 (15 mars), le lundi de Pâques, la fête du Travail (1er mai), le lundi de Pentecôte (mai/juin), la fête de la saint Étienne (20 août), le jour du Souvenir de 1956 (23 octobre), Noël et le lendemain de Noël.

MANIFESTATIONS CULTURELLES

Les manifestations culturelles et sportives se déroulent toute l'année, surtout à Budapest. Depuis quelques temps, on essaye d'en transférer certaines en province. Les rubriques *Distractions*, tout le long du livre, en donnent le détail.

L'année culturelle commence réellement avec le festival de Printemps de Budapest, en mars, et l'on attend maintenant avec impatience l'événement de la décennie : l'exposition mondiale "Communications pour un monde meilleur" qui aura lieu au printemps de 1996, sur un site en bordure du Danube au sud de Buda. Faites-vous préciser les dates exactes des manifestations mobiles. Pour des raisons budgétaires, certaines sont parfois annulées.

Janvier
> *Saison des bals*. Bals et pompes en tous genres ont lieu dans tout le pays du 6 janvier au mercredi des Cendres.

Février
> *Busójárás*, Mohács. La fête de Mardi gras, la plus connue du pays, a lieu le dernier week-end avant le Carême.
> *Festival de Cinéma de Budapest*. Présentation des nouveaux films hongrois, au palais des Congrès de Budapest.

Mars
> *Fête de la Révolution de 1848-1849*. Beaucoup de discours et de défilés, et depuis peu, une ambiance de carnaval.
> *Festival de Printemps de Budapest*. Festival culturel de quinze jours comprenant spectacles locaux et internationaux, conférences et expositions. C'est un événement majeur en Hongrie. Des festivals de printemps ont lieu également à Debrecen, Kaposvár, Kecskemét, Sopron, Szentendre et Szombathely.
> *Utazás*, Budapest. Conférence et salon annuel du voyage au centre des foires Hungexpo.
> *Festival national des maisons de danse* et *festival folklorique de Budapest*. Deux jours de danse, de musique et d'artisanats au Palais des sports de Budapest.

Avril
> *Fête de l'Arrivée du raisin*, Kőszeg.
> *Pâques*. Fête religieuse la plus importante.

Mai
> *Fête du travail*. Ouverture de la saison sur le lac Balaton.
> *Pentecôte*. Célébrations religieuses suivies d'un jour férié.

Juin
> *Festival Beethoven*, Martonvásár. Les concerts se poursuivent en juillet.
> *Semaines de Sopron*, Sopron et Fertőrákos. Musique ancienne et danse se poursuivant jusqu'en juillet.
> *Foire d'Őrség*, Őriszentpéter. Arts et artisanats traditionnels de cette région de l'ouest du pays.

Juillet

Concerts en plein air. Dans la cour des Dominicains du Budapest Hilton.

Théâtre en plein air. Sur l'île Marguerite et à Szentendre, se poursuivant en août.

Journées internationales du cheval, Hortobágy. Premier week-end du mois.

Été de Miskolc, Miskolc et Diósgyőr. Festival de musique et de théâtre se poursuivant en août.

Été de Győr, Győr. Musique, théâtre et danse de mi-juillet à mi-août.

Festival Bartók, Szombathely. Séminaire de musique avec concerts des ateliers.

Festival folklorique, Baja, Kalocsa, Mohács et Szekszárd. A lieu une année sur deux (prochain en 1995).

Semaines de Szeged, Szeged. Théâtre, opéra et danse de mi-juillet à mi-août

Août

Festival serbe, Szentendre (19 août). Danse et culture slaves méridionales.

Foire du Pont, Hortobágy (19 et 20 août). Reconstitution des anciennes foires de brigands du siècle dernier.

Fête nationale/de saint Étienne (20 août). Fête accompagnée de feux d'artifice.

Carnaval des fleurs, Debrecen (20 août). La plus grande manifestation de Debrecen.

Festival d'Arts folkloriques, Nagykálló. Un des plus grands et des meilleurs de Hongrie.

Festival de Théâtre, Gyula. Représentations dans la cour du château pendant tout le mois.

Journées de Nyírbátor, Nyírbátor. Festival de musique.

Grand prix de Formule 1 de Hongrie, Budapest. Sur le circuit automobile Hungaroring au nord-est de la capitale.

Septembre

Journées de Pécs, Pécs. Festival culturel d'un mois.

Journées de Zrínyi, Szigetvár. Manifestations culturelles.

Journées de Kanizsai, Nagykanizsa. Quatre jours de fête du sport, de la culture et de la bière.

Automne de Balaton, région du lac Balaton. Fête de la culture et du vin dans les villes de Siófok, Keszthely, Badacsony, Tihany et Balatonfüred.

Journées du jazz, Debrecen. Considéré comme le meilleur festival du genre en Hongrie.

Festival de Musique de Fertőd, Fertőd. Concerts au palais Esterházy.

Automne de Pannonie, Sárvár, Körmend et Szombathely. Festival culturel de la Transdanubie.

Rencontres de danse folklorique d'Agria, Sopron. Compétition de danse.

Octobre

Journée du souvenir du soulèvement de 1956 (23 octobre). Fête morose avec processions aux flambeaux.

Festival des arts d'Automne, Hódmezővásárhely

Festival de Musique contemporaine, Budapest

Décembre

Noël et *lendemain de Noël*

Réveillon du Nouvel An. Nuit de fête célébrée avec le plus d'enthousiasme.

POSTES ET TÉLÉCOMMUNICATIONS

L'administration postale hongroise (Magyar Posta) est un monstre déficitaire, au personnel pléthorique, avec lequel les contacts sont rarement plaisants, en dépit du nouveau logo futuriste et des nouveaux uniformes. Les bureaux de poste sont toujours encombrés, et les employés revêches et peu serviables ne parlent que *magyarul.*

L'envoi et la réception du courrier

Demandez à un kiosque ou un marchand de journaux s'ils vendent des timbres (*bélyeg*) et mettez vos lettres et cartes dans les boîtes rouges qui jalonnent les rues.

Si vous devez vous rendre à la poste, sachez que le gros de la foule que vous y croiserez se trouve là pour payer des notes d'électricité, de gaz et de téléphone.

Pour ne pas user ses nerfs inutilement, cherchez le guichet marqué du sigle d'une enveloppe. Vérifiez que l'adresse est écrite clairement et tendez-la simplement à l'employé qui y mettra le timbre, l'oblitérera et la conservera.

Pour envoyer un colis, cherchez l'écriteau "csomagfeladás". Il ne doit pas dépasser 2 kg ni la valeur de 1 500 Ft, sinon vous traverserez un cauchemar kafkaïen de

permis et de files d'attente. Tâchez d'envoyer des petits paquets. Les livres et objets imprimés font exception à la règle. On peut envoyer 5 kg à la fois pour 1 500 Ft environ.

Les adresses commencent par le nom du destinataire suivi du code postal et de la ville. Le nom de la rue et le numéro viennent ensuite. Le code postal comprend quatre chiffres. Le premier indique la ville, les deuxième et troisième l'arrondissement et le dernier le quartier.

L'affranchissement d'une lettre à l'intérieur de Budapest est de 10 Ft ; 17 Ft pour le reste de la Hongrie. Le courrier par avion coûte 45 Ft jusqu'à 20 g et 90 Ft entre 20 et 100 g, plus un supplément de 5 Ft par 10 g. Mais les tarifs vont bientôt

augmenter. Les cartes postales sont à 30 Ft. Les délais d'acheminement sont de trois à cinq jours pour l'Europe occidentale et d'une semaine pour l'Amérique du Nord.

Pour recevoir du courrier à la poste centrale de Budapest, il faut indiquer son adresse, V Petőfi Sándor utca 13-15 et la mention "Poste restante" bien en évidence. Toutes les lettres simplement adressées "Poste restante, Budapest" sont envoyées à la poste de la gare de Nyugati, VI Teréz körut 51. Retirez votre courrier au guichet marqué "postán maradó küldemények". N'oubliez pas vos papiers d'identité.

On peut se faire adresser du courrier à l'American Express (1052 Budapest, Deák Ferenc utca) si vous avez une carte de crédit ou des chèques de voyage Amex.

Les réseaux téléphoniques

Malgré ses progrès dans d'autres domaines, la Hongrie possède l'un des réseaux téléphoniques les plus vétustes de l'Est – une sérieuse entrave au développement. En général, les particuliers attendent le téléphone une dizaine d'années, et les entreprises doivent se contenter de quelques lignes.

La probabilité d'obtenir son correspondant est estimée à une chance sur trois. Souvenez-vous en quand vous referez le numéro pour la quinzième fois.

La situation s'améliore néanmoins. On peut faire des appels intérieurs et internationaux depuis les cabines publiques qui, en général, marchent et sont en bon état, sans vitre cassée et dotée d'un annuaire. Les postes centrales des villes de province (*fő posta*) assurent aussi un service de téléphone longue distance, de télégramme et de fax.

Pour éviter d'avoir à transporter une bourse pleine de petite monnaie (les téléphones publics en général ne prennent que les pièces d'avant 1993), achetez une carte de téléphone dans une grande poste, une grande agence de voyages ou dans la boutique du téléphone, V Petőfi Sándor utca 17-19 à Budapest. Elles existent en 50 unités (250 Ft) et 200 unités (1 000 Ft). Les cabines marquées d'une flèche et d'une cible avec le mot "visszahívható" ont un numéro de téléphone auquel on pourra vous rappeler.

Les numéros de téléphone sont de trois types principaux ; sept chiffres à Budapest ; six chiffres en province commençant par un 3 ou un 4 pour les grosses sociétés. Il existe aussi des centraux manuels avec numéros entre un et quatre chiffres que l'on obtient par l'intermédiaire d'une opératrice. Si, après avoir composé le numéro, vous obtenez un message enregistré en hongrois, la plupart du temps c'est pour vous informer que le numéro du correspondant a changé.

Toutes les localités ont un indicatif de deux chiffres, sauf Budapest dont les numéros sont précédés du 1. Les indicatifs sont signalés dans les rubriques *Renseignements* de ce livre. Mais ils changent perpétuellement ; aussi attendez-vous à quelque confusion.

Pour faire un appel local, décrochez et attendez la tonalité neutre et continue et l'appareil émettra des cliquetis qui s'arrêteront quand vous aurez inserré une pièce de 5 Ft (somme minimum valable pour une à trois minutes selon l'heure de la journée). Pour un appel interurbain, utilisez des pièces de 10 ou 20 Ft. Composez le 06 et attendez une deuxième tonalité plus musicale. Faites le numéro sans oublier l'indicatif régional.

La procédure est la même pour les appels internationaux sauf qu'il faut composer le 00 suivi de l'indicatif du pays et de la région. Ces appels sont assez chers. Ils coûtent 50 Ft la minute avec les pays limitrophes ; 66 Ft avec l'Europe occidentale ; 138 Ft avec le Moyen-Orient et l'Asie du Sud-Est ; 165 Ft avec l'Amérique du Nord ; et 198 Ft avec le reste du monde. L'indicatif de la Hongrie est le 36.

On peut aussi avoir recours aux services "country direct" depuis la Hongrie qui vous met en relation avec un opérateur dans votre pays d'origine. Pour la France, ce numéro est le 00 800 03311, et pour le Canada, le 00 36 111.

Pour la Belgique et la Suisse, ce système n'est pas en vigueur. Pour l'Angleterre, ce numéro est le 00 800 44011. Les autres numéros qui pourront vous être utiles sont :

☎ 267 7111 Service de l'annuaire en anglais, mais s'il ne répond pas, adressez-vous à Tourinform
☎ 01 Opérateur pour les appels en Hongrie
☎ 09 Opérateur de l'international
☎ 08 Horloge parlante en hongrois
☎ 117 2522 Service du réveil en hongrois

HEURE LOCALE

La Hongrie est à l'heure GMT plus une heure en hiver et GMT plus deux heures en été. L'heure est avancée à 2h du matin le dernier dimanche de mars et retardée à 3h du matin le dernier dimanche de septembre. En ne tenant pas compte de l'heure d'été, quand il est 12h à Budapest, il est :

13h	à Athènes
12h	à Belgrade
12h	à Berlin
12h	à Bratislava
12h	à Bruxelles
13h	à Bucarest
12h	à Genève
11h	à Londres
12h	à Paris
(la même heure qu'en Hongrie, été comme hiver)	
14h	à Moscou
12h	à Prague
6h	à Montréal
12h	à Varsovie
12h	à Vienne
12h	à Zagreb

Il est très important de savoir comment s'exprime l'heure en hongrois. Comme en allemand, 7h30 se dit "demi-huit" (*fél nyolc óra*). Un film qui commence à 19h30 sera annoncé à "f8", "f20", "1/2 8" ou 1/2 20" sur le programme. L'heure moins le quart est notée 3/4 devant l'heure ("3/4 8" équivaut à 7h45) et l'heure et quart est notée 1/4 devant l'heure suivante ("1/4 9" équivaut à 8h15).

ÉLECTRICITÉ

Le courant est de 220 volts. Les prises sont de type européen à deux fiches rondes et ne possèdent pas toutes une prise de terre.

POIDS ET MESURES

La Hongrie utilise le système métrique. Dans les supermarchés ou sur les marchés de plein air, les denrées fraîches sont vendues au poids ou à la pièce (*darab*). En commandant au poids, on spécifie kilo, ou *deka* (décigrammes – 50 dg équivaut à 500 g).

La bière est servie dans les *söröző* (bar) au *pohár* (tiers de litre) ou au *korsó* (demi-litre). Le vin est servi dans les vieux *borozó* (bars à vin) au *deci* (décilitre), mais dans les débits plus modernes, on le sert au "verre" sans autre précision.

BLANCHISSAGE/NETTOYAGE

Les blanchisseries (*patyolat*) sont très répandues surtout à Budapest mais elles ne sont jamais en self-service. On peut obtenir son linge propre au bout d'un, deux ou trois jours (prix à l'avenant). Le nettoyage à sec est catastrophique : costumes et robes souffrent affreusement et des boutons manquent souvent à l'appel. Aucun emballage n'est prévu et ne comptez pas sur des cintres.

LIVRES, CARTES ET PLANS

La littérature sur ce pays ne manque pas : guides, histoires, récits de voyage, manuels de langue, etc. (voir aussi la rubrique *Littérature* dans le chapitre *Présentation du pays*). Cependant, tout ce qui s'écrit actuellement est appelé à devenir très vite obsolète. Autrefois très bon marché, le prix des livres augmente sans atteindre encore les prix occidentaux. La qualité s'améliore également, notamment celle des reproductions en couleurs.

Littérature

La littérature hongroise est extrêmement riche. Aussi, la liste des traductions en français ci-dessous n'est nullement exhaustive et ne doit pas exclure d'autres choix plus personnels.

Le roman *Le nouveau seigneur* de Mór Jókai (Phébus, 1993) relate les années 1850, dramatiques dans l'histoire de la Hongrie.

Un récit fantastique de cavalerie austro-hongroise pendant l'année 1915 : *Le baron Bagge* d'Alexander Lernet-Holenia (Babel/Actes Sud/Labor, 1993). Cent vingt cavaliers franchissent les frontières de l'étrange à travers l'immense plaine hongroise. Le baron Bagge est le seul survivant de cette épopée.

Parmi les Hongrois les plus célèbres, on ne saurait oublier le romantique Sandör Petőfi. Avec *Jean le Preux*, il s'est aussi illustré comme un grand poète du XIXe siècle. Pour mieux connaître ce personnage de légende, vous pourrez lire *La vie de Petőfi* de Gyula Illyès (Gallimard, 1962). Du même auteur et chez le même éditeur, une tragédie *Le favori* (1965) et *Ceux des Pusztas* (1969).

Sur la période bouillonnante de l'entre-deux-guerres, on pourra facilement trouver en français certains ouvrages de Dezsö (Désiré) Kosztolany, cofondateur de la revue Nyugat ("Occident") : *Alouette* et *Le cerf-volant d'or* (éd. Viviane Hamy), *Le traducteur cleptomane* ou les aventures de Kornél Esti, où le héros et narrateur est le véritable double de l'auteur (Alinéa) ; La nouvelle, avec les recueils *Drame au vestiaire* (In Fine/VO 1993) et *Cinéma muet avec battements de cœur* (Souffles/Europe centrale) est aussi un genre où il excelle , enfin, *L'œil-de-mer*, paru aux Presses orientalistes de France (1986), son dernier recueil de poèmes, est le bilan ironique du monde de Dezsö Kosztolany.

La rue du Chat-qui-pêche de Jolán Földes (In Fine/VO, 1992), écrit en 1936, est le roman dans lequel l'auteur évoque ses années parisiennes, à travers l'histoire d'un Russe blanc, d'un Lituanien rouge et d'une famille hongroise, exclus du pays natal à qui ils vouent un attachement sans bornes.

L'œuvre du désopilant Frigys Karinthy (l'original *Voyage autour de mon crâne* aux éditions Viviane Hamy, ainsi que *M'sieur* chez In Fine/VO 1992) est également bien représentée.

Fille des pierres de Cécile de Tormay (éd. Viviane Hamy, 1990) se veut le roman de la psychologie féminine. Là, tous les personnages du roman sont féminins.

Le voyageur et le clair de lune d'Antal Szerb (Alinéa, 1990) est un des romans-fétiches de la littérature hongroise, qui reprend le thème de la fin de l'enfance. Szerb, auteur également de *La légende de Pendragon* (Alinéa, 1990), fut abattu par les fascistes hongrois.

Troix ouvrages de Sandor Marai sont également disponibles chez Albin Michel : *La conversation de Bolzano* est inspiré d'un épisode de la vie de Casanova ; *Les révoltés*, sur fond de guerre, raconte l'histoire de jeunes adolescents livrés à eux-mêmes et qui échappent à l'autorité de leurs parents ; traduit plus récemment, *Les confessions d'un bourgeois* retrace l'itinéraire d'une grande famille hongroise.

De Péter Estherházy, vous apprécierez certainement *Trois anges me surveillent*, paru chez Gallimard en 1989.

Très connue en Europe occidentale, Agota Kristof a publié plusieurs ouvrages qui ont été traduit en français dont, par exemple, *Le grand cahier* (Points Seuil, 1986), une fable d'un humour noir décapant sur les malheurs de la guerre et du totalitarisme.

Enfin, le genre de la poésie et du conte a été merveilleusement bien entretenu par les "manouches" hongrois. Ainsi, *Lendemain et autres poèmes tziganes* de Karoly Bari (Blandin, 1991), est l'expression baroque et exacerbée d'un poète persécuté dans les années 70 pour ses prises de positions. *Les contes d'un tzigane hongrois* est un recueil présenté par V. Görög-Karady, paru aux éditions du CNRS en 1991.

Histoire, politique et philosophie
Pour assimiler l'histoire ancienne de la région, vous pourrez vous référer à *L'histoire de la Bohême* de Josef Macek et Robert Mandron (Fayard, 1984).

Plus contemporain, *De Béla Kun à János Kádár* de Miklós Molnár (Publications de la fondation nationale de sciences politiques) explique soixante-dix années de communisme à la hongroise.

L'historien François Fejtö a publié plusieurs ouvrages de référence, dont la fameuse *Histoire des démocraties populaires* (Points Seuil, en deux tomes) et *1956, Budapest, l'insurrection : la première révolution antitotalitaire* (éd. Complexe, 1990), sur cet épisode fondateur de l'histoire de la Hongrie.

L'épopée hongroise ; un bilan de 1945 à nos jours de A.E. Kervela (L'Harmattan, 1993) et Hongrie : la transition pacifique de Thomas Schreiber (Le Monde éditions, 1991) vous donneront un aperçu de l'histoire plus contemporaine.

Enfin, une grande partie de l'œuvre de Georges Lukács (1885-1971) a été traduite en français. Vous trouverez entre autres *L'âme et les formes* (Gallimard, 1974), *Histoire et Conscience de classe* (Minuit, 1974) ainsi que *La théorie du Roman* (Gallimard, 1989).

Guides
L'excellent *Budapest 1900 : portrait historique d'une ville et de sa culture* de John Lukacs (Quai Voltaire, 1990) transcrit la créativité et le dynamisme des jeunes talents dans une des villes les plus trépidantes et des plus riches d'Europe.

La revue Autrement, série Monde, a consacré son n°34 à *Budapest* et son n°51 à *L'Europe centrale* (1991).

En anglais, *A complète guide to Hungary* (Corvina, Budapest) est un guide de base mais il couvre beaucoup de villes et de villages. Concernant la capitale, le guide *Budapest : A Critical Guide* de András Török (Park, Budapest) est vraiment imbattable. L'ouvrage très bien illustré et en couleur intitulé *The Museums of Budapest* va en profondeur et donne nombre de précisions (Corvina). Corvina édite aussi trois guides spécialisés en format de poche : *A Musical Guide to Hungary* d'István Balázs, *A Guide to Hungarian Wine* de József Katona et *A Guide to Birdwatching in Hungary* de Gerard Gorman.

Enfin, si vous prévoyez un long séjour, procurez-vous l'excellent *Expatriate's Handbook to Hungary* (il coûte 750 Ft et vous le trouverez chez Budapest Media, Nagy Diofa utca 7, 1072 Budapest).

Concernant la culture et les traditions hongroises, *Hungarian Ethnography and Folklore* d'Iván Balassa et Gyula Ortutay est une véritable somme de connaissances qui répondra à toutes vos questions. Il est épuisé mais vous le trouverez peut-être à Budapest et dans certaines librairies de provinces pour environ 1 000 Ft.

Sur la musique

La biographie de *Béla Bartok* par Yann Queffelec est parue chez Stock (1993) et, pour décoder l'art de ce grand musicien, vous pourrez vous plonger dans *La musique de chambre de Bartók* de Stephen Walsh, critique musical anglais (Actes Sud, 1991).

Enfin, lisez sans plus attendre le merveilleux livre *La vie de Litz est un roman* par Zsolt Harsány, poète, traducteur et romancier (Actes Sud, 1986).

Méthodes de langues

Voyager en Hongrie, édité par Presses Pocket, vous présente un lexique et un guide de conversation ainsi qu'une introduction rudimentaire à la culture hongroise. Il existe une méthode Assimil (*Le hongrois sans peine*) ainsi qu'un dictionnaire français-hongrois/hongrois-français (publié par Akádemia Kiado, Budapest mais trouvable en France). Un guide de conversation Berlitz devrait voir le jour en 1994

En anglais, reportez-vous à la partie sur la Hongrie du livre de poche *Eastern European Phrasebook* (Lonely Planet).

Les cartes et les plans

Cartographia publie des cartes nationales et régionales et des plans de ville, mais beaucoup de ces derniers sont dépassés du fait des nombreux changements de nom des rues. Il sont remis à jour peu à peu ou remplacés par des plans commerciaux d'origine privée. L'atlas routier national rouge, *Magyarország autóatlasza*, comprenant 23 cartes routières au 1/360 000 et des schémas de presque toutes les localités du pays vous sera très utile si avez l'intention de beaucoup circuler.

MÉDIAS

La presse est un domaine d'activité en pleine ébullition. La presse écrite comme partout en Europe est fortement marquée par des choix politiques à deux exceptions près : le très respecté *Heti világgazdaság* ("hebdomadaire de l'économie mondiale") plus connu sous le sigle *HVG*, et l'ancien organe du Parti communiste, *Népszabadság* ("liberté du peuple") devenu complètement indépendant et faisant aujourd'hui le plus gros tirage de toute la presse.

Vous trouverez les journaux, magazines et périodiques en français dans la plupart des grands hôtels ainsi qu'au kiosque situé Váci utca et chez Bestseller (V Október 6 utca 11, ☎ 112 1295)

Curieusement, il existe cinq journaux en anglais. Le plus ancien des indépendants est *Budapest Week* qui couvre l'ensemble de l'actualité et des événements culturels, mais son style fait parfois penser à un journal de potaches. Il s'est récemment réuni à l'*Hungarian Times* qui traite les sujets économiques et politiques. Le *Budapest Sun* essaye de lui faire concurrence mais son audience stagne. Le *Budapest Business Journal* se consacre à l'actualité financière. Le *Daily News* (en réalité hebdomadaire) n'est guère qu'un bulletin d'informations publié par l'agence de presse hongroise MTI.

La publication la plus érudite est le *Hungarian Quarterly* qui examine en profondeur des sujets très variés et permet de se faire un idée précise des choix actuels en matière de traductions. Citons encore le *Budapest Review of Books*, une édition anglaise du célèbre trimestriel *Buksz*.

La télévision présente deux chaînes (TV 1 et TV 2) et la radio, trois stations aux noms de Lajos Kossuth, Sándor Petőfi et Béla Bartók.

Radio Bridge (102.1 MHz/FM) diffuse toutes les heures le bulletin d'information de la Voice of America, des journaux complets à 8h et 20h en semaine, et une émission de jazz tard le soir. Radio Budapest (6110, 7220, 9385 et 11910 KHz) a des émissions en anglais tous les soirs à 23h.

Les télévisions équipées d'antennes paraboliques et de décodeurs peuvent recevoir les chaînes des satellites.

FILMS ET PHOTOS

Les fournitures photographiques de base telles que piles et nettoyant d'objectif se trouvent partout mais le choix est plus vaste à Budapest. Le prix des pellicules varie (méfiez-vous des vendeurs aux abords des monuments historiques !) mais une pellicule 24 poses 100 ASA Kodacolor II, Agfa ou Fujifilm coûtera entre 360 et 410 Ft, une pellicule 36 poses entre 460 et 510 Ft. L'Ektachrome 100 revient à 720 Ft.

Les services photos se sont multipliés dans toutes les villes du pays. Vous ne devriez pas avoir de problème à faire développer vos photos en quelques heures. Si possible, choisissez la chaîne Fotex, une société à capitaux mixtes américano-hongrois qui offre le service le plus rapide et le plus fiable. A Budapest, on trouvera des boutiques Fotex au VII Rákóczi út 2 et V Váci utca 9, toutes deux ouvertes en semaine de 8h à 21h et le week-end de 9h ou 10h à 19h.

Le développement d'une pellicule papier coûte environ 190 Ft. Pour les tirages, vous avez le choix du format (25 à 36 Ft en 10x13 cm). Le tirage d'un film de 36 poses vous reviendra ainsi entre 1090 et 1405 Ft. Le traitement d'une pellicule de diapositives coûte 250 Ft (montage en plus)

SANTÉ

Aucune vaccination spéciale n'est requise pour entrer en Hongrie, et l'eau du robinet est réputée saine partout (pour ma part je me suis mis à boire de l'eau minérale quand j'ai vu qu'une pellicule brune s'était déposée au fond des bols d'eau que j'avais laissés s'évaporer sur mes radiateurs).

Il n'y a pas de serpents dangereux ni de méchantes bestioles. La gêne la plus notoire vient des piqûres d'insectes. Les moustiques (voir *Désagréments et Dangers*) sont une vraie plaie dans certaines régions. Faites provision d'antiinsectes (*rovarírtó*). Le seul insecte dont il faut se méfier est la tique des forêts (*kullancs*) qui pénètre sous la peau, provoque une inflammation et peut transmettre l'encéphalite. Si vous devez faire beaucoup de marche et de camping, il serait peut-être souhaitable de vous faire vacciner contre l'encéphalite à tiques.

Les cas de sida sont peu nombreux, mais la frontière n'est vraiment ouverte que depuis peu et ils pourraient se multiplier rapidement. A la fin de 1992, 122 personnes avaient un sida déclaré, 64 en étaient mortes et 329 personnes étaient séropositives. Deux lignes d'appels d'urgence fonctionnent à Budapest : le 138 2419 de 6h à 16h, et le 138 4555 de 16h à 6h.

Les soins d'urgence et le transport en ambulance sont gratuits pour les étrangers mais les soins de contrôle sont payants. Les cliniques publiques sont gratuites ou presque, quant aux médecins en cabinet privé, ils sont parfois aussi chers qu'en Occident. Très approximativement, une visite chez un médecin privé tourne autour de 2 000 Ft, et un séjour à l'hôpital comprenant les soins, la chambre et les médicaments coûte dans les 5 500 Ft par jour pour les étrangers.

Les médecins et dentistes recevant des patients en dehors de leurs heures de travail dans les cliniques et hôpitaux publics ont des horaires très restreints, quelques heures par semaine en général. Votre ambassade vous fournira une liste de spécialistes recommandés. Les soins dentaires sont de très haute qualité et peu onéreux comparés aux tarifs occidentaux. Beaucoup font de la publicité dans *Budapest Week*.

La plupart des grandes villes et les vingt-deux districts de Budapest ont une pharmacie de garde dont l'adresse est signalée sur la porte de toutes les pharmacie. Près de l'entrée, vous verrez un petit guichet : sonnez pour demander de l'aide.

En 1991, les Hongrois ont appris qu'ils verseraient désormais 10% de leur revenu à la sécurité sociale, service qu'ils considéraient jusque-là comme gratuit et allant de soi (la part de l'employeur est beaucoup plus élevée).

Le paludisme en Hongrie ?

Mon unique expérience des hôpitaux hongrois, si elle ne peut être qualifiée de typique, fut en tout cas un succès total. J'étais en Hongrie depuis six mois, et je profitais de tout ce dont je n'avais pas même osé rêver durant mes douze années passées à Hong Kong, comme des concerts d'orgue dans des églises baroques du XVIIIe siècle, et des orgies de framboises achetées au kilo.

Puis, je commençai à me sentir mal. Les choses allèrent très vite, comme souvent en pareil cas, et en quelques jours la fièvre grimpait à des pointes de 41°, puis chutait brusquement, me laissant dans des transes de froid et de sueur. Mon médecin resta impavide, tandis que des flaques de sueur mouillaient le sol de son dispensaire. "Les grippes sont mauvaises, cette année" me dit-il, recommandant de me reposer, de prendre des vitamines et de boire beaucoup, etc.

Après un accès de fièvre particulièrement sévère, feuilletant un guide d'Asie, je me pris à rêver du voyage que j'avais fait l'hiver précédant dans un coin reculé d'Indonésie. Je lus la rubrique santé et un éclair traversa mon esprit. Les symptômes étaient bien ceux-là, mais n'est-ce pas toujours ainsi quand on est malade ? et il y avait déjà six mois…

Quand même, je voulus en avoir le cœur net et téléphonai à l'hôpital des maladies tropicale de Londres qui me conseilla de faire des examens sur le champ, et l'ambassade américaine me dirigea vers l'unique hôpital de Budapest – et de Hongrie en l'occurrence – spécialisé en médecine tropicale. Trois heures après mon entrée à l'hôpital László de Pest, je tenais les résultats positifs de l'examen : deux types de paludisme contractés dans les marais de l'Irian Jaya.

La guérison fut prompte et bien guidée. Avec une demi-douzaine de comprimés de Larium et une ordonnance de primaquine pour traquer le *plasmodia vivax* et le *falciparum* dans leurs derniers retranchements, j'étais debout en un rien de temps. Avec mes compagnons de salle – un étudiant cambodgien victime d'une crise d'appendicite et un vieillard de 91 ans atteint de jaunisse – nous déambulions en peignoir dans les jardins de l'hôpital datant du siècle passé, tels des personnages d'un roman de Thomas Mann.

A maláriás beteg ("le malade à la malaria") devint l'attraction et tout ce que l'hôpital comptait de médecins et d'infirmières vinrent m'examiner et me prodiguer gratuitement leurs conseils. "Vous êtes sûr d'avoir bien pris tous les prophylactiques, la chloroquine et la paludrine ?" me demanda une infirmière, dubitative. Avais-je entendu parler des souches résistantes ; que le paludisme pouvait rester en sommeil pendant une année ; qu'une douche froide sur les reins l'aiderait à le faire "sortir" ? (Ce dernier avis me fit grimacer de douleur en pensant au plongeon dans l'eau froide que je fis dans mon bain turc préféré de Budapest.)

Au bout de trois jours, le médecin-chef m'examina et me dit de m'habiller. Une fois réglés les modiques frais d'une chambre individuelle, de pension, de soins et de médicaments, il me renvoya chez moi sur le mont Gellért pour passer ma convalescence. ∎

Le coût de la médecine est encore très bas au regard de la norme internationale, et la qualité de celle-ci est élevée. Les hôpitaux ne sont peut-être pas ultramodernes, mais ils sont propres et le personnel est compétent.

DÉSAGRÉMENTS ET DANGERS

La Hongrie n'est pas une société violente ou dangereuse. La vente d'armes à feu est strictement contrôlée. Les ivrognes ont mauvaise mine mais ils sont dociles, et vous verrez très peu de graffitis ou d'actes de vandalisme.

Les skinheads dont on parle beaucoup sont très peu visibles même si leur existence est bien réelle. Plusieurs ont été condamnés pour avoir attaqué des Tziganes, des Africains et des Arabes, dont deux diplomates. Des juifs et des noirs américains ont également été victimes de la haine raciale.

La criminalité s'est stabilisée après un bon de 60% durant l'année qui suivit la chute du communisme, mais elle augmente néanmoins chaque année. Est-ce dû à un relâchement du contrôle policier (comme le prétendent les conservateurs) à cause de la réduction des effectifs, ou au fait que les incidents sont enfin signalés par les médias, le débat reste ouvert.

En tant que voyageur, vous serez la proie des voleurs de voiture, des pickpockets et des chauffeurs de taxi sans scrupules. Pour éviter les mauvaises surprises avec votre voiture (une cinquantaine disparaissent chaque jour à Budapest), respectez bien les consignes habituelles de sécurité. Ne stationnez pas dans les rues sombres et vérifiez que l'alarme est branchée (même si elles se déclenchent souvent sans raison et n'éveillent pas l'attention) ou au moins qu'un antivol est installé. Les voleurs ne recherchent pas les modèles luxueux trop difficiles à écouler, mais des Golf ou des Audi de série qu'ils démontent et expédient en Roumanie ou en Russie. Ne laissez rien traîner dans la voiture, même à l'abri des regards. Emportez l'autoradio, si elle est amovible.

Les pickpockets sévissent surtout dans les marchés aux puces, dans certaines zones touristiques de Budapest, comme l'arrondissement du Château et Váci utca, et dans certains bus (n°7) et trams (n° 2, 4 et 6). La ligne 1 (jaune) du métro est notoirement infestée de gangs. Mettez votre portefeuille dans votre poche de devant, gardez votre porte-monnaie près du corps et surveillez vos bagages.

Méfiez-vous aussi des mauvais tours qu'on peut jouer. Une des méthodes usitées dans la rue est de vous faire bousculer par quelqu'un qui se confond en excuses pendant qu'un complice s'enfuit avec vos bagages (en ce qui concerne le change au marché noir, voir la rubrique *Questions d'argent*). Prendre un taxi en province n'est jamais un problème, mais à Budapest cela peut devenir une aventure coûteuse et même violente (voir la rubrique *Comment circuler* du chapitre *Budapest*).

En cas d'urgence, de n'importe quel endroit en Hongrie, vous pouvez appeler les numéros ci-après.

Police
☎ 07
Pompiers
☎ 05
Ambulance
☎ 04
Urgences médicales à Budapest, 24 heures sur 24
☎ 118 8212
Objets trouvés
(dans les transports publics de Budapest)
☎ 122 6613
Assistance automobile
☎ 169 1831/3714 ou 252 8000
(Automobile Club Hongrois à Budapest)
Dépannage d'urgence
☎ 157 2811 à Budapest

Les moustiques infestent certaines régions comme les abords du Tisza et le lac Tisza et certaines zones du lac Balaton et du lac Velence. La tique des forêts (voir plus haut la rubrique *Santé*) peut causer des irritations et des maladies, mais le danger est minime. Vous n'y serez exposé que dans les forêts, de mai à fin octobre.

SEULE EN VOYAGE

Si les hommes hongrois ont parfois une mentalité très sexiste, les femmes ne souffrent d'aucune forme particulière de harcèlement sexuel. Les hommes même ivrognes débordent de politesse. Une femme qui prend un repas ou une consommation seule se retrouve parfois dans une situation gênante, mais cela peut arriver n'importe où en Europe. Si vous êtes sûre de vous, il n'y a rien à craindre.

TRAVAILLER EN HONGRIE

Les voyageurs munis d'un visa de tourisme ne sont pas censés accepter un emploi. Pour travailler légalement, vous avez besoin d'une lettre d'un employeur pour obtenir un permis de séjour d'un an renouvelable. Vous devez aussi payer l'impôt sur le revenu. Le bureau s'occupant de l'enregistrement des étrangers est le KEOKH (☎ 112 3456, poste 21 652) au VI Izabella utca 61.

Sachez que si la nourriture et les services sont encore moins chers qu'à l'Ouest, les loyers à Budapest et les articles importés de l'Occident ne le sont pas. De même, tant que le forint reste non convertible, les économies réalisées en Hongrie sont inutilisables hors du pays (ni pour l'achat de billets de train et d'avion internationaux).

ACTIVITÉS CULTURELLES ET/OU SPORTIVES

Contrairement à des pays comme le Canada ou l'Australie, la Hongrie satisfait davantage la curiosité et le besoin d'ouverture d'esprit que d'activité physique. Néanmoins, vous pourriez facilement délaisser la visite des sites et passer vos vacances à faire du bateau, à observer les oiseaux ou à apprendre des danses folkloriques. Le gouvernement cherche en fait à promouvoir un tourisme qu'il qualifie d' "exclusif" pour toucher de nouvelles catégories de visiteurs, ceux notamment qui reviennent régulièrement.

Les Hongrois aiment passer une journée à la campagne pour échapper à l'exiguïté des logements et à la pollution urbaine. Rien n'est plus sacré que le *kirándulás* (la sortie) qui peut être une journée de cheval ou un simple pique-nique de *gulyás* préparés en plein air au bord du Danube.

La natation

La baignade est une activité extrêmement populaire. La plupart des villes possèdent deux piscines, une couverte et une découverte, permettant de se tremper dans l'eau toute l'année. L'entrée est modique (100 Ft en moyenne) et vous pouvez louer sur place des maillots et des bonnets, qui sont obligatoires dans certaines piscines couvertes. Toutes sont équipées de cabines fermées. Trouvez-en une libre, changez-vous et appelez le, ou la, préposé(e) aux cabines qui fermera à clef et vous remettra un badge numéroté que vous conserverez. Les lacs et rivières ont tous des plages (*strand*) avec douches et cabines.

La pêche

Vous verrez des pêcheurs partout, mais surtout sur les bords du lac Balaton et du Tisza, près de Tiszafüred et de Csongrád. Pour tous renseignements sur les permis, s'adresser à l'Association nationale de la pêche à la ligne (MOHOSZ, ☎ 132 5315) à Budapest, V Október 6 utca 20.

Le nautisme

Pour la voile, on peut chercher du côté du lac Velence ou du lac Tisza, mais le grand centre est le lac Balaton. Les plaisanciers confirmés pourront louer des voiliers à Balatonfüred, Tihany, Siófok, Fonyód et Balatonboglár. Les bateaux à moteur sont interdits sur le lac Balaton. Le seul endroit où faire du ski nautique est le Füred Camping à Balatonfüred où vous serez tiré par un câble.

Les possibilités de faire du canoë-kayak sont nombreuses. Les descentes du Danube, de Rajka à Mohács (386 km) ou du Tisza, de Tiszabecs à Szeged (570 km) sont les plus séduisantes, mais il existe aussi des voies moins encombrées et des trajets plus courts comme le 210 km de descente du Körös entre Békés et Szeged, ou du Rába entre Szentgotthárd et Győr (205 km).

La Commission du tourisme hongrois édite une brochure intitulée *Water Tours in Hungary* où vous trouverez tout sur les itinéraires, les locations et les règlements à respecter.

Des agences de voyages organisent des excursions d'une durée d'une journée à deux semaines. La meilleure est Unió qui possède une base nautique à Tokaj et un bureau à Budapest (☎ 168 5756) au III Szőlő utca 88. Les cartes sont fournies.

La Fédération hongroise des amis de la nature (MTSZ) à Budapest (II Bimbó út 1, ☎ 116 3904) édite une série de cartes avec itinéraires fluviaux, *vízitúrázók térképei*.

La planche à voile

Partout où se trouvent de l'eau, un peu de vent et un terrain de camping, vous trouverez des planches à voile à louer (sur le lac Tisza à Tokaj, ou sur le lac Pécs à Orfű, par exemple).

Le lac Balaton est l'un des plus appréciés, pour ce sport également, à Kiliántelep et Balatonszemes, entre autres.

Le thermalisme

Depuis l'époque romaine, les divers occupants du pays goûtent aux joies des abondantes eaux thermales. Le pays compte aujourd'hui cent bains d'eaux thermales ouverts au public. Beaucoup sont des centres importants, comme à Hajdúszoboszló, Sárvár, Gyula et l'île Marguerite à Budapest, où les gens viennent "prendre les eaux" pour des raisons médicales diverses, respiratoires, musculaires ou gynécologiques. Les hôtels offrent des forfaits-cures (comprenant logement, pension complète, usage des bains et autres équipements, assistance médicale, etc) pour une semaine ou plus. Danubius Travel (☎ 117 3652) au V Szervita tér 8 à Budapest offre les meilleures possibilités. Une semaine à son hôtel Thermal de Sárvár, par exemple, coûte 32 000-35 000 Ft (par personne en chambre double) selon la saison. Une prestation similaire à l'hôtel Nagyerdő de Debrecen revient à 26 000 Ft. Le bureau est ouvert en semaine de 8h30 à 17h.

La population en général fréquente les bains thermaux pour se détendre (excellents les lendemains de fêtes trop arrosées). Le plus original est le lac thermal de Hévíz (voir la rubrique *Hévíz* au chapitre *Lac Balaton*), mais j'ai beaucoup aimé également les Bains de la Grotte à Miskolc-Tapolca, les piscines thermales en plein air de Harkány, les Bains du Château à Gyula et les bains turcs de Budapest, comme le Rác, le Király et le Rudas. Les bonnes adresses sont signalées dans les rubriques correspondantes de ce livre.

La procédure à suivre avant de se glisser dans l'eau chaude est la même que pour les piscines. Dans les bains de Budapest, on vous donnera un numéro et vous attendrez qu'on vous appelle (si vous ne trouvez personne pour vous aider, ce sera le moment d'apprendre à compter en hongrois en vous aidant de la rubrique *Langue*) ou qu'il apparaisse sur un tableau électronique. Quelques bains provinciaux sont assez frustes, mais ils sont tous propres et l'eau est changée quotidiennement. Munissez-vous de sandales ou de tongs, ce genre d'endroits est propice aux mycoses. N'oubliez pas le pourboire du garçon de salle : de 10 à 20 Ft.

L'équitation

Les Magyars vous diront qu'ils ont été "créés par Dieu pour s'asseoir sur un cheval". A en juger par le nombre d'écuries et de centres équestres on peut encore le vérifier de nos jours.

L'équitation courante se pratique en promenade avec un maître qui vous amène voir un château et faire un tour dans les champs, mais les centres les plus importants prêtent des chevaux aux cavaliers confirmés pour galoper dans les collines ou sur la puszta. Des leçons sont organisées pour ceux qui le désirent. Les meilleurs centres sont naturellement dans la Grande Plaine, à Máta près de Hortobágy, Lajosmizse et Bugacspuszta près de Kecskemét, Solt au nord de Kalocsa et Vésztő pas loin de Békéscsaba. Mais il n'est pas pas nécessaire de faire tout ce chemin pour monter à cheval. En Transdanubie, vous trouverez de bons centres à Nagycenk et Tamási (au nord-ouest de Szekszárd). Autour du lac Balaton, on monte à Szántódpuszta et Keszthely, et Gizellatelep près de Visegrád possède quelques-uns des meilleurs chevaux du pays. Mais rien n'égale une heure sur le dos d'un Lippizan au haras de Szilvásvárád.

Il est risqué, surtout en pleine saison, de se présenter à un centre équestre sans avoir réservé. Pour ce faire, il faut s'adresser à l'office du tourisme local, ou à Budapest, chez Pegazus Tours (☎ 117 1644) au V Károlyi Mihály utca 5, spécialisé dans l'équitation. La Fédération équestre hongroise (MLSZ, ☎ 113 0415, au VIII Kerepesi út 7) peut également vous aider.

Le cyclotourisme

Le terrain plat de la Hongrie est parfait pour le cyclisme. Certaines villes et régions (Budapest, Szeged, certaines parties de la Boucle du Danube, et le pourtour du lac

Balaton) sont dotées de pistes cyclables. Mais les loueurs de vélos sont rares. Il faudra tenter sa chance auprès des terrains de camping ou des villages-hôtels en saison, ou demander à l'office du tourisme local si un magasin d'*ezermester* (quincaillerie) aurait des machines à louer. Certaines gares en louent (un à trois jours : 225-350 Ft, 225 Ft au-delà du troisième jour) mais leurs stocks sont limités, quand elles en ont. Essayez quand même aux gares de Balassagyarmat, Balatonalmádi, Balatonföldvár, Balatonlelle, Diósjenő, Győr, Keszthely, Kőszeg, Mosonmagyaróvár, Nagymaros, Nagymaros-Visegrád, Szántód-Kőröshegy, Szécsény et Zamárdi. Les bicyclettes sont acceptées à bord des trains, mais pas dans les bus ni dans les tramways.

L'office national du tourisme édite une brochure utile appelée *Cycling Tours in Hungary* avec 38 itinéraires recommandés. *Hungary by Bicycle*, en hongrois, allemand et anglais, se trouve dans quelques librairies de Budapest. Frigoria publie un guide et une carte très utiles, mais en hongrois uniquement. *Magyarországi kérékpártúrák* est un guide détaillé de 32 itinéraires, par Viktor Csordás et György Fehér. *Budapest kerékpárútjai* est un plan des pistes cyclables de la capitale distribué par Ecoservice (V Széchenyi rakpart 7, 5e étage).

En faisant votre itinéraire, sachez que les bicyclettes sont interdites sur les autoroutes et routes nationales n°0 à 9, et qu'elles doivent être équipées d'un éclairage et de rétroviseurs. Les VTT sont de plus en plus répandus surtout dans les monts de Buda et les monts de Börzsöny au nord de la Boucle du Danube.

L'Association hongroise de cyclotourisme (☎ 111 2467) à Budapest, VI Bajcsy-Zsilinszky út 31 vous renseignera davantage.

Les randonnées

La Hongrie possède un bon réseau de sentiers de randonnées dans les zones "sauvages" du pays. Si les randonneurs choisissent en premier lieu les massifs du Bükk, Mátra et Zemplén dans les monts du Nord, on aurait tort d'ignorer d'autres destinations comme les monts de Bakony au nord du lac Balaton, ceux de Mecsek près de Pécs ou de Göcsej en Transdanubie Occidentale. Une randonnée dans les deux parcs nationaux de la Grande Plaine est beaucoup plus intéressante qu'il n'y paraît, surtout pour les botanistes amateurs et les ornithologues. Aucun terrain n'est très accidenté, il suffit seulement d'être protégé contre les insectes dans certaines forêts et zones marécageuses (voir *Désagréments et Dangers*).

La plus grande contribution de Cartographia au bonheur de l'humanité sont ses deux douzaines de cartes au 1/60 000 et 1/40 000 des monts, forêts, rivières et lacs de Hongrie. On les trouvera dans leur boutique de Budapest, VI Bajcsy-Zsilinszky út 37. Sur chaque carte, les sentiers apparaissent en rouge avec une lettre indiquant le code couleur du sentier. Ces couleurs sont peintes sur les arbres et les bornes signalétiques ; ce sont K pour bleu, P pour rouge, S pour jaune et Z pour vert.

La Fédération hongroise du tourisme sportif (ou MSSZ, ☎ 251 1222) se trouve à Budapest au XIV Istvánmezei út 3-5, et la Fédération des amis de la nature (voir plus haut la rubrique *Nautisme*) organise des compétitions de marche dans tout le pays.

L'observation des oiseaux

On sera peut-être étonné de l'apprendre, mais la Hongrie possède quelques-uns des meilleurs sites d'observation des oiseaux d'Europe. En effet, quelque 310 des 400 espèces environ dénombrées sur le continent ont été vues dans la seule région de Hortobágy. Au printemps, l'arrivée des cigognes dans les monts du Nord et dans le Nord-Est est un spectacle merveilleux.

Il faudrait d'abord se procurer le guide en anglais de Corvina, *A Guide to Birdwatching in Hungary*. Il n'aide pas à identifier les espèces, mais il signale les meilleurs postes d'observation et les permis requis dans certaines zones interdites. Les meilleures régions sont celles de Hortobágy, des monts Mátra, d'Aggtelek et du Petit Balaton, mais les monts de Buda et même des endroits comme Tata attirent une grande variété d'espèces. Le printemps et l'automne sont de bonnes périodes d'observation, mai étant le meilleur mois. La Société hongroise d'ornithologie se trouve à Budapest au XII Költő utca 21.

La chasse

La chasse est une affaire importante en Hongrie. Chevreuil, cerf, mouflon, sanglier, lièvre, faisan et canard abondent, et d'autres gibiers sont présents en moindre quantité. Les règles à respecter sont strictes et vous devez passer par l'intermédiaire d'une société de chasse. Les détails sanglants vous seront communiqués par Mavad (☎ 175 9611), I Úri utca 39, ou Pannonvad (☎ 135 6260) II Bimbó út 18, tous deux à Budapest.

Les cours de langue

De plus en plus d'étrangers désirent apprendre le hongrois et des écoles se créent un peu partout. Beaucoup s'imaginent à tort que si l'on parle un langue, on peut l'enseigner. Vérifiez d'abord que votre professeur possède un diplôme de hongrois et qu'il a déjà enseigné à des étrangers. Vous devez posséder un manuel ou au moins un ensemble de photocopies fournies par votre professeur. Sachez que vous ne ferez aucun progrès en suivant simplement un cours, sans étudier chez vous ni pratiquer avec des Hongrois.

Les écoles suivantes de Budapest ont acquis une certaine réputation et donnent apparemment de bons résultats :

École Internationale de Langues
    V Bajcsy-Zsilinszky út 62 (☎ 131 9796)
Studia Hungarica
    Université Eötvös, V Pesti Barnabás utca 1
    (☎ 121 1174)
École de langues Katedra
    V Veres Pálné utca 36 (☎ 165 5116)
École de langue hongroise
    VI Szinyei Merse Pál utca 1 (☎ 112 2382)

L'école de hongrois la plus célèbre du pays est l'université d'été de Debrecen (☎ 52-16 666), fondée en 1927, qui organise des sessions intensives de deux et quatre semaines en juillet et août. Outre la langue, les autres aspects de la culture sont abordés. Ces cours coûtent environ 400 $ et 700 $ en pension complète et logement en chambre triple (simple et double, avec suppléments). L'université a mis au point sa propre méthode, avec exercices sur magnétophone, vidéo et disquettes. Debreceni Nyári Egyetem, Pf 35, 4010 Debrecen.

A NE PAS MANQUER
Les villes historiques

Les plus belles villes anciennes sont Eger, Sopron, Kőszeg, Veszprém, Pécs, Szentendre (hors saison) et bien sûr Budapest.

Les musées

Les musées suivants se distinguent non seulement par la richesse de leurs collections mais aussi par l'intérêt de la présentation : musée Chrétien d'Esztergom (peintures gothiques) ; musée des Palóc de Balassagyarmat (arts et traditions populaires) ; collection Storno à Sopron (objets divers romans et gothiques) ; musée Zsolnay de Pécs (porcelaine Art Nouveau) ; *skansen* (village-musée en plein air) de Szenna ; pâtisserie Százéves de Gyula (démonstrations de fabrication de gâteaux) ; musée Ferenc Móra de Szeged (objets de fouilles des Avars et yourte reconstituée) ; collection Imre Patkó (art asiatique et africain) ; musée des Arts appliqués (mobilier) et musée de la Restauration (ustensiles de cuisine anciens) à Budapest.

Les châteaux et les palais

Les châteaux les plus impressionnants (plus ou moins bien conservés) se trouvent à Budapest, Hollókő, Sikós, Boldogkőváralja, Füzér et Sümeg. Sárvár, Gyula, Kisvárda, Szigetvár, Diósgyőr (Miskolc) et Tata possèdent également d'importants châteaux. Les plus beaux palais sont à Fertőd (famille Esterházy), Keszthely (Festetics), Nagycenk (Széchenyi), Sárospatak (Rákóczi) et Veszprém (palais épiscopal).

Les églises et les synagogues

La liste suivante est un échantillon des

trésors de l'architecture religieuse hongroise. Elle ne donne la préférence à aucun style, mais beaucoup sont des réussites de leur époque : l'église baroque des Frères mineurs d'Eger ; le temple calviniste gothique de Nyírbátor ; la synagogue Art Nouveau de Szeged ; la cathédrale baroque de Kalocsa ; l'église de l'Ascension de Sümeg pour ses fresques ; la nouvelle synagogue gothique de Sopron ; l'abbatiale de Tihany et l'église des Frères mineurs de Nyírbátor pour leurs autels sculptés en bois ; la synagogue romantique nationaliste de Szolnok (aujourd'hui musée de Szolnok) ; l'église romane d'Őriszenpéter ; et la synagogue de Pécs.

Les activités de plein air
Les activités de plein air les plus spécifiques à la Hongrie sont l'observation des oiseaux vers Hortobágy (voir *Activités*) ; la randonnée dans le Zemplén ; l'excursion en train à voie étroite de Miskolc aux monts Bükk ; la descente du Tisza en canoë ; l'exploration les grottes d'Aggtelek et le vol en ULM au-dessus du lac Balaton (voir la rubrique *Tihany* dans le chapitre *Lac Balaton*).

Les hôtels
Ambiance garantie pour moins de 1 500 Ft en double (et parfois bien moins) au Lujza Blaha à Balatonfüred, au Duna à Baja, au Árpád à Szarvas, au Fenyves à Szentendre, au Csokonai à Kaposvár, au Borostyán à Sárospatak, au Strucc à Kőszeg, au Kastély du palais Esterházy à Fertőd.

Les hôtels de luxe suivants sont toujours abordables : le Senator House à Eger, le Tisza à Szolnok, le Fiume à Békéscsaba, l'Aranykereszt à Gyula, le Szilvás à Szilvásvárad, le Palota à Lillafüred, le Klastrom à Győr, le Savaria à Szombathely et le Vadkert à Sárvár.

Les restaurants
Il est difficile d'apprécier la qualité d'un restaurant sans y manger régulièrement. Ceux-ci se distinguent par leurs spécialités ou leur carte : café Liberté à Kecskemét, Julia Csárda à Villány (pour son *pörkölt* ou ragoût maison), Sárkány Király à Győr

(boulettes chinoises), le Serpince a Flaskához à Debrecen (choux farci), le Csülök Csárda à Esztergom (plats de porc), le Kisfaludy Ház à Badacsony (vues sur le lac Balaton), le Tisza Halászcsárda à Szeged (soupe de poisson de Szeged) et le Halászkert à Balatonfüred (soupe du poisson "de l'ivrogne").

A Budapest, ne ratez pas le Múzeum pour son canard et son poisson, Seoul House pour la meilleure cuisine asiatique de Hongrie, Semiramis pour sa cuisine du Moyen-Orient authentique et Udvarház pour ses vues étonnantes.

Les bars et les discothèques
Voici quelques bonnes adresses pour prendre un verre, dans des bars tranquilles ou des discothèques hurlantes : bar-cave Club Narancs à Békéscsaba, discothèque Arena à Sopron, café 1/2 Alom Depresszó à Pécs, bar Intim à Miskolc, club de musique Tilos az Á à Budapest, bar Piccolo à Keszthely, bar Zodiac à Salgótarján, et les caves à vin de Tokaj et Szépassonyvögy près d'Eger.

HÉBERGEMENT
Sauf pendant la pleine saison dans des endroits comme Budapest, certaines zones du lac Balaton, la Boucle du Danube et peut-être les monts Mátra, vous ne devriez pas avoir de problème pour vous loger selon vos moyens.

Les campings sont nombreux, les dortoirs des collèges ouvrent leurs portes pendant l'été et les autres vacances scolaires, les centres de vacances des syndicats se transforment en auberges et hôtels et des pensions familiales s'ouvrent un peu partout.

Il est rare qu'une ville même de peu d'importance n'ait pas son hôtel et le service des chambres chez l'habitant est aussi bien rôdé que les "Beds & Breakfasts" en Grande-Bretagne.

Normalement, le prix indiqué devrait être le prix payé, malheureusement la Hongrie est en train de devenir un pays où l'hôtellerie affiche des prix "à rallonges". En 1993, une taxe sur le chiffre d'affaires de 10% frappe tous les hôtels ; elle devrait être comprise dans le prix affiché. Autrefois, tous les hôtels et pensions incluaient le petit déjeuner dans leurs tarifs, mais ce n'est plus le cas aujourd'hui. Certains établissements annoncent un "petit déjeuner obligatoire" de 100-200 Ft qu'ils rajoutent à la note même si vous n'en voulez pas (et ce n'est jamais le buffet gargantuesque qu'on vous sert dans d'autres pays de l'Est)

Les offices du tourisme font payer (de 50 à 100 Ft) la réservation d'une chambre chez l'habitant ou ailleurs, et un supplément si vous restez moins de quatre nuits. Certaines villes comme Debrecen, Eger, Nyíregyháza, Gyula, Lillafüred et de nombreuses stations thermales prélèvent une taxe locale touristique ou "de cure" de 50 Ft par personne et par nuit – parfois après les premières 48 heures. Les moins de 18 ans en sont parfois exempts.

Dans l'ensemble, les Hongrois ne voyagent pas seuls et supposent qu'il en est de même pour les étrangers. D'où la difficulté à trouver des chambres simples. Sauf dans les hôtels chers, une chambre est qualifiée de simple, double ou triple selon le nombre de lits qu'elle contient et non suivant le nombre de ses occupants. S'il l'on essaye de vous faire payer une double alors que vous êtes seul, insistez – poliment – sur le fait que vous êtes seul. Vous pourrez presque certainement négocier un rabais en fonction de la situation, de la saison et du personnel.

L'inflation dépasse actuellement les 20%. Les prix seront donc plus élevés que ceux indiqués ici, mais ils ne devraient pas changer beaucoup exprimés en franc, et les différences entre établissements devraient rester identiques. Les tarifs augmentent en général en avril pour l'été, souvent de 30% d'un coup. Quand cela était possible, nous avons indiqué les différences selon la saison (par exemple "doubles à 1 800-3 200 Ft").

Dans les campings, auberges et dortoirs de collèges, il faut avoir son savon, sa serviette et même son papier hygiénique. Ces services sont assurés dans les autres types d'hébergement y compris les chambres d'hôte.

Le camping

La Hongrie possède plus de 200 terrains de camping (*camping* ou *kemping* en hongrois) de tous types, depuis le mouchoir de poche pouvant accueillir une douzaine de tentes, dans certaines villes historiques, jusqu'aux villages de toile qui abritent des milliers de vacanciers autour du lac Balaton. Les sites bordent souvent les grandes routes à plusieurs kilomètres des zones construites mais ils sont desservis par des bus directs. Le camping sauvage est interdit mais dans les monts du Nord, les jeunes n'hésitent pas à planter la tente dans la nature ou à passer la nuit dans les nombreux abris contre la pluie (*esőház*) bâtis à flanc de colline.

Les terrains sont classés de une à trois étoiles suivant les commodités offertes et la surface des emplacements. Si les plus petits sont moins bien équipés, ils sont plus beaux et offrent la possibilité de rencontrer des Hongrois (de toute façon, ce n'est sans doute pas une discothèque ou une boutique de souvenirs que vous recherchez). Les terrains sont ouverts de mai à septembre, d'avril à octobre pour certains.

Les campeurs payent pour l'espace occupé (tente ou caravane), par nombre d'occupant, et pour l'électricité. En province, un prix de 150-220 Ft pour une tente et 360-480 Ft pour une caravane est normal. Le tarif par personne est de 150-250 Ft, mais les prix sont plus élevés autour du lac Balaton.

Beaucoup de terrains ont des bungalows (*üdölőház* ou *faház*) pouvant recevoir entre deux et huit personnes. Les prix varient énormément selon la taille, la situation, la saison et les commodités (certains ont des mini-motels, d'autres des petits chalets en bois). Deux personnes paieront entre 600 Ft et 2500 Ft. Ils sont souvent pleins en été, il est donc plus que recommandé de se renseigner auprès de l'office du tourisme avant de se mettre en route pour le camping.

Il est difficile de louer des tentes en Hongrie, mais certains campings en ont quelques fois. A-Z Autó (☎ 26-334 213) à

Üröm, dans la banlieue nord de Budapest loue des caravanes et des camping-cars tout équipés pour deux ou trois personnes, à partir de 2 150 Ft la journée (ÀFA, assurance et dépôt minimum de 10 000 Ft non compris). Le bureau est à deux pas de la route n°10, Külső Bécsi út 2.

Les étudiants et les membres d'associations de camping comme la FICC ont droit à des réductions de 10-20% dans certains terrains. Pour plus de renseignements, s'adresser au Club hongrois de camping-caravaning (ou MCCC, ☎ 118 5259), IX Kálvin tér 9 à Budapest.

Les auberges
et les pensionnats d'étudiants

Il existe deux genres d'auberges, les auberges de jeunesse et les auberges de touristes. Théoriquement, les premières ne sont ouvertes qu'aux jeunes, membres de la Fédération internationale des auberges de jeunesse (IYHF) ou de sa branche hongroise. En pratique, tout le monde est accepté dans les deux types d'établissement.

Les auberges de touristes, *turistaszálló* ou *turistaház*, au confort très rudimentaire sont inférieures aux hôtels une-étoile. Il arrive qu'elles n'aient même pas l'eau chaude. Les chambres ont plusieurs lits (il existe aussi des doubles) et les salles de bains sont toujours communes. Les prix sont bas (250-400 Ft) et en général, elles n'ouvrent qu'en été. Souvent mal entretenues, les auberges de campagne offrent un bon hébergement pas cher. Elles sont parfois installées dans des châteaux ou sur des sommets de montagne. En revanche, en ville, elles attirent une population marginale qui boit, fume et ronfle abondamment.

La Fédération hongroise des auberges de jeunesse (MISZSZ, ☎ 156 2857) contrôle soixante-et-une *ifjúsági szállás* (auberges de jeunesse) dans tout le pays, dont la moitié à Budapest. Ce ne sont pas vraiment des auberges telles qu'on les connaît dans certains pays. Beaucoup sont des pensionnats d'étudiants ouverts uniquement en été ; d'autres sont des hôtels de catégorie moyenne ayant réservé un étage à des

chambres encombrées de lits. Votre carte IYHF peut vous valoir une réduction de 10% à 30%, mais il est préférable de se munir de la carte hongroise délivrée par le MISZSZ à Budapest (XII Konkoly Thege utca 21). Les prix sont similaires à ceux des auberges de touristes, sauf à Budapest où il faut compter entre 400 Ft et 700 Ft.

Les pensionnats d'étudiants, *kollégium* ou *diákszálló*, sont de plus en plus nombreux à ouvrir leurs portes aux visiteurs, et avec la chute des inscriptions aux écoles commerciales, beaucoup sont maintenant ouverts toute l'année. Pour 300 Ft par personne environ, on vous offrira une chambre à deux ou trois lits et commodités communes. Les pensionnats sont souvent situés à proximité du centre ville, et offrent la possibilité de rencontrer de jeunes Hongrois, même en été. Pour plus de renseignements sur ce type d'hébergement, adressez-vous au bureau Express local.

Les chambres d'hôtes

A mon sens et compte tenu de mes moyens, le service dit "des hôtes payants", *fizetővendég szolgálat*, offre le meilleur rapport qualité/prix. La plupart des bureaux mentionnés dans ce livre vous présenteront une liste d'appartements et de maisons où vous pourrez rester le temps que vous voudrez. Vous partagez la salle de bains et pouvez parfois utiliser la cuisine et le lave-linge. Certaines agences proposent même des appartements dont les propriétaires sont absents. Si vous êtes au moins quatre résidents, ce sont de bonnes affaires.

La procédure est simple. Il suffit de demander au bureau le type de chambre souhaité et la durée du séjour envisagée. Les simples sont rares, mais comme les doubles en province sont à 500-600 Ft (800-2 000 Ft à Budapest), elles restent abordables. Vous réglez le séjour entier à l'avance (plus les modiques frais de réservation) et l'on vous remet un reçu à présenter au propriétaire. Il n'y a pas si longtemps, il fallait attendre le retour du propriétaire à son domicile vers 17h ou 18h, mais désormais l'office du tourisme vous remet les clefs ou vous indique un magasin ou un bureau proche de l'appartement, où vous irez les chercher.

Le seul point à méditer soigneusement est l'emplacement. Si l'appartement se trouve dans le centre d'une ville, ce sera peut-être dans un immeuble ancien de caractère avec de grandes chambres à plafonds hauts. Si au contraire on vous dirige vers un affreux *lakótelep* (cités HLM) dans les faubourgs, il faut s'attendre à une petite chambre et à un long trajet de bus ou de taxi. Si vous décidez de rester un jour de plus, il faut retourner payer au bureau. Les hôtes se mettraient l'agence à dos s'ils traitaient directement avec vous.

On peut aussi trouver une chambre sans passer par une agence. Les gares de Budapest sont remplies de gens offrant des chambres à louer et dans de nombreuses localités, surtout en Transdanubie, vous verrez des écriteaux "chambres à louer" – "Szoba Kiadó" en hongrois, "Zimmer frei" en allemand – apposés sur les maisons. On vous dira que vous n'avez aucun recours si les choses devaient mal tourner, mais pour ma part je n'ai jamais eu la moindre déconvenue, et les prix sont souvent inférieurs.

Si vous passez par une agence, demandez qu'on vous indique précisément sur le plan où se trouve l'appartement. Ces *lakótelep* s'étendent à l'infini.

Les pensions

Les pensions privées, dites *panzió*, qui constituent le secteur hôtelier en expansion la plus rapide, sont des petits hôtels de quatre à six chambres, de 1 500 à 2 500 Ft en province, et de 3 500 Ft à 4 000 Ft à Budapest, pour une double avec douche individuelle. Elles sont invariablement neuves, impeccables et dotées d'un restaurant et d'un bar ou coffee-shop.

La majorité des pensions de Budapest (où elles offrent un même nombre de chambres que les hôtels) sont situées sur les hauteurs de Buda, mais en province, elles sont souvent à deux ou trois kilomètres du centre ville. Elles sont idéales pour les visiteurs motorisés, Allemands et

Autrichiens pour la plupart. Mais la situation évolue, et l'on en trouve au cœur de villes comme Győr et Pécs. Demandez toujours à voir la chambre avant de vous engager, car les différences sont grandes. Les mansardes sous le toit sont petites mais moins chères. En général, vous avez accès à la cuisine.

Les hôtels

Les hôtels, *szálló* ou *szálloda*, sont de toutes catégories, du cinq-étoiles luxueux comme le Kempinski à Budapest, au standard hôtel Béke (de la Paix) que l'on trouve dans maintes petites villes. A chaque catégorie correspondent des obligations de prestations, complètement dépassées par le progrès (et souvent ignorées). Là encore ne vous engagez pas sans avoir vu la chambre. Une *fogadó* est un petit hôtel hors catégorie, beaucoup moins cher qu'un hôtel même une-étoile.

Il est difficile de donner une fourchette de prix car les variations sont considérables. Les hôtels une-étoile de province sont souvent de très bonnes affaires (voir plus haut la rubrique *A ne pas manquer*), à moins de 1 500 Ft en double. A Budapest, les hôtels une et deux-étoiles sont plus rares et beaucoup plus chers (de 2 000 Ft à 3 500 Ft en double) et en général pas très bien situés.

Pour les rêves romantiques, les lunes de miel et les coups de folie, la Hongrie dispose d'un réseau de châteaux-hôtels, *kastélyszálló* ou *kúriaszálló*. Pour certains, il n'est pas nécessaire de casser la tirelire : ceux d'Egervár ou de Fertőd en Transdanubie occidentale ne coûtent que 1 000 Ft environ. Mais la plupart sont dans la tranche des trois-étoiles à 3 500 Ft et au-delà, en double. La brochure *Castle Hotels and Mansions in Hungary* répertorie quarante établissements dans tout le pays, mais surtout en Transdanubie. Kastély Tourist (☎ 118 2967) au V Ferenciek tere 5, vous renseignera.

Des hébergements divers

L'offre d'hébergement ne se limite pas au choix précédent. On peut louer des fermes

En haut à gauche : femme de Palócs peignant des œufs de Pâques, Hongrie nord (HTB)
En haut à droite : danseuses de folklore hongrois (HTB)
En bas à gauche : vendeuse ambulante lors du festival, Máriagyűd (SF)
En bas à droite : dresseur de chevaux dans la puszta (BD)

En haut : la Rába à Győr (SF)
Au milieu : ville haute et collines de Szekszárd depuis la colline
du Calvaire (SF)
En bas : vignobles de la ville haute, Szekszárd (SF)

dans la Plaine Méridionale, des villas sur la rive nord du lac Balaton, et certains vont jusqu'à Csongrád uniquement pour séjourner dans les maisons de pêcheurs vieilles de deux siècles. Les maisons paysannes au décor traditionnel sont nombreuses en Transdanubie et dans les Hautes Terres du Nord ; les maisons des Palóc à Hollókő ont du cachet. Budapest, Esztergom et Tiszafüred, pour ne citer que trois villes, offrent des bateaux-hôtels.

ALIMENTATION

On a beaucoup écrit sur la cuisine hongroise, le plus souvent des erreurs quand ce n'était pas des sottises. La cuisine hongroise a reçu de multiples influences, cela est vrai ; il est également indéniable qu'elle fait usage du paprika, introduit peut-être via la Turquie, mais elle n'est pas forte. Un curry indien ou un boudin antillais sont beaucoup plus relevés. Les nombreuses variétés de paprika sont mélangées à de la crème aigre ou au *rántás*, un roux épais à base de lard de porc et de farine. Mais la viande, dont les Hongrois sont très friands, est le plus souvent panée et frite ou rôtie au four. En fait, comme le résumait un ami chinois venu de Hong Kong, le choix se réduit à deux variantes, "collante" ou "sèche".

La réputation de la Hongrie en matière culinaire date d'avant la guerre et des années de plomb du communisme. Dans l'effervescence qui suivit l'instauration de la double monarchie et jusqu'à la dernière guerre, les citadins fortunés se prirent de passion pour la gastronomie ; écrivains et poètes chantaient sa louange. Ce fut l'âge d'or des grands chefs cuisiniers comme Károly Gundel et József Dobos, et des violonistes tziganes comme Jancsi Rigó et Gyula Benczi. Le bruit s'en répandit hors des frontières et les restaurants hongrois se multiplièrent dans les capitales du monde, avec bien sûr, leurs orchestres tziganes.

Cette réputation s'est maintenue après la guerre et jusqu'à une période récente, essentiellement du fait de la pauvreté gastronomique des pays environnants. La cuisine hongroise, comme le notait un observateur, était un "point de lumière dans un trou noir culinaire", mais la plupart des chefs, dont Gundel, avaient voté avec leurs pieds et quitté le pays dans les années 50. Les restaurants passèrent sous contrôle de l'État. La réalité n'était plus à la hauteur de la réputation.

La situation n'a guère évolué. Dans l'ensemble, la cuisine hongroise (bon marché pour les bourses occidentales, et servie généreusement) est assez lourde. La viande, la crème aigre et la graisse animale sont très répandus. Sauf pendant la saison, une *saláta* se résume à une assiette de betteraves et de choux macérés dans le vinaigre et le paprika. Même la réouverture du restaurant Gundel par George Lang, un fin connaisseur de la cuisine hongroise, n'a pas tenu ses promesses.

La Hongrie possède une agriculture riche en produits frais de qualité – en saison uniquement – mais les lauriers d'avant-guerre sont bien fanés. On relève quelques bonnes adresses, mais elles ne servent pas de cuisine hongroise. Les restaurants végétariens et salade-bars ouvrent un peu partout. Les pizzas, souvent au ketchup, font fureur et les cuisines exotiques, chinoise, coréenne et moyen-orientale, attirent de plus en plus de monde. Si la cuisine hongroise ne se renouvelle pas, les cuisines importées vont devoir prendre le relais.

Les vieux Magyars déplorent, à juste titre, la domination des fast-foods américains, de prix élevés, surtout à Budapest. Mais si vous étiez un adolescent hongrois que préféreriez-vous : vous bagarrer avec un *Bécsi borjúszelet* (escalope viennoise) trop cuit dans un *vendéglő* enfumé, ou manger un Big Mac en écoutant Bon Jovi ou ses avatars locaux, les groupes Bikini et Sexepil ?

Les coutumes alimentaires

Dans l'ensemble, les Hongrois mangent très légèrement au petit-déjeuner d'une tasse de thé ou de café et d'un petit pain sans garniture, qu'ils prennent à la maison ou sur le chemin du travail (on dit que les Hongrois "mangent du pain avec du pain").

Le déjeuner, pris à 13h, est souvent le repas principal. Il comporte deux ou trois plats, mais cette habitude est en train de changer dans les villes. Le dîner est moins copieux quand il est pris à la maison.

On notera diverses sauces et méthodes culinaires propres à la cuisine hongroise. Le *pörkölt* (ragoût) est ce que l'on appelle "goulash" à l'étranger. En l'additionnant de la crème aigre, on obtient, quel que soit le plat, du *paprikás*. Le *gulyás* ou *gulyásleves* est une épaisse soupe de bœuf qui fait office de plat de résistance. Il en va de même du *halászlé*, une soupe de poisson au paprika et l'un des plats les plus relevés. Les légumes farcis (*töltött*) à la viande et au riz, comme le choux ou les poivrons sont cuits dans du *rántás*, une sauce à la tomate ou crème aigre.

En tant que plat salé, les *placsinta* (crêpes) sont également farcies, mais on les sert aussi en dessert avec du chocolat et des noisettes. Le *lecsó* est une sauce savoureuse à base de poivrons jaunes, de tomates et d'oignons.

Le porc est la viande préférée, suivie du bœuf. Il est rare que les cartes ne comportent pas également des cuisses de poulet et d'oie et des blancs de dinde – et pas grand-chose d'autre de ces volatiles.

Le poisson d'eau douce pêché dans le lac Balaton et le Tisza est abondant mais très cher et trop cuit. Le mouton et l'agneau sont rares. Un plat de résistance est souvent accompagné d'un roux et de petits légumes macérés. Les légumes et la salade se commandent à part.

Une carte type offrira une dizaine de plats de porc, deux ou trois poissons et une volaille.

La cuisine végétarienne

Un pays aussi carnivore ne considère pas les végétariens d'un bon œil. "Vous ne voulez pas de viande ? Allez donc en Roumanie !" fut la réponse d'un serveur aux questions candides d'un végétarien.

Sorti de la demi-douzaine de restaurants végétariens (ou en partie végétariens) du pays, vous devrez vous contenter de ce qu'offrent les cartes courantes ou faire votre marché. La nourriture est abondante – et l'a toujours été – en Hongrie. Les restaurants proposent souvent des champignons à la poêle (*gombafejek rántva*), divers plats de pâtes au fromage comme le *túrós csusza* et le *sztrapacska* ou des petites boulettes simples (*galuszka*). La salade telle qu'on l'entend généralement s'appelle *vitamin saláta* et, en dehors des restaurants de luxe, ne se trouve qu'en saison. Tout le reste est *savanyúság*, ou légumes macérés. S'ils sont cuits à l'eau, les légumes (*zöldség*) sont dits "à l'anglaise" (*angolos*). La manière traditionnelle de préparer les légumes est en *főzelék*, autrement dit revenus à la poêle et bouillis, puis mélangés à un roux à la crème aigre.

Hors des restaurants, on goûtera au *lángos*, les beignets à différentes garnitures qu'on vend partout dans les rues.

Les restaurants

Les restaurants hongrois sont classés selon une échelle (*osztály*) abrégée "I. O", "II. O" etc., affichée quelque part à l'intérieur. Mais ces catégories s'appliquent davantage aux prix qu'à la qualité et au genre de cuisine. En général, il est plus utile de connaître les appellations hongroises bien que les distinctions soient un peu floues.

Un *étterem* est un restaurant avec du choix, y compris de plats internationaux, et en général cher. Un *vendéglő* ou *kis vendéglő* est plus petit et supposé servir des plats régionaux ou "familiaux", mais l'appellation est désormais suffisamment "alléchante" pour qu'un certain nombre de grands établissements se l'attribuent. Un *étkezde* ressemble à un *vendéglő* en moins cher et plus petit, avec des places au comptoir.

Le terme usé de *csárda* désignait à l'origine une auberge de campagne à l'atmosphère rustique où l'on mangeait une bonne et franche cuisine locale sur fond de musique tzigane. De nos jours, il suffit d'accrocher des guirlandes de paprikas séchés sur les murs pour s'appeler une csárda. La plupart des restaurants offrent des menus fixes intéressants (*menü*) de deux ou trois plats.

Un *bisztró* est un self-service beaucoup moins cher où l'on mange assis (*önkiszolgáló*). Un *büfé* est encore moins onéreux avec une carte très limitée, et l'on mange debout au comptoir.

Les boucheries (*hentesáru bolt*) ont souvent un büfé servant des saucisses (*kolbász*) bouillies ou à la poêle, des saucisses de Francfort (*wirsli*), du poulet, du pain et des petits légumes macérés. Montrez ce que vous désirez, on vous pèsera la marchandise et remettra un bout de papier avec le prix. Vous payez au caissier (*pénztar*) qui vous remettra un reçu tamponné que vous échangerez contre la nourriture. Dans la rue, les stands *Laci konyha* vendent le même genre de cuisine, avec en plus du poisson, quand ils sont installés près d'un lac ou d'une rivière. Dans ces endroits, vous payez tout, même la moutarde de votre kolbász, et vous mangez avec les doigts. Un *eszpresszó* (ou *expresszo*) est un café ordinaire servant de l'alcool et des snacks. Un *cukrászda* sert des gâteaux et des glaces.

Il n'est pas rare que les serveurs essayent de vous tromper, s'ils voient que vous êtes étranger, par exemple en vous apportant un plat que vous n'avez pas commandé. Dites simplement *azt nem rendeltem, köszönöm szépen* (je n'ai pas commandé cela, merci) et n'y touchez pas. Ordinairement, les notes ne sont pas "gonflées" mais on commet des "erreurs". Si vous avez des soupçons, demandez la carte et vérifiez soigneusement l'addition. La ruse la plus commune est de vous apporter la bière ou le vin le plus cher, alors que vous n'avez demandé qu'un demi-pression ou un verre de rouge. Demandez le prix. Si l'on vous a roulé de plus de 15% à 20%, demandez à voir le patron, sinon ne laissez pas de pourboire (reportez-vous plus haut aux rubriques *Pourboire* et *Marchandage*).

Les orchestres tziganes qui vont de table en table dans les restaurants touristiques ne sont pas du goût de tout le monde. Si cela ne vous intéresse pas (500 Ft environ par chanson) ne leur prêtez pas attention. Cela est parfaitement accepté et le message sera reçu.

Petit lexique pour la lecture des cartes et des menus

La plupart des restaurants de Budapest pourront vous présenter une carte en allemand, en anglais, parfois en français, mais ce n'est pas souvent le cas en province. En outre, ces menus n'ont pas été mis à jour depuis des années, et leur langue est parfois indéchiffrable.

Les plats de la liste ci-après reviennent régulièrement sur les cartes. Elle est loin d'être complète mais vous pourrez au moins limiter les risques. Pour d'autres termes de nourriture et d'autres expressions pour commander, reportez-vous à la rubrique *Langue* dans le chapitre *Présentation du pays*.

Előételek – Hors-d'œuvre
   gombafejek rántva – champignons panés à la poêle
   hortobágyi palacsinta – crêpes à la viande avec sauce au paprika
   libamáj pástétom – pâté de foie d'oie

Levesek – Soupes
   gulyásleves – goulasch
   halászlé – soupe de poisson épicée
   gombakrémleves – velouté de champignons
   bableves – soupe de haricots
   jókai bableves – soupe de haricots à la viande
   csontleves/erőleves – consommé/bouillon
   meggyleves – soupe de griottes (en été)

Saláták – Salades
   vitamin saláta – salade mixte de saison
   vegyes saláta – salade mixte de légumes macérés
   cékla saláta – betterave macérée
   Ecetes almapaprika – Poivrons macérés
   paradicsom saláta – salade de tomates
   uborka saláta – salade de concombres

Zöldség – Légumes
   gomba – champignons
   káposzta – choux
   karfiol – choux-fleurs
   sárgarépa – carottes
   spárga – asperges
   spenót – épinards

zöldbab – haricots verts
zöldborsó – petits pois

Köretek – Garnitures
  galuska – boulettes
  hasábburgonya – frites
  főzelék – légumes à la hongroise
  rizi-bizi – riz aux petits pois

Készételek – Plats préparés
  pörkölt – ragoût (nombreuses variétés)
  csirkepaprikás – paprika au poulet
  töltött paprika/káposzta – poivrons/choux farcis

Frissensültek – Plats sur commande
  hagymás rostélyos – aloyau de bœuf aux petits
  oignons
  rántott hátszínszelet – rumsteck pané
  bécsi borjúszelet – escalope viennoise
  sült csirkecomb – cuisse de poulet rôti
  sült libacomb – cuisse d'oie rôtie
  rántott pulykamell – blanc de dinde pané
  sült libamáj – foie d'oie rôti
  sertésborda – côtelette de porc
  brassói aprópecsenye – porc braisé façon Brassó
  cigánypecsenye – porc rôti à la tzigane
  csülök – jarret de porc fumé
  ponty rántva – carpe à la poêle
  fogas – brochet du Balaton

Préparations
  sült ou sütve – à la poêle
  rántva ou rántott – pané et frit
  párolt – à la vapeur
  roston – grillé
  főtt ou főve – bouilli
  füstölt – fumé
  pirított – braisé

Édességek ou Tészták – Desserts
  rétes – strudel
  somlói galuska – génoise au chocolat et à la
  crème
  gundel palacsinta – crêpes flambées au chocolat et aux noisettes

Gyümölcs – Fruits
  alma – pomme
  banán – banane
  cseresznye – cerise
  eper – fraise
  körte – poire
  málna – framboise
  meggy – griotte
  narancs – orange
  őszibarack – pêche
  sárgabarak – abricot
  szilva – prune
  szőlő – raisin

BOISSONS
Les vins

Le vin est une production millénaire en Hongrie et son importance économique et sociale reste grande. On le sert au verre ou à la bouteille, dans des bars à vins, dans la rue, dans les restaurants, les supermarchés et les boutiques ouvertes sans interruption. Il est toujours très bon marché.

A l'époque communiste, le vin hongrois était assez décevant ; la production non consommée sur place allait en U.R.S.S. Si l'on ajoute à cela le contrôle de l'État, on comprend l'absence de motivation pour rénover des procédés de vinification dépassés et utiliser les méthodes modernes de sélection des cépages.

Quelques châteaux hongrois commencent à produire des vins très bons, sinon excellents, et des joint-ventures, associant des négociants autrichiens et italiens, sont en train de transformer le marché du vin. La très bonne qualité est encore très rare.

Il existe une douzaine de régions viticoles en Transdanubie, dans les terres du Nord et dans la Grande Plaine où pousse plus d'un tiers des vignes dans une terre sableuse. Tout est affaire de goût, mais les vins rouges les plus intéressants viennent de Villány et de Szekszárd en Transdanubie Méridionale, et les vins blancs du lac Balaton et des monts Mátra. Cependant, les rouges et les blancs d'Eger et de Tokaj sont beaucoup plus connus à l'étranger.

Pour choisir un vin, cherchez les mots minőség bor (vin de qualité), approximation hongroise d'une appellation contrôlée. Le millésime n'est pas une donnée aussi importante qu'en France, et la qualité d'une étiquette peu varier considérablement d'une bouteille à l'autre. Sur l'étiquette, le premier mot indique la provenance, le second le cépage.

Pour les blancs, achetez de préférence les Badacsonyi Kéknyelű, Szürkebarát, Mőcsényi, Boglári Chardonnay ou Debrői Hárslevelű. Les Olasz Rizling et Egri Leányka sont des vins doux, mais encore très éloignés des vins de dessert Tokaji Aszú que l'on classe selon le nombre de puttony (tonneaux) d'essence sucrée ajoutée à d'autres vins de base. Les rouges dignes de confiance sont les Villányi Merlot, Pinot Noir et Cabernet Sauvignon (appellations Hungarovin ou Couronne de saint Étienne), Szekszárdi Kékfrankos et Nagyrédei Cabernet Franc. Le célèbre Egri Bikavér (Eger Sang de bœuf) est un rouge qui a du corps, riche en acide et en tanin. Les gens commandent un verre ou une bouteille d'eau minérale avec leur vin.

Le Pannonia et le Törley sont les vins pétillants les plus courants, mais on trouve aussi du "champagne" russe. En été, on boit beaucoup de vin rouge ou blanc coupé d'eau gazeuse. Si la question du vin vous intéresse, il faut contacter la Société vinicole de Budapest (☎ 135 5975), XII Pagony utca 18, dirigée par un groupe de jeunes œnophiles enthousiastes.

Les termes à retenir sont :

bor – vin
borozó – bar à vin
borpince – cave à vin
édes – doux
fehér bor – vin blanc
félédes – demi-doux
félszáraz – demi-sec
fröcs – vin coupé à l'eau gazeuse
itallap – carte des vins
vörös bor – vin rouge
pezsgő – vin mousseux
pohár – verre (taille variée)
rozé – rosé
száraz – sec
üveg – bouteille

La bière

La bière est une boisson très courante. La consommation annuelle de vin est passée de 35 à 20 litres par personne, tandis que celle de bière a doublé pour dépasser 100 litres. Les personnes âgées, surtout les hommes, fréquentent les *borozó* enfumés ; les jeunes préfèrent les pubs et la bière.

Le pays produit quelques marques de bière (Dreher et Kőbanyai par exemple), mais certaines ne se trouvent qu'à proximité de leur lieu de fabrication (Kanizsai à Nagykanizsa et Szalon à Pécs). Les bières en bouteille allemandes et autrichiennes

comme Gösser et Holstein – importées ou brassées sur place sous licence – sont distribuées partout, de même que les Heineken et Kronenbourg en cannettes. Ne manquez pas de goûter les bières tchèques d'importation, Pilsner Urquell et Staropramen entre autres.

La bière se vend dans les pubs et les magasins, en bouteilles d'un demi-litre et cannettes. Beaucoup de pubs et de bars servent leurs propres bières à la pression en verres d'un tiers ou d'un demi-litre. La bière est presque toujours de la blonde, mais on peut trouver de la Dreher brune. Les termes à retenir sont :

barna sör – bière brune
csapolt sör – bière pression
egészségére ! – à la tienne !
korsó – chope d'un demi-litre
pohár – verre d'un tiers de litre
sör – bière
söröző – pub
sörpince – cave à bière
világos sör – bière blonde

Les boissons diverses

Boisson alcoolisée aussi importante que le vin, le *pálinka* est une eau-de-vie (40°) de fruits, surtout d'abricot ou de prune. Types et qualités varient beaucoup ; les meilleures sont l'Óbarack, un "vieil abricot" doublement distillé, et tout ce qui porte *kóser* ("cacher") sur l'étiquette.

Les liqueurs hongroises sont abominablement sucrées et laissent un goût artificiel dans la bouche, mais la marque Zwack est digne de confiance et produit également l'Unicum, un apéritif amer.

La plupart des marques de boissons non alcoolisées se trouvent en Hongrie, mais l'eau minérale garde la préférence de ceux qui ne boivent pas d'alcool. Le jus de fruit contient beaucoup de sucre ajouté, il est proposé en cannette ou en briquette en carton. Retenez les termes suivants :

almalé – jus de pomme
ásvány víz – eau minérale
barackpálinka – eau-de-vie d'abricot
cappuccino – café avec crème fouettée
         (à distinguer du *tejes kávé*)
jégkocka – glaçon

körtepálinka – eau-de-vie de poire
limonádé – limonade
narancslé – jus d'orange
őszibarack-pálinka – eau-de-vie de pêche
szilvapálinka – eau-de-vie de prune
tejes kávé – cappuccino
      (café au lait avec de la mousse)
üdítő ital – boisson non alcoolisée

DISTRACTIONS

La Hongrie est un pays où la culture tient une place importance. On y aime les arts, surtout la musique. Toute ville digne de ce nom possède son orchestre symphonique ou de chambre (Budapest en possède une demi-douzaine de chaque), un théâtre richement décoré où se déroule la saison théâtrale et musicale, et un centre culturel pour les autres arts.

En dehors de Budapest, la vie culturelle est particulièrement active à Győr, Sopron, Szombathely, Pécs, Szeged, Debrecen et Eger. Des festivals sont organisés dans tout le pays (voir plus haut le calendrier dans *Manifestations culturelles*) et certains, comme le Printemps de Budapest, ont une réputation internationale.

Malheureusement, le manque de subventions d'État a contraint de nombreux groupes à réduire leurs productions, et les troupes, qui ne doivent plus compter que sur leurs recettes, abandonnent le répertoire classique ou d'avant-garde au profit de spectacles commerciaux. Cela dit, il reste encore suffisamment à voir pour contenter tout le monde, et à Budapest, vous n'aurez que l'embarras du choix. La meilleure source d'informations sur les spectacles dans tout le pays est *Programme in Hungary*. *Budapest Week* et *Budapest Sun* sont parfaits pour la capitale. La liste la plus complète des pièces, concerts, expositions et films se trouve dans l'hebdomadaire *Pesti Műsor*, en hongrois uniquement.

Les billets, qui dépassent rarement les 300 Ft, s'achètent au guichet des salles, mais il est conseillé de s'y prendre à l'avance, surtout dans les petites villes où le spectacle sera peut-être l'événement du mois. Les adresses des points de vente et les sources d'informations sont indiquées dans chaque rubrique de ville. Le bureau central de vente à Budapest, V Vörösmarty tér 1, peut vous aider, mais il vend rarement des billets pour la province.

Mozart et Brecht ne sont pas tout. La Hongrie figure au programme des tournées des groupes rock, et des concerts de niveau international ont lieu à Budapest.

Une *tánchás*, soirée de musique folklorique hongroise et de danses traditionnelles peu répandue en dehors de la capitale,.est une sortie très divertissante et comme on y participe librement, c'est un bon moyen de rencontrer des Hongrois.

Les films étrangers sont souvent doublés (signalé par "Mb" *magyarul beszélő* sur l'affiche et les programmes). Si vous ne voyez pas écrit Mb, le film est sous-titré. Tous les films annoncés dans les hebdomadaires en anglais sont en V.O. sous-titrée. La plupart du temps, les places sont numérotées et coûtent moins de 100 Ft.

Au théâtre, les places se répartissent entre *bal* (gauche) et *jobb* (droite) avec les mêmes numéros. Vérifiez donc bien de quel côté vous êtes. Pour être sûr d'arriver à l'heure, consultez bien la rubrique *Heure locale* de ce chapitre.

La soirée en discothèque, allant des nuits endiablées dans les palais de Budapest aux petites sauteries dans les salles de province, est la sortie nocturne la plus répandue pour les jeunes.

Les spectacles de strip-tease attirent les étrangers et les *új gazdag* hongrois (nouveaux riches). Quant aux casinos (qui n'acceptent souvent que des devises fortes), un nouveau ouvre chaque semaine.

L'Institut Français, installé dans un bâtiment post-moderne dans Fő utca 17 (= 202 1133) à Buda, propose des programmes musicaux, des spectacles de danse et de musique assez fréquents. Le cinéma projette tous les jours des films, souvent des grands classiques

ACHATS

Si les magasins sont bien achalandés, la Hongrie n'est quand même pas un paradis de la consommation. Les articles d'importation qui s'étalent dans les boutiques luxueuses de Váci utca sont vendus à leurs prix occidentaux. Les articles hongrois, tels l'habillement et les appareils ménagers, sont solides mais peu esthétiques. Livres, cassettes et disques compacts ne sont plus aussi avantageux qu'autrefois. Ajoutons qu'il est inutile de vous rendre sur les lieux de fabrication ; le choix et les prix varient à peine. Vous trouverez presque tout ce que vous souhaitez à Budapest.

La seule exception est l'art et l'artisanat populaires. Ignorez les omniprésents *népművészeti bolt* (magasins d'arts populaires). Ils sont remplis de babioles sans goût, sans inspiration et aussi utiles que peuvent l'être des tasses en papier. Allez plutôt voir ce que brodent et tissent les vieilles dames, et ce que sculptent et tournent les vieux artisans, dans des villes comme Hollókő et Mezőkövesd dans les monts du Nord, Nádudvar et Tiszafüred dans la Grande Plaine, ou dans la région de Sárköz en Transdanubie Méridionale. Les paysannes que l'on rencontre aux abords de Váci utca et aux abords des "marchés aux puces" de Budapest et d'autres villes sont les meilleures pourvoyeuses d'objets transylvaniens authentiques, surtout les traditionnelles vestes brodées et les nappes.

Hormis Ecseri, à Budapest, il n'y pas de véritable marché aux puces en Hongrie. Ce que les Hongrois appellent des *KGST piac* (ou "marchés du Comecon", un héritage de l'ancien marché commun soviétique où se réunissaient Roumains, Polonais, Croates, Tziganes, etc), sont pleins de camelote rouillée et d'alcool de contrebande, mais on ne trouvera pas mieux pour observer la population locale. Pour les distinguer des marchés aux légumes, on les appellera dans ce livre "marchés aux puces".

Les antiquités ne sont jamais bon marché. La chaîne des magasins Báv vend quelques objets de qualité mais on ne trouvera rien de beau à bas prix. Le marché Ecseri possèdent des stands de très belles antiquités et de brocante.

La porcelaine de Herend, Zsolnay et Hollóháza (par ordre de qualité) est parfois extrêmement belle et chère. Le choix est bien sûr plus riche ici qu'à l'étranger.

Les chapeaux et manteaux de fourrures (si vous êtes amateur de ces choses) sont très peu onéreux comparés à l'Occident, et en été les prix baissent de moitié. Vérifez soigneusement la qualité de l'article.

Les produits alimentaires qui ailleurs sont chers ou difficiles à trouver – foie gras (frais et en conserve), caviar et viandes préparées comme le salami Pick – font de jolis cadeaux. Le caviar russe est encore très bon marché, mais méfiez-vous des vendeurs de rue ou de marchés aux puces : les couvercles bleus des bocaux en verre sont faciles à ouvrir, et le caviar aura séché ou se sera "transformé" en œufs de lump. N'achetez que des boîtes hermétiques dans les magasins des hôtels ou les épiceries fines.

Quelques nouveaux vins hongrois, peu onéreux, sont des cadeaux appréciables. Une bouteille de Tokaj (un vin de dessert) fera toujours plaisir.

Le *Shopping Guide to Budapest,* en librairie, publié sur place par Welcome Editions sera vite périmé, mais il donne une liste d'adresses où trouver des marchandises et des services peu courants. Autre source d'idées pour des cadeaux et souvenirs d'un standing plus élevé, *Where Budapest* est un mensuel gratuit distribué dans les grands hôtels.

Légalement, vous ne pouvez pas emporter d'articles d'une valeur supérieure à 3 000 Ft, mais les vérifications sont rares. Un certificat spécial est nécessaire pour les objets, antiquités ou œuvres d'art dignes d'un musée.

Comment s'y rendre

Pour préparer votre voyage, vous trouverez des adresses et des informations utiles dans le magazine *Globe-Trotters,* publié par Aventure du Bout du Monde (11 *bis*, rue Maison-Dieu, 75014 Paris) et dans *le Guide du voyage en avion* de Michel Puysségur, tout comme dans la lettre d'informations *Farang* (La Rue 8a 4261, Braives, Belgique) qui traite de destinations exotiques.

Le Club Voyageurs organise des soirées d'informations et des forums. En outre, la bibliothèque du Club compte plus de 1 500 ouvrages de voyage (53, rue Sainte-Anne, 75002 Paris (☎ (1) 42 86 17 17).

En Suisse, Artou (Agence en recherches touristiques), 8 rue de Rive, 1204 Genève, fournit des informations sur tous les aspects du voyage : librairie du voyageur (☎ 311 45 44) ; billetterie (☎ 311 02 80) ; tour opérateur (☎ 311 84 08).

Le Centre d'Information et de Documentation pour la Jeunesse (CIDJ, 101 quai Branly, 75015 Paris, ☎ 44 49 12 00) édite des fiches très bien conçues : "Réduction de transports pour les jeunes" n° 7.72, "Vols réguliers et vols charters" n° 7.74, "Voyages et séjours organisés à l'étranger" n° 7.51. On peut se les procurer par correspondance (se renseigner sur Minitel 3615 CIDJ pour les prix des fiches – entre 10 et 15 F) en envoyant un chèque au service correspondance.

Le Guide du jeune voyageur, publié par Dakota Éditions (49 F en librairie), est une bonne source de renseignements pour les billets d'avions et les réductions pour les jeunes. On peut trouver d'autres conseils et notamment des promotions de vols dans le magazine *Travels,* distribué gratuitement dans les universités, lycées...

VOIE AÉRIENNE

Malév Hungarian Airlines, la compagnie hongroise, assure des vols directs entre une trentaine de villes occidentales et l'aéroport de Ferihegy.

En Hongrie, il est obligatoire d'acheter tous les billets d'avion avec des devises fortes, en liquide, chèques de voyage ou carte de crédit. L'une des agences les moins chères et les plus fiables à Budapest, est Tradesco Tours (☎ 268 0038), VII Rákóczi út 4.

Les vols Malév, Air France, Alitalia et Lufthansa arrivent et partent du nouveau Terminal 2 Ferihegy, à 5 km à l'est du Terminal 1 utilisé par les autres compagnies. Pour tout renseignement sur les taxis aériens, coûteux pour certaines villes de province, reportez-vous au chapitre *Comment circuler.*

Le numéro central à Budapest pour tout renseignement sur les vols est le 157 7155. Sinon, appelez Ferihegy Terminal 1 (☎ 157 2122), ou Ferihegy Terminal 2 arrivées (☎ 157 8406) ou départs (☎ 157 7831). A Budapest, l'agence centrale Malév (☎ 266 5913) se trouve au V Dorottya utca 2. Pour d'autres compagnies, voir la rubrique *Comment s'y rendre* du chapitre *Budapest.*

Depuis/vers les villes européennes

La compagnie aérienne hongroise Malév relie Budapest depuis Amsterdam, Berlin, Bruxelles, Bucarest, Copenhague, Düsseldorf, Francfort, Helsinki, Istanbul, Madrid, Moscou, Munich, Paris, Prague, Rome, Sofia, Saint-Pétersbourg, Stuttgart, Stockholm, Vienne, Varsovie, Zürich...

Plusieurs autres compagnies desservent Budapest : Aeroflot (Moscou), Air France (Paris), Alitalia (Rome et Milan), Balkan Bulgarian (Sofia), British Airways (Londres), CSA (Prague), Finnair (Helsinki), LOT (Varsovie), Lufthansa (Francfort et Munich), Sabena (Bruxelles), SAS (depuis/vers Copenhague), Swissair (Zürich) et Tarom Romanian (Bucarest)

Depuis/vers le Canada et les États-Unis

Pour l'instant, il n'y a aucun vol au départ de Montréal, ni d'Ottawa. Néanmoins,

Malév et Delta assurent tous deux des vols depuis/vers New York (JFK Airport) ; le vol de Delta est quotidien. Malév dessert également l'aéroport de Newark/New York.

Tarifs

Depuis la France, les prix des billets varient d'un voyagiste à l'autre. Chez Access Voyages, vous trouverez des vols aller-retour aux environs de 1 850 F au départ de Paris ou de Lyon et de 2 190 F au départ de Toulouse ou de Marseille. A la Compagnie des Voyages, le tarif depuis Paris ou depuis Lyon est entre 1 850 F et 2 250 F. Depuis Paris, chez Forum Voyages, les tarifs aller-retour sont actuellement à 1 875 F.

Chez Nouvelles Frontières, le prix minimum est de 1 875 F. La compagnie aérienne officielle hongroise, Malév, vous proposera des vols aller-retour entre 2 410 F et 2 940 F. Chez Transtours, vous aurez le choix entre des vols de 1 780 F à 2290 F. En fonction de votre âge, Air France dispose de tarifs variables sur le vol quotidien Paris-Budapest : de 1 797 F au billet Apex à 2 937 F (à réserver au moins une semaine à l'avance, un week-end sur place obligatoire).

Access Voyages
  6, rue Pierre-Lescot, 75001 Paris (☎ 40 13 02 02, 42 21 46 94)
  Tour Crédit Lyonnais, 129, rue Servient, 69003 Lyon (☎ 78 63 67 77)
Compagnie des voyages
  28, rue Pierre-Lescot, 75001 Paris (☎ 45 08 44 88)
Forum Voyages
  Plusieurs adresses à Paris et en province :
  67, av. Raymond Poincaré, 75016 Paris (☎ 47 27 89 89)
  140, rue du Faubourg Saint-Honoré, 75 008 Paris (☎ 42 89 07 07)
  N° Vert pour la province : 05 05 36 37
O.T.U.
  L'Organisation du tourisme universitaire propose des réductions pour étudiants et (jeunes) enseignants sur de nombreux vols.
  39, av. Georges Bernanos, 75 005 Paris (☎ 44 41 38 50, 43 29 90 78) et dans les CROUS.
Transtours
  49, avenue de l'Opéra, 75 002 Paris (☎ 44 58 26 00 à 05)

Nouvelles Frontières
  De très nombreuses agences en France et dans les pays francophones :
  87, bd de Grenelle, 75 015 Paris (☎ 41.41 58.58)
  60, rue Galliéni, 97 200 Fort-de-France (☎ 70 59 70)
  2, bd M. Lemonnier, 1000 Bruxelles (☎ 02 513 76 36) et également à Anvers, Bruges, Liège et Gand.
  19, rue de Berne et rue Chaponnière, 1201 Genève (☎ 22 732 04 03)
  3, av. du Rond-point, 1600 Lausanne (☎ 21 26 88 91)
  25, bd Royal, 2449 Luxembourg (☎ 46 41 40)
Éole
  Chaussée Haecht 33, 1030 Bruxelles (☎ 2 219 48 70)
SSR
  Cette coopérative de voyages suisse propose des vols à prix négociés pour les étudiants jusqu'à 26 ans et des vols charters pour tous
  20, bd de Grancy, Lausanne (☎ 21 617 58 11)
  3, rue Vignier, 1205 Genève (☎ 22 329 97 33)
  Leonhardstrasse 5 et 10, Zürich (☎ 01-297 11 11).

Depuis New York, vous trouverez des vols aller-retour entre 450 $ à 600 $ sur Malév, et entre 708 $ (basse saison) et 1 300 $ (haute saison) chez Delta Airlines.

Les vols aller-retour depuis Budapest sur des destinations de l'ancien bloc soviétique sont relativement bon marché mais encore très supérieurs aux prix des trains et des bus. L'aller-retour sur Moscou coûte 30 100 Ft, sur Varsovie 19 000 Ft et sur Prague, 13 000 Ft.

VOIE TERRESTRE

La Hongrie est reliée à ses sept voisins immédiats par la route et le train. Des services de bus internationaux sont assurés depuis Budapest, plus quelques lignes au départ de villes de province : de Debrecen à Košice en Slovaquie, et Oradea en Roumanie ; de Szeged à Arad et Timisoara en Roumanie, et Senta et Subotica en Serbie ; de Miskolc à Košice ; de Győr et Sopron à Vienne et Bratislava ; de Szombathely et Kőszeg à Oberpullendorf et Oberwart en Autriche.

Les principaux points d'entrée des trains internationaux sont Sopron et Hegyeshalom (depuis Vienne et l'Europe occidentale en général) ; Szombathely (depuis Graz) ; Komárom et Szob (depuis Prague et Berlin) ; Miskolc (depuis Košice, Cracovie et Varsovie) ; Nyíregyháza (depuis Lvov, Moscou et Saint-Pétersbourg) ; Békéscaba (depuis Bucarest *via* Arad et Timisoara) ; Szeged (depuis Subotica) ; Pécs (depuis Osijek) et Nagykanizsa (depuis Zagreb).

Sur de nombreux horaires de bus et de trains, les villes étrangères sont mentionnées sous leurs noms hongrois. La plupart dans ce cas sont situées sur d'anciennes terres hongroises ; ces noms sont aussi employés par la minorité magyarophone de ces villes. Il faut se familiariser avec les plus fréquents pour déchiffrer les tableaux d'horaires des bus, et moins souvent, des trains (voir aussi à la fin du livre, la liste des noms de lieux et leurs équivalents) :

Autriche
    Bécs – Vienne
    Kismarton – Eisenstadt
    Bécsújhely – Winer Neustadt
Slovaquie
    Pozsony – Bratislava
    Kassa – Košice
    Losonc – Luenec
    Rozsnyó – Ronava
    Nagyszombat – Trnava
Ukraine
    Munkács – Mukaevo
    Ungvár – Ugorod
    Beregszász – Beregovo
Roumanie
    Szatmárnémeti – Satu Mare
    Nagybánya – Baia Mare
    Koloszvár – Cluj-Napoca
    Marosvásárhely – Tirgu Mures
    Nagyvárad – Oradea
    Temesvár – Timisoara
    Brassó – Brasov
Serbie
    Szabadka – Subotica
    Zenta – Senta
Croatie
    Eszék – Osijek

Bus

Depuis la France, vous pourrez emprunter le bus Eurolines, qui part de Paris-Bagnolet le dimanche à 18h et qui dessert Reims (20h15), Metz (22h45) et Strasbourg (00h35), pour arriver à Budapest à 17h. En haute saison, les fréquences sont plus importantes (deux ou trois départs par semaine). L'aller-retour pour les moins de 26 ans est de 770 F et de 860 F pour les autres. Rajoutez 30 F pour la réservation si vous ne partez pas de Paris. La société hongroise Balaton Impex propose aussi un aller-retour à 740 F au départ de Paris.

Depuis la Belgique, Eurolines part de Bruxelles à 6h deux fois par semaine (le vendredi et le dimanche), passe par Anvers et Liège et arrive à Budapest à 7h le lendemain matin. L'aller-retour est aux alentours de 745 F pour les moins de 26 ans et de 865 F pour les autres.

Eurolines
    Gare routière internationale de Paris-Gallieni, av. du général-de-Gaulle, 93170 Bagnolet (☎ 49 72 51 51)
Société Balaton Impex
    67, boulevard Pasteur, 75015 Paris (☎ 40 47 01 70)

Deux fois par semaine, trois fois en été, un service relie Amsterdam à Budapest *via* Francfort, en 19 heures, pour l'équivalent de 8 000 Ft (12 700 Ft aller/ retour). L'achat des billets à Amsterdam se fait chez Budget Bus Travel (☎ 020-627 5151), Rokin 10, ou à Budapest au bureau des billets internationaux de Erzsébet tér.

Un autre service relie Londres à Budapest *via* Bruxelles. Le voyage est long et coûteux : un jour et demi, pour 11 000 Ft (17 500 Ft aller-retour). Le tronçon Bruxelles-Budapest coûte 8100 Ft (13 600 Ft aller-retour).

Depuis l'Autriche, le bus partant de la gare routière de Vienne (Autobusbahnhof Wien-Mitte), s'arrête en chemin à l'aéroport de Vienne. Départ tous les jours de Vienne à 7h, 9h, 17h et 19h. A Vienne, vous pouvez acheter votre billet à la gare ou chez Blaguss Reisen (☎ 0222-651) Wiedner Hauptstrasse 15. Le trajet Budapest-Vienne se fait au départ de Erzsébet tér. L'aller simple dure 3 heures et demie et coûte environ 138 FF.

Volánbusz ("bus volant")dessert à peu près 80 villes de 18 pays différents au départ de la gare d'Erzsébet tér (renseignements internationaux : 118 2122), ou de Népstadion (☎ 252 2995) sur Hungária körút. En général, les bus pour l'Europe occidentale, Prague et la péninsule istrienne partent aussi d'Erzsébet tér. Les bus pour les anciens pays communistes (Slovaquie, Ukraine, Pologne, Roumanie, Serbie, etc) ainsi que pour la Turquie se prennent à Népstadion. Les bus Volánbusz circulent toute l'année entre Budapest (Népstadion) et la Slovaquie (Bratislava et les monts Tatra) ; la Pologne (Zakopane) ; la Roumanie (Cluj-Napoca, Timisoara et Brasov) et la Serbie (Subotica). Les tarifs sont beaucoup moins chers que vers les pays de l'Ouest. Bien que Brasov et Munich soient à une distance égale de Budapest (700 km), les tarifs aller simple sont respectivement de 2 520 Ft et 5 190 Ft.

Il faut payer les billets internationaux en devises fortes ou apporter les reçus prouvant que vous avez changé le montant nécessaire dans une banque ou un changeur agréé. Les passagers de moins de 26 ans et de plus de 60 ans ont droit à une réduction de 10% sur certaines destinations occidentales. Les places sont limitées, il est donc recommandé de réserver longtemps à l'avance. A Budapest, la réservation est ouverte 60 jours avant le départ.

Train

Magyar Államvasutak (ou MÁV) est raccordé au réseau ferré européen. Les trains vont jusqu'à Londres (*via* Paris ou Bruxelles), Stockholm (*via* Malmö), Saint-Pétersbourg, Istanbul et Rome. Les trains internationaux indiqués ci-après sont des express, et beaucoup nécessitent de réserver une place assise. Sur les longues distances, des wagons-lits sont presque toujours disponibles, en première et deuxième classes, et des couchettes en deuxième classe. Curieusement, tous les express n'offrent pas une voiture restaurant, ni même un bar. Prenez de la nourriture et des boissons en conséquence car les passages des vendeurs ambulants sont rares. Les trains hongrois peuvent difficilement être

qualifiés de luxueux, mais ils sont propres et ponctuels.

Pour réduire les risques de confusion, quand vous demandez un renseignement ou achetez un billet, désignez votre train par le nom indiqué sur les horaires affichés dans les gares. Renseignements et achats sont possibles dans les trois gares internationales de Budapest, mais le dialogue est plus facile avec le personnel du bureau central MÁV (☎ 122 8275 et 122 4052) VI Andrássy utca 35.

En général, la gare Keleti (de l'Est) (☎ 113 6835) reçoit les trains de Vienne (Westbahnhof) et de villes du nord et de l'ouest comme Bratislava et Prague, mais aussi de Bucarest (*via* Oradea), Belgrade, Košice et de la Pologne. Les trains venant de Bratislava (*via* Štúrovo), Bucarest (*via* Arad), Moscou, Saint-Pétersbourg et Sofia, s'arrêtent à la gare Nyugati (de l'Ouest) (☎ 149 0115). La gare Déli (du Sud) gère les trains venant de Vienne (Südbahnhof), d'Autriche méridionale, de Croatie et d'Italie. Mais il n'y a rien de fixe, et il faut toujours bien vérifier la gare de départ lors de l'achat du billet.

Si vous voulez juste passer la frontière, les trains locaux sont moins chers que les express internationaux, surtout en aller simple. Les réductions sur les trajets entre les villes d'Europe orientale ne sont applicables que sur les trajets aller-retour.

Billets et réductions. Les billets vers les pays d'Europe de l'Est ne sont plus aussi bon marché qu'avant, mais toujours très inférieurs aux prix des destinations occidentales. Tout le monde peut profiter d'une réduction de 20 à 30% sur les trajets aller-retour en direction de la République tchèque, la Slovaquie, la Roumanie et la Bulgarie, et de 20 à 40% sur 8 villes : Prague et Brno en République tchèque, Bratislava et Košice en Slovaquie, et Varsovie, Cracovie, Katowice et Gdynia en Pologne. Ainsi, l'aller simple sur Prague est de 2 755 Ft, et l'aller-retour de 4 545 Ft, mais sur Varsovie les tarifs sont respectivement de 5 062 Ft et 6 075 Ft.

Une réduction de 10% est accordée sur tous les allers-retours sur Vienne (2 585 Ft aller simple) et elle est de 30% si vous revenez à Budapest moins de 4 jours plus tard. Le trajet revient alors à 3 600 Ft environ, soit quasiment le même tarif qu'en bus, mais moins de la moitié du prix de l'hydroglisseur.

Sur l'Europe occidentale, vous paierez la même chose que partout ailleurs, sauf si vous avez moins de 26 ans et droit à la réduction de 30% Eurotrain (renseignez-vous auprès de MÁV ou Express). Voici quelques exemples de prix aller simple depuis Budapest (l'aller retour fait le double) : Amsterdam 19 088 Ft ; Berlin 7 809 Ft ; Londres 25 136 Ft ; Munich 7 807 Ft et Rome 10 354 Ft. Trois Euro-City quotidiens à destination de Vienne et de villes plus à l'ouest exigent un supplément de 260 Ft. Les places en première classe sont toujours 50% plus chères qu'en deuxième classe.

Une réservation sur un train international coûte 200 Ft. Des amendes de 100 Ft sont imposées aux passagers sans billet ou sans réservation obligatoire. Les prix des wagons-lits dépendent de la destination ; sur Munich, une cabine double en première classe coûte 3 894 Ft et en deuxième classe 2 596 Ft. Une couchette en compartiment de 6 personnes fait 1 200 Ft environ. Les billets sont valables pendant 60 jours après l'achat et les arrêts en route sont permis.

Les étudiants de moins de 26 ans munis d'une carte ISIC ou d'une carte d'étudiant hongroise ont droit à des réductions importantes sur les villes d'Europe de l'Est (aller simple ou aller-retour). Sur la plupart, la réduction est de 50% ; 40% sur la C.E.I. ; 30% sur l'ex-Yougoslavie. Les étudiants ont également droit à 30% de réduction pour Vienne.

Concernant le Transsibérien, hélas, Budapest n'est plus le coin des bonnes affaires d'antan. MÁV se contente désormais de vous vendre un billet pour Moscou (12 941 Ft, moins 40% pour les étudiants) où vous devrez acheter le billet pour continuer.

MÁV vend des forfaits InterRail d'un mois aux moins de 26 ans (et résidant en Hongrie depuis 6 mois) d'un montant de 1 980 FF environ ; au-dessus de 26 ans, on paye 2 760 FF. Ils donnent droit à 50% de réduction sur les trains et à la gratuité en deuxième classe dans plus de 24 pays européens, dont toute l'Europe de l'Est. Plusieurs types de forfait Eurail sont disponibles, mais le moins cher – de 15 jours – fait 2 928 FF. Il est presque impossible de rentabiliser un forfait Eurail en Hongrie, aussi choisissez soigneusement son nombre de jours.

Un troisième type de forfait, appelé Flexipass, est valable pour 5, 10 ou 15 journées de voyage, sur une période de 2 mois. Ils sont beaucoup trop chers pour la Hongrie (1896 FF, 3156 FF et 4302 FF respectivement), mais ils vous permettent de vous arrêter dans une ville aussi longtemps que vous le souhaitez.

N'oubliez pas que, comme pour les bus, vous devez régler vos achats de billets internationaux en devises fortes ou montrer les reçus prouvant que vous avez changé au moins l'équivalent du montant du billet en forints. Les chèques de voyage et cartes de crédit ne sont pas acceptés.

Depuis/vers l'Autriche. Un total de neuf trains quotidiens relient Vienne à Budapest (3 heures) via Hegyeshalom. Sept partent de Vienne-Westbahnhof, dont le *Wiener Waltzer* de Bâle (14 heures) via Innsbruck, l'ancien *Orient Express* de Paris (18 heures) via Munich, l'*Arrabona*, l'EuroCity *Bartók Béla* de Munich (8 heures) via Salzburg, le *Gondoliere* de Rome (21 heures), l'Euro-City *Liszt Ferenc* de Dortmund (15 heures) via Francfort et le *Dacia*. L'EuroCity *Lehár* et l'*Avala* qui continue sur Bucarest partent de Vienne-Südbahnhof. Les réservations sont fortement recommandées en saison.

Six trains partent tous les jours de Vienne-Südbahnhof pour Sopron (75 minutes) via Ebenfurth ; une douzaine par jour relient Sopron depuis Wiener Neustadt (accessible depuis Vienne). Six à huit trains quotidiens font le trajet de 3 heures de Graz à Szombathely.

Depuis/vers l'Europe francophone. En France, les départs se font depuis la gare de l'Est, trois fois par jour, à 13h45 et à 22h30 (changement à Munich) et à 18h45 (direct). Ils arrivent respectivement à 8h10, 17h40 et 13h30. L'aller-retour coûte environ 1 660 F. En Belgique, le train qui part de Bruxelles à 21h40 arrive à Budapest à 15h55, *via* Liège et plusieurs villes d'Allemagne et d'Autriche (un changement à Vienne). Toujours au départ de Bruxelles, le train de 22h15 passe à Strasbourg à 3h55, à Bâle (Suisse) à 5h15 et arrive à Budapest à 22h35, mais il a l'inconvénient de trois changements (Sarganz, Innsbrück et Vienne).

Depuis/vers Prague et Berlin. Sept trains quotidiens depuis Berlin-Lichtenberg (15 heures) *via* Prague, Bratislava et Štúrovo. Ce sont le *Pannónia* (changement à Prague), le *Metropol*, le *Meridian*, le *Balt-Orient Express*, le *Csárdás* (24 heures depuis Malmö) circulant d'avril à la fin août, l'*Istropolitan* depuis Hambourg (19 heures) et le *Hungária*. Un train supplémentaire, l'*Amicus*, circule de Prague à Budapest (9 heures). Seul le *Balt-Orient Express* exige une réservation au départ de Budapest.

Depuis/vers la Slovaquie et la Pologne. Tous les jours, trois trains, le *Polonia*, le *Báthory* et le *Nesebar* (ce dernier circulant de mi-juin à fin août seulement) quittent Varsovie pour Budapest (13 heures) *via* Katowice et Štúrovo. Le *Karpaty* depuis Varsovie passe par Cracovie et Košice avant d'arriver à Miskolc où vous pouvez changer pour Budapest. Le *Cracovia* circule entre Cracovie et Budapest *via* Košice (12 heures). Un autre train, le *Rákóczi*, relie Košice à Budapest (4 heures) et en été continue sur Poprad Tatry, 110 km au nord-ouest de Košice. Au départ de la Pologne, ces trains exigent une réservation (facultative au départ de la Hongrie). Le *Bem* relie Szczecin au nord-ouest de la Pologne à Budapest (18 heures) *via* Poznaš, Wroclaw et Luenec.

Deux trains locaux par jour couvrent les 90 km séparant Miskolc de Košice en 3 heures. Le petit tronçon de 2 km entre Sátoraljaújhely et Slovenské Nové Mesto se fait en 4 minutes en train.

Depuis/vers la Roumanie et la Bulgarie. Entre Bucarest et Budapest (14 heures) vous avez le choix entre six trains : l'*Alutus*, le *Dacia*, le *Karpaty*, le *Kálmán Imre* et le *Pannónia*, tous *via* Arad, et le *Balt-Orient Express via* Cluj-Napoca et Oradea. Il existe deux autres liaisons depuis Cluj-Napoca (7 heures *via* Oradea) : le *Corona* (venant de Brasov) et le *Claudiopolis*. Beaucoup sont à réservation obligatoire, mais pas le *Partium* partant tôt de Budapest pour Oradea.

Il existe un seul train local quotidien entre Baia Mare en Roumanie du Nord et Budapest (8 heures) *via* Satu Mare et Debrecen. Sinon, vous devez prendre l'un des deux trains locaux partant de Debrecen et traversant la frontière jusqu'à Valea lui Mihai et prendre un train roumain. Si vous voulez visiter la Roumanie en excursion à partir de la Hongrie, il est conseillé de prendre un aller-retour, car le système romain de billetterie est encore archaïque.

De mi-juin à fin-août, le *Nesebar* relie les stations balnéaires bulgares de la mer Noire (Burgas et Varna) depuis Budapest (22 heures) *via* Arad.

Depuis/vers la Bulgarie et la Serbie. Il existe trois trains entre Sofia et Budapest (15 heures) *via* Belgrade et Subotica : le *Balkán*, partant d'Istanbul (28 heures), le *Meridian*, et (en été) le *Istanbul-Skopje Express*. Trois autres trains relient Budapest à Belgrade *via* Subotica (6 heures) : le *Beograd*, l'*Avala* et le *Hellas* (qui vient d'Athènes et met 29 heures). Sachez qu'à Budapest, le terminus du *Beograd* est la gare Ferencváros dans le 9e arr., juste au nord de l'île Csepel. La réservation est obligatoire sur certains de ces trains.

Le *Puskin* venant de Belgrade et Subotica et à destination de Moscou passe par Szeged, Kecskemét, Szolnok et Debrecen.

Sinon, il existe quatre trains locaux quotidiens entre Subotica et Szeged (1 heure et demie).

Depuis/vers la Croatie et la Slovénie.

On peut aller à Budapest depuis Zagreb (6 heures et demie) par quatre trains, tous *via* Siófok sur le lac Balaton : en juillet-août l'*Adriatica* depuis Rijeka (11 heures) ; l'*Agram*, le *Maestral* depuis Split (16 heures) et le *Dráva*, qui part de Trieste et passe par Ljubljana. Deux trains locaux quotidiens relient Osijek à Pécs (2 heures).

Depuis/vers l'Ukraine et la Russie.

Entre Moscou et Budapest (36 heures) deux trains passent par Kiev et Lvov en Ukraine : le *Budapest Express* et le *Tisza Express*. Celui-ci a un embranchement vers Saint-Pétersbourg à partir de Lvov. Un troisième train depuis Moscou, également *via* Kiev et Lvov, s'arrête à Debrecen, Szolnok, Kecskemét et Szeged et termine sa course à Belgrade. Pour la plupart des nationalités, il faut un visa de transit pour traverser l'Ukraine.

Voiture et moto

De la soixantaine de points de passage routiers, quinze (dans le nord et le nord-est) sont réservés aux ressortissants de Hongrie et des pays limitrophes. La douane du ferry Esztergom-Štúrovo fait encore partie des points interdits. Des points de passage avec la Croatie ont rouvert récemment mais pourraient fermer à nouveau selon l'évolution de la situation en ex-Yougoslavie.

Nous donnons ci-après la liste des points de passage ouverts aux automobilistes. Le poste hongrois vient en premier suivi du poste ou de la ville étrangère la plus proche :

Avec l'Autriche
- Szentgotthárd (27 km au sud-ouest de Körmend)/Mogersdorf
- Rábafüzes (5 km au nord de Szentgotthárd)/Heiligenkreuz
- Bucsu (13 km à l'ouest de Szombathely)/Schachendorf
- Kőszeg/Rattersdorf
- Kópháza (11 km au nord de Sopron)/Deutschkreutz

- Sopron (7 km au nord-ouest de la ville)/Klingenbach
- Fertőd/Pamhagen
- Hegyeshalom (51 km au nord-ouest de Győr)/Nickelsdorf

Avec la Slovaquie
- Rajka (18 km au nord-ouest de Mosonmagyaróvár)/Bratislava
- Vámosszabadi (13 km au nord de Győr)/Medvedov
- Komárom – Komárno
- Parassapuszta (40 km au nord de Vác)/Šahy
- Balassagyarmat/Slovenské Darmoty
- Somoskőújfalu (8 km au nord de Salgótarján)/Filakovo
- Bánréve (43 km au nord-ouest de Miskolc)/Král
- Tornyosnémeti (60 km au nord-est de Miskolc)/Košice
- Sátoraljaújhely/Slovenské Nové Mesto

Avec l'Ukraine
- Zahony (23 km au nord de Kisvárda)Cop (23 km au sud d'Ugorod)

Avec la Roumanie
- Csengersima (40 km au sud-est de Mátészalka)/Petea (11 km au nord-ouest de Satu Mare)
- Ártánd (25 km au sud-est de Berettyóújfalu)/Bors (14 km au nord-ouest d'Oradea)
- Kötegyán (20 km au nord-est de Gyula)/Salonta
- Gyula/Varsand (66 km au nord d'Arad)
- Lökösháza (26 km au sud de Gyula)/Curtici
- Nagylak (52 km à l'ouest de Szeged)/Nadlac (54 km à l'ouest d'Arad)

Avec la Serbie
- Rózske (16 km au sud-ouest de Szeged)/Horgoš (30 km au sud de Subotica)
- Tompa (30 km au sud de Kiskunhalas)/Kelebija (11 km au nord-ouest de Subotica)
- Hercegszántó (32 km au sud de Baja)/Baki Breg (28 km au nord-ouest de Sombor)

Avec la Croatie
- Udvar (12 km au sud de Mohács)/Osijek
- Drávaszabolcs (9 km au sud de Harkány)/Donji Miholjac (49 km au nord-ouest d'Osijek)
- Barcs (32 km au sud-ouest de Szigetvár)/Terezino Polje
- Berzence (24 km à l'ouest e Nagyatád)/Gola
- Letenye (26 km à l'ouest de Nagykanizsa)/Hodošan

Avec la Slovénie
- Rédics (9 km au sud-ouest de Lenti)/Dolga Vas
- Bajánsenye (60 km à l'ouest de Zalaegerszeg)/Hodoš

A pied et à bicyclette

Pour épargner l'achat d'un billet international, ou juste pour le plaisir, vous pouvez passer la frontière à pied, mais les douaniers n'aiment pas beaucoup ce moyen de locomotion, surtout aux frontières roumaine, serbe et croate. Tâchez de passer en stop.

Les cyclistes auront du mal à passer les postes de douane installés sur les grandes routes car celles-ci (nationales et autoroutes, portant un numéro à un chiffre) leur sont interdites.

Il existe deux postes frontière avec la Slovaquie, où vous n'aurez pas de problème : Komárom à 88 km au nord-ouest de Budapest, et Sátoraljaújhely à la même distance au nord-est de Miskolc. Le premier se trouve sur le pont du Danube reliant Komárom à Komárno, la plus grosse ville hongroise de Slovaquie : ici l'on peut traverser à pied si on le désire ; la gare de Komárom est à 5 minutes du pont ; la gare de Komárno se trouve à 2 km au nord du pont et les deux postes de douane sont du côté slovaque du pont. Le deuxième point se trouve sur une grande route traversant le Ronyva et reliant le centre de Sátoraljaújhely à la gare de Slovenské Nové Mesto.

VOIE FLUVIALE

Pour se rendre à Budapest, ou aller à Vienne, on peut prendre l'hydroglisseur Mahart qui effectue d'avril à mi-octobre les 282 km séparant les deux capitales. C'est une traversée agréable, mais lente

(5 heures et demie) ; le vrai problème est son prix énorme de 730 schillings autrichiens aller simple (1 100 SchA aller-retour). Les étudiants ont droit à 20% de réduction, mais c'est une maigre consolation quand on sait que les citoyens de Hongrie ont droit à 50%. Pour apporter votre bicyclette, vous paierez 100 SchA.

Depuis la France, l'agence Transtours (voir la rubrique *Voie aérienne*) organise des circuits Vienne-Budapest incluant le trajet en hydroglisseur (aller simple : 580 F).

Les ferries partent de l'embarcadère international (*Nemzetközi hajóállomás*) sur Belgrád rakpart juste au nord du pont Szabadság côté Pest. En avril et de mi-septembre à mi-octobre, départ quotidien à 8h ; en été, autre départ à 13h30. A Vienne, le bateau accoste au quai Reichsbrücke.

Depuis Vienne, l'hydroglisseur part tous les matins à 8h en basse saison, avec un deuxième départ à 14h30 en haute saison. Prenez vos billets à l'agence Mahart (☎ 505 5644), Karlplatz 2/8 ou chez Ibusz (☎ 555 550), Krugerstrasse 4.

A Budapest, les billets s'achètent chez Ibusz (☎ 118 1704) sur Károly körút ou sur le quai Mahart. Le bureau est ouvert de 8h à 16h en semaine et jusqu'à 12h le week-end.

Le bar à bord n'est ouvert que sur réservation de groupes. Emportez des provisions et arrivez une heure avant le départ pour régler les formalités douanières.

Comment circuler

La population se plaint de son système de transport, mais il est efficace, complet et bon marché. Certes, à côté des chemins de fer français ou autrichien, un train hongrois donne l'impression d'avoir survécu à trois guerres, et vous attendrez à n'en plus finir les bus de province, mais presque tous les horaires sont respectés et les villes de province se traversent aisément à pied. Il n'y a pour l'instant pas de vols intérieurs sur la Hongrie, mais plusieurs sont à l'étude.

BUS

Les bus jaunes d'une trentaine de succursales Volán assurent les liaisons entre villes voisines, tandis que les bus grandes lignes jaune et rouge desservent toutes les localités de plus de 200 âmes, dont beaucoup ne sont pas sur une ligne de chemin de fer. La compagnie Volánbusz de Budapest est l'ancêtre de ces transporteurs. Les autres ont pris le nom du département ou de la région : Hajdú Volán, Kisalföld Volán, etc.

Les bus sont aussi une bonne alternative aux trains pour un prix quasi identique. En Transdanubie Méridionale, ou dans certaines parties de la Grande Plaine, leur service est essentiel et fait économiser plusieurs changements de train fastidieux. Dans les grandes villes, il est possible de prendre au moins un bus direct par jour pour des destinations assez lointaines (de Pécs à Sopron, par exemple, ou de Debrecen à Szeged). Tout le monde n'aime pas les voyages en autobus, mais ils permettent mieux que le train de voir la campagne profonde – les endroits "dans le dos de Dieu" comme l'on dit ici.

Un forfait personnel Volán, valable un mois, est vendu pour 15 000 Ft environ. Mais un rapide calcul vous montrera qu'il faudra traverser plus de dix fois la Hongrie dans sa plus grande extension (588 km) pour le rentabiliser. Autant dire que vous passerez vos vacances sur la route.

Les bus nationaux arrivent et partent dans les gares routières grandes lignes (*távolságiautóbusz pályaudvar*). Les gares routières locales sont appelées *helyi* ou *városiautóbusz pályaudvar*. Elles sont souvent proches l'une de l'autre, et à proximité de la gare ferroviaire. Arrivez de bonne heure pour savoir quel est le bon quai de départ (*kocsiállás*) et vérifiez l'heure de départ affichée à l'arrêt même. Les horaires indiqués peuvent être différents les uns des autres et les panneaux principaux ne sont pas toujours mis à jour.

Les billets s'achètent directement au chauffeur qui rend la monnaie et délivre un reçu. Il est préférable de réserver pour les longs trajets, surtout au départ de Budapest.

Il est interdit de fumer dans les bus. Le chauffeur s'arrête une dizaine de minutes toutes les heures et demie environ.

Sur les longues distances, vous pouvez demander au chauffeur de mettre vos bagages dans la soute. Les gares routières des chefs-lieux ont des consignes (*csomagmegőrző*) mais elles sont rares dans les petites localités. De toute façon, elles ferment en fin de journée. Même les trois grandes consignes de Budapest ferment à 18h. Mieux vaut laisser ses bagages à la gare ferroviaire.

A la campagne, sur de petites distances, la population se déplace en bus. Les arrêts sont nombreux et non annoncés par le chauffeur.

Si vous devez prendre fréquemment ce moyen de transport, procurez-vous l'atlas routier national rouge, *Magyarország autóatlasza* et surveillez les panneaux d'entrée et de sortie des villes. Sinon, montrez votre destination sur la carte à votre voisin et demandez-lui : *Szóljon kérem, mikor kell leszállnom ?* (Pouvez-vous me prévenir quand je dois descendre ?)

Les horaires affichés sont tantôt d'une confusion totale, tantôt rédigés avec clarté, sans que l'on sache pourquoi. Le panneau des horaires de la gare de Pécs, une ville d'une fierté municipale incommensurable, est illisible, tandis que celui de Győr est un plaisir à consulter.

L'essentiel est de savoir que *indulás* signifie "départs" et *érkezés* "arrivées". Les symboles figurant sur les horaires sont les suivants :

marteaux croisés – circule du lundi au samedi (sauf jours fériés)
idem dans un cercle – circule du lundi au vendredi (sauf jours fériés)
idem dans un carré – circule du lundi au jeudi (sauf jours fériés)
carré vide – circule le premier jour ouvrable de la semaine (en général le lundi)
marteau unique – circule le dernier jour ouvrable de la semaine (en général le vendredi)
cercle vide – circule le samedi
cercle avec croix – circule samedi, dimanche et la plupart des jours fériés
cercle barré – circule du lundi au vendredi, et dimanche
croix – circule dimanche et jours fériés
croix dans un carré – circule la veille du premier jour ouvrable de la semaine (en général le dimanche)
triangle plein – circule les jours d'école
triangle vide – circule les jours ouvrables pendant les vacances scolaires (de mi-juin à août ; Noël et Jour de l'An ; deux semaines en avril)

Il existe deux numéros de renseignements (☎ 118 2122 et 117 2966) à Budapest pour les bus interurbains et les grandes lignes. Au cas probable où vous n'arriviez à obtenir ni l'un ni l'autre, essayez la gare routière d'Erzsébet tér (☎ 117 2085) pour l'ouest du Danube, la gare de Népstadion (☎ 252 0696) pour l'est, et la gare du côté Pest du pont Árpád (☎ 129 1450) pour la Boucle du Danube.

TRAIN

MÁV fait circuler des trains sur 8 000 km de voies ferrées. Son matériel roulant n'est pas de première jeunesse mais le service est fiable, assez ponctuel et bon marché. Récemment, il était question de réduire le service sur quelques lignes secondaires, d'augmenter les prix de 100% et de sus-

pendre les services voyageurs de nuit pour réduire les pertes. Soyez prévenu.

Toutes les grandes lignes convergent sur Budapest, mais les villes de province sont reliées entre elles par des lignes secondaires. Il existe trois grandes gares à Budapest : Keleti (Hautes Terres du Nord et Nord-Est), Nyugati (Grande Plaine et Boucle du Danube) et Déli (Transdanubie et lac Balaton).

Il existe plusieurs types de train. Les Express (Ex) où la réservation est obligatoire et les 24 InterCity (IC) à supplément de 120 Ft, qui desservent seulement les grandes villes. La réservation d'une place assise (50 Ft) peut être obligatoire (signalée alors sur les horaires par un "R" dans un carré ou "R" dans un cercle) ou simplement possible ("R").

Les autres types sont les *gyorsvonat* (rapides) et les *személyvonat* (trains de passagers) qui sont de véritables omnibus s'arrêtant dans le moindre hameau.

Les billets s'achètent à l'avance dans les *vasútállomás* ou *pályaudvar* (gares ferroviaires). Les 100 km coûtent 288 Ft en seconde classe et 432 Ft en première. On peut aussi les acheter au bureau central MÁV de Budapest (VI Andrássy út 35).

Les billets sont vendus en aller simple (*egy útra*) ou aller-retour (*retúrjegy*). La compagnie propose des forfaits première classe et seconde classe pour des trajets illimités, d'une semaine (5 990 Ft et 3 940 Ft) ou 10 jours (8 860 Ft et 5 990 Ft). Mais les trains ne sont pratiques que sur les longues distances. Une fois à destination, vous rayonnerez plus facilement en bus, et il faudrait passer ses journées dans le train pour rentabiliser les forfaits.

Les wagons sont fumeurs ou non-fumeurs ; les express et les rapides ont parfois des voitures-restaurants.

Selon la gare, les départs et arrivées sont annoncés par haut-parleur ou sur un tableau électronique, et figurent toujours sur un horaire imprimé (jaune pour les départs, et blanc pour les arrivées). Les trains rapides sont indiqués en rouge et les

Réseau ferroviaire hongrois

0   25   50 km

SLOVAQUIE

Vers Bratislava

Vers Vienne

Lac Fertő

Vers Vienne

Vers Bratislava et Prague

Romhány

Szob

Štúrovo

Hegyes-
halom

Komárom

Almásfüzitő

Esztergom

Vác

Szentendre

Sopron

Győr

Gödöllő

AUTRICHE

Csorna

Kisbér

Tatabánya

BUDAPEST

Kőszeg

Veszprém-
varsány

Pápa

Szombathely

Celldömölk

Székesfehérvár

Vers
Graz

Körmend

Ukk

Veszprém

Pusztaszabolcs

Szabadbattyán

Tapolca

Dunaújváros

Zalaszentiván

Sárbogárd

Keszthely

Lac Balaton

Siófok

Rétszilas

Balaton-
szentgyörgy

Fonyód

SLOVÉNIE

Pincehely

Kiskőrös

Nagykanizsa

Danube

Gyékényes

Kaposvár

Dombóvár

Szekszárd

Koprivnica

Somogyszob

Godisa

Bátaszék

Vers Zagreb

Szigetvár

Pécs

Középrigóc

Szentlőrinc

Mohács

Sellye

Siklós

Villány

CROATIE

Vers Osijek

lents en noirs. *Vágány* signifie le quai (pour les autres symboles et abréviations, voir la rubrique *Bus* précédente). Les immenses rouleaux de papier sous vitrine que vous verrez dans certaines gares donnent les horaires de tous les trains du pays. Repérez le numéro de la ligne sur la carte affichée à proximité. Si vous devez beaucoup circuler en train, procurez-vous l'indicateur des chemins de fer, *Hivatalos Menetrend*, vendu dans les grandes gares ou au bureau MÁV de Budapest. Il dispose de notes explicatives en anglais.

Des trains à vapeur promèneront les nostalgiques autour du lac Balaton, en été, et des trains sur voie étroite (*keskeny nyomközűvonat*) serpentent dans de nombreuses zones boisées ou montagneuses du pays. Ces derniers sont surtout empruntés par les vacanciers en excursions circulaires, mais ils permettent aussi d'aller un point A à un point B (de Miskolc à Lillafüred et les monts Bükk, par exemple, ou de Baja à Szekszárd via la forêt de Gemenc). Les petits trains sont exploités par les Chemins de fer unis des forêts (AEV) et les forfaits MÁV ne sont pas valables sur leurs lignes. La seule autre ligne privée (la GYSEV) relie Győr, Sopron et Ebenfurth en Autriche. Les détenteurs d'un forfait MÁV doivent également payer sur cette ligne. Pour tous renseignements sur les trains à vapeur MÁV, contactez leur bureau spécialisé à Budapest (☎ 117 1665), V Belgrád rakpart 26.

Les consignes des grandes gares sont ouvertes 24 heures sur 24. On peut voyager avec sa bicyclette moyennant 80 Ft par 100 km.

Nous donnons ci-après quelques distances et durée de trajet au départ de Budapest, en express la plupart du temps, c'est-à-dire à une vitesse moyenne de 65 à 70 km/h :

Transdanubie
    Győr – 131 km (2 h)
    Sopron – 216 km (3 h)
    Szombathely – 236 km (3h 30)
    Pécs – 228 km (3 h)
Boucle du Danube
    Esztergom – 53 km

    (1h 30, trains lents uniquement)
    Szentendre – 20 km
    (40 mn sur la ligne de banlieue HÉV)
Balaton
    Siófok – 115 km (1h 30)
    Balatonfüred – 132 km (2 h)
    Veszprém – 112 km (1h 45)
    Székesfehérvár – 67 km (50 mn)
Grande Plaine
    Szolnok – 100 km (1h 15)
    Kecskemét – 106 km (1h 30)
    Debrecen – 221 km(3 h)
    Békéscsaba – 196 km (2h 30)
    Szeged – 191 km (2h 30)
Hautes Terres du Nord et Nord-Est
    Nyíregyháza – 270 km (4 h)
    Eger – 143 km (2 h)
    Miskolc – 183 km (2h 15)
    Sátoraljaújhely – 267 km (3h 30)

VOITURE ET MOTO

Les routes de Hongrie sont bonnes (même excellentes en comparaison des autres pays de l'Est). Elles sont de trois sortes. Les autoroutes qui portent un numéro précédé de la lettre M relient Budapest au lac Balaton et à Győr (le prolongement jusqu'à Vienne sera achevé en 1995) et une partie du trajet entre Miskolc et Kecskemét.

Les nationales portent un numéro à un chiffre et rayonnent autour de Budapest. Les routes secondaires et tertiaires portent des numéros à deux et trois chiffres, le premier indiquant quelle nationale elles rejoignent. Ainsi la route 66 à partir de Kaposvár rejoint la nationale 6 entre Pécs et Budapest.

Les essences à 86, 92, 95 (sans plomb) et 98 degrés d'octane, et le diésel sont très largement répandus (mais toutes les stations-service n'ont pas d'essence sans plomb) et beaucoup de pompes restent ouvertes la nuit. Le paiement en carte de crédit est assez rare. L'assurance au tiers est obligatoire. Si votre voiture est enregistrée dans l'Union européenne, vous êtes sensé l'avoir, mais les autres automobilistes doivent pouvoir montrer la Carte Verte ou devront payer une assurance à la frontière.

Les "Anges jaunes" de l'automobile club hongrois (☎ 169 1831 ou 169 3714) dépannent gratuitement en cas d'urgence, si vous êtes faites partie d'une association affiliée. Ils sont joignables 24 heures sur 24 à l'un et l'autre numéros précédents.

Tous les accidents doivent faire l'objet d'une déclaration immédiate à la police (☎ 07). Toutes les demandes relevant de polices d'assurance achetées en Hongrie doivent être déposées dans les 24 heures à Hungária Insurance Company (☎ 252 6333) à Budapest, XIV Gvadányi út 69.

Le code de la route
La vitesse est limitée et strictement contrôlée à 50 km/h en agglomération, 80 km/h sur les routes secondaires et tertiaires, 100 km/h sur les nationales et 120 km/h sur les autoroutes.

Le port de la ceinture de sécurité est obligatoire, mais généralement négligé. En revanche, le port du casque pour les motocyclistes est strictement contrôlé. Autre règle prise très au sérieux : la nouvelle obligation faite aux véhicules d'allumer leurs feux le jour en dehors des agglomérations (c'est-à-dire dès que vous avez passé le panneau de fin d'agglomération). Si vous ne le faites pas, vous serez sûrement verbalisé. Les motos doivent rouler feux allumés en permanence, même dans les villes.

D'autres règles encore sont à respecter : un feu orange clignotant indique de faire attention ; les véhicules des transports en commun ont toujours priorité ; rouler sur la voie centrale est interdit, sauf pour les dépassements.

Attention, l'interdiction de l'alcool au volant est absolue. Ne pensez pas que quelques petits verres au déjeuner passeront inaperçus. Si vous êtes pris, l'amende est lourde (jusqu'à 30 000 Ft), dans le meilleur des cas. En cas d'accident, le conducteur qui a bu est automatiquement considéré comme responsable et risque la prison. Cela n'est pas très drôle quand on est en vacances, mais il faudra faire comme les Hongrois : s'abstenir, à tour de rôle, de boire dans les soirées et au repas de midi. Si vous ne prenez pas cet avertissement au sérieux, vous apprendrez à le respecter, comme moi, à vos dépens.

Soyez très attentif si vous conduisez en Hongrie. J'ai conduis dans une trentaine de pays du monde, de la Thaïlande à la Papouasie-Nouvelle-Guinée en passant par la Pologne, mais aucun n'est aussi éprouvant que la Hongrie. Ce n'est pas que les conducteurs ne connaissent pas le code de la route. Tout le monde passe par une auto-école et un examen de conduite. Il n'empêche, dépasser sans visibilité, déboîter sans faire attention, griller les stops et les feux, et changer de file sur les ronds-points sont des pratiques courantes.

Personne ne sait pourquoi des gens ordinairement si polis se métamorphosent en vrais démons sur la route. En outre, l'arrivée des puissantes voitures occidentales à côté des vieux modèles orientaux décrépits, Trabant, Polski Fiat et autres Lada, n'a pas arrangé les choses. Les accidents sont nombreux, comme vous pourrez – sûrement – le constater. Faites attention aux passages à niveau, ils peuvent être particulièrement dangereux.

Le stationnement ne pose pas de problème en province malgré un système souvent confus de sens uniques et de zones piétonnières. A Budapest, c'est une autre affaire, mais compte-tenu de l'efficacité des transports en commun, ce serait de la folie de prendre la voiture dans le centre ville un jour de semaine. Les parkings construits, à plusieurs niveaux, sont inexistants ou presque. Encore récemment, on tolérait le stationnement sur les trottoirs, mais plus maintenant. Les motos sont également visées par cette nouvelle réglementation. Si vous laissez la voiture sur un passage piétons ou en zone à stationnement interdit, elle sera emmenée à la fourrière et vous devrez payer 5 300 Ft pour la récupérer.

La location
Vous devez avoir au moins 21 ans et être titulaire du permis depuis plus d'un pour louer une voiture en Hongrie. Toutes les grandes compagnies internationales sont présentes à Budapest et il existe des dizaines de compagnies locales dans tout le pays, mais ne comptez pas trouver de

bonnes affaires. Une TVA de 25% frappe toutes les locations et le paiement doit s'effectuer en devise forte, chèque de voyage, carte de crédit ou liquide. Pour les adresses et numéros de téléphone, voir les diverses rubriques *Comment circuler.*

EN STOP

L'auto-stop est légal partout sauf sur les autoroutes. Il n'est plus aussi populaire qu'avant et avec la montée de la criminalité, vos chances se réduisent encore. En outre, les petites voitures de l'Est ayant déjà du mal à contenir aisément une famille hongroise, que dire avec un passager de plus ? En été, cependant, la route du lac Balaton est jalonnée d'auto-stoppeurs. Ajoutons que le stop n'est jamais un moyen totalement sûr, et s'il nous arrive de le mentionner comme une alternative possible, nous ne le recommandons pas.

BATEAU

En plus de l'hydroglisseur du Danube qui va à Vienne, Mahart exploite des ferries sur le lac Balaton, sur le Danube entre Budapest et Esztergom et sur le Tisza (desservant Tokaj, Szolnok, Csongrád et Szeged). En général, ce sont des bateaux d'excursions de la belle saison plus que de réels moyens de transport. L'hydroglisseur d'Esztergom met un peu plus d'une heure mais vous ne verrez rien, tandis que l'agréable ferry met près de 5 heures et offre un pont découvert. Les ferries sont utiles sur le lac Balaton. Tous les détails sont donnés dans les chapitres concernés. Pour tous renseignements et l'achat des billets, adressez-vous à Mahart (☎ 118 1704) V Belgrád rakpart, à Budapest.

AVION

Le pays étant petit, il n'existe pas de vols réguliers à l'intérieur de la Hongrie, mais plusieurs lignes sont à l'étude. Encore récemment, les seuls aéroports autres que celui de Ferihegy étaient militaires. Aujourd'hui, les villes sont très fières des aérodromes dont elles ont hérité, mais leur utilité reste à démontrer. Le coût des taxis de l'air est prohibitif et les trajets sont presque aussi longs qu'en express, si l'on compte le temps que l'on met pour se rendre à l'aéroport et en revenir. Ils restent, malgré tout, un moyen d'éviter Budapest, si vous le désirez. Deux des compagnies les plus connues ayant des bureaux dans la capitale sont Air Service Hungary (☎ 138 4867) VIII Blaha Lujza tér 1-3, et Avia-express (☎ 157 7791) à Ferihegy Terminal 1.

TRANSPORTS LOCAUX
Les transports publics

Comme un pourcentage assez réduit de Hongrois possède une voiture ou les moyens de s'en servir tous les jours (l'essence est à 70-75 Ft le litre), les villes sont très bien desservies par les transports en commun, bus et trolleybus. Quatre villes possèdent aussi des trams – Budapest, Debrecen, Szeged et Miskolc. La capitale dispose en plus d'un métro souterrain de trois lignes et d'un réseau de trains de banlieue appelé HÉV.

Vous utiliserez sûrement abondamment les transports en commun à Budapest, mais très peu (sinon pas du tout) en province. Les petites villes se parcourent aisément à pied, et les bus ne sont pas fréquents. En général, les bus attendent l'arrivée des trains grandes lignes. Montez dans tout ce qui attend à l'extérieur de la gare et vous vous rapprocherez certainement du centre ville.

Les billets coûtent d'ordinaire 25 Ft, mais ils ne sont pas toujours valables sur n'importe quel moyen de transport, comme à Budapest. Vous devez acheter les tickets au préalable dans les gares, les kiosques à journaux et quelques papeteries, et les composter une fois monté dans le bus. Il faut utiliser un nouveau ticket chaque fois que l'on change (y compris de ligne de métro à Budapest). Dans la capitale, il existe des forfaits d'une journée, une semaine, deux semaines et un mois (entre autres). Ils sont très pratiques (les tickets ne sont pas toujours faciles à acheter) et avantageux si vous bougez beaucoup. En province, ces forfaits ne présentent un intérêt que si vous restez longtemps.

Monter sans ticket ("rouler au noir" comme disent les Hongrois) est passible d'une amende de 600 Ft, payable sur le champ. Il fut une époque où l'étranger pouvait arguer de son incompréhension du système et être simplement débarqué sans autre dommage. C'était à l'époque où les transports ne coûtaient presque rien et où personne ne s'en souciait. Maintenant que les compagnies de bus et de trams tentent de faire du profit, les transports deviennent chers pour la population locale et vous devrez payer comme tout le monde. N'essayez pas de discuter, ils ont déjà tout entendu.

Les taxis

Les taxis sont nombreux et d'un coût raisonnable à condition qu'on vous fasse payer le juste prix. La prise en charge est variable (entre 20 et 25 Ft normalement) avec un prix du kilomètre entre 35 et 40 Ft. On en trouve facilement aux gares routières et ferroviaires, près des marchés et sur les places centrales. Mais on peut arrêter un taxi en tout lieu et à tout moment. Le soir, ils allument leur emblème sur le toit quand ils sont libres. Vous pouvez choisir celui que vous voulez. Si le quatrième de la file est le seul qui soit légal, montez. Et si un taxi pirate s'arrête dans la rue, écartez-le et attendez un taxi agréé (voir à ce sujet la rubrique *Comment circuler* du chapitre *Budapest*).

Il ne vous arrivera rien en prenant un taxi en province, et comme le client est rare, le chauffeur sera courtois et serviable. Il en va tout autrement à Budapest où vous devez toujours rester sur vos gardes. Si tout se passe bien, les passagers laissent environ 10% de pourboire (ou arrondissent à la centaine de forints supérieure, même si cela fait un peu plus ou un peu moins).

VOYAGES ORGANISÉS

Si le temps vous manque, ou si vous voulez voir le maximum en peu de temps, le voyage organisé est la seule solution. En principe toute agence de voyages peut vous proposer des circuits qui partent en général de Budapest. Ibusz et Hungarotours offrent des voyages spécialisés de très bonne qua-lité : circuits de pêche et de randonnée équestre, circuits folkloriques, cures thermales, etc. Eravis (☎ 186 9320) XI Bartók Béla utca 152 à Budapest, plus connu pour ses hôtels et auberges de catégorie moyenne, organise des circuits d'une semaine en Hongrie de l'est ou de l'ouest entre 24 000 et 35 000 Ft selon la saison, par personne et en chambre double. Eravis propose aussi d'intéressants circuits de trois à huit jours consacrés à l'art, au ballet et à la musique populaires.

ADRESSES ET NOMS DE LIEUX

Les rues sont bien signalées, dans tout le pays, mais le système de numérotation est parfois compliqué, surtout sur les boutiques et autres immeubles commerciaux. À côté du nom de la rue, figure le numéro de l'arrondissement en chiffres romains (XIII à Budapest, par exemple), le nom traditionnel de cet arrondissement (Víziváros, ou "Ville-de-l'eau") et la tranche des numéros pour ce pâté de maisons.

En dehors de Budapest, les arrondissements n'ont pas une grande importance pour le visiteur. Sur les adresses postales, ceux de Budapest sont représentés par les deuxième et troisième chiffres du code à quatre chiffres.

Les termes employés pour désigner une "rue" sont très variés. Cette liste devrait vous aider :

fasor – boulevard, avenue
körút – périphérique
köz – ruelle, allée
part – quai
sétány – promenade
sugárút – avenue
tér – place
    tere – place
    (au cas possessif, comme dans place des Héros)
udvar – cour
út – rue
utca (*u* en abrégé) – rue
    utcája – rue
    (au cas possessif, comme dans rue des Martyrs)

Les termes de la page suivante seront utiles pour lire cartes et plans (reportez-vous aussi au *Glossaire* à la fin du livre).

csatorna – canal
erdő – forêt
folyó – rivière
hegy – colline, mont
híd – pont
liget – parc
sziget – île
tó – lac

Les changements de noms

Depuis la dernière guerre, malheureusement, la plupart des rues, places et parcs ont reçu des noms de personnalités, de dates et de groupes politiques qui sont devenus synonymes de malédiction pour la Hongrie indépendante et non communiste des années 90.

Depuis 1989, les noms changent à une cadence effrénée et avec un acharnement que certains qualifient de psychotique. Pour la seule Budapest, 600 rues ont été débaptisées. Certaines reprennent leurs noms d'origine (parfois médiévale). Ainsi Kossuth Lajos utca est redevenue Jégverem utca (rue de la Glacière).

Les villes sont libres d'opérer ces changements et les citoyens sont appelés à donner leur avis (les urnes que l'on voit couramment dans les halls des mairies sont à n'en pas douter pleines de propositions du style "Madonna utca").

Les municipalités sont sensées garder les anciens panneaux barrés d'une croix rouge côte à côte avec les nouveaux pendant trois ans ; une règle peu appliquée en dehors de Budapest, d'où la confusion. Les très vieux, les très jeunes et les touristes emploient les noms nouveaux (ou d'origine), tandis que le reste de la population est habitué aux noms d'avant 1989. Feren-

ciek tere (place des Franciscains) à Budapest en est un bon exemple : presque tout le monde, entre 20 et 60 ans, l'appelle encore Felszabadulás tér (place de la Libération) en l'honneur du rôle de l'armée soviétique dans la libération de Budapest. Quelques plaisantins l'appellent encore Felszab tér, "place Démoralisée", un jeu de mot aux connotations politiques.

La liste suivante donne les premières "victimes", ou du moins les plus courantes. Il n'est pas nécessaire de savoir qui étaient ces personnages ou quels événements recouvrent ces dates. Le Hongrois moyen ne s'en soucie pas davantage. Sachez seulement que si vous voyez l'un de ces noms sur un plan, il est plus que probable qu'il aura été – ou sera bientôt – changé :

Április 4
Bacsó Béla
Béke (Paix)
Beloiannisz
Dimitrov
Engels Frigyes
Felszabadulás (Libération)
Fürst Sándor
Hamburger Jenő
Kun Béla
Lenin
Magyar-szovjet barátság (Amitié soviéto-hongroise)
Marx Károly
Néphadsereg (Armée populaire)
November 7
Rozsa Ferenc
Ságvári Endre
Sallai Imre
Somogyi Béla
Tanácsköztársaság (Conseil des Républiques)
Táncsics Mihály
Tolbuhin
Úttörő (Jeune pionnier)
Vörös Hadsereg (Armée rouge)

Budapest

Aucune autre ville en Hongrie ne ressemble à Budapest. Avec une population dépassant les deux millions d'habitants, la métropole abrite environ 20% de la population (les plus grandes villes de province, Debrecen et Miskolc ne font qu'un dixième de la capitale). C'est le centre administratif, économique et culturel du pays. On peut dire que tout commence, finit ou se passe à Budapest. Pour les visiteurs, c'est de loin le pôle le plus attractif du pays.

Mais la véritable marque de distinction de la ville est sa beauté. Enjambant une légère courbe du Danube, elle est bordée par les collines de Buda sur la rive ouest et l'orée de la Grande Plaine à l'est.

Du point de vue architectural, c'est un joyau. Si la période médiévale est moins bien représentée qu'à Prague, par exemple, les âges baroque, néoclassique et Art Nouveau ont laissé quantité de témoins exceptionnels, cependant, pour l'essentiel, la ville a été bâtie au tournant du siècle durant le boom industriel. En certains endroits, surtout le long des deux boulevards circulaires et de Andrássy út jusqu'au parc, elle mérite bien son surnom de "Paris d'Europe orientale". Partout le promeneur est attiré par d'intéressants détails – carreaux de céramique Art Nouveau ou bas-reliefs néoclassiques, mais aussi hélas par les sanglants impacts de balles datant de la dernière guerre ou de 1956.

L'histoire administrative de Budapest commence en 1873 avec la fusion de Buda la résidentielle, Pest l'industrielle, et la petite Óbuda au nord, en vue de constituer une ville d'abord appelée Pest-Buda. Mais comme toute chose en Hongrie, la réalité historique n'est pas si simple.

Les Romains avaient construit sur le site une importante cité, appelée Aquincum jusqu'au Ve siècle, époque des Grandes Migrations. Les Magyars s'implantèrent à proximité, mais Buda et Pest restèrent de simples villages jusqu'à ce que des marchands et artisans étrangers s'y installent au XIIe siècle. Au siècle suivant, le roi Béla IV y édifia une forteresse, mais c'est Charles Robert qui déplaça la cour de Visegrád à Buda. Son fils Louis (Lajos) commença alors la construction d'un palais royal.

Les Mongols incendièrent Buda et Pest en 1241, ouvrant une ère de destructions et de reconstructions qui n'est peut-être pas close. Sous les Turcs, les deux villes perdirent l'essentiel de leur population, et à la défaite des Turcs devant les Habsbourg, le château de Buda n'était plus que ruines. La révolution de 1848, la dernière guerre et le soulèvement de 1956 ont tour à tour éprouvé la ville. En 1944 et 1945, par exemple, ses sept ponts furent dynamités par les Allemands avant leur retraite et une grande partie de Budapest fut endommagée.

Ces plaies ne sont pas entièrement cicatrisées. Vous verrez encore des bâtiments marqués par des bombes et des impacts de balles qui ont maintenant près de quarante ans. La pollution industrielle et automobile ont ajouté à leurs dégradations, mais par endroits on constatera des reconstructions et des rénovations tout à fait étonnantes.

Budapest est très agréable au printemps, en été, et juste après le coucher du soleil quand la colline du Château est baignée d'un douce lumière ambrée. Ne manquez pas de vous promener sur le quai Duna korzó, du côté Pest, ou sur les ponts tant prisés des amoureux qui s'y embrassent avec fougue. C'est alors que vous comprendrez le mieux le romantisme de cette ville qui a su résister à toutes les destructions.

ORIENTATION

Budapest se trouve dans le centre-nord de la Hongrie à 270 km au sud-est de Vienne. C'est une agglomération très étendue, mais à quelques exceptions près (les collines de Buda, le Bois-de-la-Ville et quelques lieux d'excursions), les quartiers qui s'étendent

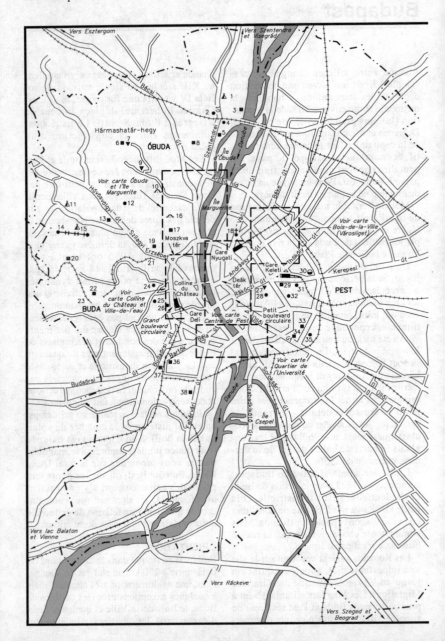

Vers Esztergom

Vers Szentendre
et Visegrád

Bácsi

Hármashatár-hegy

ÓBUDA

Szentendrei

Danube

Île
d'Óbuda

Árpád híd

Béke út

Voir carte Óbuda
et l'Île
Marguerite

Île
Marguerite

Váci út

Voir carte
Bois-de-la-Ville
(Városliget)

Hűvösvölgyi út

Szilágyi Erzsébet

Moszkva
tér

Gare
Nyugati

Andrássy

Thököly

Kerepesi út

Gare
Keleti

PEST

Voir
carte Colline
du Château et
Ville-de-l'eau

BUDA

Colline
du Château

Deák
tér
Rákóc

Voir carte
Centre de Pest

Petit
boulevard
circulaire

Gare
Deli

Grand
boulevard
circulaire

Budaörsi út

Béla

Voir carte
Quartier de
l'Université

Bartók

Budaörsi

Fehérvári út

Danube

Szabadkikötő

Île
Csepel

Soroksári út

Üllői út

Vers lac Balaton
et Vienne

Vers Rackeve

Vers Szeged et
Beograd

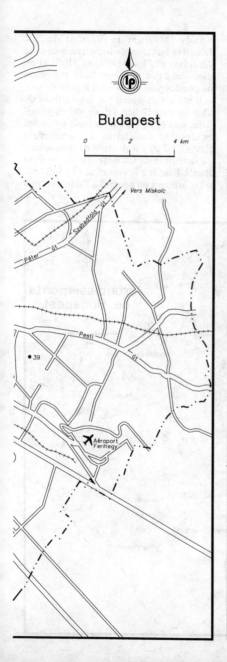

Budapest

0   2   4 km

Vers Miskolc

Szabadföld út

Péter út

Pesti út

Aéroport Ferihegy

● 39

■ OÙ SE LOGER

3 Hôtel Lido
5 Pension Aquincum
6 Auberge pour touristes Percent
8 Auberge pour touristes Kunigunda
11 Camping Hárshegyi
13 Pension Beatrix
15 Camping Zugligeti Niche
17 Résidence universitaire Felvinci
19 Hôtel Budapest
20 Hôtel Normafa
22 Hôtel Panorama
29 Hôtel du Parc
33 Hôtel Platánus
34 Auberge pour touristes Űllői
36 Auberge pour touristes et hôtel Eravis
37 Résidence universitaire Komját
38 Auberge pour touristes et hôtel Ventura

▼ OÙ SE RESTAURER

7 Restaurant Udvarház
9 Restaurant Fenyőgyöngy
27 Restaurants Japán et Tian Ma

DIVERS

1 Camping et bains Római Fürdő
2 Amphithéâtre civil
4 Ruines et musée d'Aquincum
10 Grotte de Pálvölgy
12 Maison de Béla Bartók
14 Télésiège Jánoshegy
16 Grotte Szemlő-hegy
18 Marché et église de Lehel ter
21 Terminus du train à crémaillère
23 Point de départ du train des enfants
24 Musée du Théâtre national
25 Discothèques Hully Gully et Randevú
26 Centre des congrès de Budapest
28 Théâtre Erkel
30 Gare routière Nepstadion
31 Champ de courses de Kerepesi
32 Cimetière de Kerepesi
35 Theâtre Laser (Nepliget)
39 Íy Köztemető

au-delà de Nagy körut (le grand boulevard circulaire) à Pest et à l'ouest de Moszkva tér à Buda sont des zones résidentielles ou industrielles ayant peu d'intérêt pour les visiteurs. Son plan est très clair et l'on ne risque pas de se perdre.

Sur un plan de la ville, on s'aperçoit que deux boulevards circulaires – le grand boulevard et le petit boulevard (Kis körut) – relient des ponts et délimitent le centre de Pest. Le grand boulevard comprend Szent István, Teréz, Erzsébet, József et Ferenc körúts. Le petit boulevard comprend Károly, Múzeum et Vámház körúts. D'autres boulevards importants comme Andrássy út, Rákóczi út et Üllői út se déploient à partir des circulaires et forment de grandes places et des ronds-points.

Buda est dominée par les collines du Château et de Gellért. Ici, les artères principales sont Margit körút (la seule partie des boulevards circulaires à traverser le fleuve), Fő utca et Attila út de chaque côté de la colline du Château, Hegyalja út et Bartók Béla út à l'ouest et au sud. Les visiteurs arrivent en général à l'une des trois

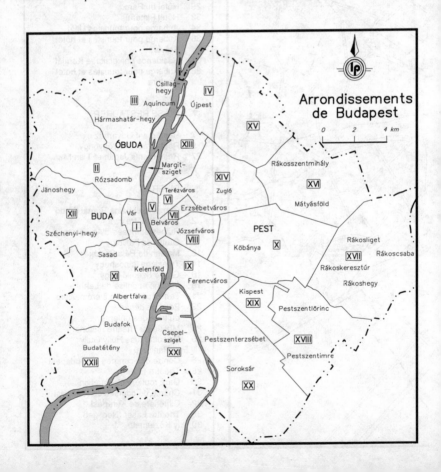

gares ferroviaires : Keleti (de l'Est), Nyugati (de l'Ouest) et Déli (du Sud) – voir plus bas la rubrique *Comment s'y rendre*. Toutes sont des stations de métro sur des lignes qui se croisent à Deák tér, une place animée, à quelques minutes à pied au nord-est de la ville Intérieure.

Budapest est divisée en 22 *kerület*, ou arrondissements, qui portent des noms traditionnels comme ville Joseph ou colline des Roses. Ils peuvent aider le visiteur à se repérer dans la ville (toute la colline du Château, par exemple, se trouve dans le 1er arrondissement, et la ville Intérieure dans le 4e), mais j'ai préféré diviser la ville en une douzaine d'itinéraires pour faciliter la découverte. Dans les adresses, le chiffre romain figurant devant le nom de la rue indique l'arrondissement.

RENSEIGNEMENTS
Offices du tourisme
Toutes les agences répertoriées ci-après dans la rubrique *Chambres chez l'habitant* renseignent les voyageurs et distribuent des brochures et des plans. Mais la meilleure source d'informations – sans exception – sont les bureaux Tourinform (☎ 117 9800) V Sütő utca 2, à deux pas de Deák tér. Ils sont ouverts tous les jours de 8h à 20h. S'ils ne font pas de réservations d'hébergement, ils vous indiqueront où trouver tout ce que vous cherchez, que ce soient des plans, des horaires de ferry ou de la nourriture végétarienne. Appelez-les également si vous voulez le numéro de téléphone d'un restaurant ou d'un hôtel.

Les autres adresses utiles de Pest sont Ibusz (☎ 137 0939) Ferenciek tere 10, Budapest Tourist (☎ 117 3555) V Roosevelt tér 5, et Express (☎ 117 8600) V Semmelweis utca 4. Cette dernière officine peut vous envoyer une carte d'étudiant ou d'auberge de jeunesse (250 Ft) et propose des voyages en train à tarif réduit pour les moins de 26 ans.

A Buda, outre les agences de la gare Déli, il existe un bureau Express (☎ 185 3173) XI Bartók Béla út 34, et un Cooptourist (☎ 166 5349) au numéro 4 de la même rue. Agences ouvertes en semaine de 8h à 17h (plus tard en été) et parfois le samedi jusqu'à 13h.

Questions d'argent
La plupart des agences changent les devises, mais le taux est rarement en votre faveur. Essayez de ne pas avoir recours aux services des changeurs comme Chequepoint au V Vörösmarty tér ou Exactchange au I Tárnok utca sur la colline du Château. Ils ont bien soin de préciser qu'ils ne prennent aucune commission, car au bout du compte, leur taux est de 15% inférieur à celui de la Banque nationale. Cependant, ils sont ouverts très longtemps (de 8h30 à 21h du lundi au samedi, jusqu'à 19h le dimanche) et sont parfois votre seul recours.

Depuis Deák tér, allez jusqu'à la poste de Pétőfi Sándor utca, ou la banque Creditanstalt qui offre le meilleur taux de la ville – du moins selon mes propres investigations. Sa succursale principale se trouve au V Alkotmány utca 4 près du Parlement au nord de Deák tér (ouverte de 9h à 15h du lundi au jeudi, jusqu'à 13h le vendredi) ; autre succursale dans Szervita tér au sud de Deák tér. A proximité, on trouvera un guichet de change d'Agrobank ouvert de 9h à 21h en semaine et de 10h à 18h les samedi et dimanche, à l'angle de Párizsi utca et Sándor Petőfi utca. American Express au V Deák utca 10 offre un distributeur aux détenteurs de cartes American Express, mais le taux de change est prohibitif et ils prennent une commission.

Le bureau Ibusz (☎ 118 5707) V Petőfi tér 3 peut vous faire une avance en forints sur une carte Visa ou Diner's Club. Si vous perdez votre carte Visa, Diner's ou JCB, vous devez le signaler à Ibusz Bank (☎ 252 0333) XIV Ajtósi Dürer sor 10. Pour MasterCard, Access et Eurocard, adressez-vous à Duna Bank (☎ 269 2555) V Báthory utca 12. Pour la carte American Express, contacter le bureau Amex.

Voir le chapitre *Renseignements pratiques* pour les mises en garde concernant les changeurs des gares et de Váci utca.

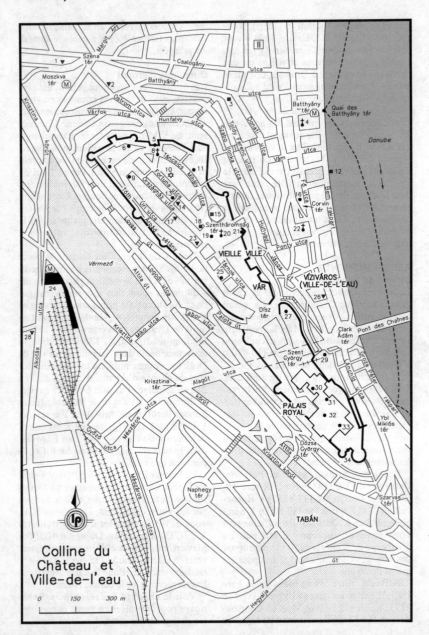

Colline du
Château et
Ville-de-l'eau

0   150   300 m

Postes et télécommunications

La poste centrale se trouve V Petőfi Sándor utca 13-15. C'est là que vous retirerez votre courrier en poste restante. Elle est ouverte de 8h à 20h en semaine et jusqu'à 15h le samedi.

Des bureaux sont ouverts jour et nuit aux gares Nyugati et Keleti.

Le bureau du téléphone est voisin au V Petőfi Sándor utca 17-19, ouvert en semaine de 7h à 21h, samedi jusqu'à 20h et dimanche jusqu'à 13h. On y fera des appels intérieurs et internationaux. Achetez une carte de 50 unités (250 Ft) ou 120 (600 Ft) pour faciliter les opérations. Voir le chapitre *Renseignements pratiques* pour la marche à suivre.

Dans tout ce guide, les indicatifs téléphoniques sont donnés dans les rubriques *Renseignements*. Celui de Budapest est le 1 (l'utiliser pour tout appel depuis la province ou l'étranger).

Livres et cartes

On trouvera des albums souvenirs et les titres en anglais de Corvina dans presque toutes les librairies, mais le meilleur choix se trouve chez *Libri* au V Váci utca 10, ouvert en semaine jusqu'à 18h et le samedi jusqu'à 15h. Pour des auteurs hongrois en traduction, essayez *Writers' Bookshop* au VI Andrássy út 45. On peut s'asseoir devant un café tout en feuilletant les livres ; c'est une des librairies les plus confortables qui fut, durant la première moitié du XIXe siècle, un café littéraire.

International Bookshop, V Váci utca 32, vend des guides (notamment Lonely Planet) de même que la petite boutique dans le Párizsi Udvar sur Ferenciek tere dans le 5e arr. Bon choix également de cartes étrangères.

Le plan gratuit de Budapest que fournissent les agences sera sans doute suffisant pour vos besoins, mais si vous voulez davantage il existe un plan pliable de *Cartographia, Budapest* (100 Ft) vendu dans tous les kiosques, et un *Budapest Atlas* (350 Ft) avec les numéros de rues. Le *Budapest City Map* (250 Ft) édité par Ibusz Citinfo se plie proprement entre deux couvertures cartonnées mais ses informations sont limitées et parfois un peu confuses.

Un bon kiosque bien fourni en cartes et plans se trouve devant l'agence MÁV, VI Andrássy út 35, mais pour avoir le plus grand choix de cartes hongroises, allez chez *Cartographia* au VI Bajcsy-Zsilinszky út 37 (ouvert de 9h à 17h, et jusqu'à 15h30 le vendredi). Ces cartes seront difficiles à trouver en province.

Blanchissage et nettoyage
Deux blanchisseries centrales au V József nádor tér 9 et au VII Rákóczi út 8/b (cette dernière a des horaires plus pratiques et ouvre le samedi matin). Elles ne sont pas en self-service (les laveries automatiques n'existent pas en Hongrie). Vous choisissez le délai de remise du linge (un, deux ou trois jours), et vous payez selon le délai. Ne demandez pas un nettoyage à sec, sauf nécessité absolue. Le meilleur service (et le plus coûteux) est offert à l'hôtel *Corvinus Kempinski*, en semaine de 8h à 12h.

Secours d'urgence
Le commissariat central de police (☎ 118 0800) se trouve V Deák tér 2, mais vous aurez des difficultés à vous faire comprendre sans quelques mots d'allemand. Pour faire proroger votre visa, le KEOKH (bureau d'enregistrement des étrangers) se trouve au VI Izabella utca 61 donnant dans Andrássy út.

En cas d'urgence, voici quelques numéros de téléphone :

Police – ☎ 07 ou 118 0800/111 8668
Pompiers – ☎ 05 ou 121 6216
Ambulance – ☎ 04 ou 111 1666

PROMENADES À PIED
Budapest se découvre parfaitement à pied, et il y a toujours quelque chose à regarder : un immeuble Art Nouveau aux céramiques colorées ou des paysannes débarquant tout droit de leur campagne ou de Transylvanie et qui vendent leurs objets artisanaux.

Les douze itinéraires suivants se font facilement à pied, soit séparément, soit couplés avec l'itinéraire qui précède ou qui suit. Pour déjeuner en chemin à des prix raisonnables, voir la rubrique *Où se restaurer*, avec une liste de restaurants "spéciaux" pour dîner le soir. Vous pouvez également prendre un bain thermal en chemin, ou faire du shopping.

Tous les musées décrits sont ouverts de 10h à 18h du mardi au dimanche, sauf mention contraire. L'entrée est de 40 à 50 Ft. Certains ont un jour de gratuité, et les étudiants bénéficient d'un demi-tarif ou de la gratuité tous les jours. L'hiver, pour les musées et les monuments, va de novembre à avril ; l'été, de mai à octobre.

Le Château
La colline du Château, un plateau calcaire d'un kilomètre de long et de 170 mètres de haut sur la rive ouest du Danube, renferme la majeure partie des monuments médiévaux de Budapest et quelques-uns de ses plus beaux musées. C'est l'attraction touristique majeure et, compte tenu de ses vues grandioses et de ses richesses, c'est par là qu'il faut commencer votre visite.

Tous les monuments mentionnés sont signalés sur le plan colline du Château.

Le quartier fortifié entourant le château comprend deux parties : la Vieille Ville (Vár) où habitait le peuple au Moyen Age (qui a fait place aujourd'hui à la bourgeoisie) et le Palais royal (Budavári palota) où se dressait le château de Béla IV au XIIIe siècle. Pour arriver à la Vieille Ville d'où nous commencerons notre visite, prendre le métro rouge jusqu'à Moszkva tér et remonter Várfok utca (à l'ouest au-dessus de la place) jusqu'à la porte de Vienne, l'entrée nord. Un minibus "Várbusz" remontant Várfok utca suit le même chemin.

Si vous préférez commencer par les musées du Palais royal, vous avez plusieurs voies d'accès. La plus facile est le Sikló, un funiculaire qui monte en 2 minutes de Clark Ádám tér à Szent György tér, de 7h30 à 22h (80 Ft). Sinon vous pouvez gravir le Király lépcső, un escalier qui mène de Hunyadi János út au nord de Clark Ádám tér, ou celui qui débouche à l'extrémité sud du Palais royal depuis Szarvas tér. Le bus 116 va de Március tér 15 à Pest, à Dísz tér sur la colline du Château, et le 16 depuis Deák tér a son terminus sur la même place.

Pour bien apprécier la **Vieille Ville**, il faut déambuler dans les quatre rues médiévales

En haut à gauche : statue de saint Étienne dans le quartier du château (HTB)
En haut à droite : statue du *turul* mythique devant le Palais royal de Buda (HTB)
En bas à gauche : vue sur l'est et Ferenciek tere depuis le Pont Elizabeth (HTB)
En bas à droite : bastion des pêcheurs dans le quartier du château (HTB)

En haut : gare de Nyugati (ouest) à Budapest (SF)
En bas à gauche : appartements le long du boulevard périphérique
de Budapest (SF)
En bas à droite : pont de Szabadság à Budapest (SF)

En haut : le pont des Chaînes et le Palais royal (HTB)
En bas à gauche : vue d'avion de l'église Saint-Mathias dans le quartier
du château (HTB)
En bas à droite : les Bains Rudás, dans le quartier turc de Buda (HTB)

En haut : cathédrale d'Esztergom, sur la Boucle du Danube (SF)
En bas : le Danube à Esztergom, avec le pont cassé Mária Valéria et
les tours de l'église paroissiale de la ville d'eau (SF)

qui convergent dans Szentháromság tér, en jetant au passage un coup d'œil sur les belles petites cours (c'est toléré) et en visitant ici et là un musée. Mais faites un choix, sinon il vous faudra deux jours complets pour tout voir. Une brève excursion à bord des fiacres qui attendent dans Szentháromság tér vous coûtera 500 Ft par personne.

On peut commencer sa promenade en grimpant jusqu'à la **porte de Vienne** (Bécsi kapu) reconstruite en 1936 pour le 250ᵉ anniversaire de la reprise du château aux Turcs. Le grand bâtiment au toit de tuiles à l'ouest abrite les **Archives nationales** (1920). De l'autre côté de la place où se tenait un marché au Moyen Age, une **église luthérienne** avec l'inscription "Notre Dieu est une puissante forteresse" marque le début de I Táncsics Mihály utca. Du côté ouest de Bécsi kapu tér, bel ensemble de maisons, surtout le n°7, et celle avec une fenêtre d'angle au n°8.

Táncsics Mihály utca est une rue étroite bordée de petites maisons peintes aux tons pastel, ornées de fresques et de statues. Des plaques commémoratives (*műemlék*) attestent de leur importance historique. Celle du n°9, par exemple, rappelle que Lajos Kossuth y fut retenu prisonnier dans les années 1830. Dans les porches donnant accès aux cours, vous remarquerez des niches de pierre datant pour certaines du XIIIᵉ siècle et dont l'usage reste mystérieux. Ces sièges auraient été destinés soit à des marchands, soit aux serviteurs qui s'y reposaient pendant que leurs maîtres étaient en visite.

La **synagogue médiévale**, Táncsics Mihály utca 26, date en partie du XIVᵉ siècle. Un petit musée expose des objets religieux et des livres, ouvert seulement de mai à octobre, de 10h à 14h, du mardi au vendredi, et jusqu'à 18h le week-end. De l'autre côté de la rue, plus au sud, au n°7, le **musée d'Histoire de la musique** est un beau palais du XVIIIᵉ siècle. Ses collections retracent l'histoire de la musique et des instruments en Hongrie. Un établi de luthier et une curieuse table de sextuor du XVIIIᵉ siècle retiendront

l'attention. Les peintures prêtées par le musée des Beaux-Arts ont toutes des thèmes musicaux. Une salle du haut est consacrée à Béla Bartok (beaucoup de partitions) et des concerts sont donnés dans la salle Kodály au sous-sol, les lundis soirs. Ouvert du mercredi au dimanche de 10h à 18h et le lundi de 16h à 21h.

Le très critiqué **Budapest Hilton** qui intègre des morceaux d'une église de Dominicains du XIVᵉ siècle et d'un collège jésuite baroque se trouve au Hess András tér 1. Remarquez le petit hérisson rouge au-dessus de la porte du n°3, une auberge du XIVᵉ siècle. Fortuna köz est un étroit passage conduisant à un centre commercial récent.

En remontant Fortuna utca vers le nord, une autre rue bordée de belles maisons, on atteint l'un des plus intéressants petits musées de Budapest : le **musée de la Restauration et du Commerce**, I Fortuna utca 4. Une pâtisserie du XIXᵉ siècle a été réinstallée dans les trois salles consacrées à la restauration (à gauche). On y verra des moules à gâteau pour toutes les fêtes, une glacière tapissée de marbre et une antique machine à crème glacée. Les grands pâtissiers Emil Gerbeaud et József Dobos, célèbre pour sa *Dobos torta*, sont particulièrement à l'honneur.

De l'autre côté du passage d'entrée, la partie commerce du musée raconte l'histoire du commerce de détail dans la capitale. On y découvrira des jouets et des publicités électriques encore en état de marche, une vitrine sur l'inflation galopante dont a souffert la Hongrie au sortir de la guerre, quand il fallait un plein panier de billets pour acheter quatre œufs.

Parmi les nombreuses affiches, ma préférée est celle de la Première Guerre mondiale montrant des troupes alliées qui se rendent à des soldats austro-hongrois buvant goulûment de la bière de la première brasserie hongroise. Avant de partir, ne manquez pas, dans la cour de derrière, la vieille enseigne d'un pub où l'on voit un satyre et une chope moussante. Le musée est gratuit le vendredi.

Fortuna utca donne dans Béci kapu tér, mais en continuant dans Petermann bíró utca, vous arriverez dans Kapisztrán tér. Le grand bâtiment au nord abrite le **musée d'Histoire militaire** (entrée à l'ouest par Tóth Árpád sétány). La salle consacrée à la révolution de 1956, intitulée *13 jours*, est passionnante. On y remarque même une main de la statue de Staline renversée la première nuit. Des deux côtés de l'entrée du musée, on voit encore les boulets de canon tirés en 1848 sur ce qui était une caserne militaire. A l'angle suivant, le long du **bastion d'Anjou** qui renferme tous les canons, on verra la tombe d'Abdurrahman, le dernier gouverneur turc de Budapest, tué ici en 1686. "Il fut un ennemi héroïque, lit-on sur l'inscription, puisse-t-il reposer en paix."

La grande flèche dans Kapisztrán tér, visible à des kilomètres à l'ouest de la colline du Château, est la **tour Marie-Madeleine**, avec une unique fenêtre pour tout vestige de l'église autrefois réservée aux magyarophones. Elle servit de mosquée sous l'occupation turque et fut touchée par une bombe lors d'un raid aérien de la dernière guerre.

Depuis Kapisztrán tér, descendez Országház utca en faisant attention à ne pas manquer la chaise dans l'entrée du n°9 et les maisons médiévales peintes en blanc, jaune et mandarine des nos18, 20 et 22. Le forgeron du n°16 réalise d'étonnants objets en fer forgé.

La rue suivante à l'ouest, Úri utca, offre des cours intéressantes, surtout au n°19 avec un cadran solaire et ce qui ressemble à une tombe. Il y a d'autres niches gothiques aux nos32 et 36. Le **musée du Téléphone**, Úri utca 49, occupe un vieux monastère (au poste de police, il vous suffit de traverser la cour).

La Tóth Árpád sétány, plantée d'arbres, suit la muraille occidentale du bastion d'Anjou à Dísz tér et offre des vues magnifiques sur les collines de Buda. En allant au sud depuis Kapisztrán tér, tournez à gauche dans Szentháromság utca qui mène à la place du même nom.

Au centre de la place se dresse la **statue de la Sainte-Trinité**, une des nombreuses "colonnes de la peste", ex-voto élevés au XVIIIe siècle par des habitants ayant survécu au fléau. Szenthátomság tér est dominée par les deux monuments les plus

Quartier du Château au XVe siècle

célèbres de la Vieille Ville : l'église Mathias, à l'origine église allemande, et derrière, le bastion des Pêcheurs.

Des fragments de l'**église Mathias** – ainsi nommée parce que le roi Mathias, au XVe siècle, y célébra ses noces – sont vieux de 500 ans, notamment les sculptures surmontant l'entrée sud. Dans l'ensemble, l'église est une création néogothique de l'architecte Frigyes Schulek datant de la fin du XIXe siècle. A l'extérieur, on remarque un toit de tuiles colorées et une belle tour. A l'intérieur, ce sont les vitraux et les fresques des peintres romantiques Károly Lotz et Bertalan Székely qui retiennent l'attention. Ces deux artistes ont aussi décoré les murs d'un mélange de motifs folkloriques, Art Nouveau et turcs.

Quittez la foule et dirigez-vous vers la crypte qui donne accès au **musée d'Art ecclésiastique** (escalier à droite du maître-autel). Outre les ostensoirs, reliquaires et autres calices, on aura un beau point de vue plongeant sur le chœur depuis l'oratoire royal. Habituellement, les concerts d'orgue ont lieu dans l'église les soirs de week-end, conformément à une tradition inaugurée en 1867 lors du couronnement de François-Joseph et d'Élisabeth comme roi et reine et Hongrie, avec la *Messe du couronnement hongrois* de Franz Liszt.

Le **bastion des Pêcheurs** est encore une mascarade néogothique que les visiteurs prennent pour de l'ancien authentique. Mais peu importe. On y admirera l'un des plus beaux panoramas sur Budapest. Construite en 1905 par Schulek pour servir de plate-forme d'observation, son nom fut emprunté à la corporation des pêcheurs qui avait la charge de défendre cette portion de muraille au Moyen Age. Les sept tourelles pimpantes symbolisent les sept tribus magyares qui pénétrèrent dans le bassin des Carpates au IXe siècle. La statue équestre représente saint Étienne.

Deux autres musées au nord de Dísz tér méritent votre attention. La **pharmacie de l'Aigle-d'Or**, Tárnok utca 18, ressemble sans doute exactement à ce qu'elle était à l'intérieur du château de Buda au XVIIe siècle. Elle fut déménagée à son emplacement actuel cent ans plus tard. On relèvera la présence d'une étrange miniature du Christ en pharmacien. La maquette d'un laboratoire d'alchimiste avec ses chauves-souris desséchées, ses crocodiles nains et autre œil de triton nageant dans des bocaux, fait froid dans le dos.

La colline du Château repose sur un réseau de 28 km de grottes formées par des sources thermales. Elles firent d'abord l'objet d'un usage militaire sous les Turcs, puis auraient servi d'abri anti-aérien durant la dernière guerre. Les **Catacombes du château de Buda** (entrée à l'angle de la pharmacie à Úri utca 9) est un musée de cire privé, illustrant les épisodes les plus horribles de l'histoire hongroise. La visite guidée obligatoire en anglais est chère (120 Ft), mais les figurines sont terrifiantes à souhait (on dirait vraiment des cadavres) et l'on visite 1,5 km de grottes suintantes.

De Dísz tér, descendez Színház utca vers le sud jusqu'à Szent György tér et l'escalier descendant vers le Palais royal. En chemin, vous passerez devant le **théâtre du Château** sur la gauche, construit en 1736 pour être un monastère et une église carmélites, avec en face, le **ministère de la Défense** bombardé durant la guerre. On projette d'y installer les bureaux du Président en 1996, tandis que le Premier ministre réintégrera le **palais Sándor** restauré, à proximité. A l'est de l'escalier menant au Palais royal, une gigantesque statue représente *turul*, l'aigle totémique des anciens Magyars qui, d'après eux, se serait accouplé à Emese, la grand-mère d'Árpád.

Le **Palais royal** a été incendié, bombardé, rasé, reconstruit et remanié au moins une demi-douzaine de fois au cours des sept siècles passés. La bâtisse aujourd'hui agrippée à la pointe sud de la colline est un amalgame de styles du XVIIIe et début du XXe siècle, reconstruite après la guerre après avoir été réduite en miettes. Le Palais ne fut jamais habité par les Habsbourg.

La première partie du Palais (aile A) à laquelle on accède par la cour ouvrant vers l'ouest abrite le **musée d'Histoire contemporaine**. Ses collections touchant à tous les événements postérieurs à 1848 sont montrées en alternance. A l'étage, la **collection Ludwig** propose de l'art moderne hongrois et étranger (Andy Warhol, Richard Estes, Keith Haring et quelques œuvres assez prosaïques de Yoko Ono). Entrée 80 Ft, gratuite le mardi.

Retournez sur la place faisant face au Danube pour aller dans l'aile C, ou avancez sous le porche protégé par des lions grimaçants vers l'aile D et la Galerie nationale.

Si vous suivez le second itinéraire, vous passerez devant une romantique fontaine appelée le **puits de Mathias** qui raconte l'histoire de Szép (la belle) Ilonka, une pauvrette qui tomba amoureuse du jeune roi. Ayant appris l'identité de son bien-aimé et se sentant indigne de lui, elle mourut de chagrin. (Si vous voulez quitter le circuit à cet endroit, un ascenseur à droite du porche vous ramènera dans Dósza György tér et à l'arrêt de bus pour Pest).

La **Galerie nationale** (entrée gratuite le samedi) est exclusivement consacrée à l'art hongrois. Les collections sont d'une richesse écrasante, mais il est probable que vous ne reconnaîtrez pas beaucoup de noms parmi les artistes des XIXe et XXe siècles. Soyez attentifs toutefois aux œuvres des romantiques József Borsos, Gyula Benczúr et Mihály Munkácsy, et des impressionnistes Jenő Gyárfás et Pál Merse Szinyei.

Mes préférences vont aux descriptions déchirantes de la guerre et des déshérités par László Mednyánszky (*Vagabond assis*), aux portraits singuliers de József Rippl-Rónai (*Le père et l'oncle Piacsek buvant du vin rouge*), aux toiles immenses de Tivadar Kosztva Csontváry sur le deuxième palier (*Ruines du théâtre de Taormina*) et aux peintures de carnavals de l'artiste moderne Vilmos Aba-Novák. Il ne faut manquer sous aucun prétexte les retables, peintures sur panneaux et sculptures gothiques du premier étage, surtout le retable récemment restauré de saint Jean-Baptiste provenant de Kisszebes (mainte-

nant ville roumaine) et le plafond peint du XVIe siècle de la salle suivante.

L'aile F du palais, du côté ouest de la cour des Lions, renferme la **Bibliothèque nationale Széchenyi** qui organise de temps en temps des expositions (accès au fonds de la bibliothèque pour 30 Ft par jour).

Le **musée Historique de Budapest**, dans l'aile E au sud (gratuit le mercredi), retrace les deux mille ans d'histoire de la ville en trois étages de collections ennuyeuses et brouillonnes qui ne vous apprendront rien sur Budapest à moins de lire le hongrois. (Visite commentée d'une demi-heure sur cassettes en anglais, pour 120 Ft). On retiendra deux choses, la collection "Age Moderne" (objets et photographies du début du siècle) au premier étage, et les statues gothiques de courtisans, de seigneurs et de saints découvertes par hasard en 1974 au cours de fouilles archéologiques, conservées au rez-de-chaussée dans une salle climatisée, à droite de l'entrée principale.

On accède aux salles restaurées du palais, datant du XVe siècle, à partir du sous-sol. Trois salles voûtées dont une ornée d'un magnifique chambranle de porte en marbre rouge marqué aux armes de la reine Béatrice et de carreaux portant un corbeau et un anneau (les armes de son époux, le roi Mathias) conduisent à la **salle gothique**, au **cellier royal** et à la **tour-chapelle** du XIVe siècle qui a été rendue au culte. Du musée, on sort par derrière sur les jardins du Palais. La **porte Ferdinand** sous la **tour** conique **de la Massue** vous mènera à des escaliers qui descendent vers Szarvas tér dans l'arrondissement de Tabán.

Le mont Gellért et le Tabán

Gellérthegy est une colline rocheuse de 235 mètres au sud-est de l'arrondissement du Château, couronnée d'un genre de forteresse et du monument de l'Indépendance, l'emblème officiel de Budapest. Du haut du mont Gellért, on jouit d'un panorama inégalé sur le Palais royal, sur le Danube et ses beaux ponts. De plus, son flanc sud est un lieu idéal de pique-nique. Le Tabán, la zone comprise entre les deux collines et s'étendant au nord-ouest jusqu'à la gare Déli, est marqué par la présence des Serbes qui s'y installèrent après avoir fui les Turcs au début du XVIIIe siècle. Plus tard, il devint un quartier de restaurants et de guinguettes (équivalent de Montmartre), avant d'être rasé dans les années 30 pour des raisons sanitaires. Aujourd'hui, les deux quartiers sont des zones résidentielles de maisons et de parcs où l'on relève trois bains publics exploitant les sources thermales qui jaillissent du mont Gellért.

Sauf mention contraire, les sites suivants figurent sur le plan centre de Pest.

Si vous commencez le circuit à partir de la colline du Château, sortez par la porte Ferdinand et dirigez-vous vers le **pont Élisabeth** au sud, un grand arc blanc reconstruit après la guerre et inauguré en grande pompe en 1964. A l'ouest, se dresse une grande fontaine bouillonnante et une statue de saint Gellért, un missionnaire italien qui vint en Hongrie sur l'invitation du roi Étienne. L'escalier grimpe au faîte de la colline. Le bus 27 part de Móricz Zsigmond körtér et mène au sommet. Quant à moi, je partirais de Szent Gellért tér, accessible depuis Pest par le bus 7 ou les trams 47 et 49, et depuis Buda par le bus 86.

Bartók Béla út part de la place en direction du sud-ouest et mène à Móricz Zsigmond körtér, un rond-point très animé. Mű egyetem rakpart, qui longe la rivière jusqu'au pont Petőfi, passe devant l'**université de Technologie** (voir le plan Quartier de l'université) dont les étudiants furent les premiers à se soulever le 23 octobre 1956. Il n'y a pas grand-chose à visiter de ce côté-là, mais la rue est pleine d'universitaires, d'auberges, de bars, de restaurants et d'épiceries ouvertes toute la nuit.

Szent Gellért tér fait face au **pont Szabadság**, inauguré pour l'exposition du Millénaire en 1896, détruit par les bombes allemandes en 1944, et reconstruit deux ans plus tard. La place est dominée par le **Gellért**, un édifice Art Nouveau décati (1918),

abritant le plus bel hôtel "vieux style" de Budapest. Si vous ne voulez pas consacrer au minimum 100 $US pour vous y loger (comme l'on fait apparemment toutes les célébrités du monde à en juger par le livre d'or), vous pouvez au moins prendre les eaux dans les bains cathédralesques ou utiliser les piscines couverte et découverte (voir la rubrique *Activités* dans ce chapitre). Entrée dans Kelenhegyi út.

Juste en face de l'hôtel, sur un petit promontoire, se dresse l'**église de la Grotte**, comprenant une série de chapelles datant de 1926. L'église fut le siège des frères paulistes jusqu'à leur arrestation à la fin des années 40. La grotte n'a été rouverte que récemment. Le maître-autel et son poisson symbolique est en partie en céramique de Zsolnay. Le monastère derrière l'église, avec ses tourelles néogothiques, est visible du pont Szabadság.

De l'église, un petit chemin (Verejték utca) mène au **parc du Jubilée** et à une allée au nom de Dezső Szabó, écrivain controversé (raciste pour certains) tué dans les dernières heures de la guerre. On passe devant un buste assez comique de cet homme imposant à la mine coléreuse, tandis que l'on monte à travers un terrain autrefois planté de vignes. On peut suivre un autre itinéraire par Kelenhegyi út. Aux nunéros 12-14 se trouve l'intéressant **immeuble des Ateliers**, Art Nouveau de 1903, dont les pièces immenses servaient autrefois à construire les monuments du réalisme socialiste.

Remontez toujours Kelenhegyi út et tournez vers le nord dans Minerva utca. Au n°1, se trouve l'ex-**ambassade de Suède** où, durant la guerre, le diplomate Raoul Wallenberg aida à sauver des milliers de juifs hongrois. Un petit escalier rejoint Verejték utca (la rue de la Transpiration).

Vous dominant de toute sa hauteur, la **Citadelle** est une forteresse qui n'a jamais connu la guerre. Elle fut élevée par les Habsbourg après la révolution de 1848-49 pour "défendre" la ville contre toute autre insurrection. A son achèvement, le climat politique ayant changé, elle devint inutile.

Elle fut donnée à la ville dans les années 1890 et en partie démolie pour des raisons symboliques.

Il n'y a plus grand-chose à l'intérieur, si ce n'est un hôtel et une auberge, un casino et un restaurant, un agréable café en plein air et une douzaine de vitrines consacrées à l'histoire de la ville. A l'est, le long de Citadella sétány, se dresse le **monument de l'Indépendance**, une charmante dame tenant une palme et proclamant la liberté de la ville. Il fut érigé en 1947 en l'honneur de la libération de la ville par les Russes, comme en témoignent les noms en caractères cyrilliques gravés sur le piédestal. (Les statues des soldats ont été enlevées.) En fait, le monument avait été dessiné plus tôt par le rusé Zsigmond Kisfaludi Strobl pour le gouvernement d'extrême-droite de l'amiral Horthy. Après la guerre, quand il y eut pénurie de monuments pro-communistes, Kisfaludi-Strobl le céda aux Soviétiques.

En continuant un peu plus vers l'ouest, on débouche sur un point de vue de Budapest qui, à mon sens, est le plus beau de tous. Le sentier en contrebas mène au **monument de Saint-Gellért**, à l'endroit où l'évêque fut précipité dans le vide, en 1046, par des païens qui refusaient de se convertir. De l'autre côté de Hegyalja út, à Döbrentei tér 9, se trouve le deuxième bain thermal du quartier, le **Rudas**, et le plus turc de tous avec son bassin octogonal, sa coupole ajourée de verres colorés et ses colonnes massives. Si vous n'êtes pas de sexe masculin ou peu enclin à ces plaisirs, vous pouvez goûter à l'eau servie à l'**ivócsarnok** (la buvette) près du passage souterrain dans le petit parc. Un demi-litre de l'odorante eau chaude, bonne pour tous les maux, coûte 3 Ft. Il est ouvert les mardi et jeudi matins et l'après-midi des autres jours de semaine. Au nord, par un autre passage souterrain, se dresse une statue de la très aimée Élisabeth (Sissi) (1837-98, impératrice Habsbourg et reine de Hongrie).

En remontant Döbrentei utca vers le nord, jetez un coup d'œil aux plaques du n°15 indiquant les niveaux atteints par le Danube lors de deux crues dévastatrices en 1775 et 1838. Leur intérêt réside dans le fait qu'elles sont écrites en allemand, en serbe et en hongrois, indice du mélange de populations habitant le quartier. L'**église de Tabán** dans Szarvas tér date du début du XVIIIe siècle. En face, I Apród utca 1-3, se trouve le **musée d'Histoire médicale Ignác Semmelweis**, du nom d'un célèbre médecin du XIXe siècle surnommé "le sauveur des mères". Il découvrit la cause de la fièvre de nourrisson. Les collections retracent l'histoire de la médecine depuis les temps gréco-romains, et l'on y verra encore une autre de ces boutiques d'apothicaire d'autrefois.

A l'est du musée dans Ybl Miklós tér, se dresse un bel immeuble rénové avec une fontaine connue sous le nom de **kiosque du jardin du Château**. Cette ancienne station de pompage de l'arrondissement du Château, dessinée par Ybl en 1879, est maintenant convertie en casino. Les escaliers et passages voûtés en piteux état qui se trouvent de l'autre côté de la rue, le **bazar du Château** étaient, jusqu'à il y a une vingtaine d'années, un parc de détente avec des commerces. Aujourd'hui, des artistes se sont installés dans les bâtiments. Observez les beaux carreaux de céramique qui couvrent l'intérieur des voûtes.

Revenez sur Szarvas tér et tournez à droite dans Attila út. De l'autre côté du parc, vous verrez un bloc jaune coiffé d'un dôme : ce sont les **bains Rác**, œuvre d'Ybl à l'extérieur et style turc authentique à l'intérieur.

Il n'y a pas grand-chose à voir dans Attila út (même si le quartier est un cadre très apprécié des romanciers hongrois). L'ascenseur au fond de la bibliothèque Széchenyi dans Dózsa György tér peut vous ramener sur la colline du Château, mais si vous continuez, vous apercevrez l'entrée de l'**Alagút**, le tunnel sous le château qui mène au pont des Chaînes. N'omettez pas la boutique du vieil horloger, I Kirsztina körút 34, la rue parallèle à l'ouest.

Le grand parc devant vous au nord est le **Vérmező**, le "champ du sang", où Ignác

Martonovics et six autres intellectuels pro-républicains furent décapités en 1795 pour conspiration contre les Habsbourg (voir le plan Arrondissement du Château). La gare Déli, une horreur achevée en 1977, se trouve de l'autre côté du Vérmező à l'ouest.

S'il vous reste un peu d'énergie, vous pouvez prendre le bus 105 dans Mészáros utca près de Krisztina tér jusqu'au **Musée national du Théâtre** (voir plan Budapest), Stromfeld Aurél út 16 (descendre à l'avant-dernier arrêt). Aucun nom d'acteur ne risque de vous être familier (si ce n'est en tant que nom de rues et de théâtres), mais la splendide villa et ses jardins méritent amplement le déplacement. Prenez bien note des heures d'ouverture : mardi de 12h à 16h, jeudi de 14h à 18h et le week-end de 10h à 18h.

Ville-de-l'eau

Vízivaros est l'étroite bande qui s'étire entre le Danube et le quartier du Château, s'élargit à l'approche de Rózsadomb (la colline des Roses) et d'Óbuda au nord, allant jusqu'à Moszkva tér à l'ouest, et constituant l'un des principaux nœuds de communications de Buda. Au Moyen Age, les petites gens vivant du commerce, de l'artisanat et de la pêche – autrement dit ne pouvant faire l'ascension socio-économique vers la Vieille Ville sur la colline du Château – habitaient ici. Sous les Turcs, les nombreuses églises furent converties en mosquées et des bains furent construits, dont un fonctionne encore aujourd'hui. La Ville-de-l'eau est maintenant un quartier d'appartements, de commerces et de petites entreprises. C'est le cœur de la partie urbaine de Buda.

Sauf exception, les monuments de cet itinéraire figurent au début sur le plan Colline du Château et ensuite sur le plan Óbuda et l'île Marguerite.

La Ville-de-l'eau commence réellement à Ybl Miklós tér, mais le meilleur point de départ est **Clark Ádám tér**. On y parvient à pied depuis Batthyány tér en longeant le fleuve vers le sud ou par le tram 19 depuis

Szent Gellért tér. Le bus 16 depuis Deák tér s'arrête ici en allant vers la colline du Château.

La place a reçu le nom de l'ingénieur écossais qui supervisa la construction du **pont des Chaînes** et du tunnel creusé en huit mois dans le calcaire (en fait, le pont est une idée du conte István Széchenyi et porte officiellement son nom). A son inauguration en 1849, le pont était unique pour deux raisons : c'était le premier lien entre Buda et Pest, et les nobles, jusque-là exempts de toutes taxes, devaient payer comme les roturiers. La curieuse sculpture qui ressemble à un beignet aplati est la **borne kilométrique zéro**. Toutes les routes partant de la capitale sont mesurées à partir de ce point. L'immeuble mal en point avec l'arcade dans l'angle nord-ouest était un café avant la guerre.

Fő utca, la "Grande Rue" traversant la Ville-de-l'eau, date de l'époque romaine. De l'autre côté de la rue, un restaurant français aux lignes futuristes, fréquenté par le personnel de l'Institut français, occupe une maison médiévale sous le niveau de la rue, au n°20 (intéressants reliefs chinois au-dessus et en dessous des fenêtres). Sur l'ancienne **église des Capucins**, au n°30, convertie en mosquée par les Turcs, on peut voir, du côté sud, les vestiges de portes et de fenêtres de style musulman. Passé l'angle, on remarquera les armes du roi Mathias Corvin – un corbeau et un anneau – et la petite place s'appelle Corvin tér. L'immeuble de style "éclectique" du côté nord est, le **Buda Vigadó**, est beaucoup moins grandiose que son homologue de Pest. Il abrite l'Ensemble folklorique d'État.

Cet itinéraire fait découvrir de nombreuses églises, mais seulement une ou deux portes méritent d'être poussées. L'édifice néogothique de Szílagyi Dezső tér est un **temple calviniste** datant de la fin du siècle dernier. Le bateau amarré au quai est un hôtel. Le pont découvert à l'arrière est un bon endroit pour prendre un verre l'après-midi – si le serveur vous laisse vous attabler.

La place suivante est **Batthyány tér**, le centre de la Ville-de-l'eau et le meilleur endroit où prendre une photo du Parlement depuis la rive opposée. Au centre de la place se trouvent les entrées du métro rouge et de la ligne de banlieue verte HÉV pour Szentendre. Au quai du Danube accostent les ferries faisant la liaison Boráros tér-île Marguerite et poussant jusqu'à Pünkösdfürdő utca à Csillaghegy.

Au sud de Batthyány tér, l'**église Sainte-Anne**, qui fut achevée en 1805 après 60 ans de travaux, interrompus par un tremblement de terre. Son intérieur baroque est l'un des plus beaux de Budapest.

L'immeuble attenant (n°7) fut une auberge jusqu'en 1724, puis le presbytère, et aujourd'hui un beau café appelé Angelika. Batthyány tér s'appelait place du Marché Haut au Moyen Age, mais la **halle** de 1902, à l'ouest, ne renferme plus qu'un supermarché et un grand magasin. Explorez si vous le souhaitez la double cour du n°4, qui abritait au XVIIIᵉ siècle une auberge élégante.

A partir d'ici, les monuments sont portés sur le plan Óbuda et l'île Marguerite.

Quelques rues plus au nord, sur la gauche, se trouve Nagy Imre tér, adresse du nouveau **ministère des Affaires étrangères**, à l'ouest, et de l'énorme **cour de Justice militaire**, au nord. C'est ici qu'Imre Nagy, entre autres, fut jugé et condamné à mort en 1958. C'est aussi l'emplacement de la fameuse **prison de Fő utca** où quantité de gens ordinaires (mais non moins héroïques) furent incarcérés et torturés. Il n'est pas très agréable de voir les employés prendre gaiement leur repas dans une cafétéria qui était autrefois un centre de détention.

Les **bains Király**, qui datent en partie de 1580, se trouvent un pâté de maisons plus haut, II Fő utca 84. A côté se dresse la **chapelle Saint-Florian**, grecque catholique, de 1760, dédiée au saint patron des pompiers. La chapelle a été surélevée de plus d'un mètre dans les années 30 après qu'une inondation y eut déposé de la boue et du limon.

Partant vers l'ouest de la place suivante, Bem tér, voici **Bem utca** du nom d'un Polonais, József Bem, qui combattit au côté des Hongrois pendant la révolution de 1848-49. En 1956, au début du soulèvement, les étudiants de l'université de Technologie se rassemblèrent au pied de la statue.

A l'extrémité ouest de Bem utca, bordée de boutiques de pêche, se cache le **musée de la Fonderie** (n°20), peut-être pas du goût de tout le monde, mais beaucoup plus intéressant qu'il n'y paraît. Les collections (poêles en fonte, cloches, mobilier) sont conservées dans une fonderie qui fut en service jusque dans les années 60. Les grandes louches et les grues, prêtes à servir, attendent tristement le retour du forgeron.

Bem utca rejoint à l'ouest Margit körut, le boulevard circulaire. En le suivant vers le sud-ouest pendant 10 minutes, on arrive à **Széna tér** (voir le plan Quartier du Château). C'est ici que furent livrés de violents combats en 1956. Moszkva tér (devenue Széll Kálmán tér, mais jamais appelée ainsi) est la grande place au sud-ouest. C'est un important nœud de communications.

A Bem tér, Fő utca devient Frankel Leó út, une rue ombragée truffée d'antiquaires. En traversant Margit körút et en continuant vers le nord, on arrive à Gül Baba utca sur la gauche. Cette étroite ruelle escarpée mène au **türbe** (tombeau) du saint musulman éponyme du XVIᵉ siècle. A mi-côte, juste après le n°14, un escalier mène au tout petit édifice octogonal et à une tour d'observation. Gül Baba était un derviche qui participa à la prise de Buda en 1541, et connu en Hongrie comme le "père des roses". Le tombeau est encore un lieu de pèlerinage pour les musulmans et vous devez ôter vos chaussures. Il renferme du mobilier islamique. Ouvert de mai à octobre de 10h à 18h.

En remontant Frankel Leó út, on passe devant les **bains Lukács**, l'un des plus sales de la ville, aux n°ˢ25-29, et la **piscine Béla Komjádi** dans le pâté de maisons suivant. Au n°49, dissimulée dans un immeuble résidentiel, la **synagogue Újlak** fut construite en 1888 à l'emplacement d'une ancienne maison de prières. C'est la seule synagogue en service à Buda. A droite de l'entrée, officie un vieux fabricant de parapluies, une espèce en voie de disparition dans ce quartier où l'on vend des importations taïwanaises.

Óbuda et Aquincum

Comme son nom le suggère – *ó* signifie vieux en hongrois – Óbuda est la plus ancienne partie de Budapest. Non loin d'ici, les Romains établirent un camp militaire et fondèrent, à la fin du Ier siècle, la ville d'Aquincum. A l'arrivée des Magyars, elle fut rebaptisée Buda qui devint Óbuda après la construction du Palais royal et le déplacement du centre urbain sur la colline du Château. Comme le quartier de Tabán au sud, celui-ci n'est plus que l'ombre de ce qu'il était, après avoir rapidement décliné sous le gouvernement de János Kádár dans les années 60.

Les visiteurs se rendant à Szentendre sont rebutés par ce qu'ils voient d'Óbuda depuis l'autoroute ou le train HÉV : des blocs d'immeubles préfabriqués qui s'étendent à l'infini, coupés au centre du quartier par le pont-viaduc Árpád (Árpád híd). Mais derrière, se cachent de très importantes ruines romaines, des musées de grande valeur et de petits quartiers tranquilles où plane encore l'atmosphère du début du siècle. Peu attrayant au premier abord, cet arrondissement est devenu l'un de mes préférés.

Les sites mentionnés figurent sur le plan Óbuda et l'île Marguerite, mais quelques sites très au nord apparaissent sur la carte Budapest.

Flórián tér est le centre historique d'Óbuda. On y arrive par le train HÉV depuis Batthyány tér (arrêt Árpád híd) ou par le bus 86 que l'on prend le long du Danube côté Buda, notamment à Árpád fejedelem útja, à une rue du point où nous avons terminé le dernier itinéraire. La plupart des gens venant de Pest prennent le métro rouge jusqu'à Batthyány tér, puis le HÉV. Mais si vous êtes près du Bois-de-la-Ville (Városliget), allez rejoindre le carre-

four de Hungária körút et Thököly út où vous emprunterez le tram 1 qui évite Buda et traverse le pont Árpád.

Les amateurs d'archéologie devront descendre du bus 86 à Nagyszombat utca (pour les passagers du HÉV, c'est l'arrêt Tímár utca) à environ 1 km au sud de Flórián tér sur Pacsirtamező utca, afin d'explorer l'**amphithéâtre militaire romain** construit au IIe siècle pour les légions romaines. Il pouvait recevoir 15 000 spectateurs et était plus grand que le Colisée de Rome. Le reste du camp militaire s'étendait à partir de là, vers le nord, jusqu'à Flórián tér. Le triste **musée du Camp-romain** à Pacsirtamező utca 63 montre surtout des outils dans une salle poussiéreuse.

En remontant Bécsi út vers le nord-ouest (l'ancienne route de Vienne) on arrive au **musée Kiscelli** qui domine Kiscelli utca, sur la gauche au numéro 108. Occupant un monastère du XVIIIe siècle, plus tard transformé en caserne durement touchée pendant la guerre et encore en 1956, les collections racontent d'une façon attrayante l'histoire de Budapest depuis sa libération des Turcs. Les collections artistiques sont impressionnantes (Rippl-Rónai, Lajos Tihanyi, István Csók) et une boutique d'apothicaire du XIXe siècle de Kálvin tér y a été transférée, mais le plus intéressant, ce sont les salles de mobilier Empire, Biedermeier et Art Nouveau. Ouvert jusqu'à 18h tous les jours sauf le lundi, et jusqu'à 16h en hiver.

Le quartier entre Bécsi út et Flórián tér est délabré mais pourtant plein de charme et d'atmosphère. Si la zone au nord de Flórián tér est la plus riche en musées et en monuments, la partie sud mérite le détour. Certaines maisons sont plus ouvrières ou paysannes que les immeubles de style parisien que l'on voit ailleurs.

L'**église paroissiale d'Óbuda**, toute jaune et baroque, domine cette extrémité de la place (grande chaire rococo à l'intérieur). Le grand bâtiment néoclassique à côté de l'hôtel Aquincum, III Lajos utca 163, est l'ancienne **synagogue d'Óbuda**. Il abrite désormais des studios de la télévi-

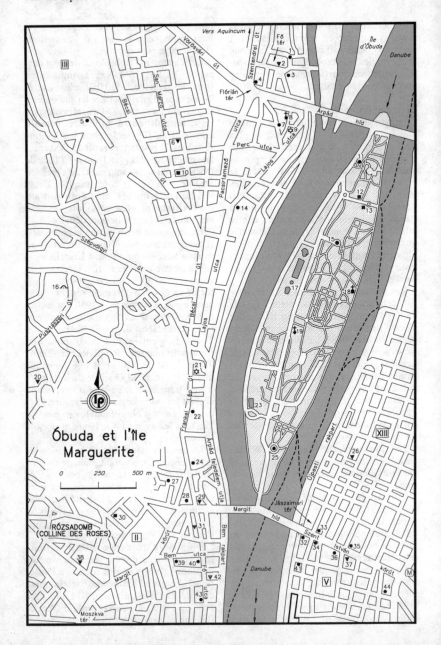

Óbuda et l'Île
Marguerite

0   250   500 m

RÓZSADOMB
(COLLINE DES ROSES)

■ OÙ SE LOGER		8	Église paroissiale d'Óbuda
		9	Ancienne synagogue d'Óbuda
10	Pension Stenczinger	11	Jardin japonais
12	Bains et hôtel Thermal	14	Amphithéâtre militaire romain
13	Hôtel Ramada Grand	15	Château d'eau
30	Hôtel Ifjúság	16	Grotte Szemlőhegy
		17	Piscine Palatinus
▼ OÙ SE RESTAURER		18	Ancien couvent dominicain
		19	Ruines de l'église des Franciscains
2	Restaurant Sípos Halászkert	21	Synagogue Újlak
6	Restaurant Kisbuda Gyöngye	22	Piscine Bela Komjádi
20	Restaurant Vadrózsa	23	Piscine nationale
26	Restaurant Móri	24	Bains Lukács
29	Pizzeria La Prima	25	Monument du Centenaire
31	Café Gustav	27	Tombeau de Gül Baba
37	Restaurant Berlin	28	Bar Calgary
38	Pizzeria Marxim	32	Maison blanche
42	Restaurant Kacsa	33	Boulangerie Mézes Kuckó
		34	Librairie "antikvarium"
DIVERS		35	Théâtre de la Gaîté
		36	Club Franklin Trocadero
1	Sculptures d'Imre Varga	39	Musée de la Fonderie
3	Musée Victor Vasarely	40	Bains Király
4	Musée des Bains	41	Café Jazz
5	Musée Kiscelli	43	Cour de Justice militaire
7	Galerie de Budapest	44	Bar Rockoko

sion hongroise. On ne peut malheureusement pas le visiter comme le signale un écriteau en plusieurs langues.

L'annexe de la **galerie de Budapest** juste en face à Lajos utca 158 expose les œuvres d'avant-garde les plus intéressantes de la capitale, avec une section consacrée à Pál Pátzay dont on voit les sculptures dans toute la ville. (La fontaine de Tárnok utca dans le quartier du Château, par exemple, est de sa main.)

Le **Centre culturel d'Óbuda**, III Kiskorona utca 2, deux rues à l'ouest à travers les HLM, possède trois intéressantes portes émaillées dues à l'artiste locale Lilla Bencze. Les panneaux retracent l'histoire du quartier à travers la géologie, la géographie et l'histoire. Les vestiges du **monastère et de l'abbatiale des clarisses**, fondés au XIVe siècle, sont dans un lotissement à l'extrémité sud de cette petite rue, où elle rejoint Perc utca.

Dans le passage sous Flórián tér se trouvent des objets romains découverts dans les parages et l'entrée du **musée des Thermes** à l'emplacement des anciens thermes des légionnaires romains. (Ouvert seulement en été.) On trouvera d'autres ruines romaines au milieu d'un vaste lotissement au nord-ouest de Flórián tér, à Meggyfa utca 19-21. C'est la **villa d'Hercule** dont le nom est emprunté au thème des surprenants pavements de mosaïque du IIIe siècle découverts dans une ancienne villa romaine. Visible en été de 10h à 14h du mardi au vendredi, et jusqu'à 18h le week-end.

. Sur deux places au nord-est de Flórián tér et par le passage souterrain, se trouvent deux importants musées d'Óbuda. Dans l'ancien hôtel Zichy, III Szentlélek tér 1, le **musée Vasarely** est consacré aux œuvres du "père de l'Op Art", Victor Vasarely (ou Vásárhelyi Győző comme il s'appelait avant d'émigrer à Paris en 1930). On s'amusera à regarder les œuvres (surtout *Dirac* et *Tlinko-F*) enfler et tourner autour des toiles, mais leur nombre est écrasant.

Au premier étage sont exposées quelques réclames curieuses réalisées avant-guerre pour des compagnies françaises.

Fő tér, une place ravalée bordée de maisons baroques, de bâtiments publics et de restaurants, est voisine de la précédente. Au n°4, la **collection Zsigmond Kun** montre de l'art populaire amassé par un riche homme d'affaires dans son hôtel particulier du XVIIIe siècle. La céramique vient surtout de la région du Tisza ; quelques pièces rares de Moravie et de Souabe, et du mobilier et des textiles de Transylvanie. Le couple de gardiens est très fier de sa collection sur laquelle il fournit d'interminables explications. Ne demandez pas de détails sur l'inestimable poêle en céramique qu'un ouvrier brisa il y a quelques années, à moins que vous ne vouliez provoquer les sanglots d'une femme d'âge respectable.

En prenant la rue qui part de Fő tér vers l'est, vous verrez au milieu de la chaussée un groupe de curieuses **sculptures** métalliques représentant des femmes à l'air soucieux sous des parapluies. Elles sont l'œuvre du prolifique Imre Varga qui semble avoir mangé à tous les râteliers politiques pendant des décennies, sculptant Béla Kun et Lénine avec autant de facilité que saint Étienne et le mémorial de l'Holocauste de la Grande Synagogue. On verra encore bon nombre de ses œuvres à l'autre annexe de la **galerie de Budapest**, dans le plus charmant hôtel particulier d'Óbuda, III Laktanya utca 7.

Le HÉV et les bus 42 et 34 depuis Szentlélek tér mènent, quelques arrêts plus au nord, à la ville romaine civile d'**Aquincum**, la plus complète de Hongrie. Aux abords du site, on aperçoit un fragment d'aqueduc sur la gauche. La ville connut son apogée aux IIe et IIIe siècles avant l'arrivée des Huns et d'autres hordes.

A partir d'ici, reportez-vous à la carte Budapest pour localiser les sites.

Aquincum possédait des rues pavées et des maisons à un étage assez somptueuses, garnies de cours, de fontaines et de pavements de mosaïque, ainsi que d'un système

très sophistiqué d'égouts et de chauffage. Toutes ces merveilles ne sont plus très visibles, mais il reste des vestiges de constructions, notamment des grands thermes publics, du marché, d'un temple au dieu soleil Mithras et d'une église chrétienne primitive.

Le **musée d'Aquincum** tente de redonner vie à ces squelettes, en hongrois uniquement, hélas. Ne ratez pas l'orgue hydraulique du IIIe siècle (et la mosaïque montrant comment on en jouait), les moules de poterie et les pavements de mosaïque du palais du gouverneur sur l'île d'Óbuda. La plupart des grandes sculptures et des sarcophages se trouvent sur la gauche du musée et derrière, le long d'un passage couvert. Le complexe est ouvert de 9h à 18h (sauf le lundi) de mi-avril à septembre, et jusqu'à 17h en octobre.

De l'autre côté de Szentendrei út, s'étend l'**amphithéâtre civil**, deux fois petit que celui réservé aux soldats. Il ne reste que les petits box où l'on enfermait les lions et la "porte de la mort" par où étaient évacués les gladiateurs malchanceux.

Au nord d'Aquincum s'étendent les banlieues de **Római Fürdő** et **Csillaghegy**, toutes deux desservies par le HÉV. Le lieu de vacances de Római Fürdő (thermes romains) offre un bassin thermal en plein air dans un grand parc et le plus grand terrain de camping de Budapest. La **piscine d'Árpád** et sa *strand*, à Csillaghegy, est l'une des plus fréquentées de la ville. De l'arrêt HÉV, prenez à l'ouest en remontant Ürömi út. C'est à l'angle de Pusztakúti utca.

L'île Marguerite

Ne faisant partie ni de Buda ni de Pest, l'île Marguerite (Margit-sziget), longue de 2,5 km, a toujours appartenu à un ordre religieux ou à un autre, jusqu'à l'arrivée des Turcs qui firent de l'île "des Lapins" un harem interdit aux Infidèles. C'est un parc ouvert à tous depuis le milieu du XIXe siècle ; le souvenir du harem s'est replié dans la pénombre des bosquets, la nuit venue. Avec son grand complexe aquatique, son bain thermal, ses jardins et ses allées ombragées, l'endroit est charmant pour passer l'après-midi à l'écart de la ville. On peut marcher partout – sur les sentiers, la berge, l'herbe – mais n'essayez pas de camper : c'est strictement *tilos* (interdit).

On y accède de Pest ou de Buda par les trams 4 ou 6. Le bus 26 la traverse dans toute sa longueur entre la gare Nyugati et le pont Árpád. Les voitures sont autorisées sur l'île Marguerite depuis le pont Árpád uniquement jusqu'aux deux grands hôtels à l'extrémité nord-est. Le reste est réservé aux piétons et aux cyclistes. Si vous suivez la berge en hiver, vous observerez les eaux thermales jaillissant du sous-sol de l'île se déverser dans le fleuve.

Vous pouvez traverser l'île à pied dans un sens et revenir par le bus 26, ou louer une bicyclette à l'un des deux stands ouverts entre mars et octobre. Le premier se trouve du côté ouest juste après le stade en venant du pont Marguerite. L'autre se trouve à la buvette Bringóvár, au sud du jardin japonais, au nord de l'île.

Un vélo trois vitesses de base se loue 130 Ft l'heure ou 600 Ft la journée, et vous laisserez une caution. Les tandems sont à 220 Ft et 900 Ft. Un tour en voiture à cheval depuis les hôtels coûte 400 Ft par personne.

Au rond-point qui termine la voie d'accès, le **monument du Centenaire** marque la fusion de Buda, de Pest et d'Óbuda en 1873. Il y a vingt ans, époque très différente de l'actuelle, le sculpteur a rempli l'étrange cône de toutes sortes de symboles aux connotations socialistes. Ils y sont restés.

L'île est célèbre pour ses deux piscines du côté ouest. La première est la **Nationale** couverte/découverte et officiellement baptisée Alfréd Hajós, le nageur qui remporta les 100 et 1 200 mètres aux premières Olympiades de 1896, et qui fit construire la piscine. La **Palatinus**, au nord, est un vaste complexe de bassins découverts, de toboggans et de "plages" noires de monde les après-midis d'été, mais pour cette raison, amusantes à fréquenter pour observer les

Hongrois en pleine action. Terrasses non mixtes sur le toit pour bronzer nu.

Avant d'arriver au Palatinus, vous passerez devant les ruines d'un **monastère franciscain** du XIIIᵉ siècle dont il ne reste plus qu'un mur et une tour. L'archiduc Joseph se fit construire une résidence d'été lorsqu'il hérita de l'île en 1867, plus tard transformée en hôtel qui fonctionna jusqu'après la dernière guerre. Un peu plus à l'est, un **zoo** qui fait peine à voir est peuplé d'animaux de basse-cour que les passants nourrissent de popcorn et de chips.

Le **château d'eau** (1911) octogonal, au nord-est, s'élève au-dessus du **théâtre en Plein air** où sont donnés, en été, des opéras et des pièces de théâtre, et du **salon d'expositions** où sont parfois organisées des manifestations artistiques. Au-delà du rond-point, rêve le **jardin japonais** avec ses feuilles de nénuphar, ses carpes et son petit pont de bois. Le kiosque surélevé, devant vous, la réplique d'une fontaine de Transylvanie, ne déverse ni musique ni eau, mais on l'appelle la **fontaine musicale**.

Les Romains utilisaient les sources thermales qui jaillissent au nord-est de l'île, et aujourd'hui exploitées par un hôtel thermal (entrée côté sud). Les **bains thermaux** sont les plus propres et les plus modernes de Budapest, mais de ce fait, ils manquent de caractère. Ce sont aussi de loin les plus chers à 600 Ft l'entrée, mais vous pouvez utiliser la piscine.

Au sud du grand hôtel Ramada se dresse l'**église Saint-Michel**, romane et reconstruite. Sa cloche du XVᵉ siècle est à moitié miraculeuse ; elle apparut mystérieusement une nuit de 1914 sous les racines d'un arbre renversé par la foudre. Elle avait sans doute été enterrée par des moines à l'époque de l'invasion turque.

D'autres ruines, plus importantes, s'étendent un peu au sud. C'est l'ancien **couvent dominicain** de Béla IV dont les scribes jouèrent un rôle important dans la conservation des lettres hongroises. Sa résidente la plus célèbre fut la fille de Béla, sainte Marguerite. La légende veut que le roi ait promis de consacrer sa fille à Dieu si les

Mongols étaient chassés du territoire. Ils le furent et le destin de la fillette fut scellé à l'âge de 9 ans. S'il faut en croire les *Vies des saints*, elle y trouva son bonheur, surtout au chapitre de la mortification de la chair. Sainte Marguerite ne fut canonisée qu'en 1943, mais c'est un véritable culte que lui voue la Hongrie. Une sépulture en marbre recouvre l'endroit où elle repose et à proximité se dresse un sanctuaire très visité.

István körút et Bajcsy-Zsilinszky út

Cette promenade relativement courte traverse le Danube pour rejoindre Pest et remonte le segment nord du boulevard circulaire, Szent István körút, jusqu'à Nyugati tér, puis vers le sud jusqu'à Deák tér. On atteint Jászai Mari tér, le point de départ, par le tram 4 et 6 de l'un ou l'autre côté du fleuve, ou en traversant à pied depuis l'île Marguerite. Si vous venez de la ville Intérieure de Pest, montez dans le tram 2 sur les quais, jusqu'au terminus.

Les sites sont localisés au début sur la carte Óbuda et l'île Marguerite, puis sur le plan Centre de Pest.

Deux immeubles très différents par leur style et leur fonction entourent Jászai Mari tér, coupée en deux par la rampe du pont. Au nord, un élégant immeuble résidentiel datant du XIXe siècle est appelé **maison Palatinus**.

Un peu plus loin que le parc Szent István en direction du temple calviniste et de son clocher haut et laid, vous admirerez une véritable rareté à Budapest : une rangée d'**immeubles du Bauhaus**. Ils ne font pas grand effet aujourd'hui après des décennies de mauvaises copies, mais à la fin des années 20 c'était le *nec plus ultra*. L'immeuble moderne au sud de la place (V Széchenyi rakpart 19) est la **Maison Blanche**, l'ancien quartier général du comité central du Parti socialiste ouvrier hongrois. Les statues de Marx et Engels ont été déboulonnées de leur piédestal et envoyées au parc des curiosités socialistes récemment ouvert dans le 22e arrondissement (reportez-vous à la rubrique *Environs de Budapest*).

Le quartier au nord de Szent István körút s'appelle **Újlipótváros** (la Nouvelle Ville de Léopold) pour le distinguer de Lipótváros autour du Parlement (l'archiduc Léopold était le petit-fils de l'impératrice Marie-Thérèse). C'est un quartier magnifique de rues ombragées, émaillées de cafés et de boutiques, habité avant-guerre par la bourgeoisie juive et non juive. Une récente exposition au musée d'Histoire contemporaine montrait que la plupart des "maisons sûres" organisées par le diplomate suédois Raoul Wallenberg durant la guerre se trouvaient dans ce quartier. Une rue au nom de ce grand homme, deux pâtés de maison au nord, porte une plaque commémorative. (Une statue de Wallenberg par Imre Varga se dresse dans Szilágyi Erzsébet fasor à l'ouest de Moszkva tér à Buda.)

Si vous avez un petit creux, arrêtez-vous à la boulangerie Mézes Kuckó (le coin du miel), Jászai Mari tér 4/a. Elle fait les meilleurs gâteaux au miel et aux noix de la ville et reste ouverte jusqu'à 18h (13h le samedi).

Szent István körút est une rue intéressante. Comme en d'autres parties du boulevard circulaire, les immeubles décorés d'atlas et de reliefs divers datent de la fin du XIXe siècle. N'hésitez pas à explorer les cours intérieures (*udvar*), c'est une des spécialités architecturales de Budapest.

Ce segment de boulevard est propice au shopping. Voir la rubrique *Achats* pour les détails. L'**antikvarium** (à la fois marchand de livres anciens et bouquiniste) au n°3, propose d'excellentes gravures et cartes anciennes dans la commode du fond. La rue suivante sur la droite, Falk Miksza utca, est remplie de riches antiquaires (n^os19 et 32 surtout). On peut se faire une idée du contenu des greniers hongrois en faisant un tour à la brocante Báv, à l'angle de la rue.

Le beau théâtre sur la gauche en continuant dans Szent István körút est le **Víg-színház** (théâtre de la Gaieté) où l'on joue des comédies musicales. A sa construction en 1896, on lui reprocha d'être trop éloigné du centre ville.

A partir d'ici vous retrouverez les sites sur le plan Centre de Pest.

Vous reconnaîtrez peut-être la grande structure de fer et de verre sur Nyugati tér (plus communément appelée Marx tér) si vous êtes arrivé de l'est par le train. C'est la **gare ferroviaire de l'Ouest** (Nyugati pályaudvar) construite en 1877 par la compagnie française Eiffel. András Török raconte dans son guide sur Budapest qu'au début des années 70, un train dont les freins avaient lâché traversa l'immense verrière de façade avant d'arrêter sa course au niveau de la voie du tram. La vieille salle de restaurant sur la droite abrite aujourd'hui le McDonald le plus chic du monde.

En regardant vers le nord dans Váci út depuis Nyugati tér, on aperçoit les flèches jumelles de l'**église de Lehel tér**, une copie vieille de 60 ans d'une église romane du XIIIe siècle (aujourd'hui en ruines) de Zsámbék à 33 km à l'ouest de Budapest. Le **marché en plein air de Lehel tér** est le plus pittoresque de la ville. Tâchez de repérer le vendeur de miel de différents parfums et l'étal de saucisses de cheval et de mortadelle.

De Nyugati tér, suivez Bajcsy-Zsilinszky út au sud pendant 10 minutes. Le principal monument de cette rue est la **basilique Saint-Étienne**, une structure néoclassique construite sur un demi-siècle et achevée en 1906. (L'interruption fut en grande partie due à l'effondrement de la coupole en 1868 qui ne fit aucune victime mais effraya assurément les chevaux.) L'espace est sombre et sinistre, décevant pour la plus grande église de Budapest.

A droite en entrant , vous attend un petit trésor d'objets liturgiques, et à gauche du maître-autel dans une petite chapelle, l'atout majeur de la basilique : la **Sainte-Droite** (également dite Sainte-Dextre), main droite momifiée de saint Étienne (le roi Étienne Ier) qui fait l'objet d'une grande dévotion. Comme la couronne de saint Étienne du Musée national, elle fut emportée à la fin de la guerre mais rapidement restituée.

Pour la voir, suivez les pancartes "Szent Jobb". Il faut mettre 20 Ft dans la petite machine à sous devant la relique pour allumer le coffret en verre renfermant la Droite. Avec ses mille ans d'âge, elle n'offre pas un spectacle bien réjouissant. Trésor et chapelle sont ouverts jusqu'à 17h (16h en hiver).

Bajcsy-Zsilinszky út se termine à Deák tér, une place animée où convergent les trois lignes de métro. En sous-sol près de l'entrée du métro, le **musée du Métropolitain** retrace l'histoire des trois lignes et expose les projets pour l'avenir. On a donné la place d'honneur au petit métro jaune inauguré pour les célébrations du millénaire en 1896. Le clou de ce petit musée, qui coûte un ticket de métro, ce sont deux vieux wagons aux bancs de bois incurvés. Les voies et le quai restèrent en service jusqu'en 1973.

Au début du siècle, les grosses compagnies d'assurances étrangères préférèrent installer leurs bureaux sur Deák tér, au n°2 par exemple (aujourd'hui commissariat central de police) et en face au n°6. Ici sont situés l'une des grandes gares routières de la ville et le terminus des minibus de l'aéroport. Madách Imre út, au sud-est de Károly körút, devait avoir l'ampleur de Andrássy út, le boulevard voisin, mais le projet fut abandonné à cause de la guerre.

Nord de la ville Intérieure

Ce quartier, plus précisément appelé Lipótváros, fourmille de bureaux, de ministères et d'immeubles du XIXe siècle.

Les sites sont localisés sur la carte Centre de Pest.

Depuis Deák tér, prendre au nord Erzsébet tér et à l'ouest József Attila utca en direction du Danube. **Roosevelt tér** s'étend au pied du pont des Chaînes et offre la meilleure vue sur le quartier du Château.

La **statue** au milieu de la place représente Ferenc Deák, le ministre hongrois responsable en grande partie du Compromis de 1867 qui instaura la double monarchie austro-hongroise. Sur le côté ouest, les

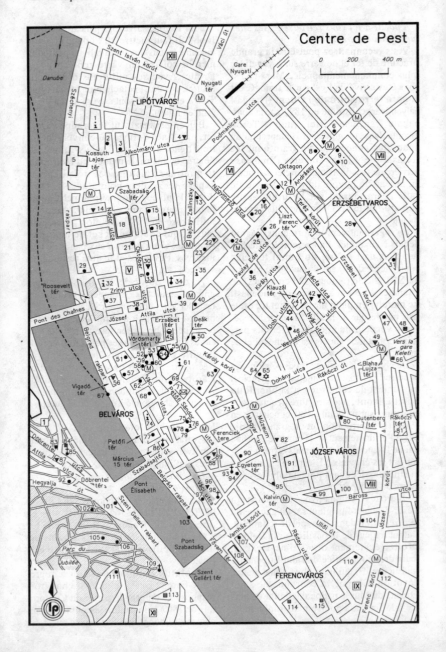

Centre de Pest

■ OÙ SE LOGER

11	Hôtel Medosz
48	Hôtel Metropole
54	Hôtel Corvinus Kempinski
66	Hôtel Nemzeti
84	Hôtel Orion
113	Hôtel et bains Gellért
114	Résidence universitaire Kinizsi
115	Résidence universitaire Ráday

▼ OÙ SE RESTAURER

4	Restaurant Semiramis
7	Café Lukács
14	Restaurant Luau
16	Pub Winston
22	Restaurant Bel Canto
25	Café Művész
28	Taverne Syrtos
30	Restaurant Kisharang
42	Restaurant Kádár
43	Restaurant Kispipa
49	Pub restaurant Chicago
52	Gerbeaud
53	Golden Gastronomia
56	Restaurant Marco Polo
82	Restaurant Museum
87	Restaurant Aranyszarvas et Szarvas Pince
88	Stand de falafel Cabar
89	Restaurant végétarien
96	Restaurant Chan-Chan

DIVERS

1	Cooptourist
2	Musée d'ethnographie
3	Creditanstalt
5	Parlement
6	Bureau d'enregistrement des étrangers KeOKH
8	Ancien immeuble de la police secrète
9	Théâtre de marionnettes
10	Musée Ferenc Liszt
12	Glacier Butterfly
13	Librairie des cartes Cartographia
15	Ambassade américaine
17	Marché de Hold utca
18	Télévision hongroise (MTV)
19	Banque nationale hongroise
20	Théâtre d'Opérette
21	Bar Casablanca
23	Pub Morrison
24	Opéra d'État
26	Bureau de vente de billets MÁV
27	Académie Liszt de musique
29	Académie des sciences
31	Centre culturel Almássy ter
32	Office du tourisme
33	Librairie des Bestsellers
34	Basilique Saint-Étienne
35	Cooptourist et Dunatours

36	Théâtre János Arany
37	Palais Gresham
38	La boutique des vins
39	Location de voitures Inka
40	Musée de la Poste
41	Marché Klauzál ter
44	Synagogue/restaurant cacher Hannah
45	Gare routière Erzsébet tér
46	Musée de l'Électrotechnologie
47	Café New York
50	Musée du Metropolitain
51	Malév
55	Commissariat de police central
57	Vigadó
58	Bureau de vente de billets
59	Monument Mihály Vörösmarty
60	American Express
61	Tourinform
62	Palais de la Banque
63	Théâtre et jazz club Merlin
64	Mémorial de l'Holocauste
65	Grande Synagogue et musée Juif
67	Quai des ferries Vigadó
68	Maison Thonet
69	Szervita tér
70	Hôtel de ville
71	Poste centrale et Centre téléphonique
72	Hôtel du département de Pest
73	Express
74	Ibusz
75	Théâtre József Katona
76	Ibusz
77	Contra Aquincum
78	Librairie internationale
79	Párizsi Udvar
80	Service auto-stop Kenguru
81	Marché Joseph
83	Musée d'Histoire de la médecine
85	Église paroissiale Tabán
86	Église paroissiale de la ville Intérieure
90	Musée de la Littérature
91	Musée national
92	Bains Rác
93	Église de l'Université
94	Université Loránd Eötvös
95	Porte de Kecskemét
97	Fregatt
98	Église serbe
99	Bibliothèque Ervin Szabó
100	Tilos az Á
101	Bains Rudas
102	Monument de Saint-Gellért
103	Quai international Mahart
104	Biliárd Fél 10
105	Citadella et hôtel
106	Monument de l'Indépendance
107	Marché central
108	Université d'économie
109	Église-grotte
110	Musée des Arts appliqués
111	Ancienne ambassade suédoise
112	Caserne Killián

statues représentent des enfants autrichiens et hongrois se tenant par la main, symbole de concorde et de paix.

L'immeuble Art Nouveau à carreaux dorés, à l'est (n⁰ˢ 5-6) est le **palais Gresham** de 1907, anciennement occupé par une compagnie anglaise d'assurances. On parle d'en faire un hôtel, mais il faut d'abord en déloger les vieux résidents qui refusent de partir. Faites un crochet dans le passage en bas pour voir l'immense coupole en verre et les portes aux motifs de paons finement travaillés en fer forgé. L'**Académie des sciences** récemment restaurée, à l'extrémité nord de la place, fut fondée par le comte István Széchenyi, représenté sur les billets de 5 000 Ft.

Szabadság tér (la place de l'Indépendance), à quelques minutes au nord-est, est une des plus grandes places de la ville, mais le cadre est détruit par les voitures en stationnement. Il s'y dresse l'un des derniers rescapés des monuments à la gloire des soviets. Au n°12, à l'est, l'ambassade américaine a accueilli le cardinal József Mindszenty qui s'y était réfugié, pendant 15 ans, jusqu'à son départ pour Vienne en 1971.

Au sud de l'ambassade se dressent l'ex-**Caisse d'épargne de la poste**, aujourd'hui intégrée à la **Banque nationale hongroise** voisine. La première, une folie Art Nouveau de carreaux colorés et de motifs d'art populaire, fut construite par Ödön Lechner en 1900 ; elle a été entièrement restaurée. Tournez dans Hold utca pour mieux la voir. Jetez un coup d'œil sur les reliefs de la BNH illustrant les arts et le commerce dans l'histoire : chameliers arabes, marchands de tapis africains, marchands de thé chinois, et l'inévitable représentant signant un contrat. On peut changer de l'argent dans la salle rénovée de la Banque (entrée du côté sud).

Le grand immeuble jaune du côté ouest de la place, de 1906, abritait la Bourse de Budapest avant de devenir le siège de **MTV** (Magyar Televízió).

Au nord-ouest de Szabadság tér, Kossuth Lajos tér est le site du monument le plus photographié de Budapest : le **Parlement** (Országház). C'est ici que se réunit le gouvernement. Datant de 1902, cette bâtisse colossale de 700 pièces et 18 cours est un mélange de styles dont l'accord est tout à fait convaincant. Malheureusement le calcaire poreux dont il est fait ne résiste pas à la pollution et les restaurations sont permanentes depuis 70 ans.

Le Parlement

La décoration intérieure, toute en peintures murales néogothiques et baroques, en dorures et en marbres, est étincelante, mais il faut passer par une agence de voyages et une visite guidée obligatoire pour la voir. Vous pouvez essayer de traîner aux abords de la porte XII, à droite de l'entrée principale, et de vous infiltrer dans un groupe en attente, bien que cela n'ait pas marché pour moi.

En face du Parlement, au V Kossuth Lajos tér 12, le **musée d'Ethnographie** est le plus grand musée d'art populaire couvert (il en existe en plein air) du pays, mais on est très déçu. Le bâtiment de 1893 qui abrita la Cour Suprême mérite le coup d'œil, surtout le grand hall central avec ses colonnes de marbre et sa fresque de la *Justice* par Károly Lotz. Mais les treize salles du premier étage consacrées aux arts et traditions populaires à partir du XVIIIe siècle exposent des collections mangées par les vers qui semblent n'avoir jamais été bougées ni époussetées depuis des lustres. En plus, les sirènes et alarmes se déclenchent dès que vous vous approchez un peu trop près d'un pot ou d'une vieille cape de cavalier en lambeaux. Malgré tout, c'est une bonne introduction à la vie hongroise traditionnelle. Les étiquettes laconiques sont doublées en anglais et les maquettes de maisons paysannes d'Őrség et Sárköz en Transdanubie sont bien faites. Le deuxième étage est réservé aux expositions temporaires.

Ville Intérieure

Le Belváros, le noyau central de Budapest, est le quartier le plus cher de la ville, avec des nuances cependant. Au nord de Ferenciek tere s'étend la partie la plus luxueuse, avec boutiques chic, grands hôtels et foule de touristes. Vous y entendrez parler davantage l'allemand, l'italien et l'anglais que le hongrois. Au sud, le quartier est plus estudiantin, tranquille et hongrois.

Nous commencerons par cette dernière partie. Ferenciek tere qui sépare la ville Intérieure à Kossuth Lajos utca se trouve sur la ligne bleue du Métro (bus 7 depuis Buda ou l'est de Pest). Pour l'atteindre depuis la fin de l'itinéraire précédent, prendre le bus 15 ou le tram 2 qui longent le fleuve.

Le centre de cette partie de la ville Intérieure est Egyetem tér (place de l'Université) à 5 minutes à pied par Károly Mihály utca. Le nom de la place se réfère à l'annexe de la prestigieuse **université Loránd Eötvös**, aux nos 1-3. A côté se

dresse l'**église de l'Université**, baroque, de 1748, dans laquelle on admirera une chaire et des bancs sculptés, et au-dessus de l'autel, une copie de la fameuse Vierge Noire de Czestochowa en Pologne. L'église est toujours remplie de jeunes qui sont sensés demander à la Vierge un petit coup de pouce pour leurs examens.

Kecskeméti utca part de la place vers le sud-est en direction de Kálvin tér. C'est une rue ombragée bordée de cafés, de discothèques et de restaurants. Au bout de la rue près de l'hôtel Korona, une plaque signale l'emplacement de la **porte de Kecskemét** qui faisait partie des murailles médiévales démolies au XVIIIe siècle. Si vous voulez en voir un morceau conséquent, tournez dans Magyar utca jusqu'au numéro 28, puis dans le passage jusqu'à la cour qui conduit à Múzeum körút. Vous ne pouvez pas rater les murailles.

Au nord d'Egyetem tér, au V Károlyi Mihály utca 16, le **musée de la Littérature** est consacré à Sándor Petőfi, Zsigmond Móricz et Attila József. Mais ces grands auteurs nationaux sont difficiles à obtenir en traduction et ne signifieront sans doute rien pour la plupart des voyageurs. L'immeuble à coupole multicolore au n°10 est la **bibliothèque de l'Université**.

Au sud-ouest de la place, dans Szerb utca et Veres Pálne utca, se dresse l'**église serbe** construite par des Serbes fuyant les Turcs au XVIIe siècle. L'iconostase vaut le détour, mais il est difficile de pouvoir entrer.

La **Veres Pálné utca** offre quelques sites intéressants. L'immeuble du n°19 s'orne de bronzes au deuxième étage qui représentent diverses étapes de la construction de la ville. A l'angle de la rue suivante, Papnövelde utca, l'immeuble de la grande bibliothèque catholique est coiffé de chaque côté de petits temples grecs. Un peu au nord, Szivárvány utca – la rue de l'Arc-en-Ciel – est l'une des plus étroites de la ville.

La meilleure façon de visiter le côté chic de la ville Intérieure est de remonter la rue piétonnière Váci utca, où sont installés les

commerces les plus luxueux de la capitale.
C'était la longueur totale de Pest au Moyen
Age. Au V Ferenciek tere 5, traversez
Párizsi Udvar, une galerie marchande
décorée avec un plafond à coupole qui
débouche sur la petite Kigyó utca. Váci
utca est devant vous.

Váci utca est bordée de boutiques de
mode, de bijoutiers, de pubs et de quelques
bouquinistes. Des femmes fraîchement
débarquées de Transylvanie vendent dans
la rue des vestes en peau de mouton cou-
sues main, des ceintures en cuir repoussé et
de belles nappes brodées blanc sur blanc.
Tout est authentique et vous êtes sûr de
trouver un objet qui vous plaise. Il arrive
qu'elles soient délogées par la police.
Revenez le soir.

Faites un petit crochet en tournant à
droite (est) dans Haris köz – une ancienne
rue privée – et traversez Petőfi Sándor
utca. Kamermayer Károly tér est une jolie
petite place encadrée d'antiquaires, d'un
fabricant de parapluies et d'un café
d'artistes, le Galéria. Au centre, se dresse
la statue de M. Kamermayer, premier
maire de la Budapest unifiée. A l'angle
sud-est de la place, au V Városháza utca 7,
se dresse le vert **hôtel du département de
Pest** (dont fait partie Budapest), un grand
bâtiment néoclassique à trois cours que
l'on peut visiter aux heures de bureaux. En
face, Városház utca 9-11, s'élève l'**Hôtel
de ville** du XVIIIᵉ siècle, une bâtisse jaune
et rouge de style baroque, la plus grande
de la ville.

Szervita tér (qui figure encore sous le
nom de Martinelli tér sur certains plans) se
trouve à l'extrémité nord de Városház utca.
Naturellement, il s'y dresse une église
baroque de 1732, mais les immeubles du
côté gauche sont beaucoup plus intéressants. On ne s'en douterait pas, mais le n°5
date de 1912. La mosaïque Art Nouveau du
pignon du n°6 représente *Hungaria* et date
du début du siècle.

On revient dans Váci utca par Régipost
utca ou Párizsi utca (le meilleur glacier de
la ville au n°3). Beaucoup d'immeubles
de Váci utca méritent un examen attentif.

La **maison Thonet** au 11/a est un autre
chef-d'œuvre d'Ödön Lechner (1890) et la
boutique du fleuriste **Philantia** au n°9 a un
décor Art Nouveau original. A Régiposta
utca 13, on sera séduit par un bas-relief
d'une ancienne malle-poste imaginé par le
céramiste Margit Kovács. La boutique de
souvenirs expose toujours des objets de la
même couleur.

En haut de Váci utca, de l'autre côté de
Kristóf tér et de son petit **puits de la
Pêcheuse**, on apercevra une silhouette de
la **porte Vác** qui faisait partie des
anciennes murailles. La rue débouche dans
Vörösmarty tér, une vaste place de magasins élégants, de galeries, de compagnies
aériennes et, en été, d'artistes qui font des
caricatures et des portraits. Bon endroit
pour flâner et rencontrer des gens, en été.

Au centre se dresse une statue du poète
du XIXᵉ siècle qui a donné son nom à
Vörösmarty tér. Elle est en marbre italien
que l'on emmaillotte en hiver dans de la
toile et de la paille. La première station de
la petite ligne jaune du métro est sur la
place également, et à l'extrémité nord, se
trouve **Gerbeaud**, le salon de thé le plus
chic de Budapest. Il faut au moins y
prendre un café et une Dobos torta. Il
existe en fait trois Gerbeaud : le grand café
sur la place avec des tables à l'extérieur ; le
café moderne et moins cher du côté ouest
(entrée par Dorottya utca) plein de changeurs à l'air peu recommandable et de
jeunes femmes ; et une pâtisserie appelée
Kisgerbeaud du côté est. Les deux cafés
sont ouverts tous les jours de 9h à 21h.

L'immeuble moderne, honni de tous, du
côté ouest de Vörösmarty tér (n°1) abrite
un magasin de musique et le principal
bureau de vente de billets de concerts. Au
sud, à Deák utca 5, parade le sompteux
palais de la Banque de 1915, entièrement
rénové. Comme il abrite la bourse de
Budapest, les mesures de sécurité sont ren-
forcées et vous ne pourrez sans doute pas
voir l'intérieur.

Le **Vigadó**, la salle de concert de style
romantique de 1865, durement éprouvée
par la guerre, fait face au fleuve dans

Vigadó tér à l'ouest. Avant de poursuivre, jetez un coup d'œil au foyer, Vigadó utca 6. Il possède un de ces étranges ascenseurs appelés "Pater Noster" (sans doute à cause de leur ressemblance avec un rosaire) que l'on trouve encore dans quelques bâtiments publics. Il consiste en une série de box individuels en rotation continuelle. On monte dans le premier qui se présente au niveau du sol. Si vous vous demandez ce qui se passe à l'arrivée, montez et vous verrez.

Au nord du Vigadó, dans un bateau amarré à Belgrád rakpart près de l'hôtel Forum, se trouve une annexe du **musée des Transports** retraçant la vie et le travail sur le Danube d'autrefois.

On reviendra agréablement vers Ferenciek tere en remontant **Duna korzó**, une promenade qui longe le fleuve entre le pont des Chaînes et le pont Élisabeth, pleine de cafés, de musiciens et de vendeurs d'artisanat. Le Duna korzó débouche dans Petőfi tér, du nom du célèbre poète de la révolution de 1848-49, et théâtre des grands rassemblements politiques (légaux et illégaux). Március 15 tér qui commémore la date de l'éclatement de la révolution vient ensuite.

Du côté est de la place, dans une promiscuité inconfortable avec le pont Élisabeth, l'**église paroissiale de la ville Intérieure** succède à une église romane du XIIe siècle élevée à l'intérieur d'une forteresse romaine. Des vestiges du fort, **contra Aquincum**, sont visibles au centre de la place. L'église fut reconstruite aux XIVe et XVIIIe siècles comme en témoignent les éléments gothiques et baroques, à l'intérieur et à l'extérieur. Deux chapelles latérales ont des tabernacles Renaissance du XVIe siècle, et la cinquième sur la droite est de pur style gothique. On verra un *mihrab* (niche musulmane indiquant la direction de La Mecque) dans le chœur, datant de l'époque où les Turcs l'avaient transformée en mosquée.

Derrière l'église se trouve la faculté d'Art de l'université Loránd Eötvös. Les deux grands bâtiments bordant l'extrémité ouest de Ferenciek tere sont les **palais Klotild** de 1902. Sur Ferenciek tere, l'**église des Franciscains** a remplacé en 1743 une ancienne église médiévale.

Andrássy út et le Bois-de-la-Ville

Cet assez long itinéraire part de Deák tér et remonte le plus beau boulevard de la capitale. Le métro jaune le suit sur toute la longueur, au cas où la force vous manquerait en cours de route.

Les sites sont localisés sur la carte Centre de Pest, puis sur la carte Bois-de-la-Ville.

Rejoignez Andrássy út, plantée de platanes, un peu au nord de Deák tér, là où elle se sépare de Bajcsy-Zsilinszky út. Le **musée de la Poste** au n°3 ne présente pas un grand intérêt pour l'étranger, mais il occupe un appartement de sept pièces datant du début du siècle et bien conservé. L'entrée et la cage d'escalier sont eux aussi richement décorés de marbres et de fresques. Le musée se penche surtout sur la personnalité de Tivadár Puskás, un associé hongrois de Thomas Edison, et sur la visite de ce dernier à Budapest en 1891.

L'**Opéra d'État** néo-Renaissance sur la gauche au n°29 est de Miklós Ybl (1884) et certains y voient la plus belle construction de la ville. L'intérieur l'est assurément, surtout depuis qu'une restauration dans les années 80 lui a rendu son éclat. Si vous ne pouvez assister à un concert ou un opéra, suivez les visites guidées tous les jours à 15h et 16h. Billets à 250 Ft (120 Ft pour les étudiants) vendus au guichet sur le côté est du bâtiment ; la visite comprend un bref concert. Pour les grands concerts, évitez les billets les moins chers, vous devrez entrer par une porte latérale et monter directement au poulailler sans passer par les grands salons.

L'immeuble d'en face, la **maison Drechsler** est l'œuvre du maître de l'Art Nouveau, Ödön Lechner, en 1882, et abrite aujourd'hui l'**Institut chorégraphique d'État**. On visite la cour intérieure en pénétrant par le côté ouest, mais passez l'angle pour voir une chose encore plus magique :

une perle Art Déco ornée de faces de singes, de globes et de motifs géométriques, abritant aujourd'hui le **théâtre János Arany** (VI Paulay Ede utca 35).

Le vieux café **Művész** (Artiste), Andrássy út 29, est une institution budapestoise qui a bien failli fermer récemment, mais il sert à nouveau les meilleures pâtisseries de la ville jusqu'à 24h. De l'autre côté de la rue, Nagymező utca est la rue des théâtres programmant des choses gentilles comme *Macskák (Cats)* et *Sakk*. Le bureau d'informations et de vente de billets MÁV est à l'angle de la rue.

Le **Divatcsarnok** au n°39, le grand magasin le plus élégant de la ville quand il a ouvert sous le nom de Grand Parisien en 1911, n'est plus qu'un grand magasin comme les autres à l'exception de son **salon Lotz** entre le premier et le deuxième étages. La pièce ruisselante d'or, de fresques et de lustres a été curieusement dévolue au mobilier de jardin.

Le boulevard circulaire coupe Andrássy út à l'**Oktagon**, carrefour animé, plein de fast-foods, de commerces et de marchands de camelote ambulants. Teréz körút file vers le nord-ouest (où nous ferons une brève incursion) et se prolonge durant un pâté de maisons au sud-est avant de devenir Erzsébet körút. Encore récemment, tous deux s'appelaient Lenin körút comme en témoignent quelques plaques barrées de rouge. Ce changement d'appellation a chamboulé le système de numérotation et les gens du quartier sont sans cesse appelés à la rescousse par des passants perdus.

Ce secteur de Teréz körút ressemble beaucoup au reste du boulevard, avec de grands immeubles résidentiels agrémentés de jolies cours (comme celle du n°33). La petite boutique Butterfly, Teréz körút 20 (et *pas* celle d'à côté appelée Vajassütemény) fait les meilleures glaces de Budapest après le glacier signalé dans la ville Intérieure.

Au-delà de l'Oktagon, Andrássy út est entouré d'immeubles très imposants abritant des institutions comme le **théâtre national de marionnettes** (n°69),

l'**académie des Beaux-Arts** (n°71) et le siège de **MÁV** (n°s 73-75). Des souvenirs douloureux s'attachent à l'ancien **siège de la police secrète** (n°60). C'est ici que les activistes des deux bords furent interrogés et torturés, avant et après la guerre. La plaque à l'extérieur rappelle en outre que "nous ne pouvons oublier l'horreur de la terreur, et le souvenir des victimes ne s'effacera jamais."

Revenez à des choses plus frivoles et plus douces autour d'un gâteau et d'un thé, chez **Lukács** (n°70). Vente à emporter par la vilaine entrée 1930, mais montez à la mezzanine pour admirer la splendeur baroque.

Le **musée Ferenc Liszt** est en face (entrée au VI Vörösmarty utca 35). Le compositeur a vécu dans l'appartement au premier étage de 1879 à sa mort en 1886. Les quatre pièces sont remplies de ses pianos (dont un tout petit en verre), de ses portraits et effets personnels. Grâce au voisinage de l'**ancienne académie de Musique,** vous êtes certain de bénéficier d'un accompagnement musical durant la visite. Le musée est ouvert en semaine jusqu'à 18h et le samedi jusqu'à 17h.

A partir d'ici, les sites figurent sur la carte Bois-de-la-Ville.

La place suivante, Kodály körönd, est l'une des plus belles de la capitale en dépit du mauvais état des quatre hôtels particuliers néo-Renaissance, surtout l'ancienne demeure du compositeur Zoltán Kodály au n°1. Juste après la place, VI Andrássy út 98, s'élève le **palais Palavicini** où résidait la famille pro-fasciste qui possédait la quasi-totalité de la ville de Szilvásvárad dans le massif de Bükk.

Le dernier segment d'Andrássy út et le quartier avoisinant fourmille de vieux hôtels particuliers où se trouvent maintenant des ambassades, des ministères, des partis politiques et des sociétés multinationales. Jetez un coup d'œil à celui du VI Lendvay utca 28. C'est le siège du FIDESZ, le dynamique parti des jeunes réformateurs qui pourrait bien diriger un jour un gouvernement.

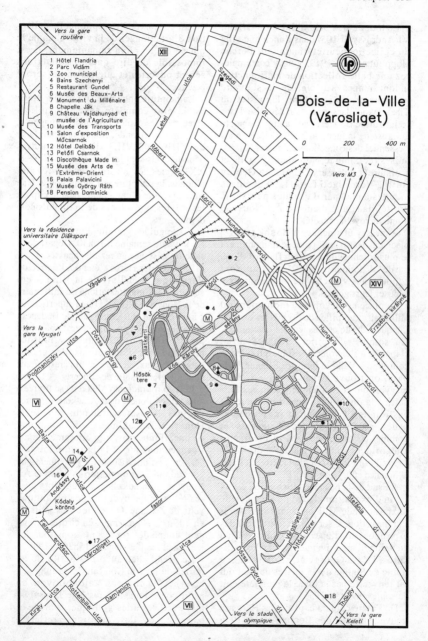

Bois-de-la-Ville
(Városliget)

0   200   400 m

1 Hôtel Flandria
2 Parc Vidám
3 Zoo municipal
4 Bains Szechenyi
5 Restaurant Gundel
6 Musée des Beaux-Arts
7 Monument du Millénaire
8 Chapelle Ják
9 Château Vajdahunyad et
  musée de l'Agriculture
10 Musée des Transports
11 Salon d'exposition
   Mücsarnok
12 Hôtel Delibáb
13 Petöfi Csarnok
14 Discothèque Made In
15 Musée des Arts de
   l'Extrème-Orient
16 Palais Palavicini
17 Musée György Ráth
18 Pension Dominick

Le **musée des arts d'Extrême-Orient**, VI Andrássy út 103, dans l'ancienne villa du collectionneur et bienfaiteur Ferenc Hopp fut créé en 1919. Vous y contemplerez une belle collection de marionnettes indonésiennes *wayang*, de la statuaire indienne et des sculptures lamaïstes du Tibet, le tout dans un certain désordre. Dans le jardin de derrière, se cache une porte chinoise de la lune, du XVIIIe siècle, mais l'essentiel des collections chinoises et japonaises (céramique, porcelaine, textile et sculpture) est conservé au **musée György Ráth** à Városligeti fasor 12, à quelques minutes à pied par Bajza utca puis sur la droite, dans une demeure Art Nouveau d'une incroyable beauté.

Andrássy út s'achève à **Hősök tere** (la place des Héros) qui possède le monument le plus solennel de la nation flanqué d'une garde d'honneur. C'est ici que sont conduits les visiteurs de marque pour y déposer leurs gerbes.

La place est dévolue au **monument du Millénaire**, un pilier de 36 mètres de haut flanqué à droite et à gauche de colonnades. Au sommet du pilier, l'ange Gabriel s'apprête à s'envoler. C'est lui qui offrit la couronne à Vajk, le futur roi Étienne. A la base, on trouve Árpád et les six chefs magyars qui occupèrent le bassin des Carpates à la fin du IXe siècle. Les statues et bas-reliefs à l'intérieur et sur les colonnades représentent des dirigeants et hommes d'État. En haut, les quatre figures allégoriques sont, de gauche à droite, le Travail et le Bien-être, la Guerre, la Paix, la Science et la Gloire.

Au sud de la place, le **Műcsarnok** est un salon d'exposition datant de l'époque de l'exposition du Millénaire en 1896. Après sa rénovation, il servira de nouveau à des expositions artistiques temporaires. Au sud du salon, dans l'avenue des défilés militaires, Dózsa György út, se dressait une statue de Staline de 25 mètres de haut qui fut renversée par la foule la première nuit du soulèvement de 1956.

De l'autre côté de la place des Héros se trouve le **musée des Beaux-Arts** de 1906 où est conservée l'exceptionnelle collection d'art étranger de la ville. Comme le musée est en plein remaniement, il est impossible de dire quelles collections seront ouvertes et quelles salles seront éclairées.

La peinture ancienne au premier étage est la plus complète avec ses milliers d'œuvres des écoles flamande, espagnole, italienne, allemande, française et anglaise du XIIIe au XVIIIe siècle. Les autres départements sont les peintures du XIXe et XXe siècles, les aquarelles et œuvres graphiques, la sculpture et l'égyptologie. Une salle nouvelle d'une grande beauté expose les œuvres symbolistes de la fin du siècle dernier.

Visite guidée gratuite d'une heure tous les jours de semaine à 10h30. Départ de la salle Renaissance au rez-de-chaussée.

La place des Héros s'étend à l'entrée du **Városliget** – le Bois-de-la-Ville – qui accueillit les manifestations du millénaire de la Hongrie en 1896. D'une superficie de 1 km^2, c'est le plus grand parc de Budapest, mais ne comptez pas effectuer de paisibles promenades sous les ombrages. Profitez plutôt du parc d'attractions, des grands bains thermaux, de deux ou trois restaurants et d'une grande salle de concert.

Le **zoo municipal** (Állatkert) se trouve à 5 minutes à l'ouest dans Állatkerti út, après **Gundel** (le restaurant le plus célèbre de Hongrie). Les animaux sont nombreux (félins, rhinocéros, hippopotames) mais l'espace manque et la propreté laisse à désirer. Certains visiteurs n'y viennent que pour admirer les **ménageries** de style Art Nouveau, comme celle des **éléphants** avec ses têtes de pachydermes en céramique verte de Zsolnay. Ouvert tous les jours de 9h à 17h30. A proximité, un **cirque** permanent donne des représentations tous les jours sauf lundi et mardi à 15h30 et 19h30.

Le grand château sur la petite île au milieu du lac (où l'on fait du patinage en hiver) est le **château Vajdahunyad**, en partie copié d'une forteresse de Transylvanie, avec des ailes gothique, romane et baroque, et des additions reflétant l'ensemble des styles architecturaux de la Hongrie. Le château fut d'abord monté en toile pour l'exposition du Millénaire mais son succès fut tel qu'on demanda à l'architecte de le bâtir en pierre.

La petite église sur la gauche est dite **chapelle Ják**, mais seul son portail est copié de l'abbatiale de Ják du XIIIe siècle, en Transdanubie Occidentale. Comme l'original sera recouvert pour cause de travaux jusqu'en 1996, examinez bien celle-ci. L'étonnante aile baroque, incorporant des motifs provenant de châteaux de tout le pays abrite aujourd'hui le **musée de l'Agriculture**, gratuit le mardi. Pour tout savoir sur la culture fruitière, les céréales, la laine et les volailles.

La statue d'un moine encapuchonné au sud de la chapelle Ják est celle d'**Anonymus**, le chroniqueur sans nom de la cour du roi Béla III qui rédigea une histoire des premiers Magyars. Les écrivains (vrais et supposés) viennent toucher sa plume pour trouver l'inspiration. Au sud du musée de l'Agriculture, la **statue de George Washington** fut offerte en 1906 par des Américains d'origine hongroise.

La "pâtisserie" géante qui se dresse au nord-est du lac sont les **bains Széchenyi** (XIV Állatkerti út 11) dotés de bassins couverts et découverts, ouverts toute l'année. Ils sortent de l'ordinaire pour trois raisons : leur taille immense ; leur aspect propre et étincelant ; et la température des eaux qui est réellement celle annoncée sur les écriteaux. A l'est des bains, s'étend le **parc Vidám**, une vilaine petite fête foraine avec des montagnes russes bringuebalantes, une grande roue et un palais enchanté où l'on imaginerait bien le tournage d'un film du genre "Meurtre à Luna Park". La plupart des attractions sont ouvertes d'avril à septembre seulement.

Certes il n'est pas plébiscité par le public, mais le **musée des Transports**, XIV Városligeti körút 11, est un des plus délectables de Budapest et fera la joie des enfants. Dans une aile ancienne et une aile nouvelle on admirera des maquettes à l'échelle de trains d'autrefois (dont cer-

taines roulent), les classiques de l'automobile du début du siècle, et quantités de vieux vélocipèdes en bois. On peut toucher et le personnel fait des démonstrations. A l'extérieur on a disposé des débris des ponts du Danube récupérés après les bombardements de la dernière guerre.

La **section du Voyage dans l'air et l'espace** est installée dans le **Petőfi Csarnok**, une grande salle à proximité au XIV Zichy Mihály utca 14, plus connue comme salle de concerts rock (voir la rubrique *Distractions*). Section ouverte de mai à octobre seulement.

Les rues entourant l'angle sud-est du Bois-de-la-Ville comportent de nombreux immeubles et ambassades fastueux, comme dans **Stefánia út** (Institut de géologie au n°14) ou, plus proche du parc, dans Hermina utca, le chef-d'œuvre Art Nouveau au n°49, actuel Institut des aveugles.

De l'Oktagon à Blaha Lujza tér

Le boulevard circulaire reliant ces deux grandes places animées coupe le 7e arrondissement (appelé Erzsébetváros ou ville Élisabeth) en deux. Le côté est est un quartier assez pauvre présentant peu d'intérêt pour les visiteurs qui n'y trouveront que la gare Keleti sur Baross tér. Le côté ouest délimité par le petit boulevard circulaire a toujours été habité en majorité par des juifs. C'est ici que les nazis en 1944 isolèrent un ghetto où les juifs étaient regroupés et cloîtrés derrière des barrières en bois, puis déportés ou massacrés. D'un million avant la guerre, leur nombre est tombé à 80 000.

Les sites suivants sont localisés sur la carte Centre de Pest.

Votre point de départ, l'Oktagon, est sur la ligne jaune du métro venant de Deák tér et du Bois-de-la-Ville. On y accède aussi par les trams 4 et 6 depuis Buda et Pest, et par le bus 1 depuis Buda.

L'**académie Liszt de musique** se trouve à un pâté de maisons de l'Oktagon et du **musée du Timbre**, au VII Hársfa utca 47 à l'est. L'académie, datant de 1907, attire des étudiants du monde entier et organise des concerts de grande qualité. L'intérieur richement décoré de porcelaine de Zsolnay et de fresques mérite le coup d'œil même si vous n'allez pas au concert. Mais il y a toujours quelque chose à entendre pour un prix très raisonnable. Le guichet de vente des billets est au bout de la grande salle par l'entrée de Király utca.

Si vous remontez Király utca vers l'ouest, vous passerez devant une belle maison néogothique (n°47) de 1847, et dans le pâté de maisons suivant devant l'**église Sainte-Thérèse** (1811) dotée d'un autel et d'un lustre néoclassiques imposants. Klauzál tér, le cœur du quartier juif, se trouve deux ou trois rues plus au sud.

La place et les rues adjacentes sont encore imprégnées de l'atmosphère d'avant-guerre, mais les rénovations vont bon train. Les signes de la présence juive sont bien visibles : une boutique vendant des produits israéliens au n°12, une boulangerie cachère, Kazinczy utca 21, un boucher, Dob utca 35, et le miséreux café-pâtisserie Frölich au n°22 où l'on trouvera les vieilles spécialités juives comme le *flódni* et le *kindli*.

Il existe une demi-douzaine de synagogues et de maisons de prières autrefois dévolues aux conservateurs, aux orthodoxes, aux Polonais, aux Sépharades, etc, et le seul **mikvah** (bains rituels) du pays se trouve VII Kazinczy utca 16. La **synagogue orthodoxe**, VII Kazinczy utca 29-31 (ou Dob utca 35) a été récemment ravalée et la **synagogue des conservateurs**, de style mauresque (1872), VII Rumbach Sebestyén utca 11, doit subir le même sort. Mais aucune n'est comparable à la **Grande Synagogue**, VII Dohány utca 2-8, la plus grande du monde en dehors de New York. Bâtie en 1859 dans le style romantico-mauresque et couverte d'une coupole en cuivre, elle est en rénovation depuis 1988, grâce à des fonds du gouvernement hongrois et d'une association caritative new-yorkaise. On peut entrer dans cet espace majestueux (un don est requis) mais vous ne verrez pas grand-chose à cause des échafaudages.

Le **musée Juif** se trouve dans l'annexe sur la gauche, à côté d'une plaque rappelant que Theodor Herzl, le père du sionisme moderne, est né dans cette maison en 1860. Les quatre pièces du musée renferment des objets ayant trait à sa vie quotidienne et religieuse, et un intéressant livre manuscrit de la Société funéraire locale au XVIIIe siècle. La dernière pièce, sombre et lugubre, retrace les événements de 1944-1945 notamment l'horrible massacre dans un hôpital (médecins et malades) de Maros utca. Le musée est ouvert lundi et jeudi de 14h à 18h et mardi, mercredi, vendredi et dimanche de 10h à 13h.

Le **mémorial de l'Holocauste** (Imre Varga, 1989) contre la synagogue côté Wesselényi utca se dresse au-dessus des fosses où furent ensevelies les victimes des nazis en 1944-1945. Sur les feuilles des arbres métalliques sont inscrits quelque 600 000 noms. A proximité, Dob utca 12, se dresse un **monument contre le fascisme** montrant un ange dans les airs envoyant une pièce de drap doré à une victime.

Le **musée de l'Électrotechnologie**, VII Kazinczy utca 21, contrairement à ce qu'on pourrait penser, est suffisamment original pour justifier une visite. La collection de compteurs, une des plus riches du monde n'est pas très exaltante en dépit d'une pièce qui fut installée dans l'appartement de 'Rákosi Mátyás elvtárs' (le camarade Mátyás Rákosi), secrétaire du Parti communiste, pour son soixantième anniversaire en 1952.

Le personnel vous montrera également comment fonctionnait le système d'alarme de la ligne barbelée séparant la Hongrie de l'Autriche. (Apparemment les vents violents déclenchaient des alarmes dans tout le système, et on l'éteignait, ce qui laissait le temps aux personnes dans la confidence de se précipiter à la frontière.) On montre également les nids que les agents de la compagnie électrique construisent gracieusement aux cigognes pour éviter qu'elles ne s'électrocutent. Musée ouvert de 11h à 17h du mardi au samedi.

Rákóczi út, une vivante artère commerçante, débouche sur Blaha Lujza tér portant le nom d'une grande actrice du début du siècle, et où se situait le **Théâtre national** jusqu'en 1964. Le passage sous la place est l'un des plus colorés de la ville, avec ses marchands ambulants, ses paysans vendant leurs produits, ses adeptes de la secte Moon et, naturellement, ses pickpockets. La **chapelle Saint-Rókus** du XVIIIe siècle, Rákóczi út 27/a, est un havre de fraîcheur et de silence.

Au nord de Blaha Lujza tér, à Erzsébet körút 9-11, on trouvera le **palais de New York** et le fameux **café New-York** où se tinrent maintes réunions littéraires au fil des ans. Extasiez-vous devant cette splendeur en sirotant un café ; on ne trouvera pas décor plus chargé. Ouvert jusqu'à 22h.

L'autre opéra de la ville, le **théâtre Erkel**, est au VIII Körztársaság tér, au sud-est de ce tronçon de Rákóczi út (voir carte Budapest). De l'extérieur on ne se douterait jamais qu'il date de 1911. L'immeuble aux nos26-27 est l'ancien **siège du Parti communiste** où, le 30 octobre 1956, des membres de la police secrète furent délogés et abattus par les manifestants.

Rákóczi út se termine à Baross tér et à la **gare Keleti**, datant de 1884 et rénovée un siècle plus tard. A 500 mètres au sud, dans Fiumei út, s'ouvre l'entrée du cimetière Kerepesi, le Père-Lachaise de Budapest). Le fleuriste en face de l'entrée vend des plans, mais vous pouvez partir vous-même à la découverte des tombes des hommes et des femmes courageux et/ou créateurs dont les noms sont maintenant portés par des rues, des places et des ponts.

Certains mausolées sont dignes d'un pharaon, surtout ceux des hommes d'État et héros nationaux comme Lajos Kossuth, Ferenc Deák et Lajos Batthyány ; d'autres sont émouvants (Lujza Blaha, Endre Ady). La parcelle 21 est réservée aux nombreuses victimes de 1956. Près du gigantesque mausolée des dignitaires du Parti, couronné de l'inscription "J'ai vécu pour le communisme, pour le peuple", on verra la tombe toute simple de János Kádár, mort en 1989,

et de sa femme Mária Tamáska. Elle est toujours visitée, nettoyée et décorée.

Si vous aimez les nécropoles, poussez jusqu'au **Új Köztemető** par le bus 95 depuis Baross tér ou par le tram 28 depuis Blaha Lujza tér. Ce ne serait qu'un autre vaste cimetière si Imre Nagy, Premier ministre en 1956, et 2 000 autres, n'y avaient été enterrés dans les tombes sans inscriptions (parcelles 300-301) après avoir été exécutés à la fin des années 40 et 50.

Aujourd'hui, ce secteur est devenu un **Panthéon national** émouvant, où il est stipulé que l'"on ne peut franchir la porte qu'avec une âme hongroise". Les poteaux à encoches de style transylvanien signalent les tombes de quelques victimes. Le secteur est à une demi-heure de marche de l'entrée, mais un minibus fait constamment la navette. A pied, prenez vers l'est par la route principale jusqu'au bout (bâtiment jaune) puis tournez vers le nord. Quelques pancartes indiquent "300, 301 parcela" mais pas en nombre suffisant, soyez vigilant.

De Blaha Lujza tér au pont Petőfi

A partir de Blaha Lujza tér, le grand boulevard circulaire traverse le 8e arr., également appelé Józsefváros, ou ville Joseph. D'un beau quartier XIXe siècle aux abords du petit boulevard circulaire, la partie occidentale se transforme peu à peu en vaste quartier estudiantin. La partie est semble beaucoup plus négligée. Des entrées dégradées donnent accès à des cours inquiétantes où toute trace de confort bourgeois a disparu.

Rákóczi tér, la seule place digne de ce nom du boulevard circulaire, est un point de départ aussi bon qu'un autre. C'est le site du bourdonnant **marché de ville Joseph**, érigé en 1897 et récemment rénové à la suite d'un incendie. La place est aussi le QG officieux des prostituées de bas étage qui racolent en hongrois et en allemand dès 8h du matin. Sex-show et bars à entraîneuses bordent József körút et Ferenc körút au sud.

De l'autre côté du boulevard, Bródy Sándor utca traverse Gutenberg tér (bel immeuble Art Nouveau au n°4) en direction du vieil **immeuble de la Radio hongroise** au n°7 où les premiers tirs éclatèrent en octobre 1956. Ensuite, VIII Múzeum körút 14-16, vient le **Musée national**, le plus grand musée du pays.

Dessiné par Mihály Pollack, il fut le théâtre un an après son ouverture en 1847 d'un événement capital (qui, comme toujours, ne fut pas reconnu comme tel sur le moment). Le 15 mars une foule s'assembla pour écouter Sándor Petőfi déclamer son poème *Nemzeti Dal* (le Chant national), prélude à la révolution de 1848-49.

Le Musée national renferme l'objet le plus adulé du pays : la **couronne de saint Étienne**. Il n'est pas certain que le roi ait réellement porté cette couronne-ci, avec sa croix incurvée caractéristique, qui daterait du début du XIIIe siècle et serait donc l'une des plus vieilles du monde. Elle est devenue le symbole de la nation. Les fascistes hongrois l'emportèrent en Autriche en 1945 et on la retrouva ensuite entre les mains des Américains qui l'entreposèrent à Fort Knox. Elle fut solennellement rendue au pays en 1978. Les jugements ayant toujours été rendu "au nom de la couronne de saint Étienne" elle fut considérée comme un symbole vivant qui avait été "kidnappé".

La couronne, l'épée de cérémonie, l'orbe et le plus ancien des joyaux de la couronne, le sceptre du Xe siècle avec sa boule de cristal, sont exposés dans une salle obscure sur la gauche en entrant dans le musée. Dans une autre vitrine, vous verrez le manteau du couronnement en soie rouge, cousu par des nonnes de Veszprém en 1031. Les coffrets en argent servirent à transporter les insignes pour les couronnements de François-Joseph en 1867 et du dernier Habsbourg, Charles IV, en 1916.

Les autres salles du rez-de-chaussée sont consacrées à l'histoire du bassin des Carpates depuis les temps les plus reculés et (en haut) à l'histoire du peuple magyar jusqu'en 1849. De cet ensemble très complet (16 salles) et épuisant, on retiendra la reconstitution d'une villa romaine de Pannonie du IIIe siècle (salle VII) et dans la salle suivante, l'orfèvrerie d'un trésor d'avant la conquête. Au premier étage, ne ratez pas l'autre trésor plus tardif (avec la couronne Monomaque du XIe siècle), la tente turque et le banc du XVIe siècle provenant de l'église de Nyírbátor (salle III), l'étonnante bibliothèque baroque (salle V) et le piano Broadwood de Beethoven qui fit le tour des capitales du monde en 1992 (salle suivante). Le Salon décoratif (Dísz Terem) du deuxième étage est réservé à des expositions temporaires. Au rez-de-chaussée, au pied de l'escalier, s'étale une énorme mosaïque romaine du IIIe siècle provenant de Balácapuszta près de Veszprém.

Trois commentaires enregistrés d'une demi-heure, en anglais, sont disponibles pour 120 Ft. Vous apprécierez aussi les **jardins** de 1856. La colonne à gauche de l'entrée du musée provient du Forum romain. Jetez un coup d'œil aux hôtels particuliers et édifices publics de Pollack Mihály tér derrière le musée, et à la grille blanche en fer forgé, au centre.

Vous pouvez revenir sur le grand boulevard circulaire par n'importe quelle petite rue. Si vous prenez Baross utca vers l'est depuis Kálvin tér, arrêtez-vous à la **bibliothèque Ervin-Szabó** de 1887 pour découvrir ses ornements de gypse, ses entrelacs de dorure défraîchie et ses lustres gigantesques.

Plus à l'est, de l'autre côté du boulevard, l'**église Saint-Joseph** de 1798 se dresse sur Horváthy Mihály tér. Le vieil immeuble du **central téléphonique** est beaucoup plus intéressant avec ses reliefs (1910) de figures antiques manipulant la dernière invention moderne. Le **cinéma Corvin** de style Art Déco se trouve à l'extrémité sud de Kisfaludy utca au milieu d'une place entourée de maisons style Regency.

Tout droit à l'ouest, IX Üllői út 33-37, on arrive au **musée des Arts appliqués** qui, lors de sa création en 1864, s'inspira du Victoria et Albert de Londres. L'édifice d'Ödön Lechner, décoré de carreaux de céramique de Zsolnay, fut achevé pour l'exposition du Millénaire. Il fut durement éprouvé par la guerre et la révolution de

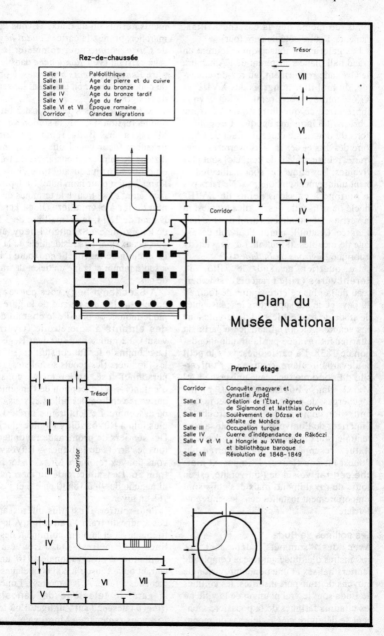

Rez-de-chaussée

Salle I	Paléolithique
Salle II	Age de pierre et du cuivre
Salle III	Age du bronze
Salle IV	Age du bronze tardif
Salle V	Age du fer
Salle VI et VII	Époque romaine
Corridor	Grandes Migrations

Plan du Musée National

Premier étage

Corridor	Conquête magyare et dynastie Árpád
Salle I	Création de l'État, règnes de Sigismond et Matthias Corvin
Salle II	Soulèvement de Dózsa et défaite de Mohács
Salle III	Occupation turque
Salle IV	Guerre d'indépendance de Rákóczi
Salle V et VI	La Hongrie au XVIIIe siècle et bibliothèque baroque
Salle VII	Révolution de 1848-1849

1956 (de même que la caserne Killián, jaune, de l'autre côté du carrefour).

Les galeries du musée qui entourent un grand hall blanc s'inspirant de l'Alhambra de Grenade renferment, au rez-de-chaussée, du mobilier hongrois des XVIIIe et XIXe siècles. Au premier étage, vous apprendrez ce que le reste de l'Europe fabriquait à la même époque. Les collections du deuxième étage, traitant de l'histoire des arts et des métiers (verrerie, orfèvrerie, reliure, travail du cuir, etc) sont plus vivantes. Les étiquettes sont malheureusement uniquement en hongrois. Ne ratez pas le plafond à caissons peints du XVIIIe siècle dans la salle des vieilles presses, ni la verrière zénithale en vitrail dans le hall d'entrée. Gratuit le mardi. Pour voir davantage de meubles, il faut aller à Nagytétény (rubrique *Environs de Budapest*).

Le quartier au sud de Üllői út, **Ferencváros** (ville Francois) est le berceau de la plus célèbre équipe de football du pays et de ses supporters les plus agités (le stade de foot est le seul de la ville à ne pas vendre d'alcool). La majeure partie du quartier fut ravagée par la grande inondation de 1838. La partie ouest vers le petit boulevard circulaire, centrée sur l'**université d'Économie** (ancienne université Karl Marx) dans Fővám tér, est pleine d'auberges, de petits night-clubs et restaurants bon marché. Faites un crochet à l'intérieur de l'université pour voir sa cour centrale, son toit en verre et l'une des rares statues rescapées de Marx (entrée par l'ouest face au fleuve). L'imposant **marché central**, voisin de l'université, est en cours de ravalement, mais des étals sont temporairement installés dans les entrepôts derrière.

Les collines de Buda

Avec des "sommets" dépassant les 500 mètres d'altitude, un réseau complet de sentiers balisés et une bonne provision de moyens de transport insolites, les collines de Buda sont le vrai poumon de la ville où les citadins fatigués de la poussière viennent se détendre en été. Ici, pas de monu-

ments hormis un ou deux. Si vous voulez marcher, prenez la carte *A budai hegység* de *Cartographia* pour compléter le balisage existant (voir *Randonnée* dans le chapitre *Renseignements pratiques*, à propos du code de couleur en usage sur les sentiers de Hongrie).

Le trajet pour s'y rendre est à lui seul une récréation. Depuis la station de Métro Moszkva tér à Buda, remontez Szilágyi Erzsébet fasor vers l'ouest pendant une dizaine de minutes (deux arrêts du tram 18 ou du bus 56) jusqu'au "tube de rouge à lèvres" qui a pour nom hôtel Budapest. En face, au n°18 se trouve le terminus du **chemin de fer à crémaillère** (Fogaskerekű). Datant de 1874, la crémaillère de 3,5 km de long grimpe à **Széchenyi-hegy**, un des plus beaux quartiers résidentiels de la ville. Le chemin de fer fonctionne toute l'année jusqu'à minuit et coûte un ticket de tram ou de bus.

A **Széchenyi-hegy** vous pouvez faire halte dans le parc au sud de la gare pour pique-niquer, ou prendre le **chemin de fer des enfants** à voie étroite (Gyermekvasút), à 2 minutes au sud dans Rege utca. Le chemin de fer fut constuit en 1951 par les Pionniers (les scouts socialistes) et son personnel est entièrement constitué d'enfants – à l'exception de l'ingénieur – qui vous vendront les billets et vous diront où descendre. Le petit train s'arrête 12 km plus loin à **Hűvösvölgy** (Vallée glaciale). Des sentiers de promenade rayonnent de tous les arrêts de la ligne. A Hűvösvölgy vous pouvez rejoindre Moszkva tér par le tram 56. Le train circule du mercredi au dimanche de 9h à 18h30 en été et jusqu'à 16h en hiver.

Pour rentrer, il est plus intéressant de descendre du train à **Jánoshegy**, le quatrième arrêt et le point culminant des collines (527 mètres). On y trouvera une vieille tour d'observation de 1910, un restaurant ouvert jusqu'à 20h et quelques promenades à faire. A 700 mètres à l'ouest de la gare, le **télésiège de Jánoshegy** (*libegő*) descend sur Zugliget d'où le bus 158 vous ramènera à Moszkva tér, tandis que le week-end, le bus 190 revient à Széchenyi-hegy. Le télésiège fonctionne de 9h à 16h de mi-septembre à mi-mai, et s'arrête une heure plus tard en été. Il coûte 60 Ft aller simple, 100 Ft aller-retour.

Hármashatár-hegy (la colline des Trois Frontières) est moins fréquentée même en pleine saison et le cadre est tout aussi beau pour pique-niquer, marcher ou regarder décoller les planeurs. La vue panoramique vaut à elle seule le déplacement. Au sommet on trouvera une auberge de jeunesse avec un büfé, et un joli restaurant avec une grande terrasse. On y accède par le bus 86 longeant le fleuve à Buda jusqu'à Kolosy tér d'où partent les bus 65 et 65/a. Le 65 vous conduira au sommet ; le 65/a s'arrête au restaurant Fenyőgyöngy dans Szépvölgyi út, en bas.

En revenant par le 65 ou le 65/a, vous pourriez vous arrêter à la **grotte de Pálvölgy**, II Szépvölgyi út 162 (descendre à Szikla utca). Célèbre pour ses stalactites et ses chauves-souris, la grotte est la troisième de Hongrie pour sa longueur, mais les visiteurs n'en verront que 500 mètres sous la conduite d'un guide ; 50 Ft, départ toutes les heures. Ouvert de janvier à octobre tous les jours sauf le lundi, de 9h à 16h.

La grotte de **Szemlő-hegy** à 1 km au sud-est de Pálvölgyi (carte au guichet des billets montrant le chemin) est plus belle avec ses stalactites, stalagmites et concrétions étranges évoquant des grappes de raisin. Pour y accéder depuis Kolosy tér, prenez le bus 29. Mêmes conditions d'accès que la grotte précédente, mais elle ferme le mardi.

La seule autre attraction des environs est la **maison commémorative Béla Bartók**, II Csalán út 29, également sur la ligne du bus 29 (voir carte Óbuda et île Marguerite). Le compositeur y vécut de 1932 à 1940 avant d'émigrer aux États-Unis. La maison renferme des objets liés à sa vie et à son œuvre comme le vieux magnétophone Edison (avec ses cylindres de cire) dont il se servit pour enregistrer la musique folklorique hongroise de Transylvanie, ainsi que des meubles et des objets qu'il collectionna. Des concerts ont lieu dans le salon de musique, la plupart des vendredis à 18h, et dehors dans le jardin, en été.

LISTE DES MUSÉES

Agriculture
Château de Vajdahunyad,
XIV Bois-de-la-Ville
Aquincum
III Szentendrei út 139
Arts appliqués
IX Üllői út 33-37
Art ecclésiastique
Église Mathias, I Szentháromság tér
Arts de l'Extrême-Orient
VI Andrássy út 103
Bains
III Flórián tér, souterrain
Beaux-Arts
XIV Hősök tere
Camp romain
III Pacsirtamező utca 63
Catacombes du Château
I Úri utca 9
Château de Nagytétény
XXII Csókási Pál utca 9-11
Collection Zsigmond Kun
III Fő tér 4
Électrotechnologie
VII Kazinczy utca 21
Ethnographie
V Kossuth tér 12
Fonderie
II Bem József utca 20
Galerie de Budapest (expositions temporaires)
III Lajos utca 158
Galerie de Budapest (collection Imre Varga)
III Laktanya utca 7
Galerie nationale
Palais royal (ailes B-D), I Szent György tér
Histoire de Budapest
Palais royal (aile E), I Szent György tér
Histoire contemporaine
Palais royal (aile A), I Szent György tér
Histoire médicale
I Apród utca 1-3
Histoire militaire
I Tóth Árpád sétány 40
Histoire musicale
I Táncsics Mihály utca 7
Juif
VII Dohány utca 2
Kiscelli
III Kiscelli utca 108
Littérature
V Károlyi Mihály utca 16

Maison Béla Bartók
  II Csalán út 29
Maison de Ferenc (Franz) Liszt
  VI Vörösmarty utca 35
Métropolitain
  passage souterrain de Deák tér
National
  VIII Múzeum körút 14-16
Pharmacie de l'Aigle-d'Or
  I Tárnok utca 18
Poste
  VI Andrássy út 3
Ráth György (Extrême-Orient)
  VI Városligeti fasor 12
Restauration et Commerce
  I Fortuna utca 4
Synagogue médiévale
  I Táncsics Mihály utca 26
Téléphone
  I Úri utca 49
Théâtre national
  XII Stromfeld Aurél út 16
Timbre
  VII Hársfa utca 47
Tombeau de Gül Baba
  II Gül Baba utca
Transports
  XIV Városligeti körút 11
  V Széchenyi rakpart
Villa d'Hercule
  III Meggyfa utca 19-21
Victor Vasarely
  III Szentlélek tér 1
Voyage dans l'air et l'espace
  Petőfi Csarnok, XIV Zichy Mihály utca 14,
  Bois-de-la-Ville

ACTIVITÉS
Thermes

"Prendre les eaux" dans l'un des nombreux établissements thermaux est un plaisir exclusif de Budapest ; tâchez d'y aller au moins une fois. Beaucoup datent de l'époque turque, certains sont de petits bijoux Art Nouveau, et d'autres des établissements modernes impeccables.

L'entrée est généralement de 100 Ft, et vous avez le droit d'y rester 2 heures en semaine et 1 heure 30 le week-end. Toute la gamme des traitements médicaux est offerte, ainsi que des services comme massage (160 Ft) et pédicure. Spécifiez vos désirs à l'achat du billet d'entrée. La procédure à suivre pour se déshabiller est détaillée à la rubrique *Thermalisme* du cha-

pitre *Renseignements pratiques*. Ils ont parfois un air un peu désolé, mais ils sont propres et l'eau est changée en permanence. Vous pourriez toutefois par précaution porter des sandales en plastique.

Une mise au point... Certains bains deviennent des rendez-vous homosexuels les jours réservés aux hommes, surtout le Király et le Rác. Hormis la drague, il ne se passe pas grand-chose, mais les personnes non concernées pourraient se sentir mal à l'aise.

Gellért
  XI Kelenhegy út 2-6 ; hommes et femmes (secteurs séparés) : en semaine, de 6h30 à 19h, week-end, de 6h30 à 13h. 150 Ft. S'immerger dans les eaux de ce palais Art Nouveau a été comparé à un bain dans une cathédrale.
Király
  II Fő utca 84 ; hommes : lundi, mercredi, vendredi, de 6h30 à 18h ; femmes : mardi, jeudi, de 6h30 à 18h et samedi jusqu'à 12h. Les bassins datent de 1570.
Lukács
  II Frankel Leó út 25-29 ; en semaine de 6h30 à 19h ; week-end de 6h30 à 13h. Ce tentaculaire établissement du XIXe siècle possède tout ce qu'il faut, bains d'eau thermale et de boue, et piscine.
Rác
  I Hadnagy utca 8-10 ; femmes : lundi, mercredi, vendredi de 7h à 19h ; hommes : mardi, jeudi, samedi. L'extérieur du XIXe siècle recouvre un bain turc.
Rudas
  I Döbrentei tér 9 ; hommes uniquement : en semaine de 6h à 18h, samedi de 6h à 13h, dimanche de 6h à 12h. Le plus turc de tous les bains.
Széchenyi
  XIV Állatkerti út 11 ; hommes et femmes (secteurs séparés) : en semaine de 6h à 19h, week-end de 6h à 13h. Bains immenses très lumineux, inhabituels à Budapest.
Thermal
  Hôtel Thermal, XIII île Marguerite ; hommes et femmes mélangés : tous les jours de 7h à 20h. Le plus chic et le plus cher (600 Ft) de la ville.

Piscines

Budapest compte des dizaines de piscines (*úszoda*). Les piscines couvertes exigent le port d'un bonnet qu'elles louent ou vendent pour une somme modique. L'entrée

En haut : cour d'honneur du palais Esterházy, Fertőd (SF)
En bas à gauche : château de l'évêque à Győr (SF)
En bas à droite : marché sur Jurisics tér, à Kőszeg, en Transdanubie
Occidentale (HTB)

En haut à gauche : maison des Deux-Maures à Sopron (SF)
En haut à droite : flèche de l'église Saint-Michel, à Sopron (SF)
En bas à gauche : tour du Feu sur Fő tér à Sopron (SF)
En bas à droite : extérieur du sanctuaire de l'abbaye de Ják (SF)

avoisine les 100 Ft et l'on peut louer des maillots de bain et des serviettes pour 40-60 Ft plus la caution.

Le système est le même que pour les bains, sauf qu'à la place d'une cabine ou d'un box, on ne dispose parfois que d'un casier. Changez-vous et appelez le préposé qui le fermera, inscrira l'heure sur une ardoise et vous remettra une clef. Les piscines suivantes sont les meilleures de la ville.

Les piscines découvertes sont ouvertes de mai à septembre sauf mention contraire. Les adresses des piscines rattachées à des thermes sont données dans la rubrique précédente.

Árpád

III Pusztakúti út 3. Les piscines couverte et découverte sont ouvertes en semaine de 6h à 19h, samedi de 6h à 16h, dimanche de 6h à 13h. Cet établissement de 12 hectares est l'un des meilleurs. Secteur nudiste.

Gellért

Les piscines couverte et découverte, avec une machine à faire des vagues et un beau jardin, sont ouvertes tous les jours de 6h à 19h et en hiver jusqu'à 16h le dimanche. En hiver, l'entrée aux bains thermaux donne droit à la piscine. Bains de soleil nu autorisés sur la terrasse. De 200 à 300 Ft selon la saison.

Béla Komjádi

II Árpád fejedelem útja 8 (entrée dans Komjádi Béla utca). La piscine couverte est ouverte en semaine de 6h à 19h, jusqu'à 14h le week-end.

National

III île Marguerite. Piscine couverte seulement, de 6h à 18h en semaine, 6h à 12h le week-end, quand il n'y a pas de compétitions.

Palatinus

III île Marguerite. Le plus grand ensemble de bassins de la capitale, ouvert de 7h30 à 19h tous les jours pendant la saison. Terrasses séparées hommes et femmes pour les bains de soleil nu.

Római

III Rozgonyi Piroska utca 2. Les bassins découverts d'eau thermale froide sont ouverts tous les jours de 8h à 19h.

Rudas

La picine couverte est ouverte en semaine de 6h à 18h, le week-en jusqu'à 13h.

Thermal

La piscine couverte est ouverte tous les jours de 7h à 20h.

Équitation

Les possibilités offertes dans la capitale sont assez réduites. Mieux vaut attendre d'être dans la puszta ou en Transdanubie si vous voulez monter sérieusement.

A proximité de Budapest, on trouvera des écoles d'équitation à Tök à 20 km à l'ouest, centre de Patkó Csárda (☎ 23-342 224), accessible en bus depuis Széna tér à Buda ; et au Petneházy Country Club (☎ 176 5992), II Feketefej utca près de Budakeszi. Le club hippique de Budapest (BLK, ☎ 113 1349), VIII Kerepesi út 7, peut vous faire des propositions.

Bicyclette

Certains quartiers de Budapest comme les îles Marguerite, Óbuda et Csepel, ainsi que les collines de Buda sont des endroits appropriés pour faire du vélo. On trouvera des vélos à louer chez Tamás (cycles et service), I Hunyadi János út 4 ; Nella (cycles et service), V Kálmán Imre utca 23 ; et Túra Mobil, VI Nagymező utca 43.

Planeur

Les vols passagers de 5 minutes sont offerts pour 500 Ft sur la prairie de Kővár à l'ouest de Hármashatár-hegy sur les collines de Buda. Le club de vol de Budapest, V Semmelweis utca 9, en face du bureau Express, peut vous renseigner.

CIRCUITS ORGANISÉS
Visites guidées de la ville

Pour voir rapidement les monuments ou vous orienter dans la ville, un circuit en autobus n'est pas une mauvaise idée, quoique un peu cher pour ce qui est offert. Buda Tours (☎ 131 1585) organise des visites en bus au départ du parc de stationnement de Dísz tér sur la colline du Château, tous les jours à 10h30 et 13h30 (visite supplémentaire à 15h30 de mi-mai à mi-octobre). Commentaire enregistré à choisir parmi huit langues, durée 2 heures, 1100 Ft.

Cityrama Gray Line (☎ 132 5344), V Báczy István utca 1-3, offre la même chose mais ils viennent vous chercher à l'hôtel, 1 500 Ft. En hiver, départ tous les jours à 10h et 14h30, et un supplémentaire à 11h en été. Ibusz (☎ 118 1139) offre des tours à 10h, 11h et 14h au départ de Erzsébet tér près de Deák tér.

Une agence appelée Chosen Tours (☎ 122 6527) organise des tours axés plus spécialement sur les sites juifs, de mi-avril à octobre. Un tour de 3 heures 30 fait visiter les monuments importants des deux rives (1 450 Ft) et une promenade à pied fait visiter le ghetto (750 Ft).

Promenades en bateau
Plusieurs compagnies offrent des promenades sur le Danube, au départ du quai de Vigadó tér à Pest au sud du pont des Chaînes. Ibusz, par exemple, fait partir un bateau à l'heure pile de 11h à 17h, de mai à mi-septembre (700 Ft). Promenades plus longues les mercredi, vendredi et samedi à 8h30, et les lundi, vendredi et dimanche à 21h. Ceux de Mahart partent à 12h et 19h. Legenda organise des promenades en une douzaine de langues. Vous irez essentiellement du pont Petőfi au pont Árpád.

Si vous voulez seulement aller sur l'eau, vous pouvez le faire pour beaucoup moins cher en prenant le ferry à Március 15 tér au pied du pont Élisabeth, et ce jusqu'à Pünkösdfürdő utca à Csillaghegy au nord d'Óbuda si vous le désirez.

OÙ SE LOGER
Camping
Le plus grand camping est le *Római* (☎ 168 6260), III Szentendrei út 189, au nord de la ville, sur un terrain de 7 hectares en bordure du Danube. Ouvert toute l'année, pouvant accueillir 2 500 campeurs (410 Ft par personne plus 450 Ft pour la tente), le Római offre aussi 40 bungalows étriqués allant de 960 Ft à 2 240 Ft selon la catégorie. Restaurant, plein de petits buffets aux alentours, et accès gratuit à la piscine (en été seulement).

Hárshegyi (☎ 115 1482) Hárshegyi út 7, est le meilleur camping des collines de Buda. Outre des espaces pour tentes (550 Ft) et caravanes, il offre 85 bungalows. Doubles avec s.d.b. à partir de

1 100 Ft. Ouvert d'avril à octobre, accès par le bus 22 depuis Moszkva tér. A côté de l'arrêt Szépjuhászné du chemin de fer des enfants.

Les deux autres terrains des collines de Buda sont beaucoup plus petits. *Zugligeti Niche* (☎ 156 8641) Zugligeti út 101 est voisin du télésiège de Jánoshegy et le plus proche de la ville, mais le nombre de places de caravane est réduit et les plates-formes pour les tentes sont au sommet d'une pente raide. Depuis Moszkva tér (côté Csaba utca), bus 158 jusqu'au terminus. Ouvert d'avril à mi-octobre.

Tündérhegyi plus en amont au II Szilassy út 8 (pas de ☎) est encore plus petit et ne peut accueillir que 150 personnes. Deux ou trois caravanes à louer (1 200-1 500 Ft) et bungalows avec cuisine et s.d.b. à partir de 2 800 Ft la double. Ouvert toute l'année. Un büfé et deux petites piscines ouvrent en été. Depuis Moszkva tér (côté Várfok utca) prendre le bus 28.

Auberges de jeunesse et résidences d'étudiants
Beaucoup de résidences universitaires et écoles supérieures deviennent des auberges de jeunesse en juillet et août, mais très peu acceptent des hôtes payants toute l'année. Sauf mention contraire, les chambres ont un lavabo avec eau chaude et eau froide, toilettes et douches dans le couloir, pour un prix de 600/700 Ft par personne. Il y a presque toujours une cafétéria, un restaurant ou un büfé quelque part dans la résidence.

Les auberges ci-dessous sont membres de la Fédération internationale des auberges de jeunesse (FIAJ), mais rares sont celles qui demandent la carte internationale ou hongroise que l'on peut se procurer dans tous les bureaux Express pour 250 Ft. La limite d'âge pour la carte hongroise est généreusement fixée à 70 ans. Très peu accordent des réductions aux détenteurs d'une carte FIAJ, mais ça ne coûte rien de demander.

La plupart des auberges ont des casiers où entreposer vos affaires. N'oubliez pas le cadenas.

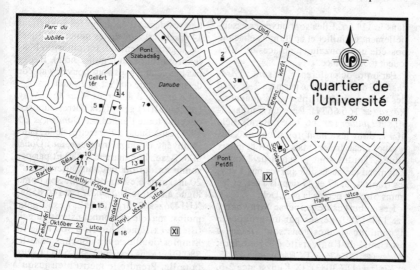

Quartier de l'Université

0   250   500 m

1   Université d'économie
2   Résidence universitaire Kinizsi
3   Résidence universitaire Ráday
4   Cooptourist
5   Résidence universitaire Landler
6   Pizzeria Marcello
7   Université de Technologie
8   Résidence universitaire Vásárhelyi
9   Résidence universitaire Bridge
10 Discothèque Night Oil
11 Express
12 Restaurant Siesta
13 Résidence universitaire Flóra Matos
14 Résidence universitaire Universitas
15 Résidence universitaire Rózsa
16 Résidence universitaire Schönherz

En été, vous n'aurez que l'embarras du choix. Des auberges s'ouvrent partout et étalent de grandes banderoles annonçant leurs adresses et leurs prix. Cherchez du côté de l'université d'Économie dans le 9ᵉ arr. ou près de l'université de Technologie sur l'autre rive à Buda (11ᵉ arr.). Pour plus de sûreté, appelez d'abord le numéro central du groupe d'auberges, ou l'auberge elle-même avant de vous présenter. S'il n'y

a plus de place, ils vous aideront à en trouver une ailleurs. De même, les bureaux Express peuvent vous aider à réserver.

De premier choix pour son cadre exceptionnel, à défaut d'un emplacement commode, l'auberge *Citadella* (☎ 166 5794) en haut du mont Gellért sur Citadella sétány, est accessible à pied depuis Szent Gellért tér ou par le bus 27 depuis Villányi út à Móricz Zsigmond körtér ; 5 dortoirs de 12 lits à 420 Ft. Si c'est complet (fort probable) vous pouvez vous rabattre sur ses 15 chambres d'hôtel, doubles, à 2 000 Ft. Évitez les 4 chambres donnant sur l'intérieur.

Une des plus grosses auberges d'été est la *Schönherz* (☎ 166 5422) de 22 étages, XI Irinyi József utca 42 à Buda, dotée d'un sauna et d'une discothèque célèbre. Tram 4 ou 6 depuis le grand boulevard circulaire à Pest ou bus 86 depuis Batthyány tér à Buda (sur la ligne rouge du métro). Avec 125 chambres à 4 lits, vous avez de la chance de trouver une place à 550 Ft par personne. Autre auberge saisonnière du voisinage, *Universitas* (☎ 181 2313) XI Irinyi József utca 9-11, avec doubles à 1 300 Ft.

Le groupe d'auberges Universum (☎ 156 8726) gère trois autres auberges dans le 11e arr. Elles sont ouvertes essentiellement en juillet et août, mais chacune possède une douzaine de places qu'elles louent toute l'année.

Par ordre de préférence, ce sont : *Vásárhelyi* (185 3794), Kruspér utca 2-4, avec des doubles et des triples avec douches ; *Rózsa* (☎ 166 6677), Bercsényi utca 28-30 ; et *Landler* (☎ 166 7305), Bartók Béla út 17, dont les chambres n'ont que des lavabos à eau froide, mais qui est le mieux située. Toutes sont proches de Móricz Zsigmond tér, accessible par les bus 1 et 7, les trams 4, 6, 47 et 49 depuis Pest, et les trams 61 et 18 depuis la gare Déli.

Les auberges de jeunesse Strawberry (☎ 111 1780) gérées par un groupe de dynamiques jeunes gens sont situées à proximité de l'université d'Économie : *Ráday* (☎ 138 4766), IX Ráday utca 43-45, et *Kinizsi* (117 3033), IX Kinizsi utca 2-6. Toutes deux ont des chambres à 3 ou 4 lits, quelques doubles avec et sans douche (780/950 Ft par personne) et sont facilement accessibles à pied depuis le grand boulevard circulaire (trams 4 et 6) et le petit boulevard circulaire (trams 47 et 49). Célèbre discothèque le samedi soir au Raday, mais le Kinizsi est plus clair, plus propre et offre des lave-linge à pièces. En été, jazz le vendredi à 20h.

Plus loin, le *Felvinci* (☎ 135 0668), II Felvinci út 6, offre 30 simples à 800 Ft en été. On y accède par le bus 11 depuis Batthyány tér. Situé dans un quartier tranquille de Rózsadomb seulement troublé par les détonations sporadiques venant du club de tir en bas de la colline.

Pour vous loger en auberge en dehors de juillet et août, essayez d'abord le *Bridge* (☎ 113 7604), IX Soroksári út 12 près du pont Petőfi à Pest. Chambres triples à 500 Ft par personne, et doubles avec douches communes à 1 100 Ft.

A Buda, l'*École Flóra Matos* (☎ 181 7171), XI Sztoczek József utca 5-7, est ouverte toute l'année. Accès par les trams 4 et 6 depuis Pest ou le bus 12 depuis Moszkva tér. Doubles à 800 Ft. Le *Komját* (☎ 166 5355), XI Rimaszombati út 2-4,

une résidence d'école professionnelle de 14 étages est à quelques minutes à l'ouest de la gare Kelenföld, terminus du bus 7 (express rouge ou régulier noir). Il n'est pas très central mais vous pouvez y accéder depuis le centre de Pest en 20 minutes.

Le groupe d'auberges More than Ways (☎ 266 6107) gère deux autres auberges ouvertes toute l'année. Le *Donáti* (☎ 201 1971) est à Buda, à 200 mètres de la station Batthyány tér du métro rouge, au I Donáti út 6. Assez bon marché – 380 Ft par personne en dortoir pouvant aller jusqu'à 20 lits, mais c'est un dépotoir. Son homologue à Pest, le *Diáksport* (☎ 140 8585), XIII Dózsa György út 152, l'est à peine moins, mais le personnel est d'une gentillesse extrême. Dortoir à 360 Ft le lit. Simples/doubles avec douches dans les 580 Ft, et sans douche à 380-540 Ft selon la taille. Prendre le métro bleu jusqu'à Dózsa György út. Il vous faut une carte des auberges.

Auberges de touristes

La chaîne Eravis (☎ 186 9320), étatique mais cherchant désespérément un repreneur privé, gère 15 "auberges d'ouvriers" attenantes ou voisines de l'un de ses hôtels de prix modérés. En général elles sont louées en bloc à des administrations comme la police qui y loge des célibataires ou des couples sans logement, mais un étage au moins est réservé aux étrangers. On loue la chambre en bloc (dans les 1 000 Ft pour 3 ou 4 lits) mais en discutant, on peut vous faire un prix pour un lit seulement (350 Ft) ou partager avec d'autres. Même confort qu'aux écoles professionnelles – lavabo dans la chambre, douches et toilettes dans le couloir – avec pour certaines accès à une cuisine et des réfrigérateurs. Globalement elles m'ont paru plus douteuses que les résidences d'étudiants et plus mal fréquentées.

A Pest, la mieux située est le *Üllői* (☎ 133 7932), VIII Üllői út 94-98, près de la station Népliget du métro bleu. Le miteux *Góliát* (☎ 149 0321), XIII Kerekes utca 12-20, se trouve à Angyalföld au nord-est de la ville Intérieure et du magnifique marché Lehel. Bus 4 depuis Deák tér ou métro bleu station Lehel où l'on change pour le tram 12 ou 14.

A Buda, le *Ventura* (☎ 181 0758), Fehérvári út 179, est accessible par le tram 47 depuis Pest, le tram 18 depuis la gare Déli ou le bus 3 depuis Móricz Zsigmond tér. Le *Eravis* (☎ 166 7276) se trouve Bartók Béla út 152, bus 7 ou tram 49 depuis Pest ou tram 19 depuis Batthyány tér.

Deux autres auberges Eravis – le *Touring* (☎ 250 3184), Pünkösdfürdő utca 38, à 10 minutes de la station HÉV Békásmegyer à Csillaghegy, et le *Kunigunda* (☎ 188 9328) Kunigunda utca 25-27, au nord d'Óbuda au terminus du bus 6 depuis la gare Nyugati – sont dans des quartiers calmes du 3e arr. mais très excentrés. Un dernier recours uniquement.

Sur Hármashatár-hegy, dans les collines de Buda, le *Percent* (☎ 188 8766) offre 7 chambres à plusieurs lits dans deux bâtiments, à 380/420 Ft. Douches dans le couloir et petit restaurant. Un peu éloigné, mais si vous voulez voir le soleil se coucher ou se lever sur les collines, vous ne trouverez pas mieux. Bus 65 depuis Kolosy tér à Buda.

Chambres d'hôtes

Même plus chères qu'en province, les chambres d'hôte sont la meilleure affaire de Budapest. Sachez exactement où elles sont situées quand vous faites affaire avec une agence ou un rabatteur qui ne manquera pas de vous aborder dans les gares. Les lotissements HLM s'étendent à l'infini.

Certaines agences exigent un séjour minimum de 3 jours, sinon ils font payer un supplément de 30%.

Beaucoup offrent aussi des studios ou des deux-pièces-cuisine à 2 000/3 500 Ft la nuit, mais vous devez y rester une ou deux semaines.

Tourinform ne s'occupe pas d'hébergement privé mais vous enverra chez *Tomatour* (☎ 153 0819), V Október 6 utca 22. Autant s'adresser directement à une grande agence où vous êtes sûr d'avoir du choix.

Budapest Tourist (☎ 118 1453), V Roosevelt tér 5, dispose du stock le plus abondant, commençant à 1 200/1 500 Ft en simple/double. Ouvert de 8h à 18h en semaine et jusqu'à 14h le samedi en été. S'il y a trop de monde, allez chez *Cooptourist* (☎ 111 8803) Kossuth Lajos tér 13-15 (à pied ou en tram 2) où l'aimable personnel vous réservera une simple à 900 Ft, une double à 1 100 Ft.

Ibusz (☎ 118 1120), V Ferenciek tere 10, offre des simples à partir de 500 Ft, des doubles à partir de 1 000 Ft, et des appartements à 2 000/3 000 Ft pour une semaine minimum. Ouvert de 8h à 17h en semaine et jusqu'à 13h le samedi. En été, il reste ouvert 2 heures de plus et de 9h à 12h le dimanche.

Une autre annexe d'*Ibusz* (☎ 118 5707), pas très loin au V Petőfi tér 3, est ouverte jour et nuit. Simples/doubles à 1 000/1 500 Ft. On peut aussi vous louer un studio meublé pour le temps que vous voulez aux *Appartements Charles* (☎ 175 4379), I Hegyalja út 23, pour 3 000/4 000 Ft, selon la saison.

Autour de la gare Keleti.
Dans la gare même à droite de l'entrée principale proche de Thököly út, *Ibusz* (☎ 142 9572) loue des chambres à 700 Ft. Ouvert en semaine jusqu'à 18h30 (20h en été) et les weekends jusqu'à 17h. Le petit bureau *Express* (☎ 142 1772) juste en face a des chambres à 1 000 Ft par personne, prend les réservations dans les auberges, et vend les cartes d'étudiant. Ouvert jusqu'à 19h tous les jours. Les chambres de l'agence arabe *Orient Tours* à l'entrée des voies, tournent autour de 800-900 Ft par personne. Ouvert tous les jours jusqu'à 22h.

A l'extérieur de la gare, Baross tér 3, *Budapest Tourist* (☎ 133 6587) peut louer des simples pour 1 300/1 500 Ft, et des doubles pour 2 000 Ft. Ouvert de 9h à 18h en semaine, et en été une heure plus tard et jusqu'à 14h le samedi.

Autour de la gare Nyugati.
Le bureau *Ibusz* (☎ 132 7557), à gauche en entrant, loue des chambres d'hôte, simples à

700/1 000 Ft et doubles à 900/1 600 Ft. S'il
y a trop de monde, descendez dans le souterrain sous la place, chez *Cooptourist*
(☎ 112 3621) ouvert jusqu'à 16h30 en
semaine et jusqu'à 13h en été. Doubles
dans le quartier, dans les 1 000 Ft.

Cooptourist a un grand bureau (☎ 111
3244), VI Bajcsy-Zsilinsky út 17, en face
de la basilique et ouvert du lundi au samedi
de 8h à 17h, jusqu'à 19h en été. Doubles à
1 200 Ft. *Dunatours* (☎ 111 5630), à la
même adresse, n'offre que des doubles à
1 500 Ft, ouvert en semaine de 8h30 à 17h.
De la gare, prendre le métro bleu pour une
station jusqu'à Arany János utca.

Autour de la gare Déli. *Ibusz* (☎ 156
3684) en bas près de l'entrée du métro
rouge, offre des doubles à 1 800 Ft en
moyenne et quelques simples. Ouvert en
semaine jusqu'à 18h30, samedi jusqu'à
15h30 et dimanche jusqu'à 13h. *Budapest
Tourist* (☎ 155 7057) de l'autre côté de
la place circulaire est un peu moins cher
avec des simples/doubles à 1 100/1 600 Ft.
Fermé en semaine à 17h et ouvert le
samedi en été jusqu'à 12h.

Si vous n'avez pas de chance à Déli,
posez vos affaires à la gare et prenez le
tram 61 jusqu'à Móricz Zsigmond tér. Les
employés aimables de *Cooptourist* (☎ 166
5349), XI Bartók Béla út 4, ont beaucoup
plus de chambres (250 environ) en stock et
offrent des simples/doubles à 900/1 500 Ft.
Ouvert jusqu'à 17h en semaine et 13h le
samedi toute l'année.

Autour de la gare routière Erzsébet.
Bureau *Ibusz* (☎ 122 6041) en face de la
gare, VII Károly körút 17-19, mais toujours bondé. Il vaut mieux descendre à son
bureau principal (☎ 121 1000) au numéro
3/c qui a rouvert récemment et ne figure
pas dans les guides, du moins pas encore.
Le service hébergement ouvert de 8h30 à
17h se trouve au premier étage et offre des
simples à 900 Ft et des doubles à 1 500 Ft.

Vous pouvez aussi aller voir chez *Cooptourist* ou chez *Dunatours* dans Bajcsy-
Zsilinszky út.

Népstadion. Pas d'agences de chambres
d'hôte dans le voisinage immédiat. Prenez
le métro rouge jusqu'à la station suivante
(gare Keleti) et consultez les agences de cet
endroit.

**Autour du quai de l'hydroglisseur
Mahart.** Marchez jusqu'au bureau Ibusz de
Ferenciek tere ou prenez le tram 2 vers le
nord jusqu'au bureau Ibusz ouvert en permanence de Petőfi tér.

Pensions
Budapest compte aujourd'hui une cinquantaine de *panzió* et elles seront bientôt aussi
nombreuses que les hôtels. La plupart sont
situées à la périphérie de Pest ou sur les
collines de Buda, emplacements peu pratiques à moins d'être motorisé. Comme
partout ailleurs en Hongrie, elles sont
l'hébergement favori des Allemands et des
Autrichiens qui aiment l'ambiance familiale et le fait que le petit déjeuner soit
inclus dans le prix. Cependant, certaines
coûtent aussi cher qu'un hôtel, mais on
trouve quelques très bonnes affaires.

A Pest et à proximité de la gare Keleti, la
pension *Dominick* (☎ 122 7655) offre
33 chambres au XIV Cházár András utca 3,
à 1 560/1 960 Ft les simples/doubles avec
douche commune. Dans une rue calme et
ombragée conduisant au Bois-de-la-Ville ;
clair et propre ; avantageux pour le prix. Le
bus 7 vous y conduira depuis la gare Keleti
ou Blah Lujza tér.

A Óbuda, un endroit confortable et très
accueillant est la petite pension *Stenczinger*
(☎ 188 9997), III San Marco utca 6 avec
5 chambres flambant neuf au deuxième
étage (3 avec s.d.b. individuelle) et jolie
cour derrière. Simples/doubles à 2 500 Ft
avec petit déjeuner. Plus au nord, la pension *Aquincum*, en brique (☎ 168 6426), au
Szentendrei út 105, est sans comparaison
du point de vue style et confort, mais
moins chère. Simples à 1 900/2 300 Ft,
doubles à 2 100/2 600 Ft. La station Köles
utca de la ligne HÉV est juste en face.

A Buda, le rose, très très rose *Papillon*
(☎ 135 0321), II Rózsahegy utca 3/b, offre

20 chambres avec s.d.b. à 3 400/4 200 Ft les simples, 4 200/5 300 Ft les doubles. Night-club louche et pizzeria attenants.

Dans les collines de Buda, la pension *Beatrix* (☎ 176 3730) II Széher út 3, offre 12 doubles avec s.d.b. à 3 200/4 800 Ft. C'est un bel endroit neuf avec un jardin, desservi par le bus 29, mais il serait plus simple d'avoir une voiture.

Hôtels

Les hôtels de Budapest parcourent toute la gamme depuis l'ancien gîte ouvrier à moins de 2 000 Ft la double aux cinq-étoiles à plus de 10 000 Ft la nuit. En général, la saison creuse va d'octobre à mars (hors vacances). En été, les prix peuvent grimper de manière vertigineuse. Le petit déjeuner est inclus presque sans exception. Si vous êtes en voiture, vous aurez du mal à stationner près des hôtels du centre de Pest.

Petits budgets. Les hôtels bon marché que l'on rencontre en province n'ont pas vraiment d'équivalents à Budapest. Sauf rares exceptions, à moins de 2 000 Ft la nuit en double vous n'aurez que des hôtels d'un confort rudimentaire et loin du centre (mais le stationnement sera facile).

Cela dit, les 15 chambres avec douche du *Citadella* (voir *Auberges de jeunesse*) sont une très bonne affaire à 2 000 Ft. Si le transport ne fait pas peur, le *Lido* (☎ 188 6865), III Nánási utca 67 à Római Fürdő, offre plus de 100 chambres dans deux immeubles miteux, dont un ouvert toute l'année. Simples à 950/1 550 Ft et doubles à 1 550/2 350 FT, avec douches communes. Directement sur le Danube dans une zone aménagée pour les vacanciers, avec sauna et tennis. Sans doute amusant en été. Bus 106 depuis Flórián tér.

Deux stations au nord sur la ligne HÉV (Békásmegyer), l'hôtel *Touring* à Csillaghegy offre 65 chambres avec lavabo et petit réfrigérateur à 1 200/1 800 Ft en simples, et 1 400/2 000 Ft en doubles. Affreux immeuble de 11 étages au milieu d'un lotissement HLM, mais tout près du Danube, d'un grand complexe aquatique (Pünkösdfürdő sur Kossuth Lajos üdölő-part) et de la pointe sud de l'île Szentendre. Restaurant, salle de billard à 10 tables et courts de tennis.

Plus près de la ville, le *Flandria* (☎ 129 6689), XIII Szegedi út 27, avec 116 chambres claires mais spartiates, est beaucoup plus pratique. Bus 4 depuis Deák tér, bus 30 depuis la gare Keleti ou trams 12 et 14 depuis la station Lehel tér sur le métro bleu. Chambres avec lavabo à 1 100/1 870 Ft en simple, 2 000/3 300 Ft en double. Agréable restaurant avec tables en jardin, et les employés sont particulièrement aimables.

Catégorie moyenne. La chaîne Eravis est ce qu'il y a de mieux dans cette catégorie. Les emplacements ne sont pas toujours idéals, mais c'est le prix à (ne pas) payer pour loger dans la capitale.

A Buda, la maison-mère *Eravis* aux 95 chambres et le *Ventura* au 58 chambres sont tous deux dans le 11e arr., voisin ou attenant aux auberges de touristes du même nom (voir *Auberges de touristes*). L'Eravis est le mieux desservi et le moins cher (simples à 2 000/3 300 Ft, doubles à 2 600/4 400 Ft toutes avec douche), mais le Ventura, refait récemment en tons de pourpre et faux Art Déco, est beaucoup plus agréable. Ses doubles standard sont immenses, et le restaurant chinois est honnête et ouvert jusqu'à 24h à côté du hall. Simples à 2 300/3 500 Ft, doubles à 3 300/5 300 Ft.

L'*Ifjúság* (☎ 115 4260), II Zivatar utca 1-3 à Rózsadomb, offre 100 chambres et n'est intéressant que hors saison ; 3 200 Ft en simple, 4 000 Ft en double, s.d.b. et petit déjeuner. Belles vues sur la ville et calme.

A Óbuda, le *Tusculanum* de 75 chambres (☎ 188 7673), Záhony utca 10, donnant dans Szentendrei út, est rempli par des groupes mais il n'est qu'à quelques centaines de mètres de la station HÉV Aquincum. Simples à 2 650/3 700 Ft, doubles à 3 350/4 350 Ft, toutes avec douche.

A Pest, l'un des plus avantageux est le *Medosz* de 70 chambres (☎ 154 1700) juste à l'ouest de l'Oktagon, VI Jókai tér 9. Les chambres (douche dans toutes) ne sont pas terribles mais intéressantes pour le prix : 2 000-2 800 Ft les simples, 3 300/4 100 Ft les doubles. Étonnamment calme compte tenu de l'emplacement, au bout d'une place ombragée. Autre endroit correct, le *Metropole* de 100 chambres (☎ 142 1175), VII Rákóczi út 58, à deux pas de Blaha Lujza tér. Simples à 2 125/3 050 Ft, doubles à 3 500/4 000 Ft, avec douches communes. Avec s.d.b. individuelle, 2 700/3 600 Ft et 3 600/5 000 Ft respectivement.

Au VIII Baross tér 10, près de la gare Keleti, le *Park* (☎ 113 5619) avec 157 chambres a connu des jours meilleurs depuis sa construction en 1914, mais il reste quelques beaux vestiges. Simples/doubles à 2 540/3 000 Ft sans s.d.b. et 3 400/4 500 Ft avec. Propre (à défaut d'être clair), accueillant et bien situé. Prenez les chambres se terminant par 01 et 02 pour avoir une vue sur la place.

Le *Délibáb* (☎ 122 8763), VI Délibáb utca 35, en face de la place des Héros et du parc. Occupant un ancien orphelinat juif, ses 34 chambres (toutes avec douche) sont à 2 850/3 100 Ft en simple et 3 700/4 000 Ft en double.

L'*Ében* (☎ 184 0677), XIV Nagy Lajos király útja 15-17, est un hôtel intime de 40 chambres tout à côté de la station Örs vezér tér sur la ligne du métro rouge. Télés câblées et douches pour 2 800/3 200 Ft en simple, 3 200/4 900 Ft en double. Doubles avec lavabo à 2 300/3 300 Ft. Le pub restaurant est l'un des meilleurs de cette catégorie.

Le *Platanus* de 150 chambres (☎ 133 6505), VIII Könyves Kálmán körút 44, près de la station de métro Népliget sur la ligne bleue, est avantageux hors saison (simples/doubles avec douche à 2 300/3 300 Ft) mais les prix doublent en été. Doubles avec lavabo à 2 300/3 600 Ft. Restaurant avec musique tzigane tous les soirs, pub ouvert toute la nuit, et salle de sport avec sauna et aérobic.

Catégorie supérieure. Pour l'emplacement et l'atmosphère, le *Kulturinnov* (☎ 155 0122) est imbattable, un hôtel de 17 chambres dans l'ancien ministère des Finances sur la colline du Château, I Szentháromság tér 6. Lustres, œuvres d'art et majestueux escalier de marbre vous accueillent à l'entrée, mais les chambres, propres et avec s.d.b. individuelle, ne sont pas à la hauteur. Simples/doubles à 3 050/4 400 Ft.

L'*Orion* (☎ 175 5418) retiré dans l'arrondissement de Tabán, I Döbrentei utca 13, est un hôtel douillet de 30 chambres, décontracté et proche du Château. A la différence des autres hôtels de sa catégorie, il offre la climatisation centrale. Simples à 3 750/5 900 Ft, doubles à 5 200/7 500 Ft.

Pour être près du Danube, vous ne trouverez pas mieux que le *Dunapart* (☎ 155 9001), un bâteau-hôtel amarré au I Alsó rakpart sur Szilágyi Dezső tér. Les 32 chambres sont naturellement petites, mais les boiseries en teck et les bronzes des espaces communs, et l'agréable restaurant du pont arrière font de cet ancien bâteau de croisières sur la mer Noire une adresse à retenir. Propriété coréenne comme le révèlent les babioles en vente à la réception. Simples à 3 700/6 350 Ft, doubles à 6 900/9 500 Ft.

A Pest, le *Nemzeti* (☎ 133 9169) avec sa façade et sa cour intérieure Art Nouveau joliment refaites est bien situé au VIII József körút 4. Ses 76 chambres (toutes avec douche ou s.d.b.) sont abordables en hiver. Simples/doubles à 2 900/4 000 Ft mais elles grimpent à 7 400/9 800 Ft en été.

Pour séjourner sur les collines de Buda, le meilleur est le *Panorama* (☎ 175 0583), XII Rege utca 21, à côté du terminus de la crémaillère sur Széchenyi-hegy. Datant du siècle dernier, cet hôtel de 3 étages avec une tour insolite est imprégné d'une atmosphère du temps jadis en dépit des rénovations qui l'ont doté de toutes les commodités. Simples à 3 350/6 600 Ft, doubles à 5 100/8 700 Ft, toutes avec s.d.b. Les 54 bungalows de 4 personnes qui entourent la piscine à l'arrière sont presque campagnards. Prix très divers commençant à 4 900 Ft en basse saison, 7 800 Ft en haute saison. Évitez les numéros 51-56 qui se trouvent sur le parking.

Le *Normafa* (☎ 156 3444), XII Eötvös út 52-54, est neuf avec 71 chambres. Mais pour l'atmosphère, ce n'est pas ça. Simples à 2 650/6 900 Ft, doubles à 3 700/9 000 Ft.

Hôtels luxueux. Les quatre grands hôtels de Budapest sont le Gellért et le Hilton à Buda, le Corvinus Kempinski à Pest et le Ramada Grand sur l'île Marguerite. Tous sont très particuliers.

Le "roi" des hôtels budapestois, le *Gellért* de 239 chambres (☎ 185 2200), Gellért tér 1, est un peu sur le déclin de nos jours, mais sa rénovation progresse lentement et certaines chambres sont maintenant très séduisantes. Ses bains thermaux sont gratuits pour les clients, le reste ne retiendra pas l'attention hormis le restaurant en terrasse côté Kelenhegyi út, ouvert en été. Les prix dépendent de l'exposition de la chambre et de la s.d.b. Compter 7 200/12 000 Ft en simple, et 16 000/19 000 Ft en double. Les chambres aux étages inférieurs face au fleuve peuvent être bruyantes.

Les 323 chambres du *Budapest Hilton* (☎ 175 0000) sont au cœur de la Vieille Ville sur la colline du Château, Hess András tér 1, et occupent avec grand soin une église du XIVe siècle et un collège baroque (il a encore ses détracteurs). Belles vues sur la ville et le Danube, et bonne cave de vins hongrois. Simples à 13 250/17 500 Ft, et doubles à 17 500/21 500 Ft selon la saison et la vue.

Le *Ramada Grand* (☎ 132 1100) sur l'île Marguerite offre 162 chambres dans l'ancien Grand Hôtel de 1873. Cossu, calme, tout confort et relié à l'établissement thermal par un passage souterrain, 10 000/13 500 Ft en simple, 12 800/15 500 Ft en double. A ces prix, vous pouvez exiger une chambre meublée en Biedermeier, un balcon et la vue sur le fleuve.

Le *Corvinus Kempinski* (☎ 266 1000), V Erzsébet tér 7-8, est l'hôtel le plus récent et le plus cher. Clientèle d'hommes d'affaires, service européen, efficacité américaine et charme hongrois. Les chambres simples à 16 500/20 700 Ft, les doubles à 20 700/25 000 Ft.

OÙ SE RESTAURER
Déjeuner
Les divers lieux de restauration cités ci-après suivent l'itinéraire des douze promenades précédentes. Vous pouvez y revenir le soir s'ils sont ouverts, mais ils sont recommandés pour un repas léger. Des restaurants "spéciaux" pour le dîner sont signalés ensuite.

N'oubliez pas que les bouchers (*hús* ou *hentes*) ont toujours un comptoir où ils servent des saucisses, des côtelettes et parfois du poulet que l'on mange debout avec du pain et des pickles. Solution économique et nourrissante. Pour faire des courses, consultez la rubrique *Achats*.

Quartier du Château. Deux *self-service* corrects sont ouverts à midi en semaine. L'un se trouve juste après le restaurant Fortuna, I Hess András tér 4. Prenez l'escalier montant du passage (Fortuna köz) au premier étage. Si vous voulez quelque chose de léger, continuez dans le passage jusqu'au centre commercial dans la cour. *Litea* est une librairie-salon de thé. Autre self-service bon marché au troisième étage de Országház utca 30.

Restaurant pratique pour le Palais royal et la Vieille Ville, le *Muskétás* est au I Dísz tér 8. Tables à l'extérieur par beau temps. Le *Fekete Holló* (Corbeau noir) Országház utca 10 est le petit restaurant le plus charmant du quartier mais vous aurez de la chance si vous y trouvez une place.

Si vous revenez vers Moszkva tér, *Mamma Rosa*, I Ostrom utca 31, offre la meilleure pizza à proximité. *Nagyi Palacsintázója*, I Hattyú utca 16 offre le plus grand choix de crêpes hongroises que vous puissiez trouver. Ouvert la nuit.

Pour la pâtisserie, rien ne vaut *Ruszwurm* autrefois apprécié des Habsbourg, I Szentháromság utca 7. Ouvert jusqu'à 19h et non fumeur.

Mont Gellért et Tabán. *Dunkin' Donuts*, XI Móricz Zsigmond körtér 16, ou *Grill Söröző*, de l'autre côté de la place au n°4 préparent du poulet grillé et un buffet de salades.

Pour un restaurant non fumeur abordable, essayez *Siesta*, restaurant méditerranéen au XI Villányi út 4, pour des spaghettis, pizzas, souvlakis et salades grecques. Décor insolite avec une fontaine.

Pour un gâteau avec un café dans le Tabán, le *Déryné*, I Kirsztina tér 3 est une *cukrászda* (pâtisserie) de quartier ouverte tous les jours jusqu'à 21h.

Près de la gare Déli, *Bánya Tanya* sert de la cuisine hongroise meilleure que l'ordinaire dans une cave, au XII Nagyenyed utca 3.

Ville-de-l'Eau. La *pizzeria salade-bar*, II Fő utca 40 sert un menu journalier à 100 Ft environ. Ouvert jusqu'à 19h.

Trombitás, II Retek utca 12 est un pub-restaurant propre et clair du côté nord de Moszkva tér. Le buffet voisin et les comptoirs à saucisses du marché Rózsadomb au bout de Dékán utca vous coûteront beaucoup moins cher.

La pizzeria *La Prima*, II Margit körút 3, attire les louanges pour des raisons que je ne m'explique pas, mais elle propose un buffet de salades et reste ouverte jusqu'au petit jour. Pour ma part, je traverserais plutôt la rue jusqu'à Frankel Leó út 12 où le *Café Gustav* sert de délicieux petits sandwichs. Rien à voir avec les habituels pains hongrois fourrés d'une fine tranche de salami.

Mon café préféré, *Angelika*, I Batthyány tér 7, est l'endroit idéal pour prendre quelque chose de sucré. Dans les salles lambrissées du fond, les "vieilles poules" (comme disent les Hongrois en parlant des clientes d'âge respectable) papotent et des couples en rendez-vous secret murmurent sous les lustres.

La foule du pub *Csarnok* à droite du marché de l'autre côté de la place est d'un tout autre genre, mais la nourriture est copieuse et pas chère.

Óbuda. *McDonald's* dans Vörösvári út quelques minutes à l'ouest de Flórián tér ; mais si vous voulez plus de couleur locale, prenez une soupe de poisson chez *Sípos Halászkert*, III Fő tér 6. Cependant, la place est beaucoup plus agréable. Le pub *Vas Macska* (l'ancre), Laktanya utca 5, sert à manger le midi, à l'intérieur ou dans une petite cour qui trouve derrière.

Don Stefano dans III Harrer Pál utca derrière l'hôtel de ville, dans Fő tér, sert des pizzas jusqu'à 21h.

Ile Marguerite. Le *Casino* en face de la piscine nationale dispose d'un restaurant économique, et le centre aquatique *Palatinus* regorge de saucisses, de poissons et de lángos, en été.

Ne négligez pas le *Bringóvár Kiosk* près du jardin japonais. On y verra une chose rare en Hongrie et ailleurs, une carte en Braille.

István körút et Bajcsy-Zsilinszky út. Quoi que vous fassiez, prenez votre repas chez *Móri*, XIII Pozsonyi út 37, à 10 minutes au nord de Szent István körút. S'il existe un restaurant servant une meilleure cuisine familiale, je n'en ai pas connaissance. Bon marché et clientèle du quartier. Attente possible avant de s'attabler. Ouvert en semaine de 10h à 20h. Pizzeria *Sziesta* ouverte la nuit au Szent István körút 10, mais pas de carte en anglais.

Autre bonne adresse pour déjeuner au nord de la ville Intérieure, le *Semiramis*, V Alkotmány utca 20, sert la cuisine moyen-oriental la plus authentique de la ville. Ouvert jusqu'à 21h tous les jours sauf le dimanche.

Plusieurs pizzerias sur Nyugati tér, mais *Don Pepe* au n°8 est la meilleure. Ouvert en permanence.

Au V Podmaniczky tér 4 du côté ouest de Bajcsy-Zsilinszky út, le *John Bull* sert de la cuisine de pub de 12h à 24h en semaine et à partir de 18h le week-end.

Ville Intérieure. Au sud de Ferenciek tere, le restaurant *Admiral* au quai des ferries

Mahart sur Belgrád rakpart n'est pas terrible question nourriture, mais une terrasse offre l'une des meilleures vues (et les moins chères) sur la ville.

Le *Cabar*, un tout petit débit de falafels israélien, V Irányi utca 25, vous laisse choisir les légumes d'accompagnement. Restauration rapide la plus intéressante du quartier et ouverture jusqu'à 24h. *Sophie Café*, V Kecskeméti út 7, tout en lumières rouges et velours, est un drôle d'endroit où prendre un verre.

Comme le grand boulevard circulaire, la ville Intérieure au nord de Ferenciek tere est bourrée de fast-food américains. Pour goûter à la version hongroise, moitié prix, la chaîne *Paprika* a ouvert deux succursales dans les parages, au V Pilvax köz 1-3 et plus au nord au V Október 6 utca 8. Ils ferment à 17h en général.

Golden Gastronomia entre Vörösmarty tér et Deák tér, au V Bécsi utca 8, est une petite épicerie ouverte la nuit servant des sandwichs moyen-orientaux, des plats végétariens et le plus grand choix de salades de la capitale. Gare à la note en additionnant les plats. Autre succursale au XIII Szent István körút 22, pas loin de la gare Nyugati.

Nord de la ville Intérieure. Un vrai régal vous attend au *Kisharang*, un minuscule étkezde, Október 6 utca 17. Ouvert jusqu'à 20h (15h30 le week-end). A la différence de ses homologues, il est propre et clair, avec de vieilles cartes, des pots de café et des assiettes au mur. Cuisine excellente et très bon marché. Carte en deux langues.

En rien comparable pour la qualité, mais pratique s'il n'y a plus de place à l'étkezde, *Aranyászok*, József nádor tér 12, est ouvert jusqu'à 22h. *Self-service* bon marché, Arany János utca 5, au sud de Szabadság tér, et un autre sur Kossuth Lajos tér à côté de l'entrée du métro rouge.

Le *Tüköry*, V Hold utca 15, est une brasserie hongroise fréquentée par les ouvriers de la Magyar Televízió, sur Szabadság tér. Le menu journalier à trois plats est une affaire.

Andrássy út et le Bois-de-la-Ville. Fastfoods sur l'Oktagon (notamment le plus grand "burger king" du monde), mais vous mangerez mieux chez *Winston*, un pub anglais presque pure laine à Jókai tér 2 derrière l'Oktagon. Ouvert de 12h à 24h.

En haut au VI Paulay Ede utca et Nagymező utca (pas loin du théâtre János Arany), le *Falafel Faloda* sert des boulettes de pois-chiches et des salades à bon prix.

Le restaurant *Deák*, dans l'immeuble du Syndicat des journalistes, VI Bajza utca 18 près de la place des Héros, offre des menus journaliers économiques à une clientèle exigeante.

De l'Oktagon à Blaha Lujza tér. Vous aurez le choix entre McDonald's, Pizza Hut, Kentucky Fried Chicken, Dunkin' Donuts, et d'autres possibilités plus exotiques.

Topkapi, VII Király utca 78, sert des doner kebabs jusqu'à une heure tardive. *Lamma*, à l'est du marché de Klauzál tér, Akácfa utca 40, est plus petit mais meilleur. Dans le marché, on trouvera aussi un débit de cuisine chinoise à emporter ; ouvert jusqu'à 19h (14h le samedi).

Sur Klauzál tér, le *Kádár* est un petit étkezde servant des repas bon marché et copieux à la clientèle du quartier, du mardi au samedi jusqu'à 15h30. Une très bonne adresse. Pour un déjeuner cacher, *Hannah* occupe une ancienne école derrière la synagogue orthodoxe, VII Dob utca 35.

A 10 minutes à pied à l'est de la gare Keleti, VII Garay tér 14, le *Nilus* sert des plats égyptiens jusqu'à 22h. Très bonne petite *épicerie* à proximité, VII Cserhát utca 8, avec olives et fromage.

De Blaha Lujza tér au pont Petőfi. *Aladdin* est un endroit sans prétention servant une bonne cuisine moyen-orientale. Au nord de Rákóczi tér, VIII Bérkocsis utca 23. Le restaurant chinois, le *Kangle*, à gauche du marché, Rákóczi tér 8/a, est ouvert jusqu'à 23h.

Le *Görög Csemege* est une épicerie grecque ouverte la nuit, VIII József körút 31/b. Pour une pizza, descendez au n°85 juste avant Üllői út, chez *Dolce Vita*. On y sert des pâtes jusqu'à 24h.

Le *Kalocsa Pince*, VIII Baross utca 10, est un restaurant-cave hongrois aux prix modérés et aux murs décorés des peintures de deux femmes de Kalocsa, dans la Plaine Méridionale. *New York Bagels*, IX Ferenc körút 20, sert de vrais bagels et des sandwichs jour et nuit.

Collines de Buda. Büfé et restaurant sur Jánoshegy. Sur Hármashatár-hegy, le *Bakancsos*, près du restaurant Udvarház, reste ouvert jusqu'à 18h en été. Au pied de la colline, Szépvölgyi út 155, le *Fenyő-gyöngye* est une belle csárda avec des tables derrière, dans le jardin.

Restaurants "spéciaux"
Ces établissements, qui sont mes préférés, servent une bonne cuisine exotique, des plats hongrois de bonne qualité, ou sont simplement distrayants. Ils valent le déplacement pour le déjeuner ou le dîner même si vous n'êtes pas dans le quartier. Si le numéro de téléphone est donné, la réservation est vivement recommandée. Si vous vous y présentez en pleine saison ou le week-end, vous risquez de ne pas trouver de place.

Globalement, un repas de deux plats arrosé d'un verre de vin local ou d'une bière pour moins de 500 Ft par personne est classé "bon marché". Un "modéré" équivaut à 1 000 Ft environ. Compter 2 000 Ft pour un repas classé "cher". Au-dessus, cela devient "très cher".

La plupart des établissements sont ouverts jusqu'à 24h, mais il vaut mieux arriver vers 21h.

Acapulco
   VII Erzsébet körút 39 (☎ 122 6014). Seul restaurant à proposer de la cuisine mexicaine à Budapest (le chef est Californien). Cantonnez-vous aux fajitas et margaritas. Ouvert midi et soir tous les jours. Modéré à cher.

Alabárdos
   I Országház utca 2 (☎ 156 0851). Restaurant-cave servant l'une des meilleures cuisines de la colline du Château dans un beau cadre médié-val. Ouvert le soir jusqu'à 24h tous les jours sauf dimanche. Cher.

Amadeus
   V Apáczai Csere János utca 13 (☎ 118 4677). Café-restaurant très élégant aux patrons autrichiens juste au nord de Vigadó tér. Salades, steacks et crevettes fraîches (une rareté en Hongrie), sont excellents. Très cher.

Aranyszarvas
   I Szarvas tér 1 (☎ 175 6451). Dans une vieille auberge du XVIIIᵉ siècle au-dessus de Döbrentei tér, le Cerf-d'Or sert du gibier avec terrasse en été. Ouvert jusqu'à 2h du matin en semaine et 24h le dimanche. Modéré.

Bajor Sarok
   VII Dohány utca et Akácfa utca. Le Coin-Bavarois est un pub chic avec de bons steacks et salades. Ouvert jusqu'à 24h. Modéré.

Bel Canto
   VI Dalszínház utca 8 (☎ 111 8471). Restaurant italien à côté de l'opéra avec ceci de particulier que les serveurs chantent des airs d'opéra dès qu'une assiette tombe par terre. C'est amusant, mais ne comptez pas converser dans l'intimité. Ouvert le soir uniquement jusqu'à 2h du matin. Cher.

Berlin
   V Szent István körút 13 (☎ 131 6533). Encore récemment c'était un de ces affreux restaurants socialistes "à thème". Il est redevenu le palais Art Déco qu'il fut en son temps avec de belles peintures à vendre sur le murs. Le soir, cuisine hongroise et allemande "légère". Cher.

Chan-chan
   V Váci utca 69 (☎ 118 0452). Tenu par des Laotiens, Chan-Chan est hongrois à midi et thaïlandais le soir jusqu'à 23h. Très bonne cuisine, service excellent. Entrée Pintér utca. Modéré.

Chicago
   VII Erzsébet körút 2 (☎ 269 6753). Le restaurant américain à la mode, avec cuisine mijotée, grillades et buffet de salades. Ouvert de 12h à 24h (plus tard le week-end). *Happy hours* (de 17h à 20h) très courues. Modéré.

Chinatown
   VIII Népszínház utca 15 (☎ 113 3220). Paraît directement importé de Chine avec sa porte de la lune et ses dragons dorés. La cuisine n'est pas au même niveau, mais correcte malgré tout. Ouvert jusqu'à 1h du matin. Modéré.

Gundel
   XIV Állatkerti út 2 (☎ 121 3550). Compte tenu des prix, la cuisine de ce restaurant coté est décevante, et le service incroyablement désinvolte, mais la grande salle à manger et le jardin font rêver, et la collection de chefs-d'œuvres du restaurant vaut le coup d'œil, si vous êtes prêt à mettre une fortune. Ouvert midi et soir jusqu'à 24h. Très, très cher.

Halászbástya
I Hess András tér 1-3 (☎ 156 1446). Les vues seraient meilleures depuis ce restaurant au pied du bastion des Pêcheurs si seulement ils nettoyaient les vitres. La cuisine est hongroise, sans originalité, mais l'emplacement est intéressant. Modéré.

Hong Kong Pearl Garden
II Margit körút 2 (☎ 115 3606). Sans conteste, le meilleur restaurant chinois de Budapest, avec un service excellent et un décor Kowloon de qualité. Goûtez le canard de Pékin, les aubergines du Szechuan ou les nouilles de Singapour. Ouvert midi et soir jusqu'à 23h30 du lundi au samedi, et dimanche de 12h à 22h. Cher.

Il Treno
XII Alkotás utca 15 (☎ 156 4251). Pizzeria en face de la gare Déli avec four au feu de bois. Les meilleures de Budapest. Midi et soir jusqu'à 2h du matin. Bon marché.

Istanbul
VII Király utca 17 (☎ 122 1466). Shish kebab et kofta exceptionnels. Midi et soir du lundi au samedi, le dimanche seulement le soir. Modéré.

Japán
VIII Luthur utca 4-6 (☎ 114 3427). Seule adresse pour sukiyaki et sushi. Très appréciée des expatriés japonais. Midi et soir jusqu'à 23h sauf dimanche. Modéré à cher.

Jardin de Paris
I Fő tér utca 20 (☎ 201 0047). Le seul restaurant français digne de ce nom à Budapest. Ce bistrot, tenu par un Français, accueille l'équipe de l'Institut français situé de l'autre côté de la rue. Ouvert tous les jours de 12h à 2h du matin. Cher.

Kacsa
II Fő utca 75 (☎ 201 9992). Kacsa est la bonne adresse pour le canard (le nom du restaurant). Lieu élégant avec service excellent. A proposer si on vous invite ! Très cher.

Kaltenberg
IX Kinizsi utca 30-36 (☎ 118 9792). Bruyant restaurant allemand derrière le musée des Arts appliqués, avec musique et bière brassée sur place. Cuisine pas terrible, mais endroit peut-être amusant à plusieurs. Tous les soirs sauf dimanche. Modéré.

Kisbuda Gyöngye
III Kenyeres utca 34 (☎ 115 2244). Restaurant hongrois douillet joliment décoré d'antiquités. Ambiance début de siècle. Ouvert midi et soir tous les jours. Modéré à cher.

Kispipa
VII Akácfa utca 38 (☎ 142 2587). Le Petit Pipeau tendrait à ressembler à une brasserie avec une carte interminable et une clientèle excitée. Ouvert jusqu'à 1h du matin tous les jours sauf dimanche. Modéré.

Les Amis
II Rómer Flóris utca 12 (☎ 135 2792). Restaurant intime (pour ne pas dire étriqué) à la périphérie de Rózsadomb. Un des rares à rester ouvert tard. La cuisine franco-hongroise dépasse largement la moyenne. Fermé le dimanche. Cher.

Luau
V Zoltán utca 16 (☎ 131 4352). Restaurant polynésien avec de la "pluie" coulant sur les vitres et des éclairs intermittents pour une ambiance distrayante. Ouvert tous les jours de 12h à 24h. Modéré à cher.

Marcello
XI Bartók Béla út 40 (☎ 166 6231). Petit restaurant-cave avec pâtes, pizzas et salade-bar très correct. Un peu trop petit, mais la clientèle universitaire est drôle à voir. Ouvert tous les jours sauf dimanche jusqu'à 22h. Bon marché.

Marco Polo
V Vigadó tér 3 (☎ 138 3925). Cuisine italienne qui pêche par excès de raffinement mais excellente, tous les jours jusqu'à 24h sauf dimanche. En été, on peut s'asseoir dehors près du Danube. Très cher.

Marxim
II Kisrókus utca 23 (☎ 115 5036). Pizzeria différente, décorée d'affiches stalinistes exhortant les ouvriers à briser leurs chaînes, de barbelés, d'étoiles rouges et de portraits de Khrouchtchev et Miklós Rákósi. De l'autre côté de la rue, une vieille usine immense sortie tout droit de *1984*, complète le tableau. Commandez la *pizza brÁVO* (du nom de l'ex-police secrète) ou la *pizza Goulag*. Ouvert jusqu'à 1h du matin et plus tard le week-end. Bon marché.

Museum
VIII Múzeum körút 12 (☎ 118 5202). Restaurant près du Musée national, encore en activité au bout d'un siècle, parfait pour un dîner très stylé sans y épuiser ses économies. Très bon poisson et canard aux fruits (à spécifier en plus des pommes de terre et du chou) et ouvert tous les jours sauf dimanche jusqu'à 1h du matin. Modéré à cher.

Orchidea
VIII Rákóczi út 29 (☎ 138 2429). Bistrot californien servant des salades, des pancakes (avec sirop d'érable) et du poulet cajun à une clientèle internationale fortunée. Ouvert tous les jours de 11h à 23h. Modéré à cher.

Prágai Vencel
VIII Rákóczi út 57 (☎ 133 1342). Spécialités tchèques et slovaques comme le svickova (bœuf à la "sauce du chasseur") avec des boulettes knedli. Ouvert midi et soir jusqu'à 23h30. Modéré.

Remíz
II Budakeszi út 5 (☎ 176 1806). Près du dépôt (*remíz*) des trams de Buda, nouveau restaurant

avec jardin spécialisé dans les grillades au bar-
becue. Les côtelettes sont vraiment bonnes.
Service inégal. Ouvert midi et soir du mardi au
dimanche. Modéré.

Robinson

XIV Városligeti-tó (☎ 142 0955). Juste en face
de Gundel, sur une petite île du lac du Bois-de-
la-Ville. En été, tâchez d'obtenir une table sur
le toit ou au moins sur le pont extérieur.
Ouvert jusqu'à 23h tous les jours. Cher.

Scampi

VII Dohány utca 10 (☎ 269 6026). Superbe
cuisine italienne de fruits de mer, en passe de
devenir un des plus grands restaurants de
Budapest. Ouvert tous les jours de 12h à 24h.
Très cher.

Seoul House

I Fő utca 8 (☎ 201 7452). Coréen, bien sûr
(avec grosse clientèle coréenne). Cuisine la
plus authentiquement asiatique de la capitale.
Midi et soir tous les jours jusqu'à 24h. Cher.

Shalom

VII Klauzál tér 2 (☎ 122 1464). Pour ceux qui
mangent cacher et veulent davantage que le
Hannah. Ouvert tous les jours de 12h à 23h.
Modéré à cher.

Syrtos

VII Csengery utca 24 (☎ 141 0772). Seule
taverne grecque de Budapest. Cuisine
moyenne, au mieux, mais la musique du bou-
zouki est bonne. Ouvert tous les jours de 12h à
2h du matin. Modéré.

Szarvas Pince

I Szarvas tér 2 (☎ 175 8424). Restaurant-cave
hongrois voisin du Aranyszarvas dont on ne
parlerait pas s'il ne servait... de la cuisine
éthiopienne les vendredi et samedi soirs
jusqu'à 1h du matin. Goûtez au poulet yedoro
wot ou au bœuf tibs servi avec du pain éthio-
pien plat et spongieux. Bon marché.

Tabáni Kabas

I Attila út 27 (☎ 175 7165). Si votre taux de
cholestérol est déprimé, le coq Tabán se char-
gera de vous le remonter. Presque tout (surtout
de la volaille) est cuisiné dans la graisse d'oie.
Ouvert jusqu'à 24h tous les jours. Modéré.

Tian Ma

VIII Luther utca 1/b. Le Cheval céleste est un
des restaurants chinois les plus simples. Ses
hors-d'œuvres valent le déplacement. Ouvert
jusqu'à 23h tous les jours. Bon marché à
modéré.

Udvarház

II Hármashatárhegy út 2 (☎ 188 8780). En
haut de la colline des Trois Frontières, vue
panoramique sur la ville, terrasse merveilleuse
en été. La cuisine peut être très bonne. Ouvert
de 11h à 23h tous les jours sauf lundi en été et
le soir seulement en hiver. Cher.

Vadrózsa

II Pentelei Molnár út 15 (☎ 135 1118). Dans
une belle villa néo-Renaissance sur Rózsadomb, la Rose sauvage est le *nec plus ultra* à
Budapest. Rempli de roses et d'antiquités, avec
piano en sourdine, et pas de carte. On choisit
dans un chariot d'ingrédients crus en spécifiant
le type de préparation désiré. Le soir seulement. Très, très cher.

Vegetárium

V Cukor utca 3 (☎ 138 3710). Le plus orthodoxe des deux restaurants végétariens de
Budapest, non fumeur, cuisine macrobiotique
copieuse à 520 Ft. Ouvert de 12h à 22h.
Modéré.

Visegrád

XIII Visegrádi utca 50/a (☎ 140 3316).
Presque végétarien (on y sert du poisson) avec
plats sans viande, indiens, chinois et moyen-
orientaux. Pas toujours réussi. Pratique si on
loge au nord de Pest et à Nyugati tér. Ouvert
jusqu'à 1h du matin. Bon marché à modéré.

Cafés

Les cafés vieille époque reviennent en
force après avoir pratiquement disparu. De
très nombreuses buvettes (signalées dans la
rubrique *Promenades*) vous serviront un
espresso pas cher et des pâtisseries maison,
mais pour trouver un cadre plus élégant, il
faut faire halte dans les salles suivantes,
déjà mentionnées au fil des promenades :

Angelika

I Batthyány tér 7. Ouvert de 10h à 22h.

Bécsi

V Váci utca 50. Ouvert de 10h à 24h.

Gerbeaud

V Vörösmarty tér 7. Ouvert de 9h à 21h.

Lukács

VI Andrássy út 70. Ouvert de 9h à 20h.

Művész

VI Andrássy út 29. Ouvert de 9h à 24h.

New York

VII Erzsébet körút 9-11. Ouvert de 9h à 22h.

Ruszwurm

I Szentháromság utca 7. Ouvert de 10h à 19h.

Szalai

V Balassi Bálint utca 7. Ouvert de 9h à 19h
(fermé lundi et mardi).

DISTRACTIONS

Pour une ville de dimension moyenne,
Budapest est très bien pourvue en distractions diverses et variées : opéra, danse

folklorique, jazz, discothèques. Il n'est jamais difficile d'obtenir des billets ou d'entrer. Le plus difficile est de faire son choix. Les meilleures sources d'informations sur les programmes sont Tourinform et la publication gratuite bilingue *Programme in Ungarn/in Hungary*, sinon consultez les colonnes d'affichage qui surgissent un peu partout. Le mensuel *Koncert Kalendrium*, en hongrois, répertorie les concerts, opéras et spectacles de danse.

On achète les billets sur place, mais on peut aussi s'y prendre à l'avance en allant au bureau d'achat (☎ 117 6222) du V Vörösmarty tér 1 ouvert de 10h à 18h en semaine et jusqu'à 14h le samedi. C'est aussi la meilleure source d'informations sur les concerts classiques ou populaires. Le bureau du VI Andrássy út 18 (☎ 112 0000) ouvert en semaine de 9h à 18h, vend des billets de tous ordres. Le théâtre et la musique sont encore très bon marché ; les billets vont de 100 à 800 Ft.

Les pubs et bars restent ouverts jusqu'à 24h ou 1h du matin, parfois plus tard le week-end. Les discothèques sont ouvertes jusqu'à l'aube ; l'entrée est de 200 à 300 Ft.

L'Alliance française se trouve Galamb utca 7 (☎ 118 5784).

Musique classique et opéra
Les grandes salles de musique classique sont l'*Opéra* (☎ 153 0170) VI Andrássy út 22, l'*académie Liszt de musique* (☎ 141 4788) VI Liszt Ferenc tér 8, et le récent *Centre des congrès de Budapest* (☎ 186 9588), XII Jagelló út 1-3 à Buda. Le *Pest Vigadó* (☎ 117 6222) V Vigadó tér donne des concerts de musique légère.

La musique de chambre est à l'honneur en de nombreux endroits, mais l'atmosphère de ces concerts est meilleure au *musée Liszt* (☎ 122 9804) VI Vörösmarty utca 35, à la *maison Béla Bartók* (☎ 176 2100) II Csalán utca 29, et au *musée d'Histoire de la musique* (☎ 175 9011) I Táncsics Mihály utca 7. Les récitals d'orgue se donnent dans les églises comme le *Mathias* sur la colline du Château, le vendredi à 20h, ainsi que dans la *basilique*

St-Étienne, V Szent István tér, le lundi à 19h, et l'*église paroissiale de la ville Intérieure*, V Március tér, le dimanche à 17h30.

Il ne faut par rater une soirée à l'Opéra de Budapest. La deuxième salle d'opéra, beaucoup plus grande, le *théâtre Erkel* (☎ 133 0540), VIII Köztársaság tér 30, vient très loin derrière. La grande salle des opérettes qui ont toujours un succès fou, surtout quand il s'agit d'histoires sentimentales et surannées comme *La Reine des Csárdás* de Imre Kákmán, est le *Théâtre d'Opérette de Budapest* (☎ 132 0535), VI Nagymező utca 17.

Ballet et danse
Les deux compagnies de ballet de la ville sont rattachées à l'Opéra et au Théâtre d'opérettes. L'*Ensemble folklorique d'État* produit des spectacles très bien rodés de danse et de musique folklorique, au *Buda Vigadó* (☎ 201 4407), I Corvin tér 8.

Une *tánchás* (maison de danse) est le lieu idéal pour entendre de la vraie musique folklorique magyare et transylvanienne. On y apprend aussi à danser (sans obligation). Les meilleurs sont celles du centre culturel d'Almássy tér (☎ 122 9870), VII Almássy tér à Pest, vendredi soir à partir de 20h, et celle de la *Maison culturelle municipale* (Fővárosi Művelődési Ház) (☎ 181 1360), XI Fehérvári út 47 à Buda.

Jazz
Toutes les tendances du jazz sont représentées dans les théâtres, cafés et clubs de Budapest. Le *jazz club Merlin* (☎ 117 9338), V Gerlóczy utca 4, organise des sessions tous les soirs à 22h, et György Vikán et son trio CAE se produisent au *jazz club Óbuda* (☎ 188 7399), III Hídfő utca 16, le mercredi à 21h. Le *Jazz Café* (☎ 132 4377) dans une cave du V Balassi Bálint 25, est inondé de lumière bleue qui rend l'atmosphère enfumée encore plus mystérieuse. Les "invités", pâles comme des fantômes, s'assoient à une ou deux tables et la musique commence à 20h le lundi, mercredi, vendredi et samedi.

Jazz et blues toujours au *Biliárd Fél 10* (pas de ☎), VIII Mária utca 48, commençant le plus souvent à 20h30, et de temps en temps au *Közgáz DC* (☎ 118 6855) à l'université d'Économie, IX Fővám tér 8.

Rock et pop

Le *Petőfi Csarnok* (☎ 142 4327), XIV Zichy Mihály utca 14 dans le Bois-de-la-Ville est la grande salle des concerts rock. Accès par le trolleybus 72 depuis Arany János utca sur la ligne bleue du métro, ou le 74 depuis Károly körút et Dohány utca.

Le théâtre *Laser* (☎ 134 1161) au Planétarium du Népliget (parc du Peuple) du 10e arr. organise divers concerts avec laser et musique enregistrée, de groupes comme les Pink Floyd, Dire Straits et Queen. Séances à 18h et 19h30, 330 Ft. Accès par le métro bleu ou le trolleybus 75 depuis la place des Héros.

Les salles où se produisent des groupes sont le *Rockoko* (☎ 111 7217), V Bihari János utca 24, et le *Blue Box*, IX Kinizsi utca 28, un "club de musique indépendant" à clientèle estudiantine. *Tilos az Á* (☎ 118 0684), VIII Mikszáth Kálmán tér 2 est le lieu de rendez-vous du FIDESZ et de ses supporters. Il attire également les meilleurs groupes de la ville.

Le *Trou Noir* ("Fekete Lyuk", ☎ 113 0607) est un club hard, le "berceau de la musique punk hongroise" comme ils disent, dans la banlieue industrielle au VIII Golgota utca 3. Skinheads, bottes de cuir et bagarres assurés.

Le *Franklin Trocadero* (☎ 111 4691), VI Szent István körút 15, donne des concerts latinos les mercredi, vendredi et samedi.

Théâtre

Pour entendre et voir du théâtre en hongrois, il vaut mieux aller au théâtre *József Katona* (☎ 116 3725), V Petőfi Sandor utca 6, où la qualité est meilleure, ou au théâtre *János Arany* (☎ 141 5626), VI Paulay Ede utca 35, pour son étonnante salle Art Déco. Le théâtre *Karinthy* (☎ 166

733), XI Bartók Béla út 130, dirigé par le petit-fils du dramaturge satirique Frigyes Karinthy (1887-1938), monte des œuvres intéressantes et rares.

Pas besoin de comprendre le hongrois pour suivre un spectacle du *théâtre de Marionnettes d'État* (☎ 122 5051), VI Andrássy út 69. Belle sortie à faire avec ou sans enfants. Séances à 15h et 19h selon le jour et la saison.

Le *théâtre international Merlin* (☎ 117 9338), V Gerlóczy utca 4, donne des pièces en anglais pendant l'été.

Cinéma

Pour la liste des films étrangers en version originale, consultez le *Budapest Week* et *Budapest Sun*. Les programmes sont plus lisibles dans ce dernier. Allez voir n'importe quoi à l'*Uránia*, VIII Rákóczi út 210, uniquement pour la salle datant de 1893.

L'*Örökmozgó* qui fait partie de l'Institut cinématographique hongrois, VII Erzsébet körút, passe un excellent choix de films classiques et étrangers en version originale.

Pubs et bars

Endroit appoprié pour commencer la soirée, le *Morrison* est un pub anglais faisant discothèque au VI Révay utca 25, voisin de l'Opéra, signalé à l'angle par une petite cabine téléphonique londonienne. Vieille adresse où vous entendrez davantage parler l'anglais que le hongrois, le *Fregatt* se trouve V Molnár utca 26.

Tout près de Szent István körút, au V Balassi Bálint 27, le *Fehér Gyűrű* (l'Anneau blanc) est une bonne salle locale pour prendre un verre en passant, fréquentée autrefois par les employés d'un important centre du Parti communiste, juste en face.

Le *Casablanca* est un agréable café tout simple, V Október 6 utca 26, et le *Piaf*, VI Nagymező 25, reste ouvert jusqu'à 6h du matin.

Endroit à la pointe de la mode (amusant pour cette raison), le *Galéria* est un petit bar fréquenté par des "branchés", et décoré d'œuvres d'art à vendre. Les cafés du Duna korzó sont très biens pour une fin d'après-midi d'été. *Picasso Point*, VI Hajós utca 31, est un club très populaire à clientèle artiste et sympathique.

A Buda, le *Nelson*, XI Bartók Béla út 4, proche de l'hôtel Gellért, est l'un des meilleurs bars de la rue. Dans le quartier du Château, le *Café Pierrot*, I Fortuna utca 14, est un piano bar confortable et chic, pour un verre ou un café. Si vous cherchez le calme, le petit *Kenguru*, I Szentháromság utca 5, n'est qu'à quelques pâtés de maisons.

Le *Calgary*, une boutique d'antiquités avec bar, II Frankel Leó út 24, est l'un des lieux les plus curieux des parages. Tout en buvant une Warsteiner, vous pourrez acheter un des trésors de Vicky, le sympathique propriétaire. Ouvert tous les jours jusqu'à 4h du matin.

Discothèques

Hully Gully et *Randevú*, côte à côte au XII Apor Vilmos tér 7 et 9 à Buda, sont les plus grandes discothèques ; les étrangers y sont nombreux. Accès depuis Moszkva tér par le tram 59 (six arrêts). *Highlife*, III Kalap utca 15, au nord d'Óbuda, attire une clientèle hongroise plus jeune. Accès par le bus 6 depuis Nyugati tér ou le bus 86 depuis Batthyány tér.

Night Oil, près de l'université de Technologie au Bartók Béla út 48 passe de la musique beaucoup plus moderne que les trois précédents, attire une clientèle plus intéressante (si vous voulez échanger) et reste malgré tout considérée comme un lieu de rencontre. *Véndiák*, V Egyetem tér 5 près de l'université Eötvös, lui ressemble. Cherchez l'enseigne "VD" à l'extérieur.

Si le *Hold*, XIII Hegedűs Gyula utca 7, attire une clientèle artiste et décontractée, le *Spirit*, XIII Viesgrádi utca 9, fait très club fermé avec ses vitres teintées et son videur qui vous dévisage de la tête aux pieds. Le *Made In* dans un vieil hôtel particulier, VI Andrássy út 112, est plus démocratique avec plusieurs pistes de danse. Des groupes y passent de temps à autre et l'on peut faire connaissance dans la cour, en été.

Clubs homosexuels

Budapest n'est pas une ville très "gay". Les boîtes ouvrent et ferment avec une régularité décourageante. L'adresse de la plus grosse discothèque a changé quatre fois en 1992. Vous pourrez toujours vous renseigner auprès d'un baigneur des bains *Király* (surtout le vendredi après-midi), *Rác* le samedi après-midi, ou *Gellért* le dimanche matin.

Le *Mystery* est un petit bar très simple, V Nagysándor József utca 3, près de Szabadság tér, où beaucoup commencent leur soirée. Le *Club 93*, VIII Vas utca 2, donnant dans Rákóczi út, est une pizzeria le jour. Le soir, ils tirent les rideaux et accueillent les jeunes hongrois qui ne veulent ou ne peuvent payer les 300 Ft d'entrée à l'*Angyal*, le lieu actuellement à la mode, au VIII Rákóczi út 51. L'*Angyal* est une discothèque du jeudi au dimanche, et un simple bar servant des repas légers les autres soirs. Spectacles travestis les jeudi et dimanche soir.

Le *My Darling*, V Szép utca 1, est un très petit bar à vidéos. Le *Y*, VII Kertész utca 31, est plus grand avec une piste de danse mais il attire les prostitués, surtout roumains, à la recherche de riches étrangers. Spectacles travestis le week-end.

Si vous préférez les rencontres en plein air, à Pest, la promenade du Duna korzó entre le pont Élisabeth et le pont des Chaînes est un lieu de drague notoire, la nuit.

La seule publication gay de Hongrie, *Mások* (Autres) est distribuée dans les bars et quelques kiosques de la ville Intérieure.

La vie nocturne lesbienne est beaucoup moins organisée. Pas de bars ni de discothèques, mais les femmes sont bienvenues à l'Angyal, et la plupart s'y sentent à l'aise.

Hippisme

Les courses de chevaux ont beaucoup de succès en Hongrie. Pour le trot, le champ de courses *Kerepesi Ügetőpálya*, VIII Kerepesi út 9, à 10 minutes au sud de la gare Keleti, organise une dizaine de courses le samedi à partir de 14h et huit le mercredi à partir de 16h.

Courses également au *Galopp Lóverse-nytér*, à partir de 10h30 en hiver et de 13h en été, au X Albertirsai út 2, à un quart d'heure à pied (suivez les indications) au sud de la station Pillangó utca sur la ligne rouge, près de Hungexpo. *Magyar Turf* est la bible du parieur.

ACHATS

On trouvera des produits alimentaires de luxe (caviar, foie gras et salamis) dans les épiceries fines (*csemege*).

Excellente sélection de vins hongrois à *La boutique des vins* (V József Attila utca 12, entrée par Hild tér) dont l'un des patrons est le sommelier de chez Gundel. Demandez aux employés de vous aider si vous êtes perdus dans les étiquettes. Du lundi au samedi jusqu'à 18h. *Demi John* (V Cukor utca 4) est également très riche en bons vins. Ouvert en semaine de 10h à 20h, samedi jusqu'à 16h. Si vous voulez goûter avant d'acheter, allez chez *Faust*, une cave médiévale dans l'hôtel Hilton, ouverte de 16h à 22h.

Quelques épiceries *Bonbon Hemingway* (V Váci utca 11/b et 36, par exemple) personnaliseront pour vous l'étiquette d'un Tokaj (1 300 Ft) dans un délai d'une journée.

Pour de la belle porcelaine, boutiques des productions de Herend au V József nádor tér 11, et de Zsolnay au V Haris köz près de Váci utca. *Via Nova* au V Vörösmarty tér 1 vend de la verrerie hongroise.

Si vous n'avez pas le temps d'aller au marché Ecseri (voir la rubrique suivante), passez chez *Antik Diszkont*, une vraie mine pour les meubles, XIII Róbert Károly körút 58 (tram 1 depuis Árpád híd sur la ligne bleue). Le XIII Falk Miksa utca à Pest est une allée d'antiquaires avec mobilier de prix et brocante. Le *Belváros*, V Vitkovics Mihály utca 3, est spécialisé dans l'Art Nouveau.

Báv est une chaîne de monts-de-piété avec succursales dans toute la ville comme au VI Andrássy út 43 pour les bijoux anciens, au n°27 de la même rue pour les bibelots, et au XIII Szent István körút 5 pour la porcelaine et les tissus.

Les librairies dites Antikvárium vendent des livres anciens et d'occasion (surtout hongrois et allemands), avec un bon choix de gravures et cartes anciennes. Passez à l'un des suivants : *Kárpáti*, XIII Szent István körút 3 ; *Bagolyhoz*, V Váci utca 28 ; *Központi*, V Múzeum körút 15 ; et *Honerus* dans la même rue au n°35.

On trouvera plusieurs galeries d'art dans et aux abords de Váci utca, mais si l'on veut voir des choses différentes, il faut visiter l'*Atelier des jeunes artistes*, V Bajcsy-Zsilinszky út 52.

Beau choix de cartes et cartes postales chez *Képesbolt*, V Deák tér 6, *Poszterház* au V Bajcsy-Zsilinszky út 62, et *Athena* au V Cukor utca 1.

Les cassettes et CD (surtout classiques) fabriqués en Hongrie sont encore de bonnes affaires. Passez chez *Hungaroton*, V Vörösmarty tér 1, *Dob*, VII Dob utca 7, et *Universum*, V Váci utca 31-33 au premier étage, le plus grand magasin de disques de la capitale avec environ 5 000 CD et cassettes. Ouvert jusqu'à 19h en semaine, 15h le samedi. Le *Studio de musique de violon*, IX Ferenc körút 19-21 est ouvert jour et nuit.

Le *musée d'Histoire militaire* dans le quartier du Château (I Tóth Árpád sétány 40) offre un choix complet de soldats de plomb hongrois peints à la main.

Si vous êtes à court d'huiles essentielles, passez chez *Galgafarm*, VI Eötvös utca 8, la rue parallèle à Teréz körút, un magasin de diététique. Vous obtiendrez du baume du tigre et autres remèdes asiatiques chez *Ázsia*, V Károly Mihály utca 12.

Art folklorique

La plupart de la marchandise mise en vente dans les *népművészeti bolt* (boutiques d'art folklorique) n'a purement et simplement aucune valeur. Vous trouverez des objets authentiques auprès des femmes magyares venues de Transylvanie qui se rassemblent parfois (illégalement) dans Váci utca, Moszkva tér ou sur le marché à l'angle de Fehérvári út et Schönherz utca dans le 11e arr.

L'Atelier Holló, V Vitkovics Mihály utca 12 près de Váci utca, offre de beaux objets d'art populaire d'aspect moderne. La boutique est tenue par László et Péter Holló, des artisans qui ont appris leur métier auprès de leur père.

Marchés

Les marchés sont ouverts en semaine jusqu'à 18h et le samedi jusqu'à 13h. Le lundi est toujours très calme, voire désert. *Ecseri*, sur Nagykőrösi út dans le lointain 19e arr., est un des meilleurs marchés aux puces d'Europe de l'Est où il est possible de trouver des bijoux anciens, des montres de l'armée soviétique, de vieux instruments de musique et des chapeaux haut-de-forme de Fred Astaire. Ouvert en semaine jusqu'à 16h et samedi jusqu'à 13h, mais le samedi matin est le meilleur moment. Accès par le bus 54 depuis Boráros tér près du pont Petőfi, ou mieux, le bus rouge express 54 depuis la station de métro Határ utca de la ligne bleue ; descendez quand vous apercevez une foule.

Les marchés d'alimentation les plus pittoresques sont le *marché de ville Joseph*, VIII Rákóczi tér, le *marché de Hold utca* près de V Szabadság tér, le *marché du Ghetto* (sic), VII Klauzál tér, et le marché en plein air de *Lehel tér* dans le 13e arr. Mais quand les rénovations seront terminées, le *marché Central*, IX Fővám tér, au pied du pont Szabadság, sera le meilleur.

COMMENT S'Y RENDRE
Avion

Le bureau principal de vente de billets de Malév Hungarian Airlines (☎ 266 5913) se trouve au V Dorottya utca 2 près de Vörösmarty tér.

Les adresses des autres grands transporteurs sont les suivantes :

Aeroflot
V Váci utca 4 (☎ 118 5955)
Air France
V E.-Kristof tér 6 (☎ 118 0469)
British Airways
VIII Rákóczi út 1-3 (☎ 118 3299)

Delta
V Apáczai Csere utca 4 (☎ 118 7922)
Lauda
V Aranykéz utca 4-6 (☎ 117 9299)
Lufthansa
V Váci utca 19-21 (☎ 118 4511)
LOT
V Vigadó tér 3 (☎ 117 2444)
SAS
V Váci utca 1-3 (☎ 118 5377)
Swissair
V Kristóf tér 7-8 (☎ 117 2500)

Voir également *Desserte de l'aéroport* dans la rubrique suivante.

Bus

Trois grandes gares routières régissent les déplacements à l'intérieur du pays.

La gare d'Erzsébet tér (☎ 117 2085) près de la station Deák tér, sur toutes les lignes de métro, gère toutes les destinations à l'ouest du Danube.

Pour l'est du fleuve, c'est la gare de Népstadion (☎ 252 0696) sur la ligne rouge.

La gare du Árpád híd côté Pest (☎ 129 1450) est celle des départs vers la Boucle du Danube (sur la ligne bleue).

Une petite gare sur Széna tér, voisine de Moszkva tér à Buda, recoit les bus reliant les monts Pilis et les villes au nord-ouest de la capitale (quelques départs vers Esztergom, en plus de ceux de la gare du pont Árpád). Renseignements aux numéros suivants : 118 2122 et 117 2966, mais vous aurez beaucoup de chance si vous arrivez à les joindre.

Pour de longs trajets, il faut réserver la veille, mais les billets sont toujours disponibles auprès du chauffeur, qui peut rendre la monnaie. Vous prenez un risque en ne réservant pas une place assise, mais de toute façon une personne descendra tôt ou tard, souvent plus tôt que vous ne pensez.

Les gares d'Erzsébet tér et Népstadion ont des consignes ouvertes de 6h à 18h, et un bureau de change vous attend au premier étage, à Erzsébet tér.

Pour tous renseignements concernant les liaisons d'autobus internationaux, reportez-vous au chapitre *Comment s'y rendre* au début de cet ouvrage.

Train

Trois grandes gares ferroviaires. La gare Keleti (de l'Est), sur Baross tér desservie par la ligne rouge (station Keleti pályaudvar) commande toutes les liaisons avec les monts du Nord et le Nord-Est. Renseignements au 113 6835.

Les trains pour la Grande Plaine et la Boucle du Danube partent et arrivent à la gare Nyugati (de l'Ouest), station Nyugati pályaudvar sur la ligne bleue. Renseignements au 149 0115.

Pour la Transdanubie et le lac Balaton, c'est la gare Déli (du Sud) (☎ 175 6293), terminus de la ligne rouge.

Les quelques gares secondaires n'intéresseront pas le voyageur au long cours. Il arrive néanmoins que des trains grande ligne, en été, s'arrêtent à la gare de Kőbánya-Kispest (terminus de la ligne de métro bleue), ou Ferencváros (prendre le tram 23 pour rejoindre la gare Keleti). Soyez sur vos gardes.

Le numéro des renseignements pour les lignes intérieures est le 122 7860, de 6h à 20h tous les jours. Laissez sonner, et vérifiez toujours votre gare.

Les gares sont des lieux assez sinistres hantés jour et nuit par une faune peu recommandable, mais toutes offrent quelques services. Aux gares Keleti et Nyugati, on trouvera une consigne (60 Ft par bagage), un bureau de poste et une épicerie ABC ouverte jour et nuit. Déli offre des casiers à pièces et une épicerie ouverte jour et nuit dans Alkotás utca à proximité. A Keleti, vous pouvez changer de l'argent chez MÁV Tours jusqu'à 21h. A Nyugati, allez au bureau Ibusz près de la voie 10 ; Exactchange à la voie 13 n'est pas avantageux.

Toutes les gares se trouvent sur les lignes de métro. Si vous devez prendre un taxi, évitez les requins qui rôdent dans les parages. A Déli, allez le prendre dans Alkotás utca, en face de la gare. A la gare de Keleti, montez dans un des taxis légaux de la station de Kerepesi út au sud du terminal. Nyugati tér est un grand carrefour, vous n'aurez pas de problème à y trouver un taxi légal.

On peut acheter les billets et les réservations de places aux gares, mais les files d'attente sont longues, les passagers pressés et les employés peu patients. La plupart des agences de voyages précédemment citées vous rendront ce service, et l'on peut acheter des billets de trains express, à l'avance, au bureau MÁV (☎ 122 8275, 122 4052), VI Andrássy út 35. Ouvert en semaine de 9h à 18h en été et jusqu'à 17h en hiver.

Pour les renseignements sur les trains internationaux, reportez-vous au chapitre *Comment s'y rendre*.

Auto-stop

Il existe un service appelé Kenguru (☎ 138 2019), VIII Kőfaragó út 15, qui centralise les offres et les demandes, surtout vers l'étranger, moyennant une commission de 1 Ft par kilomètre pour Kenguru et 3 Ft pour l'automobiliste. Exemples de prix aller simple : Amsterdam 5 600 Ft, Londres 6 600 Ft, Munich 2 800 Ft, Paris 6 000 Ft, Prague 2 000 Ft et Vienne 600 Ft. Une brochure donne la liste des autres agences fonctionnant selon le même principe en Europe et en Amérique du Nord. Ouvert du lundi au samedi de 8h à 18h.

Bateau

Les ferries pour Vienne partent de l'embarcadère international de Belgrád rakpart juste au nord du pont Szabadság côté Pest dans le 5e arr.

Détails sur les horaires et les tarifs dans le chapitre *Comment s'y rendre*.

COMMENT CIRCULER

Budapest dispose d'un système de transports en commun vieillissant mais extrêmement sûr, bon marché et efficace, qui ne vous fera jamais attendre plus de 5 à 10 minutes. Quatre types de transport : métro, bus bleus, trams jaunes et trolleybus rouges.

Les transports circulent de 4h30 jusqu'à un peu plus de 23h. Il existe aussi 15 lignes de bus de nuit, partant toutes les demi-heures, qui ne vous déposeront jamais très loin de votre destination. Après 20h vous devez monter à l'avant et montrer au chauffeur votre ticket ou forfait. Il est strictement interdit de manger à bord des bus et les passagers vous le rappelleront sans tarder. Il m'est arrivé de voir des touristes en train de grignoter dans un bus se faire rappeler à l'ordre sur un ton désagréable.

Le prix du ticket ne varie pas, quel que soit le type de transport. A l'heure actuelle, il est de 25 Ft, mais des hausses sont à prévoir. Les petits tickets jaunes sont en vente dans les stations de métro, quelques kiosques et machines en mauvais état.

On poinçonne soi-même son ticket en montant dans un bus ou un tram, et dans le métro à l'un des composteurs à l'entrée.

Si vous changez de direction ou de ligne (y compris de métro à Deák tér) vous devez utiliser un autre ticket. Un billet jaune de 25 Ft n'est valable que jusqu'à la station HÉV Békásmegyer (direction nord). Si vous allez à Szentendre, il faut payer un supplément.

Si vous avez l'intention de vous promener beaucoup et longtemps, vous vous simplifierez la vie avec un forfait. Il en existe pour la journée (200 Ft), 3 jours (400 Ft) ou 10 voyages (225 Ft) sans photo. Ceux d'une semaine (550 Ft), 15 jours (730 Ft) et un mois (1 140 Ft) requièrent une photo. Là encore des augmentations sont prévues. Tous les forfaits, sauf le mensuel, sont valables de minuit à minuit ; achetez-les à l'avance en précisant les dates souhaitées. On se les procure, dans le centre, à la station Deák tér près de l'entrée du musée du Métropolitain, et dans le hall du métro de Nyugati tér.

Il est courant de voyager au "noir" (sans billet), mais nous renvoyons à la mise en garde du chapitre *Comment circuler*. Avec une surveillance accrue et des contrôles répétés dans les rames, vous avez toutes les chances d'être pris. L'amende à payer sur le champ est de 600 Ft, mais si vous pouvez, dans les trois jours, justifier d'un forfait valide auprès du bureau de la compagnie au VII Akácfa utca, elle n'est que de 50 Ft. C'est votre affaire, mais si vous êtes

pris en train de frauder, de grâce, payez sans protester. Les contrôleurs sont las d'entendre les mêmes sornettes à longueur d'année.

Desserte de l'aéroport

Les vols Air France, Malév, Lufthansa, Alitalia, arrivent et partent du nouveau terminal 2 de Ferihegy, 5 km à l'est du terminal 1. Toutes les autres compagnies utilisent le terminal 1. En confirmant votre place de retour, faites-vous bien préciser de quel terminal vous partez.

Comme il existe trois moyens de transport économiques desservant les terminaux de Ferihegy, il serait déraisonnable de prendre un taxi et de risquer de se faire escroquer. En admettant que le chauffeur ne trafique pas avec le compteur, il vous fera au minimum payer son voyage de retour à l'aéroport. Si vous devez absolument prendre un taxi *au départ* du terminal 2, montez au hall des départs et prenez-en un de ceux qui viennent de décharger leurs passagers. Le tarif ne doit pas dépasser 800 à 1 000 Ft.

Pour se rendre à l'aéroport, le plus simple est de prendre le minibus de l'aéroport (☎ 157 6283) qui prend une demi-douzaine de passagers sur leurs lieux de résidence – effort louable mais qui retarde et vous met sur des charbons ardents si vous êtes tout juste à l'heure – pour 400 Ft (terminal 1) et 500 Ft (terminal 2). Les tickets dans le sens inverse sont vendus dans les halls d'arrivée.

Les microbus de l'aéroport (☎ 157 8555) entre Erzsébet tér dans la ville Intérieure et les terminaux 1 et 2 circulent toutes les demi-heures de 6h à 21h pour 200 Ft, et l'on vous recommande de compter 30 minutes pour le terminal 1 et 40 minutes pour le terminal 2.

Le moyen le plus économique dans chaque sens est le métro bleu jusqu'au terminus (Kőbánya-Kispest) puis le bus 93. Notez que les deux 93, l'express rouge et l'ordinaire noir, vont à Ferihegy 1. Seul le rouge continue jusqu'à Ferihegy 2. Le prix est de 50 Ft.

Bus, trams et trolleybus

Bus et trams sont "bonnets blancs et blancs bonnets", quoique ces derniers soient plus rapides et dans l'ensemble plus agréables pour visiter la ville. Les bus à numéros rouges sont des express et s'arrêtent moins souvent. Les trolleybus du centre de Pest présentent moins d'intérêt pour les visiteurs à l'exception de ceux qui desservent les parcs, Bois-de-la-Ville et Népliget.

Les lignes de tram les plus importantes sont :

- 4 et 6 qui partent de Moszkva tér à Buda et suivent le grand boulevard circulaire sur toute sa longueur à Pest avant de retraverser le Danube en direction de Móricz Zsigmond körtér dans le 11e arr.
- 47 et 49 reliant Deák tér (à Pest) avec le sud de Buda.
- 18 qui part du sud de Buda, remonte Bartók Béla út dans le Tabán, jusqu'à Moszkva tér.
- 19 qui suit le même chemin avant de remonter la rive Buda du Danube jusqu'à Batthyány tér.
- 61 reliant Móricz Zsigmond tér avec la gare Déli et Moszkva tér.
- 2 et 2/a qui longent la rive Pest du Danube jusqu'à Jászai Mari tér.

Les bus qui vous seront utiles sont :

- Le 86 qui traverse tout Buda de Kosztolányi Dezső tér à Óbuda.
- Le 7 qui traverse une bonne partie du centre de Pest et du sud de Buda, de Bosnyák tér, par Rákóczi út, jusqu'à la gare Kelenföld au sud de Buda.
- Le 1 qui termine au même endroit en partant du Bois-de-la-Ville, par Andrássy út.
- Le 105 qui va de la place des Héros au centre de Buda en passant par le pont des Chaînes.

Métro

C'est le moyen de locomotion le plus rapide, mais le moins pittoresque. Trois stations seulement se trouvent à Buda :

. La petite ligne jaune (M1) part de Vörösmarty tér et remonte Andrássy út jusqu'à Mexikói út à travers le Bois-de-la-Ville.

. La ligne rouge (M2) va d'est en ouest depuis Örs vezér tér à Pest et termine à la gare Déli à Buda.

. La ligne la plus longue, la bleue (M3), commence au sud-est de Pest à Kőbánya-

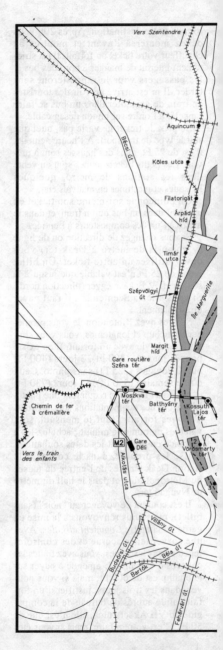

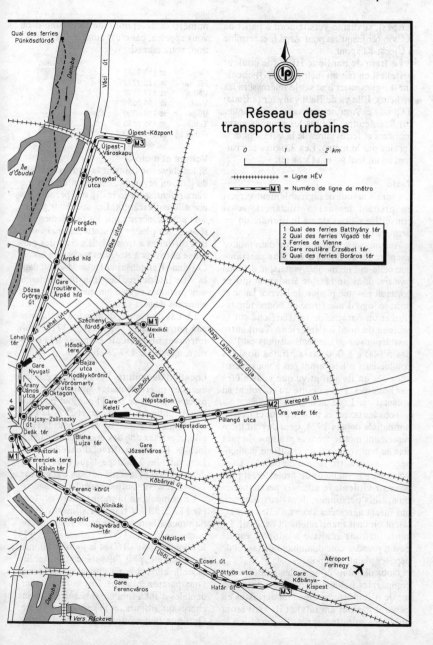

Réseau des transports urbains

0   1   2 km

+++++++++ = Ligne HÉV

━M1━ = Numéro de ligne de métro

1 Quai des ferries Batthyány tér
2 Quai des ferries Vigadó tér
3 Ferries de Vienne
4 Gare routière Érzsébet tér
5 Quai des ferries Boráros tér

Kispest, se dirige vers le nord à partir de Kálvin tér jusqu'au pont Árpád, et termine à Újpest-Központ.

Le train de banlieue HÉV (de couleur verte) est en fait un métro aérien. Il circule sur 4 lignes mais une seule intéressera les visiteurs. Elle va de Batthyány tér (à Buda) à Óbuda et Aquincum avant de continuer sur Szentendre. Toutes les grandes gares routières et ferroviaires de la ville sont desservies par le métro. Les 3 lignes se croisent en un seul point : Deák tér.

Taxis

On sera souvent désagréablement surpris en prenant le taxi à Budapest, aussi conseillons-nous de ne le prendre qu'en dernière extrémité.

Aucune autre mise en garde dans tout ce chapitre (et ce livre) n'est plus pressante que celle-ci : ne montez jamais, je dis bien *jamais*, dans un taxi de Budapest qui ne porterait pas une plaque de licence jaune et noir, le logo d'une firme de bonne réputation et un barème de tarif affiché sur le tableau de bord à l'intérieur. Tout autre taxi dépourvu de ces trois attributs est l'un des 5 000 à 8 000 taxis pirates dont les conducteurs n'hésiteront pas à vous escroquer dès qu'ils auront vu que vous n'êtes pas hongrois. Peu importe qu'ils soient au volant d'une Lada ou d'une Mercédès.

Tous les taxis ont un compteur et ils sont normalisés depuis 1994. Ceci devrait théoriquement mettre fin à la pratique du prix fixé au bon vouloir d'un chauffeur malhonnête – sans autre forme de procès. Et si vous avez le malheur de protester, il peut devenir violent. Je connais personnellement trois personnes, dont deux femmes, qui furent agressées alors qu'elles contestaient un tarif manifestement excessif. La seule attitude réaliste à adopter est de payer, prendre note du numéro du taxi et de déposer plainte à la police.

Nous donnons ci-après les numéros des compagnies fiables. Vous pouvez les appeler de n'importe où (les standardistes en général parlent anglais) et ils arriveront quelques minutes après. Sachez bien le numéro de téléphone de la cabine d'où vous appelez, car c'est ainsi qu'ils connaîtront votre adresse :

City	☎ 153 3633
Fő	☎ 122 2222
Rádió	☎ 177 7777
Volán	☎ 166 6666
Buda	☎ 120 0200
Tele5	☎ 155 5555
Gábriel	☎ 155 5000

Voiture et moto

Si les choses se calment la nuit, la conduite de jour, en revanche, est un enfer. Les travaux ralentissent le trafic qui prend alors une allure d'escargot. Les accidents graves sont plus nombreux que les froissements de tôle, et les places de stationnement sont très difficiles à trouver. Il existe des parkings couverts à Szervita tér et aux hôtels Corvinus Kempinski et Duna Marriott dans la ville Intérieure. Les transports urbains sont pratiques et économiques. Utilisez-les, au moins dans la ville.

En cas de panne, demandez assistance aux numéros 169 1831 et 169 3714. Pour retrouver un véhicule emmené à la fourrière, appelez le 157 2811.

Location de voiture. Les tarifs des grandes agences internationales sont prohibitifs, revenant à plus de 600 Ft par jour pour une voiture ordinaire, assurance et 25% de TVA (ÁFA) inclus. Avant de partir pour la Hongrie, contactez une des grandes compagnies locales. Beaucoup offrent d'excellents forfaits valables à Budapest qui vous reviendront à 1 800 Ft la semaine dans certains cas, si vous réservez suffisamment à l'avance.

La compagnie la moins chère est Inka (☎ 117 2150), V Bajcsy-Zsilinszky út 16. Sa super-affaire est une Lada russe quatre-portes ou break à 900 Ft par jour plus 9 Ft le kilomètre, ou 3 160 Ft la journée kilométrage illimité, plus l'assurance (on établira laquelle elle est la plus avantageuse quand vous paierez à la fin). Les voitures occidentales d'Inka sont aussi beaucoup moins chères qu'ailleurs, et le service est fiable. Quoique beaucoup plus chère qu'Inka, la compagnie Rent-a-Car (☎ 129 0200), dans l'hôtel Volga, XIII Dózsa György út 65, propose des américaines à boîte automatique. La voiture deux-portes la moins chère revient quand même à 35 000 Ft la semaine, plus l'assurance.

Bicyclette

Les grandes artères sont un peu trop encombrées pour prendre plaisir à circuler en vélo, mais il y a de nombreux quartiers où c'est le moyen de locomotion idéal. Voir *Bicyclette* dans la rubrique *Activités* de ce chapitre pour des suggestions de balades et des adresses de loueurs.

Bateau

Ferries du Danube. Des bateaux remontent le fleuve vers les villes de la Boucle du Danube, presque toute l'année. De mi-mai à début septembre, des ferries journaliers partent des quais de Vigadó tér à Pest et Batthyány tér à Buda, en direction de : Szentendre (1 heure 30) à 8h, 10h et 14h ; Vác (2 heures 30) à 7h ; Visegrád (3 heures 30) à 7h, 8h et 10h ; et Esztergom (de 4 à 5 heures) à 8h. En été, un hydroglisseur (1 heure) quitte Esztergom à 9h.

D'avril à mi-mai et de septembre jusqu'à l'embâcle, un ferry quotidien relie Budapest à Vác, Visegrád et Esztergom à 8h, et à Szentendre et Visegrád à 10h.

Ferries locaux. Les ferries Mahart font la liaison de Boráros tér (au pont Petőfi côté Pest) à Pünkösdfördő à Csillaghegy, de mai à septembre, de 10h à 18h. Les bateaux font une douzaine d'arrêts dont un à Március 15 tér et deux sur l'île Marguerite. Le voyage est d'une lenteur désespérante mais pour 50 Ft on fera un belle promenade sur l'eau.

Environs de Budapest

PARC SZOBOR

Le nouveau parc Szobor (parc des Statues), dans le 22e arr., offre une vision proprement hallucinante. On y a rassemblé les bustes et statues de Lénine, Marx et autres ouvriers héroïques qui, dans d'autres pays de l'Est, ont fini sur les décharges publiques. C'est le premier parc à thème de l'Europe de l'Est. Vous ferez connaissance avec le réalisme socialiste et vous tâcherez d'imaginer qu'au moins quatre de ces monuments furent érigés pas plus tard qu'à la fin des années 80.

Il se trouve sur XXII Szabadkai út donnant dans la route 70 vers le lac Balaton. Accès par les bus 14 et 114 depuis Kosztolányi Dezső tér à Buda, et ouvert d'avril à octobre tous les jours sauf lundi, de 10h à 18h. Entrée, 99 Ft.

NAGYTÉTÉNY

Le **musée du Château**, XXII Csókási Pál utca 9-11, renferme la majeure partie des meubles du musée des Arts appliqués de Pest. Accès par le bus n°3 (local ou express rouge) depuis Móricz Zsigmond körtér dans le 11e arr., en 30 minutes. Appelez le musée auparavant (☎ 226 8547) ou renseignez-vous auprès de Tourinform, car il était fermé pour rénovations.

De l'arrêt de bus de Szentháromság tér, en face de l'église, prenez au sud la Csókási Pál utca jusqu'à l'entrée principale. L'énorme palais jaune en forme de E date du milieu du XVIIIe siècle et renferme du mobilier et des bibelots sans compter quelques fresques dans les salles du premier étage.

Le pub *Sopron* au Szentháromság utca 3, sur la place, sert des repas. En suivant la rue principale (Nagytétényi út) vers l'est sur un ou deux pâtés de maisons, vous arriverez au n°283 devant une synagogue du XIXe siècle transformée en bibliothèque. L'inscription en hongrois et en hébreu au-dessus de la porte dit ceci : "De l'aube au crépuscule, nous prions le nom du Tout-Puissant."

RÁCKEVE

Cette ville de 8 500 habitants est située au sud-est de Csepel-sziget, la longue île du Danube au sud de Budapest. On la décrit souvent comme un dépotoir industriel, mais elle se fait de plus en plus rurale à mesure que l'on s'éloigne de la ville (c'est sur cette île que le régime précédent se proposait d'accueillir les réfugiés de Hong Kong). Au nombre des séductions de Ráckeve il faut compter un beau parc en bordure du fleuve et une plage, une église gothique orthodoxe serbe – Rác signifie Serbe en vieil hongrois – et si vous avez fait un héritage, un hôtel dans l'ancien palais de Savoie.

Palais de Savoie

De la gare de Ráckeve, descendez au sud Kossuth Lajos utca jusqu'à l'hôtel du Palais de Savoie au n°95 en face du Ráckeve, un bras du Danube. Le palais à coupole à deux ailes fut élevé en 1722 pour le prince Eugène de Savoie par un architecte autrichien qui devait plus tard dessiner le palais de Schönbrunn à Vienne. Il fut complètement reconstruit et transformé en hôtel de luxe en 1982.

Église orthodoxe serbe

En continuant vers le sud et le centre-ville, on arrive devant le discutable clocher bleu de l'église orthodoxe serbe à l'ouest, Viola utca 1. Elle est ouverte du mardi au samedi de 10h à 12h et de 14h à 17h (l'après-midi seulement le dimanche). Elle fut construite en 1487 par des Serbes qui fuyaient leur ville de Keve devant l'avancée des Turcs, et agrandie au siècle suivant. Le clocher fut rajouté en 1758 et, autrefois, indiquait l'heure en cyrillique.

Les murs et le plafond sont couverts de peintures murales pimpantes exécutées par un maître serbe d'Albanie au milieu du XVIIIe siècle. Elles représentent des scènes de l'Ancien et du Nouveau Testaments et devaient servir à l'éducation religieuse des paroissiens illettrés. La première section de la nef est destinée aux femmes, et la partie sous le mur bas aux hommes.

Seul le prêtre et ses servants peuvent pénétrer dans le sanctuaire derrière l'iconostase, la grille sculptée et dorée, tapissée d'icônes.

Où se loger et se restaurer

Le meilleur choix est naturellement l'hôtel *Palais de Savoie* (☎ 24 385 253). Simples/doubles à 4 500/5 300 Ft avec s.d.b. individuelle et petit déjeuner. On peut avoir un aperçu de l'hôtel en visitant le restaurant *Pince* dans une cave voûtée.

L'hôtel *Fimcoop* (☎ 24 385 753), de l'autre côté du pont Árpád au Szitakötő utca 2, offre des doubles à moitié prix. Le camping *Hídláb* (☎ 24 385 501) du même côté au Dömsödi utca 2, est ouvert de mai à mi-septembre.

Le restaurant cave *Fekete Holló*, dans un hôtel délabré du XVIe siècle, Kossuth Lajos utca 1, reste ouvert jusqu'à 23h.

Comment s'y rendre

Ráckeve est à 40 km au sud-est de Budapest. Le mieux pour s'y rendre est de prendre le train HÉV depuis le terminus Közvágóhíd dans le 9e arr. On accède à cette station par le tram 2, ou depuis la gare Keleti par les trams 23 et 24. Le trajet en HÉV dure 75 minutes.

Le dernier train vers Budapest quitte Ráckeve à 23h30.

La Boucle du Danube

Le Danube (Duna en hongrois) est, avec ses 6 000 km, le plus long fleuve d'Europe après la Volga. Il prend sa source en Forêt-Noire, dans la partie sud-ouest de l'Allemagne, et se dirige vers l'est jusqu'à un point situé à 40 km au nord de Budapest. A cet endroit, les montagnes de Börzsöny, sur la rive gauche et de Pilis, sur la droite, le contraignent à un changement brutal de direction. Il s'oriente alors vers le sud, traverse Budapest puis le reste de la Hongrie sur 400 km environ, avant de reprendre son cours vers l'est jusqu'à la mer Noire, en Roumanie.

A proprement parler, la "Boucle du Danube" se limite à ce S que forme le fleuve. Elle débute à hauteur d'Esztergom et ondule sur 20 km, traverse Visegrád, puis se divise en deux pour former l'île de Szentendre. Avec l'usage toutefois, le nom de "Boucle du Danube" en est venu à désigner toute la région située au nord, nord-ouest de la capitale, avec ses montagnes,

ses stations de villégiature et ses villes fluviales. C'est ici que l'on admire les plus beaux paysages du Danube. Tout voyageur qui se respecte ne peut décemment visiter la Hongrie sans s'y arrêter !

C'est à la rive droite (c'est-à-dire dans la zone sud et ouest du fleuve) que revient la part du lion en matière de sites historiques et de forêts. Cette région constituait dans l'Antiquité la limite nord des colonies romaines ; Esztergom fut le premier siège de la couronne hongroise et resta le centre du catholicisme local pendant tout un millénaire. Au Moyen Age, Visegrád était connue pour réunir le "gotha" d'Europe Centrale : la famille royale y s'y était établie. Si Szentendre trouve ses racines dans la culture serbe et constitue un centre artistique important, le domaine forestier de Pilis, qui fut un terrain de chasse royal, propose ses collines, ses gorges, ses sentiers et ses très agréables promenades. Quoique la rive gauche (au nord et à l'est de la région) dispose d'un patrimoine nettement moins riche, la vieille ville de Vác et les versants boisés des montagnes de Börzsöny ont beaucoup à offrir aux visiteurs.

Ces dernières années, la Boucle du Danube a fait parler d'elle, non pour la beauté de ses paysages ou pour son histoire, mais en raison d'un projet de barrage qui a déclenché bien des polémiques. En 1977, les régimes communistes de Hongrie et de Tchécoslovaquie ont décidé – sans débat public ou parlementaire – de construire un canal et une centrale électrique le long du fleuve. Ce projet devait permettre la production d'électricité à bon marché et être financé par l'Autriche, que cette source d'énergie intéressait. Les responsables de l'environnement eurent vite fait de comprendre le danger d'un tel barrage et le public protesta de façon aussi énergique qu'unanime. En 1989, le dernier gouvernement réformé de la Hongrie

Boucle du Danube

SLOVAQUIE
HAUTES TERRES DU NORD
Diósjenő
Nógrád
Montagnes de Börzsöny
Esztergom
Visegrád
Dobogókő
Vác
Vácrátót
Île de Szentendre
Montagne de Pilis
Szentendre
Dunakeszi
TRANSDANUBIE OCCIDENTALE
BUDAPEST
PLAINE CENTRALE

communiste céda à la pression et interrompit tous les travaux prévus à Nagymaros, en face de Visegrád. Les défenseurs de la nature poursuivirent alors leurs efforts pour convaincre la nouvelle Tchécoslovaquie démocratique de suivre cet exemple pour son projet de canal en amont, à Gabčikovo, près de Bratislava, mais sans succès. A mesure que l'on approchait d'une partition du pays, les Tchèques fermèrent les yeux sur les travaux poursuivis par les Slovaques, si bien qu'en octobre 1992, le fleuve fut, comme prévu, détourné vers le canal. Aujourd'hui, la Slovaquie indépendante reste déterminée à aller de l'avant avec la construction – et la privatisation – d'une centrale électrique.

SZENTENDRE (19 300 habitants)

A moins de 19 km au nord de Budapest, Szentendre ("Saint-André") constitue la limite sud de la Courbe du Danube, mais ne possède ni le patrimoine historique, ni le pittoresque d'une Visegrád ou d'une Esztergom. De l'avis de nombreux voyageurs, cette colonie d'artistes transformée en un lucratif centre touristique paraît un peu trop "attrayante". En outre, elle est bondée presque toute l'année, et les prix flambent en conséquence. Néanmoins, la visite de la ville reste facile à effectuer à partir de la capitale et les dizaines de musées, galeries et églises qu'elle renferme valent largement le prix du billet de train, à condition d'éviter les week-ends.

Comme la plupart des villes du Danube, Szentendre fut occupée d'abord par les Celtes, puis par les Romains, qui y construisirent une importante place fortifiée, appelée Ulcisia Castra ("Château du Loup"). Au cours des Grandes Migrations, de nombreuses tribus se succédèrent et la ville fut maintes fois pillée, jusqu'à l'arrivée des Magyars, à la fin du IXe siècle, qui y établirent une colonie. Au XIVe siècle, Szentendre était devenue une cité prospère placée sous la protection de la maison royale de Visegrád.

C'est à cette époque qu'une première vague de chrétiens orthodoxes serbes vinrent ériger la plupart des églises de Szentendre et donner à la ville cette atmosphère balkanique qui la caractérise. Ces immigrants venus du Sud s'y établirent définitivement et beaucoup d'entre eux furent engagés comme marins ou garde-frontières par Mathias 1er Corvin, le bon souverain qui régna sur la Hongrie pendant la Renaissance. L'occupation turque mit fin à cette période de coexistence pacifique, à tel point que vers la fin du XVIIe siècle, la ville se retrouva désertée.

Peu de temps plus tard, la Hongrie fut libérée des Ottomans, mais des combats se poursuivirent dans les Balkans, et des réfugiés serbes, grecs, catholiques de Dalmatie et autres – environ 8 000 en tout – affluèrent à Szentendre. Persuadés qu'ils finiraient par rentrer chez eux, mais appréciant la totale liberté religieuse qui leur était offerte par la législation relativement bienveillante des Habsbourg (un droit dont ne jouissaient pas les protestants de Hongrie à la même époque), les orthodoxes, organisés en une demi-douzaine de clans, édifièrent tout d'abord des églises en bois.

Adoptant les métiers de commerçants, tanneurs ou négociants en vins, ces immigrants prospérèrent et Szentendre devint alors une importante cité marchande qui rivalisa bientôt avec Leipzig et Cracovie. Elle était également le centre culturel, commercial et religieux des Serbes de Hongrie, si bien que l'on résolut de reconstruire la plupart des églises en dur, dans un style baroque. A la fin du XIXe siècle, cependant, une série de catastrophes naturelles (puis une épidémie de phylloxéra qui dévasta le vignoble) vida la ville de presque tous ses habitants. C'est à Szentendre que subsistent aujourd'hui les plus importants vestiges serbes de Hongrie, mais seuls quelques rares descendants des artisans des origines y vivent encore.

La situation très agréable de Szentendre sur la rive occidentale du Danube, qui offre une vue magnifique sur les montagnes de Pilis et de Visegrád, commença à attirer dès le début du siècle touristes et peintres de la capitale. Dans les années 20, une colonie d'artistes s'y établit. C'est aujourd'hui un endroit charmant où abondent cafés, musées et galeries d'art.

Orientation

Le train de banlieue HÉV et les stations de bus se trouvent côte à côte au sud du centre ville, au début de Dunakanyar körút (rue de la Boucle du Danube). Il suffit de suivre Kossuth Lajos utca vers le nord pour se retrouver à Dumtsa Jenő utca et Fő tér, au cœur de Szentendre. En arrivant à la gare, traversez le passage souterrain. La promenade Duna Korzó, le long du Danube, et le ferry qui vous amène sur l'île de Szentendre ne sont qu'à quelques minutes de marche à l'est de Fő tér. L'embarcadère pour le ferry Mahart est à environ un kilomètre au nord, sur Czóbel Béla sétány, perpendiculaire à Duna korzó.

Renseignements

Ibusz (☎ 26 310 315) se trouve au 11, Bogdányi utca ; quant à Dunatours (☎ 26 311 311), il est situé au n°1 de la même rue. Sachez que de novembre à mars, beaucoup d'établissements n'ouvrent que le week-end.

Vous trouverez la poste centrale et des téléphones longues distances au 23, Kossuth Lajos utca, en face de la gare et, non loin de là, une banque OTP au 6, Dumtsa Jenő utca.

L'indicatif téléphonique pour Szentendre est le 26.

A voir

Si vous décidez d'aller admirer le panorama dès votre arrivée, arrêtez-vous à l'**église Požarevačka**, sur Vuk Karadzsics tér, devant laquelle vous passerez avant de franchir l'étroit ruisseau nommé Bükkös. Cette église orthodoxe serbe fut consacrée en 1763. Vous y découvrirez une très jolie iconostase datant de 1742, la plus ancienne de Szentendre, qui ornait l'église en bois qui s'élevait alors en cet endroit. Comme beaucoup d'églises orthodoxes de la ville, Požarevačka forme un angle inattendu avec les maisons qui l'environnent. On sait

qu'en Europe, les sanctuaires des églises pré-baroques étaient orientés vers l'est, soit vers Jérusalem, soit vers Constantinople (Istanbul). Les architectes orthodoxes adoptèrent le style baroque pour les façades extérieures, mais n'osèrent pas rompre avec la tradition. Ainsi, la plupart des églises ne se soucient-elles pas de respecter l'alignement avec les immeubles ou jardins voisins. L'**église Pierre-Paul**, au 6, Péter-Pál utca (rue perpendiculaire à Dumtsa Jenő utca), vit le jour en 1753 et fut d'abord une église orthodoxe portant le nom de Ciprovačka. Elle fut reprise un peu plus tard par les catholiques de Dalmatie. Tout près, la **collection Barcsay**, au 10, Dumtsa Jenő, renferme les œuvres d'un des fondateurs de la colonie d'artistes de Szentendre.

Non loin de là, vous découvrirez **Fő tér**, le centre animé de Szentendre, autour duquel se regroupent la plupart des centres d'intérêt. Les musées, tous installés dans de splendides maisons bourgeoises des XVIIIᵉ et XIXᵉ siècles, sont ouverts tous les jours, sauf lundi de 10h à 18h, d'avril à octobre. L'entrée est gratuite le mercredi. En hiver, les visites sont limitées aux vendredis, samedis et dimanches, de 10h à 16h.

Au centre de Fő tér, se dresse la **croix de la Peste** (1763). Il ne s'agit pas du classique symbole de pierre que l'on voit sur beaucoup de places en Hongrie, mais d'une croix de fer récemment rénovée, élevée sur un socle de marbre orné d'icônes. La **galerie de Szentendre** (Szentendrei Képtár), à l'est de la croix, aux 2-5, Fő tér, propose des expositions temporaires ; le **musée de Kmetty**, au 21, Fő tér, plus au sud, expose les œuvres de János Kmetty (1889-1975), un peintre cubiste, qui vous laissera peut-être indifférent ; mais laissons de côté ces pronostics peu amènes et traversons la place vers le nord pour nous rendre à l'**église Blagoveštenska**, édifiée en 1754. Avec ses éléments de styles baroque et rococo, rien ne laisse supposer, de l'extérieur, la moindre appartenance "orientale" (son architecte, András Mayerhoffer, était un spécialiste du style baroque). Il faut y

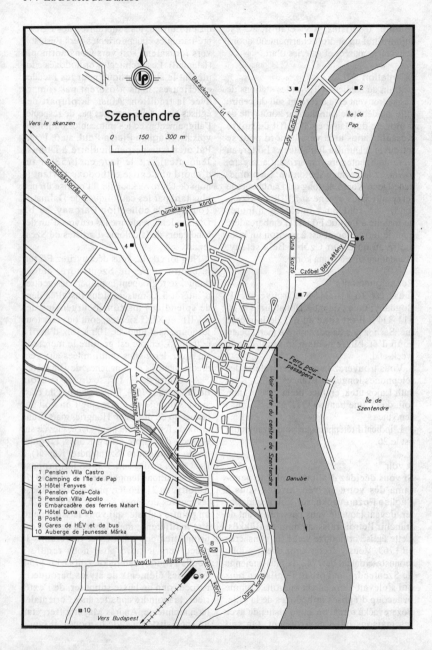

Szentendre

0   150   300 m

Vers le skanzen

Baracktos út

Ady Endre utca

Île de Pap

Szabadságforrás út

Dunakanyar körút

Duna korzó

Czóbel Béla sétány

Dunakanyar körút

Ferry pour passagers

Voir carte du centre de Szentendre

Île de Szentendre

Danube

Vasúti villásor

Dunakanyar körút

Duna korzó

Vers Budapest

1 Pension Villa Castro
2 Camping de l'île de Pap
3 Hôtel Fenyves
4 Pension Coca-Cola
5 Pension Villa Apollo
6 Embarcadère des ferries Mahart
7 Hôtel Duna Club
8 Poste
9 Gares de HÉV et de bus
10 Auberge de jeunesse Márka

pénétrer pour découvrir sa véritable nature : l'iconostase décorée, le fin mobilier XVIIIe siècle et l'impressionnante musique d'église slave ne laissent aucun doute au visiteur. Prenez le temps d'examiner les icônes : bien qu'elles n'aient été peintes qu'un demi-siècle après celles de l'église Požarevačka, leur style est nettement plus réaliste. Elles semblent avoir perdu cette spiritualité, ce détachement du monde matériel qui caractérisaient les premières.

Descendez à présent Görög utca et tournez à droite dans Vastagh György utca. Vous tomberez devant le **musée Margit-Kovács**, installé dans une maison du XVIIIe siècle. C'est le musée le plus connu de la ville et, qui plus est, l'un des rares à rester ouvert toute l'année. Il tient son nom de la céramiste Kovács (1902-1977), qui combinait les thèmes modernes et religieux du folklore hongrois pour créer des personnages aux formes allongées, dans l'esprit du style gothique. Certains de ses travaux sont un peu trop chargés de sentimentalité, mais beaucoup produisent un effet saisissant, en particulier ceux de la dernière époque, lorsque l'idée de mort hantait l'artiste. Ne manquez pas *Le Vieux Berger*, le célèbre *Poêle avec scènes de noces*, et *Deuil II*.

Le **musée Ferenczy**, près de l'église Blagoveštenska, au 6 Fő tér, est dédié à Károly Ferenczy, le père de la peinture hongroise *sur le motif*, et à sa fille et son fils, des jumeaux qui sculptèrent et tissèrent de somptueuses tapisseries. De là, Bogdányi utca, la rue la plus animée de Szentendre, vous conduira, plus au nord, vers quelques autres excellents musées : au n°10/b, vous irez, par exemple, admirer les peintures symbolistes de **Margit Anna** et **Imre Ámos**. Et au 6, Ady Endre utca, vous découvrirez les sculptures du **musée Jenő-Kerényi**. Toutefois, pour éviter la foule, tournez au 9, Fő ter, et gravissez les étroits escaliers de Váralja lépcső.

La colline du Château (Vár domb) servit de site à un château fort au Moyen Age ; il n'en subsiste aujourd'hui que l'**église**

Centre de Szentendre

1 Centre culturel
2 Dalmát Pince
3 Embarcadère des ferries pour l'île de Szentendre
4 Collection ecclésiastique serbe
5 Cathédrale de Belgrade
6 Collection Margit Anna et collection d'Imre Ámos
7 Restaurant Da Carlo
8 Restaurant Vidám Szerzetesek
9 Dunatours
10 Église paroissiale Saint-Jean
11 Église Blagovešvtenska
12 Musée Margit Kovács
13 Galerie de Szentendre
14 Église Pierre-Paul
15 Fehér Lóhoz
16 Restaurant Peking
17 Restaurant Kisvendéglő
18 Pension Bűkkős
19 Église Požvarevačvka

paroissiale de Saint-Jean, entourée d'un mur d'enceinte, sur Templon tér. Construite vers la fin du XIIIᵉ siècle, elle fut restaurée plusieurs fois au cours des siècles. Son entrée (la seule église de la ville à avoir toujours été catholique) est de style gothique. Les fresques du sanctuaire furent peintes par les membres de la communauté d'artistes dans les années 30. A l'ouest de l'église, au 1 Templon tér, le **musée Czóbel** renferme les œuvres du peintre impressionniste Béla Czóbel (1883-1976), qui fut l'ami de Picasso et l'élève de Matisse.

La tour rouge de la **cathédrale de Belgrade** (1764) s'élève au-dessus de la verdure d'un petit jardin fermé, au nord de l'église paroissiale. Elle abrite le siège de l'évêché orthodoxe serbe et ouvre ses portes aux visiteurs tous les dimanches. Dans l'un des bâtiments de l'église, tout près (entrée au 5, Pátriárka utca), vous pourrez contempler la **collection d'Art ecclésiastique serbe**, un trésor d'icônes, de vêtements et d'objets sacrés faits de métaux précieux. L'élément le plus ancien en est un vitrail représentant la crucifixion du XIVᵉ siècle. Une "icône de coton" inspirée de la vie du Christ, datant du XVIIIᵉ siècle, vous surprendra. Jetez aussi un coup d'œil au portrait du Christ sans visage, au premier étage, sur le mur de droite. On raconte qu'un mercenaire kuruc ivre le darda de coups de couteau ; le lendemain, apprenant son geste, il se jeta dans le Danube.

Vous trouverez également un **musée de la Poupée** au 18, Sas utca, ouvert de 10h à 17h du mercredi au dimanche.

Le **Musée ethnographique hongrois en plein air**. Si cet ensemble d'immeubles (Magyar Szabadtéri Néprajzi Múzeum), à 3 km du centre ville, sur Szabadságforrás út, ne constitue pas le plus grand *Skanzen* (musée en plein air, ou musée-village) de Hongrie, il est certainement le plus ambitieux. Situé sur un terrain accidenté de 46 hectares, le musée a ouvert ses portes il y a vingt ans pour présenter aux Hongrois et aux touristes des scènes de la vie traditionnelle du pays. Pour cela, on a rassemblé sur un même site des éléments originaires de différents villages. Selon les prévisions, le musée devrait compter 300 fermes, églises, clochers, moulins, etc., organisés en 10 régions. A l'heure qu'il est, ces "régions" restent encore inachevées, à deux exceptions près : la Haute Tisza, au nord-ouest du pays, et la région de Kisalföld en Transdanubie Occidentale, qui sont bien reconstituées.

Toutes les maisons et autres bâtiments, rassemblés avec le plus grand soin, sont en excellent état. Parmi les hauts lieux de cette reconstitution, il faut noter l'église calviniste et le beffroi du Erdőhát, la "maison longue" allemande de Harka, à la périphérie de Sopron, et les curieuses pierres tombales en forme de cœur des collines de Buda. Artisans et ouvriers ne travaillent sur ce chantier que durant les mois les plus chauds.

Dès le début, le musée a donné lieu à de violentes polémiques. A ses défenseurs qui estiment qu'il a sauvé de l'oubli certains objets et constructions (les photos "avant-après" présentées vous feront sans doute opiner du bonnet), les habitants des villages rétorquent en accusant le gouvernement de piller les provinces au profit de Budapest – "comme d'habitude". Ainsi, les gens de Tákos, dans le nord-est du pays, ont-ils eu toutes les peines du monde à sauvegarder leur clocher, un monument parfaitement préservé que l'on avait prévu d'envoyer à Szentendre dans les années 70. Reste à savoir comment s'y prendront les responsables du musée pour parvenir à compléter les huit autres régions. Le musée est ouvert tous les jours sauf lundi, de 9h à 17h, d'avril à octobre.

Activités culturelles et/ou sportives

L'île de Pap (Pap-sziget) est la base de loisirs de Szentendre. On y trouve des pelouses idéales pour les bains de soleil, une piscine, des courts de tennis et des locations de barques. L'île abrite également un sympathique restaurant de poissons et une boîte de nuit.

En été, le restaurant *Le Viking*, situé sur le bateau amarré près du Duna Club, sur Ady Endre utca, propose des bateaux en location et du ski nautique.

Toujours en été, vous pourrez vous offrir une balade en fiacre (Hansom) sur Fő tér.

Où se loger

Szentendre est si proche de Budapest qu'il n'y a guère d'intérêt à y passer la nuit, sauf si vous comptez poursuivre votre périple vers les autres bourgades de la Boucle du Danube sans revenir vers la capitale.

Méfiez-vous toutefois : la plupart des hébergements se trouvent très décentrés par rapport à Fő tér, et les rares hôtels du centre ville sont chers.

Camping. Le *Camping de Pap-sziget* (☎ 310 697), sur la petite île située au nord du centre ville, comporte 14 bungalows, ainsi qu'un motel de 10 chambres, de nombreuses installations de loisirs et quelques restaurants tout proches. Il est ouvert de mai à mi-octobre.

L'alternative la plus proche est le *Camping Donauknie* (☎ 323 154), à Leányfalu, à 7 km au nord, en bordure du Danube. Vous y louerez de petits bungalows en bois pour deux personnes, au prix de 1 300 à 1 700 Ft.

Chambres chez l'habitant et auberge de jeunesse. Dunatours (voir le paragraphe *Renseignements*) pourra vous procurer des chambres chez l'habitant autour de 1 000 Ft pour deux. Mieux vaut toutefois tenter l'auberge de jeunesse **Márka** (☎ 312 788), bien moins chère, mais généralement bondée. Située au 9, Szabadkai utca, elle est à 5 minutes des gares routière et ferroviaire et vous coûtera 300 Ft par personne, en dortoirs.

Pensions. La plus centrale est le *Bükkös* (☎ 312 021), qui comporte 16 chambres, et vous fera payer cher son emplacement appréciable, entre la gare et Fő tér, au 16, Bükkös part : pas moins de 3 100 Ft minimum pour une double avec bain.

Le *Piroska* (☎ 312 425), à l'ouest de Fő tér, à l'angle de Dunakanyar körút (également route n°11) et d'Áchim utca, propose 7 chambres et un bar topless très apprécié des voyageurs de commerce. Les chambres doubles avec bain (et vidéo !) coûtent 3 500 Ft.

Le *Villa Apollo* (☎ 310 909), au 3, Méhész utca, tout près du boulevard périphérique de la ville, offre 6 chambres doubles avec douches au prix de 1 300/ 1 500 Ft.

Le *Coca-Cola* (☎ 310 410) voisin propose 12 chambres, toutes avec terrasse, au 50, Dunakanyar körút. C'est une excellente adresse où officie un propriétaire particulièrement serviable. Le prix des doubles avec bain varie selon la saison de 2 255 à 2 715 Ft.

Enfin, le *Villa Castro* (☎ 311 240) est situé plus au nord, au 54, Ady Endre út. Ses 8 chambres sont propres et confortables. Une double avec petit déjeuner coûte 3 000 Ft.

Hôtels. Les 10 chambres de l'hôtel *Fenyves* (☎ 311 882), au 26, Ady Endre utca, présentent le meilleur rapport qualité/prix de la ville. Installées dans une vieille demeure entourée d'un jardin, elles sont claires et confortables et coûtent 720 Ft par personne, petit déjeuner compris, mais avec douches communes. Le salon est prolongé par une grande terrasse et les jeunes gérants sont très efficaces !

De loin l'endroit le plus chic de la Boucle du Danube (sinon de toute la Hongrie), le tout récent *Duna Club* (☎ 312 491) propose 29 belles chambres au milieu d'un grand parc en bordure du Danube au 5, Ady Endre utca. Vous y trouverez un restaurant de luxe, un grill en terrasse l'été, une immense piscine, plusieurs courts de tennis et un club de remise en forme avec cours de gymnastique, sauna et bains à remous.

Asseyez-vous avant de consulter les tarifs : 4 750/9 500 Ft pour une simple, 5 625/ 11 250 Ft pour une double, selon les saisons !

Où se restaurer

Choisissez l'un des snacks situés près des gares : ils sont très pratiques, surtout si vous allez au skanzen, où le choix reste plutôt limité. Également dans le secteur, vous trouverez un petit restaurant hongrois, le *Kisvendéglő*, près du pont qui traverse le Bükkös, sur Jókai Mór tér. Il y a aussi le self *Dixie*, au 16, Dumtsa Jenő.

Le seul restaurant asiatique de Szentendre est le *Peking*, au 3, Batthyány utca, mais la nourriture laisse à désirer. De l'autre côté de la rue, au n°2 (entrée au 12, Dumtsa Jenő utca), le *Fehér Lóhoz* propose une cuisine hongroise plutôt chère. Il est ouvert jusqu'à 22h, tous les jours sauf le jeudi.

Duna korzó regroupe plusieurs restaurants italiens : le *Ristorante da Carlo*, aux n°6-8, est relativement cher, mais on y dîne dehors en été. Chez *Andreas Pizzéria*, au n°5, on mange debout. Boudez le *Görög Kancsó* ("bistro grec"), le mal nommé, au 1, Görög utca : pas le moindre souvlaki en vue et la cuisine "continentale" proposée ne vaut pas le prix exorbitant réclamé.

Aux n°3-5, Bogdányi utca, le *Vidám Szerzetesek* ("Au gai moine") est un peu touristique, mais l'été on est servi sur la terrasse. Avantage non négligeable, vous serez sûr d'y être compris : la carte est traduite en 17 langues !

Distractions

Après avoir admiré l'immense mosaïque réalisée par Béla Czóbel au centre culturel du comitat de Pest, près de la cathédrale de Belgrade, sur Pátriárka utca, renseignez-vous auprès du personnel pour connaître les manifestations de Szentendre. Parmi les événements à ne pas manquer, notez le *festival du Printemps*, en mars, le *Festival serbe*, le 19 août, devant l'église de Preobraženska, sur Bogdányi utca, *le festival de Théâtre de rue* de Szentendre en juillet et août, et les marchés des églises sur la place Templom tér, tous les week-ends d'été.

Pour passer une bonne soirée, le *Dalmát Pince*, au 5, Malom utca (en haut des marches qui partent de Bogdányi utca) est

un café-concert qui affiche des programmes musicaux de jazz, blues ou folklore tous les soirs en saison.

Le *Café Impression*, au 6, Római sánc köz, près du Bükkös (la rivière), reste ouvert très tard dans la nuit.

Enfin, le *Szigetgyöngye*, sur l'île de Pap, dispose d'une discothèque ouverte les fins de semaine en saison.

Achats

Szentendre est la ville du shopping. Les prix y sont aussi élevés qu'à Budapest, mais on y trouve des choses qui n'existent pas dans la capitale. Pour les céramiques et les objets en verre, visitez la Péter-Pál Galéria, sur Péter-Pál utca. La Metszet Galéria, au 14, Fő tér, propose de magnifiques cartes, estampes et gravures anciennes.

Pour les œuvres d'art, faites un tour du côté de Műhely Galéria (Galerie des ateliers), une coopérative d'artistes située au 20, Fő tér, ou chez Artéria, à quelques mètres à l'ouest, au 1, Városháza tér, qui expose et vend les œuvres d'artistes déjà plus réputés.

Comment s'y rendre

Train. Le meilleur moyen de se rendre à Szentendre lorsqu'on est à Budapest consiste à prendre le train HÉV à Batthyány tér. Il y conduit en 40 minutes et on ne l'attend jamais plus de 20 minutes (10 minutes aux heures de pointe). Le dernier train quitte Szentendre pour Budapest à 23h30. N'oubliez pas que le ticket de métro jaune n'est valable que jusqu'à Békásmegyer : il faut payer un supplément pour Szentendre. Méfiez-vous également : certains trains s'arrêtent à Békásmegyer. On doit alors traverser le quai et prendre la correspondance pour Szentendre.

Bus. La liaison Szentendre/Budapest n'est pas brillante, bien qu'une vingtaine de bus par jour relient la ville à la gare du pont d'Árpád (à Budapest), à Esztergom (via Visegrád et Dömös) et au ferry de Vác, sur la rive est de l'île de Szentendre.

Bateaux. De la mi-mai à début septembre, des ferries assurent en 1 heure 30 la liaison du Vigadó tér (Pest) et du Batthyány tér (Buda) jusqu'à Szentendre (départs à 8h, 10h et 14h).

Ces mêmes ferries quittent Szentendre pour Visegrád et Esztergom à 9h35, ou pour Visegrád seulement à 11h25. Entre avril et la mi-mai, puis à partir de septembre et tant que le fleuve n'est pas gelé, un ferry relie chaque jour Budapest à Szentendre (départ à 10h).

Comment circuler

Tous les bus passant sur la route n°11, en direction d'Esztergom, de Visegrád ou de l'embarcadère de Vác, vous conduiront à proximité de la plupart des hôtels et campings mentionnés plus haut. Pour l'île de Pap, sonnez pour demander l'arrêt juste après l'hôtel Danubius.

Huit bus par jour en semaine et une douzaine les samedis et dimanches partent des arrêts n°6 ou n°8 pour les skanzen. La plupart des voyageurs y descendront ; toutefois, au cas où vous vous trouveriez seul, descendez à l'arrêt marqué "Szab. téri múz".

VÁC (36 000 habitants)

Vác est située à 34 km au nord de Budapest, sur la rive gauche (c'est-à-dire à l'est) du Danube, face à l'île de Szentendre. Au nord-ouest de la ville, les massifs de Börzsöny, qui bordent la région nord – montagneuse –, s'étendent jusqu'à la Slovaquie.

Contrairement à la plupart des villes hongroises, Vác peut prouver ses origines antiques sans avoir à manier la pioche : dans son *Geographia*, écrit au IIe siècle, Ptolémée mentionne déjà Uvcenum – nom latin de la ville – comme un important carrefour fluvial.

C'est également ici qu'au XIe siècle le roi Étienne Ier établit un siège épiscopal. Trois cents ans plus tard, Vác était assez riche et puissante pour devenir le "ravitailleur" officiel du royaume. Le centre ville médiéval et la cathédrale gothique furent cependant détruits pendant l'occupa-

tion turque. Ce sont donc les différents évêques qui entreprirent sa reconstruction au XVIIIe siècle qui ont donné à Vác son caractère baroque actuel.

Au milieu du siècle dernier, Vác (Wartzen en allemand) n'était guère plus qu'une paisible bourgade provinciale ; cela ne l'empêcha pas d'être la première à bénéficier d'une liaison ferroviaire avec Pest. Toutefois, il lui fallut attendre la fin de la Seconde Guerre mondiale pour connaître un début de réel essor.

Mais pour beaucoup de Hongrois, le nom de Vác continue malheureusement à évoquer une image terrifiante : la célèbre prison de Köztársaság utca, où de nombreux prisonniers politiques furent incarcérés et torturés, à la fois avant la guerre sous le régime de Miklós Horthy, et dans les années 50 sous le régime communiste.

Aujourd'hui, aucun de ces douloureux souvenirs ne viendra plus troubler votre agréable promenade le long du Danube. Ce fleuve qui, plus que dans aucune autre ville de la "Boucle", est omniprésent. Vous noterez alors que Vác est un lieu bien moins touristique que Szentendre, Visegrád ou Esztergom. Ce qui, d'ailleurs, devrait vous inciter à vous y arrêter.

Orientation

La gare ferroviaire se trouve à l'extrémité nord-est de Széchenyi utca ; celle des bus est distante de quelques mètres, à l'ouest de Galcsek utca. En suivant Széchenyi utca vers le fleuve, traversez la route principale qui coupe la ville en deux (Dr Csányi László körút) et dirigez-vous vers Március 15 tér, que l'on appelle également Fő tér, la place centrale. L'embarcadère des ferries Mahart est à l'extrémité sud de Liszt Ferenc sétány ; un peu plus au sud, vous pourrez embarquer avec votre voiture pour vous rendre sur l'île de Szentendre.

Renseignements

Une nouvelle agence Tourinform (☎ 27 316 160) s'est ouverte au 45, Dr Csányi László körut. Dunatours (☎ 27 310 940) est au 14, Széchenyi utca, Ibusz (☎ 27 312

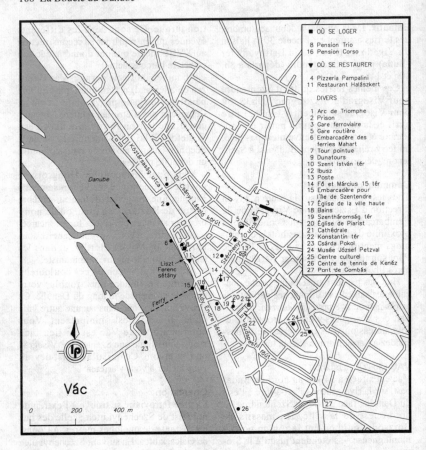

Vác

OÙ SE LOGER
8 Pension Trio
16 Pension Corso

OÙ SE RESTAURER
4 Pizzeria Pampalini
11 Restaurant Halászkert

DIVERS
1 Arc de Triomphe
2 Prison
3 Gare ferroviaire
5 Gare routière
6 Embarcadère des ferries Mahart
7 Tour pointue
9 Dunatours
10 Szent István tér
12 Ibusz
13 Poste
14 Fő et Március 15 tér
15 Embarcadère pour l'île de Szentendre
17 Église de la ville haute
18 Bains
19 Szentháromság tér
20 Église de Piarist
21 Cathédrale
22 Konstantin tér
23 Csárda Pokol
24 Musée József Petzval
25 Centre culturel
26 Centre de tennis de Kenéz
27 Pont de Gombás

011), qui fait aussi office de banque, se trouve aux nᵒˢ 4-6 de la même rue. Ces trois agences sont ouvertes de 8h à 16h du lundi au vendredi. Dunatours vous accueillera également le samedi jusqu'à 12h

Vous trouverez un bureau de banque OTP sur Széchenyi utca, près de l'agence Ibusz. La poste centrale est à Posta Park, près de Görgey Artúr utca. L'indicatif téléphonique de la région est le 27.

A voir
Les maisons les plus pittoresques de Vác se trouvent sur Március 15 tér. L'**église**

dominicaine de la ville Haute, au sud de cette rue, est de style rococo du XVIIIᵉ siècle ; juste derrière, un **marché** très animé vous attend. Les sceaux apposés au fronton du superbe **hôtel de ville** (1764) baroque, au nᵒ11, sont ceux de la Hongrie et de l'évêque Kristóf Migazzi, qui fut à l'origine de la reconstruction de Vác, il y a deux cents ans.

Le bâtiment voisin – hôpital depuis le XVIIIᵉ siècle – possède un intéressant balcon baroque ajouré. L'ancien **palais de l'Évêque**, dont certaines parties appartiennent à la plus ancienne construction de

Vác, abrite aujourd'hui un institut pour les malentendants.

En remontant Köztársaság utca vers le nord, on parvient à cette école du XVIIIe siècle qui devint, au siècle dernier, l'infamante **prison** de la ville. Elle sert toujours de centre de détention haute-sécurité, comme on peut le deviner en voyant le garde en armes qui surveille l'entrée du haut d'une tour. La plaque communiste commémorant les victimes du régime de Horthy a aujourd'hui disparu, mais les fantômes abondent : inutile, donc, de s'éterniser ici. De même, mieux vaut ignorer le dépôt mortuaire, en face dans la même rue.

Encore un peu plus au nord, se trouve l'**arc de Triomphe**, le seul de toute la Hongrie (sauf si l'on compte le monstre de béton consacré à la "Libération" à Békéscsaba, au nord-est du pays). C'est encore à l'évêque Migazzi que l'on doit ce monument, érigé en l'honneur d'une visite qu'effectuèrent Marie-Thérèse et son mari, Francis de Lorraine (représentés dans les reliefs ovales) en 1764. Migazzi, qui fut par la suite nommé archevêque de Vienne, avait également prévu d'installer de grands panneaux décoratifs tout le long de Köztársaság utca pour cacher au couple royal des Habsbourg la pauvreté des maisons, mais il renonça à ce projet.

De Köztársaság utca, bifurquez dans l'une des ruelles étroites qui s'éloignent vers l'ouest pour flâner le long du Danube. Les **enceintes de la Vieille Ville** et la **Tour pointue gothique** se trouvent près du 12, Liszt Ferenc sétány, non loin de l'hôtel Trio.

Si vous remontez Fürdő utca près de la grande piscine, vous atteindrez une minuscule rue, Szentháromság tér, d'où j'ai pu observer l'installation de nouveaux saints de grès sur la **statue de la Trinité** (1755 et 1993).

L'**église de Piarist** (1741), avec sa nef toute blanche et son autel de marbre, s'élève à l'est, de l'autre côté de la place.

A peine plus au sud, l'avenue bordée d'arbres Konstantin tér est dominée par la **cathédrale de Vác** (1777), l'un des pre-

miers exemples d'architecture néoclassique de Hongrie. Avec ses colonnes corinthiennes, cet imposant édifice grisâtre n'est pas du goût de tout le monde, mais les fresques qui ornent le dôme voûté et le retable, que l'on doit à Franz Anton Maulbertsch, méritent une petite visite (en espérant que vous parviendrez à entrer). Dans la crypte, on peut également voir quelques pierres ayant appartenu à la cathédrale médiévale.

En continuant à marcher vers le sud le long de Budapesti Főút, vous atteindrez le **pont de Gombás**, un petit pont de pierre que bordent sept statues de saints (1757) : la réponse de Vác au pont de Charles, à Prague ! Au 9, Tragor Ignác utca, derrière le centre culturel, se trouve le **musée József-Petzval**, consacré à la technique photographique. Il est ouvert tous les jours de 10h à 18h en été, et le week-end seulement, de 10h à 16h en hiver.

La vieille **synagogue**, au 5, Eötvös utca (qui donne dans Széchenyi utca) fut construite en style romantique par un architecte italien en 1864. Elle est en très mauvais état.

Activités culturelles et/ou sportives

Le Vác Strandfürdő, entre Szentháromság tér et le Danube, comporte des piscines découvertes qui vous accueilleront de 9h à 19h en été. Le bassin couvert, situé pour sa part à l'extrémité sud de la "plage", est accessible par le 16, Ady Endre sétány.

Le centre de tennis Kenéz, à l'extrémité de József Attila sétány, propose 5 courts en terre battue en location.

Où se loger

Vác représente une excursion facile à partir de Budapest ou Szentendre et c'est pourquoi de nombreux touristes la visitent. Les hébergements y sont en revanche très limités. Vác est l'une des rares villes hongroises de cette dimension à ne pas disposer d'un seul véritable hôtel.

Dunators propose des *chambres chez l'habitant* pour 500 Ft (double) et le *Collège Teréz Karacs*, sur Migazzi tér, au sud de Konstantin tér, ouvre parfois ses dortoirs en été.

La pension trio (☎ 312 638), au 13, Liszt Ferenc sétány, est sans doute le meilleur hébergement de la ville. Ses trois chambres, dont deux avec salle de bains, donnent sur un balcon commun qui offre une vue magnifique sur le Danube. On y prend le petit déjeuner lorsqu'il fait beau. Le prix est de 500 ou 700 Ft par personne selon la saison et l'impression que vous produirez sur le très aimable propriétaire.

Le *Corso* (☎ 310 608), situé plus au sud sur le quai, au 6/a, Ady Endre sétány, ne pourrait être plus différent. Ses quatre chambres avec douche commune sont situées au-dessus d'un minuscule bar enfumé et coûtent 400 Ft par personne. Dommage que le Corso n'ait pas élu domicile au n°17, occupé par une étonnante villa d'avant-garde datant des années 20 !

Où se restaurer

La *Pampalini Pizzeria*, au 40, Széchenyi utca, et le snack bar *Grill*, au n°33 de la même rue, sont tout proches des gares ferroviaire et routière. Le *Fehér Galamb* ("Pigeon blanc") est un typique restaurant hongrois ouvert jusqu'à 23h au 37, Csányi László körut.

Le *Halászkert*, au 9, Liszt Ferenc sétány, près de l'embarcadère des ferries, est l'endroit idéal pour déguster une soupe de poissons en été, lorsque l'on peut déjeuner à l'extérieur et observer les bateaux qui assurent la liaison avec l'île de Szentendre. Sur l'île elle-même, le *Pokol Csárda* ("Auberge de l'enfer") est fréquenté par les autochtones qui attendent le ferry. Il est ouvert de mi-mars à mi-septembre.

Les végétariens feront une halte au *Mini Saláta Bar*, au 10, Köztársaság utca. On y sert des salades hongroises jusqu'à 18h. Le bar à vins *Révkapu*, au bas de Fő tér (entrée au centre de la place) est installé dans une cave du Moyen Age.

Distractions

Le très moderne centre culturel Imre Madách (☎ 312 411), bâtiment circulaire situé au 63, Dr Csányi László körút, vous indiquera toutes les manifestations de Vác. Lui-même en organise d'ailleurs quelques-unes (dont une en l'honneur du dramaturge du XIXe siècle dont il porte le nom, et une exposition sur la reliure). On donne souvent des concerts dans la cathédrale de Vác et dans l'église paroissiale de la ville Haute. Ne manquez surtout pas une occasion d'écouter le *Vox Humana*, le chœur mixte de Vác, qui a d'ailleurs été primé.

Comment s'y rendre

Bus. Un bus part toutes les heures vers la gare du pont d'Árpád, à Budapest. Les liaisons avec Népstadion sont encore plus fréquentes. Et vous pouvez, par ailleurs, compter sur une bonne douzaine de bus en direction de Balassagyarmat, Nógrád, Rétság et Vácrátót. De Vác, on peut également se rendre à Salgótarján, la capitale de région (5 départs par jour) ; enfin, deux bus par semaine partent à 7h35 pour la station de ski polonaise de Zakopane, dans les Tatras. Celui du mercredi poursuit ensuite sa route jusqu'à Cracovie, celui du dimanche va jusqu'à Varsovie. Enfin, une liaison avec Szentendre est assurée toutes les heures.

Train. Des trains partent pour Vác de la gare de Budapest-Nyugati pratiquement toutes les demi-heures. Huit d'entre eux continuent le long de la rive est du Danube jusqu'à Štúrovo, en Slovaquie (en face d'Esztergom). On peut aussi se rendre à Budapest-Nyugati par un train moins rapide, via Vácrátót (voir *Environs de Vác*), mais la gare ferroviaire de cette ville se trouve à 4 km de l'arboretum et l'on ne trouve pas toujours de bus assurant la liaison. Les trains qui partent vers le nord pour Balassagyarmat (13 trains par jour) s'arrêtent en gares de Diósjenő et de Nógrád, dans les montagnes de Börzsöny.

Voiture ou moto. Des ferries transportant les voitures assurent toutes les heures la liaison avec l'île de Szentendre entre 4h55 et 21h55. Un pont permet également d'accéder à l'île à partir de Tahi.

Bateau. Entre mi-mai et début septembre, des ferries quotidiens partent à 7h de Vigadó tér, à Budapest, pour Vác. Le même bateau repart à 9h25 vers Visegrád. Là, il faut changer et attraper le ferry de 11h05 pour pouvoir continuer jusqu'à Esztergom.

En dehors de la saison (d'avril à fin mai, en septembre et dans les mois d'hiver les plus doux), une liaison par ferry est assurée à 8h les week-ends et jours fériés. Le bateau atteint Vác à 10h25.

LES ENVIRONS DE VÁC
Vácrátót
A 11 km au sud-est de Vác, ce village, célèbre pour son **arboretum** de 28 hectares, représente un but d'excursion facile en bus. Créé à la fin du XIXe siècle par le comte Sándor Vigyázó, qui le légua ensuite à l'Académie des sciences, l'arboretum abrite aujourd'hui un centre de recherches. Il renferme des dizaines de milliers de fleurs, d'arbustes et d'arbres, dont beaucoup – comme le chêne-liège du Japon, le noisetier de Turquie et le cyprès des marais – restent très rares. Avec ses étangs, ses ruisseaux et ses torrents miniatures, il est très agréable à visiter au printemps ou par une chaude après-midi d'été. L'arboretum est ouvert de 8h à 18h d'avril à octobre (jusqu'à 16h tout le reste de l'année). Le bus vous arrêtera à l'entrée d'Alkotmány utca, où vous trouverez un petit snack ou, en face, au n° 9, le restaurant *Botanika*.

Le massif de Börzsöny
Ces montagnes sont les premières d'une série de six rangées de massifs qui constituent les Hautes Terres du nord de la Hongrie. Vác représente le meilleur point de départ pour les découvrir. Bizarrement, cette région protégée ne voit que peu de visiteurs, ce qui explique sans doute que cerfs et oiseaux y soient si nombreux. On peut y prévoir de très agréables randonnées, à condition de se munir de la carte d'état-major *A Börzsöny*.

Nógrád, surmontée des ruines de son château du XIIe siècle, peut être considérée comme la porte de Börszöny. Un camping

(☎ Diósjenő 34) équipé de 30 bungalows et cabanes en bois (1 000 Ft) est situé à Diósjenő, à 5 km vers le nord. De là, on peut emprunter des sentiers de randonnées jusqu'à **Nagy Hideg** ("Grand froid"), à 864 mètres d'altitude, ou jusqu'à **Magas-Tax**, à 739 mètres, qui disposent tous deux d'*auberges de jeunesse*. Le point culminant de Börzsöny, **Csóványos**, à 938 mètres d'altitude, se trouve au nord-est et exige un sérieux talent d'alpiniste !

Si vous êtes en voiture ou en moto, choisissez la très belle route à circulation réglementée qui va de Diósjenő à Kemence en passant par Királyháza (où vous trouverez la pension *Lovas*, ☎ 365 139). La route longe le Kemence – une rivière idéale pour un petit plongeon ou un pique-nique en été. Juste avant de rejoindre le village de Kemence, celle-ci bifurque vers le sud et se dirige vers le **Fekete-völgy**, la très belle "Vallée noire" et le village de vacances Vilati (☎ 365 153).

En été, un petit train relie Nagyörzsöny, au sud de Kemence, à Nagyirtás, distante de 8 km. Une excursion facile et fort sympathique, au départ de Nógrád, consiste à marcher vers l'ouest sur 5 km, jusqu'à **Királyrét**, le terrain de chasse du roi Mathias Corvin. Là, un autre petit train vous conduira à Kismaros, située à 10 km au sud, d'où vous pourrez prendre le train classique pour rentrer à Vác ou à Budapest.

VISEGRÁD (2 100 habitants)
Située à l'endroit où le Danube forme sa boucle la plus accentuée, Visegrád et son "haut château" (signification de son nom slave) constituent la partie la plus belle et le symbole même de la Boucle. Si vous arrivez de Szentendre, à 23 km au sud, ouvrez grand vos yeux pour apercevoir la citadelle, construite au sommet de **la colline du Château**. Avec le palais qui se trouve en bas, elle fut autrefois le centre royal de la Hongrie.

Au IVe siècle, les Romains construisirent une forteresse sur la colline de Sibrik, au nord du château actuel. Six cents ans plus tard, elle était encore utilisée par les

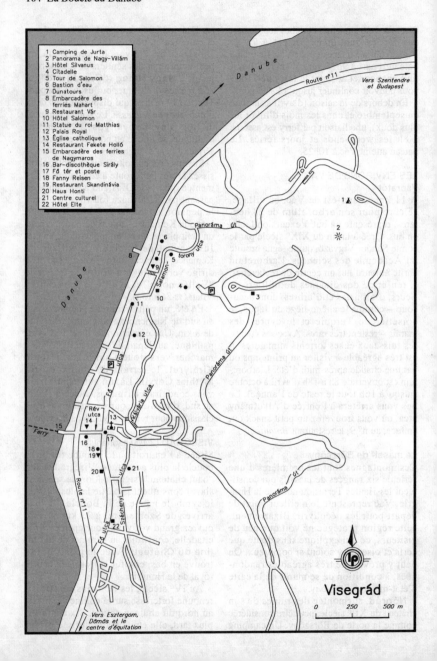

1 Camping de Jurta
2 Panorama de Nagy-Villám
3 Hôtel Silvanus
4 Citadelle
5 Tour de Salomon
6 Bastion d'eau
7 Dunatours
8 Embarcadère des
   ferries Mahart
9 Restaurant Vár
10 Hôtel Salomon
11 Statue du roi Matthias
12 Palais Royal
13 Église catholique
14 Restaurant Fekete Holló
15 Embarcadère des ferries
   de Nagymaros
16 Bar-discothèque Sirály
17 Fő tér et poste
18 Fanny Reisen
19 Restaurant Skandinávia
20 Haus Honti
21 Centre culturel
22 Hôtel Elte

Vers Szentendre
et Budapest

Route n°11

D a n u b e

Danube

Panorama út

Panoráma út

Panoráma út

Panoráma út

Salamon utca

torony

Fő utca

Kálvária utca

Rév utca

Fő utca

Széchenyi utca

Ferry

Route n°11

Vers Esztergom,
Dömös et le
centre d'équitation

Visegrád

0   250   500 m

colonisateurs slovaques. Après l'invasion mongole, en 1242, le roi Béla IV entreprit la construction d'un château en bordure du fleuve, puis de la citadelle, en haut de la colline.

Moins d'un siècle plus tard, le roi Charles Robert d'Anjou, dont on contestait violemment la légitimité de souverain local à Buda, transféra la cour à Visegrád et fit transformer le château du bas en palais.

Pendant près de deux siècles, Visegrád fut ainsi "l'autre capitale" (souvent la capitale d'été) de la Hongrie, ainsi qu'un important centre diplomatique. En 1335 déjà, le roi Charles Robert d'Anjou y avait rencontré les rois polonais et tchèque, ainsi que les princes de Saxe et de Bavière pour régler les différends territoriaux et instituer une route commerciale est-ouest passant par Vienne.

Toutefois, le véritable âge d'or de Visegrád arriva durant le règne du roi Mathias Corvin (1458-1490) et de la reine Béatrice, qui confièrent à des artistes italiens de la Renaissance le soin de reconstruire le vieux palais gothique. Les dimensions de cette résidence, la qualité son architecture, la beauté de ses fontaines et de ses jardins suspendus firent du château le sujet de conversation de tout le XVe siècle.

Le palais et la citadelle tombèrent peu à peu en ruine après l'arrivée des Turcs qui l'occupèrent en 1543, et le village fut déserté ; lorsque ces envahisseurs quittèrent le pays, de nouveaux arrivants utilisèrent leurs pierres pour bâtir des maisons. Aussi fallut-il attendre les fouilles archéologiques des années 30 pour que l'emplacement exact du palais, longtemps sujet de controverses, fût établi avec certitude.

Aujourd'hui, cet humble village tient surtout sa notoriété à l'étranger du *Groupe de Visegrád,* une association économique créée par des Hongrois, des Polonais, des Tchèques et des Slovaques, qui se sont donné pour objectif, d'ici l'an 2001, la levée en trois étapes de toutes les restrictions sur le commerce.

En face de Visegrád, sur l'autre rive du Danube, s'étend Nagymaros et le site abandonné de ce qui devait être le barrage de Gabčikovo-Nagymaros.

Orientation et renseignements

Si vous venez de Szentendre ou de Budapest, le bus vous déposera devant l'embarcadère des ferries Mahart, légèrement au sud de la porte de la ville, devant le bastion à eau (Vízibástya) du XIIIe siècle. Il vous suffira alors de traverser la rue pour trouver Dunatours au 3/a, Fő utca (mais attention : il est question de fermer cette agence). A cet endroit, prenez Salamantorony utca, qui mène au château du bas et à la citadelle. Si vous préférez descendre Fő utca vers le sud sur un kilomètre et demi, vous atteindrez le centre du village et pourrez prendre le ferry qui part toutes les heures pour Nagymaros. Si Dunatours est fermé, essayez Fanny Reisen (☎ 26 328 268), une agence privée située au 44, Fő utca.

Vous trouverez une banque OTP au 9, Rév utca, près de l'embarcadère des ferries pour Nagymaros. L'indicatif téléphonique de Visegrád est le 26.

A voir

La première chose que vous apercevrez en remontant Salamantorony utca vers le nord sera la **tour de Salomon**, datant du XIIIe siècle, un monument trapu et hexagonal dont les murs ont jusqu'à 8 mètres d'épaisseur. Autrefois utilisée comme poste d'observation de la rivière, elle abrite aujourd'hui le **musée du roi Mathias** et contient de nombreux objets précieux découverts sur le site du palais royal. Admirez en particulier la célèbre fontaine des Lions et le bas-relief de marbre rouge représentant la Madone de Visegrád. Ce musée est ouvert tous les jours sauf lundi de 9h à 17h, de mai à fin octobre.

Au sud de la tour, un sentier indiqué "Fellegvár" bifurque vers l'est et conduit vers la citadelle de Visegrád, installée à 350 mètres d'altitude et entourée de douves creusées dans le roc. Les joyaux de la couronne hongroise y furent enfermés jusqu'en 1440, date à laquelle Élizabeth de Luxembourg, fille du roi Sigismond, les déroba avec l'aide de sa dame d'honneur, avant de partir précipitamment pour Székesfehérvár, où son fils nouveau-né devait être couronné Lajos V. (La couronne devait retourner dans la citadelle en 1464 et y rester – sous meilleure surveillance, sans doute – jusqu'à l'arrivée des Turcs.)

Dans l'aile ouest, on peut s'intéresser à une petite exposition picturale (commentaires en langue hongroise seulement), et à deux autres, plus restreintes encore, près de la porte est : l'une sur la chasse et la fauconnerie, la seconde sur les activités traditionnelles de la région (taillage de pierres, brûlage de charbon, pêche et apiculture). Malgré les travaux de rénovation que subit régulièrement la citadelle, il demeure très agréable de se promener le long des remparts, face aux somptueux paysages qu'offrent le Danube et les montagnes de Börzsöny. Attention, l'édifice ferme entre mi-novembre et fin mars.

On peut aussi se rendre à la citadelle en bus : celui-ci s'arrête devant la statue du roi Mathias, à l'angle de Fő utca et de Salamontorony utca. Si vous venez du centre ville et souhaitez y aller à pied, Kálvária sétány, derrière l'église catholique du XVIIIᵉ siècle sur Fő tér, est moins abrupt que le sentier partant de la tour de Salomon.

Le **Palais royal de Visegrád**, aux nᵒˢ27-19, Fő utca, fut au XVᵉ siècle la résidence du roi Mathias. Avec ses 350 pièces, on le disait le plus beau d'Europe par sa splendeur et par ses dimensions. Tout ce que l'on en voit aujourd'hui – la cour d'honneur, avec sa fontaine d'Hercule de style Renaissance au centre, ses arcades gothiques, sa fontaine des Lions et les fondations de la chapelle Saint-Georges (1366) – ne sont que des reconstitutions ou des copies des originaux. Le Palais royal est ouvert de 9h à 17h (fermé le lundi) d'avril à octobre, et de 8h à 16h le reste de l'année.

Activités culturelles et/ou sportives

Quelques promenades ou randonnées sont faciles à faire dans les environs immédiats de la citadelle : par exemple, l'accès au point d'observation de Nagy-Villám, à 377 mètres d'altitude. De l'autre côté du camping de Jurta, s'étend le centre culturel forestier créé par Imre Makovecz, où l'on trouve des cartes et une petite exposition sur la vie des animaux sauvages.

Une piste de "bobsleigh", large toboggan métallique sur lequel on dévale la colline, assis sur une sorte de toile de jute, vous attend par beau temps au-dessous du point d'observation. L'hôtel Silvanus propose des locations de bicyclettes pour 200 Ft l'heure (ou 600 Ft par jour). Enfin, on peut louer des courts de tennis chaque jour de 7h à 21h près du palais royal, au 41, Fő utca.

A 3 km au sud de Visegrád, sur la route nᵒ11, l'auberge *Tekla*, à Gizellatelep, abrite une école d'équitation où l'on rencontre certains des plus beaux chevaux de Hongrie.

Où se loger

Dunatours peut vous aider à dénicher des *chambres chez l'habitant*, ou bien débrouillez-vous seul en repérant les pancartes "Zimmer frei/Szoba kiadó" sur Fő utca ou Széchenyi utca. Interrogez également Dunatours (ou Fanny Reisen) sur les *auberges de jeunesse* : l'une se trouve près de la tour de Salomon, l'autre est juste au sud du centre du village, au 9, Széchenyi utca (il y a également un petit camping). Un peu plus haut, sur Mogyoró-hegy (la colline aux Noisettes), à 2 km environ au nord-est de la citadelle, le camping de *Jurta* (☎ 328 217) propose des bungalows relativement chers. L'endroit est agréable, mais assez éloigné du centre ville, et les bus n'assurent la liaison que de juin à août. Auberges de jeunesse et campings restent ouverts de mi-avril à mi-octobre.

Haus Honti (☎ 328 120) est une pension en plein centre de Visegrád, au 66, Fő utca : on y loue des simples pour 1 000 Ft et des doubles pour 1 500 Ft, toutes avec douche. Les 33 chambres de l'*Elte* (☎ 328 165), ancien centre de vacances pour ouvriers, au nᵒ117 de la même rue, coûtent

1 500/2 000 Ft avec bain et petit-déjeuner. La plupart possèdent un balcon. L'établissement dispose également d'une magnifique terrasse ensoleillée surplombant le fleuve.

L'hôtel *Salamon* (☎ 328 278) est installé dans une charmante maison ancienne entourée de jardins au 1, Salamontorony utca. Ses 28 chambres doubles sans salle de bains coûtent environ 1 200 Ft. L'hôtel ferme d'avril à octobre. Le *Silvanus* (☎ 328 311) est un hôtel de 70 chambres sur Feketehegy ("la Montagne noire"). A quelques minutes de marche à l'est de la citadelle, il se niche dans un site superbe et possède un restaurant en terrasse, un bar, un bowling et un court de tennis. Un seul inconvénient, son prix : simples/doubles avec bain et petit-déjeuner à 2 400/3 500 Ft.

Où se restaurer

Le *Vár*, au 13, Fő utca, est un restaurant de spécialités hongroises. Il n'a rien d'exceptionnel, mais il n'est pas très cher et se trouve non loin de la tour de Salomon et de l'embarcadère des ferries Mahart. Dans le village même, vous pouvez tenter le *Skandinávia*, décoré aux couleurs de la Suède, au 46, Fő utca : c'est le meilleur restaurant de Visegrád. Enfin, le *Fekete Holló* ("Le Corbeau noir"), assez touristique, sert des spécialités de poissons au 12, Rév utca.

Distractions

Renseignez-vous au centre culturel du roi Mathias (11, Széchenyi utca) sur les reconstitutions médiévales et les tournois chevaleresques organisés dans le palais en été. A l'heure où ces lignes sont écrites, on ne sait pas encore si ces manifestations subsisteront. La tour de Salomon abrite par ailleurs des concerts occasionnels.

Le bar-discothèque *Sirály*, au 7, Rév utca, est sans doute le seul endroit de la ville où l'on sache vraiment faire la fête.

Comment s'y rendre

Des bus assez fréquents assurent les liaisons avec la gare du pont d'Árpád, avec la gare du HÉV (et celle des bus) de Szen-

tendre et avec Esztergom. Aucune ligne de chemin de fer ne passe dans Visegrád, mais vous pouvez tout de même prendre l'un des vingt-quatre trains qui relient quotidiennement Budapest-Nyugati à Szob ; descendez alors à Nagymaros-Visegrád, 6 stations avant le terminus, puis sautez sur le ferry qui se rend à Visegrád. Si vous manquez l'arrêt du train, tout n'est pas perdu : deux stations plus loin, à la gare de Dömösi átkelés, un autre ferry vous attend pour vous emmener au camping de Dömös et à l'entrée du parc forestier de Pilis (voir le chapitre suivant).

Entre mi-mai et début septembre, des ferries relient quotidiennement Visegrád à Esztergom à 11h15 et 17h30, et Visegrád à Szentendre et Budapest à 11h, 17h et 18h30. D'avril à mi-mai et à partir de septembre, pendant les mois d'hiver les moins froids, subsiste un ferry pour Esztergom à 11h25 et un autre pour Szentendre et Budapest à 17h les samedis, dimanches et jours fériés.

ENVIRONS DE VISEGRÁD
Montagne de Pilis

Si vous souhaitez partir à la découverte de la forêt protégée de la montagne de Pilis, avec ses roches calcaires et ses dolomites au sud-ouest de Visegrád, prenez le bus d'Esztergom sur 6 km jusqu'à Dömös, où se trouvent, sur la rive du Danube, une excellente plage et un terrain de camping (☎ 33 371 163) équipé de cabanes de bois et ouvert de mai à mi-septembre.

En suivant Duna utca sur 3 km à partir du camping, vous atteindrez l'entrée du **parc forestier de Pilis** (32 000 hectares), où Mathias venait chasser et où furent créés les premiers chemins de randonnées de Hongrie, en 1869. Certains, très bien balisés, mènent à Prédikálószék ("la Chaire"), un rocher d'escalade de 639 mètres réservé aux alpinistes expérimentés, et à Dobogókő, ascension bien plus facile sur 6 km via le Rám-szakadék ("précipice de Rám")

Dobogókő est un centre d'excursions d'où partent d'autres sentiers balisés. Si vos jambes vous lâchent, vous pouvez toujours prendre un bus pour Esztergom (il y en a 5 par jour) ou pour la gare de HÉV de Pomáz, la station qui précède Szentendre sur la ligne (et, en l'occurrence, la plus grande colonie serbe de la Boucle du Danube). La meilleure carte de la région, fort difficile à trouver, est celle du Pilis Parkerdőgazdaság ("Service des eaux et forêts du Parc de Pilis"). Enfin, c'est sur la montagne de Pilis que se trouvent certains des meilleurs points d'observation d'oiseaux de Hongrie.

ESZTERGOM (32 500 habitants)

A 25 km de Visegrád et à 66 km de Budapest par la route n°11, Esztergom est l'une des grandes villes historiques et sacrées de Hongrie.

Pendant plus de mille ans, elle fut le haut lieu du catholicisme (l'archevêque d'Esztergom est le primat de Hongrie). Saint Étienne, premier roi du pays, y vit le jour en 975 ; elle resta alors résidence royale de la fin du Xe au milieu du XIIIe siècle. Voilà pourquoi – entre autres raisons–

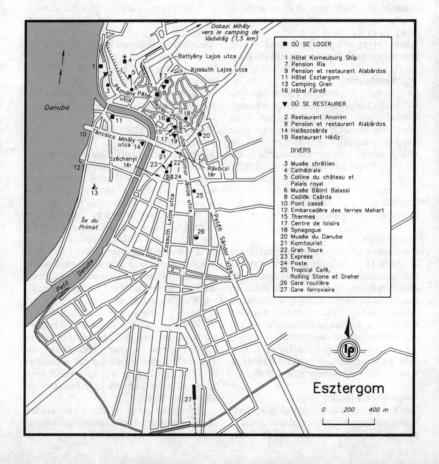

Dobazi Mihály
vers le camping de
Vadvirág (1,5 km)

Battyány Lajos utca

Kossuth Lajos utca

Pázmány Péter utca

Bajcsy-Zsilinszky utca

Danube

Táncsics Mihály utca

Széchenyi tér

Rákóczi tér

Île du Primat

Petit Danube

Petőfi Sándor utca

Kossuth Lajos utca

■ OÙ SE LOGER

1 Hôtel Korneuburg Ship
7 Pension Ria
9 Pension et restaurant Alabárdos
11 Hôtel Esztergom
13 Camping Gran
16 Hôtel Fürdő

▼ OÙ SE RESTAURER

2 Restaurant Anonim
9 Pension et restaurant Alabárdos
14 Halászcsárda
19 Restaurant Héviz

DIVERS

3 Musée chrétien
4 Cathédrale
5 Colline du château et Palais royal
6 Musée Bálint Balassi
8 Csölök Csárda
10 Pont cassé
12 Embarcadère des ferries Mahart
15 Thermes
17 Centre de loisirs
18 Synagogue
20 Musée du Danube
21 Komtourist
22 Gran Tours
23 Express
24 Poste
25 Tropical Café, Rolling Stone et Dreher
26 Gare routière
27 Gare ferroviaire

Esztergom

0   200   400 m

Esztergom revêt pour la plupart des Hongrois une grande signification, tant spirituelle qu'historique.

Un peu en hauteur, Esztergom est située en un point où le Danube ondule légèrement. Sur l'autre rive, on aperçoit la ville slovaque très polluée de Štúrovo (Párkány en hongrois). Várhegy (la colline du Château) fut le site de la colonie romaine de Solva Mansio, au Ier siècle de notre ère, et l'on pense que Marc-Aurèle termina ses *Méditations* dans un camp tout proche, pendant la seconde moitié du IIe siècle. Le prince Géza choisit Esztergom pour établir sa capitale et son fils Étienne (ou Vajk, nom qu'il portait avant son baptême) y fut couronné roi en l'an 1000. Étienne 1er fonda alors l'un des deux archevêchés du pays et fit construire une basilique dans la ville. On peut encore en voir des vestiges dans le palais.

Esztergom (Gran en allemand) perdit de son poids politique lorsque le roi Béla IV transféra la capitale à Buda après l'invasion mongole. Toutefois, elle resta le siège de l'épiscopat et conserva son intense activité commerciale, rivalisant parfois avec la cour royale en puissance et en influence. La prise d'Esztergom par les Turcs en 1543 interrompit les activités ecclésiastiques et l'archevêque s'enfuit à Nagyszombat (aujourd'hui Trnava, en Slovaquie).

L'Église ne se rétablit à Esztergom – la "Rome hongroise" – qu'au début du XIXe siècle. Une campagne de constructions sans précédent commença alors, avec notamment l'édification de la grande cathédrale, qui transforma la ville en cité baroque et (surtout) néoclassique. Mais c'est tout récemment que la ville connut son plus important essor, avec l'arrivée de la firme Suzuki et l'implantation de la première usine de construction automobile de Hongrie, qui espère une production de 1 000 véhicules par jour.

Orientation

Le centre moderne d'Esztergom est Rákóczi tér, à quelques mètres à l'est du Kis Duna ("le Petit Danube"), l'affluent du fleuve qui bifurque pour former Prímás-sziget ("l'île du Primat"). Au nord-ouest, au-dessus de Bajcsy-Zsilinszky utca, se dresse la colline du Château. Et à quelques minutes de marche vers le sud-ouest, se trouvent Széchenyi tér, le centre ville médiéval et le site de l'hôtel de ville rococo.

La gare centrale des bus est située près du marché médiéval, sur Simor János utca, au sud de Rákóczi tér. Pour la gare ferroviaire, il faut encore marcher 15 minutes vers le sud sur Bem József tér. Les ferries Mahart font halte à l'embarcadère, à quelques mètres au sud du Pont cassé de l'île du Primat.

Renseignements

Le centre d'informations régional, Komtourist (☎ 33 312 082) est au 6, Lőrinc utca, en face d'Ibusz (☎ 33 311 643), au n°1 de la même rue. Gran Tours (☎ 33 313 756), au 25, Széchenyi tér, est le syndicat d'initiative de la ville ; il se révèle très précieux. Express (☎ 33 313 113) se trouve dans la même rue, au n°7. Tous ces bureaux vous accueillent de 8h à 16h du lundi au vendredi. Seul, Komtourist ouvre aussi le samedi matin. Il y a une banque OTP sur Rákóczi tér. Le bureau de poste se trouve au 2, Arany János utca, juste au coin de Széchenyi tér. L'indicatif téléphonique de la région est le 33.

La cathédrale d'Esztergom

Le centre du catholicisme hongrois et la plus grande église de la région est dans Szent István tér, sur la colline du Château. A des kilomètres à la ronde, on voit s'élancer son dôme central de 72 mètres de haut. La construction de l'édifice néoclassique actuel débuta en 1822 sur le site de l'église du XIIe siècle détruite par les Turcs.

József Hild, l'architecte de la cathédrale d'Eger, participa activement à la dernière tranche des travaux. La basilique fut consacrée en 1856 et la messe fut composée par Franz Liszt.

L'église grise a un aspect monstrueux (118 mètres de long sur 40 de large) et la

La cathédrale d'Esztergom

nef paraît plutôt morne. Toutefois, lorsqu'on se dirige vers l'entrée sud, la **chapelle Bakócz** de marbre rouge est un splendide exemple de l'art des sculpteurs toscans de la Renaissance. Elle fut commandée par l'archevêque Tamás Bakócz qui, n'ayant pu devenir pape, lança une croisade qui se transforma en révolte paysanne sous György Dózsa, en 1514 (voir la rubrique *Histoire* dans *Présentation du Pays*). La chapelle, qui échappa aux destructions turques, fut démontée en 1 600 morceaux, puis reconstruite sur son site actuel en 1823. La reproduction de l'*Assomption* du Titien, sur l'autel principal, est connue comme la plus grande peinture au monde réalisée sur une seule toile.

Dans la partie nord de l'église, à l'est des reliques mortuaires de trois prêtres martyrs de Košice, au début du XVIIᵉ siècle, se trouve l'entrée du **Trésor de la cathédrale** (Kincztár), une véritable caverne d'Ali-Baba débordante de vêtements de cérémonie et d'objets religieux en or et en argent, incrustés de pierres précieuses. Cette collection ecclésiastique – la plus riche de Hongrie – comprend des objets italiens, hongrois et byzantins fabriqués avec un

réel génie et d'une immense valeur artistique. Admirez en particulier la croix du sacre du XIIIᵉ siècle, l'ostensoir de Garamszentbenedek (1500), la croix du Calvaire de Mathias, en or incrusté d'émail (1469), l'ostensoir XVIIIᵉ siècle d'Imre Esterházy, orné de rubis et d'émeraudes, ainsi que le large calice baroque de Marie-Thérèse. Le Trésor est ouvert de 11h à 15h de février à novembre et de 9h à 16h30 le reste de l'année.

Avant de quitter la cathédrale, passez la porte sur la gauche et descendez dans la **crypte**, une lugubre série de tombes éclairées à la bougie et gardées par des monolithes représentant le deuil et l'éternité vous y attendent. Parmi les personnalités qui reposent ici, se trouvent János Vitéz, l'archevêque éclairé d'Esztergom à l'époque de la Renaissance, et Jószef Mindszenty, le primat conservateur qui se réfugia à l'ambassade américaine de Budapest entre 1956 et 1971, jusqu'à ce que le Vatican soit obligé de lui demander de partir. Il mourut à Vienne en 1975, mais comme il avait souhaité ne jamais revenir à Esztergom tant que le dernier soldat soviétique n'aurait pas quitté le sol de la Hongrie, sa dépouille n'y fut transférée qu'en 1991. La crypte est ouverte de 9h à 17h (de 10 à 15h en hiver).

Le passage extérieur qui permettait de faire le tour du dôme a dû être fermé à la suite d'un incendie survenu en 1933.

A voir également

Le **Palais royal d'Esztergom**, construit en majorité par des architectes français sous le règne de Béla III (1172-1196) pendant l'âge d'or de la ville, s'élève à l'extrémité sud du plateau. Il fut résidence royale jusqu'au transfert de la capitale à Buda, époque à laquelle l'archevêque vint s'y installer à son tour. La majeure partie du Palais fut détruite et recouverte de terre par les Turcs pour des raisons stratégiques. Il ne revit la lumière du jour qu'avec les fouilles des années 30.

Aujourd'hui, le **musée du Château** (Vár Múzeum), installé dans 12 pièces restaurées, retrace l'histoire de la forteresse et de la ville. Il est ouvert de 9h à 16h30 (horaires différents en hiver). Parmi les pièces les plus intéressantes, il faut noter la salle voûtée ("n°5"), qui serait, dit-on, la plus vieille salle de séjour de la Hongrie, le bureau de Janós Vitéz (n°8) et ses peintures murales des *Vertus* datant du XVe siècle, et la chapelle du XIIe siècle (n°11), avec ses fresques représentant des lions et l'arbre de vie, sans oublier sa rosace. Moyennant un supplément, vous pourrez emprunter l'étroit escalier de pierre conduisant à la terrasse, d'où l'on apprécie la vue (quelque peu ventée) sur le Palais, la ville polluée de Štúrovo, le Danube et la cathédrale. Si vous disposez d'un budget serré, sachez que ce même panorama peut s'admirer des anciens remparts du château, à l'ouest de la cathédrale.

La petite chapelle posée au sommet de la **colline Saint-Thomas** (Szent Tamás-hegy), au sud-est, fut bâtie en 1823 sur le site d'une église beaucoup plus ancienne. Le nom de la colline fait référence à saint Thomas Becket, le martyr anglais du XIIe siècle.

Au bas de la colline du Château, au bord du Petit Danube, s'étend **Víziváros**, le quartier coloré de la "ville-de-l'Eau", avec ses maisons, ses églises et ses musées, de couleurs pastel. Pour y accéder, le plus simple consiste à traverser le pont-levis du Palais, puis à descendre le versant verdoyant de la colline jusqu'à Batthyány Lajos utca. Tourner à droite (ouest) sur Pázmány Péter utca.

Le **musée Bálint Balassi**, construit dans un style XVIIIe siècle baroque, au n°63, a échangé sa collection historique (dont la majeure partie a été transportée au musée du Château) contre des œuvres d'art – 200 ans de peinture à Esztergom. Le musée, ouvert de 9h à 17h tous les jours sauf lundi, tient son nom d'un général et poète qui fut tué au cours d'une tentative infructueuse de reprendre le château d'Esztergom en 1594.

Après l'**église paroissiale italienne de la ville-de-l'Eau** (1738), sur Mindszenty tere, on parvient au palais de l'Évêque, au 2, Berényi Zsigmond utca, qui renferme aujourd'hui le **musée Chrétien** (Keresztény Múzeum). On peut y admirer la plus belle collection d'art religieux médiéval de Hongrie dans ce qui peut être considéré comme l'un des meilleurs musées du pays. Créé par l'archevêque János Simor en 1875, il abrite des retables et des triptyques gothiques, ainsi que des œuvres plus récentes d'artistes allemands, hollandais et italiens, et ce qui est sans doute la plus belle pièce de Hongrie : le **Saint-Sépulcre de Garamszentbenedek** (1480). Ce dernier est une sorte de cathédrale portative ornée des silhouettes sculptées des douze apôtres et de soldats romains montant la garde devant le tombeau du Christ. Utilisé lors des processions de Pâques, il fut restauré à grand-peine (et à grands frais) dans les années 70.

Ne repartez pas sans avoir vu aussi le panneau d'autel intitulé *Calvaire*, de Tamás Kolozsvári (1427), influencé par l'art italien, la *Passion du Christ*, fin du gothique, signée "Maître M S", le terrible *Martyr des Trois Saints* (1490), par celui qui se faisait appeler le maître des apôtres martyrs, et la *Tentation de saint Antoine*, de Jan Wellens de Cock. Le musée, avec ses commentaires en 5 langues, est ouvert de 10h à 16h30 de février à novembre, tous les jours sauf le lundi. On peut demander une visite guidée en téléphonant avant de venir (☎ 313 880).

En traversant le pont de Kossuth après l'embarcadère des ferries pour Štúrovo (réservés aux citoyens de Hongrie et de Slovaquie) via l'île du Primat, on remarque le **pont Mária-Valéria** cassé, avec, de chaque côté du fleuve, ses travées déchiquetées qui ne mènent plus nulle part. Le pont fut détruit pendant la Seconde Guerre mondiale et, malgré tout ce que l'on pouvait espérer de la "solidarité socialiste" et de "l'amitié éternelle" au temps du communisme, il ne fut jamais reconstruit. L'île offre d'agréables promenades le long du fleuve par de belles soirées d'été, et la vue saisissante que l'on a sur le Palais et la cathédrale séduira les photographes.

Au 4, Imaház utca, la **maison de la Technique**, édifice gris et saumon, d'un goût discutable, était autrefois la synagogue de la communauté juive d'Esztergom (la plus ancienne de Hongrie). Elle avait été construite en style "romantique mauresque" par Lipót Baumhorn, l'architecte de renom qui conçut également les synagogues de Szeged, Szolnok et Gyöngyös.

Au-dehors, se dresse un monument édifié à la mémoire des victimes d'Auschwitz.

Juste au sud, le **musée des Eaux-du-Danube**, au 2, Kölcsey Ferenc utca, propose des expositions traitant de tous les aspects de l'histoire et de l'exploitation de ce grand fleuve. Ses photographies et ses maquettes sont très intéressantes, mais les commentaires sont tous en hongrois.

Entre l'hôtel Fürdő et le Petit Danube, se trouvent des **piscines d'eaux thermales** découvertes, qui accueillent les clients de mai à septembre, de 9h à 18h. Le reste de l'année, on préférera la piscine couverte, ouverte de 6h à 18h. C'est là que les Romains prenaient les eaux et que furent ouverts, au XIIe siècle, les premiers bains publics de Hongrie.

Où se loger

Esztergom dispose de 3 terrains de camping avec bungalows, mais seul, le *Gran Camping* (☎ 311 327), à Nagy Duna Sétány, sur l'île du Primat, est proche des sites touristiques. Il propose des bungalows de bois sur pilotis tout confort pour 4 personnes (2 800 Ft) et un motel avec quelques doubles à 1 500 Ft. *Gyopár Camping* (☎ 311 401) est situé sur la colline de Sípoló, à 3 km à l'est en suivant Vaskapui út (bus n°1), et le *Vadvirág Camping* (☎ 312 234) Bánomi Dűlő, à 3 km sur la route de Visegrád (bus n°6). Tous trois sont ouverts de mai à fin septembre ou mi-octobre.

L'auberge de jeunesse IYHF *County Sport* (☎ 313 735) se trouve à Búbánatvölgy, à 5 km à l'est du centre d'Esztergom, par la route n°11. Tous les bus allant à Szentendre ou Visegrád y passent. Elle dispose de 20 chambres doubles en bungalows et elle est ouverte de mai à mi-septembre.

Si vous préférez une *chambre chez l'habitant* (800 Ft) ou un *appartement* (2 000 Ft), renseignez-vous chez Komtourist ou Gran Tours (voir *Renseignements*). Express pourra vous procurer des lits en résidence universitaire (400 Ft pour une double) à l'*École de commerce*, près de la gare (38, Budai Nagy Antal utca) ou à l'*université* (☎ 312 813), au 16, Szent István tér.

La pension *Ria* (☎ 313 115), au 11, Batthyány utca, dispose de 4 chambres doubles donnant sur une cour centrale, au pied de la colline du Château. C'est l'hébergement le plus pratique et le plus confortable d'Esztergom. Les simples/doubles avec douche coûtent 1 500/2 000 Ft, excellent petit déjeuner compris.

Les 12 chambres de l'*Alabárdos* (☎ 312 640), également au pied de la colline, au 49, Bajcsy-Zsilinszky utca, sont plus chères : 1 800/2 500 Ft.

Le bateau-hôtel *Korneuburg Ship*, amarré à Sobieski sétány, sur le Danube, appartient aux mêmes propriétaires. Il propose 20 doubles (2 000 Ft) avec douches communes et il reste ouvert de mai à septembre.

La pension *Platán* (☎ 311 355), située tout près de Komtourist, au 11, Kis Duna sétány, offre des chambres avec douche pour 800/1 600 Ft.

Le vétuste *Fürdő*, au 14, Bajcsy-Zsilinszky utca (☎ 311 688), propose 81 chambres, dont des doubles avec douche dans sa "nouvelle" aile pour 2 500 Ft. Dans l'ancienne aile, les simples/doubles avec douches communes sont à 1 000/1 500 Ft.

La ville possède également son "grand hôtel" de 34 chambres, l'*Esztergom* (☎ 312 883), un bâtiment moderne situé sur l'île du Primat, à Nagy Duna sétány, avec des simples de 1 710 à 2 970 Ft et des doubles de 2 790 à 4 140 selon la saison. Il est pourvu d'un restaurant assez élégant, d'une terrasse sur le toit et d'un centre sportif avec canoës, bateaux à moteur et courts de tennis.

Où se restaurer

Le self *Hévíz* – à ne pas confondre avec le restaurant qui porte le même nom, juste à côté – dans le centre commercial de Bástya, au-dessus de Rákóczi tér, est l'endroit le moins cher de la ville. Essayez aussi le *Treff Ételbár*, au 12, Kossuth Lajos utca. Le *Csülök Csárda*, au 9, Batthyány utca, près de la pension Ria, sert une très bonne cuisine familiale à des prix raisonnables. L'*Alabárdos*, tout proche, est plus cher et vous impose en prime un service guindé.

L'*Anonim*, situé dans une ancienne maison bourgeoise, au 6, Berényi Zsigmond utca, est pratique pour se rendre aux musées de la ville-de-l'Eau, mais ferme dès 21h. Le restaurant de poissons *Úszófalu Halászcsárda*, à l'extrémité du pont Bottyán, dans l'île du Primat, sur Gesztenye fasor, est fermé le lundi.

Le *Fontána*, dans le centre commercial, au 3, Batthyány utca, propose des pizzas, des pâtes, ainsi que des buffets de salades. Il est ouvert tous les jours de 11h à 23h. Le salon de thé *Museum*, installé dans une ancienne cave juste en face, au nº1, est un délicieux endroit pour prendre un café et déguster une tranche de mákos torta (gâteau au pavot). Si vous ne résistez pas aux glaces, essayez le *Korona*, au 18, Széchenyi tér.

Distractions

Le moment idéal pour visiter Esztergom serait un jour férié consacré à la Vierge, comme le 15 août, par exemple, où les pèlerins arrivent de toute la Hongrie. En été, des concerts d'orgue ont lieu dans la cathédrale et les *Chroniqueurs d'Esztergom* jouent de la musique hongroise ancienne dans le Palais. Komtourist ou toute autre agence vous fournira les renseignements nécessaires. Le *Centre de loisirs*, sur Bajcsy-Zsilinszky utca, un peu plus bas que l'hôtel Fürdő, propose un cinéma et plusieurs expositions temporaires. Il est ouvert de 8h à 21h en semaine et jusqu'à 24h les samedi et dimanche. Le personnel vous dira tout sur les manifestations organisées à Esztergom.

Après la tombée de la nuit, la rue commerçante Simor János utca, continuation de Bajcsy-Zsilinszky utca au sud, est le rendez-vous des noctambules. Le *Tropical Café*, au nº44, est fréquenté par les étudiants de l'école de commerce toute proche. Le *Rolling Stone*, au nº64, attire un population plus mûre et programme de la bonne musique enregistrée. Le *Dreher*, entre les deux au nº54, est un simple pub local.

Comment s'y rendre

Jusqu'à 12 trains par jour relient Esztergom à Budapest-Nyugati, et une demi-douzaine partent vers Komárom, où l'on peut changer pour Győr, Székesfehérvár, Vienne ou Bratislava (via Komárno, sur la rive slovaque).

En revanche, les liaisons par bus ne sont pas très bonnes. Il y a de fréquents départs pour la gare d'Árpád, à Pest pour Esztergom, soit *via* Dorog (75 minutes), soit *via* Visegrád et Szentendre (2 heures). D'autres partent pour Széna tér à Buda, près de Moskva tér. Les autres destinations importantes desservies à partir d'Esztergom sont cependant limitées : Balatonfüred (1 bus), Komárom (2), Sopron (2), Tata et Tatabánya (3) et Veszprém (2).

Un ferry Mahart relie Esztergom à Visegrád, Szentendre et Budapest. Il se prend à 9h, de mi-mai à début septembre. Cependant, avec le changement de Visegrád, le trajet peut prendre 4 heures 30 ! Vous ne mettrez qu'1 heure les samedi, dimanche et jours fériés si vous empruntez l'hydroglisseur, qui circule pendant la même période. Pour se rendre à Budapest d'avril à mi-mai et de septembre aux premiers gels, on peut emprunter un ferry, lent, à Esztergom à 15h30 les samedi, dimanche et jours fériés.

Seuls les citoyens hongrois et slovaques sont autorisés à prendre le ferry pour passagers et voitures qui relie Esztergom à Štúrovo ; les autres devront traverser la frontière entre Komárom et Komarno, à environ 40 km à l'ouest. Pour franchir le Danube avec sa voiture, le ferry le plus proche se trouve à Basaharc-Szob, à 10 km à l'est d'Esztergom. Si vous vous rendez en voiture de Budapest à Esztergom (ou l'inverse), vous avez le choix entre la route n°11, qui longe le fleuve, ou la n°10, qui offre un raccourci panoramique par la montagne de Pilis, que l'on prend en tournant vers le nord dans la route n°111, à Dorog (46 km).

Transdanubie Occidentale

Comme son nom l'indique, la Transdanubie Occidentale (Nyugati Dunántúl) s'étend, "par rapport à la capitale, de l'autre côté du Danube", jusqu'à la frontière slovène au sud-ouest. Montagnes et plaines y alternent avec, çà et là, quelques-uns des principaux monuments, villes, églises et châteaux du pays. Cette "fenêtre sur l'Occident" a toujours été la zone la plus riche et la plus développée. Elle reçoit de nombreux Autrichiens qui viennent y passer la journée et profiter des prix modiques. Dans les villes les plus à l'ouest, l'architecture alpine et la prépondérance de la langue allemande donnent l'impression que l'on a passé la frontière.

Le Danube représenta la limite de l'extension romaine dans ce qui forme aujourd'hui la Hongrie ; la majeure partie de la Transdanubie Occidentale constituait la province de Pannonie Supérieure. Les Romains y construisirent certaines de leurs plus grandes villes militaires et civiles : Arrabona (Győr), Scarbantia (Sopron), Savaria (Szombathely) et Adflexum (Mosonmagyaróvár). Par leur position sur la route commerciale allant de l'Europe du Nord à l'Adriatique et à Byzance, et grâce aussi aux influences germaine, slovaque et autres, ces villes prospérèrent jusqu'au Moyen Age. On y installa des évêchés et on y bâtit des châteaux, dont la plupart se virent accorder des privilèges royaux.

Une large partie de la Transdanubie Occidentale resta aux mains des Habsbourg durant l'occupation turque, échappant ainsi aux dévastations dont souffrirent la Grande Plaine et le Sud. Aussi peut-on y voir

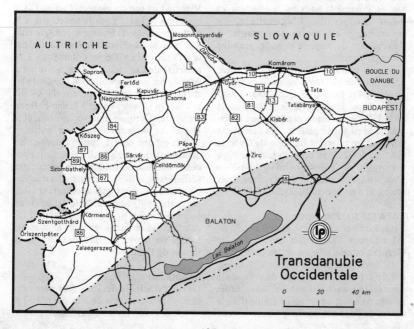

aujourd'hui certaines des plus belles œuvres d'architectures romane et gothique. Comme l'influence de Vienne fut prépondérante pendant les XVIe et XVIIe siècles, les églises baroques et autres monuments devinrent les plus célèbres de Hongrie. Cette domination autrichienne se prolongea, certaines parties de la région changeant plusieurs fois de mains au cours des siècles suivants.

Durant la Seconde Guerre mondiale, la région subit un pilonnage incessant, et si nombre de centres villes furent épargnés (ou reconstruits), les quartiers périphériques, eux, furent bien souvent complètement démolis. Cela explique les différences d'aspect : centres de styles médiéval ou baroque, entourés d'immeubles, d'usines et, parfois, de fermes de béton. C'est après la guerre que la région s'industrialisa, surtout aux alentours de Tatabánya et de Győr (on avait même projeté de faire de Győr la "Ruhr hongroise"). Le sous-sol renferme des matières premières intéressantes, comme la bauxite, le charbon, et même du pétrole. L'agriculture, en revanche, y est moins importante, à l'exception de Sopron et Mór, grandes zones de vignobles.

Si vous venez de Vienne, votre première impression de la Transdanubie Occidentale ne sera guère favorable. Que l'on soit dans le train (ligne de chemin de fer n°1) ou sur la route E75, la vue est monotone, voire déprimante. Mais soyez patient : les nombreux paysages (le ravissant Belváros de Győr, le château de Tata, au bord du lac, l'abbaye historique de Pannonhalma), que l'on n'aperçoit ni du train, ni de la voiture, vous attendent à seulement quelques minutes.

TATA (25 500 habitants)

Tata, à ne pas confondre avec Tatabánya, est située à l'ouest des montagnes de Gerecse et non loin de celles de Vértes. Tatabánya, pour sa part, est une ville industrielle à 14 km au sud-est, dont la seule concession au tourisme est une statue géante du *turul*, un totem en forme d'aigle datant de l'époque des Magyars et installé

sur une colline dominant la ville pour célébrer le millénaire de la Hongrie en 1896. Aujourd'hui, le turul est de plus en plus utilisé comme symbole par l'extrême-droite, au grand désespoir de la majorité des Hongrois, qui le voient simplement comme leur "aigle" ou leur "lion". Tandis que Tatabánya est une grande ville assez récente, Tata (Totis en allemand) est un petit village connu pour ses sources, ses canaux et ses lacs, son château et son histoire.

Öregvár (le Vieux Château), construit aux environs du XIVe siècle au faîte d'un rocher, à l'extrémité nord d'un vaste lac, fut le théâtre de nombreux événements.

Il fut la résidence préférée du roi Sigismond, qui y ajouta un palais au XVe siècle, et de sa fille Élizabeth de Luxembourg, qui s'y dissimula avec la couronne de saint Étienne qu'elle avait dérobée avant de se rendre au couronnement de son fils, Lajos V.

Le roi Mathias Corvin fit ensuite de Tata une réserve de chasse royale rattachée à Visegrád, et son successeur, Ladislas II, y transféra la Diète pour la soustraire à la peste qui ravageait Buda. En 1683, le château de Tata fut sévèrement endommagé par les Turcs et la ville ne commença à se remettre de l'invasion qu'après avoir été acquise par une branche de la famille Esterházy, membre de l'aristocratie du XVIIIe siècle. On fit alors appel à Jakab Fellner, architecte d'origine morave, qui conçut la plupart des bâtiments baroques de la ville.

Tata est une ville de loisirs autant qu'un centre historique. Ses deux lacs, qui ont certes diminué de volume lors de récentes sécheresses, offrent de nombreuses activités sportives, ainsi qu'un important complexe thermal, au nord. Tata est aussi un point de départ pratique pour visiter les autres villes de Transdanubie Occidentale lorsqu'on arrive de Budapest ou de la Boucle du Danube.

Orientation

La rue principale de Tata, très commerçante, est une section de la route n°100 et se nomme Ady Endre utca. Elle sépare le

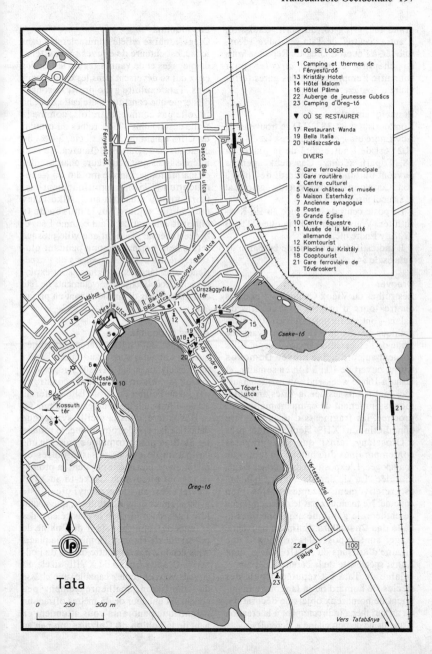

■ OÙ SE LOGER

1 Camping et thermes de Fényesfürdő
13 Kristály Hotel
16 Hôtel Malom
16 Hôtel Pálma
22 Auberge de jeunesse Gubács
23 Camping d'Öreg-tó

▼ OÙ SE RESTAURER

17 Restaurant Wanda
19 Bella Italia
20 Halászcsárda

DIVERS

2 Gare ferroviaire principale
3 Gare routière
4 Centre culturel
5 Vieux château et musée
6 Maison Esterházy
7 Ancienne synagogue
8 Poste
9 Grande Église
10 Centre équestre
11 Musée de la Minorité allemande
12 Komtourist
13 Piscine du Kristály
18 Cooptourist
21 Gare ferroviaire de Tóvároskert

Tata

0   250   500 m

Vers Tatabánya

grand lac, Öreg-tó, du petit, Cseke-tó. L'autre "centre" de Tata se trouve à Kossuth tér, à l'ouest d'Öreg-tó. Reportez-vous au chapitre *Comment circuler* pour connaître l'emplacement des gares ferroviaire et routière.

Renseignements

Komtourist (☎ 34 383 211) se trouve au 9, Ady Endre utca, et Cooptourist (☎ 34 381 602) est de l'autre côté de la place, au 18, Tóparti sétány. Ces deux agences ouvrent du lundi au vendredi de 7h30 à 16h. Cooptourist vous accueille également le samedi jusqu'à midi.

La poste centrale est située au 19, Kossuth tér. Vous aurez une banque OTP au 17, Ady Endre utca.

L'indicatif téléphonique de la région de Tata est le 34.

Öregvár

Les ruines du Vieux Château – l'une des quatre tours d'origine et une aile du palais – ont été reconstruites en style néogothique à la fin du XIXe siècle, avant une visite de l'empereur François-Joseph. Elles abritent aujourd'hui le **musée Domokos Kuny**, ouvert de 10h à 14h en semaine, et jusqu'à 16h le week-end. Au rez-de-chaussée, sont réunis les découvertes archéologiques provenant de camps romains tout proches, les fragments d'un monastère bénédictin du XIIe siècle, situé près d'Oroszlány, ainsi que des gravures contemporaines du château au temps de son apogée. L'exposition du premier étage, intitulée "La vie dans le Vieux Château" est relativement récente et très bien conclue. Ne manquez pas le poêle en forme de cathédrale gothique qui trône bien dans la **salle des Chevaliers**. Enfin, au deuxième étage, sont exposés les travaux d'une dizaine d'artisans du XVIIIe siècle, dont Kuny, spécialiste de la céramique. La porcelaine de Tata est réputée depuis des siècles (le homard ou la langouste inspiraient de nombreux objets de décoration, un art qui mena indirectement à la création d'une usine de porcelaine à Herend).

Les moulins

Öregvár, qui se reflète admirablement dans le lac, est entouré de douves ; un système de blocages et de vannes régule le flot des eaux qui se déversent dans les canaux voisins. Tata exploite avec profit la source d'énergie que constitue toute cette eau : ne fut-elle pas connue, autrefois, comme la "ville des moulins" ? Les ruines du **moulin de Cifra** datant du XVIe siècle, à l'est du château, au 3, Bartók Béla utca, ne sont intéressantes que pour leurs chambranles de marbre rouge, mais le **moulin de Nepomucenus** (1758), magnifiquement restauré, un peu plus loin au 2, Alkotmány utca, abrite aujourd'hui le **musée de la Minorité allemande**. Tout comme Pécs et Székesfehérvár, Tata fut une ville presque totalement germanophone pendant plusieurs siècles et tous les aspects de l'expérience allemande et hongroise sont explorés ici. Les collections de vêtements de fête et d'instruments de musique sont en parfait état.

Autres curiosités

En venant du Vieux Château, marchez quelques minutes vers le sud-ouest. Passez par Kastély tér, jusqu'à Hősök tere, et vous verrez la **maison Esterházy**, construite par Jakab Fellner en 1765. Elle renferme aujourd'hui un hôpital assez étonnant. Au 3, Hősök tere, dans la vieille synagogue datant de la période romantique, le **musée de Statues gréco-romaines** présente une collection de copies des sculptures en plâtre ou en pierre qui ornaient la promenade pour piétons de Cseke-tó au XIXe siècle. C'est au 1, Bercsényi utca, juste avant d'entrer dans Kossuth tér, que naquit Mór Farkasházi Fischer, le plus célèbre des enfants de Tata, fondateur de l'usine de porcelaine de Herend. Dominant la place, vous découvrirez une autre œuvre de Fellner, la **Grande Église** du XVIIIe siècle. Et si vous vous en sentez capable, une châsse de crucifixion, malheureusement peu connue, et une tour de 45 mètres offrant un magnifique panorama vous attendent en haut de la **colline du Calvaire**, un peu au sud. De là, vous apercevrez les collines de Gerecse à l'est, la Slovaquie au nord et la zone industrielle de Tatabánya au sud.

Pour vous détendre, visitez **Cseke-tó**, entouré par les 200 hectares du **parc d'Angol**, aménagé en 1780, premier "jardin anglais" (parc paysager) de Hongrie, où vous aurez le choix entre une agréable promenade et une partie de pêche. Au sud du lac, est installé le principal centre d'entraînement de l'équipe olympique de Hongrie : mais ne vous attendez pas à voir autre chose que le toit de la piscine couverte !

L'étrange **clocher** de bois à huit côtés, sur Országgyűlés tér, est bien plus ancien qu'il n'y paraît. Devinez qui en fut l'auteur ? Eh oui ! Fellner, toujours lui ! Il le fit édifier en 1763, et il servit de prison à la ville pendant de nombreuses années.

Enfin, vous découvrirez un grand **marché aux puces** au 1, Május út, juste au nord d'Országgyűlés tér.

Activités culturelles et/ou sportives

Öreg-tó dispose de plusieurs plages où l'on peut se baigner. En été, des promenades en bateau sont organisées à partir de l'embarcadère situé devant le bar Albatrosz, au coin nord-est du lac. Si vous préférez l'équitation, demandez à Komtourist comment louer un cheval au centre d'équitation conçu par Fellner, sur la berge, près de Kastély tér. Enfin, les pêcheurs iront installer leurs lignes à Cseke-tó, l'autre lac.

La piscine du Kristály, entre les hôtels Pálma et Malom, est ouverte en été, mais vous lui préférerez certainement le complexe de Fényesfürdő. Ce dernier dispose en effet de piscines thermales et de plusieurs bassins immenses.

Aussi incroyable que cela paraisse lorsqu'on sait qu'une autoroute passe à 100 mètres à peine, Öreg-tó est resté le lieu de prédilection d'un nombre considérable d'oiseaux aquatiques. Quelque 70 000 oies sauvages y passent pendant le seul mois de février. En hiver, le meilleur endroit pour observer tous ces volatiles se situe à l'extrémité sud du lac, qu'une source d'eau chaude empêche de geler. Choisissez le lever du jour ou le crépuscule : le reste du temps, les oiseaux vont picorer dans les champs de chaume voisins.

Où se loger

Komtourist (voir *Renseignements*) pourra vous dénicher une chambre chez l'habitant qui vous coûtera le même prix qu'un petit hôtel. Cooptourist ne propose que des appartements en bord de lac au prix exorbitant de 4 000 Ft la nuit.

Tata dispose de deux terrains de camping avec bungalows. Le *Fényesfürdő Camping* (☎ 381 591), à environ 2 km au nord du centre-ville, près des installations thermales, est ouvert de mai à septembre. L'*Öreg-tó Camping* (☎ 383 128), au 1, Fáklya utca, au sud de la ville et en bordure du grand lac, reste accessible de mi-avril à mi-octobre.

Non loin de là, le *Gubács* (☎ 383 960), au 4, Fáklya utca, dispose d'une auberge de jeunesse IYHF comportant 24 chambres de 4 ou 6 lits et d'un hôtel de 22 chambres. La première vous demandera un prix pour la chambre (et non par personne) de 1 000 à 1 500 Ft, le second paraît cher pour les médiocres prestations offertes : simples à 1 200 Ft et doubles à 1 640 Ft (toutes avec salles de bains).

Les chambres avec douches communes du *Malom* (☎ 383 530), au 8, Erzsebet királyné tér, au prix de 950 Ft la simple et 1 000 Ft la double, sont bien plus accessibles. L'établissement se trouve dans une rue calme bordée d'arbres près de Cseketó. Toutefois, vous payerez à peine plus cher au *Pálma* (☎ 383 291), un hôtel de 16 chambres installé dans un jardin d'hiver du XVIIIe siècle, en plein cœur du parc d'Angol, à quelques minutes de là, tout près du lac. Autre avantage non négligeable, vous bénéficierez d'un accès gratuit à la piscine du Kristály, toute proche.

Les 26 chambres de l'hôtel *Kristály* (☎ 383 577), ancienne propriété de la famille Esterházy située au 22, Ady Endre utca, viennent d'être rénovées et offrent tout le confort d'un établissement moderne. Toutefois, vous paierez en conséquence :

de 3 600 à 4 500 Ft pour une double selon la saison, la taille de la chambre et le standing de la salle de bains.

Où se restaurer

Le *Bella Italia*, au 33, Ady Endre utca, met un point d'honneur à servir une véritable cuisine italienne et, effectivement, il n'en est pas loin ! Ses spécialités raviront le touriste lassé des habituelles pizzas au ketchup. Autre point fort : il reste ouvert jusqu'à 2h du matin.

Le *Halászcsárda*, sur Tóparti sétány, près de Kodály tér, est un pittoresque petit café-restaurant en bordure de lac. On y déguste du poisson frais (des pêcheurs indépendants venaient négocier leur prise la dernière fois que j'y ai déjeuné). Goûtez la soupe de poisson épicée Baja. En face, au n°17 de la rue, le *Wanda* est un pseudo-restaurant chinois plutôt cher (quoique le propriétaire, chinois d'origine, soit pour sa part authentique !). Les fumeurs ne sont pas acceptés dans la grande salle, et l'établissement ferme à 24h.

Distractions

Le centre culturel Zoltán Magyary (☎ 380 811), entre le château et la gare routière, au 4, Váralja utca, vous fournira des renseignements précis sur les manifestations organisées dans cette ville très culturelle. Le cycle de concerts d'été de Tata constituent la principale attraction de l'année. La ville n'ayant plus de théâtre depuis 80 ans, c'est dans la salle des Chevaliers du Vieux Château (lieu magique, mais étroit) et dans la Grande Église que se déroulent les concerts.

Le jazz et la musique rock ne sont pas mis à l'écart, mais c'est au parc d'Angol que l'on va généralement les applaudir. Par ailleurs, on ne sait pas encore si la ville continuera à sponsoriser les Jeux de cour du Château, sortes de foires semblables à celles de la Renaissance organisées chaque année en juin.

Le bar *Albatrosz*, établi dans une belle maison ancienne au bord du lac, au 3, Tóparti sétány, près du Château, attire jusqu'à minuit une clientèle jeune et bruyante. Au Château même, la cave de *Zsigmond* est l'endroit idéal pour un verre de vin (mais encore faut-il réussir à y entrer !).

Au 26, Ady Endre utca, le moulin de Miklós, datant du XVIIIe siècle, qui abritait autrefois le musée Allemand, a eu la bonne idée de se reconvertir en bistrot à vins sous le nom de *Múzeum Bacchus*. Juste à côté, au n°28, le pub *Mahagóni* est encore plus tentant !

Comment s'y rendre

Tata se trouve sur la ligne n°1 de chemin de fer qui relie Budapest-Déli à Győr et Vienne. Quelques trains directs partent chaque jour pour Sopron et Szombathely via Tata, mais il faut généralement changer à Győr.

Si vous allez à Esztergom, vous devrez prendre une correspondance à Almásfüzitő. Enfin, pour passer la frontière slovaque, prenez le train à Komárom.

Des bus partent fréquemment pour Tatabánya, Komárom, Esztergom et Oroszlány (porte des montagnes de Vértes), et il existe au moins 6 départs par jour vers Dunaszentmiklós et Tarján, situées dans les montagnes de Gerecse.

Enfin, Budapest est desservie par 2 ou 3 bus quotidiens.

Comment circuler

La station centrale des bus se trouve près d'Öregvár, sur Május 1 út. La ville possède par ailleurs deux gares ferroviaires. La principale, au nord du centre ville, est à 1 km environ du camping et du centre de cures thermales de Fényesfüdő. La seconde, Tóvároskert vm, ne voit s'arrêter que les trains locaux ; elle est située au sud, proche du camping et de l'auberge de jeunesse de Fáklya utca. Les bus n°1 et 1/y relient la gare centrale à la gare routière et à Kossuth tér. Le n°3 vous emmènera à Fényesfürdő et le n°5 à la gare de Tóvároskert et à Fáklya utca.

Vous pouvez louer une voiture chez Béta (☎ 380 715), au 34/a, Dózsa György utca, ou appeler un taxi au 381 808.

ENVIRONS DE TATA

Les **montagnes de Gerecse,** qui ne sont certes pas les Alpes (point culminant à 633 mètres !) se trouvent à l'est de Tata et semblent faites sur mesure pour les randonneurs. Ceux-ci ont la possibilité de partir de Tata même, mais mieux vaut commencer au point de départ central en prenant le bus pour Tardosbánya (plus près du Mont Gerecse), de Tarján ou de Dunaszentmiklós. *Cartographia* publie une carte touristique de la région (*A Gerecse Turistatérképe*) sur laquelle figurent clairement les chemins de randonnée.

GYŐR (130 000 habitants)

La plupart des visiteurs ne voient de Győr (Raab en allemand) que ce qu'ils aperçoivent de l'autoroute reliant Vienne à Budapest. Beaucoup la classent d'emblée comme une ville industrielle affublée d'un drôle de nom, et ils n'ont pas tout à fait tort. Importante ville textile, réputée pour ses usines de tracteurs et de rails, Győr (prononcez "jiyeur") est le troisième centre industriel de Hongrie.

Toutefois, Győr est également une cité historique. Aucune autre ville, en dehors de Sopron et Budapest, ne peut se vanter de posséder autant de monuments et de bâtiments importants. Remontez la voie piétonne Baross Gábor utca sur 100 mètres (dépassez le McDonald surpeuplé du n°21), et vous découvrirez un monde qui n'a guère changé depuis les XVIIe et XVIIIe siècles.

Située au cœur de ce qu'on appelle la Petite Plaine (Kisalföld), au point où le Mosoni, un bras du Danube, rencontre les fleuves de Rábca et Rába, Győr fut colonisée par les Celtes, puis les Romains, qui la nommèrent Arrabona. Les Avars s'y installèrent ensuite et construisirent des fortifications (gyűrű) avant l'arrivée des Magyars au Xe siècle.

Le roi Étienne Ier établit un évêché à Győr au XIe siècle et, deux siècles plus tard, la ville se vit allouer une charte royale l'autorisant à prélever des taxes sur les marchandises qui y transitaient. Par la suite, le commerce et le transport fluvial des céréales allaient lui permettre d'accroître encore sa prospérité.

Au XVIe siècle, on construisit donc un château entouré d'eau qui servit d'avant-poste facile à défendre entre la Hongrie conquise par les Turcs et Vienne, siège de l'empire des Habsbourg jusqu'à la fin du siècle. Lorsque les Ottomans parvinrent enfin à s'en emparer, ils ne purent s'y maintenir que quatre ans, avant d'en être chassés en 1598 (non sans avoir, au préalable, démoli la majeure partie de la cathédrale). C'est pourquoi Győr a été maintes fois louée comme la "chère gardienne" qui veilla sur la nation tout au long des siècles.

Pour l'anecdote, sachez que Napoléon, qui pénétra très brièvement en territoire hongrois en 1809, passa la nuit du 31 août à Győr, non loin du champ de bataille. Une inscription sur l'Arc de Triomphe, à Paris, mentionne d'ailleurs la bataille de Raab.

Orientation

La gare ferroviaire de Győr se trouve au sud de Honvéd liget ("le parc du Soldat"). Pour atteindre la gare routière, de l'autre côté de la voie ferrée, empruntez le passage souterrain, à l'est de l'entrée principale. Baross Gábor utca, qui mène à Belváros, le vieux quartier, et aux fleuves, se trouve de l'autre côté de Városháza tér ("place de l'Hôtel de ville").

L'air entraînant que l'on entend toutes les heures est celui d'une chanson populaire hongroise et vient de la tour de l'hôtel de ville néo-baroque.

Renseignements

Ciklámen Tourist (☎ 96 311 557), au 22, Aradi Vértanúk útja, ne semble s'intéresser qu'aux touristes autrichiens qui viennent passer la journée à Győr. C'est l'un des bureaux de tourisme les moins coopérants que j'aie rencontrés. Il est ouvert (sans certitude) de 8h à 16h en semaine et jusqu'à 11h le samedi.

Préférez-lui Ibusz (☎ 96 314 135), près de l'hôtel Rába, aux 29-31, Szent István út, qui, de plus, reste ouvert plus tard.

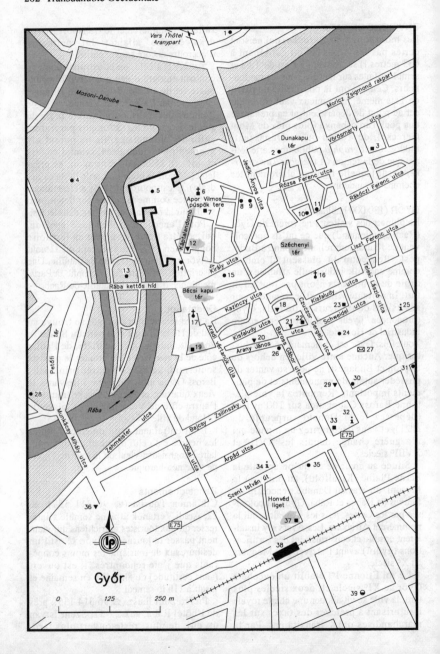

Győr

0   125   250 m

■	OÙ SE LOGER	4	Bassins et piscines
		5	Palais épiscopal
3	Pension Duna	6	Cathédrale
7	Hôtel Conférence	8	Trésor diocésain
19	Hôtel Klastrom	9	Arche de la Convention
22	Pension Kuckó	10	Maison du Rondin-de-fer
23	Pension Teátrum	11	Musée János Xánthus
33	Hôtel Rába	13	Discothèque Jereván
36	Hôtel Szárnyaskerék	14	Musée archéologique
		15	Napoléon Ház
		16	Église Saint-Ignace
▼	OÙ SE RESTAURER	17	Église des Carmélites
		24	Théâtre de Kisfaludy
12	Restaurant Várkapu	25	Express
18	Restaurant Korzó	26	Librairie Bécsi
20	Piccolo Pizzeria	27	Poste
21	Restaurant Sárkánylyuk	28	Synagogue
29	Restaurant Komédiás	30	Centre culturel Béla Bartók
37	Restaurant Piero	31	Alom Depresszó
		32	Ibusz
	DIVERS	34	Ciklámen Tourist
		35	Hôtel de ville
1	Discothèque Malibu Tropical	38	Gare ferroviaire
2	Marché	39	Gare routière

Express (☎ 96 328 833) est au 41, Bajcsy-Zsilinszky utca, et Cooptourist (☎ 96 320 801) au 8, Jedlik Ányos utca.

La poste centrale se trouve au 46, Bajcsy-Zsilinszky út, en face du théâtre Kisfaludy. Il y a une banque OTP au 36, Árpád utca. La compagnie locale de taxis vous enverra une voiture si vous téléphonez au 96 312 222.

La librairie Bécsi, avec son salon de thé situé dans une petite cour au 18, Baross Gábor, possède quelques livres en langues étrangères. C'est un endroit très agréable pour bouquiner en sirotant un café.

L'indicatif téléphonique de la région de Győr est le 96.

A voir et à faire

Tout ce qui vaut la peine d'être vu se trouve sur les trois principales places : Bécsi kapu tér, Káptalandomb et Széchenyi tér, centre de Győr, ou dans leur voisinage immédiat. Ces places, distantes de quelques minutes de marche les unes des autres, sont reliées entre elles par d'étroites ruelles.

Bécsi kapu tér, la place baroque de Bécsi kapu tér ("place de la Porte de Vienne") est dominée par l'**église des Carmélites**, qui date du début XVIIIe siècle et dont le ravalement était en cours lors de ma visite. Sur un côté de la place, des fortifications, construites pour stopper l'assaut des Turcs, la séparent du fleuve. On y voit également un bastion qui servait jadis de prison, une chapelle et un ancien entrepôt, aujourd'hui transformé en restaurant. Juste à l'est, au 4, Király utca, se trouve le **Napoleon Ház**, la maison où Monsieur Bonaparte passa sa seule nuit en Hongrie. Elle abrite désormais une galerie d'art.

Une partie du **musée János Xánthus** (un labyrinthe de caves renfermant une riche collection d'objets des époques romaine et médiévale) s'est installée dans les casemates du château, au 5, Bécsi kapu tér. Avant d'entrer, assurez-vous que le gardien ne vous oubliera pas et n'éteindra pas les lumières alors que vous vous déambulez encore à l'intérieur : il y fait plus obscur que dans un tombeau !

Káptalandomb. En venant du musée, remontez Káptalandomb (la "colline du Chapitre") jusqu'à Apor Vilmos püspök tere, qui est la plus ancienne partie de la ville. La **cathédrale de Győr**, dont les fondations datent du XIe siècle, est un étrange amalgame de styles, avec des absides romanes (jetez-y un coup d'œil de l'extérieur !), une façade néo-classique et une chapelle gothique, accolée à l'arrière du monument, côté sud. Cependant, la quasi-totalité de ce que vous verrez à l'intérieur, y compris les étonnantes fresques de Franz Anton Maulbertsch, le grand autel et le trône de l'évêque, est de style baroque et date des XVIIe et XVIIIe siècles.

La **chapelle Héderváry**, gothique, renferme l'un des plus beaux exemples d'orfèvrerie médiévale de Hongrie : l'*Hermès de Ladislas Ier*. Il s'agit d'un reliquaire en forme de buste représentant l'un des premiers rois saints de Hongrie (László en hongrois) et datant de 1400 environ. Quant aux amateurs de miracles, ils se dirigeront vers l'aile nord où trône l'**icône pleurante de Mary**, un retable du XVIIe siècle apporté par un évêque irlandais envoyé par Oliver Cromwell. Quelque quarante ans plus tard, le jour de la Saint Patrick, l'objet commença à verser des larmes de sang. Aujourd'hui encore, il continue d'attirer des pèlerins.

A l'ouest de la cathédrale, s'élève le **château de l'Évêque**, sorte de forteresse dont certaines parties remontent au XIIIe siècle. Du côté sud, vous découvrirez les fondations d'une chapelle romane du XIe siècle. Le **Trésor diocésain**, au 26, Káptalandomb, est l'un des plus riches de Hongrie. Vous vous émerveillerez devant les lourdes chasubles en fils d'or, les crosses d'évêques en argent massif et les fragments de la Vraie Croix, mais la collection de manuscrits (dont certains sont enluminés) vous impressionnera bien plus encore.

Széchenyi tér. A quelques mètres au sud-est de Káptalandomb, vous découvrirez Széchenyi tér, une large place où se tenait le marché au Moyen Age. Avant d'y parvenir, vous passerez à Gutemberg tér par l'**arche de la Convention** (1731). On raconte que le roi fit ériger ce monument baroque (le plus beau de la ville) pour apaiser la colère qui s'empara de la population de Győr à la suite d'un incident : au cours d'une procession de *Corpus Christi*, l'un des soldats du roi avait fait tomber par mégarde l'Eucharistie que tenait un prêtre.

La **colonne de la Vierge Marie**, au centre de Széchenyi tér, fut érigée en 1686 pour célébrer la reconquête du château de Buda des mains des Turcs. L'**église Saint-Ignace**, d'abord jésuite, puis bénédictine, est la plus belle de la ville et remonte aux années 1641. Les deux chapelles latérales de stuc blanc du XVIIe siècle et les fresques qui ornent le plafond, peint en 1744 par l'artiste viennois Paul Troger, valent le coup d'œil.

Juste à côté, au 9, Széchenyi tér, la **pharmacie** créée par les Jésuites continue d'accueillir les clients. Vous pourrez y admirer le plafond voûté de style rococo et les fresques aux thèmes liés à la religion ou à la phytothérapie (elle est ouverte en semaine de 8h30 à 17h).

Si vous êtes pressé, faites l'impasse sur la branche principale du **musée János Xánthus**, de l'autre côté de la place, au 5, Széchenyi tér (histoire de Győr, timbres, mobilier ancien). Vous lui préférerez la **collection Imre Patkó**, datant du XVIIe siècle et située dans la **maison du Rondin de Fer** (Vastuskós Ház), au n°4. On y voit encore la souche tordue sur laquelle les artisans itinérants creusaient leurs marques pour signaler leur visite.

Le musée, l'un des meilleurs de cette dimension, possède une excellente collection d'art au rez-de-chaussée et au premier étage. Ne manquez surtout pas les œuvres de Béla Kondor (*Le Roi des guêpes*) et de Sándor Bortnyik (*Portrait grotesque*), ainsi que celles de Braque, Chagall et Picasso. Le deuxième étage est consacré à divers objets rapportés par Patkó, journaliste et passionné d'histoire de l'art, de ses voyages en Inde, au Tibet, au Vietnam et en Afrique.

Autres curiosités. La coupole octogonale richement décorée, les tribunes et le tabernacle de la **synagogue** (1869), située de l'autre côté du fleuve, au 5, Kossuth Lajos utca, valent le détour, en espérant que vous aurez la chance de pénétrer dans ce vieux bâtiment décrépi. Essayez d'entrer par l'académie de Musique (ancienne école juive), juste à côté.

Kapu tér, non loin de la cathédrale, en contrebas, propose un grand **marché** ; les plus matinaux pourront y observer les vendeurs de poissons en pleine action. Promenez-vous également entre les étals du **marché aux Fleurs** très coloré de Virág piac.

Activités artistiques et/ou culturelles
Pour se rendre aux installations thermales de Győr, traversez Rába kettös híd (le "double pont de Rába"), au-dessus de la petite île, puis tournez vers le nord et suivez Ország út. La piscine couverte est ouverte toute l'année de 6h à 20h en semaine, de 7h à 18h le week-end. Les bassins extérieurs, sur la rive du fleuve, n'ouvrent que de mai à septembre.

Où se loger
Camping. Le *Győr Camping* (☎ 318 986), à Kiskút liget, à environ 3 km au nord-est du centre ville, propose un motel ouvert toute l'année (1 200 Ft la chambre double), ainsi que d'affreux petits bungalows ouverts de mi-avril à mi-octobre (900 Ft pour deux personnes). Pour vous y rendre, prenez le bus n°8 près de l'Hôtel de ville.

Chambres chez l'habitant et en cité universitaire. Les chambres chez l'habitant réservées par l'intermédiaire des agences de tourisme coûtent environ 800 Ft la double. En été, Express vous obtiendra un lit en dortoir dans l'immense *université*, au nord, de l'autre côté du fleuve, au 3, Ságvári Endre utca.

Auberges de jeunesse. Outre ses 43 chambres, l'hôtel *Aranypart* (☎ 326 033), au 12, Áldozat utca, dispose également d'une dizaine de dortoirs IYHF

ouverts toute l'année et qui ne vous coûteront que 300 Ft par personne. Y séjourner, toutefois, ne présente pas grand intérêt : mieux vaut tenter d'obtenir un lit dans un dortoir plus proche du centre ville, pour un prix qui ne sera guère plus élevé. Par ailleurs, une chambre double à l'hôtel Aranypart vous coûtera 1 350 Ft avec lavabo, ou 1 580 Ft avec douche.

Pensions. Győr regorge de petites pensions privées qui, à défaut d'être économiques, ont le double avantage d'être très centrales et de se trouver dans d'anciennes maisons qui figurent parmi les plus pittoresques de la ville.

Ainsi, le *Kuckó* (☎ 316 260), dans une vieille demeure bourgeoise au 33, Arany János utca, dispose de plusieurs doubles avec bains pour 2 000 Ft. Plus petit et moins typique, le *Kertész* (☎ 317 461), au 11, Iskola utca, propose des simples pour 1 800 Ft et des doubles pour 2 000 Ft.

Mais la palme revient sans doute aux 10 chambres du *Teátrum* (☎ 310 640), situé dans la rue piétonne Schweidel utca (2 000 Ft pour une double) ou au *Duna* (☎ 329 084), bleu Régence, dont les 14 chambres sont meublées à l'ancienne. L'hôtel est situé au 5, Vörösmarty utca (2 500 Ft la double). Ces deux pensions ont des gérants communs.

Hôtels. Le *Szárnyaskerék* (☎ 314 629), avec ses 39 chambres, est un vieil immeuble, au 5, Révai Miklós utca, face à la gare (le nom signifie "Les roues ailées"). Il propose une grande variété de chambres (et de prix !). Vous y paierez 1 380 Ft pour une double avec bains ou 1 150 avec un simple lavabo (les moins chères, qui donnent sur une petite cour calme ou sur la verdoyante Városháza tér, sont en fait les meilleures). L'hôtel possède également des dortoirs à quatre lits au deuxième étage, à 690 Ft.

Le *Rába* (☎ 315 533) avec ses 158 chambres fait figure de colosse. Réparties dans deux ailes, l'une ancienne, l'autre nouvelle, entre Árpád utca et la bruyante autoroute, les simples vous coûteront 3 200 Ft, les doubles 4 100 Ft. Bien situé, il offre un bon confort et de nombreux services. Toutefois, si ses prix ne vous rebutent pas, préférez-lui le *Klastrom* (☎ 315 611), un hôtel de 42 chambres installé dans un cloître de Carmélites vieux de deux siècles, tout près de Bécsi kapu tér, au 1, Zehmeister utca. Là, vous disposerez d'un sauna, d'un solarium, d'un bar aménagé sous un plafond voûté et d'un restaurant un peu étroit. On vous demandera de 3 600 à 4 600 Ft pour une double équipée soit d'une douche, soit d'une salle de bains. Même si la vue sur la place et la rivière est ravissante, sachez que les meilleures chambres sont celles qui donnent sur la cour.

Enfin, la palme, en matière de modernité et de luxe, revient sans doute à l'hôtel *Conference* (☎ 314 011). Ses 20 chambres situées dans Apor Vilmos püspök, près de la cathédrale, sont aujourd'hui l'hébergement le plus cher de la ville. Les simples/doubles sont à 7 800/8 850 Ft. Rien de tel pour faire un trou dans son budget !

Où se restaurer

Si le *Korzó*, un self situé au 13, Baross Gábor utca, est bel et bien resté fermé, rendez-vous au 12, Kazinczy utca, à l'ouest de Bécsi kapu tér, où le *Finom Falatok* vous servira un repas très bon marché.

Mais mon restaurant préféré à Győr est le *Sárkány Király* ("le roi-dragon"), un chinois installé dans une galerie qui surplombe la gare. Il est géré par un gentil couple originaire de Nankin, qui préparent eux-mêmes leurs excellents rouleaux impériaux, soupes de poulet à la racine de moutarde et autres potages aigres-doux. Il reste ouvert jusqu'à 23h30.

Le *Vaskakas*, sorte de cave aménagée à l'intérieur des anciens remparts du château près du Rába, au 2, Bécsi kapu tér, vous paraîtra enchanteur si le voisinage immédiat de groupes de touristes allemands installés autour de longues tables, à votre droite et à votre gauche, ne vous dérange pas. Dans le cas contraire, essayez plutôt le

charmant *Várkapu*, au 7, Bécsi kapu tér, qui surplombe l'église des Carmélites.

Si vous préférez les ambiances jeunes et les petits prix, la pizzeria *Leto*, au 3, Aradi Vértanúk útja, est une bonne adresse, tout comme le *Piccolo*, au 13, Arany János utca. Le *Natur Konyha*, au 37, Árpád utca, se dit végétarien, mais ne s'en souvient pas toujours !

Les autochtones se retrouvent au *Sárkánylyuk* ("la caverne du dragon"), le plus authentique bistrot hongrois que vous pourrez trouver, où la qualité de la nourriture n'a d'égale que l'excellence du service. Il se trouve au 29, Arany János utca. Même style, en plus touristique, le *Duna Kapu* est situé dans le quartier historique de Kreszta Ház, sur Jedlik Ányos utca.

Toutefois, la meilleure note revient au *Piero*, un nouveau restaurant français au 6, Munkácsy Mihály utca, qui attirera surtout les touristes qui ne regardent pas à la dépense. Murs couleur miel, nappes roses, portrait d'Edith Piaf au fond, tout cela crée une ambiance quelque peu exotique.

Autre endroit intéressant, le *Komédiás*, de style post-moderne, a opté pour le gris et le noir. Plus proche du centre ville, il se trouve au 30, Czuczor Gergely utca, près de la maison de la Culture.

Enfin, ceux qui ont soif de verdure à 4 h du matin trouveront une boutique-restaurant proposant un buffet de salades ouvert 24h sur 24 au 5, Baross Gábor utca.

Distractions

Le célèbre ballet de Győr, la troupe de l'opéra et l'orchestre philharmonique de la ville se produisent tous au théâtre moderne de *Kisfaludy* (☎ 312 044), une structure à la pointe de la technique, mais peu élégante, recouverte de tuiles Op-Art, au 7, Czuczor Gergely utca (le guichet des réservations est au 25, Kisfaludy utca). Le *centre culturel Béla Bartók*, qui propose des spectacles moins intellectuels (danses folkloriques, opéras-rock...) se trouve au 17, Czuczor Gergely utca, en face du restaurant *Komédiás*.

L'Été de Győr, événement de l'année, est un festival de musique, théâtre et danse qui a lieu de la mi-juin à la mi-juillet. Entre juillet et septembre, les concerts du dimanche matin donnés dans le *Pavillon de la musique*, sur la petite île sans nom, au milieu du Rába, sont très populaires.

Pour être sûr de rencontrer l'âme sœur, courez au *¹/₂ Alom Depresszó*, le rendez-vous funky des étudiants, où l'on s'assoit sur des sacs de sable et où les murs sont décorés de nez, à la *maison des Jeunes* (Ifjúsági Ház), 44, Árpád utca. L'endroit ne ferme pas avant 4h du matin.

La discothèque la plus appréciée de la ville est le *Charly M*, sur Kodály Zoltán utca, mais le *Jereván*, au centre de l'île, et le *Malibu Tropical*, au 2, Ady Endre utca, juste au nord du pont, méritent une très honorable place de seconds. Toutes trois restent ouvertes jusqu'à 4h.

Achats

La boutique de verre et de porcelaine d'Aradi Vértanúk útja propose une large sélection de vaisselle de Hollóháza, de la région de Zemplén nord. Ces objets sont bien moins chers que ceux que vous pourrez trouver à Herend ou à l'usine de porcelaine de Zsolnay.

Comment s'y rendre

Bus. Győr dispose d'un excellent service de bus. D'ailleurs, les horaires affichés dans la gare routière sont les plus clairs du pays. Ainsi, une douzaine de bus partent chaque jour pour Budapest, Kapuvár, Pannonhalma, Pápa et Veszprém, et la moitié se rendent à Balatonfüred, Mosonmagyaróvár, Székesfehérvár et Zalaegerszeg. Parmi les autres destinations, se trouvent Dunaújváros (4 bus par jour), Esztergom (2), Hévíz (2), Keszthely (4), Lébény (8 à 12), Pécs (2), Szombathely (3), Tata (2) et Tapolca (3).

Enfin, 4 bus se rendent à Vienne chaque jour, mais les départs pour Bratislava sont moins fréquents.

Train. Győr est la plus grande gare de Hongrie après celle de Budapest et dispose donc de nombreuses liaisons ferroviaires.

La ligne n°1 relie Budapest-Déli à Vienne, via Hegyeshalom. En revanche, les trains se rendant en Autriche via Sopron, qui n'appartiennent pas au système MÁV, mais dépendent d'une entreprise privée, sont moins fréquents. De Győr, on peut également atteindre Szombathely en train, via Pápa, ainsi que Veszprém, porte de la région du Balaton, via Pannonhalma. Si vous vous rendez en Slovaquie, changez à Komárom.

ENVIRONS DE GYŐR

Lébény (5 600 habitants)

C'est à Lébény, située à 15 km au nord-ouest de Győr, qu'il faut aller pour admirer le plus important site architectural roman encore existant en Hongrie. L'**abbaye Bénédictine**, qui n'est certes pas aussi évocatrice de la Hongrie médiévale que celle de Ják, près de Szombathely, vaut cependant le détour, ne serait-ce que pour ses dimensions impressionnantes et son superbe état de conservation. Entre huit et douze bus s'y rendent chaque jour, au départ de Győr, à prendre sur Fő utca, à 2 minutes de marche de l'église, vers l'est.

Ce furent deux nobles de Győr qui, en 1199, entreprirent la construction de l'abbaye. Six ans plus tard, elle était consacrée sous l'autorité de l'**abbaye de Pannonhalma**. Si elle parvint à échapper aux ravages des envahisseurs mongols, elle fut cependant incendiée à deux reprises par les Turcs. On engagea donc des maçons italiens pour raser la structure qui subsistait, mais ceux-ci furent tant impressionnés par cette dernière qu'ils refusèrent d'accomplir le travail. L'église passa alors aux mains jésuites qui décidèrent de la rénover en style baroque. Deux siècles plus tard, alors que les architectures néo-romane et néo-gothique étaient de mode en Transdanubie Occidentale, on fit appel à un architecte allemand qui la restaura dans sa forme initiale.

Regardez attentivement le portail ouest de pierre sculptée, ainsi que la porte sud : tous deux sont restés en excellent état. Le fragment de fresque situé au-dessus du portail ouest date du milieu du XVIIᵉ siècle.

Le village misérable qui l'entoure – lequel à en juger par l'odeur, se consacre surtout à l'élevage porcin – ne présente guère d'intérêt. Si vous avez vraiment faim, vous passerez outre l'aspect peu engageant de l'*eszpresszó*, sur la place devant l'église, à moins que vous ne lui préfériez le *kis vendéglő*, au 60, Fő út, situé dans un ancien monastère.

Pannonhalma (3 700 habitants)

Depuis la fin du Xe siècle, ce petit village, à 18 km au sud-est de Győr, a été le site d'une abbaye bénédictine qui a réussi à fonctionner sans discontinuer, même aux heures les plus sombres du stalinisme. Son lycée, fréquenté par quelque 300 élèves, figure aujourd'hui parmi les meilleurs du pays. Sachez par ailleurs que le seul autre monastère bénédictin hongrois encore fréquenté se trouve au Brésil.

Le monastère fut fondé avec l'appui du prince Géza par des moines venus de Venise et de Prague. Les bénédictins étaient alors considérés comme un ordre militant, si bien que le roi Étienne Ier, fils de Géza, fit appel à leurs services pour l'aider à christianiser la Hongrie.

L'abbaye et les bâtiments attenants furent détruits, reconstruits, puis restaurés à de nombreuses reprises au cours des siècles. Son abbaye vers l'est valut à la basilique, pendant l'occupation turque, d'être quelque peu épargnée. Elle fut donc transformée en mosquée. Par conséquent, l'ensemble est constitué d'un assortiment détonnant de styles architecturaux très divers.

Pannonhalma peut être un but d'excursion d'une journée à partir de Győr. Toutefois, la région est si tranquille et le monastère si "hors du temps" que vous aurez sans doute envie d'y séjourner plus longtemps. En outre, le village représente une halte agréable si vous vous rendez à Veszprém et au lac Balaton.

Orientation et renseignements. La colline du Château (Várhegy) et l'abbaye surplombent le village à une altitude de 282 mètres. Le bus en provenance de Győr s'arrête au centre du village. De là, il faut suivre Váralja jusqu'à l'abbaye. On peut également rester dans le bus, qui grimpe sur la face est de la colline et s'arrête devant l'entrée principale.

La gare ferroviaire se trouve à 2 km au sud-ouest du village, par Petőfi utca, en direction de la route n°82.

Pax Tourist est devant l'entrée principale de l'abbaye, au 1, Vár utca (☎ 96 370 191)

L'hôtel Pax (voir *Où se loger*) propose des locations de bicyclettes pour 180 Ft l'heure ou 1000 Ft la journée.

L'indicatif téléphonique de Pannonhalma est le 96.

L'abbaye de Pannonhalma. En prévision de son millième anniversaire, en 1996, l'abbaye s'offre un petit lifting. Ne soyez donc pas surpris si une ou deux zones sont fermées au public. Débutez votre visite par la cour centrale, avec sa statue d'Asztrik, le premier abbé, qui apporta de Rome la couronne du roi Étienne Ier et le bas-relief figurant ce même roi présentant son fils Imre à son tuteur, l'évêque Gellért. Au nord, s'étend un panorama admirable sur le Kisalföld, tandis que derrière vous, se dressent les bâtiments modernes de l'abbaye et le clocher néo-classique édifié au début du siècle dernier.

L'entrée de la **basilique Saint-Martin**, construite au début du XIIe siècle, se fait par la **Porta Speciosa**. Il s'agit d'une porte de marbre rouge incurvée qui fut retaillée au milieu du siècle dernier par les Stornos, une famille de restaurateurs d'art très controversés qui imposèrent aux monuments anciens leurs notions romanesques des architectures romane et gothique. Le résultat est magnifique, malgré le carnage. Au-dessus de la porte, la fresque réalisée par Ferenc Storno, présente le saint patron, Saint-Martin, réchauffant un mendiant dans son manteau. Baissez à présent les yeux et découvrez, sur votre droite, ce qui est peut-être le plus ancien graffiti de Hongrie, écrit en latin : "Benoît Padary était ici en 1578".

L'intérieur de l'église longue et sombre comporte d'autres œuvres des Stornos, dont une chaire et un autel de marbre néo-romans. La niche romane, dans le mur de la crypte du XIIIe siècle, est appelée Siège de saint Étienne et l'on pense qu'il contient le trône du roi saint.

En déambulant le long des arcades du cloître, notez les petits visages creusés dans la pierre, sur le mur. Ils représentent les vices et les sentiments humains. Dans le jardin du cloître, un cadran solaire gothique propose une vérité guère réjouissante : "Una Vostrum, Ultima Mea" ("l'une de vous sera ma dernière").

La partie la plus belle du monastère est la **bibliothèque** néo-classique construite en 1836 par János Packh, qui participa à l'édification de la cathédrale d'Esztergom. Elle contient quelque 300 000 volumes – dont certains sont des documents historiques d'une valeur inestimable –, qui en font la plus grande bibliothèque privée de Hongrie. Toutefois, ce n'est pas ici, mais dans les **archives de l'abbaye**, que se cache le manuscrit hongrois le plus important, le plus ancien et le plus rare : l'*acte de fondation* de l'abbaye de Tihany, qui date de 1055. Rédigé en latin, il comporte plus de cinquante noms de lieux de Hongrie. L'intérieur de la bibliothèque semble fait de marbre ; pourtant, il a été entièrement réalisé en bois, mais un ingénieux système de miroirs capte la lumière du jour et la renvoie à travers toute la pièce.

La **galerie** que l'on traverse en sortant de la bibliothèque est ornée des œuvres de maîtres hollandais, autrichiens et italiens des XVIe, XVIIe et XVIIIe siècles. Le tableau le plus ancien remonte toutefois à 1350, et la pièce la plus précieuse en est un *Christ mort* peint par le Flamand Téniers le Jeune au XVIIe siècle.

Sachant que le monastère est encore habité, l'abbaye ne peut être visitée que sous la conduite d'un guide, disponible (en hongrois) six fois par jour, et en italien, anglais, russe ou allemand sur demande. Ses explications vous coûteront 200 Ft, en plus du ticket d'entrée de 80 Ft, mais pour qui comprend l'une de ces langues, elles les valent. L'ensemble est ouvert chaque jour, du mardi au samedi, de 8h30 à 16h30 et le dimanche à partir de 11h30.

Où se loger. Le *Panoráma Camping* (pas de téléphone), à l'est de la colline du Château, au 4/a Fenyvesalja utca, propose quelques bungalows pour 4 personnes (1 600 Ft), un petit "büfé" et un self où l'on compose soi-même ses salades. Ouvert de mi-avril à mi-octobre, le terrain de camping est bien situé si l'on veut visiter l'abbaye : il suffit de passer la grille d'entrée et de grimper jusqu'au parking de la colline.

Il existe également deux petites pensions en ville : le *Familia* (☎ 370 192), située au 61, Béke utca, et le *Pannon* (☎ 370 041), au 7/c Hunyadi utca.

Enfin, le *Pax* (☎ 370 006) au 2, Dózsa György utca, est un hôtel récent de 25 chambres d'un niveau de confort que l'on s'attendrait à trouver plutôt à Budapest que dans un coin perdu comme Pannonhalma. Une double avec s.d.b. et petit déjeuner coûte de 2 300 à 3 500 Ft, une simple de 1 600 à 2 500 Ft, selon la saison. Les chambres du dernier étage, plus petites, sont moins chères (de 900 à 1 700 Ft).

Où se restaurer. Dans le village, le *Pannonhalma* sur Szabadság tér, près de Dózsa György utca, est un restaurant à peu près convenable, mais l'*István*, au 24, Szabadság tér, est un meilleur choix. Méfiez-vous toutefois : il ferme à 22h.

Le *Mártonhegy*, près de l'abbaye, propose un snack, un restaurant et un pub.

Distractions. Une demi-douzaine de concerts d'orgue ou de chants sont programmés entre avril et décembre dans la basilique. Il semble que les dates soient fixées sans rimes ni raison, aussi vaut-il mieux se renseigner auprès de *Pax Tourist*.

Comment s'y rendre Six trains quotidiens en provenance de Győr et se rendant à Veszprém s'arrêtent à Pannonhalma. Les bus venant de Győr sont encore plus fréquents, puisqu'ils sont aux nombres de 15 à 25 à traverser la ville chaque jour.

SOPRON (56 700 habitants)

Sopron, au pied des collines de Lővér et à 6 km à peine de la frontière autrichienne, est la cité médiévale la plus charmante de Hongrie. Avec son architecture à prédominance gothique et début du baroque, c'est la ville de Hongrie qui ressemble le plus à Prague.

Explorer les ruelles et les cours de la Vieille Ville en forme de pouce, c'est plonger plusieurs siècles en arrière. On s'attendrait presque à voir déboucher des chevaliers en armure ou des "damoiselles" revêtues de guimpes.

Sopron (Ödenburg en allemand) a connu un passé long et tumultueux où les guerres ont alterné avec les décisions imposées à sa population, et ce jusqu'au XXᵉ siècle : en 1921, à la suite du traité du Trianon, les habitants furent en effet appelés aux urnes pour déterminer si la ville resterait autrichienne ou retournerait à la Hongrie. L'immense majorité choisit le rattachement à la Hongrie, ce qui explique cette petite avancée de terre hongroise dans le territoire autrichien.

Ce furent les Celtes qui arrivèrent les premiers dans la ville, suivis des Romains, qui installèrent un camp nommé Scarbantia dans ce qui est aujourd'hui la Vieille Ville. Ils y restèrent du Iᵉʳ au IVᵉ siècle. Ensuite, se succédèrent les Germains, les Avars, les Slaves et, finalement, les Magyars. Au Moyen Age, Sopron jouissait d'une situation idéale sur ce que l'on appelait la route de l'Ambre, de la mer Baltique à l'Adriatique et à Byzance. Vers 1300, après un siècle de luttes entre Hongrois et Autrichiens pour l'hégémonie sur la ville, Sopron devint une cité royale libre et sa population mélangée fut habilitée à poursuivre ses échanges commerciaux sans avoir à subir les pressions des seigneurs féodaux. Ainsi émergea une forte classe moyenne constituée d'artisans et de marchands, dont la prospérité contribua à faire de Sopron un grand centre de sciences et d'éducation.

Ni les Mongols, ni les Turcs ne réussirent à entrer dans Sopron ; c'est pourquoi tant d'édifices anciens y perdurent. Toutefois, les dégradations causées par la Seconde Guerre mondiale furent très sévères et les travaux de restauration se poursuivirent à un rythme soutenu jusque dans les années 60 sous la direction d'Endre Csatkai (1896-1970) qui, comme l'explique une plaque près de l'Elökapu ("porte avant") "travailla sans trêve pendant 50 ans pour préserver et protéger la ville".

La Sopron d'aujourd'hui représente une anomalie sur le sol hongrois, car c'est une ville au cœur gothique et à l'esprit moderne. Il est vrai qu'elle attire de très nombreux touristes, mais la plupart des visiteurs qui envahissent les rues le samedi matin sont des Autrichiens à la recherche de coiffeurs et de dentistes bon marché, ou venus faire le plein de saucisses, qu'ils revendront ensuite dans leurs charcuteries, de l'autre côté de la frontière.

Attendez la tombée de la nuit et vous verrez alors la ville rendue à ses loyaux habitants.

La région de Sopron est réputée pour ses vins rouges, tels que le Kékfrankos et le Merlot. Ils ne sont vraiment pas chers, même au restaurant, mais leurs taux en tanins et en acides sont très élevés : à consommer donc avec modération si l'on tient à éviter le *macskajaj* (littéralement "gémissement du chat", version hongroise de la "gueule de bois") pour le lendemain.

Orientation

Le Belváros médiéval, que nous appellerons la "Vieille Ville", renferme pratiquement tous les centres d'intérêt de Sopron, quoiqu'on trouve quelques curiosité dignes d'être vues de l'autre côté de l'Ikva, au nord-est, juste derrière l'enceinte de la ville. Par ailleurs, les collines de Lővér s'étendent à 4 km au sud de Sopron.

La gare principale (GYSEV pályaudvar) est sur Állomás utca, au sud de la Vieille

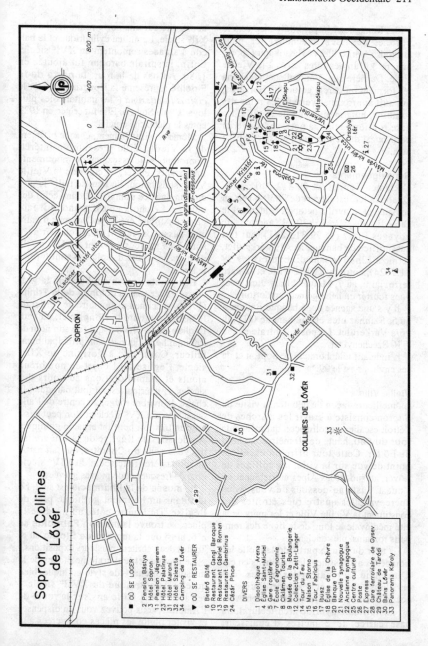

Sopron / Collines de Lővér

OÙ SE LOGER
- 2 Pension Bástya
- 3 Hôtel Sopron
- 11 Pension Jégverem
- 23 Hôtel Palatinus
- 31 Hôtel Maroni
- 32 Hôtel Szieszta
- 34 Camping de Lővér

OÙ SE RESTAURER
- 6 Betérő Büfé
- 10 Restaurant Gangl Baroque
- 13 Restaurant Gábriel Roman
- 19 Restaurant Gambrinus
- 24 Cézár Pince

DIVERS
- 1 Discothèque Arena
- 4 Église Saint-Michel
- 5 Gare routière
- 7 École d'agronomie
- 8 Cikismen Tourist
- 9 Musée de la Boulangerie
- 12 Collection Zettl-Langer
- 14 Tour du Feu
- 15 Maison Storno
- 16 Tour Fabricius
- 17 Jazz
- 18 Église de la Chèvre
- 20 Banque OTP
- 21 Nouvelle synagogue
- 22 Ancienne synagogue
- 25 Centre culturel
- 26 Poste
- 27 Express
- 28 Gare ferroviaire de Gysev
- 29 Château de Tarődi
- 30 Bains Lővér
- 33 Panorama Kéroly

SOPRON

COLLINES DE LŐVÉR

Ville. Remontez Mátyás király utca vers le nord et dépassez Széchenyi tér pour atteindre Várkerület et Hátsókapu ("porte arrière"), l'un des rares accès à la Vieille Ville. Derrière elle, Várkerület et Ógabona tér forment un cercle autour de Belváros, qui suit approximativement les remparts romains, puis médiévaux de la ville. La gare routière, pour sa part, se trouve au nord-ouest du centre, sur Lackner Kristóf utca.

Renseignements

Ciklámen Tourist (☎ 99 312 040), au 8, Ógabona tér, est ouvert de 7h30 à 16h en semaine et, d'avril à octobre, également le samedi jusqu'à 15h30. L'agence de voyages Ibusz (☎ 99 313 281), qui fait aussi office de banque, au 41, Várkerület, ferme à 12h30 le samedi. Express (☎ 99 312 024), entre la Vieille Ville et la gare ferroviaire, au 7, Mátyás király utca, peut vous fournir un hébergement en dortoir.

Il y a une agence de la banque Budapest au 5, Színház utca et une banque OTP au 96/a Várkerület. La poste centrale est au 7-10 Széchenyi tér.

L'indicatif téléphonique de Sopron et de ses environs est le 99.

Vieille Ville

La meilleure façon de débuter la visite de Sopron consiste à gravir les marches de l'étroit escalier en colimaçon qui mène à la **tour du Feu**, haute de 60 mètres, au nord de Fő tér. Cette tour offre un excellent point de vue sur la ville, les collines de Lővér, au sud, et les Alpes autrichiennes à l'ouest. Juste au-dessous de vous, vous apercevrez les quatre rues étroites qui constituent la Vieille Ville et les murs de la cité médiévale le long de la ligne des remparts romains, plus anciens.

La tour du Feu, à partir de laquelle les trompettes avertissaient les habitants en cas d'incendie, égrenaient les heures (des carillons le font aujourd'hui) et accueillaient les visiteurs au Moyen Âge, est un véritable hybride architectural. Sa base carrée de 2 mètres d'épaisseur,

construite sur une porte romaine, date du XIIe siècle. Le milieu cylindrique et le balcon à arcades remontent au XVIe siècle. Enfin, la spirale baroque fut ajoutée en 1680. Au bas de la tour, la **porte de la Fidélité** représente la Hongrie recevant le *civitas fidelissima* ("les habitants les plus loyaux") de Sopron. Elle fut érigée en 1922 après le plébiscite crucial.

Même si, virtuellement, chaque bâtiment de la Vieille Ville présente un intérêt, Sopron possède assez peu de monuments importants. Fő tér, au cœur de la Vieille Ville, sous la tour du Feu, se taille la part du lion dans ce domaine et dans celui des musées. Le choix en est grand et il faut payer un droit d'entrée pour chacun d'entre eux, aussi convient-il de les choisir avec soin. Les musées ouvrent de 10h à 18h de mars à octobre. La plupart sont fermés le lundi.

Les points de convergence de la gracieuse Fő tér sont la **colonne de la Trinité** (1701), spécimen exemplaire de "pilier de la peste" de toute la Hongrie et, au sud, l'**église de la Chèvre**, qui tire son nom de l'animal héraldique de son principal bienfaiteur. Construite à l'origine au XIIIe siècle, l'église fut l'objet de nombreux ajouts et d'améliorations au cours des siècles. L'intérieur est surtout baroque ; la chaire de marbre rouge, au centre de l'aile ouest, date du XVe siècle et l'on peut aussi voir un très joli petit tabernacle gothique. Au-dessous de l'église de la Chèvre, se trouve la **salle du Chapitre**, qui fait partie du monastère franciscain du XIVe siècle orné de fresques et de pierres gravées.

Le **musée de la Pharmacie** est au 2, Fő tér, dans un bâtiment gothique près de l'église. De l'autre côté, au nord de la place, se trouve la **maison Fabricius** au n°6, ainsi que la **maison de Storno** au 8. Toutes deux abritent plusieurs expositions.

Le premier et le deuxième étages de la maison Fabricius – de style gothique, bien qu'elle date presque du XVIIe siècle – retrace "Trois mille ans sur la route de l'Ambre". Vous pouvez vous en dispenser et visiter plutôt les pièces consacrées à la vie domestique de Sopron aux XVIIᵉ et XVIIIᵉ siècles. On y découvre quelques reconstitutions de cuisines et des expositions expliquant comment les gens faisaient leur lit et leur lessive, mais le clou de l'exposition se trouve dans les pièces donnant sur la place, remplies de meubles anciens d'une valeur inestimable. Vous pourrez suivre la visite à l'aide d'une photocopie comportant tous les détails, tandis que les vieilles femmes qui se disent "guides" restent assises près de la fenêtre, à fabriquer de la dentelle dans la lumière de l'après-midi. Des statues de l'époque de Scarbantia, reconstruites à partir de fragments retrouvés dans la région, dont certaines, énormes, de Juno, Jupiter et Minerve, montent la garde devant la cave de 15 mètres de haut, qui fut jadis une chapelle gothique aux plafonds voûtés.

Au premier étage de la maison de Storno, construite en 1417, se trouve une collection historique plutôt ennuyeuse concernant cette fois le développement de Sopron du XVIIᵉ siècle à nos jours. Montez directement au second étage, où vous attend la merveilleuse collection de Storno qui, au XIXᵉ siècle, appartenait à la famille de restaurateurs italiens dont on critique aujourd'hui les travaux de rénovation réalisés sur les monuments romans et gothiques de Transdanubie. Il faut dire pour leur défense que les très contestés Storno ont tout de même sauvé de l'oubli de nombreux retables et mobiliers d'églises. Leur maison est un véritable trésor d'art gothique.

Le rituel de la visite est peu commun. L'une des vieilles femmes vous demandera de choisir votre langue, glissera une cassette dans un magnétophone et parcourra avec vous les sept salles en désignant solennellement du doigt chaque objet. Parmi les points forts du musée, figurent le très beau balcon fermé aux fenêtres de plomb, orné de fresques, les chaises de cuir, dont les motifs représentent Méphisto et ses dragons, et les encadrements de portes faits avec des bancs provenant de l'église Saint-Georges (XVᵉ siècle), sur

Szent György utca. La collection des Storno est donc un lieu incontournable pour qui visite Sopron. La **maison Lackner**, située au n°7, abrite un musée archéologique.

En descendant Új utca – connue sous le nom de Zsidó utca, "rue des Juifs" jusqu'à ce que ces derniers fussent chassés de Sopron en 1526 –, on atteint la **Vieille Synagogue** aux nᵒˢ20-22, et la **Nouvelle Synagogue** en face, au n°11. Toutes deux furent construites au XIVᵉ siècle et comptent parmi les plus grands monuments juifs gothiques d'Europe. Elles sont d'ailleurs uniques en Hongrie.

La Vieille Synagogue constitue aujourd'hui un musée que l'on peut être visité tous les jours sauf mardi de 9h à 17h. Quant à la Nouvelle Synagogue, elle fait partie d'un bâtiment privé, bien qu'on puisse encore en voir l'extérieur en passant par la cour du 12, Szent György ůtca. La Vieille Synagogue comporte deux salles, une pour chaque sexe (notez les "fenêtres des femmes" le long du mur ouest). La grande salle renferme un "saint des saints" médiéval orné de figures géométriques et d'arbres sculptés dans la pierre, ainsi que quelques détestables vitraux modernes. Les inscriptions gravées sur les murs datent de 1490. Un *mikvah* (bain rituel) a été reconstruit dans la cour.

Autres curiosités

Les curiosités de Sopron ne se concentrent pas toutes dans la Vieille Ville. Revenez à Fő tér, dépassez l'enceinte romaine, passez sous Előkapu et sur un petit pont conduisant à Ikva, qui fut jadis le quartier des marchands et des artisans. Au 11, Balfi út, se trouve l'excellente **collection privée de Zettl-Langer**, composée de céramiques, de peintures et de meubles, ouverte de 10h à 12h du mardi au dimanche.

Faites demi-tour pour rejoindre à nouveau le pont d'Ikva et suivez Szent Mihály utca vers le nord. Vous découvrirez bientôt l'**église du Saint-Esprit**, qui date du XVᵉ siècle, et la **maison des Deux Maures**. Cette dernière fut construite à partir de deux fermes du XVIIe siècle, deux imposantes statues, très sombres, y montent la garde.

Au sommet de la colline, s'élève l'**église Saint-Michel**, édifiée entre les XIIIe et XVe siècles avec, derrière elle, la **chapelle Saint-Jacques**, qui possède la plus vieille structure de Sopron. Peu de choses ont échappé aux outils des Storno qui entreprirent de "rénover" Saint-Michel (ils y ajoutèrent même une flèche). A vous de vous forger une opinion sur leur œuvre. Près de la chapelle, les tombes ornées d'étoiles rouges sont celles de soldats soviétiques tombés à Sopron pendant la Seconde Guerre mondiale.

Tombes des soldats soviétiques
derrière la chapelle Saint-Jacques

Revenez à présent à la maison des Deux Maures, puis marchez vers l'ouest le long de Fövényverem utca : vous arriverez bientôt à Bécsi út, et devant le **musée de la Boulangerie**, l'un des deux musées les plus intéressants de la ville. Ce bâtiment entièrement rénové servait à la fois de domicile et de lieu de travail à Herr Weissbeck, le très célèbre boulanger-pâtissier du XIXe siècle. Il comporte d'intéressants gadgets et autres procédés astucieux. Il est ouvert de 10h à 14h les mercredis, vendredis et dimanches, et de 14h à 18h les mardis, jeudis et samedis.

Enfin, ce qui fut jusqu'en 1990 le musée Franz Liszt, au nord-ouest de Deák tér, au sud de la Vieille Ville, abrite désormais la collection folklorique du Musée municipal, avec une intéressante série d'instruments utilisés dans la fabrication du pain et du vin et d'objets servant au tissage.

Où se loger

Camping. Le *Lővér Camping* (☎ 311 715), géré par Ciklámen Tourist et situé sur Kőszegi út, à environ 5 km du centre ville, dispose d'une bonne centaine de petits bungalows disponibles de mi-avril à mi-octobre. Une double avec s. d. b. commune coûte 760 Ft. Le bus n°12 vous y emmènera à partir des gares ferroviaire ou routière : il s'arrête juste en face du camping. Si vous prenez le n°1 ou le n°2, descendez au parc Citadella et suivez Sarudi utca jusqu'à Kőszegi utca. Vous apercevrez le camping un peu plus au sud.

Auberges de jeunesse. L'auberge de jeunesse *Brennbergi* (☎ 313 116), sur Brennbergi út, est assez excentrée, à l'ouest de la ville (prenez les bus n°3 ou n°10 à la gare routière), mais a l'avantage de proposer un hébergement à 300 Ft la nuit. Elle est ouverte de mi-avril à mi-octobre. Vous pouvez également loger au *Château de Taródi* (voir *Collines de Lővér*, dans le chapitre *Environs de Sopron*), dans l'un des trois dortoirs, où vous paierez à peu près le même prix.

Chambres chez l'habitant et cités universitaires. Ciklámen Tourist (voir *Renseignements*) détient une longue liste d'*hébergement chez l'habitant*, mais les prix sont plutôt élevés (environ 1 000 Ft pour une double) et ces chambres difficiles à obtenir.

Demandez à Express de vous dénicher une place dans les dortoirs d'une université ou d'une école de commerce de la ville. L'idéal serait un dortoir à l'*École d'agronomie* néo-classique où à Erdészet Kollégium (☎ 311 597), dans Lackner Kristóf utca, mais ne vous faites pas trop d'illusions : vous vous retrouverez certainement dans ceux du 5, Ady Endre utca.

Pensions. La plupart des pensions de Sopron, prises d'assaut par les touristes autrichiens et allemands, sont assez chères, à une exception près : le *Bástya* (☎ 334 061), avec ses 6 chambres, situé au 40, Patak utca, à 10 minutes de marche au nord de la Vieille Ville, par Szélmalom utca. Les simples/doubles, utilisation possible de la cuisine, sont à 1 200/1 700 Ft avec s. d. b. Cependant, le distributeur de boissons placé juste en face de la pension en fait un lieu très bruyant. Le *Jégverem* (☎ 312 004), avec ses 5 chambres et sa cave à glace du XVIIIe siècle, au 1, Jégverem utca, dans le quartier d'Ikva, réclame 3 450 Ft pour une double avec s. d. b. et petit déjeuner. Les chambres 101 et 204 sont les deux meilleures de l'établissement, et le restaurant est très prisé. Toutes proches, au 13, Sas tér, les 6 chambres du *Royal* (☎ 314 481), situées dans une maison bourgeoise rénovée, sont un peu moins chères : 3 000 Ft pour une double avec petit-déjeuner.

Vous pouvez également choisir le *Diana*, dans les collines de Lővér (voir *Environs de Sopron*).

Hôtels. On ne peut pas rêver plus central que le *Palatinus* (☎ 311 395), au 23, Új utca, mais c'est une maison mal rénovée qui dénote par rapport aux bâtiments voisins. De plus, ses 22 chambres sont petites, plutôt sombres, et coûtent 2 500/3 700 Ft la simple/double avec petit déjeuner. Le seul autre hôtel proche de la Vieille Ville est le *Pannonia* (☎ 312 180), 45 chambres, au 75, Várkerület. Récemment en travaux, il aura sans doute rouvert lors de votre visite. En sortant de la ville pour monter sur la colline du Couronnement, vous tomberez sur l'*hôtel-club Sopron* (☎ 314 254), au 7, Fövényverem utca. Ses 112 chambres offrent une vue panoramique sur la ville et les collines de Lővér. L'hôtel comporte également plusieurs bars, un restaurant, des courts de tennis en terre battue et une piscine. Évidemment, tout cela se paie : de 2 800 à 3 800 Ft pour une double avec petit-déjeuner.

Vous découvrirez plusieurs autres hôtels dans les collines de Lővér (voir *Environs de Sopron*).

Où se restaurer

Le meilleur endroit de Sopron pour déjeuner en tête-à-tête ou faire un repas léger sans se ruiner est le *Cézár Pince*, une cave médiévale au 2, Hátsókapu, près d'Orsolya tér, ouvert jusqu'à 21h30. L'assiette mixte saucisses-salade à 95 Ft seulement attire les autochtones. Arrosez-la d'un verre de Soproni Kékrankos (rouge) ou d'un jeune Zöldveltelini (blanc). L'autre lieu propice à la dégustation de vins est le *Gyógygődőr*, une cave très profonde dont l'entrée se trouve au 4, Fő tér. Au *Betérő*, situé dans le marché, derrière la station de bus de Vitnyédy utca, on sert une nourriture simple, mais excellente. Il y a également un self bon marché près du centre culturel Ferenc Liszt, dans Széchenyi tér ; il reste ouvert jusqu'à 3h du matin.

Le *Corvinus*, avec ses tables de bistrot à l'extérieur sur Fő tér, est l'endroit idéal pour savourer une pizza par une belle journée d'été.

Pour les plus affamés, le *Gambrinus*, sert des repas plus substantiels de l'autre côté de la place, au n°3, jusqu'à 22h.

Si vous rêvez d'un bon steak et êtes prêt à y mettre le prix, courez au *Rondella*, au 14, Szent György utca, ouvert jusqu'à 23h. Bien moins cher, le *Gabriel Roman* vous accueillera pour sa part aux 2-4, Előkapu, près de l'antique enceinte romaine. Installez-vous à l'extérieur si vous souhaitez éviter les copies de Vénus et des colonnes doriques, ou avancez un peu plus loin jusqu'au *Gangl Baroque*, au fond d'une jolie cour, au 25, Várkerület. Au 15, Fövényverem utca, au-dessous de l'hôtel Sopron, l'*Halászcsárda* est un agréable restaurant de poissons, mais il ferme à 21h.

Si vous avez des envies de cuisine chinoise, il vous faudra prendre le bus n°3 ou un taxi, mais vous ne regretterez pas le détour : le *Shanghai*, au 20, Banfalvi utca, ne vous décevra pas. Commandez des pâtés impériaux et faites un brin de causette avec les sympathiques propriétaires originaires de Hang-Chou.

Vous trouverez de bonnes glaces dans un endroit peu commun : chez *Carpigiani*, dans la cour médiévale accessible par le 12, Szent György utca, près de la Nouvelle Synagogue. Asseyez-vous à l'une des tables pour déguster votre tutti-frutti tout en admirant les anciennes fenêtres gothiques au-dessus de vous. Si vous préférez les pâtisseries, essayez le *Stefánia*, juste à côté, ou marchez jusqu'à la vieille boulangerie *Hoffman*, au 4, Várkerület, ouverte jusqu'à 17h30.

Distractions

Sopron est une ville musicale (un enfant-prodige nommé Franz Liszt y donnait des concerts en 1820). Les points forts de la saison sont les Journées de printemps, en mars, et les semaines du festival de Sopron, de mi-juin à mi-juillet. Des billets pour les différents spectacles sont en vente aux guichets du 17-18, Széchenyi tér.

Tout le reste de l'année, le *centre culturel Ferenc Liszt* (☎ 314 170), près de Széchenyi tér, au 1, Ferenc Liszt tér, propose concerts et autres représentations. Le *théâtre Petőfi* fait le coin de Petőfi tér. Si vous vous sentez en veine, poussez plutôt la porte du *Sopron Casino* voisin.

Enfin, la discothèque "branchée" de Sopron, ouverte jusqu'au petit matin, s'appelle l'*Arena* et fait l'angle de Lackner Kristóf utca et de Hőflányi utca, à quelques dizaines de mètres à l'ouest de la gare routière. Il existe également une méga-discothèque au *centre commercial d'Erzsébet*, près du parc de Mártirok útjà ; elle n'ouvre que le week-end. Le *Billiárd Club Café*, lui, reste ouvert pratiquement en non-stop sur Liszt Ferenc utca. Enfin, la chaîne des *John Bull*, basée à Budapest, vient d'ouvrir un pub haut de gamme sur Széchenyi tér.

Comment s'y rendre

Bus. Les liaisons par bus vers ou à partir de Sopron sont très satisfaisantes et c'est un plaisir de lire les indications très claires de la gare routière.

Plus d'une vingtaine de bus par jour partent pour Fertőd, Fertőrákos, Fertőszentmiklós, Győr, Kapuvár et Nagycenk. Les départs sont également très fréquents vers Kőszeg et Szombathely. Parmi les autres destinations, notez Baja (1 bus par jour), Balatonfüred (1), Budapest (3), Esztergom (2), le lac Fertő (8), Hévíz (3), Kaposvár (2), Keszthely (3), Komárom (2), Nagykanizsa (2), Pápa (3), Pécs (1), Sárvár (3), Székesfehérvár (2), Tapolca (1), Tatabánya (1), Veszprém (2), et Zalaegerszeg (2).

De plus, un bus part pour Vienne tous les matins à 8h, un autre les lundi, mardi et vendredi à 9h20. Pour Bratislava, il n'y a qu'un départ par semaine, le mercredi à 6h.

Train. Les trains entre Győr, Sopron et Ebenfurth, en Autriche, ne sont pas gérés par la MÁV, mais par une compagnie privée nommée GYSEV. Le ticket MÁV n'est donc pas valable sur cette ligne et il vous faudra payer votre billet. Des trains express à destination de Vienna Südbahnhof font halte à Sopron trois fois par jour. Toutefois, des trains locaux desservant Ebenfurth et Wiener Neustadt (où vous pouvez changer pour Vienne) sont plus fréquents. Il existe également 5 trains express quotidiens pour Budapest-Keleti, *via* Győr et Komárom, et de 8 à 10 autres pour Szombathely.

ENVIRONS DE SOPRON
Collines de Lővér

Cet ensemble de collines de 300 à 400 mètres, au pied des Alpes autrichiennes, s'étend à 4 km au sud du centre de Sopron. Les habitants de la ville viennent souvent s'y détendre. On y pratique la randonnée et les promenades, sans oublier toutefois que ce lieu est chargé de souvenirs sinistres : durant la Seconde Guerre mondiale, nazis et fascistes hongrois venaient y exécuter juifs et résistants.

Vous pourrez grimper jusqu'au sommet pour admirer le **panorama de Károly**, à 394 mètres d'altitude, à l'ouest de l'hôtel Lővér, ou encore visiter les bains de Lővér, sur Lővér körút, avec leurs piscines découvertes en été et le bassin couvert pour le reste de l'année, accessibles tous les jours jusqu'à 20h.

Toutefois, il ne faudra pas manquer **Taródi Vár**, au 8, Csalogány köz, un "château privé construit sans subventions" et appartenant à la famille Táródi, que l'on dit un peu bizarre. Il s'agit d'un lieu étrange – qui n'est pas sans rappeler le château de Bory, à Székesfehérvár –, dont l'incohérence inspire un bizarre sentiment de malaise. Pour parvenir au château, prenez le bus n°1 à la gare routière et descendez aux bains. Puis suivez Fenyves sor et Tölgyfa sor avant de tourner à gauche dans Csalogány köz. Vous apercevrez le château sur votre droite, en hauteur.

Où se loger. Le château possède 3 *dortoirs* où l'on vous hébergera pour 300 Ft par personne. Le *Diana* (☎ 329 013), au 64, Lővér körút, est une pension de 5 chambres gérée par la charmante famille Hutkai. Les doubles avec s. d. b. sont à 1 900 Ft.

Les collines de Lővérs sont parsemées de plusieurs grands hôtels remplis d'Autrichiens, comme le *Maroni* (☎ 312 549), 110 chambres, au 74, Lővér körút, où les doubles coûtent de 1 500 à 3 000 Ft, ou le *Szieszta* (☎ 314 260), un monstrueux ancien centre syndical de vacances transformé en hôtel de 70 chambres au n°37. Les doubles vous coûteront entre 2 200 et 2 900 Ft. Ces deux hôtels sont accessibles par le bus n°1, que l'on prend à la gare routière, ou le n°2, devant la gare ferroviaire.

Fertőrákos
Les carrières de Fertőrákos, gros village de 2 000 âmes situé à 9 km au nord-est de Sopron, furent creusées par les Romains. Plus tard, le calcaire extrait fut utilisé pour la décoration de nombreuses constructions de la zone du Ring, à Vienne, dont la Votivkirche. Aujourd'hui, les immenses excavations de 12 mètres de profondeur, qui rappellent parfois les temples égyptiens des films de Cecil B. De Mille, sont ouvertes au public de mai à septembre. Néanmoins, elles ne devraient pas vous captiver bien longtemps. Durant les semaines du festival de Sopron, de mi-juin à mi-juillet, le *Cave Theatre*, une grotte à l'acoustique parfaite, accueille des spectacles de danse et de musique. D'autres manifestations y sont organisées en dehors de cette période : renseignez-vous auprès des bureaux de tourisme de Sopron.

Depuis le chemin qui borde les carrières, jetez un coup d'œil de l'autre côté du plateau vers les Alpes autrichiennes et le **lac Fertő**, à l'eau saumâtre et peu profonde, qui s'étale surtout du côté autrichien (où il s'appelle le Neusiedlersee). Ce lac est réputé pour sa faune ; hérons, spatules, cigognes et aigrettes y vivent en abondance. Il s'agit d'un parc protégé et il vous faudra une permission pour aller visiter les lits de roseaux d'Édu-Kővizig, au 28-32, Árpad utca, à Győr (Ciklámen Tourist, à Sopron, doit pouvoir vous aider).

Les autres points d'intérêts touristiques de Fertőrákos sont le **palais de l'Évêque**, au 153, Fő utca, construit pour l'épiscopat de Győr en 1743. Aujourd'hui, le palais renferme un petit musée de mobilier, une salle à manger lourdement décorée, une petite chapelle ornée de très jolies fresques, ainsi que l'hôtel Kastély.

Où se loger et où se restaurer. Le *Kastély* (355 040) dispose de 14 chambres sans s. d. b. au prix de 1 000 Ft la double. S'il est complet ou fermé, ce qui est, assez étrangement, souvent le cas le week-end, rabattez-vous sur l'auberge de jeunesse *Vízimalom* (355 034), installée dans un ancien moulin au 141, Fő utca. L'hébergement se fait dans 11 dortoirs (200 Ft par personne) ou dans quelques doubles

(550 Ft), avec s. d. b. communes. S'il n'y a personne à la réception, allez chercher le directeur au 135, Fő utca. Il existe également une autre pension, le *Horváth Ház* (311 383), au 194-196, Fő utca, mais elle est assez chère.

Si la faim vous tenaille, courrez au *Melody Café*, installé au 142, Fő utca dans une magnifique ferme rénovée, ou au *Layla*, au n°138, où l'on vous servira des assiettes froides très copieuses.

FERTŐD (2 900 habitants)

Fertőd, à 27 km à l'est de Sopron, est associée à la dynastie des Esterházy depuis le jour où, au milieu du XVIIIe siècle, Miklós Esterházy II proclama : "Tout ce que l'empereur (des Habsbourg) peut s'offrir est également à ma portée". Il entreprit alors la construction du palais d'été le plus beau et le plus opulent de toute l'Europe Centrale. Une fois la construction achevée,

en 1766, le château comptait 126 pièces, un opéra privé, un ermitage (où, bien sûr, vivait un vieil original habillé d'un sac qui souhaitait qu'on le laissât en paix), des temples dédiés à Diane et à Vénus, une maison de danse chinoise, un théâtre de marionnettes et 250 hectares de jardins à la française. Fertőd porta le nom de Esterháza, jusqu'au milieu du XXe siècle.

On a beaucoup écrit sur le palais Esterházy, que l'on a affublé de surnoms pompeux ("Le Versailles de Hongrie" revient le plus souvent). Il n'en reste pas moins que cette structure baroque et rococo, dont on ignore le nom des architectes – à l'exception de l'Autrichien Melchior Hefele –, est le plus beau palais de Hongrie, et aussi le mieux préservé. Malgré ses pièces étrangement vides, on sent que l'histoire habite ses murs. Ainsi, c'est dans la salle de Concert que furent jouées pour la première fois les œuvres du jeune Joseph Haydn, résident du

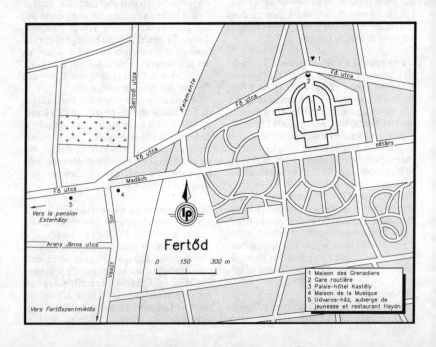

Fertőd

0   150   300 m

1 Maison des Grenadiers
2 Gare routière
3 Palais-hôtel Kastély
4 Maison de la Musique
5 Udvaros-ház, auberge de jeunesse et restaurant Haydn

Vers la pension Esterházy

Vers Fertőszentmiklós

château. Dans les pièces chinoises, l'impératrice Marie-Thérèse assista à un bal masqué en 1773. Et dans les jardins à la française, Miklós donna les plus grandes fêtes de tous les temps pour des amis tels que Gœthe, avec des dizaines de milliers de lanternes chinoises et de somptueux feux d'artifice.

Livré à l'abandon pendant un siècle et demi (il servit d'écuries au XIXe siècle et d'hôpital durant la Seconde Guerre mondiale), le palais fut ensuite partiellement restauré. Il fait partie des dix merveilles de la Hongrie et représente un but d'excursion agréable pour qui séjourne à Sopron. Ne le manquez pas.

Orientation et renseignements

Le palais et ses jardins, sur Fő utca, dominent la ville. Le bus vous déposera devant l'entrée principale. Le centre ville se trouve à quelques minutes de marche, vers l'ouest. La gare la plus proche (sur la ligne Sopron-Győr) est à Fertőszentmiklós, 4 km au sud.

Les caissiers qui vous délivreront les billets d'entrée sont à même de répondre à toutes les questions que vous vous posez sur le palais et la ville de Fertőd. Vous trouverez une banque OTP sur Fő utca, en face de l'Esterházi Panzió. La poste est au n°4.

L'indicatif téléphonique pour Fertőd est le 99.

Le palais Esterházy

Dans le palais Esterházy, construit en forme de fer à cheval, 22 pièces ont été rénovées et sont aujourd'hui ouvertes au public. Le reste du complexe abrite un hôtel, un établissement de moindre importance et un centre de recherche horticole.

En approchant de l'entrée principale pour pénétrer dans ce que l'on nomme cour d'honneur, remarquez la grille ornementale en fer forgé, un chef-d'œuvre d'art rococo.

Il faut être accompagné d'un guide pour visiter l'intérieur du palais ; toutefois, après vous être procuré la "feuille de route" à la caisse, rien ne vous empêche de rester en arrière du groupe pour explorer les pièces à l'écart de la foule. Personne ne vous dira rien.

Au rez-de-chaussée du palais, vous traverserez plusieurs pièces décorées en style pseudo-chinois (une mode qui faisait rage à la fin du XVIIIe siècle), ainsi que la **Sala Terrena**, avec ses colonnes, son carrelage de marbre brillant et les fresques florales aux initiales de Miklós Esterházy, qui ornent le plafond. Vous admirerez aussi les fresques d'Amor, dans la chambre du prince. Au premier étage, de somptueux salons baroques et rococo vous attendent, ainsi que la **salle de Concert** et le luxueux **hall de Cérémonie** qui lui succède. Là, vous prêterez une attention particulière aux statues des quatre saisons, avec leurs couvre-chef très kitch, et au *triomphe d'Apollon*, une fresque étonnante de Johann Basilius Grundemann qui vous suit partout du regard. Enfin, une exposition est consacrée à la vie de Haydn et à l'histoire de la famille Esterházy.

Le palais est ouvert tous les jours sauf lundi de 8h à 17h de mi-avril à mi-octobre, et ferme une heure plus tôt en dehors de cette période.

L'appartement où vécut Haydn pendant 30 ans, dans la très baroque **maison de Musique**, au 1, Madach sétány, à l'ouest du palais, a été transformé en un temple dédié au grand compositeur. La galerie Esterháza, juste à côté, expose des œuvres contemporaines et vend d'intéressantes antiquités et des bibelots.

Où se loger

Si vous avez l'occasion de loger à l'hôtel *Kastély* (☎ 370 971), dans l'aile est du palais, saisissez-la. Certes, votre chambre n'aura rien en commun avec la suite princière, mais pour un château, le prix défie toute concurrence : 850 Ft sans s. d. b. Les vrais romantiques (et les plus riches) lui préféreront le *Bagatelle*, un pavillon séparé situé dans le parc et comportant 3 chambres avec s. d. b.

S'il ne reste aucune chambre dans le palais, l'auberge de jeunesse du *Udvarosház* (☎ 345 971), une dépendance du château située au 1, Fő utca, reste une alternative raisonnable (le nom signifie "maison des valets"). Enfin, l'*Esterházi* (☎ 370 012) est une pension moderne de 8 chambres au 20, Fő út. Les doubles y coûtent 1 800 Ft avec s. d. b. et petit déjeuner. Un conseil : faites tout pour éviter l'intimidant directeur. Cet homme ferait trembler Margaret Thatcher elle-même.

Où se restaurer

Vous pourrez prendre un en-cas et une boisson au *Pressző*, dans le Gránátos-hás, ancien quartier général des grenadiers situé face à l'entrée principale du château. En été, le parking est également plein de buvettes vendant des *lángos* et des *wirsli*.

Le *Haydn*, dans Udvaros-ház, est le meilleur restaurant de la ville. En été, on y déguste ses spécialités hongroises jusqu'à 22h dans le jardin. L'*Esterházi Panzió* est lui aussi à recommander.

Distractions

Fertőd est un haut lieu de la musique depuis le jour où Miklós Esterházy engagea Haydn comme chef d'orchestre. Aussi la *salle de Concert* accueille-t-elle chaque samedi soir et certains dimanches matins, de mai à fin août, pianistes et quatuors à cordes.

Le festival de Musique de Fertőd a lieu à la mi-septembre, mais toutes les places sont généralement réservées des mois à l'avance. Tentez tout de même votre chance aux guichets ou chez Ciklámen Tourist, à Sopron. La ville restant le rendez-vous estival de la musique internationale, des négociations sont en cours pour transformer le château en conservatoire de la Communauté européenne. Ce serait là un bel hommage à cet amoureux de la musique qu'était Miklós.

Comment s'y rendre

Une trentaine de bus relient chaque jour Sopron à Fertőd, d'où l'on peut poursuivre son itinéraire vers Kapuvár et Pápa (de 8 à 12 bus quotidiens).

NAGYCENK (1 650 habitants)

À 14 km à peine à l'ouest de Fertőd et du palais des Esterházy, mais à des années-lumière sur le plan spirituel, se trouve Nagycenk, site ancestral du clan Széchenyi. Difficile de trouver deux maisons – ou deux familles – plus différentes que celles-ci ! Tandis que les très frivoles Esterházy trônaient parmi une cour de privilégiés dans leur palais impérial, les Széchenyi – démocrates et réformateurs – accomplissaient leur œuvre dans un sombre manoir néo-classique qui reflétait à la perfection leur tempérament et leur sens du devoir. Leur demeure a aujourd'hui été totalement rénovée par plusieurs banques, qui en ont fait un hôtel trois étoiles et un superbe musée consacré aux Széchenyi.

Cet esprit civique caractéristique de la famille débuta avec Ferenc Széchenyi, qui fit don à l'État de toute sa collection de livres et d'objets d'art en 1802, posant les fondations de la Bibliothèque nationale, qui porte son nom. Mais ce fut l'action de son fils István (1791-1860) qui eut le plus grand impact sur la population hongroise, tant sur le plan économique que culturel. Sa contribution fut considérable et extrêmement variée : dans son ouvrage intitulé *Hitel* (mot à mot : "crédit", mais la racine, *hit*, signifie "foi"), rédigé en 1830, il préconisait de profondes réformes de l'économie et l'abolition du servage (deux ans auparavant, lui-même avait distribué la majeure partie de ses propriétés à des paysans sans terre). Il a de nombreuses réalisations à son actif : la régulation de la Tisza et du Danube, la construction du pont des Chaînes à Budapest et la fondation de l'Académie des sciences hongroise. Toutes ces réalisations lui valurent le surnom de "Plus Grand des Hongrois" que lui attribua Lajos Kossuth, autre grand réformateur de l'époque. Ce visionnaire dynamique, mais tourmenté, conserve cette distinction encore aujourd'hui.

Orientation et renseignements

La gare ferroviaire se trouve à proximité du centre de Nagycenk, non loin de l'église néo-romane de Saint-Étienne, construite par Miklós Ybl en 1864.

Le bus venant de Sopron s'arrête devant la grille principale du manoir.

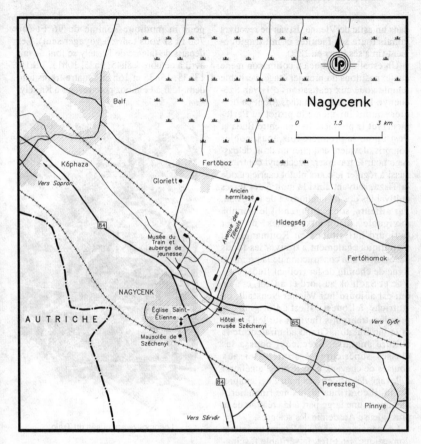

L'indicatif téléphonique de Nagycenk
est le 99.

Le manoir des Széchenyi
L'entrée du **mémorial des Széchenyi**,
dans le manoir, se fait par la Sala Terrena,
presque austère comparée à l'entrée du
château des Esterházy. Des "visites" guidées sur cassettes sont disponibles pour
100 Ft en plusieurs langues au guichet.
N'hésitez pas à en demander une : aussi
excellent que soit le musée, les explications, les différentes pièces, ne figurent qu'en hongrois.

Les salles du rez-de-chaussée, avec leur
mobilier d'époque, relatent l'histoire de la
famille Széchenyi et son évolution politique, d'une génération de classiques aris-
tocrates baroques (au XVIIIᵉ siècle) à ceux
qui furent des acteurs-clés dans la guerre
d'indépendance de 1848. István se joignit
en effet au gouvernement révolutionnaire
de Lajos Batthyány ; toutefois, des dissensions politiques et la montée d'une faction
radicale dirigée par Lajos Kossuth lui firent
perdre le contrôle et le plongèrent dans une
profonde dépression nerveuse. Malgré une
dizaine d'années de convalescence passées

dans un asile de Vienne, István ne recouvra jamais toute ses facultés et mit tragiquement fin à ses jours en 1860.

Un escalier baroque en colimaçon mène aux expositions du premier étage, véritable temple voué aux réalisations d'István Széchenyi. Le pont des Chaînes (dont ce dernier soumit lui-même le projet au Parlement) fut la première liaison entre Buda et Pest : pour la première fois, tous, nobles compris, devaient acquitter un droit de passage pour le traverser. Széchenyi contribua aussi à réguler le cours plutôt capricieux de la Tisza, sauvant ainsi la moitié des terres cultivables des inondations et de l'érosion. Par ailleurs, son action rendit le Danube navigable jusqu'aux portes de Fer (aujourd'hui situées en Roumanie). Il s'appliqua également à trouver les fonds nécessaires à la construction de la première ligne de chemin de fer (reliant Budapest à Vác et Szolnok au nord et à l'est, et à ce qui est aujourd'hui Wiener Neustadt, en Autriche, à l'ouest). Il est à l'origine des premiers transports fluviaux sur le Danube et le lac Balaton. Grand admirateur de la culture anglaise, Széchenyi poussa les classes supérieures à s'intéresser aux courses de chevaux dans le but d'améliorer l'élevage de ces derniers pour l'agriculture. Enfin, il contribua lui-même financièrement pour une large part à la création de la prestigieuse Académie des sciences.

Le manoir présente également un intérêt domestique. En effet, la véritable fascination de Széchenyi pour les gadgets et les innovations le conduisit, par exemple, à faire installer des toilettes avec chasse d'eau et des salles de bains modernes dans sa maison, à laquelle deux ailes furent ajoutées en 1838. A cette époque, on s'y éclairait déjà au gaz.

Rien d'étonnant, dès lors, à ce que la demeure de cet initiateur se trouve près d'un **musée du Train** en plein air, où sont présentées des locomotives à vapeur que l'on utilisa sur les lignes principales jusqu'en 1950. Ainsi pourrez-vous faire un aller-retour jusqu'à Fertőboz (3,5 km) à bord d'un train à vapeur sur voie étroite

pour la modique somme de 96 Ft (ou 760 Ft si vous tenez à voyager seul). Les départs de la gare de Kastély se font de mi-avril à octobre à 8h45, 9h25, 10h15, 12h15, 13h35, 15h35 et 16h15. Quatre trains font demi-tour à Fertőboz pour revenir à Kastély.

Locomotive au musée du Train

En face du manoir, une allée de 2,5 km bordée de tilleuls plantés par la grand-mère d'István en 1754 mène à un **ermitage**. Tout comme les Esterházy, la famille Széchenyi avait son résident solitaire à qui l'on demandait toutefois de se rendre utile en faisant sonner les cloches de la chapelle et en entretenant le jardin.

Le **mausolée des Széchenyi**, où István repose aux côtés d'autres membres de la famille, se trouve dans le cimetière du village, en face de l'église Saint-Étienne.

Des randonnées à cheval ou des promenades en carrosse sont organisées à

Nagycenk Stud (☎ 360 026), une ferme bicentenaire dépendant du manoir et possédant 70 chevaux. Elle est ouverte tous les jours de 9h à 16h.

Où se loger

Vous trouverez un hébergement bon marché dans la minuscule auberge de jeunesse *Hársfa* (pas de téléphone), située derrière le musée du train au 1, Kiscenki utca. Une double sans s. d. b. vous coûtera 800 Ft. *Gloriette* (☎ 312 040), l'autre auberge de jeunesse dispose de 12 chambres et se trouve au 11, Fő utca à Fertőboz, dans un bâtiment classé.

L'hôtel *Kastély* (☎ 360 061), au 3, Kiscenki utca, est installé dans l'aile ouest du manoir. Cependant, cette magnifique auberge de 19 chambres risque peut-être d'excéder votre budget : une double avec bains coûte de 1 800 à 2 600 Ft ou de 2 200 à 3 100 Ft en fonction de la saison et du type de chambre. Si vous pouvez mettre de 3 000 à 4 100 Ft, choisissez la n°106, une vaste suite au mobilier d'époque donnant sur 6 hectares de jardin.

Où se restaurer

La splendide salle à manger de l'hôtel Kastély (voir *Où se loger*) est l'endroit idéal pour déjeuner si l'on accepte de se retrouver serré à table entre deux Autrichiens en visite pour la journée. Moins cher, mais presque aussi bondé le week-end, le *Pálya* se trouve en face, dans la petite gare rénovée. Si vous jouez de malchance, il ne vous restera plus qu'à déjeuner sur le pouce à la buvette *Park*, près du parking.

Comment s'y rendre

Nagycenk est sur la ligne de chemin de fer reliant Sopron à Szombathely. De 8 à 10 trains s'y arrêtent donc chaque jour. Cependant, il est plus pratique de prendre le bus qui part de Sopron toutes les demi-heures. Si vous vous débrouillez bien, vous pourrez atteindre Nagycenk par le petit train. Prenez le bus de Sopron à Fertőboz, puis montez dans le train qui part pour la gare de Kastély à 11h, 13h, 15h ou 17h.

SZOMBATHELY (86 600 habitants)

Szombathely est la ville la plus animée de la Transdanubie Occidentale (à Győr, on a l'impression que les gens ne font que passer et à Sopron tout s'endort dès la nuit tombée). Carrefour important pour les trafics ferroviaire et routier (le poste frontière de Bucsu n'est qu'à 13 km), elle abrite une nombreuse population estudiantine. C'est en effet à Szombathely (Steinamanger en allemand) que les étudiants venus de pays en voie de développement viennent étudier le hongrois avant de se répartir dans les différentes universités du pays.

Szombathely est née très tôt. En 43 avant J.-C., les Romains y établirent un carrefour commercial qu'ils nommèrent Savaria : la ville se trouve en effet sur la très importante route de l'Ambre. Au début du IIe siècle, elle avait déjà acquis une telle notoriété qu'elle devint la capitale de la Pannonie Supérieure. Au cours des siècles suivants, elle connut une prospérité continue et vit arriver le christianisme (saint Martin de Tours y naquit en 316). Cependant, les attaques des Huns, des Longobards et des Avars affaiblirent ses défenses. Elle fut détruite par un tremblement de terre en 455.

Szombathely recommença à se développer au début du Moyen Age, mais les Mongols, puis les Turcs et les Habsbourg mirent successivement un terme à cette nouvelle prospérité. Ce ne fut qu'en 1777, lorsque János Szily fut nommé premier évêque de Szombathely, que la ville devint réellement florissante, aussi bien sur le plan économique que culturel. La construction de la ligne de chemin de fer la reliant à Graz permit d'intensifier encore les relations commerciales. Aujourd'hui, Szombathely est une importante cité industrielle et la capitale du comitat de Vas.

Le nom de Szombathely (prononcez à peu près (!) "som-bot-hay") signifie "l'endroit du samedi" et fait référence aux grands marchés qui s'y tenaient en fin de semaine au Moyen Age. D'ailleurs, pour beaucoup d'Autrichiens qui traversent la frontière pour y faire leurs courses sans se ruiner, la ville n'est rien d'autre que cela.

Orientation

Szombathely est un ensemble de ruelles étroites et de places qui ont pour centre le Fő tér très ombragé (également appelé Köztársaság tér), l'une des plus larges places de Hongrie où se concentre toujours une intense activité. Plus à l'ouest, se trouve Berzsenyi Daniel tér et Templon tér, le centre ville administratif et ecclésiastique.

Voir *Comment s'y rendre* pour toute information concernant les gares routière et ferroviaire.

Renseignements

Trois agences se situent dans le même secteur : Savaria Tourist (☎ 94 312 348), au 1, Mártírok tere, Ibusz (☎ 94 314 141), au 3-5, Széll Kálmán út, et Express (☎ 94 311 230), au 12, Király utca. Toutes sont ouvertes de 8h à 16h ou 17h en semaine, et jusqu'à 12h le samedi.

La banque OTP est sur Mártírok tere, en diagonale en venant de Savaria Tourist. La poste principale est au 2, Kossuth Lajos utca. Enfin, l'indicatif téléphonique de Szombathely est le 94.

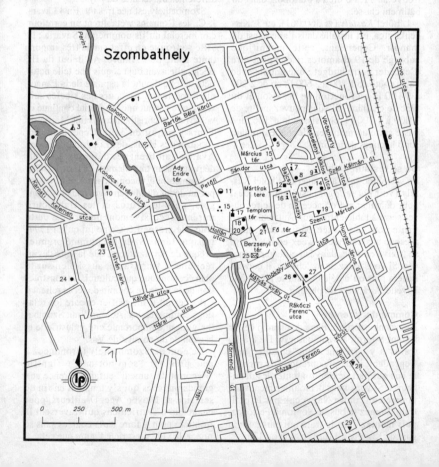

A voir

Les bombardements alliés des derniers jours de la Seconde Guerre mondiale ont pratiquement rasé la ville, et la **cathédrale de Szombathely** (1797) n'a guère été épargnée, comme en témoignent les photographies "avant-après" affichées sous le porche. Conçue par Melchior Hefele pour l'évêque Szily en 1791, la cathédrale était jadis recouverte de sculptures en stuc et de fresques réalisées par Franz Anton Maulbertsch et soutenue par de majestueuses colonnes de marbre rouge. Tout cela a aujourd'hui disparu, bien sûr, quoique quelques originaux de Maulbertsch et une glorieuse chaire de marbre rouge et blanc subsistent, rompant la monotonie de ce lieu stérile.

Les fresques de Maulbertsch, dans la salle de réception du premier étage du **Palais épiscopal** (Hefele, 1783), près de la cathédrale, ont miraculeusement survécu aux bombardements aériens, mais le public n'y a rarement accès. On peut toutefois admirer les fresques des ruines romaines et les divinités (1784) réalisées par István Dorffmeister dans la **Sala Terrena**, au rez-de-chaussée. Les salles suivantes contiennent d'autres photographies de la cathédrale prises avant-guerre, ainsi que des objets prélevés dans le Trésor épiscopal, dont plusieurs missels et bibles du XIVe au XVIIIe siècle, des vêtements gothiques et un magnifique ostensoir du XVe siècle provenant de Kőszeg. Le Palais est ouvert du mardi à vendredi de 9h30 à 16h et jusqu'à 12h le samedi.

Le **musée Smidt**, situé dans une demeure baroque derrière le Palais épiscopal, au 2, Hollán Ernő utca, renferme la collection privée de Lajos Smidt, un médecin qui passa sa vie à amasser armes anciennes, meubles, éventails, pipes, horloges, pièces de monnaie romaines, etc. Aucun de ces objets ne semble valoir grand-chose, mais ils sont si nombreux et si hétéroclites qu'ils font de ce musée un lieu de visite obligé (remarquez au passage que la montre de Franz Liszt a disparu).

Szombathely possède de nombreuses ruines romaines qui figurent parmi les plus intéressantes de Hongrie. Le **jardin des Ruines** (Romkert), derrière la cathédrale, accessible à partir de Templom tér, contient d'inestimables objets remontant à l'époque de Savaria et découverts ici à partir de 1938. Il est ouvert de 10h à 18h d'avril à octobre (jusqu'à 16h en hiver). Ne manquez surtout pas les très belles mosaïques de plantes et figures géométriques sur le sol de ce qui était l'église **Saint-Quirinus** au IVe siècle. Vous verrez également les restes de bornes romaines,

---

■ **OÙ SE LOGER**

3 Camping de Tópart
10 Hôtel Claudius
12 Hôtel Savaria
23 Hôtel Liget

▼ **OÙ SE RESTAURER**

13 Restaurant Gyöngyös
19 Pizzeria New York
21 Finom Falatok
22 Bistro
28 Grill California
29 Restaurant du Nuage Blanc

DIVERS

1 Discothèque Tango 54
2 Skanzen
4 Piscine
5 Maison de la culture
6 Gare ferroviaire
7 Express
8 Banque OTP
9 Ibusz
11 Gare routière
14 Musée Savaria
15 Jardin des Ruines
16 Savaria Tourist
17 Cathédrale
18 Palais épiscopal
20 Musée Smidt
24 Centre équestre
25 Poste
26 Iseum
27 Ancienne synagogue

d'un poste de douane, de boutiques et des murs d'un château médiéval. Malheureusement, les indications sont très mauvaises et vous sortirez sans doute frustré de la visite.

L'**Iseum**, au 2, Rákóczi utca, au sud de Fő tér (mêmes horaires d'ouverture que le jardin des Ruines), est décevant pour diverses raisons. Il fait partie d'un prestigieux complexe de deux temples datant du IIe siècle, bâtis par des légionnaires romains en l'honneur de la déesse égyptienne Isis. Lorsque le plus petit des deux fut découvert, dans les années 50, la ville décida de le reconstruire... en ciment ! Le résultat est grotesque et insultant. La frise ornant l'autel des sacrifices représente Isis chevauchant le chien Sirius : elle est gâchée par ce qui l'entoure. Franchement, lorsqu'on sort de l'Iseum, la sculpture à l'allure médiévale intitulée *La Marche de la fête* réalisée par Károly Majtenyi, à l'angle, fait figure de chef-d'œuvre.

La **galerie Szombathely**, au 12, Rákóczi utca, possède une bonne collection d'art hongrois du XXe siècle.

Le bâtiment mauresque à deux tours, en face, au n°3, est une ancienne **synagogue** construite en 1881 par l'architecte viennois Ludwig Schöne. Elle abrite aujourd'hui une école de musique et la **salle de concert Bartók**. Une plaque commémorative indique l'endroit d'où "4 228 de nos frères et sœurs juifs sont partis pour Auschwitz, le 4 juin 1944".

Le **musée Savaria**, situé au 9, Kisfaludy Sándor utca, face à un jardin, à l'est de Mártírok tere, mérite une petite visite. Le rez-de-chaussée est consacré à des objets très décoratifs, mais utiles, sculptés par des bergers au XIXe siècle. La cave contient une grande quantité de bustes, de fioles de verre bleu et d'autels romains découverts lors des fouilles de Savaria. Enfin, une exposition relatant l'histoire locale vous attend au premier étage.

Le **musée-village du comitat de Vas**, sur la rive ouest du lac de pêche, sur Árpád utca, est un skanzen réunissant une douzaine de porták (fermes) des XVIIIe et XIXe siècles. Ces maisons proviennent de différents villages de la région d'Őrség. Elles bordent une rue semi-circulaire, comme le voulait la coutume près de la frontière occidentale. Les plus intéressantes d'entre elles sont la ferme croate (n°2), l'allemande (n°8) et la "clôturée" (n°12). Si vous vous demandez qui répare encore les toits de chaume ou les cerclages métalliques des roues de la charrette, allez faire un tour dans l'atelier de la ferme n°4 et observez les vieux Hongrois qui s'y affairent. Les épines d'une plante étrange nommée kővirózsa ("rose de pierre"), qui pousse sur le chaume, servaient à percer les oreilles des petites filles.

A 3 km au nord-est, en remontant Szent Imre herceg útja, se trouve le riche **Kámoni Arboretum**, créé au XIXe siècle et comportant plus de 2 000 espèces d'arbres et de plantes. Il est éblouissant au printemps, quand les magnolias sont en fleurs.

Activités culturelles et/ou sportives

Les lacs, au nord-ouest du centre, le long de Kondics István utca, s'étendent sur 12 hectares et forment l'aire de loisirs de Szombathely. On y loue des barques, on y pêche, et en été, on nage dans la gigantesque piscine découverte située sur la rive est. La piscine couverte et les établissements thermaux se trouvent dans un parc au sud de l'hôtel Claudius.

Le célèbre centre d'équitation de la ville est au sud-ouest de l'hôtel Liget, sur Középhegyi út.

Où se loger

Le camping *Tópart* (☎ 314 766), en bordure de lac, au 4, Kondics István utca, comporte des bungalows avec douche pour 4 personnes (2 200 Ft), ou avec lavabo seulement pour 2 personnes (1 200 Ft). Ils ne sont guère élégants, mais le cadre est sympathique. Tópart est ouvert de mai à septembre.

Chacune des agences de Szombathely peut vous réserver une chambre chez l'habitant au prix de 750 à 800 Ft la double. Méfiez-vous toutefois : celles de Savaria Tourist se trouvent pour la plupart dans les affreux bâtiments de Hunyadi János, au sud-est du centre ville.

En été, demandez à Express de vous fournir une place en dortoir dans les auberges de jeunesse pour étudiants, sur Templom tér ou au 1-3, Nagykar utca. Toutes deux ne sont qu'à quelques pas de la gare routière.

Le *Liget* (☎ 314 168), au 15, Szent István park, ancien petit hôtel bon marché, a été rénové et transformé en un hôtel de 38 chambres. Les doubles avec douche y coûtent 1 800 Ft. Il est idéalement situé près des lacs, du musée-village, du centre équestre et du monstrueux "monument de la Libération" (deux "ailes" de béton, sur la colline au nord, que l'on a désormais privées de leur grande étoile rouge).

Le vieil hôtel Isis, sur Rákóczi utca, ayant été reconverti en immeuble de bureaux, le *Savaria* (☎ 311 440), au 4, Mártírok tere, reste le seul hôtel vraiment central de Szombathely. Ce bijou d'Art-Déco construit en 1917 propose 90 chambres plutôt sombres et quelconques, mais son restaurant, avec son *kocsma* (salon) meublé à l'ancienne et son jardin d'hiver, reste l'endroit parfait pour faire surgir les fantômes d'un passé plus élégant. Une double avec s. d. b., douche ou simple lavabo vous coûtera 4 050, 3 600 ou 2 500 Ft. La chambre n°318, avec s. d. b. et vue sur la place, est la meilleure.

Le *Claudius* (☎ 313 760), hôtel quatre étoiles situé de l'autre côté du lac, au 3 à prix cinq étoiles : 4 350/4 600 Ft pour une simple/double avec s. d. b.

Si vous vous rendez à Kőszeg, vous avez tout intérêt à loger à l'hôtel *Castle* (☎ 360 960), au 1, Rákóczi utca, à Bozsok, à 20 km au nord-ouest de Szombathely. Cet établissement de 12 chambres installées dans un manoir du XVIIᵉ siècle, au milieu d'un très beau parc, propose des doubles pour 2 200 Ft environ, avec tennis et sauna.

Où se restaurer

Le *Finom Falatok*, dans la minuscule Belsikátor utca qui relie Templom tér à Fő tér, est un excellent endroit pour se restaurer à petit prix. Toutefois, vous dégusterez un excellent poulet rôti au *bisztró*, au 41, Fő tér, à condition d'accepter de manger debout.

Le *New York*, au 1/c Savaria tér, en face d'une église médiévale, propose des pizzas, mais vous bénéficierez d'un choix plus vaste (30 variétés) au *Pizzicato Club*, 14, Thököly utca. Celui-ci dispose également d'un billard, sert des bières pression et reste ouvert jusqu'à 2h du matin. Pour un repas plus léger, essayez le *Salátabár*, au 3, Hollán Ernő utca, en face du musée Smidt.

Il n'y a aucune raison particulière de recommander le *Gyöngyös*, un vieux restaurant hongrois au 8, Széll Kálmán út, si ce n'est, peut-être, sa situation proche de Savaria Tourist et du musée. Le *Halászcsárda*, à 2 km au sud, au 18, Rumi út, vaut le détour pour les amateurs de poissons. Les carnivores, quant à eux, ont tout intérêt à traverser la rue pour entrer au *California*, au n°17, un grill américain avec un buffet d'entrées digne de ce nom. En continuant vers le sud, jusqu'à Gábor Áron utca, vous tomberez devant le seul restaurant chinois de Szombathely, le *Nuage Blanc* (Fehér Felhő), qui est plutôt bon.

Si vous vous sentez un petit creux après une promenade en barque ou une visite du musée-village, rendez-vous au *Tó*, sur l'isthme étroit qui sépare les deux lacs, et installez-vous en terrasse.

Distractions

Szombathely prête une attention toute particulière à la musique depuis que l'évêque Szily a engagé des musiciens à plein temps pour accomplir les fonctions propres à l'Église (mais ils n'assurent pas les services). Aujourd'hui, de nombreuses manifestations culturelles programmées pendant les *Journées de printemps* de mars et l'*Automne pan-transdanubien* de Pannon, en septembre, se déroulent dans la *salle de concerts Bartók*, où l'orchestre symphonique de Savaria joue également tout au long de l'année. Le *festival international Bartók*, fin juillet, n'est autre qu'un stage de musique ponctué de "concerts-ateliers". Autre lieu de rendez-vous important, la très laide *maison de la Culture et des Sports* (☎ 312 666), bâtiment des années 60 au 5, Marcius 15 tér, vous renseignera sur toutes les manifestions prévues à Szombathely.

Pour une soirée plus décontractée, commencez au *Royal*, un pub qui vous servira en extérieur du côté nord de Fő tér. Le *Bajor*, sur Király utca, n'est pas mal non plus.

Le *Romkert* est une petite discothèque sans prétention sur Ady Endre tér, près de la gare routière ; vous pourrez y "rapper" tout en jouissant d'une vue gratuite sur le jardin des Ruines. Vous côtoierez toutefois une société plus huppée au *Tango 54*, dans le grand magasin Centrum, sur Rohonci út, ou encore au *Ciao Amigo*, sur 11es Huszár út.

Le *Képtár*, un bar très animé avec salle de billard, dans la galerie Szombathely, ne ferme qu'au petit matin. De là, vous pourrez même vous rendre gratuitement dans le détestable Iseum.

Comment s'y rendre

Train. Cinq lignes de chemin de fer convergent à Szombathely, permettant un accès direct à Budapest-Déli via Veszprém et Székesfehérvár (9 trains par jour), ainsi qu'à Kőszeg (12), Sopron (10), Graz via Körmend et Szentgotthárd (5), Nagykanizsa (7, dont 2 continuant jusqu'à Pécs) et Hegyeshalom (5), où une correspondance est assurée pour Vienne.

Bus. Le service routier n'est guère satisfaisant à Szombathely, même si une vingtaine de bus partent chaque jour pour Ják et les thermes de Bük, et une dizaine d'autres se rendent à Kőszeg, Sárvár, Sitke et Velem. Parmi les autres destinations, on compte Baja (1 départ quotidien), Budapest (2), Győr (5), Kaposvár (1), Keszthely (3), Körmend (4), Nagykanizsa (4), Pápa (2), Szentgotthárd (1) et Zsalaegerszeg (5).

Un bus par jour se rend à Bratislava, en Slovaquie, et un par semaine va vers les villes d'Autriche que sont Oberpullendorf (le vendredi) et Oberwart (le mercredi).

Comment circuler

La gare routière d'Ady Endre tér, derrière le jardin des Ruines, se trouve à 10 minutes de marche au nord-ouest de Fő tér. La gare ferroviaire est située sur Éhen Gyula tér, à l'est de Mártírok tere, à l'extrémité de Széll Kálmán út. On circule aisément à pied dans Szombathely, mais le bus n°7 vous mènera de la gare ferroviaire au musée-village, aux lacs, au camping et à l'hôtel Liget.

Le n°2 sera parfait pour aller à l'arboretum de Kámoni.

ENVIRONS DE SZOMBATHELY

Ják (2 150 habitants)

Vous ne devez à aucun prix manquer Ják, une petite bourgade à 12 km au sud de Szombathely, où l'on se rend facilement en bus pour passer la demi-journée. Ce paisible village est fier de son **abbaye**, qui est l'un des plus beaux exemples d'architecture romane de Hongrie. Malheureusement, son principal intérêt, un magnifique portail sculpté de figures géométriques sur douze épaisseurs et orné de statues du Christ et des apôtres, subit actuellement un lifting et restera masqué par des bâches jusqu'en 1996. A eux seuls toutefois, l'intérieur de l'église et les sculptures décoratives du mur extérieur du sanctuaire valent le déplacement.

La construction de ce bâtiment à deux tours fut entreprise en 1214 par Márton Nagy. Destiné à l'époque à devenir une église familiale, il fut consacré à saint Georges quarante ans plus tard. Encore en cours de construction, il parvint à échapper à la destruction pendant l'invasion mongole, mais fut gravement endommagé lors de l'occupation turque. Depuis, l'église a donc subi de nombreuses restaurations, dont les plus importantes au XVIIe siècle, puis de 1895 à 1904, époque à laquelle la plupart des statues du portail furent soit retaillées, soit remplacées, des vitraux ajoutés et des adjonctions baroques plus anciennes retirées.

Entrez par la porte sud, autrefois utilisée par les moines bénédictins qui vivaient là. L'intérieur, avec sa nef unique et ses trois ailes, inspire un sentiment plus agréable et plus personnel que la plupart des églises gothiques de Hongrie. A l'ouest, et au-dessous des tours, se trouve une galerie réservée au bienfaiteur et à sa famille. Les fresques bleues et la rose décolorées sur le mur, entre la voûte et les arches, au-dessous, pourraient bien être les œuvres de Márton Nagy et de ses disciples. En introduisant une pièce de 20 Ft dans la machine prévue, vous illuminerez l'église, transformant le gris plutôt froid en un jaune très doux.

A l'ouest de l'église romane, se trouve la minuscule **chapelle Saint-Jacques** en forme de trèfle, surmontée d'un dôme en oignon. Elle fut construite en 1260 pour servir de paroisse, le bâtiment principal étant un monastère. Remarquez l'Agneau pascal, au-dessus de l'entrée principale, ainsi que l'autel et les fresques baroques à l'intérieur.

Les églises sont ouvertes de 8h à 18h d'avril à octobre et de 10h à 14h le reste de l'année. Et si, pour une raison ou pour une autre, vous ne pouvez voir Ják, consolez-vous en allant admirer la maquette de l'église (complète, avec le portail bien visible !) au château Vajdahunyad, dans le parc municipal de Budapest. Elle y fut fabriquée en 1896 pour l'exposition du Millénaire.

Vous ne trouverez aucun hébergement à Ják, mais vous pourrez prendre un en-cas au snack-bar du guichet d'entrée, ou vous installer au restaurant *Falatozó*, sur Szabadság utca, en redescendant la colline.

Les bus venant de Szombathely sont très fréquents. Ils vous déposeront au bas de la colline, à quelques minutes de marche de l'église. De Ják, on peut soit rentrer à Szombathely dans l'un des vingt bus quotidiens, soit continuer vers Szentpéterfa (15 bus par jour), Körmend (3) ou Szetgotthárd (1).

SÁRVÁR (15 700 habitants)

A quelque 27 km à l'est de Szombathely, en bordure du Rába, la ville apparemment paisible du "château de boue" a connu le meilleur et le pire. Durant la période de la Réforme, le château fortifié de Sárvár était un centre de culture, et ses propriétaires, les Nádasdys, une dynastie respectée qui s'était rendue célèbre dans les milieux militaires et gouvernementaux. C'est Tamás Nádasdys qui, en 1537, installa l'imprimerie qui fabriqua les deux tout premiers ouvrages en hongrois : une grammaire latine et une traduction du Nouveau Testament. Ferenc Nádasdy II, connu sous le pseudonyme de "Capitaine noir", mena un combat héroïque contre les Turcs. Quant à son petit-fils, Ferenc Nádasdy III, juge à la Cour Suprême, il établit l'une des plus importantes bibliothèques et l'une des plus vastes collections privées d'art d'Europe Centrale.

Cependant, tout commença à se gâter au début du XVIIe siècle. On raconte qu'en l'absence du Capitaine noir, parti à la guerre, sa femme, Erzsébet Báthori, visiblement folle à lier et assoiffée de sang, se mit à torturer et à assassiner ses servantes (celle que l'on appelait la "Comtesse sanglante" fut par la suite bannie et enfermée dans un château en Transsylvanie, où elle mourut en 1614. On pense qu'elle inspira grandement Bram Stoker, l'auteur de *Dracula*.) Par la suite, Ferenc III se trouva mêlé à un complot ourdi par Ferenc Rákóczi et destiné à renverser les Habsbourg : découvert, il fut décapité en 1671.

Mais Sárvár ne doit pas sa notoriété qu'à son histoire et ses épisodes sanglants. Elle la tient également de ses sources thermales à 44°C, découvertes dans les années 60, lors de forages expérimentaux.

Orientation et renseignements

La gare ferroviaire se trouve sur Selyemgyár utca. Pour parvenir au centre ville, marchez vers le sud, le long de Hunyadi János utca et tournez vers l'est dans Batthyány Lajos utca, qui conduit à Kossuth tér et au château. La gare routière est située à l'extrémité ouest de Batthyány Lajos utca.

Savaria Tourist (Sárvár 578), au 33, Várkerület, est ouverte en semaine de 9h à 16h30 et le samedi jusqu'à 12h30.

Vous trouverez un bureau de poste au 32, Várkerület et une banque OTP au

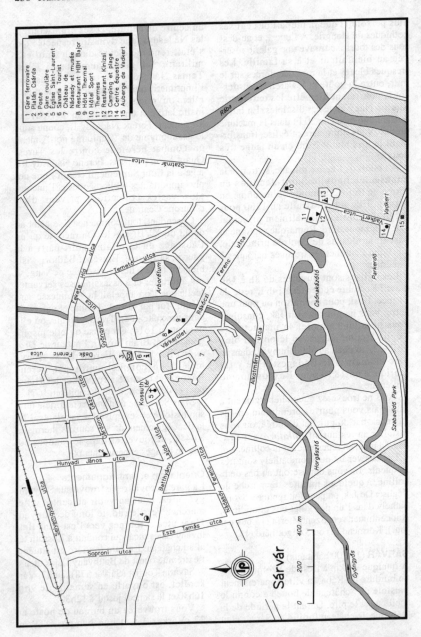

1 Gare ferroviaire
2 Platán Csárda
3 Poste
4 Gare routière
5 Église Saint-Laurent
6 Savaria Tourist
7 Château de Nádasdy et musée
8 Restaurant HBH Bajor
9 Hôtel Thermal
10 Hôtel Sport
11 Thermes
12 Restaurant Kinizsi
13 Camping et plage
14 Centre équestre
15 Auberge de Vadkert

Sárvár

0   200   400 m

2, Batthyány Lajos utca ; vous pourrez changer de l'argent dans ces deux établissements.

Tous les numéros de téléphone de Sárvár ne sont pas reliés au réseau national (il faut parfois passer par une opératrice pour obtenir votre correspondant). Pour les abonnés qui le sont toutefois, la ville a deux indicatifs : le 94 et le 96.

Château de Nádasdy

Pour entrer au **musée Nádasdy**, à l'intérieur du château pentagonal, il faut passer par un pont de pierre partant de Kossuth tér et par la porte d'une tour datant du XIVe siècle. Bien que le château remonte au XIIIe siècle, il est en majeure partie de style XVIe siècle et Renaissance. Malgré les nombreux pillages perpétrés par les Habsbourg, il reste en très bon état de conservation. Pour punir les Nádasdy d'avoir pris part à la révolte de 1670, les souverains autrichiens confisquèrent tous leurs biens : les richesses du château (dont la majeure partie de la bibliothèque) furent ainsi expédiées à Vienne. En conséquence, beaucoup des objets d'art, tapisseries et meubles que l'on peut admirer dans les trois ailes du musée proviennent d'autres sources.

Parmi les œuvres que les Habsbourg n'ont pu confisquer, les magnifiques fresques du plafond de la **salle des Chevaliers** (Lovag Terme) représentent les Hongrois (dont le Capitaine noir) combattant les Turcs à Tata, Székesfehérvár, Buda et Győr. Ces fresques furent peintes par Hans Rudolf Miller au milieu du XVIIe siècle. Sur les murs, les scènes bibliques de Samson et Dalila, David et Goliath, Mordechai et Esther, etc. (1769) sont d'István Dorffmeister. Vous remarquerez un magnifique cabinet du XVIe siècle en bois doré et en marbre, à l'entrée de la salle à droite.

Le musée Nádasdy contient l'une des plus belles collections d'armes et d'armures de Hongrie. L'une des ailes est presque entièrement consacrée aux Hussards, un régiment auquel la famille donna son nom. Les uniformes, sur lesquels il ne

manque pas un bouton, ruban ou épaulette, conviendraient parfaitement pour une opérette. Parmi les expositions consacrées au château et à Sárvár, une partie concerne la première imprimerie installée ici et compte plusieurs tracts calvinistes jugés infamants à l'époque. Une œuvre hongroise intitulée *Le Pape n'est pas le pape, voilà tout*, datant de 1603 fut sabotée un peu plus tard par un contre-réformiste qui écrivit pardessus, en latin, "Scandale luthérien".

Ajout récent au musée, une superbe collection de 60 cartes géographiques anciennes offertes en 1986 par un donateur émigré est exposée dans une salle mitoyenne à celle des Chevaliers. Au sous-sol, quelques belles affiches rétros retracent l'histoire des cures thermales.

Autres curiosités

L'**arboretum**, sur Várkerület, à l'est du château, divisé en deux par un affluent du Rába, fut planté par les successeurs des Nádasdy, la famille royale des Wittelsbach de Bavière (le dernier occupant royal du château fut Ludwig III, mort en exil en 1921). Flânez le long des chemins circulaires et tentez de déchiffrer les commentaires en hongrois, latin et allemand.

L'**église Saint-Laurent**, sur Kossuth tér, est d'origine médiévale, mais fut reconstruite au XIXe siècle. Elle présente peu d'intérêt, hormis les fresques contemporaines qui en ornent l'intérieur et, à l'extérieur, le mémorial dédié aux soldats polonais qui combattirent dans la région pour "la liberté et l'honneur de la Hongrie", au cours de la Seconde Guerre mondiale. Seules, la fenêtre circulaire et les décorations qui ornent la porte et les fenêtres de l'édifice roman (1850) situé au 6, Deák utca, au nord du château, laissent deviner qu'il s'agit là de l'ancienne **synagogue** de la ville.

Activités culturelles et/ou sportives

Les thermes situés sur Vadkert utca, au sud-est du château, comportent des bassins d'eaux chaudes, couverts ou en plein air, ainsi que tous les services médicaux associés aux cures. Ils sont ouverts tous les jours de 8H à 19h. Les piscines en plein air réservées à la natation, en bordure de lac, en face, sont ouvertes de mi-mai à mi-septembre de 10h à 18h.

Vous trouverez des courts de tennis et un centre d'équitation au bout de Vadkert utca. Pour en profiter, adressez-vous au personnel de l'auberge Vadkert. Si vous estimez devoir vous équiper avant de monter à cheval, le Lovas Bolt, sur Széchenyi utca, à l'ouest de Kossuth tér, tient à votre disposition toute la panoplie du parfait cavalier.

Où se loger

Savaria Tourist peut vous procurer une *chambre chez l'habitant* pour 700 Ft environ. Si l'agence est fermée, ou si vous préférez vous débrouiller seul, cherchez les pancartes "Zimmer Frei" le long de Hunyadi utca en venant de la gare, ou encore parmi les imposantes maisons de Rákóczi utca (en particulier les nos43 et 57/a). Vous avez également la possibilité de planter votre tente au *Thermál Camping* tout proche (1, Vadkert utca), mais vous n'y trouverez pas de bungalows.

La majorité des hôtels abordables se trouvent sur Vadkert utca ou à proximité. Les 20 chambres du *Sport* (☎ 94 327 300), au 46/a Rákóczi utca (au début de Vadkert utca), sont fort sympathiques, mais étrangement chères : 2 100/2 600 Ft pour une simple/double avec bain et petit déjeuner. Le *Sport* offre un grand nombre de services et de petits "plus" : salle de gymnastique, sauna/solarium, petit pub et restaurant, prêt de rosalies (immenses tricycles) et réductions dans les établissements thermaux et au centre d'équitation.

Mais l'hébergement le plus enchanteur de la ville est sans doute l'auberge *Vadkert* (☎ 94 324 056), un pavillon de chasse royal du XIXᵉ siècle à l'extrémité de Vadkert utca. Ses 24 chambres sont meublées en pin rustique et, avec son immense cheminée, le salon commun évoque le décor d'un roman d'Agatha Christie. Une double avec bain et petit déjeuner coûte 2 800 Ft.

Le Vadkert possède également une annexe de 26 chambres installées dans l'une des écuries rénovées, mais insistez pour être logé dans le bâtiment principal.

Les 136 chambres de l'hôtel *Thermál* (☎ 96 316 088), au 1, Rákóczi utca, constituent le lieu le plus huppé de Sárvár. Équipé de tout le confort moderne, il dispose de piscines thermales couvertes et découvertes et dispense tous les soins de cure. Les simples coûtent de 4 400 à 5 300 Ft, les doubles de 6 500 à 7 500 Ft selon la saison. Ainsi l'hôtel attire-t-il essentiellement de riches Autrichiens soucieux de prolonger leur existence. Un petit pont recouvert, au-dessus de l'étroit ruisseau de Gyöngyös, relie la réception et le restaurant Nádor au bâtiment principal. A l'extérieur, une statue du Capitaine noir tenant une lance fait office de cadran solaire.

Où se restaurer

Le *Platán* est une csárda située dans un bâtiment néo-classique rénové au 23, Hunyadi utca, entre la gare ferroviaire et le centre ville. Il reste ouvert jusqu'à 24h. Le *Tinódi*, à quelques mètres au n°11, est moins cher, mais aussi moins sympathique, et il ferme à 22h. Le *HBH Bajor*, qui fait également pub, se trouve à proximité de l'hôtel Thermál, mais n'a pas la classe des autres établissements de la chaîne dont il fait partie. Le *Kinizsi*, près des thermes, se tient à votre disposition si vous avez un petit creux après un plongeon par une chaude journée d'été, mais si vous surveillez de près votre santé, parcourez quelques centaines de mètres supplémentaires jusqu'à l'hôtel *Sport*, où l'on vous servira salades et spécialités végétariennes.

Distractions

On donne parfois des concerts dans la salle des Chevaliers au château. Demandez le programme chez Savaria Tourist ou au centre culturel Lajos Kossuth, dans le château. Toutefois, la principale manifestation de Sárvár reste le festival de Folklore international, qui se tient au mois d'août à l'ombre des châtaigniers, dans la cour du château. Enfin, en septembre, quelques spectacles produits dans le cadre du festival d'Automne de Pannon sont représentés à Sárvár.

Comment s'y rendre

Sárvár se trouve sur la ligne de chemin de fer reliant Szombathely à Veszprém, Székesfehérvár et Budapest. Une vingtaine de trains arrivent donc chaque jour de Szombathely, dont plusieurs poursuivent leur route vers Graz, en Autriche (*via* Szentgotthárd). En outre, de 10 à 12 trains se rendent quotidiennement dans les trois autres villes.

Le trafic ferroviaire étant si développé, le service routier, lui, se trouve quelque peu négligé. Parmi les destinations desservies, figurent Bük (7 bus par jour), Celldömölk (9), Keszthely (2), Pápa (1), Sitke (12), Sopron (2), Szombathely (8) et Zalaegerszeg (3).

KŐSZEG (13 700 habitants)

A la paisible petite ville de Kőszeg (Güns en allemand), on donne parfois le surnom de "coffret à bijoux". Pour comprendre pourquoi, il suffit de passer la pseudogothique "porte des Héros" (Hősök kapu) qui débouche sur Jurisics tér. On découvre alors un trésor d'architectures gothiques, Renaissance et baroques qui, associées les unes aux autres, constituent l'une des places les plus ravissantes de Hongrie.

Située au pied des collines de Kőszeg, à 3 km à peine de la frontière autrichienne, la ville a changé plusieurs fois de nationalité et joué un rôle-clé dans la défense du pays. L'épisode le plus célèbre remonte à l'attaque, par les troupes de Soliman le Magnifique, du château de Kőszeg. Ce siège, qui n'avait malheureusement rien d'exceptionnel à l'époque, connut un dénouement assez surprenant. Aidée de la milice de la ville, l'"armée" de Miklós Jurisics, qui comptait un peu moins de 50 hommes, parvint à défendre la forteresse pendant 25 jours contre quelque 100 000 Turcs. Au terme de cette période,

on parvint à un accord selon lequel Jurisics acceptait de faire flotter le drapeau turc au-dessus du château, déclaration symbolique de victoire, à condition que les envahisseurs quittent la ville. Les Turcs tinrent parole et plièrent bagages le 30 août à 11h. Ainsi Vienne se vit-elle épargner le traitement qu'allait subir Buda neuf ans plus tard.

Depuis ce jour, les cloches de Kőszeg carillonnent une heure avant midi pour commémorer le retrait turc.

Sans doute le souvenir de cette toute première négociation explique-t-il la curieuse façon dont on traite les affaires à Kőszeg. Les ménagères, par exemple, laissent sans surveillance devant leur porte des paniers pleins de fruits et de légumes cueillis dans leur jardin, avec une simple feuille de papier indiquant les prix. Le client choisit ce qui l'intéresse et dépose le montant correspondant dans un récipient prévu à cet effet.

Orientation

Le quartier historique de Kőszeg, nommé Belváros ("ville intérieure"), a la forme d'un talon. Il est entouré du Várkör, qui longe les murs du vieux château.

La "gare" routière de la ville se situe à une demi-douzaine d'arrêts de là, sur Ferenc Liszt utca, à quelques minutes de marche vers le sud. La gare ferroviaire est un peu plus éloignée, à 2 km au sud-est, sur Alsó körút.

Renseignements

Kőszeg est une excursion facile pour les Autrichiens, aussi la ville regorge-t-elle de bureaux de tourisme, dont trois dans la seule Városház utca : Savaria Tourist (☎ 94 360 238), au n°69, Express (☎ 94 360 247), au n°5, et Ibusz (☎ 94 360 376), au n°3. Tous sont ouverts de 8h à 16h en semaine, et jusqu'à 12h le samedi.

La poste centrale se trouve à côté de Savaria Tourist, et vous verrez une banque OTP au 8, Kossuth Lajos utca.

L'indicatif téléphonique de Kőszeg est le 94.

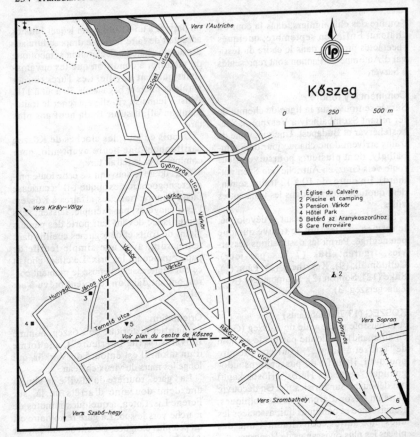

Kőszeg

0   250   500 m

Vers l'Autriche

Vers Király-Völgy

Vers Sopron

Vers Szombathely

Vers Szabó-hegy

Gyöngyös utca

Sziget utca

Várkör

Várkör

Várkör

Hunyadi

János utca

Temető utca

Rákóczi Ferenc utca

Gyöngyös

Voir plan du centre de Kőszeg

1 Église du Calvaire
2 Piscine et camping
3 Pension Várkör
4 Hôtel Park
5 Betérő az Aranykoszorúhoz
6 Gare ferroviaire

A voir

La **porte des Héros**, monument néo-gothique qui débouche sur Jurisics tér, fut construite en 1932, époque à laquelle ce type de porte était de mode en Hongrie, pour marquer le 400ᵉ anniversaire du départ de Soliman. La tour, au-dessus, est ouverte aux visiteurs et offre une vue magnifique sur la place.

Presque tous les bâtiments de la place présentent un intérêt. L'**hôtel de ville** (Városház) rouge et blanc, au 8, Jurisics tér, est un mélange de styles gothique, baroque et néo-classique. Sa façade porte

des peintures en ovales représentant les valeurs terrestres et célestes. Au 4/6, la **maison du Général**, constituée de deux bâtiments datant de l'époque médiévale, renferme le **musée Miklós Jurisics**, consacré à l'artisanat et à l'art populaire régionaux, ainsi qu'à l'histoire naturelle. La maison Renaissance du n°7, construite en 1668, est ornée de graffitis gravés dans le stuc et comporte un sympathique salon de thé au rez-de-chaussée nommé Gara-bonciás.

Au n°11, vous trouverez un **musée de la Pharmacie** (il y en a deux à Kőszeg). Si les éprouvettes vous passionnent, sachez que le second est situé au 1, Rákóczi utca.

Les deux églises de Jurisics tér présentent un intérêt architectural, mais l'**église Saint-Jacques**, de style gothique, mérite une attention particulière. Édifiée en 1407, son mur est montre des fresques du XVe siècle que le temps a malheureusement estompées : on distingue à peine le gigantesque saint Christophe portant le Christ enfant, Marie abritant les suppliants sous un grand voile et les rois mages portant leurs présents. Les autels et les bancs sont des chefs-d'œuvre de sculpture baroque sur bois. Enfin, Miklós Jurisics et deux de ses enfants sont enterrés dans la crypte. L'**église Saint-Emeric**, de style baroque, se caractérise par son haut clocher et contient deux œuvres d'art inestimables : des fresques représentant le saint patron de l'église, réalisées par István Dorffmeister, et un retable de Marie rendant visite à sa cousine Élisabeth, par Franz Anton Maulbertsch.

L'étroite Chernel utca, qui part de Jurisics tér, conduit à des douves asséchées et au **château de Kőszeg**. Édifié à l'origine au milieu du XIIIe siècle, il fut à maintes reprises reconstruit (les derniers travaux datent de 1962). Cet édifice à quatre tours est donc un assemblage de styles détonnant : arcades Renaissance, fenêtres gothiques, intérieurs baroques...

Le musée du château, au premier étage, retrace l'histoire de Kőszeg (les événements de 1532 occupant la majeure partie de l'exposition), tandis qu'une section est consacrée à la production viticole locale, avec l'étonnant livre intitulé "L'arrivée du raisin" : il s'agit d'une sorte de journal de bord de jardinier détaillant l'état des bourgeons, commencé en 1740 et mis à jour chaque année à la Saint Georges, le 23 avril. N'hésitez pas à grimper dans l'une des deux tours ouvertes au public. C'est de là qu'au Moyen Age, un orchestre de cuivres jouait pour divertir la population du village. D'en haut, le long de la frontière autrichienne, vous apercevrez les tours d'observation d'un édifice plus récent, mais aujourd'hui en ruines.

En poursuivant votre promenade vers le sud, toujours dans Chernel utca, qui présente d'élégantes façades baroques et des toits dentelés, vous passerez devant les ruines des murs du **Vieux Château** et devant la **Vieille Tour** (Öreg Torony), un bastion d'angle utilisé aujourd'hui comme galerie d'art.

L'**église du Sacré-Cœur** (1894), néo-gothique, sur Fő tér, ne présente guère d'intérêt en dehors, peut-être, de ses fresques géométriques fort originales et ses cloches du souvenir, qui sonnent chaque jour à 11h. La **synagogue** circulaire (1859), avec ses étranges tours néo-gothiques, réunissait autrefois l'une des communautés juives les plus anciennes de Hongrie. Elle est aujourd'hui abandonnée et en très mauvais état, au 34, Várkör.

Activités artistiques et/ou culturelles

Une bonne façon de se détendre consiste à se promener du côté de la petite chapelle baroque située à 393 mètres d'altitude, sur Kálvária-hegy ("colline du Calvaire"), au nord-ouest du centre ville, ou parmi les vignobles de Király-völgy ("vallée du Roi"), à l'ouest du château. Vous pouvez également suivre Temető utca, qui serpente en direction de Szabó-hegy ("colline du Tailleur") après l'hôtel Park.

Le petit lac bordé de saules, à 15 minutes de marche du château, par Sziget utca, est parfait pour une partie de pêche ou une promenade en barque. C'est également l'endroit idéal pour un pique-nique.

La piscine et la "plage", sur Strand sétány, près du terrain de camping, était récemment en travaux, mais seront sans doute ouvertes lors de votre visite. Pour y parvenir, dirigez-vous vers l'est par Kiss János utca, puis tournez vers le sud après la passerelle qui traverse le Gyöngyös. L'endroit est généralement ouvert au public de mai à septembre.

Où se loger

Le *Camping West* (☎ 360 981), sur Strand sétány, ne dispose pas de bungalows, mais vous hébergera en caravane pour environ

1 000 Ft, de mai à septembre. Savaria Tourist peut vous réserver une *chambre chez l'habitant* en ville pour 900 Ft pour deux (pas de simples). Les bungalows que propose également cette agence, au centre de loisirs Panoráma, en haut de Szabó-hegy, sont chers (1 800 à 2 000 Ft) et disponibles en été uniquement. Pour un hébergement vraiment original, demandez à être logé dans les *maisons folkloriques*, à Velem, à 7 km au sud (bus fréquents).

L'auberge de jeunesse *Jurisics* (☎ 362 227), au 9, Rajnis Jószef utca, propose 9 chambres dans un petit bâtiment plutôt décrépi près de l'entrée du château. Sa situation et son prix font tout son attrait : 800 Ft la double, 260 Ft par personne en dortoir.

Les 66 chambres de l'hôtel *Park* (☎ 360 363) appartiennent à l'agence Express. Il s'agit d'un vaste bâtiment ancien installé au milieu d'un parc au 2, Park utca. L'établissement est membre du IYHF et vous accordera une réduction si vous présentez votre carte. Les doubles sont à 1 000 Ft avec lavabo ou à 1 600 Ft avec douche.

Le *Várkör* (☎ 360 972), avec ses 10 chambres toute neuves, se trouve au 19, Hunyadi János utca, à mi-chemin entre le château et l'hôtel Park. Cette pension propose des chambres avec s.d.b. à 1 300/ 1 600 Ft pour une simple/double, prix qui comprend un substantiel petit déjeuner suédois. Au dernier étage, les chambres les moins chères sont à 1 100/2 200 Ft avec douche commune.

Mais l'un des meilleurs hébergements de Kőszeg est sans doute l'hôtel *Strucc* (☎ 360 323), dont le nom signifie "autruche". Ses 18 chambres sont situées au 124, Várkör, dans un bâtiment du XVIIIᵉ siècle qui ne paie pas de mine malgré une récente couche de peinture bleu ciel, mais qui n'en reste pas moins charmant. En outre, vous ne trouverez rien de plus central à Kőszeg. Les doubles avec s.d.b. coûtent 1 660 Ft (2 000 pour celles meublées à l'ancienne). La n°7, à l'angle, avec vue sur la place, est la plus grande et la meilleure. L'*Írottkő* (☎ 360 373), tout proche au 2/4, Fő tér, est le principal hôtel de la ville mais, avec son restaurant sans cachet, ses affreux couloirs de béton et son

Centre de Kőszeg

1	Synagogue
2	Jardin de la Bière
3	Cave à vins
4	Château et auberge de jeunesse
5	Église Saint-Jacques
6	Restaurant Bécsi Kapu
7	Église de Saint-Imre
8	Librairie
9	Hôtel de ville
10	Maison du général
11	Porte des Héros
12	Vieille Tour
13	Bureaux de tourisme
14	Hôtel Írottkő
15	Église du Sacré-Cœur
16	Hôtel Strucc
17	Restaurant Szarvas
18	Arrêts de bus
19	Restaurant Gesztenyés

cabinet dentaire qui voit défiler des dizaines d'Autrichiens, il manque fondamentalement de caractère. On y paie 1 860 Ft pour une simple, 3 720 Ft pour une double.

Où se restaurer
C'est au *Finom Falatok* que vous calmerez vos fringales au meilleur prix. Situé au sud de la porte des Héros, à l'angle de Várkör et de Városház utca, on y mange debout. Il est ouvert tous les jours de la semaine jusqu'à 19h, le samedi jusqu'à 2h du matin. A l'entrée de l'hôtel *Írottkő*, vous trouverez également un buffet de salades ouvert jusqu'à 6h du matin.

Le *Bécsi Kapu*, au 5, Rajnis Jószef utca, est un sympathique petit restaurant proche du château ; le *Kulacs*, au 12, Várkör, est plus pratique pour qui voyage en bus. Le *Gesztenyés*, un grand restaurant hongrois, au 23, Rákóczi utca, est ouvert jusqu'à 22h et le samedi jusqu'à 24h.

Le *Szarvas*, situé dans une belle maison du XIXᵉ siècle à la façade couleur saumon, au 12, Rákóczi utca, est l'endroit à la mode et fait partie des meilleures adresses de la ville. Toutefois, le *Betérő az Aranykoszorúhoz*, au 59, Temető utca (un nom à coucher dehors, mais qui signifie tout simplement "Visiteur au Signe de la couronne d'or") sert les meilleurs plats de la ville. Malheureusement, il ferme dès 21h.

Distractions
Le centre culturel se trouve dans le château. Parmi les manifestations à ne pas manquer, figure le festival de l'Arrivée du raisin en avril ; l'*Été de Kőszeg*, festival de musique de chambre ; des représentations de théâtre et d'opéra dans la cour du château, en juillet et août, ainsi que le festival viticole des *journées de Vendanges*, en septembre.

L'immense jardin de la Bière, où Schneller István utca rejoint Várkör, au nord, est très agréable par beau temps. Si vous aimez le vin, rendez-vous dans l'ancienne cave du 10, Rajnis Jószef utca, avec ses hautes fenêtres gothiques et ses plafonds voûtés équipés de ventilateurs à pales.

Comment s'y rendre
La ligne Kőszeg-Szombathely est desservie quotidiennement par 14 trains. Pour toute autre ville, il vous faudra voyager par la route. Une bonne demi-douzaine de bus font chaque jour l'aller-retour entre Kőszeg et Bükfürdő, Sopron, Szombathely et Velem. En revanche, il n'y en a qu'un par jour pour Baja, Keszthely et Nagykanizsa. De plus, un bus part chaque vendredi pour Oberpullendorf, en Autriche.

Comment circuler
Les bus nᵒˢ1/a et 1/y font le trajet reliant la gare ferroviaire à Várkör ; descendez à Bem József utca pour Jurisics tér. Le nᵒ1/y poursuit sa route jusqu'au lac. Le nᵒ2 remonte Temető utca jusqu'à Szabó-hegy.

KÖRMEND (12 300 habitants)
Si cette ville, à 25 km au sud de Szombathely, ne vaut certes pas le détour à elle seule, elle est cependant considérée comme la porte de l'Őrség, une région ethnographique bien particulière située à la frontière de l'Autriche et de la Slovénie, qui conserve encore aujourd'hui ses caractéristiques propres. Körmend fut pendant de nombreuses années le siège de la famille Batthyány, un clan de nobles qui détenaient autrefois la majeure partie de l'Őrség, mais qui vira soudain de bord pour soutenir avec enthousiasme les combats du XIXᵉ siècle pour l'indépendance.

Orientation et renseignements
Les gares ferroviaire et routière de Körmend se trouvent au nord, à 5 mn du centre ville. Descendez Deák utca ou Kossuth Lajos utca pour atteindre Rákóczi utca, la rue principale. Le quartier commerçant et le centre ville sont situés un peu plus au sud, dans Szabadság tér.

Savaria Tourist (Körmend 161), au 11, Rákóczi utca, est ouverte de 8h à 16h en semaine. Vous pouvez y changer de l'argent, mais il y a également une banque OTP au 6, Vída József utca. Traversez Rákóczi utca pour atteindre la poste, au 6, Thököly Imre utca.

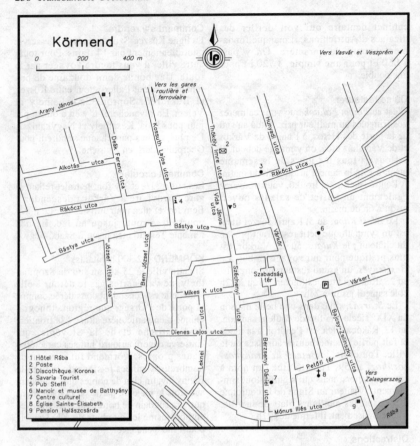

Körmend

Vers Vasvár et Veszprém

0   200   400 m

Vers les gares
routière et
ferroviaire

Arany János

Deák Ferenc utca

Alkotás utca

Kossuth Lajos utca

Thököly Imre utca

Hunyadi utca

Rákóczi utca

Vida János utca

Rákóczi utca

Bástya utca

Bástya utca

József Attila utca

Bem József utca

Mikes K utca

Dienes Lajos utca

Széchenyi utca

Szabadság tér

Várkör

Várkert

Leknei utca

Berzsenyi Dániel utca

Petőfi tér

Bajcsy-Zsilinszky utca

Mónus Illés utca

Vers Zalaegerszeg

Rába

1 Hôtel Rába
2 Poste
3 Discothèque Korona
4 Savaria Tourist
5 Pub Steffl
6 Manoir et musée de Batthyány
7 Centre culturel
8 Église Sainte-Élisabeth
9 Pension Halászcsárda

Körmend ne bénéficie pas du réseau téléphonique national. Pour téléphoner, vous devrez donc passer par un opérateur.

A voir
Le **manoir des Batthyány,** en bordure d'un arboretum, à l'est de Szabadság tér, est un mélange typiquement hongrois d'éléments médiévaux, baroques et néoclassiques qui, rassemblés, constituent un édifice robuste, très plaisant. Il abrite aujourd'hui une cité universitaire, la petite **collection historique de Rába** et, dans son école d'équitation XVIIIe siècle, le **théâtre de la Ville.** L'exposition, intitulée "Images du passé de Körmend", retrace l'histoire de la cité à travers des photographies anciennes (la splendide synagogue anéantie par les bombardements de la Seconde Guerre mondiale). Elle évoque également les réalisations de certains habitants et les œuvres d'artisans locaux, en particulier des horlogers, ferronniers et teinturiers. Toutefois, l'objet le plus intéressant ne se trouve pas dans le musée même, mais à l'extérieur, dans le couloir : il s'agit d'un magnifique poêle du début du XIXe siècle, l'un des plus beaux du pays.

En été, le musée ouvre de 9h à 12h et de 13h à 17h, tous les jours sauf le lundi. Ces horaires sont réduits en hiver.

L'**église de Sainte-Élisabeth**, sur Petőfi tér, comporte un plafond orné de fresques contemporaines, mais seul, son mémorial, situé dans le porche dédié à László Batthyány-Strattman (1870-1931), le très respecté "docteur des pauvres" qui rendit la vue à plusieurs paysans, offre un intérêt réel. Examinez l'horrible globe oculaire injecté de sang qui s'élève au-dessus des patients reconnaissants.

Où se loger

En été, Savaria Tourist peut vous procurer un lit en dortoir dans la *ferme Batthyány* pour moins de 300 Ft par personne. Les *chambres chez l'habitant* coûtent environ 800 Ft pour deux.

Les 20 chambres de l'hôtel *Rába* (Körmend 89), situées dans une intéressante maison néo-classique au 24, Becsényi utca, sont toutes proches des gares ferroviaire et routière, ce qui est bien pratique pour qui souhaite faire une halte avant de poursuivre son périple dans l'Őrség. Les simples/doubles avec petit déjeuner sont à 1 250/1 800 Ft.

La nouvelle pension *Halászcsárda* (Körmend 69) au 20, Bajcsy-Zsilinszky utca, propose 9 chambres doubles au prix de 1 800 Ft. Celles donnant côté cour offrent une vue reposante sur le Rába.

Où se restaurer

Le café-restaurant *Steffl*, entre Rákóczi utca et Szabadság tér, au 2, Vída József utca, ne gagnerait certes aucun concours d'originalité, mais il est pratique et bon marché et reste ouvert jusqu'à 23h. Moins cher encore, le *Tér Büfé*, sur Szabadság tér, vous accueillera pour le déjeuner. Mais si vous mourez d'envie de déguster une soupe de poisson bien épicée, entrez dans le restaurant populaire qui jouxte la pension Halászcsárda.

Distractions

Le petit *centre culturel de Körmend*, au 11, Berzsenyi Dániel utca, vous fournira la liste des manifestations, parmi lesquelles figurent des représentations au théâtre de la Ville, dans la cour du château des Batthyány. C'est également là que se déroule le festival d'Automne, en septembre.

Le *Korona* est une petite discothèque minable sur Rákóczi utca, près de l'entrée principale du château, mais c'est le seul endroit de la ville où l'on danse.

Comment s'y rendre

Une ligne de chemin de fer relie Körmend à Szombathely et à Szentgotthárd, d'où vous pourrez continuer vers Graz, en Autriche, dans l'un des cinq trains quotidiens. Pour atteindre Zalaegerszeg, il vous faudra changer à Zalalövő.

Le service routier à destination ou en provenance de Körmend est assez limité, même si les six départs journaliers vers Zalaegerszeg réduisent considérablement la durée du voyage. Parmi les autres destinations, on trouve : Ják (4 bus par jour), Nagykanizsa (1), Szentgotthárd (4), Veszprém (1) et Zalalövő (1). Les villes de l'Őrség desservies par bus à partir de Körmend comprennent Őriszentpéter (12), Pankasz (8), Szalafő (3) et Velemér (2).

RÉGION DE L'ŐRSÉG

Cette région, qui est la plus à l'ouest du pays et constitue le point de jonction entre la Hongrie, l'Autriche et la Slovénie, fut pendant des siècles la gardienne ("őrség") de la nation. Ses maisons et ses villages, inhabituellement éloignés les uns des autres sur les crêtes et dans les vallées des contreforts de Zala, faisaient autrefois office de frontière nationale. En échange de ce rôle de sentinelles qu'ils assuraient, les habitants de la région, souvent désignés sous le simple nom d'Őrség, bénéficiaient de privilèges accordés par le roi, privilèges qu'ils réussirent à conserver jusqu'à l'arrivée de la famille Batthyány. Dans cette zone vallonnée où l'air est pur, plusieurs villages méritent une petite visite. Őriszentpéter et Szalafő sont les plus accessibles et les plus intéressants. Cette région n'est pas connectée au réseau téléphonique national.

Őriszentpéter (1 200 habitants)
Őriszentpéter, au centre de l'Őrség, est une charmante bourgade avec des maisons de bois aux toits de chaume et de vastes jardins. C'est la meilleure base de départ pour visiter l'Őrség. Sa principale curiosité, une **église romane** du XIIIe siècle au 17, Templomszer, à 2 km au nord du village, représente une promenade facile. Sur le côté sud de l'église, remarquez un merveilleux portail sculpté orné de fragments de fresques du XVe siècle. Les inscriptions sur les murs de la nef sont des versets de la Bible rédigés dans un hongrois archaïque et datant du XVIIe siècle. Le retable du XVIIIe siècle fut peint par un disciple de Franz Anton Maulbertsch. La seule fausse note de cette structure merveilleusement simple est une hideuse sacristie ajoutée à la partie nord en 1981.

Szalafő (300 habitants)
Les plus sportifs auront sans doute envie de prolonger de 4 km leur marche dans Templomszer. Ainsi passeront-ils devant de vieilles fermes à arcades, des puits abandonnés (et un signe indiquant un "carrefour de kangourou" accroché à un poteau téléphonique) avant de parvenir à Szalafő, la plus ancienne implantation de l'Őrség. A l'ouest du village, au 12, Pityerszer, se trouve un mini-skanzen comportant trois **éléments populaires** caractéristiques de l'Őrség. Construites autour d'une cour centrale, les maisons ont de larges avancées qui permettent de bavarder sur le pas de la porte avec ses voisins tout en étant abrités de la pluie (une composante à prendre en compte dans cette région particulièrement arrosée !). L'**église calviniste**, au centre du village, possède des murailles datant du XVIe siècle.

Où se loger et où se restaurer
Les hébergements d'Őriszentpéter se réduisent à l'*Őrségi* (155, Őriszentpéter), une très rudimentaire auberge de jeunesse de 5 chambres pour touristes située sur un terrain de camping, à quelques pas de la gare routière, au 57, Városszer. Les doubles

sont à 800 Ft. La directrice, également représentante de Savaria Tourist, peut aussi vous louer une *chambre chez l'habitant* pour 600 Ft ou encore l'une des *fermes de Berelhető*, à Szalafő, pour 1 500 ou 2 000 Ft. En cas d'absence, vous la trouverez au 16, Kovácsszer.

Le *Bognár*, au 96, Kovácsszer, est le seul véritable restaurant du village et se trouve à 10 minutes de marche en haut de la colline située au sud de la gare routière. Le *Pitvar Presszó*, au 101, Városszer, dans le centre, vend sandwichs et boissons.

Comment s'y rendre
Őriszentpéter et Szalafő peuvent être atteints en bus au départ de Körmend ou de Zalaegerszeg, via Zalalövő. En outre, 6 bus quittent chaque jour le village pour Zalalövő. Pour les bons marcheurs, une série de sentiers de randonnée internes au Parc national relient Őriszentpéter à d'autres villages, dont Szalafő, Velemér et Pankasz. Le départ (où vous pourriez vous procurer la carte) se situe sur Városszer, tout de suite à l'ouest de l'auberge de jeunesse Őrségi.

ZALAEGERSZEG (62 400 habitants)
Zala (diminutif que les habitants ont eu la bonne idée d'attribuer à leur ville) était une ville pétrolière. Les champs de pétrole qui s'étendent au sud ont grandement contribué au développement de ce chef-lieu de comitat depuis les années 30, dotant la ville de quelques détestables modernités telles que la tour de télévision omniprésente ou le trop coûteux complexe sportif. Il faut cependant savoir que la deuxième partie du nom de Zalaegerszeg évoque un monde fort différent : "eger" désigne en effet ces aulnes résistants à l'eau qui couvrent la face ouest des collines de Göcsej où, jusqu'à une époque récente, les paysans peinaient comme leurs ancêtres dans une zone aux précipitations abondantes et au sol particulièrement peu fertile. Les deux musées en plein air de la ville, situés côte à côte, (le premier consacré au pétrole, le second à la vie traditionnelle des villageois) illustrent bien cette dualité de Zala.

En haut : ancien palais épiscopal et château à Sümeg, près du lac Balaton (SF)

En bas à gauche : Atlas portant le monde, ancien palais épiscopal de Sümeg (SF)

En bas à droite : château de Sümeg (SF)

En haut : pont-levis et entrée de la barbacane au château de Siklós (SF)
En bas à gauche : monument mortuaire de bois sur le site de la bataille
de Mohács (SF)
En bas à droite : sculpture municipale controversée de Szekszárd (SF)

Zalaegerszeg

0   200   400 m

Vers Egervár

1 Auberge de jeunesse de Göcsej
2 Musée du Pétrole
3 Skanzen
4 Restaurant Véndiófa
5 Marché
6 Musée de Göcsej
7 Église catholique et chapelle
8 Bella Pizzeria
9 Hôtel Arany Bárány
10 Zalatour
11 Gare routière
12 Poste
13 Synagogue et salle de concerts
14 Ibusz
15 Théâtre Sándor Hevesi
16 Express
17 Centre culturel
18 Restaurant Piccolo
19 Auberge de jeunesse ZAÉV
20 Piscine
21 Gare ferroviaire

Renseignements

Tous les grands bureaux de tourisme sont représentés ici, y compris Zalatour (☎ 92 311 389), au 1, Kovács Károly tér, Express (☎ 92 314 143), au 3, Dísz tér, Ibusz (☎ 92 311 458) au n°4 sur la même place, et Volántourist (☎ 92 312 777), au 16, Rákóczi utca. Ils sont ouverts en semaine de 8h à 16 ou 17h. Zalatour et Ibusz ouvrent également le samedi jusqu'à 12h.

Vous pouvez effectuer les opérations de change dans ces agences ou à la banque OTP sur Széchenyi tér, au centre de la ville. Le bureau de poste est dans Berzenyi Daniel utca au sud de Széchenyi tér.

L'indicatif du téléphone de Zalaegerszeg est le 92.

A voir et à faire

La **synagogue** (1903), peinte en rose violacé, se trouve au 14, Ady Endre utca. Avec son immense orgue en forme de Torah et ses rosaces en vitraux, elle vaut le coup d'œil, malgré la fausse note que vient mettre la sculpture du *Christ en croix* de Péter Szaboles encore installée face à l'entrée principale. La synagogue sert aujourd'hui de salle de concert et de galerie d'art. Sur Szabadság tér, vous découvrirez une intéressante **église catholique** baroque édifiée près des ruines d'une chapelle du XVe siècle et ornée de très jolies fresques du peintre autrichien Johannes Cymbal.

Mais c'est surtout pour ses musées que Zalaegerszeg est célèbre. Le **musée Göcsej**, au 2, Batthyány Lajos utca, au nord de Szabadság tér, se compose de trois sections. La première examine l'itinéraire du peintre-sculpteur Zsigmond Kisfaludi Strobl, qui passa des portraits et bustes de Somerset Maugham, du duc de Kent et d'autres personnalités de l'entre-deux guerres à des thèmes socialistes après la Seconde Guerre mondiale. Il est également l'auteur de la surprenante statue intitulée *Indépendance*, sur la colline de Gellért, à Budapest (statue qu'il avait réalisée pour le fils de l'amiral Miklós Horthy pendant la

guerre). Après la fin du conflit, alors que sévissait une certaine pénurie de statues, Kisfaludi Strobl accepta que cette œuvre fît office de mémorial pour les Soviétiques.

La section suivante concerne l'histoire locale et l'artisanat, fort bien présentés. Les découvertes romaines provenant de Zalalövő sont particulièrement intéressantes, mais vous ne profiterez pas des explications si vous ne lisez pas le hongrois. Enfin, la dernière série de salles comporte des expositions sur l'industrie pétrolière qui, de toute évidence, ne surviraient pas longtemps à la pluie dans le musée-village.

Le **musée-village de Göcsej**, délimité par un plan d'eau provenant de la Zala, derrière Ola utca, est le plus vieux skanzen de Hongrie, et malheureusement, cela se voit. Des trente-six bâtiments, un bon tiers sont ou fermés, ou complètement délabrés. Cependant, le musée offre une vue réaliste de ce qu'était le village traditionnel de Göcsej au début du siècle, avec ses fermes en forme de U construites autour de cours centrales (*kerített házak*), ses distilleries et ses fumeries.

Ne manquez pas les cinq façades sculptées et peintes : elles datent de la fin du XIXe siècle et ont été qualifiées de "création la plus monumentale de l'artisanat hongrois". Le musée est ouvert d'avril à octobre, de 10h à 18h. Le **musée de l'Industrie pétrolière**, ouvert toute l'année, se trouve à quelques pas.

La piscine couverte et le sauna, sur Mártírok útja, sont ouverts tous les jours sauf lundi jusqu'à 18h30. Enfin, le marché très animé de Zalaegerszeg, où l'on trouve produits locaux et vêtements, se tient sur Piac tér, à l'ouest de Szabadság tér.

Où se loger

L'auberge de jeunesse *ZAÉV* (☎ 311 561), au 32, Vizlaparki út, près du parc de la Jeunesse, représente le meilleur choix possible – le tout est d'y arriver avant les ouvriers itinérants venant des collines de Göcsej. On y paie 600 Ft pour une double très correcte, avec douche sur le palier. Et allez voir si la statue d'Ho Chi Minh est toujours fidèle au poste, à quelques minutes de marche au nord, en suivant Platán sor.

L'auberge de jeunesse *Göcsej* (☎ 311 580), au 2, Kaszaházi utca, est la propriété de Zalatour. Elle n'est pas idéalement située et ses 9 chambres offrent un médiocre rapport qualité/prix, à 1 000 Ft la double. Préférez donc les *chambres chez l'habitant* que vous fournira le même Zalatour au prix de 600 à 700 Ft la double. Il existe aussi des appartements à louer pour 2 000 ou 2 500 Ft la nuit.

Zalatour peut également vous loger dans de vieilles fermes (de 3 à 5 personnes) des collines de Göcsej pour environ 3 200 Ft, mais pour cela, vous devez disposer d'un moyen de locomotion. Par ailleurs, Zalatour gère une *auberge de jeunesse* (☎ 364 015) située dans le très romantique château Várkastély, sur Vár utca, à Egervár, à 10 km au nord de Zalaegerszeg. Il existe un service de bus réguliers (voir ci-dessous : *Comment s'y rendre*). Pour 300 Ft, vous disposerez d'un lit dans l'un de ses 6 dortoirs. Vous pouvez également obtenir une double avec douche pour 1 500 Ft.

L'*Arany Bárány* (☎ 314 100), un hôtel de 54 chambres au 1, Széchenyi tér, dispose d'une nouvelle et d'une ancienne aile (1898). Les simples/doubles y sont à 2 640/3 380 Ft.

Où se restaurer

Le meilleur restaurant de Zalaegerszeg est le très accueillant *Piccolo*, au 16, Petőfi Sándor utca. Le pub *Belvárosi*, au 1, Kossuth Lajos utca (où l'on sert en-cas et boissons) reste ouvert jusqu'à 1h du matin.

La *Bella Pizzeria*, dans Rákóczi út, près de Kazincsy tér, vous changera agréablement des gulyás et reste ouverte jusqu'à 24h.

Si vous cherchez à déjeuner près du musée-village et du musée du Pétrole, n'hésitez pas à entrer au *Véndiófa* ("Vieux noisetier"), au 47, Rákóczi utca : s'il fait beau, on vous installera dans le jardin et vous dégusterez des grillades.

Distractions

Le *Sándor Hevesi Theatre* (☎ 311 490), au 3, Kosztolányi Dezső tér, est réputé pour ses créations théâtrales et comédies musicales (malheureusement, pour les touristes les représentations se font en hongrois). C'est aussi dans ce théâtre, ou dans la salle de concerts de l'ancienne synagogue, que vous pourrez écouter l'*Orchestre symphonique de la ville*. Demandez le programme au Centre culturel (☎ 314 580), au 7-11, Kisfaludy utca.

Les discothèques les plus fréquentées de la ville sont *Extazis*, sur Alsó Erdei út, et *Las Vegas*, sur Kossuth Lajos utca. Les fans de billard ne verront pas le temps passer au *Non-Stop Billiárd Bár*, au 2, Kazinczy tér.

Comment s'y rendre

Au XIXe siècle, les constructeurs de la voie ferrée choisirent de contourner Zalaegerszeg. Rares sont donc les centres d'intérêt reliés aujourd'hui avec cette ville. Seuls, 5 trains par jour partent pour Szombathely, mais il vous faudra généralement changer à Zalaszentiván. Si vous voulez rejoindre Budapest-Déli sans changement, vous n'aurez le choix qu'entre trois trains quotidiens.

Les nouvelles sont meilleures sur le front des bus : plus de 12 départs par jour pour Egervár, Keszthely, Lenti, Nagykanizsa et Szombathely. Parmi les autres destinations, se trouvent Balatonfüred (3 bus par jour), Budapest (3), Győr (5), Kaposvár (2), Körmend (6), Pécs (2), Sárvár (2), Sopron (3), Székesfehérvár (2), Tapolca (5) et Veszprém (3).

Comment circuler

Le terminus des bus est à quelques minutes de marche à l'est de Széchenyi tér, en face du vieil hôtel Balaton. La gare ferroviaire se trouve au sud, sur Bajcsy-Zsilinszky tér. Toutefois, les bus nos1/a et 1/y circulent de la gare à Széchenyi tér, puis remontent Rákóczi utca et Ola utca vers le musée-village et le musée du Pétrole. Pour l'auberge de jeunesse Göcsej, prenez le n°3 ou 3/y.

Le Lac Balaton

La Hongrie n'a ni montagnes majestueuses, ni plages au bord de l'océan, mais elle possède, hormis la Scandinavie, le plus grand lac d'Europe, le lac Balaton. De forme oblongue, sa largeur ne dépasse pas 14 km et sa longueur est de 77 km, il couvre une superficie totale de près de 600 km².

Le lac Balaton a été qualifié de "mer intérieure", ou encore de "zone de loisirs". Entouré de collines au nord et de doux vallons au sud, il paraît changer de couleur selon la saison ou le temps qu'il fait. Depuis des siècles, poètes, peintres et auteurs de chansons s'en sont inspirés. Quant aux terres qui l'entourent, elles produisent l'un des meilleurs vins de Hongrie.

Toutefois, le lac Balaton, que l'on nomme plus brièvement "le Balaton", n'est pas du goût de tout le monde. Ses stations balnéaires sont surpeuplées en été – moins qu'avant 1989 cependant, lorsque le lac était l'un des seuls lieux de rencontre entre Allemands de l'Est et Allemands de l'Ouest. Le Balaton est peu profond (2 mètres en moyenne) ; côté sud, il faut parfois marcher sur un kilomètre d'avoir de l'eau jusqu'à la poitrine. Son eau est plutôt limoneuse et alcaline – presque huileuse – et en été, elle n'est guère rafraîchissante puisque sa température ne descend jamais au-dessous de 22-25°C. Aussi y trouve-t-on des lits de roseaux, surtout sur les rives ouest et nord-ouest, qui l'apparentent plutôt à des marécages. Et, effectivement, le nom du lac pourrait bien dériver de la racine slave *blatna*, qui signifie précisément "marécage".

Situé en Transdanubie Centrale, à 100 km de Budapest environ, il est alimenté par une quarantaine de canaux et rivières, mais sa source principale reste la Zala, au sud-ouest. En revanche, un seul cours d'eau part du Balaton : le canal Sió, qui relie le lac à Siófok avec le Danube à l'est de Szekszárd.

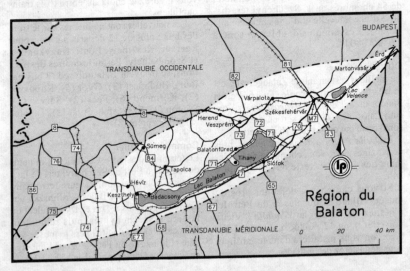

Région du Balaton

Histoire

La région est habitée depuis la Préhistoire. Et l'on sait que les Romains, qui baptisèrent le lac "Pelso", construisirent un fort à Valcum (aujourd'hui Fenékpuszta), au sud de Keszthely. Pendant toute la durée des Grandes Migrations, le Balaton resta une source fiable d'alimentation en eau, en poissons, en roseaux (pour la fabrication du chaume) et en glace durant l'hiver. Les premiers Magyars virent en lui une ligne de défense naturelle, si bien que de nombreux monastères, églises et villages furent bâtis dans ses alentours immédiats. Au XVIe siècle, le lac servait de ligne de démarcation entre les Turcs, qui en occupaient la rive sud, et les Habsbourg, au nord-ouest. Les Ottomans réussirent toutefois à le traverser avant d'être expulsés, rasant villages et châteaux des collines de la rive nord. Croates, Allemands et Slovaques se réinstallèrent dans la région au XVIIIe siècle. La vague de constructions qui suivit leur arrivée imprima à des villes comme Sümeg, Veszprém ou Keszthely cette apparence baroque qui les caractérise.

Très tôt, Balatonfüred et Hévíz se transformèrent en stations balnéaires pour les plus riches, mais il fallut attendre la fin du XIXe siècle pour que les propriétaires terriens, ayant vu leurs vignobles détruits par le phylloxéra, commencent à bâtir des villas d'été pour les louer aux membres de la toute nouvelle classe moyenne.

L'arrivée de la ligne de chemin de fer du sud, en 1861, et de celle du nord, en 1909, accrut considérablement l'activité touristique. Ainsi, dans les années 20, les stations balnéaires des deux rives du lac accueillaient environ 50 000 estivants chaque été. A la veille de la Seconde Guerre mondiale, ce nombre était multiplié par quatre.

Après la guerre, le gouvernement communiste confisqua les villas et construisit des centres de vacances pour travailleurs. Ces dernières années, la plupart de ces centres ont été transformés en hôtels, ce qui a encore augmenté les capacités d'accueil de la région.

Orientation

Les deux rives du lac Balaton sont aussi différentes l'une de l'autre que le jour et la nuit. La rive sud n'est qu'une longue station balnéaire : de Siófok à Fonyód, on ne voit qu'hôtels de vingt étages, digues de béton construites pour se protéger des inondations et plages minuscules où s'entassent des corps huilés. L'eau y est la moins profonde et les enfants peuvent s'y baigner en toute sécurité. Les plages qui ne sont pas couvertes de roseaux comme sur la rive nord sont littéralement noires de monde en été.

Les choses s'arrangent dès que l'on a dépassé Keszthely, une jolie bourgade qui occupe le point le plus à l'ouest du lac, sur la rive nord. De ce côté, les villes et sites historiques sont plus nombreux, le vin meilleur, et les sentiers de randonnée en montagne ne manquent pas. Les stations estivales de Badacsony, Tyhany et Balatonfüred ont plus de grâce et de cachet et sont moins "commerciales". Il existe un camp de nudistes à Balatonakarattya, à l'extrémité nord-est du lac.

Activités culturelles et/ou sportives

Ce sont surtout la pêche et les promenades en bateau qui, outre la baignade, intéressent les visiteurs de la région. Les embarcations à moteur sont interdites sur le lac (c'est au moyen d'un câble de remorquage que se pratique le ski nautique, à Balatonfüred seulement), de telle sorte qu'on ne voit sur le lac que voiliers et planches à voile.

L'endroit est idéal pour la pêche : les *fogas* (petites perches) sont les prises les plus convoitées, et les *harcsa* (poissons-chats) et *ponty* (carpes) y sont abondants. Les anguilles, qui se sont développées dans des proportions phénoménales au cours d'une invasion de vers filaires, menacent désormais d'envahir le lac : ces dernières saisons, on les a retirées par centaines de tonnes. Pour obtenir un permis de pêche, adressez-vous à Siotour, à Siófok (voir le paragraphe *Renseignements* ci-dessous), ou à la Fédération nationale de pêche à la

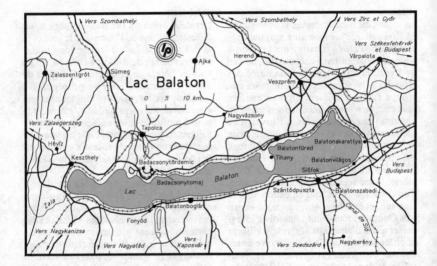

ligne, la MOHOSZ, au 20, V Október 6 utca, à Budapest.

Le lac Balaton fait aujourd'hui de moins bonnes affaires que jadis, surtout sur la rive sud. Depuis la disparition du mur de Berlin, les Allemands ne le voient plus comme un point de rencontre et Autrichiens et Hongrois ont découvert qu'une semaine aux Canaries ou en Grèce ne leur revient guère plus cher que huit jours au bord du lac. Cependant, on y accueille toujours beaucoup de monde : le lac Balaton reste l'un des rares endroits où les Hongrois se défoulent réellement.

Si vous parvenez à vous mettre dans l'ambiance, le lac est un endroit idéal pour faire des rencontres. N'oubliez pas cependant que pendant la morte saison, soit de mi-octobre à mi-avril, presque tous les hôtels, restaurants, musées et structures de loisirs sont fermés.

SIÓFOK (24 000 habitants)

Siófok, à 106 km au sud-ouest de Budapest, représente la station balnéaire type de la côte sud : bruyante, ordinaire et surpeuplée. Ici, on ne pense qu'à manger, boire, bronzer et se baigner. C'est la plus grande des stations qui bordent le lac et elle est toujours bondée en été.

Pourtant, il n'en a pas toujours été ainsi. Au XIXe siècle, la ville était au moins aussi élégante que Balatonfüred. Les ravissantes villas de Batthyány Lajos utca, près du parc Jókai, évoquent d'ailleurs le souvenir de cette époque. Mais dès que le chemin de fer atteignit Siófok, la classe moyenne naissante commença à faire de la ville sa destination de vacances. Aujourd'hui, la majorité des villas abritent bureaux ou hôtels et la promenade, avec ses faux réverbères à gaz, a été pavée. Le tourisme à grande échelle constitue désormais toute l'activité de Siófok.

Ainsi, si vous rêvez de rencontrer Hongrois, Allemands et Autrichiens en petite tenue et de faire la fête avec eux, Siófok est faite pour vous. C'est ici, en effet, que la vie nocturne est la plus animée et la plus "libérée" du lac.

En été, une foule d'adolescents enflammés viennent s'agiter en rythme jusqu'au petit matin dans les nombreuses discothèques de la ville.

Orientation

Le grand Siófok s'étend sur 15 km, soit presque jusqu'à la station de Balatonvilágos, à l'est (autrefois exclusivement réservée à la nomenklatura communiste), et Balatonszéplak à l'ouest. La ligne de démarcation entre ce qu'on appelle la Côte d'Or (Aranypart) et la Côte d'Argent (Ezüstpart) est le canal de Sió, qui coule au sud-est vers le Danube. Les pêcheurs l'utilisent pour transférer leurs embarcations de Budapest jusqu'au lac. La Côte d'Or est la partie la plus ancienne et la plus chic de Siófok, le quartier des grands hôtels. La Côte d'Argent dispose de plusieurs plages, mais est moins développée dans l'ensemble.

Szabadság tér, le centre de Siófok, se trouve à l'est du canal, à quelques centaines de mètres au sud-est de l'embarcadère des ferries.

Les gares routière et ferroviaire sont sur Váradi Adolf tér, à quelques pas de Fő utca, l'artère principale.

Renseignements

Les principales agences de tourisme disposent de plusieurs bureaux à Siófok, mais les principaux sont : Siotour (☎ 84 310 900), au 6, Szabadság tér, Ibusz (☎ 84 311 066), au 174, Fő tér, et Cooptourist (☎ 84 311 462), au 10, Indóház tér. Tous sont généralement ouverts de 8h à 16h en semaine, mais en été, ils ferment à 21h et ouvrent aussi le samedi. Tourinform (☎ 84 310 117), votre meilleure source d'informations, se trouve au 41, Fő utca. En été, un petit bureau Tourinform fonctionne également dans le château d'eau, sur Szabadság tér.

La banque OTP est située au 183, Fő utca, près de la poste, qui est au 176. Toutefois, vous trouverez des bureaux de change partout dans la ville.

L'indicatif téléphonique de la région de Siófok est le 84.

A voir

Il n'y a pas grand-chose à voir dans une ville où l'hédonisme est roi, mais si vous ne pouvez vous passer de sorties culturelles ou si vous vous demandez à quoi pouvait bien ressembler Siófok autrefois, visitez le **musée József Beszédes**, au 2, Sió utca, au bord du canal. Beszédes (1757-1852) était l'ingénieur qui réalisa le drainage des marécages avoisinants et régula le canal de Sió, construit en partie par les Romains en 292, mais surtout exploité par les Turcs aux XVIe et XVIIe siècles. Le musée décrit le système d'hydro-ingénierie employé sur le lac et sur le canal et présente une intéressante collection de photographies anciennes. Il est ouvert de mi-avril à mi-octobre, de 9h à 17h.

Les **portes d'écluses** du canal peuvent être examinées de Krúdy sétány, près de l'embarcadère des ferries. Non loin de là, se trouve le quartier général de la "marine" militaire hongroise. Assez étrangement en effet, Siófok fut le siège de l'état-major dirigé par Miklós Horthy – lui-même officier de marine – lors de la suppression de la République des Conseils en 1919. L'excellent **marché couvert** se trouve en face, de l'autre côté du canal.

Le **château d'eau en bois**, sur Szabadság tér, date de 1912. En empruntant l'étroite Hock köz vers le nord, vous atteindrez le **musée Imre Kálmán**, au 5, Kálmán Imre sétány. Celui-ci est dédié à la vie et à l'œuvre de ce compositeur d'opérettes né à Siófok en 1882. Plus à l'est dans Fő utca, l'architecte non conformiste de Hongrie, Imre Makovecz, donne la mesure de son originalité avec son **église luthérienne évangélique** "masquée" et ailée, dans le parc Oulu. Très singulier !

La tour verte, à la pointe occidentale du canal, face à l'embarcadère des ferries, abrite le **Centre de recherches météorologiques** du lac. Car en dépit des apparences, le Balaton peut se montrer très méchant lorsque le vent se lève, si bien que des signaux d'alarme sont prévus.

Juste en face du Centre, près de l'entrée du canal et au nord de Petőfi sétány, se trouve **Nagy Strand**, la principale plage publique de la ville. On en rencontre beaucoup d'autres le long des côtes d'Or et d'Argent.

Siófok

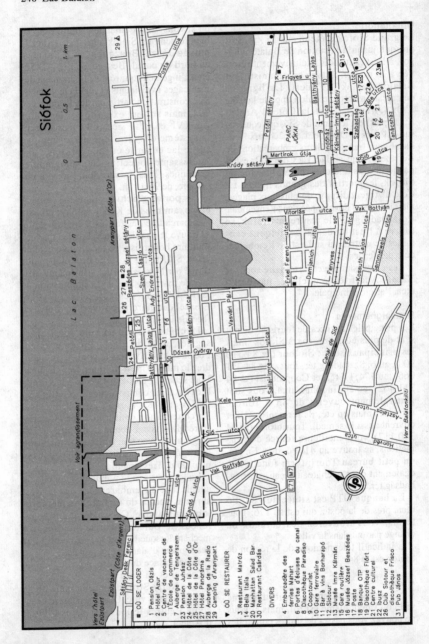

OÙ SE LOGER

1 Pension Oázis
3 Hôtel Azur
5 Centre de vacances de l'École de commerce
7 Auberge de Tengerszem
23 Pension Juhász
24 Hôtel de la Côte d'Or
25 Hôtel de la Côte d'Or
27 Hôtel Panoráma
28 Auberge de la Radio
29 Camping d'Aranypart

OÙ SE RESTAURER

3 Restaurant Matróz
14 Bella Italia
20 Manhattan Salad Bar
30 Restaurant Csárdás

DIVERS

4 Embarcadère des ferries Mahart
6 Portes d'écluses du canal
8 Discothèque Paradiso
9 Cooptourist
10 Gare ferroviaire
11 Bar à vins Borharapó
12 Siótour
13 Musée Imre Kálmán
15 Gare routière
16 Musée József Beszédes
17 Poste
18 Banque OTP
19 Discothèque Flört
21 Centre culturel
22 Ibusz
26 Club Siótour et discothèque Frisco
31 Pub János

Activités culturelles et/ou sportives

Le club Siotour (☎ 311 645), au 83, Beszédes József sétány, dispose d'un sauna, d'un solarium, d'une salle de billard, d'un bowling, de courts de tennis en terre battue et d'autres installations sportives. Des baptêmes de l'air-découverte sont organisés par Kiliti Air Service (☎ 311 407) à Balatonkiliti, à 5 km au sud de Siófok. Pour vous y rendre, prenez le bus à l'arrêt situé devant le bureau central de Siotour, sur Szabadság tér.

Où se loger

Siófok est l'un des rares endroits du lac où vous risquez d'avoir du mal à obtenir un toit. Car même si elle n'attire plus autant de monde qu'auparavant, la ville reste très peuplée en été (surtout en août), et en hiver, tout y est fermé.

Campings. Riche d'une vingtaine de terrains de camping sur la côte sud du lac Balaton, Siófok en possède deux avec bungalows, ouverts de mai à septembre. L'*Aranypart* (☎ 311 801) dispose de sa plage privée aux 183/185, Szent László utca, à 4 km à l'est de la ville. Si vous arrivez en train de Budapest, descendez à Balatonszabadi, un arrêt avant Siófok. L'*Ifjúság* se trouve sur Pusztatorony tér, à Siófok-Sóstó (☎ 311 471), à 7 km à l'est de Siófok, entre le minuscule lac de Sel et le Balaton. Pour vous y rendre, descendez à la gare de Balatonszabadi-Sóstó. Le prix des bungalows pour quatre varie beaucoup, allant de 730 Ft à l'Ifjúság et 1 200 Ft à l'Aranypart en mai à 4 600 et 6 100 Ft en août. Mieux vaut aller demander les prix à Siotour avant de vous y rendre.

Auberges de jeunesse. De juin à septembre, une auberge de jeunesse est ouverte au centre de vacances de l'école de commerce (☎ 310 131), au 46, Erkel Ferenc utca.

Chambres chez l'habitant. Les agences peuvent vous dénicher une chambre chez l'habitant (de 500 à 600 Ft par personne), mais les simples sont rares et les hôtes de passage pour une nuit généralement mal reçus. Si vous voulez tenter votre chance tout seul, repérez les pancartes "Zimmer frei" dans Petőfi sétány et Beszédes Jószef sétány, côté Côte d'Or.

Pensions. La *Villa Fontana* (☎ 312 588), au 14, Széchenyi utca, au sud de la gare routière, vous demandera 2 000 à 2 500 Ft pour une double avec s. d. b. L'*Oázis* (☎ 313 650), au 5, Szigliget utca, face à la première plage publique de la Côte d'Argent, propose des doubles avec s. d. b. pour 2 600 Ft. L'Oázis est un endroit relativement calme, avantage remarquable à Siófok. Enfin, vérifiez si l'adorable *Tengerszem* (☎ 310 146), une vieille pension située au 4, Karinthy Frigyes utca, existe encore.

Hôtels. Quatre hôtels de la chaîne Pannonia se succèdent sur Petőfi sétány, face à une étroite plage au tout début de la Côte d'Or : le *Balaton*, le *Lidó*, l'*Hungária* et l'*Europa*. Tous sont classés quatre étoiles et le font savoir : de 3 600/4 600 Ft à 5 500/6 700 Ft pour une simple/double en demi-pension.

Vous ferez une meilleure affaire en prenant une chambre dans l'ancien centre de vacances syndical, un peu plus loin dans Beszédes József sétány : le *Radio-Inn* (☎ 311 634), 55 chambres au n°77, demande 1 788/3 260 Ft pour une double avec s. d. b., selon la saison. Le *Panoráma* (☎ 311 637), avec ses 156 chambres au n°80, est moins cher : 2 325 Ft pour une double toute l'année.

Bien qu'il ne se trouve pas dans la plus jolie partie de Siófok, l'hôtel *Azur* (☎ 312 033), au 11, Vitorlás utca, à l'ouest de l'embouchure du canal, est accueillant et pratique des prix assez raisonnables. Il dispose de près de 400 chambres réparties dans quatre bâtiments. Les simples/doubles avec s. d. b. coûtent de 1 200/1 575 Ft à 2 260/3 015 Ft, selon la saison. Le bâtiment principal (au n°4) est le plus beau. Un peu plus loin, au 3, Liszt Ferenc sétány, se trouve l'*Ezüstpart* (☎ 313 622), 340 chambres, où les doubles coûtent 1 600 Ft.

Où se restaurer

Pour un repas rapide et facile, allez dans l'un des *snacks* de Petőfi sétány (le Chan Chan, un restaurant thaï très populaire à Budapest, en fait partie). Vous trouverez également un *büfé* très bon marché en face de la gare routière, au 198, Fő utca.

Le *Matróz*, bar-restaurant de Krúdy sétány, est pratique lorsqu'on doit prendre le ferry. Le *Csárdás*, au 105, Fő utca, près de Kinizsi Pál utca, est un établissement tout à fait correct dans une vieille maison de la ville, ouvert jusqu'à 23h. Le *Bella Italia*, au 1, Szabadság tér, et le Pietro Pizza, en bas, au 188, Fő utca, servent tous deux des pâtes et autres spécialités italiennes. Le *Manhattan*, au 4, Szűcs Menyhért utca, propose des salades et reste ouvert toute la nuit en été.

Ne vous risquez pas dans un restaurant au hasard, mais sachez que le "Coq violet" distingue les meilleurs établissements du pays. Et si vous vous dirigez vers le sud, sur la route n°65 (prolongement de Vak Bottyán utca), essayez le *Lila Kakas*, à 2 km de Siófok les autochtones ne jurent que par lui !

Une épicerie reste ouverte toute la nuit au 85, Fő utca, près de la gare routière.

Distractions

Beaucoup de concerts, pièces de théâtre et spectacles de danse programmés dans le cadre du festival d'Automne du Balaton, en septembre, se déroulent au *centre culturel de Balaton Sud* (☎ 311 855), au 2, Fő tér. Le *Borharapó* est un bar à vins installé dans une maison du XVIIIᵉ siècle, au 43, Fő utca. Le vin local qu'on y sert vient de Balatonboglár. Généralement léger, il n'a guère de personnalité. Si vous préférez la bière, tentez le pub *János*, dans une ancienne maison d'été au 93, Fő utca.

La *Frisco Disco*, au club Siotour, reste ouverte jusqu'à 3h en été, mais il se passe plus de choses au *Paradiso*, au 5, Petőfi sétány. Le *Flört* est plus proche de la ville au 4, Sió utca. Mais si vous tenez à vous déchaîner, choisissez le *Trabant Rock Club*, près de l'hôtel Touring à Balatonszéplak, à 8 km de Siófok. Méfiez-vous cependant : la musique est plutôt "métal" que "rock".

Comment s'y rendre

Bus. De nombreuses destinations sont desservies par bus à partir de Siófok, mais comparées au trafic ferroviaire intense, les liaisons routières sont rares. Les quelques exceptions sont Fonyód et Keszthely (8 bus par jour), Kaposvár (12), Nagyberény (15), Szekszárd (7) et Veszprém (8). Parmi les autres destinations desservies par bus, figurent Budapest (6 départs par jour), Gyula (1), Győr (2), Harkány (1), Hévíz (2), Kecskemét (1), Pécs (3), Szeged (2), Tapolca (1), Tatabánya (1) et Zalaegerszeg (1). Enfin, un bus part pour Bratislava (Pozsony) les mercredis et samedis à 7h55.

Train. Par la principale ligne de chemin de fer traversant Siófok, passent des trains pour Székesfehérvár et Budapest-Déli, ainsi que pour les autres stations balnéaires de la côte sud et Nagykanizsa, avec jusqu'à 20 départs par jour dans chaque direction. Trois trains effectuant la liaison Budapest-Zagreb font également escale à Siófok. Enfin, des trains locaux font le trajet entre Siófok et Kaposvár cinq fois par jour.

En juillet et août, MÁV instaure parfois un petit train à vapeur entre Siófok (départ à 18h15) et Budapest-Déli. Le train repart pour Siófok le lendemain matin à 8h20. Mieux vaut toutefois vous assurer que ce service existe toujours.

Bateaux. De mi-avril à octobre, 7 ferries quotidiens relient Siófok à Balatonfüred et Tihany. Quatre d'entre eux traversent ensuite le lac jusqu'à Balatonföldvár. Entre juin et mi-septembre, le nombre de ces liaisons passe à une douzaine, dont un bateau qui poursuit sa route jusqu'à Badacsony (départ à 7h20).

Comment circuler

Le bus n°1 dessert la Côte d'Argent, le n°2 la Côte d'Or. Les n°s4 et 14 se rendent à Balatonkiliti et le n°5 va à Balatonszéplak.

Vous pouvez louer une voiture chez Inka, à l'hôtel Hungária (☎ 310 677), au 13, Petőfi sétány. Une Lada avec kilométrage illimité coûte environ 4 500 Ft pour le week-end. Pour appeler un taxi, composez le 312 240.

ENVIRONS DE SIÓFOK

Si vous en avez assez de la plage et de la foule, faites un saut au centre de loisirs de **Szántódpuszta**, à 13 km à l'ouest de Siófok. Il s'agit d'un vaste complexe d'équitation et d'un musée situés dans des bâtiments de fermes des XVIIIe et XIXe siècles. Les étables, granges, ateliers et habitations, ainsi que la **chapelle Saint-Christophe** (1735), sont parfaitement conservés. On peut y pratiquer l'équitation pour 1 200 Ft, faire un tour en calèche pour 390 Ft ou prendre une collation dans l'une des *csárdas*. Les horaires d'ouverture changent avec les saisons, mais de mi-avril à septembre, on peut venir à Szántódpuszta au moins jusqu'à 17h tous les jours sauf lundi. Pour y parvenir, vous avez le choix entre les bus pour Balatonföldvár ou pour Fonyód, qui vous y déposeront. En train, descendez à la gare de Szantód-Köröshegy, à 2 km à l'ouest du complexe.

La ville de **Köröshegy**, à 4 km au sud de la station, possède une église franciscaine du XVe siècle ornée d'un vitrail gothique et riche d'une magnifique orgue restaurée. On y donne des concerts en été.

Si vous empruntez la route principale allant de Siófok à Szántódpuszta, arrêtez-vous à la *Kocsi Csárda*, près de la gare de Felső Zamardi, à 6 km à l'est de Szántódpuszta. L'auberge est certes touristique, mais très agréable avec ses poutres apparentes, sa musique tzigane et ses étables. Le menu propose des spécialités hongroises que l'on a rarement l'occasion de goûter dans les autres restaurants. L'établissement propose aussi des promenades en calèche ou à cheval.

KESZTHELY (23 000 habitants)

A l'extrémité occidentale du lac Balaton, à environ 70 km de Balatonfüred, Keszthely est la seule ville de la côte à ne pas dépendre entièrement du tourisme. Aussi n'y ressent-on pas cette atmosphère froide et mélancolique de Siófok ou de Badacsony en basse saison.

C'est à Valcum (aujourd'hui Fenékpuszta), à 8 km au sud, que les Romains construisirent d'abord une ville fortifiée. La route qu'ils établirent vers le nord, pour rejoindre les colonies de Sopron et Szombathely, est la Kossuth Lajos utca d'aujourd'hui, qui conduit tout droit à Keszthely. L'église et le monastère fortifié de la ville, sur Fő tér, furent assez solides pour repousser l'attaque des Turcs au XVIe siècle.

Au milieu du XVIIIe siècle, Keszthely et sa région (dont Hévíz) tombèrent aux mains des Festetics, une famille libérale et réformatrice dans la lignée de celle des Széchenyi. Le comte György Festetics (1755-1819), fondateur de la première école d'agronomie d'Europe – le Georgikon – était par ailleurs l'oncle d'István Széchenyi.

Aujourd'hui, Keszthely est une agréable bourgade aux vastes maisons et aux grands arbres, où les sympathiques cafés et les nombreux centres d'intérêt touristique vous inciteront à séjourner quelques temps. La ville offre une vue merveilleuse sur les deux rives du lac Balaton, et grâce à une importante population estudiantine, jouit d'une sympathique animation nocturne.

Orientation

Le centre de la ville est Fő tér, d'où part Kossuth Lajos utca, bordée de pittoresques maisons anciennes, vers le nord (rue piétonnière) et vers le sud. Les gares ferroviaire et routière se trouvent côte à côte près du lac, à l'extrémité de Mártírok útja. Suivez cette rue à l'ouest jusqu'au musée du Balaton, puis tournez vers le nord dans Kossuth Lajos utca jusqu'à Fő tér. L'embarcadère des ferries est situé non loin du vieil hôtel Hullám. De là, suivez le

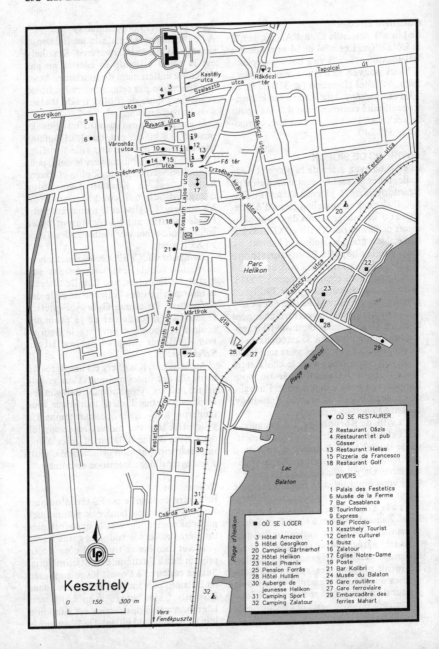

Keszthely

0   150   300 m

Vers
Fenékpuszta

Parc
Helikon

Lac
Balaton

Plage de Városi

Plage d'Helikon

▼ OÙ SE RESTAURER

2 Restaurant Oázis
4 Restaurant et pub
   Gösser
13 Restaurant Hellas
15 Pizzeria da Francesco
18 Restaurant Golf

DIVERS

1 Palais des Festetics
6 Musée de la Ferme
7 Bar Casablanca
8 Tourinform
9 Express
10 Bar Piccolo
11 Keszthely Tourist
12 Centre culturel
14 Ibusz
16 Zalatour
17 Église Notre-Dame
19 Poste
21 Bar Kolibri
24 Musée du Balaton
26 Gare routière
27 Gare ferroviaire
29 Embarcadère des
   ferries Mahart

■ OÙ SE LOGER

3 Hôtel Amazon
5 Hôtel Georgikon
20 Camping Gärtnerhof
22 Hôtel Helikon
23 Hôtel Phœnix
25 Pension Forrás
28 Hôtel Hullám
30 Auberge de
   jeunesse Helikon
31 Camping Sport
32 Camping Zalatour

chemin qui passe devant ce dernier : Esrzsébet királyné utca, qui borde le parc Helikon, mène au centre ville.

Renseignements

Vous trouverez trois agences sur Kossuth Lajos utca : Express (☎ 83 312 032), au n°22, Keszthely Tourist (☎ 83 314 288), au n°25, et Tourinform (☎ 83 314 286), au n°28. Le siège d'Ibusz est situé pour sa part aux 1-3, Széchenyi utca et Zalatour (☎ 83 314 301) au 1, Fő tér. La plupart de ces bureaux sont ouverts en semaine jusqu'à 16h, sauf Tourinform, qui se distingue en ouvrant de 9h à 12h et de 15h à 18h.

La poste centrale est au 48, Kossuth Lajos utca. L'indicatif téléphonique de Keszthely est le 83.

Il y a une banque OTP au n°40. Enfin, une librairie Frida & Frida, l'une des meilleures chaînes de Hongrie, se trouve au 8, Kossuth Lajos utca.

A voir

Le **château des Festetics**, situé au cœur d'un vaste jardin anglais, à l'extrémité de Kastély utca, compte 100 pièces réparties dans deux ailes tentaculaires. L'aile nord, qui date du XIXe siècle regroupe une école de musique, la bibliothèque municipale et un centre de congrès. Le musée et la plus grande richesse du palais, la **bibliothèque Hélikon**, se trouvent dans la partie baroque, au sud.

Pour les touristes étrangers, le ticket d'entrée coûte 250 Ft : certainement le tarif le plus élevé de Hongrie ! Tentez votre meilleur accent hongrois pour demander votre billet et il ne vous coûtera alors que 100 Ft !

Les pièces du musée, qui ont chacune une couleur différente, sont remplies de portraits, de bric-à-brac et de meubles apportés en majorité d'Angleterre par Mary Hamilton, une duchesse qui épousa un Festetics dans les années 1860. La bibliothèque Hélikon est réputée pour ses 90 000 volumes, allant de manuscrits moyenâgeux à des ouvrages plus banals, tels les *Leçons de conduite*, ou les *Contes hongrois pour enfants*. Aussi impressionnants que la quantité de livres, les meubles et étagères de chêne doré sur lesquelles ces derniers sont entreposés, fabriqués par l'artisan local János Kerbl, en 1801, ne vous laisseront pas indifférent. La salle de lecture, à côté, possède une porte ornée de faux livres qui "disparaît" lorsqu'on la ferme. Remarquez également le salon Louis XIV, avec son étonnante marqueterie, le salon de musique rococo et la chapelle privée. Parmi les autres expositions du musée, vous pourrez admirer des armes vieilles de 10 siècles et une collection de macabres trophées de chasse africains et asiatiques offerts au château par Ferenc-József Windisch-Grätz, un Hongrois expatrié qui vécut 30 ans à Nairobi après la Seconde Guerre mondiale.

Le **musée de la Ferme**, au 67, Bercsényi Miklós utca, est situé dans plusieurs bâtiments du début XIXe siècle qui constituaient la ferme expérimentale de Georgikon. Il retrace l'histoire de l'école, puis de l'université d'agronomie de Pannon, qui lui est postérieure et qui se trouve aujourd'hui un peu plus à l'ouest, à l'angle de Széchenyi utca et de Deák Ferenc utca. Une section du musée est également consacrée à la viticulture dans la région du Balaton. Les étables sont encombrées de vieux matériel de transport, dont quelques traîneaux destinés à traverser le lac en période de gel. Le musée ouvre d'avril à octobre, de 10h à 17h tous les jours sauf le lundi.

Fő tér est une place pittoresque bordée de très jolis édifices, parmi lesquels figurent l'**hôtel de ville** fin du baroque, au nord, la **statue de la Trinité** (1770) et l'**église Notre-Dame-des-Hongrois**, dans le parc, au sud. Cette dernière fut construite au XIVe siècle en style gothique pour des moines franciscains, mais subit de nombreuses altérations au fil des siècles. Le vitrail gothique subsiste cependant, à l'image de quelques fresques du XVe siècle que l'on distingue à peine, sur le mur sud. Le comte György et d'autres membres de la famille Festetics sont enterrés dans la crypte, au-dessous.

Le **musée du Balaton**, à l'angle de Mártírok útja et de Kossuth Lajos utca est installé dans un bâtiment spécialement construit à son intention en 1928. Grâce aux nombreuses plantes qui en décorent la cour centrale, il offre une véritable oasis de fraîcheur en été, quand le soleil tape dur. Le musée est consacré à la place forte romaine et à la vie traditionnelle de la région, mais aussi à l'histoire de la navigation sur le lac et à des photographies anciennes d'estivants qui venaient s'y ébattre au début du siècle.

On peut visiter les ruines de la place forte romaine, ainsi que l'une des toutes premières basiliques chrétiennes à **Fenékpuszta**, mais c'est surtout pour l'observation des oiseaux que le lieu est passionnant, principalement sur le delta de la Zala (voir la rubrique suivante). Si vous venez en train, il existe un arrêt sur la ligne de Balatonszentgyörgy ; si vous êtes en voiture, la sortie s'effectue au kilomètre 111 sur la route n°71.

Activités culturelles et/ou sportives

Keszthely dispose de deux plages sur le lac : Városi, près de l'embarcadère des ferries, et Helikon, plus au sud. En été, vous trouverez une école de planche à voile à Városi et une autre à Vonyarcvashegy Strand, dans la banlieue est de Gyenesdias.

Le restaurant Castello, au 19, Georgikon utca, organise des promenades en calèche ou à cheval dans les collines de Keszthely, toutes proches. L'université d'agronomie loue également des chevaux en été pour 500 à 700 Ft, de 8h à 16h.

Si vous aimez observer les oiseaux, rendez-vous à Fenékpuszta, où vous attendent des guides pour qui l'ornithologie n'a plus aucun secret. En été, un petit train à vapeur dessert Kesthely (voir le paragraphe *Comment s'y rendre*).

Où se loger

Camping. Les trois terrains de camping en ville sont ouverts de mai à octobre. Au sud, le long de la plage, près des gares ou de l'embarcadère des ferries, se trouve le *Sport Camping* (☎ 312 842), sur Csárda utca. Coincé entre la voie ferrée et la route, il est toutefois bruyant, et la propreté laisse à désirer. Marchez 10 minutes de plus vers le sud jusqu'au *Zalatour Camping* (☎ 312 782), qui loue de grands bungalows pour quatre personnes allant de 2 000 à 3 100 Ft, ainsi que d'autres, plus petits et moins chers. Le camping dispose également de courts de tennis et d'un accès à la plage d'Helikon.

Enfin, le *Gärtnerhof Camping* (☎ 312 120), au nord des gares, au 48, Mora Ferenc utca, a sa plage privée, mais il est surtout fréquenté par des touristes étrangers en caravanes.

Auberge de jeunesse. L'*Helikon* (☎ 311 424), au 22, Honvéd utca, est particulièrement bon marché. Elle propose ses 3 dortoirs de mi-avril à mi-octobre et se trouve à deux pas de la plage d'Helikon.

Chambres chez l'habitant. Ibusz ou Express (voir *Renseignements*) vous procureront des chambres doubles pour environ 700 Ft ou des dortoirs confortables pour 500 Ft par personne à l'*université d'Agronomie*. Si ces deux agences sont fermées, voyez Non-Stop Tourist, au 12, Bakacs utca (le bureau se trouve dans une maison d'habitation : n'hésitez pas à sonner à la porte s'il n'y a personne.) Vous pouvez aussi essayer le service spécial d'hébergement d'Ibusz, au 2, Római utca.

Pension. La pension *Forrás* (☎ 314 617), toute proche du lac au 1, Római utca, propose des doubles pour 2 200 Ft et reste ouverte toute l'année.

Hôtels. Côté rapport qualité/prix, le meilleur hôtel de la ville est l'*Amazon* (☎ 314 213), situé dans une maison du XVIIIᵉ siècle au 1, Georgikon utca, en haut de Kossuth Lajos utca à une minute du château. Les simples/doubles sont à 960/1 160 Ft sans s. d. b. et à 1 700/1 900 Ft avec s. d. b., petit-déjeuner compris. L'hôtel *Georgikon* (☎ 311 730), dans l'un des bâtiments d'origine de l'école, propose 14 suites de grand confort. Une double avec bain y coûte de 2 400 à 3 400 Ft, selon la saison. Si vous pouvez vous l'offrir et si vous ne désirez pas loger en bordure du lac, le Georgikon est le plus bel hôtel de la ville.

Les trois établissements gérés par la chaîne Danubius, au bord du lac, sont onéreux, mais figurent parmi les mieux équipés et les plus séduisants de Hongrie. Le plus charmant est le *Hullám* (☎ 315 950), juste devant l'embarcadère des ferries, construit en 1892. On paie de 1 700 à 4 900 Ft pour une simple et de 2 500 à 5 700 Ft pour une double. Le *Phoenix* (☎ 314 225), un peu plus grand, est situé dans le parc. Son environnement boisé et ses prix légèrement inférieurs vous séduiront sans doute, mais sachez que les moustiques peuvent poser un douloureux problème. Les simples coûtent de 1 530 à 3 870 Ft et les doubles de 1 930 à 4 300 Ft. Ces deux hôtels ferment de décembre à février.

L'*Helikon* (☎ 315 944), véritable complexe hôtelier, est, avec ses 232 chambres, le plus grand établissement de Keszthely. Situé à quelques minutes de marche au nord, il dispose d'une île privée, de piscines couvertes et découvertes, d'un centre sportif avec tennis couverts en terre battue, ainsi que tous les aménagements possibles et imaginables. Une simple coûte de 2 000 à 5 900 Ft, une double de 2 700 à 6 500 Ft en fonction de la saison.

Où se restaurer

Pour un repas hongrois simple et pas cher, le *Golf*, au 95, Kossuth Lajos utca est idéal. Il attire une foule vivante, passe de la bonne musique et reste ouvert jusqu'à 24h. Préférez-le donc au *Béke*, juste en face, au n°50. Le pub-restaurant *Gösser*, situé dans un bâtiment historique décoré de vitraux, au 35, Kossuth Lajos utca (au coin de Fő tér) propose un buffet de salades dans lequel vous pouvez piocher à volonté pour accompagner votre plat principal, jusqu'à 23h.

La *Pizzeria da Francesco*, dans une cave décorée de mobilier italien rustique, au 4, Városház utca, sert salades et pizzas préparées à la commande jusqu'à 22h ou 23h. Le *Hellas*, au 2, Fő tér, dans un décor bleu et blanc très méditerranéen, propose une nourriture grecque très correcte. A l'*Oázis*, au 3, Rákóczi tér, à l'est du château, on déguste une cuisine végétarienne de 11h à 16h, en été seulement. Enfin, le restaurant de poisson *Halászcsárda* se trouve tout près de la plage d'Helikon et reste ouvert jusqu'à 23h.

Distractions

Dans la cour du 22, Kossuth Lajos utca, le *centre culturel Károly Goldmark* (où naquit en 1830 le compositeur Goldmark) sponsorise une démonstration et un spectacle folklorique les mercredi et dimanche soirs en été.

Des concerts sont souvent organisés dans le salon de musique du *château des Festetics*, en été également. Renseignez-vous au centre culturel. Certaines manifestations du festival d'Automne du Balaton se tiennent également à Keszthely.

C'est au bar *Piccolo*, au 9, Városház utca, qu'il faut débuter la soirée à Keszthely, peut-être après une pizza dégustée en face. Le Piccolo est un petit bar sympathique rempli d'étudiants et de soldats (Keszthely est une ville de garnison). Ensuite, il vous suffira de marcher quelques minutes pour vous retrouver au *Kolibri*, au 81, Kossuth Lajos utca.

Enfin, si vous y tenez, vous terminerez la soirée au *Casablanca*, au 2, Bakacs utca, un night-club cher et assez peu engageant qui reste ouvert jusqu'à 5h du matin.

Comment s'y rendre

Bus. Les seules destinations importantes reliées plus de douze fois par jour avec Keszthely sont Hévíz, Zalaegerszeg et Veszprém. Pour Nagykanizsa, Sümeg, Szombathely et Tapolca, il n'y a que six bus quotidiens environ. Parmi les autres villes desservies, figurent Baja (1 bus par jour), Budapest (1), Győr (1), Pápa (3),

Pécs (1), Sopron (2) et Székesfehérvár (1).
Il existe un bus privé qui, en été, se rend
chaque jour à Graz, en Autriche (Grác en
hongrois). Il se prend devant l'hôtel Helikon (et non pas l'auberge de jeunesse) à
16h et arrive à Graz à 20h30.

Train. Keszthely se trouve sur une ligne
secondaire reliant Tapolca à Balatonszentgyörgy, d'où une demi-douzaine de trains
continuent chaque jour le long de la côte
sud jusqu'à Székesfehérvár, puis Budapest-
Déli. Pour atteindre Szombathely et les
villes de la côte nord, il vous faudra changer à Tapolca.

Les plus nostalgiques apprécieront l'idée
que propose MÁV en juillet et août : un
petit train à vapeur assure la liaison entre
Keszthely (départs à 11h45) et Badacsonytomaj, *via* Tapolca. Le retour se fait à
15h18.

Bateau. Les ferries Mahart desservent la
côte nord jusqu'à Badacsony (poursuivant
parfois leur trajet jusqu'à Balatonlelle ou
Balatonboglár, sur la côte sud) cinq fois
par jour de fin juin à fin août. Dans les
ports du sud, vous pourrez prendre des correspondances pour Siófok ou Tihany.

Comment circuler

Les bus nos 1, 2, 4 et 5 partent des gares
routière et ferroviaire pour Fő tér, mais
si personne ne vient vous chercher à la
gare, vous avez tout intérêt à faire le trajet
à pied.

HÉVÍZ (6 000 habitants)

Si vous aimez visiter les sources thermales
et prendre les eaux, vous adorerez Hévíz,
site du plus grand lac thermal d'Europe, le
Gyógy-tó. La population de cette ville, à
7 km au nord-ouest de Keszthely, exploite
ses eaux chaudes depuis des siècles,
d'abord pour la tannerie au Moyen Age,
puis, plus tard, pour leurs vertus curatives.
En 1795, le comte György Festetics de
Keszthely avait fait de l'endroit une propriété privée, qui ne devint vraiment populaire qu'à la fin du XIXe siècle.

Orientation et renseignements

Ce sont le Parkerdő (forêt du parc) et le lac
qui constituent le véritable centre d'Hévíz.
La gare routière se trouve sur Deák tér, à
quelques pas de l'une des entrées du parc,
et le centre commercial – qui n'en mérite
pas vraiment le nom – est tout près, à
l'ouest de la gare. Kossuth Lajos utca, où
se situent la plupart des grands hôtels,
forme la limite ouest du parc.

Hévíz Tourist (☎ 83 341 348), au
4, Rákóczi utca, et Zalatour (☎ 83 340
158), au n°8, à l'ouest de la gare des bus,
sont ouverts en semaine de 9h à 16h, ou
18h en été.

La poste se trouve au 4, Kossuth Lajos
utca. Il y a une banque OTP près de la gare
routière au 7, Erzsébet királynő utca.
L'indicatif téléphonique d'Hévíz est le 83.

Gyógy-tó

Le Gyógy-tó ("lac thermal") *constitue*
toute la ville d'Hévíz. Le seul autre centre
d'intérêt que vous aurez peut-être envie
d'aller admirer est l'église romane du XIIIe
siècle surmontée d'une unique tour à
Egregy, à 5 km au nord.

Le lac d'eau chaude offre un paysage
inattendu : une surface de près de 5 hectares au cœur du Parkerdő, couvert tout au
long de l'année, ou presque, de nénuphars
roses et blancs. La source jaillit d'un cra-
tère d'environ 40 mètres de profondeur, qui
produit près de 80 millions de litres d'eau
chaude par jour. Un rapide calcul vous
mènera à la conclusion que l'eau se renouvelle en totalité toutes les 28 heures. A la
surface, la température tourne autour de
33°C et ne tombe jamais au-dessous de
26°C, ce qui permet les baignades tout au
long de l'année. Qui n'a pas rêvé de faire
tranquillement la planche en plein hiver,
tout en observant la neige déposée sur les
branches des sapins environnants ?

L'eau et la boue au fond du lac sont
légèrement radioactives. On les recommande, entre autres, pour soigner maladies
nerveuses et troubles locomoteurs. Il est
déconseillé de rester plus d'une heure dans
l'eau, mais les rides qui se formeront sur

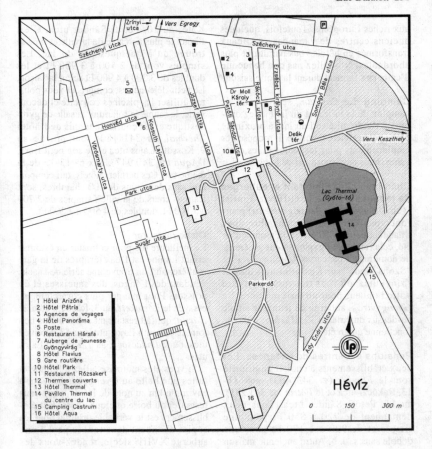

1 Hôtel Arizóna
2 Hôtel Pátria
3 Agences de voyages
4 Hôtel Panoráma
5 Poste
6 Restaurant Hársfa
7 Auberge de jeunesse
   Gyöngyvirág
8 Hôtel Flavius
9 Gare routière
10 Hôtel Park
11 Restaurant Rózsakert
12 Thermes couverts
13 Hôtel Thermal
14 Pavillon Thermal
   du centre du lac
15 Camping Castrum
16 Hôtel Aqua

Hévíz

0   150   300 m

votre peau vous en feront sans doute sortir avant que vous n'ayez commencé à scintiller dans la nuit.

Un pont couvert conduit au pavillon fin-de-siècle, au milieu du lac, d'où se déploient passerelles et jetées. Vous pouvez nager à l'abri de ce pont ou vous diriger vers les petits radeaux et les "ancres" un peu plus loin. Choisissez l'une des jetées, le long de la plage, pour y prendre un bain de soleil. Le lac est ouvert au public de 8h à 18h en été et de 9h à 16h30 en hiver ; il faut y acquitter un droit d'entrée de 80 Ft. Les thermes couverts, à

l'entrée du parc, restent ouverts toute l'année de 7h à 16h.

Le centre sportif de Carbona, au 16, Zrínyi utca, propose des courts de tennis (stages possibles au prix 550 Ft), un bowling et une piscine classique. Il est ouvert de 7h à 21h.

Où se loger

Trouver un hébergement ne pose aucun problème à Hévíz ; payer le prix exigé peut, en revanche, en représenter un. La plupart des hôtels sont des complexes tout-en-un, dotés de plusieurs étoiles et destinés aux riches Européens. Toutefois, quelques anciens centres de vacances syndicaux transformés en hôtels vous paraîtront plus abordables. N'oubliez pas que beaucoup d'entre eux ferment durant la morte saison.

Camping. Le *Castrum*, seul terrain de camping de la ville, est un lieu assez onéreux à l'extrémité sud du lac, à proximité d'une petite rivière thermale. Il propose des emplacements pour les tentes et les caravanes, mais ne dispose pas de bungalows.

Chambres chez l'habitant et auberges de jeunesse. Zalatour et Hévíz Tourist (voir *Orientation et Renseignements*) pourront vous dénicher une chambre chez l'habitant pour 1 000 à 1 200 Ft, quoiqu'en été, cela relève de l'exploit. Vous repérerez de nombreuses pancartes "Zimmer Frei" et "Szoba kiadó" sur Kossuth Lajos utca et Zrínyi utca, où vous trouverez peut-être votre bonheur pour un tarif moindre. Le *Gyöngyvirág*, auberge de jeunesse située au-dessus du café au 12, Rákóczi utca, ne fonctionne qu'en été.

Pensions et centres de vacances. Les deux établissements à choisir en priorité sont le *Flavius* (☎ 343 463), aux 11-13, Rákóczi utca et le *Pátria* (☎ 343 281), au 11, Petőfi Sándor utca. Tous deux demandent de 720 à 850 Ft pour une simple et de 990 à 1 170 Ft pour une double sans s. d. b. Autre ancienne maison de vacances syndicale, l'*Arizóna* (☎ 340 482), au 23, Széchenyi utca, propose des chambres sans s. d. b. pour 1 215/1 575 Ft la simple/double, et avec s. d. b. pour 1 665/2 160 Ft (petit déjeuner compris). Elle dispose d'un agréable restaurant au milieu des sapins. Avec ses 203 chambres réparties sur 13 étages, le *Panoráma* (☎ 341 074), au 9, Petőfi Sándor utca, est plus proche du lac, mais aussi plus cher : les simples y coûtent de 1 485 à 1 900 Ft et les doubles de 2 000 à 2 600 Ft selon la saison.

Hôtels. Le *Park* (☎ 320 524) dispose de 30 chambres installées dans l'élégante villa Kató, au 26, Petőfi Sándor utca. C'est l'hôtel le plus agréable de la ville et il ne se trouve qu'à quelques pas du lac. Les simples vont de 2 500 à 3 900 Ft et les doubles de 3 200 à 4 900 Ft selon la saison. Le petit-déjeuner est compris et vous pourrez utiliser les piscines couverte et découverte, le sauna, le solarium, la salle de gymnastique et les courts de tennis de l'hôtel *Thermal* (☎ 341 180) tout proche au 9, Kossuth Lajos utca et de son petit frère, l'*Aqua* (☎ 340 947), aux nos 13-15 de la même rue. Ces derniers hôtels, qui comportent tous deux plus de 200 chambres, sont les plus chers de la ville : simples de 2 700 à 5 100 Ft, doubles de 4 500 à 7 200 Ft.

Où se restaurer

La meilleure rue pour colmater un estomac criant famine est Deák tér, près de la gare routière, où l'on trouve une série de snacks vendant des Lángos, des saucisses et du poisson. Pour manger plus correctement, essayez le *Rózsakert*, au 3, Rákóczi utca, le *Hársfa*, qui fait restaurant et bar à vins non loin de Kossuth Lajos utca, au 13, Honvéd utca, ou le *Badacsony*, au 7, Kossuth Lajos utca.

Si vous êtes motorisé, allez à Sümeg et faites une halte au *Gyöngyösi Csárda*, à environ 6 km au nord de Hévíz, pour vous restaurer ou boire quelque chose. Cet établissement est le véritable original dont les copies abondent dans tout le pays : une auberge XVIIIe siècle, rendez-vous des bandits de grand chemin.

Comment s'y rendre

Les bus qui vont à Keszthely ou en partent se prennent à l'arrêt n°3, environ toutes les trente minutes. Une douzaine d'entre eux, au moins, se rendent chaque jour à Sümeg et à Zalaegerszeg, une demi-douzaine vont à Badacsony, à Balatonfüred, à Nagykanizsa et à Veszprém. Parmi les autres destinations, figurent Baja (1 départ par jour), Budapest (4), Győr (1), Kaposvár (3), Kecskemét (1), Pápa (5), Pécs (2), Sopron (3), Székesfehérvár (3), Szekszárd (1) et Szombathely (3).

BADACSONY

La région de Badacsony tire son nom du massif basaltique de 400 mètres d'altitude qui s'élève comme une miche de pain au-dessus du bassin de Tapolca, le long de la côte nord-ouest du lac Balaton. La région comporte quatre villes : Badacsonylábdi-hegy, Badacsonyörs, Badacsonytördemic et Badacsonytomaj. Toutefois, lorsqu'un Hongrois prononce le nom de Badacsony, il fait généralement référence à la petite station balnéaire desservie par la gare de Badacsony vm, près de l'embarcadère des ferries, au sud de Badacsonytomaj.

Badacsony est trois fois bénie : non seulement elle a le lac et les montagnes, qui offrent de magnifiques promenades, mais elle produit un vin régional – en grandes quantités – depuis le Moyen Âge. Badacsony fut l'un des derniers sites de la côte nord du Balaton à développer son tourisme et il résulte de ce retard une atmosphère typiquement hongroise qui manque à la plupart des autres stations balnéaires. Sur le plan de sa beauté, la ville n'a qu'une seule rivale : Tihany (toutes deux sont des réserves naturelles). N'hésitez pas à y faire une halte d'un jour ou deux pour vous détendre.

Orientation

La route n°71, qui longe la côte nord du Balaton, passe par Badacsony, où elle prend le nom de Balatoni út. L'embarca-dère des ferries se trouve sur le côté sud de cette route ; presque tout le reste – hôtels, restaurants, gare ferroviaire et les collines de Badacsony sont au nord. Au-dessus du village, sur Római út, une kyrielle de petites pensions et d'hébergements chez l'habitant, à la base de la colline, débou-chent sur Balatoni út, à Badacsonytomaj, à quelques kilomètres à l'est. Szegedi Róza út et Lábdi út partent de Római út et se dirigent vers le nord, à travers les vignobles jusqu'au restaurant Kisfaludy Ház. En été, des jeeps décapotables par-courent ce trajet de 3 km, de haut en bas de la colline et inversement, de 9h à 19h à partir du bureau de poste.

Renseignements

Balatontourist (☎ 87 331 249) se trouve au centre du village, au 10, Park utca, et Cooptourist (☎ 87 331 134) est au 1, Egry sétány. Ces deux bureaux n'ouvrent qu'en saison. Le reste de l'année, renseignez-vous chez Miditourist, au 53, Park utca (☎ 87 331 028), ouvert en été jusqu'à 22h et en hiver jusqu'à 16h du lundi au samedi.

Le bureau de poste se trouve dans Park utca, en face de Balatontourist. On vous changera de l'argent dans toutes les agences de voyages et dans les bureaux de tourisme.

L'indicatif téléphonique de Badacsony et ses environs est le 87.

A faire et à voir

Les collines et les vignobles qui surplom-bent la ville sont parsemés de petits pres-soirs et de bâtisses de style "baroque popu-laire". L'une d'entre elles est la **maison Róza Szegedi** (1790), qui appartenait à l'actrice, épouse du poète Sándor Kisfa-ludy de Sümeg. Elle renferme un musée lit-téraire dédié à Kisfaludy et n'accueille le public qu'en été. Un pressoir (1798), pro-priété de la famille Kisfaludy, abrite aujourd'hui le restaurant Kisfaludy Ház.

Les chemins de randonnée de la **colline de Badacsony** partent de l'extrémité de Lábdi út, devant le parking du restaurant Kisfaludy Ház. Vous pouvez tenter de vous procurer la carte intitulée A *Balaton Tér-képe* ("la carte du Balaton") dans les bureaux de tourisme, mais vous en trouve-rez une très claire sur le parking (les che-mins sont bien indiqués et sachant que le lac se trouve au sud, il est difficile de se perdre). Une autre carte, sur laquelle figu-rent plus de chemins encore, est affichée à la gare ferroviaire.

Plusieurs sentiers mènent à des panora-mas (la tour de Kisfaludy est le plus élevé) et aux collines environnantes, telles Gulács-hegy (393 mètres), au nord-est, et Szentgyörgy-hegy (415 mètres), au nord. Le site comprend des carrières abandon-nées et de larges tours de basalte qui res-semblent à des tuyaux d'orgues. Parmi

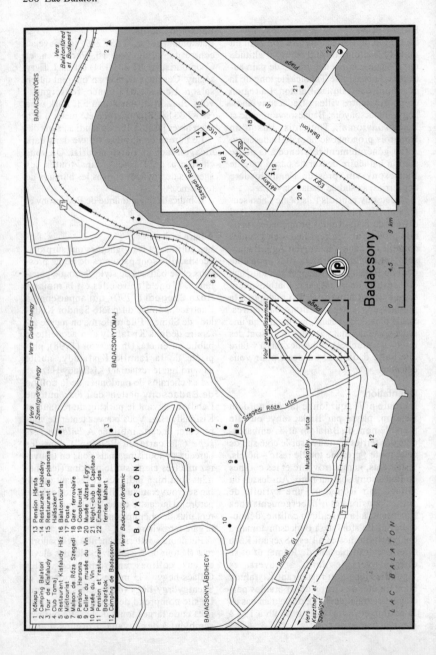

Badacsony

Voir agrandissement

Vers Balatonfüred et Budapest

Vers Guláes-hegy

Vers Szentgyörgy-hegy

BADACSONYÖRS

BADACSONYTOMAJ

BADACSONY

Vers Badacsonytördemic

BADACSONYLÁBDIHEGY

Vers Keszthely et Szegliget

LAC BALATON

Szegedi Róza utca

Park

Egry sétány

Balatoni út

plage

Szegedi Róza utca

Muskotály utca

Római út

plage

elles, Kőkapu, la "grille de pierre", est la plus saisissante. Plusieurs des chemins indiqués vous feront passer par Rózsakő (le "rocher rose"). Là, une plaque centenaire explique que si un garçon et une jeune fille s'asseyent ici ensemble, dos au lac, ils se marieront dans l'année. Bonne chance ! Le tour complet de la colline représente environ 11 km et devrait vous demander 4 heures.

En suivant le sentier pavé, à l'ouest de la maison Róza Szegedi, vous parviendrez, après une montée à pic, au **musée du Vin**, d'où vous aurez une magnifique vue sur le lac. Le musée est ouvert tous les jours sauf lundi de 10h à 16h de mi-mai à mi-octobre. Entre temps, vous passerez devant le Bor Múzeum Pince ("cellier du musée du vin"), un restaurant installé dans un pressoir du XVIIIe siècle décoré d'épis de maïs, de poivrons et de plantes grimpantes. C'est un endroit très agréable pour un verre de Szürkebarát (pinot gris) ou de Kéknyelű (tige bleue), les spécialités de vins blancs de Badacsony.

Le **musée József Egry**, au 52, Egry sétány, en ville, est consacré à l'œuvre d'un peintre majeur de la région du Balaton (1883-1951) et ouvre de 10h à 18h de mai à septembre.

La **plage**, guère plus grande qu'un timbre-poste, est couverte de roseaux et ne compte pas parmi les meilleures du lac. Mieux vaut parcourir quelques kilomètres vers l'est si l'on tient à faire un plongeon. Néanmoins, elle est équipée de douches et de cabines.

Miditourist (voir *Renseignements*) propose des promenades en bateau sur le lac, ainsi que, occasionnellement, la "croisière du vin" en été pour 300 Ft l'heure.

Où se loger

Camping. Il y a deux terrains de camping (aucun n'a de bungalows) dans la région : le *Badacsony Camping* (☎ 331 091) se trouve au bord de l'eau, tout près de la plage et de l'embarcadère des ferries, à l'ouest. Le *Balaton Camping* (☎ 331 253) est situé à Badacsonyörs, à 2 km à l'est de Badacsonytomaj, sur la route n°71. Tous deux ouvrent de juin à septembre.

Chambres chez l'habitant. Les hébergements sont relativement chers à Badacsony, aussi tentez avant tout de vous loger chez l'habitant en vous adressant aux bureaux de tourisme et aux agences (il faut tout de même compter 2 000 Ft pour une double). La plupart des maisons portant des pancartes "à louer" hésiteront à vous accepter si vous restez moins de trois ou quatre nuits. Le propriétaire du 4, Muskotály utca, dans les collines à l'ouest du centre du village, près de l'usine de mise en bouteilles, vous demandera environ 800 Ft pour une double. La maison située au 93, Szegedi Róza út (☎ 331 192) offre une vue magnifique sur le lac et se trouve à quelques minutes de marche à peine des chemins de randonnée de la colline de Badacsony, mais les doubles y sont à 1 600 Ft.

Pensions. On peut se loger pour un prix relativement modique à la *Hársfa* (☎ 331 293), au 1, Szegedi Róza út, ou à la *Harsona* (☎ 331 227), au 37, Szegedi Róza út, mais seulement entre mi-mai et septembre. A Badacsonytomaj, la pension *Borbarátok* ("amis du vins") (☎ 331 597), au 78, Római út, possède 6 chambres modernes et très confortables disponibles toute l'année. Les doubles y coûtent de 1 500 à 2 000 Ft selon la saison.

Hôtels. Le complexe hôtelier de 50 chambres *Club Tomaj* (☎ 331 040), au 14, Balatoni út, sur la plage, est le plus grand et le plus onéreux de la région. Il dispose de courts de tennis, d'un bowling, d'un sauna, d'une plage privée, et les doubles y sont de 3 600 à 4 170 Ft.

Où se restaurer

Entre la gare et Park utca, plusieurs buvettes servent des saucisses et de bonnes soupes de poisson, que vous pourrez déguster sur des tables de pique-nique. Côté restaurant, le *Halászkert*, au n°5, est surpeuplé et touristique (un spectacle folklorique est même prévu), mais les spécialités de poisson y sont excellentes. L'établissement est ouvert d'avril à octobre.

Toutefois, le meilleur endroit pour partager un repas ou boire un verre reste la terrasse du *Kisfaludy Ház*, perchée sur la colline, avec vue sur les vignobles et le lac. A l'ouest, s'étend la baie de Szigliget, la plus jolie du lac, et juste en face, côté sud, se déploient les deux "seins" de Fonyód : les collines de Sípos et de Sándor. C'est ici, à mon avis, que l'on a le meilleur point de vue de toute la région du Balaton.

Le bar-restaurant du *Borbarátok* (voir *Pensions)* est très animé. C'est l'un des rares établissements à rester ouvert tout au long de l'année.

Distractions

Les vendanges de Badacsony donnent lieu à deux jours de fête endiablée en septembre : on organise une foire, une parade et un bal qui se termine généralement par une bagarre. Si vous sortez indemne de l'expérience, bravo ! Par ailleurs, certaines manifestations du festival d'Automne du Balaton ont lieu à Badacsonytomaj.

En été, le *Il Capitano*, grand night-club-discothèque au bord de l'eau, risque bien de vous donner des hauts-le-cœur.

Comment s'y rendre

Les bus pour Székesfehérvár, Győr, Balatonfüred et Veszprém sont fréquents. Parmi les autres destinations, figurent Hévíz (un départ par jour), Keszthely (1), Nagykanizsa (1), Révfülöp (3), Tapolca (3) et Zalaegerszeg (4).

La gare de Badacsony se trouve sur la ligne reliant toutes les villes de la côte nord du lac Balaton avec Tapolca et Budapest-Déli.

D'avril à octobre, de 5 à 9 ferries Mahart traversent chaque jour le lac jusqu'à Fonyód. De 2 à 6 autres se rendent à Keszthely entre juin et mi-septembre. En juillet et août, un ferry par jour (celui de 16h25) continue jusqu'à Balatonfüred et Siófok.

SÜMEG (6 800 habitants)

Cette petite localité, située à 30 km au nord de Keszthely, entre les collines de Bakony et celles de Keszthely, vous réserve quelques surprises. Dès le XIIIe siècle, la ville figurait sur les cartes : à la suite de l'invasion mongole, en effet, d'importantes fortifications y furent édifiées. A plusieurs reprises, au cours des trois siècles suivants, le château fut consolidé, ce qui permit de repousser les Turcs, mais non les troupes des Habsbourg, qui l'incendièrent en 1713. L'âge d'or de Sümeg arriva au XVIIIe siècle, lorsque les très puissants évêques de Veszprém y établirent leur résidence et firent construire de très beaux monuments baroques. Par la suite, Sümeg déclina peu à peu, mais sa magnifique architecture témoigne encore aujourd'hui de ses jours de gloire.

Orientation et renseignements

Kossuth Lajos utca, la rue principale, traverse Sümeg du nord au sud. La gare routière se trouve sur Flórián tér, prolongation de Kossuth Lajos utca au sud du centre ville. La gare ferroviaire est à 10 minutes de marche, au nord-ouest, à l'extrémité de Darnay Kálmán utca.

Balatontourist a fermé son bureau sur Kossuth Lajos utca, mais le sympathique personnel de l'hôtel Vár (voir la rubrique *Où se loger*), dont l'agence de voyages Fehérkő Tours est propriétaire, répondra à toutes vos questions et vous aidera à trouver un hébergement.

Une banque OTP vient d'ouvrir dans une maison rénovée au 17, Kossuth Lajos utca. La poste n'est pas très loin, au n°1 de la même rue, près de la gare routière.

L'indicatif téléphonique de Sümeg et sa région est le 87.

Château de Sümeg

L'imposant château s'élève au sommet d'un impressionnant cône de calcaire (élément peu fréquent dans cette région basaltique), à 270 mètres au-dessus de la ville. Pour l'atteindre, suivez Vak Bottyán utca, une rue bordée de très belles *kúriák* (demeures) baroques, puis prenez Vároldal après avoir dépassé les écuries du château, situées au n°5, qui abritent aujourd'hui un **musée de la Selle**.

Le château de Sümeg tomba en ruines après le départ des Autrichiens, qui l'abandonnèrent au début du XVIIIᵉ siècle, mais il fut restauré dans les années 60. Il est aujourd'hui le plus vaste et le mieux préservé de toute la Transdanubie. Cela vaut la peine d'y monter, ne serait-ce que pour admirer la vue sur les collines de Bakony, à l'est, et sur celles de Keszthely, au sud. Dans la **vieille tour** du XIIIᵉ siècle, un petit musée renferme armes, armures, ainsi que certaines pièces du mobilier du château. Dans la cour centrale, les enfants peuvent monter à poney ou s'exercer au tir à l'arc, tandis que les parents se restaurent au snack-bar ou sirotent un verre de vin dans le cellier de l'Öreg Kapitány. On voit encore des vestiges des remparts de la vieille ville au-dessous du château, à l'extrémité nord de Kossuth Lajos utca. Une tour du XVIᵉ siècle sert aujourd'hui de salle de séjour à la maison du n°31.

Église de l'Ascension

Même s'il domine la ville, le château ne représente pas l'édifice le plus important de Sümeg. Ce titre revient en effet à l'église de l'Ascension, au 1, Szent Imre tér, à l'ouest de Kossuth Lajos utca en venant de Deák tér. Vu de l'extérieur, l'édifice (1757) ne présente rien d'exceptionnel. Mais à peine pénètre-t-on à l'intérieur que l'on est saisi par la beauté de ce qu'on a appelé "la chapelle Sixtine du rococo".

Même si l'affirmation paraît péremptoire, sachez que ces fresques de Franz Anton Maulbertsch sont les plus belles de Hongrie et, de loin, l'œuvre la plus réussie de ce peintre prolifique. S'inspirant de l'Ancien et du Nouveau Testament, elles traitent à la perfection l'ombre et la lumière. Vous prêterez une attention toute particulière à la scène de crucifixion de *Golgotha*, sur le mur nord de la nef, à l'*Adoration des rois mages*, avec la carica-

ture du Maure, en face, à la terrifiante *Porte de l'enfer*, sous la tribune d'orgue, dans la partie ouest de l'église, et au retable du Christ s'élevant avec légèreté. Maulbertsch a réussi à se représenter lui-même dans quelques-uns de ses tableaux : on le reconnaît aisément parmi les bergers dans la première fresque, sur la paroi sud (c'est celui qui tient les fromages ronds et qui en fait un peu trop au goût de certains). Márton Padányi Bíró, l'évêque de Veszprém qui lui passa la commande de ces fresques, est également représenté sur le mur ouest.

Le centre de la ville

L'église de l'Ascension a tendance à voler la vedette à l'**église franciscaine** du XVIIᵉ siècle, sur Szent István tér, un édifice comportant des fresques naïves, un autel magnifiquement sculpté et une pietà qui attira les pèlerins pendant plus de 3 siècles. Ne manquez pas la chaire décorée d'une inquiétante main saisissant un crucifix.

L'ancien **Palais épiscopal**, au n°10 de la place, était une majestueuse demeure à la fin des travaux, en 1753. Il se trouve maintenant en état de décrépitude avancé, mais on peut encore admirer les deux silhouettes d'Atlas supportant le balcon à l'entrée, ainsi que les becs de gouttières en cuivre en forme de gargouilles et de monstres marins. Le Palais abritait encore récemment des logements pour étudiants.

C'est dans la **maison-mémorial de Kisfaludy**, au 2, Kisfaludy tér, que naquit Sándor Kisfaludy (1772-1844), le poète romantique du lac Balaton. Outre une histoire de sa vie et de son œuvre, ce musée propose plusieurs expositions consacrées au château de Sümeg et à la géologie de la région. A l'extérieur, le long d'un mur, se trouve le panthéon de Sümeg, où reposent des filles et des fils de la ville qui se sont rendus célèbres.

Activités sportives et/ou culturelles

On peut faire d'excellentes randonnées à l'est de Sümeg, dans les collines de Bakony (dans ce qu'on appelle la "forêt de Sherwood hongroise"), à condition de s'être procuré un exemplaire de la carte touristique de Bakony, partie Sud (en hongrois : A Bakony Turistatérképe – Déli Rész). Si vous avez envie de galoper un peu, visitez la boutique d'équitation du 10, Városdal, en face des anciennes écuries du château, où des promenades à cheval sont organisées.

Où se loger
Le principal hôtel de la ville, le Kisfaludy, au 13, Kossuth Lajos utca, subit actuellement des travaux de rénovation et aucune date de réouverture n'est encore fixée. L'hôtel Vár (☎ 352 414), Vak Bottyán utca 2, sorte d'auberge de jeunesse rutilante de 32 chambres, représente une excellente alternative, avec des simples de 600 à 1 200 Ft et des doubles de 1 000 à 1 800 Ft, selon la saison et la présence ou non d'une s. d. b. dans la chambre. Le Vár se trouve sur le trajet qui mène au château ; le personnel est sympathique et compétent. Les chambres du premier étage sont plus grandes et plus modernes que celles du rez-de-chaussée. Demandez la 205.

Le Király (☎ 352 605) est une pension familiale de 6 chambres située dans une vieille ferme derrière le musée Kisfaludy, au 3/5, Udvarbíró tér. Les doubles avec douche sont à 1 500 Ft. Une bonne partie du bâtiment date du XVe siècle, aussi les chambres ne sont-elles pas immenses.

Où se restaurer
Le Falatozó est un snack bon marché où l'on mange debout, au 9, Kossuth Lajos utca. Bien que l'hôtel soit fermé, le café-restaurant du Kisfaludy reste ouvert au public tous les jours jusqu'à 23h ; c'est l'un des rares endroits de la ville où l'on puisse manger assis. L'autre possibilité est le Móri Fogadó, au 22, Kossuth Lajos utca, ouvert jusqu'à 22h. Le nouveau restaurant Vár, près du parking du château, sert des spécialités de gibier.

Distractions
La maison de la Culture de Kisfaludy, au 9/11, Széchenyi utca, près de l'église de l'Ascension, et le cinéma Petőfi, sur Szent Imre tér, vous proposeront sans doute des spectacles intéressants.

Pour une ville de cette taille, Sümeg comporte un nombre surprenant de bistrots très animés, dont le très chic bar à champagne Pezsgőzi, au 3, Kossuth Lajos utca, ouvert jusqu'à 23h, le Népkert, nettement plus populaire, sur Szent István tér, et le pub Huber, au 8, Flórián tér. Toutefois, le meilleur endroit pour passer un bon moment et faire des rencontres reste le Dreher (qui fait parfois discothèque) sur Béke tér, face à la gare routière. C'est le lieu de rendez-vous préféré des jeunes de Sümeg.

Comment s'y rendre
Sümeg se trouve sur la ligne de chemin de fer reliant Tapolca à Celldömölk, d'où 3 trains continuent jusqu'à Szombathely. Pour Budapest, Badacsony et les autres villes de la rive nord du lac Balaton, changez à Tapolca.

Au moins une douzaine de bus par jour quittent Sümeg pour Hévíz, Keszthely, Tapolca et Veszprém, et les départs pour Pápa et Zalaegerszeg sont fréquents. Parmi les autres destinations, figurent Budapest (3 bus par jour), Győr (3), Kaspovàr (3) Nagykanizsa (3), Sopron (3) et Pécs (1).

NAGYVÁZSONY (1 700 habitants)
Si les foules éméchées des stations balnéaires commencent à vous porter sur les nerfs, offrez-vous une escapade à Nagyvázsony, une petite bourgade tranquille réputée pour son marché, au nord du lac, dans la partie sud des collines de Bakony. Que vous veniez de Badacsony ou de Tihany, à 15 km au sud-est, le trajet vous permettra de découvrir quelques-uns des plus beaux paysages de Transdanubie Centrale ; la ville, pour sa part, possède un important château du XVe siècle.

Orientation et renseignements
Les arrêts de bus se trouvent au centre ville, dans Kinizsi utca, et il y a un petit bureau de Balatontourist (☎ 80 331 015) à

l'entrée du château de Kinizsi. La poste et la banque OTP sont au 59, Kinizsi utca.

L'indicatif téléphonique de Nagyvázsony est le 80.

Le château de Kinizsi

La construction de ce château, situé sur une pente douce, au sud du centre-ville et à l'extrémité de Vár utca, fut entreprise au XVe siècle par la famille Vezsenyi, mais l'édifice fut ensuite offert à Pál Kinizsi par le roi Mathias Corvin en 1492, en remerciement pour les nombreuses victoires que remporta le vaillant général contre les Turcs. Il devint une importante forteresse frontalière durant l'occupation, puis servit de prison dans les années 1700.

Le château forme une sorte de grand parallélépipède, auquel s'ajoute une barbacane en fer à cheval. Le donjon à six étages, d'une hauteur de 30 mètres, est atteint via un pont qui enjambe une douve. Une immense fissure part du sommet pour arriver jusqu'en bas, mais il faut croire que les responsables sont malgré tout confiants dans la solidité de l'édifice, puisque le **musée du Château** se trouve dans les salles du haut.

Une partie du sarcophage de marbre rouge de Kinizsi se trouve au centre de la chapelle restaurée et la crypte renferme une série de découvertes archéologiques. Le château est ouvert tous les jours sauf le lundi de 9h à 17h, d'avril à septembre.

Autres curiosités

Le **musée de la Poste** est juste derrière le château, au 3, Temető utca. Au XIXe siècle, Nagyvázsony constituait une halte importante pour les courriers postaux allant de Budapest à Graz, qui changeaient de chevaux dans la ville. Le musée est d'ailleurs bien plus passionnant que son nom ne le laisse supposer : la section consacrée à l'histoire du téléphone en Hongrie, qui commence avec l'installation du premier standard en 1890 à Budapest, présente un intérêt certain. Le musée est ouvert de 10h à 18h de mars à octobre et jusqu'à 14h les autres mois.

Plus à l'ouest, au 21, Bercsényi utca, se trouve le petit **musée du village** installé dans une ferme datant de 1825. Ce bâtiment était autrefois la maison d'un chaudronnier, dont l'atelier se trouve toujours là. Ce musée est ouvert tous les jours sauf lundi de 10h à 18h de mai à septembre.

L'**église Saint-Étienne**, au centre de la ville, fut construite par Kinizsi en 1481 sur le site d'une ancienne chapelle. L'intérieur, où l'on pourra entre autres admirer un bel autel richement sculpté, est surtout baroque.

On peut monter à cheval au haras situé près de l'hôtel Kastély pour 600 Ft l'heure.

Où se loger

L'auberge de jeunesse *Kinizsi* (☎ 331 015), dans Vár utca, en face du château, offre l'hébergement le moins cher de la ville, mais n'ouvre que l'été. De mars à novembre, essayez le *Vázsonykő* (☎ 364 344), une nouvelle pension de 7 chambres au 2, Sörház utca. Une double avec petit déjeuner y coûte 1 800 Ft.

Le *Kastély* (☎ 364 109), un hôtel miteux au 12, Kossuth utca, propose 21 chambres installées dans une maison du XVIIIe siècle, au milieu d'un parc de 6 hectares, ayant appartenu à la famille Zichy. Simples/doubles avec s. d. b. sont à 1 300/2 200 Ft. L'hôtel ferme de décembre à mars.

Où se restaurer

Le *Vár Csárda*, ouvert en été, n'est pas loin du château. Essayez également la bonne cuisine familiale de la pension *Vázsonykő*, qui vous accueille toute l'année. Le *Vázsony*, pour sa part, est un *büfé* au 84, Kinizsi utca, près des arrêts de bus.

Distractions

Le principal événement prévu sur le calendrier de Nagyvázsony a toujours été le Tournoi équestre, une reconstitution médiévale qui se tient le premier week-end d'août dans le parc de l'hôtel Kastély. Toutefois, des difficultés financières ont récemment contraint les organisateurs à annuler cette manifestation, dont l'avenir semble désormais compromis. Renseignez-vous chez Balatontourist ou à l'hôtel Kastély.

Comment s'y rendre

Une vingtaine de bus relient chaque jour Nagyvázsony et Veszprém, situé à 23 km au nord-est de la ville. Huit autres font l'aller-retour jusqu'à Tapolca, au sud-ouest. Trois bus quotidiens directs vous permettront également d'atteindre Balatonfüred et Keszthely.

TIHANY (1 700 habitants)

Bien que Veszprém comporte plus de monuments que toute autre ville de la région du Balaton, le lieu le plus chargé d'histoire demeure le village de Tihany, à 11 km au sud-ouest de Balatonfüred. Celui-ci se trouve sur la presqu'île du même nom, qui s'enfonce sur 5 km à l'intérieur du lac Balaton, à tel point que la rive nord rejoint presque la rive sud à cet endroit. Toute cette presqu'île est une réserve naturelle où les prairies marécageuses alternent avec les collines. L'endroit inspire un sentiment d'isolation et d'état sauvage inconnu dans le reste de la région du lac. Le village, installé sur un sommet du côté est de la péninsule, est l'un des plus charmants des environs.

Cette zone était déjà le lieu d'un camp romain, mais il fallut attendre 1055 pour que Tihany figure sur une carte. C'est à cette date, en effet, que le roi André Ier (1046-1060), petit-fils du roi Étienne, y fonda un monastère bénédictin. L'*Acte de fondation* de l'abbaye de Tihany, aujourd'hui conservé dans les archives de l'abbaye bénédictine de Pannonhalma, près de Győr, est le premier document à comporter des termes hongrois (quelque 50 noms de villes cités dans un document latin). Il s'agit là d'un véritable trésor linguistique dans un pays dont la langue, sous sa forme écrite, fut rejetée en faveur de l'allemand, plus "cultivé", jusqu'au XIXe siècle.

En 1267, on construisit autour de l'église des fortifications qui, trois siècles plus tard, allaient tenir les Turcs en échec. Cependant, le château fut démoli par les Habsbourg en 1702 et l'on n'en voit plus que des ruines aujourd'hui.

Tihany constitue une zone de loisirs très appréciée, avec ses plages sur les côtes est et ouest et son grand complexe de détente au sud. Les eaux du **puits de Tihany,** au large de l'extrême sud de la presqu'île, sont les plus profondes et les plus froides du lac.

Orientation

Perché sur un plateau de 80 mètres le long de la côte est de la péninsule, le village de Tihany est accessible par deux routes après avoir quitté la n°71 pour se diriger vers le sud. Le port Intérieur (Belső Kikötő), où accostent les ferries venant de Balatonfüred et Siófok, se trouve au-dessous du village. Deux bassins sont alimentés par la pluie et les eaux souterraines : le lac Intérieur (Belső-tó), au centre de la péninsule, visible de la ville, et le lac Externe (Külső-tó), au nord-ouest, qui est presque asséché. Tous deux attirent des centaines d'oiseaux.

Renseignements

Le bus venant de Balatonfüred s'arrête sur András tér, au bas de l'abbaye et près de Balatontourist (☎ 86 348 519), au 20, Kossuth Lajos utca. Ce dernier est ouvert d'avril à mi-octobre. Tihany Tourist (☎ 86 348 481) se trouve au n°11.

Il y a une banque OTP près de Balatontourist. La poste se trouve en face, au 37, Kossuth Lajos utca. L'indicatif téléphonique de Tihany est le 86.

L'église abbatiale

L'église à deux flèches, couleur ocre, fut construite en 1754 sur le site de l'église Saint-André. Elle referme de fantastiques autels, chaires et paravents sculptés entre 1753 et 1779 par un frère convers autrichien du nom de Sebastian Stuhlhof. Parmi toutes ces richesses, vous pourrez admirer quelques chefs-d'œuvre d'art rococo et baroque. Tout, ici, est porteur de symboles.

En tournant le dos au somptueux autel principal (le saint bénédictin portant le

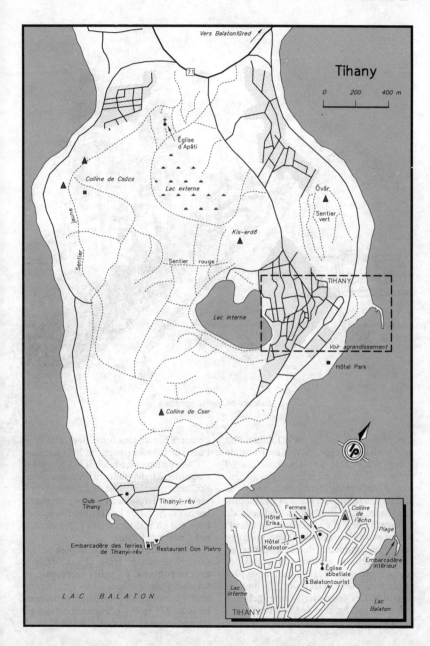

Vers Balatonfüred

71

Tihany

0   200   400 m

Église
d'Apáti

Colline de Csúcs

Lac externe

Óvár

Sentier
vert

Sentier
jaune

Kis-erdő

Sentier   rouge

Lac interne

TIHANY

Voir agrandissement

Hôtel Park

Colline de Cser

Club
Tihany

Tihanyi-rév

Embarcadère des ferries
de Tihanyi-rév

Restaurant Don Pietro

LAC   BALATON

Fermes

Hôtel
Erika

Colline
de
l'écho

Plage

Hôtel
Kolostor

Église
abbatiale

Embarcadère
intérieur

Balatontourist

Lac
interne

TIHANY

Lac
Balaton

Les tours de l'église abbatiale

calice brisé et le serpent est le fondateur du monachisme occidental) et au trône de l'abbé, remarquez, sur votre droite, l'autel dédié à Marie. On raconte que l'ange agenouillé sur la droite représente la fiancée de Stuhlhof, une fille de pêcheur qui mourut très jeune. Sur l'autel du Sacré-Cœur, de l'autre côté de l'aile, un pélican (le Christ) nourrit son enfant (le fidèle) de son propre sang. Les silhouettes de personnages, en haut de la chaire voisine, sont celles des quatre docteurs de l'église catholique : les saints Ambroise, Grégoire, Jérôme et Augustin. Les deux autels tout proches, à droite et à gauche, sont dédiés à Benoît et à sa sœur jumelle Scholastique. Les deux

derniers objets (les fonts baptismaux et l'autel de Lourdes) datent du XXᵉ siècle.

C'est également Stuhlhof qui sculpta la magnifique balustrade du chœur, au-dessus, ainsi que l'orgue. Les fresques représentées au plafond sont l'œuvre de Bertalan Székely, Lajos Deák-Ébner et Károly Lotz, qui les réalisèrent en 1889, lors de la restauration de l'église.

La dépouille du roi André repose sous le sarcophage en pierre à chaux, dans la **crypte romane**. La croix spiroïdale en forme d'épée, sur le couvercle, est semblable à celles qu'utilisaient les rois hongrois au XIᵉ siècle. L'église abbatiale est ouverte tous les jours de 10h à 16h30.

Le **musée de l'Abbaye**, juste à côté, dans l'ancien monastère bénédictin, renferme des expositions relatives au lac Balaton, ainsi qu'une bibliothèque de manuscrits. Au sous-sol, se trouve un petit musée de statues romaines. L'ensemble est ouvert tous les jours sauf lundi de 9h à 17h de mars à octobre. Ces horaires risquent cependant d'être modifiés, les Bénédictins souhaitant reprendre possession du monastère pour le transformer en retraite.

Au nord de l'église abbatiale

Le long d'Árpád utca et de Pisky István sétány, se trouvent des fermes aux toits de chaume où l'on vend des babioles pour touristes. C'est également là que se situe le **musée de la Maison populaire**, contenant des meubles de fermes, la **maison de la Poterie** et le **musée de la Guilde des pêcheurs**, qui retrace l'histoire de la pêche sur le lac. Tous sont ouverts de 9h à 18h tous les jours sauf mardi de mai à novembre.

Vous trouverez la **colline aux Échos** à l'extrémité de Pisky István sétány. Il fut un temps où une syllabe criée en direction de l'église abbatiale vous renvoyait un écho douze fois répété, mais hélas, en raison des constructions qui se sont développées dans la région et peut-être des changements climatiques intervenus, estimez-vous heureux si l'écho vous parvient trois fois. De là, redescendez Garay utca et Váralja utca et vous atteindrez Fürdőtelepi út, le ferry du port Intérieur et la petite plage.

Activités culturelles et/ou sportives

Marche à pied. La marche à pied est l'une des principales attractions de Tihany : il existe une bonne carte indiquant les divers chemins de randonnée près de l'entrée de l'église abbatiale. En suivant pendant une heure le sentier vert, au nord-est de l'église, vous parviendrez au puits russe (Oroszkút) et aux ruines du vieux château (Óvár), où des moines russes orthodoxes amenés à Tihany par André creusèrent de petites cavernes dans les parois basaltiques. La colline de Csúcs qui, avec ses 232 mètres

d'altitude, offre une vue panoramique sur le Balaton, se trouve à environ une 1 heure 30 de marche à l'ouest de l'église par le sentier rouge. De là, vous pourrez rejoindre le sentier jaune qui part de Tihany-rév pour vous amener, vers le nord, jusqu'à une église du XIIIe siècle à Apáti, sur la route n°71. Le sentier bleu vous entraîne quant à lui vers le sud, en direction du lac Intérieur et d'Aranyház, une série de geysers en cônes formés par des sources d'eau tièdes. Les sentiers de randonnée ne sont pas toujours très bien balisés, mais vous avez peu de chances de vous perdre.

Vols en ULM. Si vous avez des envies de paysages vus du ciel à bord d'un ULM, parcourez quelques centaines de mètres après la sortie marquée Tihany sur la route n°71 vers Balatonfüred et guettez une pancarte indiquée "sétarepülés". Il n'y a rien de tel que l'ULM pour voir l'église abbatiale. Cette petite escapade vous coûtera 1 500 Ft pour 10 minutes. Ce service est disponible de 8h à 18h en saison seulement.

Où se loger

Les hébergements sont rares et chers à Tihany, aussi vaut-il mieux y venir pour la journée en séjournant à Balatonfüred (environ 20 bus par jour font le trajet entre les deux villes).

De plus, nombre d'hôtels ferment entre novembre et février ou mars.

Chambres chez l'habitant. Balatontourist vous aidera à trouver une chambre (attendez-vous à payer environ 1 500 Ft pour une double), mais vous pouvez repérer vous-même les pancartes "Zimmer frei" le long de Kossuth Lajos utca ou dans les petites rues au nord de l'église abbatiale. A vous, alors, de négocier.

Pensions. Le *Kolostor* (☎ 348 408) est une nouvelle pension de 7 chambres au 14, Kossuth Lajos utca. Les doubles y coûtent de 2 250 à 3 600 Ft selon la saison. Quant aux 15 chambres de l'*Erika* (☎ 348 644), au 6, Batthyány utca, sur la colline au coin de la rue, leur prix vous fera frémir : de 4 500 à 6 750 Ft la double tout confort avec s. d. b. Mais il est vrai que la pension dispose d'une petite piscine réservée à ses clients.

Hôtels. L'hôtel *Park* (☎ 348 611), au 1 Fürdőtelepi út, sur le port Intérieur, possède 26 chambres dans une ancienne maison d'été des Habsbourg et 44 autres dans une horrible aile moderne. Les simples avec s. d. b. et balcon dans la partie neuve coûtent de 2 700 à 4 275 Ft, les doubles de 3 825 à 5 625 Ft. Dans l'ancien bâtiment, ces dernières reviennent de 4 000 à 5 000 Ft. L'hôtel dispose de 5 hectares de jardins et d'une plage privée.

Le *Club Tihany* (☎ 348 088), au 3, Rév utca, à quelques pas de l'embarcadère pour voitures, à Tihanyi-rév, est un complexe hôtelier de 13 hectares équipé de toutes les installations possibles et imaginables. Difficile de concevoir qu'on puisse avoir envie d'y séjourner ! Sachez cependant qu'un bungalow pour deux coûte de 3 450 à 9 450 Ft, qu'une simple dans l'hôtel-bunker revient de 2 025 à 4 725 Ft, contre 2 450 à 6 300 Ft pour une double dans cette même tour de béton.

Où se restaurer
Le *Rege*, installé dans les écuries de l'ancien monastère, près de l'église et du musée, sert des repas légers. Le *HBH Bajor*, dans la pension Kolostor, est une sorte de brasserie germano-hongroise qui produit sa propre bière sur place. En été, il est agréable de prendre son repas en terrasse au *Ciprián*, au 22, Kossuth Lajos utca, mais les prix sont élevés.

Vous trouverez une multitude de csárdas intéressantes sur Kossuth Lajos utca ; la meilleure est le *Kecskerköröm* ("l'ongle de la chèvre"), situé dans une ancienne ferme au toit de chaume, au n°15. Le *Kakas*, dans une maison de basalte faite de coins et de recoins, en contrebas de l'hôtel Erika, est l'un des rares restaurants ouverts toute l'année.

Pour prendre un café accompagné d'une pâtisserie, essayez le *Brazil*, sur András tér.

En dehors de quelques buvettes vendant saucisses et lángos, et du *Don Pietro*, un vendeur de pizzas à emporter installé dans un pavillon vitré, près de l'embarcadère au 4, Rév utca, le touriste qui se promène à Tihanyi-rév dispose, somme toute, d'un choix limité. Évitez quoi qu'il arrive les restaurants surfaits du Club Tihany.

Distractions
En été, des concerts d'orgue ont généralement lieu le mardi et le mercredi dans l'église abbatiale, toute illuminée pour l'occasion, mais renseignez-vous au préalable chez Balatontourist ou à la maison de la culture de Tihany (344 193), dans Posta köz, derrière la poste. Par ailleurs, de nombreuses manifestations du *festival d'Automne du Balaton* se déroulent ici en septembre. Enfin, la discothèque *Hollywood Centre*, à Tihanyi-rév, reste ouverte jusqu'à 4h du matin en saison.

Comment s'y rendre
Les bus qui viennent de Balatonfüred (plus de 20 par jour) suivent la route de la côte est, s'arrêtant à l'embarcadère des ferries du port Intérieur avant de poursuivre leur route jusqu'à Tihanyi-rév et au village de Tihany, en haut de la colline. De Tihany, on peut également se rendre à Veszprém par l'un des cinq bus quotidiens.

Des ferries partent pour Balatonfüred et Siófok jusqu'à dix fois par jour de juin à août. Ils se prennent à l'embarcadère du port Intérieur. De Tihanyi-rév, le seul ferry du Balaton transportant des voitures effectue toutes les heures une traversée de 1,5 km jusqu'à Szántód. Ce service fonctionne toute l'année, en dehors des périodes où le lac est gelé.

BALATONFÜRED (15 100 habitants)
Balatonfüred est la station balnéaire la plus ancienne et la plus populaire de la côte nord du lac. Pourtant, on n'y rencontre pas la même faune frénétique et colorée que dans des stations comme Siófok, sans doute en raison des origines aristocratiques de la ville, de ses thermes et de son hôpital

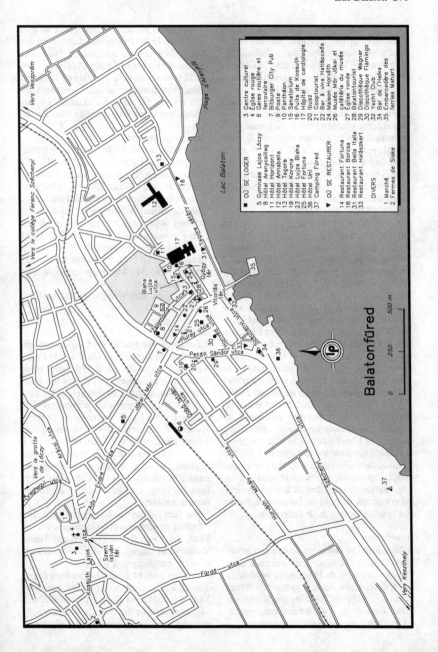

Balatonfüred

OÙ SE LOGER
- 5 Gymnase Lajos Lóczy
- 8 Hôtel Aranycsillag
- 11 Hôtel Horizont
- 12 Hôtel Annabella
- 13 Hôtel Tagore
- 19 Hôtel Korona
- 23 Hôtel Lujza Blaha
- 25 Hôtel Fortuna
- 36 Hôtel Uni
- 37 Camping Füred

OÙ SE RESTAURER
- 14 Restaurant Fortuna
- 18 Restaurant Borcsa
- 31 Restaurant Bella Italia
- 33 Restaurant Halászkert

DIVERS
- 1 Marché
- 2 Fermes de Siske
- 3 Centre culturel
- 4 Église rouge
- 6 Gares routière et ferroviaire
- 7 Bitburger City Pub
- 9 Poste
- 10 Panthéon
- 15 Sanatorium
- 16 Puits de Kossuth
- 17 Hôpital de cardiologie
- 20 Ibusz
- 21 Cooptourist
- 22 Bar à vins Hatlépcsős
- 24 Maison Horváth
- 26 Musée Mór Jókai et cafétéria du musée
- 27 Église ronde
- 28 Balatontourist
- 29 Discothèque Wagner
- 30 Discothèque Flamingo
- 32 Yacht Club
- 34 Bar de l'hélика
- 35 Embarcadère des ferries Mahart

mondialement connu, qui attirent un public plus âgé. Ainsi voit-on, de janvier à décembre, des groupes du troisième âge aller prendre les eaux à la source tiède de Gyógy tér, puis déambuler nonchalamment sur la promenade qui longe le lac.

Riches en acide carbonique, les eaux thermales de la ville sont utilisées depuis des siècles (mélangées à du fromage !) pour traiter les problèmes digestifs. Il fallut toutefois attendre la fin du XVIIIe siècle pour que soient découvertes leurs autres vertus curatives, notamment sur le cœur. Dès lors, Balatonfüred fut déclarée station thermale et un service de médecine du cœur s'y établit à demeure.

L'âge d'or de Balatonfüred se situe surtout pendant la première moitié du XIXe siècle : à l'époque, tous les hommes politiques du mouvement de la Réforme et les personnalités du monde culturel s'y retrouvaient en été. La ville devint ainsi une sorte de colonie d'écrivains et en 1831, le poète Sándor Kisfaludy établit le premier théâtre de langue hongroise de Transdanubie, décoré d'une bannière portant l'inscription : "Patriotisme envers notre nationalité" (jusque-là, seul l'allemand était parlé sur scène). Balatonfüred fut également le site que choisit István Széchenyi pour inaugurer le premier bateau à vapeur du lac, en 1846.

Vers 1900, Balatonfüred devint le lieu de prédilection d'un nombre croissant de familles des classes moyennes, heureuses d'échapper à la chaleur de la ville. Femmes et enfants venaient s'y installer tout l'été et les maris les rejoignaient en train le week-end. La splendide promenade, ainsi qu'un large bassin de bois, détruit depuis, avaient été construits au bord du lac pour répondre aux besoins croissants de cette foule.

Orientation

Balatonfüred se compose de deux quartiers bien distincts : le centre commerçant, dans l'ancienne partie de la ville, au nord de la ligne de chemin de fer, autour de Szent István tér, et la zone balnéaire, au sud-est sur le lac. Tout ce qu'il y a à faire, ou presque, est concentré dans ce second secteur.

Les gares routière et ferroviaire se trouvent dans Dobó István utca. Lorsqu'on descend du train ou du bus, il faut donc prendre Horváth Mihály utca vers l'est, puis tourner vers le sud dans Jókai Mór utca, pour parvenir au lac. L'embarcadère des ferries est situé à l'extrémité d'une jetée, dans le prolongement de Vitorlás tér.

Renseignements

Balatontourist (☎ 86 342 822) se trouve au 5, Blaha Lujza utca, Ibusz (☎ 86 342 327) est au 4/a, Petőfi Sándor utca, et Cooptourist (☎ 86 342 677) au 23, Jókai Mór utca. Ces trois bureaux sont ouverts de 8h30 à 16h en semaine. En haute saison, ces horaires se prolongent et incluent le samedi.

Il y a une banque OTP au 28, Petőfi Sándor utca (ouverte samedi et dimanche jusqu'à 14h en été). Pour obtenir un taxi, appelez le 86 342 844. La poste se situe au 14, Zsigmond utca.

L'indicatif téléphonique de Balatonfüred est le 86.

A voir

Le **musée-mémorial Mór Jókai** est installé dans la prolifique villa d'été de l'écrivain, à l'angle de Jókai Mór utca et de Honvéd utca, au nord de Vitorlás tér. Dans son bureau, à droite en entrant, Jókai produisit la majeure partie de ses quelque 200 romans, sous l'œil sévère de sa femme, l'actrice Róza Laborfalvi. Membre du Parlement pendant 30 ans, Jókai ne parvenait à écrire – il nous le confie dans ses notes explicatives – "qu'à l'encre violette et sur papier ministériel". Le musée est ouvert tous les jours sauf lundi de 9h à 17h, de mars à octobre.

En face, dans la même rue, s'élève l'**Église ronde** néo-classique achevée en 1846. La *Crucifixion* (1891), par János Vaszary (au-dessus de l'autel à droite) est sa seule œuvre digne d'intérêt.

Si vous prenez Blaha Lujza utca (pendant 20 ans, la chanteuse et comédienne du XIXe siècle, Lujza Blaha, vint passer ses vacances chaque été dans la villa du n°4, aujourd'hui transformée en hôtel), vous

En haut : vendeuses ambulantes lors d'une fête religieuse près
de l'église de Máriagyűd (SF)
En bas à gauche : barbacane du château de Pécs (SF)
En bas à droite : rue piétonne (Király utca) à Pécs (SF)

En haut : église-mosquée et Széchenyi tér, à Pécs (SF)
En bas à gauche : fontaine de Szolnay (détail) sur Széchenyi tér à Pécs (SF)
En bas à droite : statue de Franz Liszt dans le palais épiscopal de Pécs (SF)

En haut : marché aux chevaux tzigane à Debrecen (SF)
En bas à gauche : hôtel Aranybika, Debrecen(SF)
En bas à droite : Grande Église, Debrecen (SF)

En haut : haras de Máta, dans l'Hortobágy (SF)
En bas : chevaux et dresseurs aux Jeux de dressage de la puszta (BD)

atteindrez bientôt Gyógy tér. Au centre de cette place ombragée, le puits de Kossuth (1853) dispense une eau thermale légèrement sulfureuse que l'on peut boire. Sachez que vous n'approcherez jamais davantage la source d'eau chaude de Balatonfüred, sauf, bien sûr, si vous souffrez d'un trouble coronarien.

La **maison Horváth**, qui date de la fin du baroque, fut le site du premier bal d'Anne en 1825. Depuis, ce bal est devenu le grand événement de Balatonfüred ; il a lieu chaque année dans le **sanatorium** (1802), à l'extrémité nord de la place. Tout près, se trouve le **panthéon de Balatonfüred**, qui renferme des plaques à la mémoire de personnalités soignées à l'hôpital. Le nom de Rabindranath Tagore, poète bengali et Prix Nobel 1913, y figure (la promenade au bord du lac porte d'ailleurs le nom du poète). A l'est de la place, au n°2, se trouve l'immense **hôpital de cardiologie**, qui valut à Balatonfüred de figurer sur les cartes du pays. Le théâtre de Kisfaludy, pour sa part, était situé dans Gyógy tér jusqu'en 1873.

Plus loin, dans la Vieille Ville, un excellent **marché** où l'on trouve de délicieux pâtissiers, se tient derrière l'Église rouge du XVIIIe siècle, dans Arácsi utca. En marchant vers l'est à partir de Szent István tér, vous passerez devant l'**Église calviniste** néo-classique (1829) avant d'atteindre Siske, un quartier de maisonnettes aux toits de chaume où l'on trouve des broderies et des aiguisoirs. Les fanatiques des bains de soleil et les fous de planche à voile n'ont pas leur place dans ce quartier traditionnel, mais il suffit de suivre pendant 20 minutes Fürdő utca vers le sud pour atteindre le camping de Füred et le lac.

Activités culturelles et/ou sportives

Balatonfüred possède 6 plages publiques : la plus belle est Aranyhíd, à l'est de Tagore sétány. La plage du camping propose du ski nautique que l'on pratique à l'aide d'un câble de remorquage électrique. On peut louer toutes sortes de bateaux au club nautique de Vitorlás tér. Pour embarquer à

bord du trois-mâts l'*Ószöd*, rendez-vous à l'embarcadère, du jeudi au lundi, à 13h30. Le prix de la promenade est de 300 Ft.

Il existe plusieurs points de location de bicyclettes à Balatonfüred, mais le plus central est le bateau Helka, ancré à sec sur la grève au 1, Széchenyi tér.

Si vous venez entre mai et septembre, organisez-vous une petite promenade, à pied ou en vélo, jusqu'à la **grotte de Lóczy**, au nord du centre de la Vieille Ville. Cette grotte est la plus grande de la région du Balaton. On y accède à partir de Szent István tér. Marchez simplement quelques minutes vers l'est dans Arácsi utca, passez devant le marché, puis tournez vers le nord dans Öreghegyi utca. La grotte est ouverte de 9h à 17h. Il y a également de bonnes randonnées à effectuer dans les trois collines situées à l'est et au nord-est et portant les noms de Tamás (Thomas), Sándor (Alexandre) et Péter (Pierre).

Où se loger

En matière d'hébergements, le choix est relativement vaste à Balatonfüred, quoiqu'en saison il ne soit pas si facile de trouver son bonheur. N'oubliez pas que de nombreux hôtels ferment entre octobre et mars.

Camping. Le *Füred Camping* (☎ 343 823), au 24, Széchenyi utca, est l'un des plus étendus (27 hectares) et des plus modernes de Hongrie, avec une capacité d'accueil de 3 500 personnes. Il possède des bungalows, une plage privée, des tennis, un bowling et la seule installation de ski nautique du lac Balaton. Pour vous y rendre, prenez soit le bus n°3/y à l'embarcadère des ferries, soit le n°1 à la gare ferroviaire.

Chambres chez l'habitant et collèges. Le très aimable personnel de Balatontourist vous aidera à trouver des chambres chez l'habitant, mais celles-ci coûtent relativement cher : de 1 200 à 1 500 Ft la double. En revanche, pour passer la nuit au *Lajos Lóczy Gymnasium*, dans Ady Endre utca, près des gares, ou dans le lointain *Ferenc Széchenyi College*, dans Iskola utca, à 3 km au nord-est de la station, on ne vous réclamera que 300 à 400 Ft par personne et par nuit, en dortoirs.

Pensions et maisons de vacances. Les pensions de Balatonfüred, telles la *Korona* (☎ 343 278), au 4, Vörösmarty Mihály utca, au nord de Széchenyi tér, ne sont jamais bon marché : environ 2 700 Ft pour une double. Préférez-leur l'une des anciennes maisons de vacances syndicales, comme l'*Horizont* (☎ 342 044), un large bâtiment du XVIIIe siècle situé derrière l'hôpital de cardiologie, au 1, Táncsics Mihály utca. Ses simples et ses doubles avec douches communes ne coûtent que de 950 à 1 450 Ft et de 1 350 à 2 000 Ft selon la saison. Le *Fortuna* (☎ 343 037), plus haut de gamme, était jadis une maison de retraite pour professeurs au bout du rouleau. Il est situé à flanc de colline, au 6, Huray utca, dispose de 32 chambres et réclame de 1 750 à 2 500 Ft pour une simple et de 2 500 à 3 600 Ft pour une double avec s. d. b.

Hôtels. Le *Lujza Blaha* (☎ 342 603), 19 chambres, installé dans la villa de l'actrice au 4, Blaha Lujza utca, est un endroit à la fois charmant et central. Il est affilié au *Tagore* (☎ 343 173), 36 chambres, au 56, Deák Ferenc utca, près de la mer. Ces deux hôtels pratiquent les mêmes prix : 1 750/2 200 Ft la simple, 2 500/3 100 Ft la double avec douche. Encore plus raisonnable financièrement, l'*Aranycsillag* (☎ 343 466), au 1, Zsigmond utca, est un sympathique hôtel rétro de 113 chambres. Les simples/doubles avec douches sont à 1 650/2 250 Ft.

Parmi les tours de béton qui font office d'hôtels en bordure du lac, le meilleur (et, bizarrement, le moins cher) est l'*UNI* (☎ 342 239), au 10, Széchenyi utca, qui propose des simples allant de 1 610 à 2 700 Ft, et des doubles de 1 960 à 3 200 Ft, petit déjeuner compris, selon la saison. L'établissement le plus huppé de la

ville est l'hôtel *Park* (☎ 343 203), 34 chambres, au 24, Jókai Mor utca. Les doubles y coûtent environ 5 000 Ft.

Où se restaurer

Rien de tel que les buvettes du nord-est de Vitorlás tér pour un en-cas rapide et bon marché. Le restaurant *Vitorlás*, tout proche, est, étant donné son emplacement central, cher et touristique. Descendez plutôt Széchenyi utca jusqu'au *Halászkert*, qui sert la meilleure "soupe de poisson de l'ivrogne" (Korhely halászlé) de Hongrie.

La salle à manger de l'hôtel *Lujza Blaha* est plutôt élégante et chaudement recommandée. Le *Fortuna* (le restaurant, et non l'hôtel), plus haut dans Jókai Mór utca, propose une carte assez limitée, mais se trouve idéalement situé sous le porche vitré d'une belle villa ancienne. Le *Bella Italia*, au 5, Tagore sétány, sert des pizzas en été. Plus à l'est sur la promenade, se trouve le *Borcsa*, qui semble plaire aux autochtones. Il y a deux csárdas touristiques à éviter absolument dans le vignoble, au-dessus de Széchenyi utca : le *Hordó* et le *Baricska*. N'écoutez pas les Hongrois qui chercheraient à vous y envoyer ! Le salon de thé *Kedves* – où venait Lujza Blaha elle-même – est au 7, Blaha Lujza utca. Au premier étage, est installé un restaurant chinois dont le chef vient tout droit de Pékin, appelé *Arany-tó* ("lac doré").

Distractions

Le centre culturel municipal (☎ 343 648) se trouve près de Szent István tér, au 3, Kossuth Lajos utca. Renseignez-vous ici ou chez Balatontourist, sur les spectacles donnés en septembre dans le cadre du festival d'Automne du Balaton.

Le *bal d'Anne*, qui rappelle chaque année l'extravagance des jours de gloire de Balatonfüred, a lieu au sanatorium le jour de la fête de sainte Anne (25 juillet). A cette date, restez dans Gyógy tér pour voir arriver les invités en costumes.

Le *Múzeum* est un amusant bar et salon de thé situé – oh sacrilège ! – à l'arrière du musée Mór Jókai et ouvert jusqu'à 2h du matin. Pour goûter l'un des fameux rieslings de Balatonfüred, entrez dans le bar à vins *Hátlépcsős* ("marches arrière") du 30, Jókai Mór utca. Si vous préférez la bière, continuez vers le nord jusqu'au grand pub *Bitburger City*, au 8, Pétőfi Sándor utca. Il reste ouvert jusqu'à 4h du matin.

La petite discothèque *Wagner*, au n°2, figure elle aussi parmi les bonnes adresses.

En été, la ville regorge de discothèques. L'une d'elles se trouve dans le restaurant *Halászkert*. Autre coin chaud de la ville, le *Flamingo*, au 3, Honvéd utca, qui ne renvoie les danseurs qu'à 5h du matin.

Comment s'y rendre

Plusieurs trains se dirigent vers Székersfehérvár et Budapest-Déli, d'un côté du lac, et vers Tapolca et Badacsony vm, de l'autre. Le service routier est plus limité, même si plus de 20 bus par jour se rendent à Veszprém et qu'il y en ait presque autant pour Tihany. Les autres départs se font à destinations de Budapest (4), Esztergom (1), Győr (7), Hévíz (7), Kecskemét (1), Nagykanizsa (1), Nagyvázsony (3), Sopron (1), Székesfehérvár (2), Tapolca (3), Tatabánya (1) et Zalaegerszeg (5).

De mi-avril à octobre, 7 ferries Mahart relient quotidiennement Balatonfüred à Tihany et Siófok. Jusqu'à 12 bateaux par jour desservent ces mêmes ports de juin à mi-septembre. Le ferry partant un peu après 8h continue jusqu'à Badacsony.

VESZPRÉM (65 000 habitants)

Étalée sur cinq collines entre les lignes nord et sud des montagnes du Bakony, Veszprém offre l'un des paysages les plus spectaculaires de Hongrie. Le quartier du château, cerné de murailles, au sommet d'un plateau, est un véritable musée vivant d'art et d'architecture baroques. Même si, côté curiosités et monuments historiques, Veszprém n'a pas la richesse d'une Sopron, ce qui reste de la ville se trouve généralement en bien meilleur état. C'est un plaisir de flâner dans l'unique rue de la Vieille Ville, où s'engouffre le vent, et

d'admirer les belles églises. Comme le disent les habitants de la ville, "à Veszprém, il y a soit le vent qui souffle, soit les cloches qui sonnent".

Ce n'est pas sur les lieux de la Veszprém d'aujourd'hui, mais à 8 km au sud-est que s'installèrent d'abord les Romains ; ainsi mit-on au jour le site de Balácapuszta, où furent menées d'importantes fouilles archéologiques.

A la fin du Xe siècle, le prince Géza, père du roi Étienne, fit de Veszprém un évêché, de telle sorte que la ville se développa rapidement, devenant un centre religieux, administratif et éducatif (l'université fut créée au XIIIe siècle). La ville était également le lieu de résidence favori des reines de Hongrie.

Le château de Veszprém fut détruit par les Habsbourg en 1702 et perdit la majeure partie de ses bâtiments médiévaux durant la guerre d'indépendance menée par les Rákóczi, peu de temps après.

Toutefois, ces destructions allaient entraîner l'âge d'or de Veszprém. A cette époque en effet, les évêques de la ville, tous de riches propriétaires terriens, firent construire la plupart des édifices que l'on admire aujourd'hui. Malheureusement, la mainmise de l'Église sur Veszprém empêcha cette dernière de se développer commercialement et, au XIXe siècle, les constructeurs de la ligne de chemin de fer ne jugèrent pas utile de faire figurer la ville sur l'itinéraire des trains.

Bien qu'on la considère comme une ville du Balaton – les habitants se félicitent dès que le ciel se couvre, car ils voient alors affluer dans leurs boutiques et restaurants les estivants du lac – la distance qui sépare les stations balnéaires de Veszprém paraît bien supérieure à 16 km. Aussi ce centre artistique, culturel et universitaire bénéficie-t-il d'une animation qui ne se limite pas aux mois d'été.

Orientation

La gare routière se trouve sur Piac tér, à quelques minutes de marche au nord-est de Kossuth Lajos utca, une bruyante rue piétonne où se côtoient boutiques, restaurants

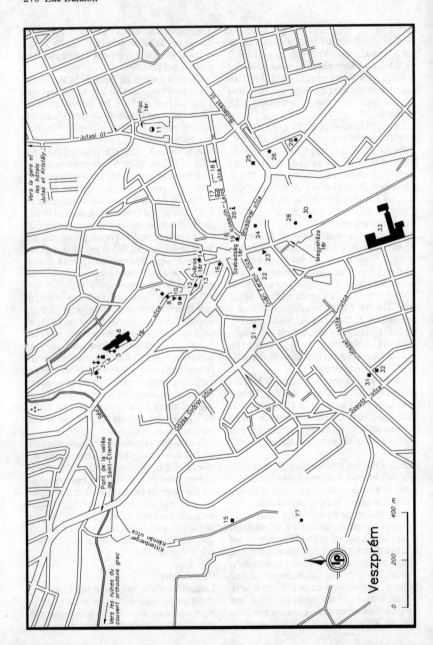

Veszprém

Vers la gare et les hôtels Jutas et Kristály

Vers les ruines du couvent orthodoxe grec

Pont de la vallée de Saint-Étienne

Kittenberger Kálmán utca

0   200   400 m

■ OÙ SE LOGER

15 Motel et bungalows de l'Erdei
25 Hôtel Veszprém
31 Pension Apartment
32 Pension Diana

▼ OÙ SE RESTAURER

10 Restaurant Vár Kapu
20 Restaurant Cserhét
23 Restaurant Gourmandia

DIVERS

1 Ruines de la Convention dominicaine
2 Bout-du-monde
3 Chapelle Saint-Georges
4 Cathédrale
5 Chapelle Giselle
6 Palais épiscopal
7 Musée du Château
8 Porte des Héros
9 Tour du Feu
11 Gare routière
12 Maison Pósa
13 Cooptourist
14 Banque OTP
16 Hôtel de ville
17 Poste
18 Balatontourist
19 Salon de thé Marica
20 Ibusz et Express
21 Centre culturel
22 Théâtre Petőfi
24 Cinéma Séd
26 Pub Amstel
27 Zoo
28 Musée Dezső Laczkó
29 Pub Cimbora
30 Maison de Bakony
33 Université de Veszprém

et agences de voyages. En vous dirigeant vers le nord une fois parvenu au bout de Kossuth Lajos utca, sur Szabadság tér, où se dresse l'hôtel de ville (1793), vous atteindrez bientôt Óváros tér, l'entrée de la colline du Château.

La gare ferroviaire est située à 3 km au nord du centre ville, à l'extrémité de Jutasi út.

Renseignements

Balatontourist (☎ 88 325 422) est au 21, Kossuth Lajos utca ; Ibusz (☎ 88 327 604) et Express (☎ 88 327 069) occupent tous le même immeuble, au n°6 de la même rue. Cooptourist (☎ 88 322 313) est plus proche de la Vieille Ville, au 2, Óváros tér. Tous ces bureaux sont ouverts en semaine de 8h30 à 16h et jusqu'à 12h le samedi.

Vous pouvez changer de l'argent à la banque OTP du n°11 de la même place. Vous trouverez une grande poste au 19, Kossuth Lajos utca.

Enfin, l'indicatif téléphonique de Veszprém et de ses environs est le 88.

Quartier d'Óváros tér

C'est par Óváros tér, la place du marché médiévale, qu'il faut débuter la visite de Veszprém. Parmi les belles bâtisses du XVIIIe siècle qui s'y trouvent, la plus intéressante est la **maison Pósa** (1793), avec son balcon en fer forgé, au n°3. Sur le côté ouest de la place, vous ne pouvez pas manquer la **tour du Feu** : comme celle de Sopron, celle-ci est un hybride architectural constitué de styles médiéval, baroque et néo-classique. C'est de là que chaque heure, résonnent les carillons à travers Veszprém. N'hésitez pas à monter au sommet de la tour : vous y découvrirez un très beau point de vue sur la colline rocheuse et sur les montagnes de Bakony. Près de la gare routière, un grand **marché** couvert se tient dans Kossuth Lajos utca.

Colline du Château et Vár utca

En entamant l'ascension de la colline du Château par la rue unique, vous traverserez la **porte des Héros**, un porche à l'allure vaguement fasciste construit en 1936 à partir des pierres d'un portail du château datant du XVe siècle. La tour de droite renferme le **musée du Château**, qui retrace l'histoire de Veszprém. Il est ouvert tous les jours sauf lundi de 9h à 17h, de mai à septembre.

L'**église Piarist**, au 14, Vár utca, fut construite en 1836. L'autel (1467) de marbre rouge, face au n°27, est le plus vieil ouvrage Renaissance en pierre de Hongrie.

Le palais épiscopal en forme de E, où s'élevait la résidence de la reine au Moyen Age, se trouve sur Szentháromság tér, qui tire son nom de la **statue de la Trinité** (1750), récemment rénovée. Le palais, conçu en 1765 par Jakab Fellner, l'architecte de Tata, n'est pas ouvert au public, mais vous pouvez tout de même tenter votre chance (et réussir à y entrer) comme je l'ai fait. Le gigantesque salon, au premier étage, n'a sans doute pas changé depuis la nuit où l'empereur François-Joseph y dormit, en 1908. Les portraits des évêques de Veszprém (que l'on couronnait sur le coude, par respect pour l'archevêque d'Esztergom qui, lui, recevait la couronne directement sur la tête) vous regardent de haut. La bibliothèque contient des milliers de manuscrits et de documents de grande valeur. Les magnifiques **fresques du plafond** de la salle à manger, figurant les quatre saisons, furent peintes en 1772 par Johannes Cymbal. Dans la chapelle, une autre fresque, plus originale, figure la sainte Trinité symbolisée au cours des saisons et aux divers âges de la vie. La vue que l'on a de la terrasse sur la Vallée de Buhim, à l'est, est excellente.

Près du palais épiscopal, se trouve la **chapelle de Giselle** (Gizella), début du gothique, qui porte le nom de la femme du roi Étienne, couronné non loin de là, au début du XIe siècle. Cette chapelle fut découverte lors de la construction du palais au XVIIIe siècle. A l'intérieur, on peut admirer des fresques des apôtres réalisées au XIIIe siècle et fortement influencées par le style byzantin.

Plusieurs parties de la **cathédrale Saint-Michel**, site du premier palais épiscopal, datent du début du XIe siècle, mais la cathédrale a été maintes fois reconstruite depuis. Les restaurateurs qui y ont travaillé au début du siècle se sont efforcés – sans grand succès malheureusement – de lui faire retrouver son style roman d'origine. La crypte du début du style gothique est cependant originale.

Près de la cathédrale, les fondations octogonales de la **chapelle Saint-Georges** (fin du XIIe siècle) sont abritées sous un dôme de plexiglass.

Du **rempart** que l'on appelle "Bout-du-monde", à l'extrémité de Vár utca, on peut admirer la colline Bénédicte (Benedek-hegy), le cours d'eau nommé le Séd, au nord, ainsi que le viaduc de béton (devenu pont de la vallée Saint-Étienne) qui traverse la vallée de Betekints à l'ouest. Ce viaduc, qui fait la fierté de la région, reste malheureusement le lieu de prédilection des suicidés de Veszprém depuis son achèvement en 1938. Juste au-dessous de vous, dans Margit tér, se trouvent les ruines moyenâgeuses de la **Convention dominicaine de Sainte-Catherine** et, à gauche, les quelques restes d'un **couvent grec orthodoxe** du XIe siècle, dont les nonnes auraient cousu la robe de soie rouge que portait Étienne lors de son couronnement, en 1031. Le vêtement est aujourd'hui exposé dans le Musée national de Budapest. Les statues du roi Étienne et de la reine Giselle, au Bout-du-monde, furent réalisées en 1938 pour marquer le 900e anniversaire de la mort d'Étienne.

Musée Dezső Laczkó

Ce musée, appelé autrefois le musée Bakony, se trouve au 7, Erzsébet sétány, au sud de Megyeháza tér. On y admire des découvertes archéologiques (l'accent est mis sur l'implantation romaine de Baláca-puszta), ainsi qu'une belle collection de costumes folkloriques hongrois, allemands, slovaques et de superbes objets de bois sculpté, dont certains furent réalisés par le fameux "Robin des bois" des montagnes de Bakony, aux XVIIIe et XIXe siècles. Le musée propose également une excellente exposition retraçant l'année liturgique vue par les villageois, intitulée "de l'Avent à l'Avent".

Jouxtant le musée principal, la **maison Bakony**, reproduction d'une habitation paysanne du XVIIIe siècle présente les traditionnelles trois pièces que l'on trouvait dans les fermes hongroises ; dans le *kamra*, l'atelier d'un souffleur de verre a été entièrement reconstitué.

Le musée est ouvert tous les jours sauf lundi de 10h à 18h entre avril et septembre (jusqu'à 14h le reste de l'année).

Théâtre Petőfi

Jetez un coup d'œil à l'intérieur de ce vieux théâtre du 2, Óvári Ferenc utca, même sans assister à une représentation. C'est un joyau d'architecture et de décoration hongroise Art Nouveau : ce décor rose et crème, signé István Medgyaszay, fut réalisé en 1907. Le bâtiment représente également un grand pas en avant sur le plan des matériaux utilisés, puisqu'il fut le premier à être entièrement réalisé en béton armé. L'immense vitrail rond intitulé *La Magie de l'art populaire*, de Sándor Nagy, est exceptionnel.

Zoo

Le zoo, situé dans une vallée à l'ouest du centre-ville, au 17, Kittenberger Kálmán utca, est assez pathétique et, de ce fait, déconseillé aux défenseurs des droits des animaux. C'est d'ailleurs, ce que dit le nom de la rue lui-même.

Où se loger

Chambres chez l'habitant. Veszprém n'est pas très riche en hébergements dans la mesure où la plupart des visiteurs y viennent pour la journée. Balatontourist pourra vous loger chez l'habitant (de 700 à 800 Ft pour une double) ou vous trouver un appartement (1 500 Ft). Demandez aussi (soit ici, soit chez Express) un lit en dortoir (de 300 à 400 Ft) dans l'*université de Veszprém*, au sud de Megyeháza tér, au 12, Egyetem utca.

Auberge de jeunesse. L'auberge de jeunesse *Erdei* (☎ 326 751), près du zoo, au 14, Kittenberger utca, est l'hébergement le moins cher de la ville, avec des simples/doubles à 300/600 Ft, avec douches communes. Elle est ouverte de mi-avril à mi-octobre.

Pensions. Il existe à Veszprém 2 pensions installées dans de ravissantes villas de Józ-

sef Attila utca, à l'ouest de la colline du Calvaire. Au n°25, la luxueuse *Apartment* (☎ 320 097) propose 10 chambres spacieuses au prix de 3000/3500 Ft la simple/double avec s. d. b. et petit déjeuner. Choisissez-en une donnant sur le parc. Les 10 chambres du *Diana* (☎ 322 960), en face, au n°22, sont moins chères : 2 950 Ft pour une double.

Hôtels. Pour un hébergement central, c'est à l'hôtel *Veszprém* (☎ 324 876), au 6, Budapest út, qu'il faut descendre. Les doubles sans s.d.b. y sont à 1 200 Ft (petit déjeuner compris) ou à 1 600 Ft avec douche. Si vous souhaitez une vraie salle de bains, il faudra compter de 1 800 à 2 200 Ft selon que votre chambre donne sur la bruyante Budapest út ou sur la petite place très calme, de l'autre côté de Kossuth Lajos utca.

Les 92 chambres du *Jutas* (☎ 326 666), au 18/2, Jutasi utca, soit tout près de la gare ferroviaire, pourraient être transformées en dortoirs pour étudiants. A l'heure où ces lignes sont écrites, la double avec bain y coûte 2 600 Ft.

Derrière le Jutas, dans le grand parc où coule le Séd, se trouve le luxueux *Kristály* (☎ 321 296), 9 chambres. Une double avec petit déjeuner revient à 3 100 Ft. Pour ce prix, vous bénéficiez bien sûr de bonnes prestations et de la meilleure vue sur la colline du Château.

Où se restaurer

Le restaurant le moins cher de la ville est le self-service *Cserhát*, qui propose de mystérieux plats de viande plutôt bourratifs, juste au-dessus d'Ibusz, au 6, Kossuth Lajos utca (prenez l'escalier près de l'église luthérienne). Le *Gourmandia* – particulièrement mal nommé – ne mérite d'être cité que pour son emplacement central, au 2, Megyeháza tér.

Vous trouverez relativement peu de restaurants sur la colline du Château, qui est un site préservé, mais le *Vár Kapu*, entre la tour du Feu et la porte des Héros, est tout à fait correct.

Le *Vadásztanya*, à la pension Diana, est encensé par les habitants de Veszprém. Toutefois, si vous disposez d'un véhicule, il existe une merveilleuse csárda nommée le *Betyár* (le "Hors-la-loi") à Nemesvámos, à environ 4 km au sud-ouest de Veszprém, sur la route de Nagyvázsony et Tapolca.

Enfin, si vous vous trouvez sur la route de Veszprém, faites une pause-déjeuner au *Udvarház*, une jolie petite csárda où l'on déguste des spécialités souabes et située à Bánd, sur la route de Herend.

Distractions

Le *centre culturel de Veszprém* (☎ 329 111), où se produit régulièrement l'orchestre symphonique de la ville; très apprécié, se trouve au 2, Dózsa György utca. Le magnifique *théâtre Petőfi* (☎ 324 064) organise représentations théâtrales et concerts. Les billets sont en vente au guichet (☎ 322 440) du 7, Szabadság tér. En été, on peut écouter des concerts sur Szentháromság tér, devant le palais épiscopal, une place qui bénéficie, dit-on, d'une acoustique parfaite. L'église Piarist accueille également des orchestres de temps en temps. Le gigantesque cinéma *Séd*, au 1, Szabadság tér, diffuse chaque jour des films dans ses quatre salles.

Le salon de thé *Marica*, dans Kossuth Lajos utca, près de Szabadság tér, sert de lieu de rendez-vous aux étudiants de Veszprém. Le *Cimbora* est quant à lui un étrange petit pub installé dans le sous-sol d'un particulier au 4, Vörösmarty tér. Si vous vous y sentez un peu trop "comme à la maison", essayez le *Amstel* tout proche, dans Bezerédi utca. Enfin, le night-club *Paradiso*, au 5, Rákóczi utca, reste ouvert jusqu'à 4h du matin.

Et si vous avez envie de tenter votre chance, sachez que Veszprém a sa *Salle de bingo*, près du restaurant Cserhát, dans Kossuth Lajos utca. Elle est ouverte les mardis, jeudis et samedis soirs.

Achats

Pour acquérir toiles ou lithographies d'artistes hongrois contemporains, visitez l'excellente Hegyeshalmi Mestermű Galéria, au 17, Kossuth Lajos utca.

Comment s'y rendre

Bus. Les liaisons avec Veszprém sont excellentes : au moins une douzaine de bus quotidiens pour Budapest (express ou via Székesfehérvár), Herend, Sümeg, Tapolca, Pápa, Nagyvázsony, Keszthely et les villes de la côte nord du Balaton. Huit bus par jour se rendent également à Siófok. Parmi les autres destinations importantes, figurent Esztergom (4 bus quotidiens), Győr (8), Kaposvár (2), Kecskemét (2), Nagykanizsa (3), Pécs (2), Sárvár (2), Sopron (2), Szeged (2), Szekszárd (2) et Zalaegerszeg (3).

Trains. Trois lignes de chemin de fer se croisent à Veszprém. La première relie la ville à Szombathely et Budapest-Déli, via Székesfehérvár (6 ou 7 trains par jour dans chaque direction). La deuxième rejoint le nord, avec 4 trains quotidiens pour Pannonhalma et Győr, où l'on peut changer pour Vienne. La troisième, qui se dirige vers le sud et Lepsény, relie Veszprém aux lignes locales des rives nord et sud du lac Balaton.

Comment circuler

Bus. Les bus nos1, 14/v et 9 partent des gares routière et ferroviaire et passent devant les hôtels Jutasi et Kristály. Après une halte à la gare routière, le n°9 dépose ses passagers devant l'hôtel Veszprém et sur Szabadság tér. Le bus n°10 vous prendra devant le même hôtel Veszprém pour vous conduire à l'auberge de jeunesse Erdei.

Voiture et moto. Cooptourist (voir *Renseignements*) et Corrado Rental (☎ 88 320 638), au 14, Jutasi út, assurent des services de location de voitures.

ENVIRONS DE VESZPRÉM

Herend (3 000 habitants)
La fabrique de porcelaine de Herend, à 13 km à l'ouest de Veszprém, produit la plus fine des porcelaines hongroises, peinte

à la main, depuis plus d'un siècle et demi. Le village lui-même, plutôt sale, offre en revanche peu d'intérêt, et les tarifs des boutiques n'ont rien de préférentiels par rapport à ceux pratiqués partout ailleurs en Hongrie. Toutefois, le **musée de la Fabrique de porcelaine**, qui présente les pièces les plus précieuses, vaut de toute évidence le déplacement. Il se trouve au 140, Kossuth Lajos utca, à 5 minutes à pied de la station de bus, et est ouvert tous les jours sauf lundi de 8h30 à 16h30. Les explications sont données dans quatre langues, ce qui facilite la compréhension de l'évolution des goûts que retrace l'exposition.

Treize ans après sa création, la fabrique d'objets en terre cuite établie ici en 1826 se lança dans la production de porcelaine sous la direction de Mór Farkasházi Fischer.

Au départ, elle se spécialisa dans les copies et le remplacement de produits importés d'Asie : aussi verrez-vous des interprétations assez farfelues d'art japonais et de visages chinois. Cependant, la fabrique se mit bientôt à réaliser ses propres créations (beaucoup, comme l'oiseau de Rothschild et les *petites roses* furent inspirées des porcelaines de Sèvres et de Meissen). Le motif "Victoria", avec des fleurs sauvages et des papillons, fut dessiné à l'intention de la reine Victoria, qui tomba en admiration devant le stand des porcelaines d'Herend à l'Exposition universelle de Londres en 1851.

Pour éviter la faillite qui menaçait dans les années 1870, la fabrique d'Herend se lança dans la production de masse : ainsi vit-on des décorations allant de scènes de chasse et autres évocations pastorales, très "kitsch", à des sculptures d'animaux en verre, jamais démodées.

Fin 1992, la fabrique a été rachetée à l'État par ses 1 500 ouvriers. Elle figure désormais parmi les quelques grandes entreprises privatisées de Hongrie.

En face du musée, se trouve un point de vente proposant des porcelaines plutôt chères, mais aussi le *Sport*, sympathique pub-restaurant. On peut se rendre à Herend soit en bus à partir de Veszprém (départ toutes les demi-heures), soit à bord des trains locaux qui desservent Szombathely six fois par jour.

SZÉKESFEHÉRVÁR (113 000 habitants)

Pour certains, Székesfehérvár (Stuhlweissenburg en allemand) n'est autre qu'une grosse agglomération industrielle en bordure de la M7, entre Budapest et le lac Balaton, qui s'étend à 35 km. Pourtant, il semble que cette ville (dont le nom signifie "siège du Château blanc", et qui fut capitale royale pendant des siècles, le blanc étant la couleur du souverain) se soit implantée à l'endroit même où s'était établi Árpád, son père fondateur. Si tel est bien le cas, on peut considérer Székesfehérvár comme la plus ancienne cité magyare de Hongrie. Elle est aujourd'hui l'agglomération la plus importante du comté de Fejér, et son chef-lieu.

Dès le premier siècle de notre ère, les Romains s'étaient installés à Gorsium, près de Tác, à 17 km au sud de Székesfehérvár. Quand Árpád y arriva à son tour, à la fin du IXe siècle, les marais environnants et le fleuve Sárvíz constituaient une protection naturelle idéale. Ce fut pour la même raison que, moins de cent ans plus tard, le prince Géza y fit édifier son château. Toutefois, il fallut attendre le règne de son fils, le roi Étienne, pour que Székesfehérvár commence à bénéficier d'un statut privilégié : Étienne fit en effet construire une basilique fortifiée dans ce qu'il appelait l'Alba Regia. Au cours des cinq cents ans qui suivirent, tous les rois de Hongrie y furent couronnés et ensevelis.

Avec Visegrád, Esztergom et Buda, Székesfehérvár eut pendant des siècles le statut de capitale royale par intérim. Ce fut dans cette ville qu'en 1222, le roi André II fut contraint par ses *servientes* – ou mercenaires – de signer la *Bulle d'Or*, une déclaration des Droits de l'homme avant la lettre (mais sans doute pas tout à fait la *Magna Carta* dont parlent les manuels d'histoire hongrois).

En 1543, les Turcs envahirent Székesfehérvár ; lorsqu'à la fin du XVIIe siècle, ils

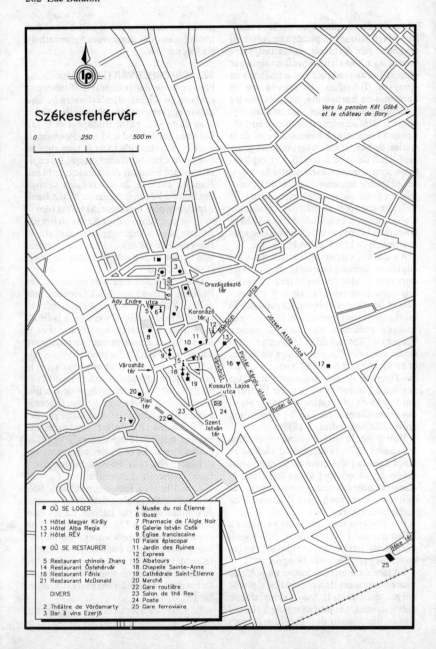

Székesfehérvár

0   250   500 m

Vers la pension Két Góbé
et le château de Bory

Országzászló tér

Ady Endre utca

Koronázó tér

Városház tér

Kossuth Lajos utca

Piac tér

Szent István tér

Béke tér

OÙ SE LOGER	4 Musée du roi Étienne
1 Hôtel Magyar Király	6 Ibusz
13 Hôtel Alba Regia	7 Pharmacie de l'Aigle Noir
17 Hôtel RÉV	8 Galerie István Csók
	9 Église franciscaine
OÙ SE RESTAURER	10 Palais épiscopal
	11 Jardin des Ruines
5 Restaurant chinois Zhang	12 Express
14 Restaurant Ösfehérvár	15 Albatours
16 Restaurant Fönix	18 Chapelle Sainte-Anne
21 Restaurant McDonald	19 Cathédrale Saint-Étienne
	20 Marché
DIVERS	22 Gare routière
	23 Salon de thé Rex
2 Théâtre de Vörösmarty	24 Poste
3 Bar à vins Ezerjó	25 Gare ferroviaire

en furent chassés, la ville, sa basilique et ses tombeaux royaux étaient en ruines. Les travaux de reconstruction ne furent entrepris qu'à la fin du XVIIIe siècle, lorsque la ville devint un évêché.

Si Étienne (et *a fortiori* Árpád) revenait à Székesfehérvár aujourd'hui, il aurait bien du mal à reconnaître sa ville. Les pierres de son église ont été réemployées en 1801 pour l'édification du palais épiscopal. Quelques dizaines d'années plus tard, les marais ont été asséchés et le cours du Sárvíz dévié. La ville avait été un carrefour depuis le XIe siècle, époque à laquelle les croisés traversaient l'Europe en direction de l'Adriatique avec un pécule restreint. En ce temps-là déjà, la vie coûtait moins cher en Hongrie qu'en Italie.

En mars 1945, ce fut dans la région de Székesfehérvár que les Allemands lancèrent leur dernière grande contre-offensive. Les combats, qui détruisirent les environs de la ville (le centre historique resta plus ou moins intact), ouvrirent néanmoins la voie au développement industriel.

Le centre de Székesfehérvár, à l'intérieur des enceintes de la Vieille Ville, est renommé pour son architecture Copf (ou Zopf), un style intermédiaire entre le baroque et le néo-classique. C'est un plaisir de flâner dans ses rues piétonnes et sur ses places colorées.

Orientation

Városház tér et Koronázo tér forment le cœur de la Vieille Ville : la rue piétonne Fő utca part de ces deux places pour remonter vers le nord. La gare ferroviaire se trouve à 15 minutes de marche au sud-est, à Béké tér, tandis que la gare routière est située, pour sa part, dans Piac tér, près du marché, juste devant la muraille occidentale de la Vieille Ville.

Renseignements

Albatours (☎ 22 312 494), au 1, Városház tér, et Ibusz (☎ 22 311 510), au 2, Ady Endre utca, se trouvent à l'intérieur de la Vieille Ville. Express (☎ 22 312 510) est à quelques minutes de marche à l'est, au

4, Rákóczi utca. Tous ces bureaux sont ouverts de 8h à 16h en semaine et jusqu'à 11h30 le samedi.

Il y a une banque OTP au 7, Fő utca. La poste centrale est au 16, Kossuth Lajos utca, près de Szent István tér.

L'indicatif téléphonique de Székesfehérvár et ses environs est le 22.

Cathédrale Saint-Étienne

La cathédrale d'Arany János utca – à ne pas confondre avec la basilique que fit construire le bon roi – fut édifiée au début du XIIIe siècle et consacrée à deux saints : Pierre et Paul. Toutefois, vous ne verrez guère qu'une église baroque du XVIIIe siècle sans grande originalité. Les fresques du plafond furent réalisées par Johannes Cymbal en 1768. Le crucifix saisissant, sur le mur nord de l'édifice, est dédié aux victimes de la révolution de 1956. Sur le parvis de la cathédrale, les pavés configurent les fondations d'une église antérieure (probablement du Xe siècle).

Tout près de la cathédrale, au nord, s'élève la **chapelle Sainte-Anne**, construite en 1470 avec des ajouts (la tour notamment) réalisés plusieurs siècles plus tard. Lorsque les Turcs prirent possession de la ville, ils utilisèrent cette chapelle comme lieu de culte : on peut encore admirer les vestiges d'une peinture datant de cette époque.

Quartier de Városház Tér et de Koronázo Tér

Arany Janós utca débouche dans ce que, récemment encore, on appelait Szabadság tér. Cette place porte désormais deux noms : Városház tér à l'ouest et Koronázo tér à l'est. Aussi le système de numérotation est-il un peu confus. L'immeuble à un étage de l'**Hôtel de ville**, sur Városház tér, date de 1690. L'aile plus large, sur sa gauche, était autrefois le palais Zichy, construit au XVIIIe siècle. En face, on découvre l'austère **église franciscaine** (1748), qui porte à son fronton le blason de la famille Esterházy. La boule de pierre, au centre de la place, représente l'**orbe national** ("pomme" en hongrois) dédié au roi Étienne. Ne manquez pas la ravissante maison Modern Style de couleur saumon, au n°10, Kossuth Lajos utca, plus au sud.

Le bâtiment le plus imposant de Koronázo tér est le **Palais épiscopal** Copf, construit à partir des décombres de la basilique médiévale et des chapelles où étaient ensevelis les rois. Cçs monuments s'élevaient autrefois à l'est de la place, dans ce qui est aujourd'hui le **jardin des Ruines** (Romkert), avant d'être détruits par les Turcs en 1601. Pour les Hongrois, il s'agit d'un site particulièrement sacré : 37 de leurs rois y furent couronnés et 17 enterrés. Le lugubre sarcophage roman de marbre blanc, à droite en entrant, contiendrait la dépouille de Géza, d'Étienne ou de son fils cadet, le prince Imre. Les fresques, pour leur part, datent du début du XXe siècle.

Des pierres sculptées, provenant de la basilique et des tombeaux royaux, sont alignées le long du mur de la loggia.

Dans le jardin, on peut observer les fondations de la cathédrale et de l'église du Couronnement. Les fouilles ne sont pas terminées sur le site et l'on prévoit la construction d'un vaste panthéon et mémorial des rois de Hongrie, qui devrait être prêt pour le 1100e anniversaire de la Nation, en 1996. Le jardin des Ruines est ouvert d'avril à octobre, de 9h à 17h. Tout près, subsiste un large pan de la muraille qui entourait la Vieille Ville.

Quartier de Fő utca

Au nord du centre ville, le **Fekete Sas** ("l'Aigle noir"), situé au n°9 de la rue, est une pharmacie créée par les jésuites en 1758 et magnifiquement meublée en style rococo. En face, à l'angle d'Ady Endre utca, près du bureau d'Ibusz, s'élève un monument peu commun dédié au roi Mathias Corvin et érigé en 1990 pour marquer le 500e anniversaire de sa mort. En redescendant de quelques pas Ady Endre utca, on découvre, au 1, Bartók Béla tér, la **galerie István Csók**, qui renferme une intéressante collection d'art hongrois des XIXe et XXe siècles.

Le **musée du Roi-Étienne** (István Király Múzeum), au 3, Országzászló tér, propose une importante collection de poteries romaines (certaines d'entre elles proviennent de Gorsium), une intéressante exposition de sculptures sur bois, ainsi qu'une rétrospective de 1 000 ans d'histoire à Székesfehérvár. En montant au premier étage, arrêtez-vous devant le passionnant tableau intitulé *Fenêtre ouverte avec rose noire* (István Nyári, 1990).

Château de Bory

Bory Vár, au 54, Máriavölgy utca, au nordest du centre ville, constitue sans doute la visite la plus drôle de la ville. Il s'agit d'un château de style romantico-baroque-écossais édifié sur une période de quarante ans par un architecte-sculpteur obsessionnel du nom de Jenő Bory (1879-1959), qui voulait en faire un véritable lieu de pèlerinage consacré à sa femme, Ilona Komócsin. Celle-ci apparaît dans les peintures qui ornent les murs et se trouve un peu partout statufiée ; elle est également le sujet des poèmes gravés sur des tablettes de marbre. Le château affiche également les convictions politiques de son propriétaire (tendance nationaliste), avec le panthéon des héros et des rois hongrois installé dans la **cour aux Cent-Colonnes**, et une étrange (et assez rudimentaire) célébration du socialisme.

Les jardins, la cour et les tours sont ouverts au public tous les jours de mars à novembre, de 9h à 17h, mais pour visiter l'intérieur du château, il faut venir le week-end, de 10h à 12h et de 15h à 17h. Prenez le bus n°32 à la gare ferroviaire ou le n°26/a à la gare routière. Tous deux vous déposeront au coin de la rue, tout près du château.

Où se loger

Albatours vous trouvera une chambre chez l'habitant et, en été, Express vous réservera une place en dortoir dans l'un des établissements universitaires de la ville.

D'autre part, le *Két Góbé* (☎ 327 578) est une nouvelle pension de 28 chambres au 4, Gugásvölgyi út, à l'est du centre ville.

Sachant qu'il donne sur la route où circule le bus n°8, il est assez bruyant, mais son prix en tient compte : 600 Ft par personne, avec s.d.b. et petit déjeuner.

Le moins cher des hôtels du centre est le *RÉV* (☎ 314 441), situé dans un quartier d'immeubles hideux, au 42, József Attila utca. Les chambres, avec douches à l'étage, sont toutes à 1 100 Ft. Le vieil hôtel *Magyar Király* ("roi hongrois") (☎ 311 262), au 10, Fő utca, est l'ancien grand hôtel de Székesfehérvár et dispose de 57 chambres avec douche ou s.d.b. Les simples/doubles sont à 2 010/3 160 Ft, petit déjeuner compris. L'*Alba Regia* (☎ 313 484), à deux pas du jardin des ruines au 1, Rákóczi utca, est un hôtel moderne qui propose 104 chambres tout confort et referme quelques boutiques de luxe. Les simples/doubles les moins chères sont à 2 385/3 250 Ft.

Si vous êtes en fonds et préférez séjourner à l'écart de la ville, rendez-vous à Seregélyes, à 16 km au sud-est de Székesfehérvár, où le manoir de la famille Zichy a été transformé en hôtel de luxe. Le *Taurus Kastély* (☎ 365 030) possède 36 chambres grand confort, une salle à manger décorée de fresques, ainsi que des courts de tennis, une piscine et un sauna, sans parler de son parc de 22 hectares. Les doubles sont à 3 900 Ft, les suites à 4 900 Ft.

Où se restaurer

Vous trouverez une série de snacks pas très chers près du mail de Fehérvár, sur Kempelen tér, à l'est de l'hôtel Alba Regia. Le *Faló Büfé*, au 19, Pinter Károly utca, derrière l'hôtel, est également bon marché. *McDonald* a ouvert un restaurant sur Piac tér, en face de la gare routière.

L'*Ősfehérvár*, au 3, Koronázo tér, est un café-restaurant qui ne déçoit jamais : il propose un bon menu complet à midi et, parfois, un spectacle musical le soir. Pour un repas plus léger, essayez le *Főnix*, un restaurant moderne et clair qui sert salades et boissons dans une petit cour sur Pinter Károly utca.

Le *Kaiser*, en face, au n°14, est un bistrot idéal pour le déjeuner.

Székesfehérvár possède également son restaurant chinois, le *Zhang*, au 4, Ady Endre utca, qui propose de savoureuses boulettes (guo tie). Il est ouvert jusqu'à 23h.

Pour une ambiance intime, le salon de thé *Rex*, au 14, Petőfi utca, sert d'excellentes pâtisseries, surtout aux étudiants de l'école de commerce située un peu plus haut. Il ferme à 21h.

Distractions

Pour assister aux représentations du **théâtre Vörösmarty**, près de l'hôtel Magyar Király, procurez-vous les billets au guichet du 3, Fő utca. Celui-ci reste ouvert jusqu'à 18h en semaine, 12h le samedi. On donne parfois des concerts dans la cathédrale Saint-Étienne, au château de Bory et dans le parc de l'hôtel Taurus Kastély, à Seregélyes (voir la rubrique *Où se loger*).

Pour prendre un verre, le bistrot *Kaiser* est toujours un bon choix, d'autant que plusieurs billards vous attendent dans une pièce attenante. Même chose pour le *Royal Darts*, au 18, Budai út, un endroit très fréquenté par des étudiants, non loin de l'hôtel RÉV. Enfin, un casino vient de s'ouvrir à l'hôtel Magyar Király.

Côté œnologie, le vin qu'il faut goûter ici est l'Ezerjó ("Mille bonnes choses"), spécialité de la région qui s'étend à partir de Mór, à 28 km au nord-ouest dans les collines de Vértes. Il s'agit d'un vin blanc tirant sur le vert, léger et très agréable au goût. Pour le déguster, rendez-vous (évidemment !) à l'*Ezerjó*, un petit bar à vins situé sur Országzászló tér.

Comment s'y rendre

Bus. Le service de bus desservant la ville est satisfaisant. Que l'on vienne de la gare d'Erzsébet tér, à Budapest, de Veszprém ou des vignobles de Mór ou de Seregélyes, au moins un bus toutes les demi-heures se rend à Székesfehérvár. Si vous souhaitez quitter cette dernière à destination des villes du lac Velence, comme Pákozd, Sukoró, Velence ou Gárdony (*via* Agárd), vous n'aurez que l'embarras du choix parmi les fréquents départs organisés chaque jour.

Parmi les autres destinations, figurent Baja (2 bus par jour), Balatonfüred (5), Esztergom (2), Győr (10), Herend (8), Hévíz (4), Kalocsa (2), Kecskemét (4), Kaposvár (2), Keszthely (4), Pécs (4), Siófok (8), Sopron (2), Sümeg (8), Szeged (5), Szekszárd (5), Tapolca (4), Tatabánya (4) et Zalaegerszeg (2).

Train. Székesfehérvár est un important carrefour ferroviaire : de là, on peut rejoindre toutes les destinations de Transdanubie, ou presque. L'une des lignes se divise à Szabadbattyán, à 10 km au sud, pour se diriger, d'une part, vers la rive nord du lac Balaton et Tapolca ; d'autre part vers la rive sud et Nagykanizsa.

En outre, un train relie Székesfehérvár à Budapest-Déli environ toutes les demi-heures. Pour Szombathely, *via* Veszprém, il en passe dix par jour. Enfin, un autre train dessert six fois par jour la gare de Komárom, où l'on prend la correspondance pour la Slovaquie.

Comment circuler
On peut louer une voiture chez Albatours ou chez Artour (☎ 329 010), au n°4,

Rákóczi utca. Pour obtenir un taxi, appelez le 311 111.

ENVIRONS DE SZÉKESFEHÉRVÁR
Le lac Velence
Si vous ne disposez pas du temps (ou de l'argent) nécessaire à la visite du lac Balaton, rabattez-vous sur le lac Velence, un plan d'eau de 26 km² situé à environ 10 km à l'est de Székesfehérvár. La campagne environnante, vallonnée, offre de très jolis paysages, mais il ne faut pas trop attendre du lac lui-même : déjà peu profond et tiède, il s'assèche inéluctablement un peu plus chaque année, tandis que le gouvernement tente frénétiquement de le réalimenter avec l'eau d'une mine de bauxite désaffectée. Cependant, cette région offre un avantage certain sur celle du lac Balaton : ses prix !

Tout comme sur le lac Balaton, la rive sud du lac Velence est la plus développée, surtout autour des villes de Gárdony et d'Agárd, où fourmille une multitude d'hôtels et d'hébergements divers. Des villes comme Pákozd ou Sukoró, au nord, n'attirent guère les touristes : il faut dire qu'elles sont séparées du lac par la bruyante autoroute M7. La rive sud-ouest, envahie de

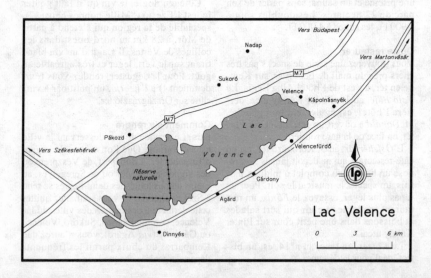

Lac Velence

roseaux, constitue une zone protégée qui attire quelques rares oiseaux en été et en automne. Aussi la seule option réellement valable proche du lac reste-t-elle la ville de Velence elle-même, située sur la rive est.

Où se loger et où se restaurer.

Le *Panoráma* (☎ 368 043) est un vaste terrain de camping à l'extrémité nord de la ville. Il ne dispose pas de bungalows, mais on peut y louer canoës, bicyclettes et planches à voile. Il reste ouvert de mi-avril à mi-octobre.

Vous remarquerez de nombreuses pancartes "Zimmer frei" dans Tópart utca, une rue qui longe le lac vers le nord, à partir des gares routière et ferroviaire. Chez Albatours, à Székesfehérvár, vous pourrez louer une petite maison pour quatre personnes pour la modique somme de 2 500 Ft. L'hôtel *Helios* (☎ 368 159), au 34, Tópart utca, dispose de 15 chambres, tandis que son grand frère, le tout moderne *Juventus* (☎ 368 159), au n°25/a, en propose 32 et se trouve plus proche de l'eau. Dans ces deux établissements, les simples coûtent de 1 600 à 2 300 Ft et les doubles de 2 250 à 3 159 Ft, selon la saison.

Le restaurant *Lidó* qui, avec sa façade rose, ne passe pas inaperçu, est parfait pour un simple repas, mais si vous recherchez quelque chose de plus sélect, essayez le *Vitorlás*, à l'hôtel Juventus. Si vous avez l'occasion de pousser jusqu'à la ville de Sukoró, de l'autre côté de la M7, à l'ouest, vous trouverez une sympathique petite csárda nommée le *Boglya*, au 31, Fő utca.

Martonvásár (4 300 habitants)

Situé exactement à mi-chemin entre Budapest et Székesfehérvár, et aisément accessible par le train, Martonvásár est le site de la **maison Brunswick**, l'un des plus beaux cadres pour les concerts d'été en Hongrie. Cette maison fut construite en 1785 pour le comte Antal Brunswick (ou Brunszvik), patriarche d'une famille de réformateurs libéraux et de mécènes (Teréz Brunszvik finança la première école d'infirmières à Pest en 1828).

Beethoven effectuait de fréquentes visites au manoir et l'on dit que Jozefin, sœur de Teréz, inspira les sonates intitulées *Appassionata* et *Clair de lune*, que le grand Ludwig composa ici.

Reconstruite en style néo-gothique en 1870, et restaurée dans ses tons ivoire et bleu ciel d'origine un siècle plus tard, la maison abrite aujourd'hui l'Institut de recherche agronomique de l'Académie des sciences. Vous pourrez tout de même admirer au moins une partie de cette bâtisse en visitant le petit **musée Beethoven**, à gauche de l'entrée principale (ouvert du mardi au dimanche de 10h à 12h et de 14h à 16h).

Une promenade à travers le parc – l'un des premiers jardins anglais créés en Hongrie au début du XIXᵉ siècle, époque à laquelle cette mode était prisée – représente une façon agréable de passer une chaude après-midi d'été. Le parc est ouvert tous les jours de 8h à 16h. On donne parfois des concerts sur la petite île que l'on aperçoit au centre du lac et que l'on atteint à pied par un pont de bois.

L'**Église catholique** baroque, rattachée à la maison Brunszvik, mais accessible de l'extérieur, comporte des fresques de Johannes Cymbal.

Où se loger et où se restaurer.

Le *Kukorica* (☎ 379 067), au 9, Szent László utca, est un hôtel de 10 chambres très bon marché, avec des doubles pour 1 000 Ft avec s.d.b. sur le palier ou pour 1 460 Ft avec s.d.b. dans la chambre. La pension *Macska* ("chat") (☎ 379 127) au 21, Budai út, est plus chère (simples à 1 350 Ft, doubles à 2 700 Ft) et emplie de miaulements : allergiques, s'abstenir !

La csárda du Kukorica sert une nourriture hongroise conviviale. Vous découvrirez une bonne cave à vins et de la cuisine chinoise le week-end dans le petit restaurant nommé *Macska*.

Le *Postakocsi*, au 1, Fehérvári utca, est un lieu idéal pour déjeuner.

Comment s'y rendre.

Des dizaines de trains s'arrêtent chaque jour à Martonvásár

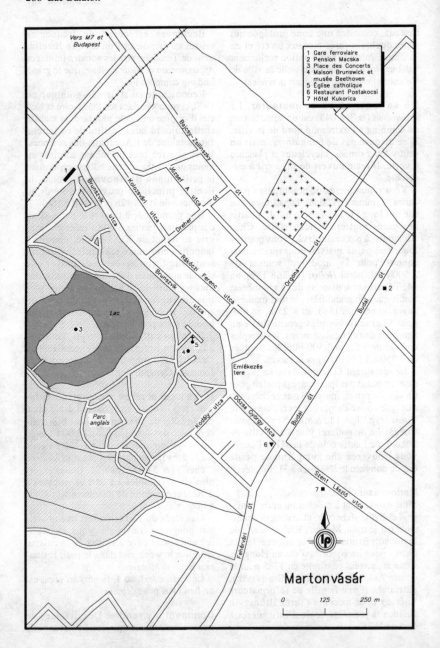

Vers M7 et Budapest

1	Gare ferroviaire
2	Pension Macska
3	Place des Concerts
4	Maison Brunswick et musée Beethoven
5	Église catholique
6	Restaurant Postakocsi
7	Hôtel Kukorica

Brunszvik utca

Bajcsy-Zsilinszky

József A. utca

Kolozsvári utca

Dreher út

Rákóczi Ferenc utca

Brunszvik utca

Lac

Parc anglais

Orgona út

Budai út

Emlékezés tere

Kodály - utca

Dózsa György utca

Budai út

Szent László utca

Fehérvári út

Martonvásár

0   125   250 m

et, si vous venez assister à un concert, vous pourrez sans problème rentrer à Velence, Székesfehérvár ou Budapest le soir même, par l'un des derniers trains (respectivement à 23h23 et 23h18). La gare est à peine à 10 minutes de marche par Brunszvik utca, au nord-ouest de l'entrée principale du manoir.

Transdanubie Méridionale

La Transdanubie Méridionale (Déli Dunántúl) est bordée par le Danube à l'est, par la Dráva et la Croatie au sud et à l'ouest, et par le lac Balaton au nord. C'est une région moins accidentée que la Transdanubie Occidentale – seuls les monts de Mecsek et de Villány s'élèvent au milieu des plaines – mais nettement plus arrosée. Les pluies sont importantes dans les col-

lines de Zala, au nord-ouest de Nagykanizsa, et les fleuves Kapos, Sió, Rinya et Sala sillonnent la région dans toutes les directions.

Bien qu'elle comporte quelques grandes villes, la Transdanubie Méridionale est loin d'être aussi industrialisée que la Transdanubie Occidentale et l'agriculture continue d'occuper une place primordiale dans son

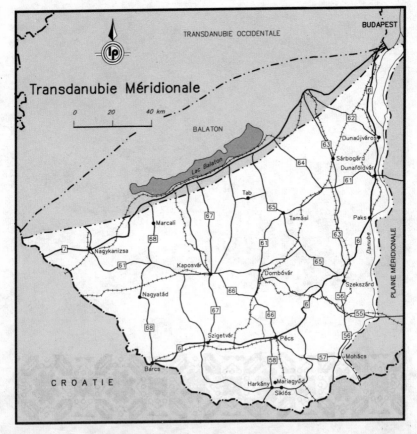

économie (des cerisaies de la région de Szelic, au sud de Kaposvár, aux amandiers de Pécs, en passant par les vignobles de Szekszárd et de Villány-Siklós). Il faut dire que le climat y est agréable, presque méditerranéen, avec des printemps précoces, de longs étés et des hivers assez doux.

Les Celtes s'installèrent d'abord dans la région, suivis par les Romains qui y construisirent des villes importantes comme Alisca (Szekszárd) et Sophianae (Pécs) et commencèrent à y cultiver la vigne. La route commerciale nord-sud traversant la région, beaucoup de ces implantations prospérèrent politiquement et économiquement durant le Moyen Age.

La région fut le point central de l'occupation turque. La bataille qui entraîna 150 ans de domination ottomane sur la Hongrie se déroula à Mohács en 1526, et l'une des résistances hongroises les plus héroïques face à l'envahisseur eut pour cadre Szigetvár, 40 ans plus tard. A l'époque des Ottomans, Pécs représentait un grand centre politique et intellectuel.

A la fin du XVIIe siècle, les villes abandonnées de Transdanubie Méridionale furent réinvesties par les Allemands souabes et les Slaves du Sud. Après la Seconde Guerre mondiale, de nombreux Hongrois de souche arrivèrent de Slovaquie et de Bukovine, en Roumanie. Ils laissèrent une empreinte de leur présence, qui subsiste encore aujourd'hui, dans l'architecture, la nourriture, ainsi que dans certaines coutumes locales. En outre, l'isolement dont souffraient des contrées comme le Sárköz, près de Szekszárd, et l'Ormánság, au sud de Szigetvár, contribua à préserver certaines traditions populaires.

Cette partie de la Transdanubie a beaucoup à offrir au visiteur : des musées d'art de Pécs aux châteaux de Siklós et de Szigetvár, en passant par les thermes d'Harkány et de Zalakaros, la région regorge de richesses. En la traversant, on a l'impression de remonter le temps : les maisons blanchies à la chaux, avec leurs toits de chaume et leurs longs portiques décorés de motifs floraux, n'ont pas changé d'un iota depuis des siècles.

SZEKSZÁRD (39 000 habitants)

Grande ville du vin, Szekszárd se situe sur le Sió, rivière qui relie le lac Balaton au Danube à travers sept des collines de Szekszárd. Elle est la capitale du comitat de Tolna et le centre de la région du Sárköz. Toutefois, plus que tout autre chose, Szekszárd représente la porte de la Transdanubie Méridionale. Celle-ci commence, en effet, sur Garay tér, la place principale de la ville, lorsque la Grande Plaine, après avoir traversé le Danube, s'élève lentement pour former les collines de Szekszárd. Les sommets peu élevés de Tolna, Mecsek et Somogy sont plus loin à l'ouest.

Szekszárd fut une implantation celte, puis romaine, appelée Alisca. Le sixième souverain hongrois, Béla Ier, lui conféra un statut royal et y fonda en 1061 l'abbaye bénédictine, troisième en taille après celles de Tihany et de Pécsvárad.

L'occupation turque laissa Szekszárd déserte et délabrée, mais la région se repeupla vers la fin du XVIIe siècle avec l'arrivée d'immigrants souabes venus d'Allemagne ; au siècle suivant, l'économie connut un bel essor grâce aux vignobles et aux cultures céréalières.

Combinés à un sol favorable, les hivers doux, les étés chauds et secs contribuèrent à faire de Szekszárd le producteur de l'un des meilleurs vins rouges de Hongrie. Le meilleur raisin est le Kadarka, une variété vulnérable, à maturation tardive, que l'on produit désormais en quantités limitées. On dit qu'un ou deux verres de ce vin suffirent à inspirer *La Truite* à Franz Schubert. Quant à Franz Liszt, qui venait souvent à Szekszárd dans les années 1840, il choisit d'"en boire jusqu'à la mort" quelque quarante ans plus tard. Aujourd'hui malheureusement, on vous proposera plutôt du Kékfrankos ou de l'Óvörös, certes buvables, mais largement inférieurs.

Orientation

Les gares routière et ferroviaire sont situées côte à côte sur Pollack Mihály utca. De là, suivez la rue piétonne Bajcsy-Zsilinszky utca vers l'ouest et traversez le

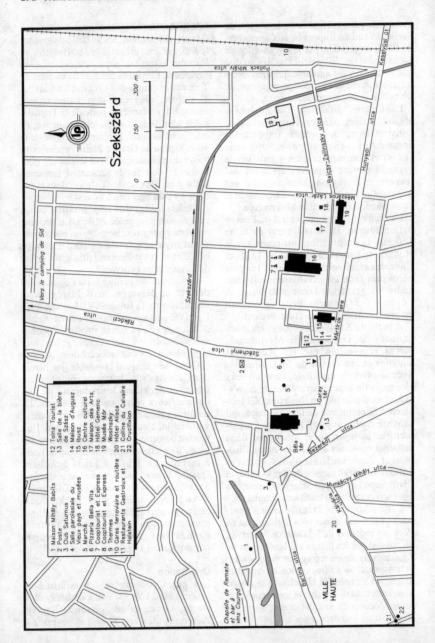

Szekszárd

1 Maison Mihály Babits
2 Poste
3 Club Saturnus
4 Salle paroissiale du
   Vieux pays et musées
5 Marché
6 Pizzeria Bella Vita
7 Cooptourist et Express
8 Cooptourist et Express
9 Thermes
10 Gares ferroviaire et routière et
11 Restaurants Gastrolux et
    Holsten
12 Tolna Tourist
13 Salle de la bière
    de Szász
14 Maison d'Augusz
15 Ibusz
16 Centre culturel
17 Maison des Arts
18 Hôtel Gemenc
19 Musée Mór
    Wosinszky
20 Hôtel Alisca
21 Colline du Calvaire
22 Crucifixion

parc pour parvenir au centre ville. Garay tér monte vers le quartier du Vieux Château, aujourd'hui nommé Béla tér. A partir de cette place, Munkácsy Mihály utca se dirige vers le sud-ouest, jusqu'à Kálvária utca et la colline du Calvaire.

Renseignements

Tolna Tourist (☎ 74 312 144), au 38, Széchenyi utca, et Ibusz (☎ 74 312 766), aux 1-3, Augusz Imre utca, sont ouverts de 8h à 16h30 en semaine et jusqu'à 12h le samedi. Express (☎ 74 312 398) et Cooptourist (☎ 74 315 323) se trouvent tous deux au 1, Kölcsey Estate, au nord du centre culturel ultra-moderne. La poste principale occupe trois bâtiments très disparates, aux 11-13, Széchenyi utca. Il y a une banque OTP aux 5-7, Mártírok tere.

L'indicatif téléphonique de Szekszárd est le 74.

A voir

Pour se faire une bonne idée de Szekszárd, il suffit de suivre Kálvária utca de l'hôtel Alisca jusqu'au sommet de la verdoyante **colline du Calvaire**, à 205 mètres d'altitude. Le nom de la rue se rapporte à une scène de crucifixion placée ici par une famille du XVIIIe siècle douloureusement éprouvée par la mort d'un fils (douleur qu'un célèbre poème de Mihály Babits a immortalisée).

Le Danube et la Grande Plaine sont visibles à l'est, Sárköz au sud, les collines de Szekszárd à l'ouest et, par temps clair, on aperçoit même l'unique centrale nucléaire de Hongrie, située à 30 km, à Páks.

Toutefois, la colline est dominée par une autre sculpture, réalisée par István Kiss à l'occasion du 925e anniversaire de la ville. Lors de son inauguration, en 1986, personne ne trouva rien à redire devant cette grappe de raisin moderne symbolisant le vin de Szekszárd, ces gerbes représentant le blé qu'on y cultive et cette large cloche évoquant l'abbaye de Béla. En examinant l'ensemble d'un peu plus près toutefois, on découvrit que les inscriptions sur les grains de raisin ne mentionnaient pas seulement

héros ou grands noms de la littérature hongroise : certaines personnalités locales du régime communiste y figuraient également. Cette idée n'amusa pas du tout les habitants de la ville. Aussi l'avenir du monument est-il actuellement incertain.

Le petit village – que l'on appelle Ville Haute (Felsőváros) –, à l'ouest dans la vallée, est plein de vignes, de celliers privés et de poulets de fermes. Cent ans semblent séparer ce lieu de Garay tér. Remontez Remete utca jusqu'à la **chapelle de Remete**, important lieu de pèlerinage des jours fériés en rapport avec la Vierge (surtout le 8 septembre), puis revenez par Bocskai utca.

L'**ancienne préfecture** néo-classique de Béla tér, construite par Mihály Pollack en 1836, s'élève sur le site de l'abbaye du XIe siècle et d'une chapelle chrétienne encore antérieure. On en voit les fondations dans la cour centrale. Au premier étage du bâtiment, se trouve l'**exposition Franz Liszt** et, de l'autre côté du hall, la **galerie Eszter Mattioni**, dont les saisissantes mosaïques de marbre, de verre et de nacre présentent des scènes de la vie paysanne transfigurées par l'œil de l'artiste. La cave abrite le **musée du Vin**, banale collection d'anciens outils de culture viticole accompagnée de citations du XVIe siècle ("C'est en buvant du vin qu'on enterre son chagrin"). Vous pourrez toutefois – avantage non négligeable – déguster un verre de Kadarka au bar, et les gravures sur bois représentant des orgies médiévales sont amusantes. L'**Église catholique baroque** (1805), bâtiment carré de couleur jaune, est la plus grande église à nef unique de Hongrie.

Le bâtiment qui abrite le **musée Mór Wosinszky**, au 26, Mártírok tér, fut tout spécialement construit à cet effet en 1895. Entre temps, il a changé de nom pour adopter celui d'un prêtre et archéologue local qui découvrit les traces d'une civilisation très ancienne à Lengyel, la ville voisine. Les trésors qu'il renferme ont appartenu à des peuples qui vécurent dans le bassin du Danube avant les Magyars ; ils comptent parmi les découvertes les plus précieuses du monde (ne manquez pas les magnifiques bijoux celtiques et avars), tout comme la vaste collection d'objets venus de Serbie, de Souabie ou du Sárköz. Trois salles – la première évoque la vie d'une famille de paysans aisés qui, avec leur mobilier en peuplier, suscitait bien des jalousies, la deuxième celle des Apponyi, des nobles qui contribuèrent grandement à la création du musée, la troisième reconstitue la cabane d'un pauvre gardien d'oies – illustrent avec éclat les différentes classes qui coexistaient ici il y a cent ans. Vous serez tout aussi passionné par les expositions relatives à la fabrique de soie créée à Szekszárd au XIXe siècle en collaboration avec l'Italie et qui employa de nombreuses jeunes femmes de la région.

Les fioritures mauresques de la **maison des Arts** voisine, au n°20, indiquent la précédente fonction de ce bâtiment, qui abritait naguère une synagogue. Cette dernière a été transformée en galerie d'art et en salle de concert. Quatre de ses colonnes d'origine ont été transportées à l'extérieur et enfermées dans une arche, évoquant une plaque commémorative ou une porte géante. Tout près, on peut admirer un étonnant monument intitulé "L'arbre de vie" dédié aux "héros et victimes" de la Seconde Guerre mondiale.

Liszt se produisit à plusieurs reprises dans la **maison Augusz**, située à l'angle de Széchenyi utca et Mártírok tere, un bâtiment tape-à-l'œil couleur chocolat qui abrite aujourd'hui une école de musique. En face, aux nos 33-35, le fameux **hôtel Garay**, construit par Ödön Lechner en 1890, a été restauré et sert désormais de siège à une compagnie d'assurances.

Szekszárd a vu naître deux grands poètes hongrois : János Garay et Mihály Babits. La maison où vécut ce dernier est aujourd'hui la **maison-mémorial de Mihály Babits** qui, même si les vers avant-gardistes du poète vous paraissent obscurs (surtout en hongrois !) vous fournira une bonne occasion de voir comment vivait une famille de classe moyenne dans la Hongrie du XIXe siècle.

Sur Piác tér, le long de Vár köz, en descendant les marches à partir de Béla tér, se tient un vaste **marché**.

Activités culturelles et/ou sportives

Les thermes couverts et les piscines découvertes sont situés près des gares routière et ferroviaire. Les piscines vous accueilleront de 6h à 20h en été, les thermes de 9h à 19h toute l'année.

Pour l'équitation, le meilleur endroit du comitat de Tolna est sans conteste Tamási, à 50 km au nord-ouest, mais la forêt de Gemenc est plus proche (voir la rubrique *Environs de Szekszárd*).

Si un vol-découverte au-dessus de la ville et de Gemenc vous tente, vous pouvez réserver votre billet d'avion (1 200 Ft) chez Tolna Tourist.

Où se loger

A Szekszárd, les possibilités d'hébergement sont limitées et plutôt chères. Tolna Tourist et Ibusz proposent des *chambres chez l'habitant* pour environ 900 Ft la double, mais il n'y a pas de dortoirs dans la ville.

Le *Sió Camping* (☎ 312 458), à environ 5 km au nord du centre, sur Rákóczi utca, près de la route n°6, appartient à Tolna Tourist. Il dispose d'un motel (ouvert de mi-avril à mi-octobre) de 36 chambres sans s. d. b. au prix de 920 Ft. On y trouve également 20 petits "appartements" plutôt étroits, disponibles toute l'année pour 2 200 Ft.

Autre propriété de Tolna, l'hôtel *Alisca* (☎ 312-228) était autrefois une auberge de jeunesse appréciée au 1, Kálvária utca. Les simples/doubles avec s.d.b. y coûtent désormais 2 100/3 000 Ft, petit déjeuner compris.

Le *Gemenc* (☎ 311 722), hôtel moderne de 88 chambres au 2, Mészáros Lázár utca, offre des prestations satisfaisantes, mais son prix est rédhibitoire : 3 200 Ft la double (pas de simples). Étant donné sa très laide architecture de béton, seul son emplacement central peut plaider en sa faveur.

Où se restaurer

Le *Gastrolux* et le *Holstein*, sur Garay tér, ont des cartes presque identiques, mais le premier est à la fois plus agréable et un peu moins onéreux. Tous deux restent ouverts jusqu'à 22h ; le Gastrolux ferme dimanche et lundi.

Vous apprécierez sans doute davantage le *Bella Vita*, au 33, Széchenyi utca, qui propose pâtes et pizzas. C'est un endroit jeune, ouvert le soir jusqu'à 24h. Par ailleurs, un *Burger Ranch* s'est ouvert à quelques mètres au nord, du même côté de la rue. En revanche, ne rentrez pas au *Karaván*, restaurant situé au 3e étage du marché Skála, sur Széchenyi utca, qui prétend servir des spécialités orientales : je n'ai rien mangé de plus mauvais dans toute la Hongrie ! Visiblement, le chef n'a pas été très inspiré en choisissant pour moi "son plat préféré". Le Karaván propose tout de même un buffet de salades et une zone non-fumeurs.

Le restaurant de l'hôtel *Alisca* possède une jolie terrasse et un beau point de vue sur la ville.

Il faut goûter les glaces de la pâtisserie *Amaretto*, au 6, Garay tér : ce sont les meilleures de la ville.

Distractions

Le centre culturel Mihály Babits, près de l'ancienne synagogue, vous renseignera sur les concerts et autres événements culturels prévus dans la cour de l'ancienne préfecture, à la maison des Arts ou dans l'église de la Nouvelle Ville, sur Pazmány tér. Le chœur Madrigal, le Quartet de jazz et le Big Band de la ville sont très réputés.

Parmi les manifestations annuelles, figurent la course cycliste de Gemenc, fin juin, et les Journées de vendanges, en septembre. Tous les deux ans, Szekszárd s'associe par ailleurs à Kalocsa et Mohács pour organiser le plus grand festival folklorique de la région. Le prochain devrait avoir lieu en juillet 1995, mais allez vous le faire confirmer dans les bureaux de tourisme.

Contrairement aux grandes productrices de vins que sont Eger, Tokaj ou Villány,

Szekszárd ne possède guère de bars où déguster les crus locaux. Le musée du Vin fermant à 17h, vous pouvez essayer le *Csurgó*, au 12, Kápolna tér, à Felsőváros (c'est le bar le plus proche des vignobles et sans doute le plus authentique).

Le *Saturnus Club*, au 6, Béla tér, attire une clientèle très jeune. Pour prendre un verre dans le calme, mieux vaut opter pour le *Piccolo*, au 3, Fürdőház utca ou, mieux encore, pour la brasserie *Százs*, au 20, Garay tér. Juste à côté, se trouve le club des Allemands, aussi devez-vous vous attendre à y rencontrer de nombreux *németek* locaux. Un peu en dehors de la ville, sur la route n°6 vers Budapest, vous trouverez une nouvelle *discothèque*.

Achats

La boutique du musée du Vin propose certains des meilleurs crus de Szekszárd : si c'est ce que vous recherchez, inutile d'aller plus loin. Pour les poteries, essayez le magasin de la maison des Arts populaires, à Decs, quoique vous n'ayez guère de chances d'y trouver un échantillon des *írókázás fazékok,* ces récipients portant des inscriptions que l'on avait coutume d'offrir aux nouveaux mariés. La boutique propose également tissus et broderies. Le magasin d'artisanat de Liszt Ferenc tér, près d'Ibusz, vend lui aussi des articles faits à la main par des habitants de Sárköz.

Comment s'y rendre

Bus. Le service routier est très satisfaisant. Plus d'une douzaine de bus partent chaque jour pour Budapest, Bonyhád, Baja, Decs, Dombóvár, Dunaföldvár, Paks et Pécs, et plus de 6 bus quotidiens vont à Tamási, Siófok, Mohács et Harkány. De Szekszárd, vous pourrez également atteindre Székesfehérvár (4 bus par jour), Kaposvár (3), Szeged (2), Veszprém et Balatonfüred (2), ainsi que Hévíz, Szombathely et Sopron (1).

Les bus qui poursuivent leur route vers Keselyűs (il y en a un à 9h30 à l'arrêt n°17 de la gare routière) vous laisseront près du centre d'excursions de Gemenc, sur Bárányfok.

Train. Quatre trains à peine quittent chaque jour Budapest (Déli) pour Szekszárd. Cependant, il existe une autre possibilité qui consiste à prendre le train pour Pécs et à changer à Sárbogárd. Pour aller vers l'est ou vers l'ouest, lorsqu'on se trouve à Szekszárd, ou encore vers le sud, à Pécs, il faut prendre une correspondance à Bátaszék, à 20 km au sud de la ville. Őcsény et Decs, respectivement à 4 et 8 km au sud, figurent sur cette ligne.

Comment circuler

Le bus n°1 part de la gare pour se rendre au centre ville, à Béla tér, puis vers la Ville Haute jusqu'à la chapelle de Remete. Pour le camping et son motel, prenez le bus n°11. Enfin, les taxis s'obtiennent en composant le 315 555.

ENVIRONS DE SZEKSZÁRD
Le Gemenc

Le Gemenc, une forêt protégée de 20 000 hectares de peupliers et de saules, à 12 km de Szekszárd, était le terrain de chasse favori des anciens dirigeants communistes, dont János Kádár qui, comme on dit dans la région, tirait "sur ce qu'il voulait quand il le voulait". A l'époque où les ingénieurs n'avaient pas encore privé le Danube de quelque 60 méandres, le Gemenc était si arrosé que les femmes de la région du Sárköz venaient au marché de Szekszárd en bateau. Aujourd'hui, les plans d'eau, lacs et étangs situés au-delà des digues de terre construites par de riches propriétaires terriens pour protéger leurs fermes, attirent cerfs, sangliers, cigognes noires, pics et hérons. La chasse est limitée à certaines zones et la forêt se visite toute l'année, mais pas à pied. De toute façon, il n'existe pratiquement aucun chemin praticable dans cette région sauvage.

L'entrée principale se trouve au **centre d'excursions de Gemenc**, à Bárányfok, à mi-chemin entre Szekszárd et la forêt, sur Keselyűsi út. Keselyűsi út était autrefois la plus longue route pavée de l'empire austro-hongrois. A la fin du XIXe siècle, on entreprit d'y planter des mûriers en vue de nour-

rir les vers à soie de la fabrique toute proche. Une fois au Centre, on vous donnera le choix entre trois moyens de locomotion pour visiter la forêt : petit train, cheval ou pénichette.

Le **petit train**, qui servait jadis à transporter le bois, est le plus amusant – mais aussi le plus difficile. S'il est censé aller de Bárányfok à Pörböly, située à une trentaine de kilomètres au sud (voir *Environs de Baja* dans le chapitre sur la *Grande Plaine*), il a tendance, ces derniers temps, à négliger ce programme : ainsi les départs ne sont-ils organisés que pour des groupes, ou le dimanche à 10h30, et le train ne parcourt-il guère que 7 km, rebroussant chemin à Lassi. Pourtant, ce trajet lui-même ne vous décevra pas : le petit train serpente joyeusement parmi les méandres préservés du Danube. Avant de vous rendre au Centre cependant, vérifiez plutôt deux fois qu'une, soit à la gare, soit chez Tolna Tourist (voir *Renseignements*, dans la partie consacrée à Szekszárd) qu'un départ est bel et bien prévu.

Renseignez-vous également chez Tolna Tourist sur les promenades en bateau organisées sur le Sió et le Danube entre mai et octobre. On peut également louer des chevaux et des charrettes au haras situé près du **Pavillon d'exposition des trophées** pour se balader le long des digues.

Cette maison de bois superbement décorée, construite sans le moindre clou pour l'archiduc Francois-Ferdinand qui voulait y entreposer ses trophées de chasse, fut présentée en 1896 à Budapest pour l'exposition du Millénaire, et se trouve aujourd'hui sur son quatrième emplacement. Sa place précédente était dans Mártírok tere, à Szekszárd, d'où elle fut déplacée par des laboureurs polonais qui, inconsidérément, utilisèrent des clous dans leur travail. Le pavillon abrite un musée rempli d'armes à feu, d'animaux empaillés et de mobilier réalisé en bois de peuplier de couleur dorée. Un restaurant de type csárda se trouve non loin de là. Pour les questions de transport, voir *Comment s'y rendre*, dans le chapitre sur Szekszárd.

Région du Sárköz

La région folklorique du Sárköz, constituée de cinq villes au sud-est de Szekszárd, entre la route n°56 et le Danube, représente la capitale du tissage artisanal de Hongrie. **Őcsény** est la plus importante de ces villes, mais pour le visiteur, c'est **Decs** qui, avec ses maisons aux murs élevés, son église calviniste fin du gothique et sa maison des Arts populaires, aux 34-36, Kossuth utca, présente le plus d'intérêt.

Le Sárköz devint une contrée très opulente dès l'instant où l'on commença à dompter le cours des fleuves. Soucieux de protéger leurs richesses et leurs terres, ses familles ne s'autorisaient pas plus d'un enfant par génération et, si l'on en croit le contenu de la **maison des Arts populaires**, consacraient une grande partie de leur budget à la décoration somptueuse de leurs intérieurs et à leurs tenues vestimentaires, faites des tissus les plus artistement brodés et les plus sophistiqués de Hongrie. Parmi les autres objets exposés ici, on remarque des poteries locales (souvent de couleur marron et ornées d'oiseaux), des échantillons du tissu caractéristique de la région, à rayures noires et rouges, que l'on utilisait même comme moustiquaires, ainsi qu'un ingénieux poêle de porcelaine muni d'"yeux" (cercles concaves) qui permettaient d'irradier davantage de chaleur. Le bâtiment fut construit en 1836 en terre battue et sur un support de branchages entrecroisés, si bien qu'en cas d'inondations, il suffisait de remplacer la terre. Le musée est ouvert tous les jours sauf lundi de 9h à 16h.

Le *Görönd Presszó*, dans l'enceinte du musée, sert boissons, sandwichs et en-cas divers, et ferme à 22h. Des mariages factices sont organisés à la Maison du village d'Ady Endre utca pour les touristes les plus extravagants. L'église toute proche porte des inscriptions datant de 1516. Pour tout renseignement lié aux transports, voir *Comment s'y rendre*, dans le chapitre sur Szekszárd.

MOHÁCS (22 300 habitants)

La défaite de l'armée hongroise contre les Turcs qui, en 1526, marqua un tournant dans l'histoire du pays, se ressent encore aujourd'hui à Mohács. Avec elle, vinrent la partition et la domination étrangère, qui allaient durer près de cinq siècles.

Aujourd'hui, Mohács est un paisible petit port en bordure du Danube, qui ne s'éveille qu'à l'occasion du festival annuel de Busójárás, en février, juste avant le carême. La ville fait également office de point de passage pratique lorsqu'on se rend en Croatie et sur les plages de l'Adriatique – à moins que la guerre civile qui ravage la Yougoslavie n'entraîne à nouveau la fermeture de la frontière d'Udvar, à 11 km au sud de la ville.

Orientation

Le centre de Mohács se trouve sur la rive occidentale du Danube, mais la Nouvelle Ville, résidentielle, de l'autre côté du fleuve, est accessible en 3 minutes par ferry (également pour les voitures) à partir de l'embarcadère proche de l'hôtel Csele. Szabadság utca, la rue principale, s'étend à l'ouest du Danube : à ses deux extrémités, s'élèvent de grands monuments à la mémoire des victimes de la guerre.

La nouvelle gare routière se trouve dans Rákóczi utca, au sud de Deák tér. Pour prendre le train, rendez-vous au nord du centre ville, près du Strandfürdő, au bout de Bajcsy-Zsilinszky utca.

Renseignements

Mecsek Tourist (☎ 69 311 961) se trouve au 2, Szentháromság tér, ouvert de 8h à 16h30 en semaine et jusqu'à 12h30 le samedi. Ce même bureau possède également une annexe à l'hôtel Csele. Ibusz (☎ 69 311 531) est au 1, Szabadság utca.

La poste se situe à côté de l'hôtel de ville, au 2, Széchenyi tér. Vous trouverez une banque OTP en face de l'hôtel Korona, au 1, Jókai utca. Composez le 69 322 323 pour obtenir un taxi. L'indicatif téléphonique de Mohács est le 69.

Mémorial de la bataille de Mohács

Ce mémorial, à l'ouest de la route n°56, à Sátorhely, 8 km au sud de Mohács, fut

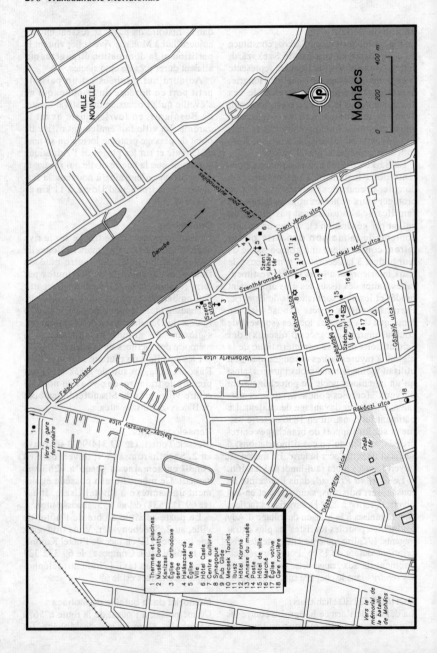

Mohács

1 Thermes et piscines
2 Musée Dorottya
  Kanizsai
3 Église orthodoxe
  serbe
4 Halászcsárda
5 Église de la
  Ville
6 Hôtel Csele
7 Centre culturel
8 Synagogue
9 Pub Gilde
10 Mecsek Tourist
11 Ibusz
12 Hôtel Korona
13 Annexe du musée
14 Poste
15 Hôtel
16 Marché
17 Église votive
18 Gare routière

inauguré en 1976 pour marquer le 450ᵉ anniversaire de la bataille. On y découvre plus de cent jalons de bois sculpté en forme d'arcs, de flèches, de lances et de têtes disposés au-dessus d'une fosse commune découverte vers 1970 seulement. Au-dessus de l'entrée, un panneau gravé proclame : "Ici, commence la détérioration d'une Hongrie puissante". Malheureusement, les expositions, dont les explications ne sont rédigées qu'en hongrois, dans la cour située en contrebas, à l'entrée, sont réalisées dans le même esprit.

Les bus se dirigeant vers Nagynyárád, Majs, Lippó, Bezedek et Magyarbóly vous déposeront devant le mémorial, ouvert d'avril à octobre, de 8h à 17h. Évitez de venir un 29 août, jour anniversaire de la bataille.

Musée Dorottya Kanizsai

Ce musée, qui porte le nom d'une aristocrate de Siklós qui présida à l'enterrement des victimes du site de la bataille de Mohács, se compose de deux branches. La plus petite, au 2, Szerb utca, près de l'église orthodoxe, est entièrement consacrée à la bataille. L'exposition est bien faite, puisqu'elle laisse non seulement aux Hongrois, mais aussi aux Turcs l'occasion de donner leur vision des faits. L'autre partie du musée, au 1, Városház utca, présente une large collection de costumes portés par des habitants de Sokác, des Serbes, Slovènes, Croates, Bosniaques et Souabes qui, au XVIIᵉ siècle, repeuplèrent cette région dévastée. Il suffit de voir les affiches publiques rédigées en hongrois, en allemand et en serbo-croate dans l'hôtel de ville mauresque pour constater à quel point la population locale reste hétérogène. Les poteries gris foncé caractéristiques (et parfois assez abominables) de Mohács, ainsi que divers masques représentant des diables ou des têtes de bélier, portés lors du carnaval de Busó, sont également exposés. Les musées sont ouverts du lundi au samedi de 10h à 17h. En hiver, les horaires se réduisent et les musées ferment le samedi.

Autres curiosités

Les autres sites de la ville se résument à quelques églises. L'**Église votive**, à l'allure de mosquée, sur Széchenyi tér, fut bâtie en 1926 pour le 400ᵉ anniversaire de la bataille. Elle comporte des fresques contemporaines représentant l'événement, ainsi que des vitraux modernes peu communs ; hormis cela, elle reste très banale.

La chaire de l'**église de la Ville**, de style baroque, près de l'hôtel Csele sur Szent Mihály tér, est extraordinaire. A quelques pas de là, se trouve l'**Église orthodoxe** (1732) qui, jusqu'à la Première Guerre mondiale, réunissait une très vaste congrégation de Serbes. Ses icônes et ses fresques au plafond remontent au XVIIIᵉ siècle, comme vous l'expliquera le prêtre-guide détenteur des clés. Dans la cour de l'ancienne **synagogue**, au 1, Eötvös utca, une grande ménorah de béton honore les victimes du fascisme.

Le **marché** se tient dans une cour reliant Jókai utca à Városház utca.

Activités culturelles et/ou sportives

La compagnie de ferries proche de l'hôtel Csele propose des excursions en bateau sur le Danube. D'autre part, il existe une plage et des piscines au Strandfürdő, au nord du centre ville, à l'extrémité de Bajcsy-Zsilinszky utca.

Pour louer des chevaux, adressez-vous au centre équestre Schmidt gödör, sur la route du mémorial de la Bataille.

Où se loger

Mohács ne propose guère de choix dans le domaine de l'hébergement. Le vieil hôtel *Korona* (☎ 311 049), au 2, Jókai utca, aussi misérable qu'il paraisse, offre l'avantage de ses prix modiques : 1 120 Ft, 1 350 Ft ou 1 580 Ft pour une double avec (respectivement) évier, douche ou s.d.b., petit-déjeuner compris. Le *Csele* (☎ 311 825), hôtel moderne de trois étages, se situe en bordure du fleuve aux 6-7, Mihály tér. Vous y paierez de 2 200 à 2 700 Ft pour une simple, de 3 100 à 3 800 Ft pour une double selon la saison. Toutes les chambres ont une salle de bains et celles du deuxième étage, avec balcon et vue sur le fleuve, viennent d'être rénovées. Le salon de thé de l'hôtel (qui ne comporte pas de restaurant) est devenu un grand lieu de rencontres ; des réunions littéraires s'y tiennent en particulier le samedi après-midi.

Où se restaurer

Le *büfé*, en face de l'hôtel Korona, dans Szentháromság utca, est un snack bon marché ouvert jusqu'à 18h (jusqu'à 12h le samedi). Toutefois, pour un repas plus fin et plus gai, essayez le *Gilde*, au 9, Szentháromság utca. Il reste ouvert jusqu'à 23h, mais vous risquez de ne pas apprécier les goûts musicaux du patron.

Le *Paris*, un classique restaurant hongrois au 18, Szabadság utca, ne se distingue que par son ambiance musicale. Essayez plutôt le *Halászcsárda*, près de l'hôtel Csele au 5, Szent Mihály tér. Il dispose d'une magnifique terrasse surplombant le fleuve, passe de la musique tzigane et propose 15 spécialités de poissons au menu. Il ferme le lundi.

Distractions

Le centre culturel Béla Bartók au 3, Vörösmarty utca, au nord de Széchenyi tér, vous renseignera sur le programme des distractions de Mohács. Le *festival de Busójárás*, organisé le dimanche précédant le carême, est l'une des rares occasions de voir les Hongrois se défouler en public. Rite slave à l'origine, le festival s'est aujourd'hui transformé en une sorte de carnaval costumé visant à ridiculiser les Turcs, ennemis d'autrefois. C'est la raison pour laquelle on croise des masques terribles et des torches menaçantes.

Le *Club Rose*, non loin du Gilde, sur Eötvös utca, est le seul établissement de la ville ouvert tard dans la nuit.

Achats

Vous pouvez acquérir des poteries noires dans la boutique d'artisanat du 40, Szabadság utca mais, avec l'aide de Mecsek Tourist, allez d'abord voir ce que proposent les potiers László Reininger (38, Borza utca) et József Molnár (8, Garázs sor, dans Új Mohács). Au 44, Gőzhajó utca, Zoltán Antal réalise des masques et des têtes de Busó.

Comment s'y rendre

Mohács est relié par chemin de fer à Villány et Pécs (9 départs par jour). Pour toute autre destination, mieux vaut choisir le bus.

Des dizaines de bus partent chaque jour pour Pécs. Il y a également de fréquents départs pour Villány, Siklós et les thermes d'Harkány. Parmi les autres destinations, figurent Baja (2 bus par jour), Bátaszék (2), Békéscsaba (1), Budapest (3), Kaposvár (1), Kalocsa (1), Kecskemét (2), Szeged (5), Szekszárd (3) et Székesfehérvár (1). La toute nouvelle gare routière dispose d'une consigne (fait rarissime en Hongrie), mais n'indique pas tous les départs et arrivées sur un même tableau central (fait tout aussi rarissime). Il vous faudra donc sortir pour regarder directement sur chaque arrêt les horaires exacts des bus.

SIKLÓS (11 000 habitants)

Jusqu'à récemment, le château fort du XVe siècle de Siklós, la ville la plus au sud de la Hongrie, était le seul du pays à avoir été habité continuellement depuis sa construction. Toutefois, Siklós n'a pas besoin de ce genre d'information pour plaire. Protégée du nord, de l'est et de l'ouest par les collines de Villány, elle produit du vin depuis l'arrivée des Romains, qui y établirent une ville nommée Seres. Siklós est si proche de Villány (qui se dispute avec Szekszárd le titre de meilleur producteur de vins rouges de Hongrie) et des thermes d'Harkány, qu'il représente le lieu idéal pour une halte de quelques jours.

Orientation et renseignements

Le centre ville de Siklós va de la gare routière, sur Szent István tér, à Kossuth tér, en suivant Felszabadulás utca (nom qu'il est prévu de changer). Installé sur une colline à l'ouest, le château surplombe la ville. La gare ferroviaire centrale se trouve au nord-est de Kossuth tér, à l'extrémité de Táncsics Mihály utca, mais l'autre gare, nommée Siklósi szőlők vm, au nord-ouest du centre, sur la route de Máriagyűd, est plus proche de la gare routière.

Situé dans le château, Mecsek Tourist (☎ 73 311 433) est ouvert en semaine de 8h à 17h. La poste se trouve au 1, Flórián tér. On peut y changer de l'argent, tout comme à la banque K&H, au 26, Felszabadulás utca. Pour joindre les taxis locaux, il faut composer le 73 321 558. L'indicatif téléphonique de Siklós est le 73.

Château de Siklós

Bien que ses fondations datent du XIIIe siècle, le château de Siklós n'est autre qu'un palais baroque du XVIIIe siècle, ceint de murailles et de bastions du XVe siècle que l'on aperçoit lorsqu'on lève les yeux vers la colline. A maintes reprises, le château a changé de mains depuis sa construction par la famille Siklósi. Son propriétaire le plus célèbre fut le comte libéral Kázmér Batthyány, l'un des premiers nobles à affranchir ses serfs. En 1848, il se joignit à la lutte pour l'indépendance et fut par la suite nommé ministre des Affaires étrangères par Lajos Kossuth à Debrecen.

Pour monter au château, vous avez le choix entre Batthyány Kázmér utca, que l'on prend à Kossuth tér, et Váralja, qui débute à Szent István tér, près de la gare routière. Le pont-levis mène à l'entrée, devant la barbacane surmontée de meurtrières et d'un passage pour les visiteurs. Vous pouvez également explorer le château et contempler quelques beaux points de vue sur les collines de Villány, le long de la promenade qui relie les quatre tours en ruine.

Il n'y a pas si longtemps, le palais de la cour centrale abritait encore un hôtel et une auberge de jeunesse dans trois de ses ailes. Le **musée du Château** se trouve dans l'aile sud. A droite, en entrant par la porte principale, vous trouverez une exposition assez originale consacrée à la fabrication des gants, éventails et parapluies, et à l'évolution de leurs styles depuis le Moyen Âge. L'accent est surtout mis sur la fabrique d'Hamerli, basée à Pécs, qui, au XIXe siècle, produisait les plus beaux gants pour enfants de toute l'Europe. La **cave** comporte quelques fragments de pierre difficilement identifiables remontant aux époques romaine, gothique et Renaissance.

Le premier étage a été presque entièrement transformé en galerie d'art, mais il serait dommage de manquer la magnifique **salle de Zsigmond**, avec sa cheminée Renaissance et son balcon couvert au plafond voûté de couleur rose.

Au deuxième étage, on peut admirer des photographies de la vie quotidienne du château au siècle dernier, lorsque le propriétaire s'appelait comte Benyovszky, ainsi qu'une collection de céramiques réalisées par István Gádor.

A droite de l'entrée du musée, un escalier descend vers de sombres et redoutables cellules : le cachot dans toute sa splendeur, avec des murs d'un mètre d'épaisseur au moins et jusqu'à cinq grilles devant les minuscules fentes des fenêtres. De quoi décourager les tentatives d'évasions les plus audacieuses ! Des gravures sur bois affichées aux murs expliquent le fonctionnement des différents instruments de torture. Après une telle visite, la **chapelle** gothique apparaît comme un coin de paradis, avec ses lumineuses fenêtres cintrées derrière l'autel, ses plafonds en voûtes célestes étoilées et ses niches ornées de fresques.

Autres curiosités

L'**Église franciscaine**, au sud du château, dans Vajda János utca, est de style gothique, mais pour vous en assurer, il vous faudra pénétrer à l'intérieur. Son cloître abrite aujourd'hui le siège et le *show-room* du Symposium international annuel des céramiques de Siklós. Au n°6 de la même rue, le petit **musée municipal** présente des expositions sur Siklós, une collection assez limitée de porcelaines, de tissus et d'outils de ferme, ainsi que des peintures morbides dans la galerie Béla Simon.

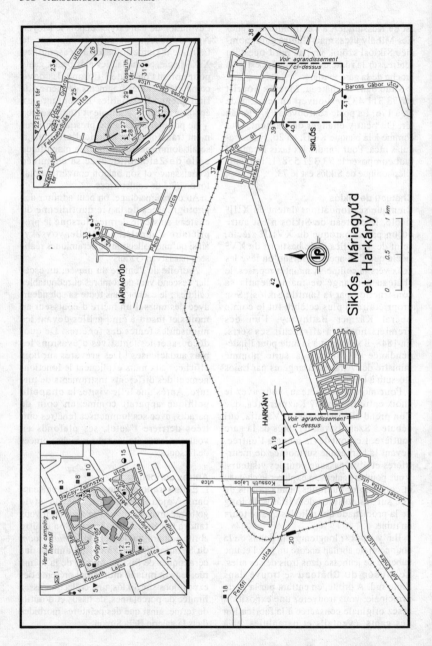

Siklós, Máriagyűd
et Harkány

	OÙ SE LOGER	7	Mecsek Tourist
		9	Ibusz
2	Hôtel Dráva	11	Piscines et thermes
3	Hôtel Napsugár	13	Mecsek Tourist
6	Hôtel-club Siesta	14	Théâtre en plein air
8	Hôtel Baranya	15	Gare routière (Harkány)
10	Hôtel Balkan Viking	16	Discothèque Bányász
18	Pension Táltos	17	Maison de la Culture
19	Camping Thermál	20	Gare ferroviaire d'Harkány
29	Auberge Központ	21	Gare routière (Siklós)
		23	Bar à vins Fehérholló
	OÙ SE RESTAURER	24	Poste
		26	Marché
5	Restaurant Fasor	27	Château et musées
12	Restaurant Robinson	28	Mecsek Tourist
22	Restaurant Sport	30	Musée de la Ville
25	Pizzeria Dolce Vita	31	Mosquée
36	Restaurant	32	Église franciscaine
39	Restaurant Horgony	33	Église catholique et chapelle
40	Pub Holstein	34	Calvaire
		35	Bar à vins
	DIVERS	37	Gare ferroviaire de Siklós-Szőlők
		38	Gare principale de Siklós
1	Poste	41	Piscines du Strand
4	Église calviniste	42	Discothèque Madison

Revenez sur vos pas dans Batthyány Kázmér utca et passez devant la statue de l'héroïque Dorottya Kanizsai (voir le chapitre sur Mohács) : vous parviendrez devant le **Malkocs bej dzsámi**, une mosquée du XVIᵉ siècle magnifiquement restaurée qui abrite aujourd'hui des expositions du style "sur les traces des cultures antiques de Turquie". C'est un des rares héritages turcs que vous trouverez en Hongrie.

Le **marché**, très animé, se tient derrière le supermarché ABC, sur Mária utca.

Activités culturelles et/ou sportives
Les piscines du Strandfürdő, au 2, Baross Gábor utca, sont ouvertes de mai à mi-septembre de 10h à 19h. Le café-restaurant Holstein, à Gordisai út, au sud de la gare routière, dispose de pistes de bowling et d'un court de tennis.

Où se loger
Jusqu'à une période récente, passer la nuit au Tenkes, l'hôtel et auberge de jeunesse du château, représentait l'une des grandes attractions de Siklós. Hélas, une querelle entre le gouvernement national et les responsables locaux, qui ne sont pas parvenus à déterminer qui était le véritable propriétaire des lieux et qui, en conséquence, devait financer l'entretien du château, laissa chacun le bec dans l'eau.

Vous devrez donc vous contenter d'un *hébergement chez l'habitant*, que vous réservera Mecsek Tourist, à Harkány (voir le chapitre sur Harkány) ou de l'une des 14 chambres du *Központ* (☎ 311 513), un hôtel malpropre installé dans un monument historique à l'abandon au 5, Kossuth tér. Cependant, sachez voir le bon côté des choses : le Köszpont n'est pas cher du tout (500 Ft avec douche à l'étage) et vous aurez une vue sur le château, à défaut d'en avoir une *du* château. La discothèque du restaurant de l'hôtel risque toutefois de vous empêcher de dormir le week-end.

Où se restaurer
Pour déjeuner rapidement et à bon prix, choisissez le *Finom Falatok*, au 16, Felsza-

badulás, près de Kossuth tér. Le *Sport* est un restaurant pour ouvriers à prix d'ouvriers servant des plats pour des ouvriers (soupe de poisson, tripes Pörkölt et saucisses), au 72, Felszabadulás, près de la gare routière. Il ferme à 21h30. La salle à manger de l'hôtel Központ (voir *Où se loger*) est légèrement plus coûteuse, mais pour ma part, je m'en tiendrai à l'*Horgony*, au 65/a, Felszabadulás út. Il s'agit d'une petite csárda non-fumeurs (ces derniers sont envoyés en terrasse) au personnel sympathique, ouverte jusqu'à 22h.

Le restaurant le plus accueillant de la ville est le *Dolce Vita* (également non-fumeur) qui sert des pizzas et des plats de pâtes tout simples jusqu'à 22h au 38, Felszabadulás utca.

Distractions

Demandez à Mecsek Tourist où en sont les projets de faire revivre le Festival du château, qui se tenait jadis deux fois par an, mais qui a aujourd'hui disparu de la même façon que l'hôtel Tenkes.

Un bon conseil : renoncez à la dégustation de vins et attendez pour cela Villány et les caves de Villánykövesd. Toutefois, si vous tenez à en goûter, essayez le petit bar à vins *Perényi*, dans la cour du château (ouvert jusqu'à 22h), le *Gilde*, au 7, Felszabadulás utca, près de Kossuth tér (jusqu'à 24h) ou le *Fehérholló*, au nord du marché, au 7, Szabadság utca (jusqu'à 22h).

Les amateurs de bière, en revanche, seront servis au *Bástya*, un petit bar situé au fond d'une cour au 43, Felszabadulás utca. L'établissement attire une clientèle intéressante, plutôt jeune.

L'hôtel *Köspont* renferme une discothèque ringarde où, les week-ends, on passe de la musique *live* pour un public assez mûr. En revanche, le *Madison*, à mi-chemin entre Siklós et Harkány, à 3 km de la première, est l'endroit le plus chaud de la ville.

Comment s'y rendre

La ligne de chemin de fer n°2 relie Siklós à Villány (où l'on prend une correspondance pour Mohács), Máriagyűd, Harkány, Sellye et Barcs. Mais les trains ne sont pas très fréquents et ne desservent pas tous l'ensemble de la ligne.

En règle générale, on n'attend pas plus d'une demi-heure les bus pour Pécs ou Harkány (les deux passent par Máriagyűd), Villány et Mohács. Parmi les autres destinations, figurent Budapest et Székesfehérvár (1 bus par jour chacune), ainsi que Sellye (3).

ENVIRONS DE SIKLÓS

Máriagyűd

L'**église** de la ville plantée au pied du mont Tenkes (408 mètres), au nord-ouest de Siklós, est un lieu de pèlerinage depuis plus de 800 ans. Faites-y donc le vôtre en prenant Gyűdi út (à pied ou à bord du bus pour Pécs, qui vous cahotera sur 3 km), puis Járó Péter utca vers le nord dès l'instant où vous verrez se profiler les deux tours de l'église. La dégustation de quelques vins blancs de Siklós peut également représenter une motivation valable.

Máriagyűd se trouvait sur l'une des anciennes routes commerciales, entre Pécs et Eszék (aujourd'hui Osijek, en Croatie) et au XIIᵉ siècle déjà, la ville possédait son église. L'édifice qui s'élève aujourd'hui à Máriagyűd est une vaste église baroque dont les autels ont été récemment repeints, avec des bancs magnifiquement sculptés, mais l'endroit ne présente un intérêt réel que le dimanche ou les jours de *búcsú* (célébration d'un saint – beaucoup sont consacrés à la Vierge), quand les vendeurs de gâteaux au miel, de costumes folkloriques et d'objets religieux s'installent sur l'esplanade. Dans l'église, la messe est dite en hongrois, mais dans la chapelle voisine, de nombreux fidèles assistent à des offices en allemand accompagnés par un orchestre populaire. De larges stations de la Croix en porcelaine de Zsolnay bordent le chemin jusqu'au Calvaire, quelques mètres plus haut sur le mont Tenkes.

Vous trouverez un *restaurant* au bas des marches de l'église (essayez les saucisses de Stifold, une spécialité souabe de Trans-

En haut : château de Gyula dans la Grande Plaine (SF)
En bas à gauche : cigognes nichées sur les poteaux télégraphiques dans
la Plaine Orientale (SF)
En bas à droite : colonnade de la Csárda d'Hortobágy (SF)

En haut : statue de guerrier turc sur Dobó István tér, à Eger (SF)
En bas : hôtel de la Maison du Sénateur sur Dobó István tér, à Eger (TZ)

danubie) et, en face, un *bar à vins*. L'esplanade est par ailleurs le point de départ d'une randonnée de 6 km jusqu'au mont Tenkes.

VILLÁNY (2 900 habitants)

A 13 km à l'est de Siklós, dominé par le mont Szársomlyó (422 mètres), Villány est un village entouré de vignobles, de vignobles, et encore de vignobles. C'est ici qu'en 1687, eut lieu ce qu'on a qualifié de "seconde bataille de Mohács", une féroce confrontation dans laquelle les Turcs reçurent une sévère correction : repoussés vers le sud par les Hongrois, ils se trouvèrent acculés dans les marécages de la Dráva, où ils furent massacrés sans pitié. Après la libération, Serbes et Souabes vinrent s'installer à cette place (Villány porte le nom de Wieland en allemand) et reprirent la viticulture. Aujourd'hui, Villány est l'une des principales régions productrices de vins de Hongrie, particulièrement réputée pour ses vins rouges : Oportó, Cabernet-Sauvignon, Merlot et Nagyburgundi.

On serait tenté de visiter Villány pendant les vendanges. Il est vrai qu'en septembre, la ville est, si l'on peut dire, une véritable ruche, où des chaînes humaines se passent des baquets remplis de raisins noirs qu'ils transportent des camions jusqu'à de gigantesques pressoirs qui passent les fruits, les réduisent en une masse juteuse, puis en recueillent le jus dans d'énormes fûts. Méfiez-vous toutefois : vous risquez de ne pas en goûter du tout. Tout le monde est si occupé que caves et restaurants sont fermés pendant cette période !

Orientation et renseignements

Villány se résume pratiquement à une grande rue, Tolbuhin utca (nom en cours de changement) et à un arrêt de bus au centre du village. La gare ferroviaire se trouve un peu au nord, sur Ady Endre fasor, sur la route de Villánykövesd.

La poste est située sur la place principale, près du restaurant Oportó, où Tolbuhin utca devient Baross Gábor utca. Il y a une banque OTP au 27, Baross Gábor utca.

Vin

Le **musée du Vin**, installé dans un cellier vieux de deux siècles au 8, Bem József utca, contient une collection d'outils utilisés au XIXᵉ siècle pour la fabrication du vin : fûts, pressoirs, bouchons de liège. En bas, dans les caves au sol couvert de sable, les célèbres vins de Villány vieillissent dans d'énormes foudres. A l'entrée du musée, une petite boutique vend des vins de Villány et de Siklós, dont certains sont de grands crus et comptent parmi les meilleurs de Hongrie.

Le musée est ouvert du mardi au dimanche de 9h à 17h. Dans Tolbuhin utca (aux nᵒˢ 40, 71 et 78) et sur Diófás tér, vous trouverez quelques caves propices à la dégustation, ouvertes le vendredi soir de juin à août.

Toutefois, les meilleurs décors pour goûter les vins de la région restent les celliers creusés dans le sol de lœss à **Villánykövesd** (Growisch en allemand) à 2,5 km environ au nord-ouest de la ville, sur la route de Pécs. Là, les celliers sont regroupés le long de l'artère principale (Petőfi út) et dans une petite rue attenante. Dans la première, essayez les nᵒˢ 51-52, où se trouve une cave très profonde, ou bien la maison du nᵒ 27/a. Dans Pince sor, le nᵒ 15 est sympathique, mais ma préférence va au nᵒ 5. Tous ces celliers ont des horaires compliqués, et il n'est pas toujours évident d'en trouver un ouvert. Sachez toutefois que celui des 51-52, Petőfi út, par exemple, accueille les clients du jeudi au dimanche de mai à octobre, de 15h à 21h.

Parmi les spécialités de vins rouges, goûtez l'Oportó (appelé également Kékoportó), un vin jeune et léger, ou les plus corsés Cabernet ou Cabernet-Sauvignon. Le Merlot, distingué par le musée du Vin, devrait lui aussi être bon, quoiqu'un peu sucré.

Si vous préférez les blancs, essayez l'Olaszrizling ou le Hárslevelű qui, de l'avis de certains, serait encore meilleur que l'original, mis en fût dans le village de Debrő, sur les contreforts des collines de Mátra.

Le directeur de la pension Gere, au 4, Diófás utca, organise des randonnées à cheval à travers les vignobles et dans les collines.

Où se loger et où se restaurer

Le seul hébergement de Villány est le *Gere* (Villány 195), une pension de 6 chambres à 1 700 Ft la double. Le restaurant de l'hôtel sert son propre vin (un cru prometteur) et fume lui-même son jambon.

L'*Oportó*, aux 33-35, Tolbuhin utca, est un grand restaurant hongrois proche de l'arrêt de bus. Le *Julia*, une minuscule csárda au 43, Tolbuhin, cuisine le meilleur pörkölt de veau de Hongrie – tel que le faisait "Anyu" (version hongroise de "la mamma") qui, précisément, se trouve derrière les fourneaux ! Vous y dînerez en musique le week-end. Le Julia est ouvert tous les jours, sauf lundi, jusqu'à 24h.

Le *Fülemüle Csárda*, après la gare dans Ady Endre fasor, est une bonne adresse pour se restaurer, avant de partir à Villánykövesd ou en en revenant.

Comment s'y rendre

Il existe des trains pour Mohács à l'est et Siklós et Harkány à l'ouest. Il y a également des bus pour Pécs, Nagyharsány, Siklós et Harkány, mais pour des destinations plus lointaines, allez d'abord à Siklós, où vous prendrez une correspondance.

ENVIRONS DE VILLÁNY

Nagyharsány (1 700 habitants)

Située à 4 km au sud-ouest de Villány, cette ville est célèbre pour deux raisons : elle enregistre les températures les plus chaudes de Hongrie en été et ses carrières produisent le marbre de Siklós, un calcaire exploité depuis plus d'un siècle comme matériau de décoration pour les bâtiments publics de Hongrie. Une colonie artistique internationale de sculpteurs fut établie à Nagyharsány en 1967 : on peut admirer le fruit de leur travail dans le **parc des Sculptures**, sur les versants du mont Szársomlyó, à 3 km de Villány. C'est une promenade facile par la route principale.

Parmi les sculptures exposées dans le parc, on trouve le meilleur comme le pire : des "œufs" de taille humaine à l'équilibre parfait, des paquets de cailloux rassemblés par une "cordelette", grappes de raisin, pouce énorme. Le tout figé dans le calcaire. Les sculpteurs, venant pour la plupart des pays de l'ex-bloc communiste, sont identifiés par de petites plaques fixées au sol près de leur œuvre. Personne, toutefois, ne semble revendiquer la statue de Lénine aspergée de peinture. Le parc est ouvert de mi-mai à mi-octobre de 9h à 18h.

Le mont Szársomlyó offre quelques panoramas magnifiques sur les vignobles de Villány. Par temps clair, on aperçoit même la Dráva, au sud, au-delà de la plaine. La région dispose en outre d'une flore assez rare qui intéresse grandement les botanistes.

L'auberge *Sárkány*, au 82, Petőfi utca, loue quatre doubles au prix de 1 700 Ft la nuit.

HARKÁNY (3 200 habitants)

Il est étonnant que cette ville d'eau, à 6 km à l'ouest de Siklós et à 26 km au sud de Pécs, ne comporte aucune statue dédiée à János Pogány. Au début du XIXe siècle, ce pauvre paysan de Máriagyűd parvint à soigner son arthrite en se baignant dans une source chaude qu'il avait découverte. La famille Batthyány comprit tout le parti que l'on pouvait tirer de cette eau et en 1824, elle fit construire des cabines à proximité de la source, qui offre la plus haute teneur en soufre de toute la Hongrie. Aujourd'hui, en dehors de Pécs, aucune ville du comitat de Baranya n'est aussi lucrative qu'Harkány. A défaut de statue, la ville a au moins honoré Monsieur Pogány d'une plaque commémorative.

Bien évidemment, les vertus curatives de l'eau d'Harkány attirent les foules (140 000 visiteurs en haute saison) et, par voie de conséquence, d'innombrables buvettes vendant des lángos et diffusant dans toute la ville une incontournable odeur d'œufs pourris. Mais certains l'apprécient. On vient à Harkány pour se faire des amis, la ville n'est pas aussi agitée qu'Hajdúszoboszló, dans la Plaine Orientale, et sa situation, à l'extrémité ouest de la région de Villány-Siklós, séduit les amateurs de bon vin.

Orientation

Pour la majorité des visiteurs, Harkány se résume au Gyógyfürdó, un carré de 12 hectares de verdure avec piscines, fontaines et promenades, bordé de toutes sortes d'hôtels et de maisons de vacances. Les quatre rues qui circonscrivent les installations thermales sont Bartók Béla utca au nord, Ady Endre au sud, Bajcsy-Zsilinszky utca à l'est, où se trouvent la plupart des hôtels, et à l'ouest, Kossuth Lajos utca, la rue des restaurants. La gare routière se situe dans Bajcsy-Zsilinszky utca, à l'angle sud-est du parc, la gare ferroviaire est dans Petőfi utca, au nord-ouest.

Renseignements

Mecsek Tourist (☎ 72 380 307) possède deux bureaux : l'un pour les voyages organisés et les visites en tous genres au 5, Kossuth Lajos utca, l'autre pour les hébergements (☎ 72 380 322) dans Bajcsy-Zsilinszky utca, près de l'entrée des thermes. Ibusz (☎ 72 380 135) est en face du second au 5, Bajcsy-Zsilinszky utca. L'été, ces bureaux sont ouverts du lundi au vendredi de 8h à 18h et jusqu'à 12h les samedis et dimanches. L'hiver, ils ouvrent jusqu'à 17h, en semaine seulement.

Vous pouvez louer une voiture par l'intermédiaire de Mecsek Tourist pour 2 000 Ft par jour avec kilométrage illimité. Pour appeler un taxi, composez le 72 380 123.

La poste d'Harkány est au 57, Kossuth Lajos utca, non loin de la banque, située au n°28 de la même rue. Vous pouvez également vous procurer des devises au bureau de change de Bajcsy-Zsilinszky utca en été.

L'indicatif téléphonique pour Harkány est le 72.

A voir et à faire

L'entrée principale des thermes, censés soigner à peu près tous les maux, est au 5, Bajcsy-Zsilinszky utca. Le complexe est ouvert de 8h à 23h de mai à fin août, aux heures de bureau le reste de l'année. Les services proposés vont des cures d'eau de source (à boire) aux bains de boue, mais un simple bain dans la piscine extérieure à 38 °C procure déjà un grand bien-être, surtout l'hiver.

L'une des quelques "curiosités" de la ville – le musée Bulgare de Kossuth Lajos utca, qui honore la participation de cette nation à la libération de la Hongrie durant la Seconde Guerre mondiale – a été fermée "jusqu'à une date indéterminée pour raisons techniques". Rares sont les habitants à qui cette fermeture a arraché des larmes. Le pauvre touriste en mal de sites d'intérêt culturel devra donc se contenter d'aller s'épancher dans l'**Église calviniste** fin du Baroque (1802), dans Kossuth Lajos utca.

La pension Táltos, au 30/d, Széchenyi tér, au nord-ouest du centre ville, organise des balades à cheval et l'hôtel Dráva dispose de courts de tennis.

Où se loger

Camping. L'immense *Thermál Camping* (☎ 380 117), géré par Mecsek Tourist, se trouve au 6, Bajcsy-Zsilinszky utca. Il dispose d'un motel de 20 chambres (entre 900 et 1 000 Ft la double), d'un hôtel de 26 chambres (de 1 250 à 1 500 Ft) et de 24 bungalows comportant deux chambres doubles et une cuisine (de 2 100 à 2 850 Ft). L'ensemble est ouvert de mi-avril à mi-octobre.

Chambres chez l'habitant. Les agences de tourisme d'Harkány vous dénicheront une double chez l'habitant pour environ 900 Ft. Vous pouvez également chercher par vous-même en vous promenant du côté est de la ville, dans Bartók Béla utca, où les panneaux "Zimmer frei" ne manquent pas. Toujours dans cette rue, les anciennes maisons de vacances proposent des appartements de 2 à 4 pièces à partir de 2 000 Ft. Allez visiter avant de vous engager : certains d'entre eux ressemblent à des bunkers de béton.

Hôtels. Harkány propose un nombre considérable d'hôtels pour tous les budgets. Parmi les plus abordables, figurent le *Baranya* (☎ 380 160), dont l'architecture est intéressante, au 5, Bajcsy-Zsilinszky utca, avec des doubles à 800 Ft (douche sur le palier) et le *Napsugár* (☎ 380 300), une bâtisse de style "baroque-stalinien", juste à côté au n°7. Ses doubles avec douche coûtent de 980 à 1 380 Ft selon la saison. Franchement, ce sont deux hôtels miteux au personnel revêche et à la clientèle douteuse.

Dans un joli parc, non loin du terrain de camping, le *Dráva* (☎ 380 434) propose 68 chambres réparties dans deux bâtiments de Bajcsy-Zsilinszky utca. Les prix des doubles débutent à 1 600 Ft et vont jusqu'à 2 600 Ft, selon le mois et le choix du bâtiment (le A abrite la classe "supérieure"). Le *Platán* (☎ 380 411), ancienne maison de vacances syndicale au 15, Bartók Béla utca, a été transformé en un confortable hôtel de 60 chambres. Les doubles vont de 2 100 à 2 500 Ft, petit déjeuner compris.

Les 48 chambres du *Balkon Viking* (☎ 380 443) – devinez quelle clientèle est visée ! – sont installées dans un ancien sanatorium Art Déco autrefois réservé aux dirigeants du Parti au 2, Bajcsy-Zsilinszky utca. L'endroit est donc chargé de souvenirs ("à l'époque, m'a dit le portier, sarcastique en me montrant une minuscule simple, cette chambre accueillait tous les petits camarades") et situé dans un environnement agréable. Les simples avec s. d. b. sont à 1 350 Ft, les doubles deux fois plus chères.

L'hôtel le plus luxueux de la ville est le tout nouveau *Siesta Club* (☎ 380 611), 78 chambres, situé à l'ouest des thermes au 17, Kossuth Lajos utca. Les doubles avec s. d. b. coûtent de 1 600 à 3 000 Ft selon la saison.

Où se restaurer

Vous ne mourrez certainement pas d'inanition dans cette ville de buvettes et de baraques de wirsli, mais si vous préférez manger assis, essayez le *Fasor*, un petit snack bon marché très populaire parmi les autochtones, au 44, Kossuth Lajos utca. Le *Robinson*, au n°7 de la même rue, est décoré dans le style "île déserte" ; M. Crusoé s'y serait senti parfaitement à l'aise. Le restaurant passe de la musique reggae et sert des pljeskavica (hamburgers serbes). En face, au n°12, l'*Édes*, installé dans un superbe bâtiment rose, sert des pizzas tous les jours sauf lundi jusqu'à 23h.

Si vous recherchez quelque chose de plus romantique, allez à l'hôtel Balkon Viking, qui dispose d'un restaurant tout en longueur de style 1930.

Dans Liszt Ferenc tér, tout près de Bajcsy-Szilinszky utca, officie un épicier-traiteur ouvert 24h sur 24.

Distractions

La maison de la culture d'Harkány se trouve au début de Kossuth Lajos utca, mais ne vous faites pas trop d'illusions sur le programme des manifestations culturelles qui, en dehors du Festival d'été d'Harkány, où des représentations sont données en plein air dans le parc des thermes, sur Zsigmond sétány, est plutôt pauvre. En outre, il existe bon nombre de night-clubs et de discothèques dans la ville, mais commencez par le *Bányász*, au 3, Kossuth Lajos utca, qui est le plus sympathique.

Comment s'y rendre

A partir d'Harkány, vous pouvez vous rendre en train à Sellye ou Barcs, à l'ouest (4 ou 5 trains par jour) et à Siklós ou Villány à l'est (7 par jour). Changez à Villány pour Mohács ou Pécs.

Tandis que les bus pour Pécs et Siklós restent assez fréquents, les autres villes sont beaucoup moins bien desservies, avec un bus par jour seulement pour Baja, Kecskemét, Kalocsa, Sellye, Szeged, Székesfehérvár et Veszprém. Parmi les autres destinations, figurent Budapest et Szekszárd (2 bus chacune), Vajszló (3) et Mohács (6).

PLAINE D'ORMÁNSÁG

Située à une trentaine de kilomètres à l'ouest d'Harkány, cette plaine fut pendant des siècles sujette aux inondations provoquées par la Dráva, qui avait tendance à sortir fréquemment de son lit. Cette caractéristique, ainsi que l'isolement de la région ("Quelque part derrière le dos de Dieu", comme disent les Hongrois) transparaissent dans une architecture et des coutumes peu communes et dans un dialecte tout à fait original. Autrefois, les couples de l'Ormánság n'avaient généralement qu'un enfant, car le système de gestion des terres ne permettait pas aux paysans d'agrandir leurs maisons.

Toutefois, cette raison n'explique pas à elle seule pourquoi ce qu'on appelle ici les *talpás házak* sont si petits : ces maisons munies de "semelles" ou de "pieds" étaient en effet construites sur roulettes, de façon à pouvoir être tirées vers des terres restées sèches en cas d'inondation.

Un groupe écologiste très actif, nommé Fondation de l'Ormánság, tente actuellement de réintroduire les méthodes de cultures traditionnelles hongroises dans la région, en particulier près de Drávafok. Si cela vous intéresse, renseignez-vous chez Mecsek Tourist, à Pécs.

Sellye

A Sellye, qui est à la fois la capitale et la ville la plus intéressante de la région de l'Ormánság, une *talpás ház* très représentative, faite de mortier, de chaux et de bois, se trouve derrière le **musée de l'Ormánság**, au 6, Mátyás király utca, principale artère au sud-ouest de la gare routière. (La gare ferroviaire n'est pas très loin, à l'est du centre.) La maison possède les trois pièces réglementaires, mais présente quelques différences de taille : le petit salon servait de chambre à coucher, la pièce principale était une cuisine sans cheminée et, pour tenir les moustiques à distance, les quelques rares fenêtres de la maison étaient minuscules.

Le musée est riche en costumes et objets typiques de l'Ormánság, dont quelques jupes de brocart, des coiffes "papillon" ainsi que des porte-miroirs, nécessaires de rasage et bâtons sculptés dans la corne ou

le bois par des bergers. Les meubles en chêne décorés de formes géométriques sont uniques, et supérieurs à ceux que l'on trouve habituellement dans les fermes, même cossues.

Derrière le musée, un **arboretum** regroupe quelques rares arbres et plantes autour du manoir de la famille Draskovich (aujourd'hui une école). Deux restaurants sont situés dans Mátyás király utca : le *Borostyán*, au n°56 et l'*Ormánság*, près du musée.

Autres villages de l'Ormánság

L'église calviniste de Dravaiványi, avec son plafond composé de caissons peints et sa tribune de chœur datant de la fin du XVIIIe siècle, se trouve à 5 km au sud de Sellye. On peut y aller en bus. **Vajszló**, autre village de l'Ormánság à 11 km à l'est, comporte plusieurs maisons sur "pied" et figure sur la même ligne ferroviaire que Sellye. De là, quelques bus vont parfois à **Kórós**, dont l'église calviniste (1795) décorée par la population elle-même est l'une des plus belles du pays.

Comment s'y rendre

Harkány est le point de départ le plus commode pour toute excursion dans la plaine de l'Ormánság, mais la région est également accessible par les transports en commun à partir de Szigetvár – elle est même plus proche de cette ville. Toutefois, il faut deux heures pour couvrir en bus une distance de 25 km (reconnaissons tout de même que l'on traverse des villages très pittoresques) et en train, on doit changer à Szentlőrinc. D'Harkány à Sellye ou Vajszló, en revanche, le train est direct et le trajet ne prend qu'une heure (pour plus de précisions, voir *Comment s'y rendre* dans le chapitre sur Harkány).

PÉCS (179 000 habitants)

Avec son climat doux, son passé illustre, ses beaux musées et ses monuments, Pécs est l'une des villes les plus agréables et les plus intéressantes de Hongrie. Pour ces raisons et quelques autres (ses trois univer-

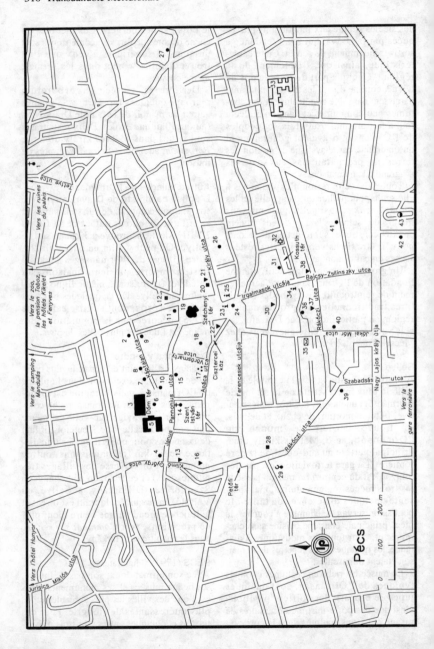

sités, les collines de Mecsek toute proche et son animation nocturne), de nombreux touristes la placent en second rang après Budapest sur leur liste de sites à visiter. Vous avez tout intérêt, vous aussi, à lui consacrer quelques jours.

Située à mi-chemin entre le Danube et la Dráva, dans une plaine abritée des vents du nord par les collines de Mecsek, Pécs jouit d'un microclimat qui allonge les étés, idéal pour la viticulture et les arbres fruitiers, en particulier pour les amandiers. Ce furent sans doute le climat de la région, la fertilité de son sol et l'abondance de l'eau qui incitèrent les Romains à s'y installer, mais la protection naturelle que constituaient les massifs représente sans doute la raison majeure de leur choix.

Les Romains donnèrent à leur implantation le nom de Sophianae (un nom qui évoque aujourd'hui pour les Hongrois la principale marque de cigarettes du pays). La ville se développa rapidement pour devenir le centre administratif et commer-

cial de la Pannonie Inférieure. Les Romains introduisirent également le christianisme : on retrouve plusieurs témoignages de cet apport dans les toutes premières chapelles découvertes sur plusieurs sites aux environs de Pécs.

Pécs prit de l'importance au Moyen Age, sous le nom de Quinque Ecclesiae, qu'elle tenait de ses cinq clochers (Fünfkirchen en allemand). La ville, où le roi Étienne fonda un évêché en 1009, constituait une étape importante sur la route commerciale de Byzance. Elle devint donc rapidement un centre culturel et humaniste, avec la création d'une université (la première de Hongrie) en 1367. C'est à Pécs qu'au XVe siècle, vécut par exemple l'évêque Janus Pannonius, qui écrivit en latin quelques-uns des poèmes les plus célèbres de l'Europe de la Renaissance.

Après l'invasion mongole du XIIIe siècle, la ville fut entourée de murailles – dont une large portion subsiste encore – mais celles-ci étaient en si mauvais état en

1543 que les Turcs envahirent la ville sans rencontrer pratiquement aucune résistance. Ces derniers chassèrent la population locale et firent de Pécs leur propre centre administratif et culturel. Lorsqu'ils en furent à leur tour expulsés, quelque 150 ans plus tard, Pécs se trouvait presque à l'abandon, mais quelques monuments majeurs subsistaient : ils comptent aujour-d'hui parmi les plus importants bâtiments turcs de la nation. La reprise de la viticulture par les immigrants d'Allemagne et de Bohême, suivie de la découverte de mines de charbon au XVIIIᵉ siècle, relança le développement de Pécs. La fabrication de produits de luxe (gants, porcelaine de Zsolnay, orgues Angster, vin pétillant de Pannonie) et l'exploitation de mines d'uranium devaient venir un peu plus tard.

Pour le visiteur, la capitale du comitat de Baranya est avant tout une ville d'art et sur ce plan, elle bat Szentendre à plate couture. Bien sûr, les immeubles qui entourent la ville, les tanneries massives et les mines situées dans les collines du nord-est ne contribuent pas à cette réputation, mais leur présence parait tout à fait secondaire lorsqu'on commence à admirer les toits de style méditerranéen par une chaude journée de l'*indián nyár* (été indien), lorsque la ville prend une luminosité toute particulière.

Orientation

La ville Intérieure historique, de forme rectangulaire, a pour cœur Széchenyi tér, où convergent une dizaine de rues. L'une d'entre elles se nomme Király utca, une promenade réservée aux piétons où se succèdent boutiques rénovées, cafés et restaurants. Au nord-ouest, se trouve Dóm tér, l'autre place importante de Pécs. S'y regroupent la cathédrale, des chapelles datant des tout débuts du christianisme, ainsi que Káptalan utca, la "rue des musées".

La gare de Pécs se trouve sur Indóház tér. De là, suivez Jókai Mór utca vers le nord jusqu'à la ville Intérieure. La gare routière est toute proche du grand marché de Zólyom utca. Pour parvenir au centre ville, remontez Bajcsy-Zsilinszky utca vers le nord.

Renseignements

Mecsek Tourist (☎ 72 313 300) a deux bureaux aux 1 et au 9, Széchenyi tér. Ibusz (☎ 72 312 169) est entre les deux, au n°8. Au coin de la rue, au 22, Irgalmasok utcája, se trouve Cooptourist (☎ 72 313 407). Express est plus proche de la gare routière, au 6, Bajcsy-Zsilinszky utca. Ces agences sont généralement ouvertes de 8h à 16h. En été, ces horaires s'étirent jusqu'à 18h et s'étendent au samedi matin.

En plusieurs points, vous trouverez de larges plans de la ville, très lisibles, notamment entre la gare routière et le marché, sur Kossuth tér et sur Széchenyi tér.

La poste principale occupe un magnifique bâtiment Art Nouveau datant de 1904 (remarquez les anges des bas-reliefs qui écrivent, envoient et distribuent le courrier) au 10, Jókai Mór utca.

L'indicatif téléphonique de Pécs et ses environs est le 72.

Traversez la rue en diagonale à partir de la poste et vous trouverez une banque OTP où changer de l'argent.

La librairie d'art, aux 7-8, Széchenyi tér, propose de beaux albums d'illustrations et un rayon en langues étrangères dans la cour.

Széchenyi Tér

Széchenyi tér, une très jolie place bordée de bâtiments baroques adossés aux collines de Mecsek, est un point de départ idéal pour la visite de Pécs. Dominant la place, l'ancienne mosquée du pacha Gazi Kassim est devenue le symbole de la ville. Église paroissiale de la ville Intérieure, c'est généralement sous le nom d'**église-mosquée** qu'on la désigne. Cet édifice est le plus important vestige de l'occupation turque en Hongrie.

Cette mosquée carrée, surmontée d'une coupole verte reposant sur une base octogonale, fut construite au XVIᵉ siècle à partir des ruines de l'église médiévale Saint-Bartholomé. Après l'expulsion des Turcs, l'Église catholique en reprit possession. La partie nord semi-circulaire fut alors ajoutée. Les éléments islamiques de la partie sud sont aisément repérables : fenêtres en ogives caractéristiques de l'art turc, niche de prière (mirhab) creusée à l'intérieur dans le mur sud-ouest, versets du Coran, à peine lisibles, sur le mur occidental, jolies fresques géométriques sur la coupole.

Le minaret de la mosquée fut détruit en 1753 et remplacé par une tour. L'église-mosquée peut être visitée tous les jours de 12h à 17h.

Le **musée Archéologique** (Régészeti Múzeum), derrière elle, au 12, Széchenyi tér, était au XVIIᵉ siècle la maison d'un commandant de Janissaires. Il retrace l'histoire du comitat de Baranya à partir de l'époque d'Árpád et comporte de nombreux ouvrages de pierre datant de l'époque romaine et découverts en Pannonie, une maquette de l'église Saint-Bartholomé, ainsi que des porcelaines du Moyen Âge.

Dans la partie basse de Széchenyi tér, la **statue de la Trinité** est la troisième à orner la place ; elle date de 1908.

Au sud-est, devant l'**église du Bon-Samaritain**, édifice plutôt lugubre, la fontaine de porcelaine, recouverte d'une couche de vernis, fut offerte à la ville par la célèbre manufacture de Zsolnay en 1892.

Kossuth tér

Au sud de Széchenyi tér, se trouve Kossuth tér, une place de forme oblongue qui comporte deux édifices importants : l'**Hôtel de ville** de style divers (1891) au nord et la **synagogue** restaurée, à l'est. Cette dernière, de style romantique, ouverte de mai à octobre de 9h à 14h, fut construite en 1869 ; elle compte parmi les plus beaux monuments de Pécs. Des "feuilles de route" comportant des explications dans une dizaine de langues sont distribuées aux visiteurs ; n'hésitez pas à rester un bon moment pour admirer les bancs et les galeries en bois de chêne superbement sculptés, les peintures qui ornent les plafonds, le magnifique orgue d'Angster, ainsi que l'arche de l'Alliance, dans le sanctuaire.

Peu après l'entrée dans le ghetto juif des forces du gouvernement fasciste de Hongrie, en mai 1944, les 3 000 juifs de la ville furent presque tous déportés vers les camps de la mort allemands. Seuls, 10% d'entre eux ont survécu.

Environs de Dom Tér

Les fondations de la **basilique Saint-Pierre**, bâtiment à quatre tours situé sur Dom tér, remontent au XIᵉ siècle. Les chapelles attenantes sont du début du XIVᵉ siècle. Toutefois, ce que l'on voit aujourd'hui de la structure néo-romane est le résultat de rénovations menées en 1891. L'autre "rénovation" controversée eut lieu en 1991, à l'occasion de la visite du pape Jean-Paul II. Les tours ayant été jugées trop fragiles pour subir le ravalement, l'église présente désormais un étrange aspect bicolore.

L'intérieur de la basilique est très riche en décorations. L'autel central, surélevé, est la reproduction d'un autel médiéval. Les quatre chapelles situées sous les tours sont les parties les plus intéressantes, ainsi que la crypte, la zone la plus ancienne de l'édifice.

La chapelle Mary, du côté nord-ouest, et la **chapelle du Cœur-de-Jésus**, au nord-est, comportent des œuvres de Bertalan Székely et Károly Lotz, deux peintres du XIXᵉ siècle. La chapelle de Mór, au sud-est, contient d'autres peintures de Bertalan Székely, ainsi que de magnifiques sièges. La **chapelle du Corpus-Christi**, au sud-ouest (entrée par l'extérieur) s'enorgueillit d'un tabernacle du XVIᵉ siècle, fait du même marbre rouge employé pour décorer la chapelle Bakócz de la cathédrale d'Esztergom. C'est l'un des plus beaux exemples hongrois de sculpture Renaissance. Sur les marches conduisant à la crypte toute simple, se trouvent des reproductions de frises du XIIᵉ siècle représentant des épisodes de l'Ancien Testament, de sanglantes batailles, ainsi que des scènes de la vie quotidienne (construction de la cathédrale, aveugle guidé par un enfant). La basilique est ouverte tous les jours de 9h à 17h (avec une interruption d'une heure au moment du déjeuner), mais ferme le dimanche après-midi.

Le Palais épiscopal (1770), sur la partie ouest de Dóm tér, où se trouvent les Archives ecclésiastiques, est généralement fermé au public. Jetez tout de même un coup d'œil à la statue de Franz Liszt (Imre Varga, 1983), qui observe la ville à partir d'un balcon du Palais. Au sud des Archives, se trouve l'entrée du mausolée du Broc (Korsós Sírkamra), un tombeau romain du IVe siècle qui tire son nom d'un tableau représentant une large jarre remplie de vin que l'on a découvert à cet endroit. La chapelle du Tombeau-Chrétien (Ókeresztény Mauzóleum), de l'autre côté de Janus Pannonius utca, sur Szent István tér, date de l'an 350 de notre ère et comporte des fresques représentant Adam et Ève, ainsi que Daniel parmi les lions. Un autre site romain comporte 110 tombes, un peu plus loin vers le sud, au 14, Apáca utca.

Le musée Csontváry, au 11, Janus Pannonius utca, présente les œuvres majeures de Tivadar Csontváry (1853-1919), un peintre symboliste original dont la vie tragique est souvent comparée à celle de Van Gogh (né la même année). Parmi ses toiles, généralement de très grandes dimensions, beaucoup sont des chefs-d'œuvre, notamment la *Tempête sur le grand Hortobágy* (1903), le *Cèdre solitaire* (1907) et *Baalbeck*, recherche artistique d'une identité moins étriquée à travers des thèmes religieux et historiques.

Káptalan Utca

Káptalan utca, qui débute à l'est de Dóm tér, comporte cinq musées d'art, tous situés dans des bâtiments classés. Il y a tant à voir ici qu'il vous faudra soit effectuer une sélection, soit courir sans relâche d'un endroit à l'autre, de préférence un mardi, jour de gratuité pour tous les musées de la ville.

Le musée Ferenc-Martyn, au 6, Káptalan utca, expose les œuvres de ce peintre et sculpteur (1899-1986) né à Pécs. Il organise également des expositions temporaires d'intérêt local. La maison du n°5 est consacrée aux œuvres d'Endre Nemes. La galerie d'Art moderne hongrois, au n°4, est le meilleur endroit pour se faire une idée de l'évolution de l'art en Hongrie de 1850 à 1950. Prêtez une attention toute particulière aux œuvres de Simon Hollósy, de József Rippl-Rónai et d'Ödön Márffy. La galerie Péter-Székely, derrière le musée, expose des tableaux et des sculptures mis en vente par des artistes locaux.

Les deux musées les plus intéressants sont situés à l'extrémité est de la rue : ce sont le musée Victor-Vasarely, au n°3, et l'exposition de porcelaines de Zsolnay, au n°2. Victor Vasarely fut le père de l'art cinétique et, même si quelques-unes des œuvres exposées, qu'elles soient de lui ou de ses disciples, semblent un peu démodées, la plupart sont très évocatrices, très tactiles, ou tout simplement amusantes (n'oubliez pas que Vasarely a réalisé ces œuvres bien avant de devenir l'enfant chéri du monde des arts dans les années 60). Le plus frappant des tableaux de l'artiste est sans doute son *Vega-Sakk* (1969), exposé dans la dernière salle du musée. Il s'agit d'un tissage représentant une sphère rouge, bleue et orange qui se transforme en un ventre distendu lorsqu'on la fixe du regard.

La manufacture de porcelaine de Zsolnay fut créée à Pécs en 1851 et resta pendant plus d'un demi-siècle le leader européen de son domaine en matière de fabrication et de création artistique. Ses carrelages servirent à la décoration de nombreux bâtiments du pays et contribuèrent à l'institution d'un nouveau style architectural commun à toute la Hongrie. Zsolnay connut sa période noire à la suite de la Seconde Guerre mondiale, lorsque le gouvernement communiste la transforma en usine d'isolateurs électriques en céramique. Aujourd'hui, la manufacture a retrouvé son activité artistique, mais ses productions n'ont plus la finesse des objets vernissés qu'on y fabriquait à la fin du XIXe siècle ou durant les périodes Art Nouveau ou Art Déco. Installé dans une maison datant du Moyen Age, le musée était autrefois la résidence de la famille Zsolnay. Aussi renferme-t-il leur mobilier et leurs effets personnels. Au rez-de-chaussée, on peut admirer une exposition des œuvres d'Amerigo Tot, un sculpteur très populaire. Ses thèmes religieux manquent un peu de finesse, mais vous adorerez ses amusantes grosses femmes.

Autres curiosités

A l'ouest et au nord de Dóm tér, se trouve un long pan des remparts de la **Vieille Ville**. (Celle-ci était bien trop étendue pour être défendue avec succès.) La **barbacane**, seul bastion de pierre à avoir survécu, date de la fin du XVe siècle et fut restaurée dans les années 70. On peut y monter et se promener le long de la passerelle aménagée juste au-dessous des meurtrières.

De la barbacane, suivez ensuite Klimó György utca vers le sud, traversez Petőfi tér et continuez dans Rákóczi utca : vous parviendrez à la **mosquée du pacha Hassan Jokovali**, calée entre une école et un hôpital au n°2. Cette mosquée a conservé son minaret, ce qui fait d'elle le bâtiment turc le mieux préservé de Hongrie. A l'intérieur, se trouve un petit musée d'objets d'art ottoman. L'ensemble est ouvert de 10h à 18h tous les jours sauf mercredi.

Situé au 2, Szabadság utca, le **musée d'Art contemporain** prend la relève de la galerie d'Art moderne hongrois, avec des œuvres abstraites ou constructionistes des années 60 et 70. Repérez notamment les noms de András Mengyár, Tamás Hencze et Gábor Dienes. Faiblement éclairée, la *Rue* de Erzsébet Schaár illustre de façon incomparable la peur de la folie et de la solitude.

Ce fut dans la banlieue de Budai, au nord-est du centre ville, que vinrent s'installer la plupart des Hongrois que les Turcs avaient chassés de l'intérieur des remparts. Au centre de leur communauté, s'élevait l'**église de Tous-les-Saints**, à l'angle de Dr Majorossy Imre utca et de Tettye utca. Édifiée à l'origine au XIIIe siècle, puis reconstruite dans un style gothique 200 ans

plus tard, elle était la seule église chrétienne autorisée durant l'occupation turque. Trois sectes se la partageaient, défendant becs et ongles le moindre centimètre carré de leurs "zones" respectives, à tel point que les Turcs durent parfois intervenir pour rétablir le calme.

Au nord-est, sur la colline, se trouve la **chapelle Havi-hegy**, construite en 1691 par les fidèles pour remercier le ciel d'avoir été épargnés par la peste. Elle représente un important point de repère dans la ville et offre une vue magnifique sur la ville Intérieure et sur les rues étroites et les vieilles maisons de la vallée de Tettye. Non loin, vers le nord, on peut admirer un impressionnant **crucifix** de bronze portant le corps d'un christ douloureusement contorsionné, réalisé par Sándor Rétfalvi.

Le **marché** de fruits et de légumes se trouve près de la gare routière, dans Zólyom utca. Le week-end, le **marché aux puces** de Vásártér, à 3 km au sud-ouest de la ville Intérieure, dans Megyeri út, attire des curieux venus de toute la région, en particulier le premier dimanche de chaque mois.

On peut déjà avoir un avant-goût des collines de Mecsek en se promenant dans le secteur nord-est de Pécs, du côté de Tettye et du **jardin des Ruines** – qui renferme ce qu'il reste d'une résidence d'été épiscopale construite au XVIe siècle, puis utilisée par les Turcs comme monastère derviche. Au nord-ouest, un peu après le **zoo** (ouvert tous les jours de 9h à 18h) en remontant Fenyves utca, une route sinueuse mène au **pic de Misina** (535 mètres) et à la tour de la Télévision, une impressionnante construction de 194 mètres de haut avec plate-forme panoramique, bar et salon de thé. Toutefois, ce ne sera là qu'un début : à partir de ce point, des sentiers de randonnée mènent aux jolies bourgades d'Orfű et d'Abaliget, sur un plateau situé à 15 à 20 km au nord-ouest, ainsi qu'au mont Zengő, point culminant du massif à 682 mètres d'altitude. Pour plus de détails, reportez-vous au chapitre consacré *aux collines de Mecsek*.

Activités culturelles et/ou sportives

La piscine découverte de Lajos Nagy, à quelques pas de Cisztercei köz, est ouverte l'été de 9h à 18h. Le club de tennis Káplán, au 2, Eszék utca, propose leçons et locations de courts de mars à novembre, de 8h à 20h. Le service de transports aériens de Pécs, basé au petit aéroport de tourisme de Pogányi, à 12 km au sud de la ville, organise des vols-découverte pour 500 Ft par personne.

Renseignez-vous chez Mecsek Tourist sur les deux excursions à thème qu'il propose : observation d'oiseaux le long de la Dráva et du côté de Béda-Karapancsa, au sud-est de Pécs, et géologie dans un chemin unique et interdit aux visiteurs non accompagnés, dans les collines de Mecsek. Ces dernières constituent d'ailleurs un magnifique domaine propice aux randonnées. Pour plus de détails, reportez-vous au chapitre *Collines de Mecsek*.

Où se loger

Certains des hébergements mentionnés ci-dessous se situent assez loin du centre ville. Pour savoir comment vous y rendre, consultez le paragraphe *Comment circuler*.

Camping. Le *Mandulás Camping* (☎ 315 981), au pied du pic de Misina, au 2, Ángyán utca, se trouve à 3 km au nord de la ville Intérieure. Il propose des bungalows (mais avec douches communes) pour 700 ou 800 Ft, ainsi qu'un hôtel de 20 chambres, avec des doubles de 1 200 à 1 400 Ft avec s. d. b.

Chambres chez l'habitant et chambres universitaires. Mecsek vous demandera 500 Ft pour une simple chez l'habitant et 780 Ft pour une double. A l'université Janus Pannonius (1/c, Szánto Kovács János utca ; 324 234), vous ferez des affaires : 300 Ft pour un lit en chambre triple, avec s. d. b. commune. Demandez à Express d'effectuer la réservation pour vous ou rendez-vous directement sur place. Rien ne vous empêche par ailleurs de choisir vous-même votre hébergement chez l'habitant :

de nombreux panneaux "Zimmer frei" sont accrochés aux fenêtres des maisons le long d'Asztalos János utca et de Surányi Miklós utca, dans les collines.

Pensions. Comme à Budapest, la plupart des pensions de Pécs sont disséminées dans les collines environnantes, si bien qu'il est difficile de s'y rendre si l'on ne dispose pas d'un moyen de transport individuel. Le *Kertész* (☎ 327 551), sur une colline dominant la ville, au 4, Sáfrány utca, dispose de 6 chambres dont les prix varient de 2 500 à 4 000 Ft. Plus à l'est, le *Toboz* (☎ 325 232) propose 8 chambres au 5, Fenyves sor, dans un quartier assez vert, non loin du pathétique zoo de la ville. Les tarifs sont de 1 000 Ft par personne, quel que soit le taux d'occupation des chambres.

L'*Avar* (☎ 321 924), au 2, Fenyves sor, reste un pis-aller, avec 6 mouchoirs de poche qui font office de chambres et un minuscule jardinet.

Hôtels. Le *Főnix* (☎ 311 680) jouit d'un emplacement qui fait bien des envieux, puisqu'il est situé au 2, Hunyadi János utca, juste derrière l'église-mosquée. Les simples/doubles avec douche et petit déjeuner sont à 2 000/2 700 Ft.

Le *Hunyor* (☎ 315 677), 16, Jurisics Miklós utca, dans les contreforts des collines de Mecsek, est un peu décentré, mais offre une vue magnifique sur la ville et a des allures de village de vacances. Il dispose d'un agréable restaurant et chacune de ses 51 chambres est équipée d'une télévision, d'un téléphone et d'une salle de bains. Les simples sont de 2 500 à 2 900 Ft, les doubles de 3 400 à 4 000 Ft selon la saison.

Plus au nord dans les collines, tout près de la porte de Mecsek (Mecsek kapu), se trouve le *Kikelet* (☎ 310 777) au 1, Karolyi Mihály utca. Il s'agit d'un sympathique complexe hôtelier de 69 chambres réparties dans 3 bâtiments (choisissez l'aile principale, qui a vue sur la ville). Le mobilier 1960 et la distance qui le sépare de la ville ne plaident certes pas en sa faveur, mais la vue, le restaurant en terrasse et les jardins font de cet hôtel un lieu chaudement recommandé. Les doubles sont à 2 940 Ft avec s. d. b. et à 2 255 Ft sans. Le *Fenyves* (☎ 315 996), au sud du Kikelet, au 64, Szőlő utca, est un peu moins cher, avec des doubles à 1 910 Ft. Ses 19 chambres ont toutes un balcon et son restaurant accueille des orchestres, mais côté atmosphère, il n'a rien de comparable avec son voisin.

Maintenant que le vieil hôtel Nádor, sur Széchenyi tér, a fermé ses portes, les moins fauchés des nostalgiques se rabattront sur le *Palatinus* (☎ 333 022), un hôtel Art Nouveau de 108 chambres rénovées au 5, Király utca. Selon la saison, les doubles avec s. d. b. y coûtent de 3 650 à 4 650 Ft. L'hôtel offre de nombreuses prestations, dont un pub avec billards ouvert tous les soirs jusqu'à 24h, et 4 pistes de bowling fermant à 2h du matin. Évitez le prétentieux *Pannonia* (☎ 313 322), sorte de caricature du Palatinus au 3, Rákóczi út, un affreux immeuble de 108 chambres dont le personnel n'a rien changé à ses habitudes depuis 1989.

Où se restaurer

Vous trouverez une sorte de fast-food à l'enseigne de *Dairy Queen* à l'angle de Rákóczi utca et de Bajcsy-Zsilinszky utca, ouvert tous les jours jusqu'à 24h. Comme son nom l'indique, le *Pastapizza*, en bas, propose pâtes et pizzas, ainsi que des salades. Le *Villányi* est un minuscule snack au 39, Rákóczi utca ; on y mange des spécialités grecques et italiennes sans prétention.

L'*Aranykacsa*, au 4, Teréz utca, au sud de Széchenyi tér, est un restaurant hongrois très apprécié avec, certains soirs, des spectacles musicaux. Plus économique, le *Dóm* est un petit restaurant installé dans la cour du 3, Király utca. Décoré de magnifiques tableaux *fin-de-siècle* et de vitraux aux fenêtres, il ferme à 23h. Le *Rózsakert*, bar à vins et restaurant, doit à sa situation centrale, tout près des musées et de la cathédrale, au 8, Janus Pannonius, une nombreuse clientèle formée essentiellement de

touristes. Le *Tettye*, près du jardin des Ruines, est pour sa part plébiscité par les habitants de Pécs.

Le *Dong Fang*, au 2, Apáca utca, manque d'authenticité malgré son personnel et ses cuisiniers, tous d'origine chinoise. Il ferme tôt (21h30) en semaine, mais reste ouvert jusqu'à 23h les vendredi et samedi. La chaîne des restaurants chinois *Vörös Sárkány* ("dragon rouge"), qui a son siège à Budapest, possède également un établissement à Pécs dans un jolie pavillon au 35, Ferencesek utcája, entre l'église franciscaine et des bains turcs désaffectés.

Dans le quartier chic, deux restaurants se sont installés sous les remparts occidentaux de la ville, dans Klimó György utca. Le *Barbakán*, une cave où l'on écoute de la musique tzigane tous les soirs jusqu'à 2h du matin, est le plus populaire et sert de grandes assiettes de saucisses de Stifolden ou de "soupe du gars de Mecsek". Le *Santa Maria* est un restaurant haut de gamme spécialiste de grillades dont le décor évoque l'un des trois vaisseaux de Christophe Colomb. Il reste ouvert jusqu'à 24h. Au nord-ouest du centre ville, l'*Egervölgyi*, près d'Abaligeti út, est le seul restaurant végétarien de Pécs.

La meilleure adresse de Pécs pour déguster une pâtisserie accompagnée d'un café est le *Virág*, au 7, Széchenyi tér. Vous trouverez une épicerie ouverte 24h sur 24 au 18, Hungária utca, à l'ouest de Petőfi tér.

Distractions

Grâce aux populations d'Allemagne et de Bohême qui s'y installèrent après l'occupation turque, Pécs est une ville musicale. Les concerts ont lieu soit dans la *salle de concerts Ferenc Liszt*, au 83, Király utca, soit à la *basilique Saint-Pierre*, ou encore dans la Maison des artistes, ou *Művészek Háza* (☎ 315 388), aux 7-8, Széchenyi tér.

La ville est également réputée pour la troupe de son opéra et son ballet de Sophianae. Demandez le programme des spectacles au Théâtre national de Pécs

(☎ 311 965), né au début du XIXe siècle et désormais situé dans un théâtre néo-rococo rénové, sur Színház tér. Parmi les autres salles de spectacle, figurent le *Chamber Theatre,* juste à côté, et le *Petit Théâtre,* au 17, Anna utca, créé par une petite troupe qui réalise aujourd'hui ses propres productions. L'Alliance française de Pecs est située Mecsek utca 12.

Le grand événement annuel de la ville se déroule en septembre : c'est le *Pécsi Napok* ("journées de Pécs"), un mois de festival de danse et de musique ponctué de quelques moments forts bien arrosés.

Pécs est aussi une importante ville universitaire (l'une de ses trois universités se trouvait à l'origine à Bratislava : elle fut implantée là après la Seconde Guerre mondiale, lorsque la Hongrie dut céder cette ville à la Tchécoslovaquie). Cette caractéristique transparaît dans l'intense vie nocturne de la ville. Aux 3-5, Czinderi utca, *A Gyár* ("L'usine"), identifiée comme un "club de musique rock et de culture alternative", franchit le mur du son toutes les nuits jusqu'à 4h. Le *Pepita,* sur 48-as tér, près de l'université, est un bar fort populaire parmi les étudiants. Enfin, le *Mecsek* est une petite discothèque très centrale au 18, Széchenyi tér.

Il y a des brasseries et des cafés sur toute la longueur de Király utca ; la plupart d'entre eux installent leurs tables à l'extérieur en été. Le *Király,* au n°1, le *Dóm,* au n°5, et le *Liceum,* dans la cour du n°35, sont trois bonnes adresses. La brasserie *Gilde* se trouve dans une rue attenante, au 18, Irgalmasok utcája. Mais l'endroit le plus spectaculaire reste sans conteste le *Kilátó,* un bar installé en haut de la tour de la Télévision, au pic de Misina.

En visitant la cathédrale ou les musées, dans Káptalan utca, faites donc étape au *Kioszk,* dans Janus Pannonius utca, pour y prendre un rafraîchissement ou une tasse de café. On n'a pas tous les jours l'occasion de trinquer dans un ancien baptistère !

Au sud de Széchenyi tér, une petite cour où l'on entre par Citrom utca, se trouve un bar à vins fort sympathique

nommé le *Dani.* La spécialité qu'il faut y goûter est le Cirfandli, un vin blanc fabriqué dans les collines de Mecsek.

Achats

Pécs est renommé pour ses cuirs depuis l'époque turque et l'on peut réaliser quelques bonnes affaires dans plusieurs boutiques de la ville. Essayez le *Blázek,* au 1, Teréz utca, ou le petit magasin du centre commercial d'Iparosház, dans Rákóczi utca.

Comment s'y rendre

Bus. Pécs est un noyau central du réseau de transports routiers et rares sont les endroits avec lesquels la liaison n'est pas assurée. De fréquents départs sont organisés pour Siklós, Mohács, Komló, Harkány, Bonyhád, Kaposvár, Vajszló et Szekszárd, mais on peut également atteindre Budapest (5 bus par jour), Győr (2), Héviz (2), Kecskemét (2), Sellye (5), Sopron (1), Székesfehérvár (1), Szeged (3), Szigetvár (5), Veszprém (2), Villány (2) et Zalaegerszeg (2).

Enfin, il y a 24 départs quotidiens pour Abaliget et Orfű en été, mais moins d'une dizaine en hiver.

Train. Une dizaine de trains relient Pécs à la gare de Budapest-Déli. On peut atteindre Nagykanizsa et d'autres villes du nord-ouest en suivant une ligne au tracé assez capricieux, mais offrant de fort beaux paysages le long de la Dráva A partir de Nagykanizsa, 2 trains par jour continuent jusqu'à Szombathely.

Pour rejoindre des villes plus proches du Danube, comme Szekszárd ou Baja, prenez le train jusqu'à Bátaszék, où vous changerez. Pour se rendre à Mohács, les trains passent d'abord par Villány, puis remontent vers le nord. On peut aller à Osijek (Eszék), en Croatie (départs de Pécs à 5h45 et 19h10), du moins si la situation ne s'aggrave pas davantage.

Comment circuler

Pour parvenir à l'hôtel Hunyor, prenez le bus n°32 à la gare ferroviaire, à Kossuth tér ou derrière l'église-mosquée. Les n⁰ˢ34 et 35 vous amèneront au Kikelet, le 34 au camping, le 35 à la tour de la Télévision. Pour le Tettye et le Fenyves, c'est le n°33 qui convient (il se prend aux même stations que le 32). Pour aller au marché de Vásártér à partir de la gare ferroviaire, montez dans le n°50.

Pour atteindre toutes ces destinations et les autres, vous pouvez également commander un taxi au 341 222.

COLLINES DE MECSEK

Le réseau de bus permet d'atteindre à peu près toutes les villes de la région de Mecsek, mais si vous préférez marcher, procurez-vous une carte précise, intitulée *A Mecsek Turistatérképe*, avant de vous mettre en route. Voyez également le paragraphe *Autres curiosités* dans le chapitre consacré à Pécs.

Orfű (580 habitants)
La plus accessible des stations de Mecsek – et aussi la mieux aménagée pour les touristes – est Orfű, un groupe de hameaux répartis autour de quatre lacs artificiels où l'on pratique natation, promenades en bateau, canoë et pêche à la ligne. Vous trouverez également un haras nommé Eldorádó, au 3, Petőfi utca, à Tekeres, et un autre au 23, Kossuth Lajos, dans la ville même d'Orfű.

Où se loger et où se restaurer
Les principaux hébergements d'Orfű sont l'*auberge de jeunesse* (☎ 378 023) de Mecsek Tourist à Tekeres, au 6, Petőfi utca, à l'extrémité nord du lac Pécs, la pension *Vaskakas* (☎ 378 069) au 29, Mecsekárosi utca, sur la rive est du lac, dont les 4 chambres sont louées au prix de 500 Ft par personne, la pension *Molnár* (☎ 378 563) au 18/a, Széchenyi tér, et l'*Orfű Camping* (☎ 378 501), au 1, Dollár utca, au-dessus de la grande plage publique, au sud-ouest du lac. On y loue des bungalows au prix de 1 200 à 1 975 Ft, selon la saison, ainsi que planches à voile, bicyclettes et canots.

Le *Muskátli* est un agréable petit restaurant sur Széchenyi tér, près de la pension Molnár. De là, vous suivrez vers le sud le minuscule lac Orfű jusqu'au **musée des Moulins**, une série de stations de pompage, ouvert de 10h à 17h en été. L'*Hegyalja* est un *büfé* bon marché situé à flanc de colline au-dessus du lac Orfű.

Abaliget (630 habitants)
Abaliget, à 3 km d'Orfű, est accessible soit par bus, soit à pied en suivant le chemin escarpé qui passe derrière le camping. C'est un village plus calme que le premier, mais moins pittoresque. On y trouve de nombreuses chambres chez l'habitant le long de la rue principale (Kossuth Lajos utca), dont une appartenant à un potier au n°115. Le seul hébergement classique est l'*Abaliget Camping* (☎ 78 530), en bordure du petit lac. Le site comprend 18 bungalows (de 1 100 à 1 300 Ft), ainsi que quelques chambres d'hôtel à 850 Ft la double. Il y a également un petit centre équestre, une grotte de 450 mètres à explorer avec un guide (à condition de pouvoir réunir 10 participants) et un grand restaurant au bord du lac.

KAPOSVÁR (74 000 habitants)
Le comitat de Somogy est généralement associé au lac Balaton, et ce à juste titre : il englobe en effet la très rentable côte sud du lac, de Siófok à Balatonberény. Si bien que Kaposvár, le paisible chef-lieu du comitat situé à 55 km au sud, ne vient pas généralement à l'esprit.

Situé sur les contreforts du Zselic, en bordure de la vallée du Kapos, l'endroit n'est pas dénué d'intérêt. Toutefois, ne venez pas à Kaposvár pour y admirer un château fort comparable à ceux de Siklós ou Szigetvár, comme je l'ai espéré moi-même : les Turcs, puis les Habsbourg, ont depuis longtemps détruit ce qui fut jadis le château de Kapos. En réalité, les invasions ont été si dévastatrices et si régulières au cours des siècles que rares sont les constructions antérieures à 1900. Toutefois, on peut visiter Kaposvár pour ses

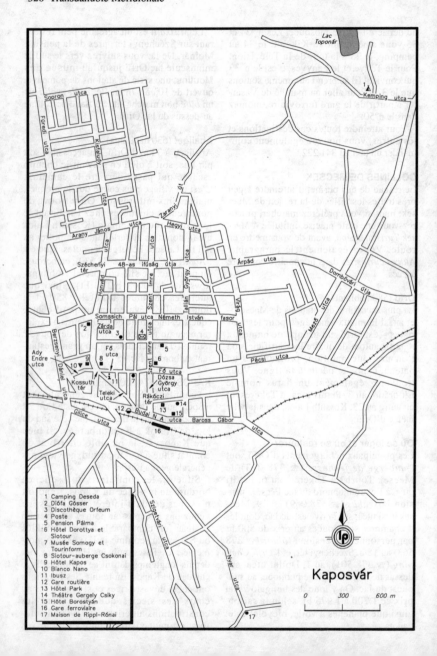

1 Camping Deseda
2 Diófa Gösser
3 Discothèque Orfeum
4 Poste
5 Pension Pálma
6 Hôtel Dorottya et Siotour
7 Musée Somogy et Tourinform
8 Siotour-auberge Csokonai
9 Hôtel Kapos
10 Bianco Nano
11 Ibusz
12 Gare routière
13 Hôtel Park
14 Théâtre Gergely Csiky
15 Hôtel Borostyán
16 Gare ferroviaire
17 Maison de Rippl-Rónai

Kaposvár

0   300   600 m

richesses artistiques (la ville est associée aux noms de trois grands peintres : József Rippl-Rónai et János Vaszary, tous deux post-impressionnistes, et Aurél Bernáth) et pour son théâtre, qui compte parmi les meilleurs de Hongrie.

Orientation et renseignements

Les gares routière et ferroviaire se trouvent à quelques mètres du centre ville. De là, prenez Teleki utca vers le nord, jusqu'à Fő utca, une longue rue piétonne où l'on trouve tout, ou presque.

Pour tout renseignement sur Kaposvár et ses environs, adressez-vous à Tourinform (☎ 82 316 349), au 10, Fő utca. Siotour, dans la maison Dorottya (☎ 82 320 537), au 1, Fő utca, est ouvert de 8h à 16h30 en semaine, plus le samedi jusqu'à 12h en été. Express (☎ 82 318 416) au 8, Ady Endre utca, et Ibusz (☎ 82 313 275) aux 1-3, Teleki utca, sont également présents dans la ville. La poste principale se trouve dans Bajcsy-Zsilinszky utca, au nord de Széchenyi tér, et la banque OTP au 15, Fő utca.

L'indicatif téléphonique de Kaposvár est le 82.

A voir

Le **musée de Somogy**, situé dans l'ancienne préfecture (1820) du 10, Fő utca, renferme une importante collection ethnographique et une galerie d'Art contemporain au rez-de-chaussée, des œuvres de Vaszary et Bernáth au premier étage et une collection de tableaux plus importante au second, avec des peintures d'Ödön Márffy, Gyula Rudnay et Béla Kádár. L'exposition d'artisanat est également remarquable pour ses bois et ses cornes sculptées (domaine dans lequel les gardiens de cochons du Somogy excellaient), ses échantillons du fameux tissu de coton indigo, ses présentations des patibulaires hors-la-loi du comitat (dont l'irascible "István fer-à-cheval"), ainsi que les costumes de la minorité croate qui, comme les Chinois, s'habillait et décorait leurs maisons de tissus blancs durant les périodes de deuil.

La plupart des œuvres de Rippl-Rónai, l'un des peintres les plus célèbres de Kaposvár, ont été transférées à la **maison-mémorial de Rippl-Rónai**, une gracieuse villa du XIXᵉ siècle située dans Lonkai utca, à Rómahegy, à environ 3 km au sud-est du centre ville.

Situé sur Rákóczi tér, le **théâtre Gergely Csiky** (1911), en forme de pièce montée, avec ses centaines de fenêtres cintrées, vaut le coup d'œil, même sans assister à une représentation.

Si vous avez le cœur bien accroché, descendez voir l'**exposition de reptiles exotiques**, tenue dans une cave humide au 31, Fő utca. Cobras, caïmans, boas et – mon préféré – un python-tigre long de 6 mètres vous accueillent entre 9h et 18h.

Il y a également un petit **marché aux puces** dans Vásárteri út, à l'ouest de la gare routière.

Activités culturelles et/ou sportives

La région de Zselic, au sud de Kaposvár, dont une large part constitue une zone protégée, est sillonnée de sentiers de randonnées faciles qui traversent villages, forêts et collines peu élevées (point culminant : le mont Hollófészek, 358 mètres, au sud de Bakóca). Armez-vous d'un exemplaire de la carte d'état-major éditée par Cartographia, *A Zelic Turistatérképe* (Carte touristique de Zelic), avant de partir.

Le lac artificiel de Toponár, à 7 km au nord-est de la ville, est propice à la natation et aux autres sports nautiques.

Où se loger

Le *Deseda Camping* (☎ 312 020), à Toponár, ne dispose pas de bungalows. Si vous avez une tente, montez dans le bus n°8 ou dans le train pour Siófok et descendez au deuxième arrêt. Le camping est ouvert de mi-mai à mi-septembre. Siótour et Ibusz pourront en outre vous réserver une *chambre chez l'habitant* pour moins de 500 Ft.

Le *Park* (☎ 316 101), situé dans un bâtiment insignifiant aux 9-11, Rákóczi tér, propose des simples à 800 Ft et des doubles à 1 300 Ft, avec s.d.b. sur le palier. Rákóczi tér est une place ombragée et proche des gares, mais vous vous sentirez certainement mieux au *Csokonai* (☎ 312 011), auberge de 21 chambres installées dans la maison Dorottya, une bâtisse du XVIIIᵉ siècle. Avec douche, les doubles sont à 2 050 Ft, sans douches, les simples/doubles coûtent 870/1 230 Ft, petit déjeuner compris.

De catégorie légèrement supérieure, le *Dorottya* (☎ 315 901), au 8, Széchenyi tér, vient de fêter ses 80 ans. Rénové de fond en comble, il semble toutefois connaître des problèmes financiers : le restaurant a fermé et c'est désormais la réceptionniste qui prépare les petits déjeuners des clients. Les simples sans s. d. b. sont à 1 390 Ft, les doubles avec s. d. b. à 3 030 Ft. La pension *Pálma* (☎ 320 227), juste à côté au n°6, demande 2 360 Ft pour ses doubles et offre le délicieux avantage d'être située au-dessus d'un grand glacier-pâtissier. Toutefois, tous ces établissements ne supportent pas la comparaison face aux 9 chambres du *Borostyán* (☎ 320 735), un somptueux exemple d'Art Nouveau situé au 3, Rákóczi tér, qui reste l'un des plus passionnants hôtels de toute la Hongrie (mis à part Budapest) et a même servi de décor à un film. Les simples/doubles sont à 2 500 Ft.

Si vous aimez vous promener à cheval, l'idéal serait de descendre au *château de Gálosfa* (☎ 370 801), un hôtel situé à 20 km au sud-est de Kaposvár, dans les collines de la Pomme Rouge. On y pratique équitation, tennis, pêche à la ligne, et relaxation au sauna. Les simples vont de 3 600 à 4 700 Ft, les doubles de 5 300 à 6 200 Ft selon les saisons et les activités disponibles.

Où se restaurer

Le *Finom Fatalok*, au 15, Ady Endre utca, qui n'est pas ouvert pour le dîner, et l'*Ipar*, au 8, Teleki utca, proposent des plats de poisson bon marché. En face de l'Ipar, l'*Azzura* sert des pizzas jusqu'à 24h dans un somptueux hôtel particulier. Le *Bianco Nano* est le salon de thé de l'hôtel Kapos ;

il sert des pizzas et propose un buffet de salades.

L'*Arany Szarvas*, au 46, Fő utca, un restaurant hongrois typique à prix modérés, sert entre autres des spécialités de gibier.

Au restaurant du *Csokonai* (voir *Où se loger*), on a le choix entre une charmante cour et une cave plutôt étroite pour prendre ses repas. Les fruits de mer sont la spécialité de la maison, mais sachant que le Kapos n'est pas spécialement réputé pour ses crabes et ses crevettes, mieux vaut s'en tenir aux plats de viande. Enfin, l'endroit le plus chic de la ville est la salle à manger de l'hôtel *Borostyán*.

Vous trouverez une épicerie ouverte 24h sur 24 au 12, Anna utca, près de l'hôtel Park.

Distractions

Outre sa qualité de chef-d'œuvre d'architecture Art Nouveau, le *théâtre Gergely Csiky*, au 2, Rákóczi tér, jouit d'une excellente réputation et fut, dans les années 70, leader en matière d'innovation artistique sous la houlette de Gábor Zsámbeki. Ce dernier est aujourd'hui directeur du théâtre József Katona, à Budapest, l'une des meilleures troupes du pays. On peut réserver des places pour les représentations aux guichets du 8, Fő utca.

Les événements musicaux – Kaposvár est particulièrement réputée pour ses chorales – se concentrent dans la *salle de concerts Ferenc Liszt*, au 21, Kossuth Lajos utca. En mars, la ville accueille un festival des arts du spectacle, intitulé "Journées de Printemps".

La brasserie *Jaeger*, dans le jardin attenant à l'hôtel Dorottya, ou le *Diófa Gösser*, dans Zárda utca, en haut de Kossuth tér, sont les meilleures endroits de la ville pour siroter une bière. Toutefois, si vous recherchez un lieu vraiment joyeux, n'hésitez pas à entrer à l'*Orfeum*, un bar, brasserie, discothèque et night-club installé dans une vaste demeure ancienne à l'angle de Bajcsy-Zsilinszky utca et de Kossuth Lajos utca. Face à lui, la *Hawaii Disco*, au sous-sol de l'hôtel Park, ne fait pas le poids.

Comment s'y rendre

Bus. Une douzaine de bus au moins quittent chaque jour Kaposvár pour Barcs, les thermes d'Igal, Pécs et Siófok. Il existe également des départs fréquents pour Gálosfa, Nagykanizsa et Szenna. Parmi les autres destinations, figurent Baja (1 bus par jour), Budapest (2), Győr (2), Hévíz (2), Kecskemét (1), Mohács (1), Sopron (2), Szigetvár (4), Szombathely (1) et Tapolca (1). Une liaison avec Bratislava, en Slovaquie, est par ailleurs assurée le mercredi et le samedi.

Train. On peut atteindre Kaposvár en train à partir des deux extrémités du lac Balaton : Siófok à l'est et Fonyód à l'ouest. Une ligne est-ouest relie également la ville avec Dombóvár (où l'on prend la correspondance pour Budapest) et Gyékényes, d'où des trains internationaux partent pour Zagreb trois fois par jour.

Comment circuler

Le bus n°8 a son terminus près du lac et du camping de Toponár. Pour le musée Rippl-Rónai, à Rómahegy, prenez le n°15.

ENVIRONS DE KAPOSVÁR

Szenna (650 habitants)

Situé à 9 km au sud-ouest de Kaposvár, ce village possède le plus petit **skanzen** de Hongrie, mais aussi le meilleur. Il tient son originalité d'une vaste **église calviniste** du XVIIIe siècle ornée d'une chaire "couronnée", de plafonds à caissons peints, de bancs, ainsi que d'une galerie. Aujourd'hui encore, cette église sert de lieu de culte aux villageois.

Une demi-douzaine de *porták* (fermes avec dépendances) des régions de Somogy et de Zselic, entourent l'église "baroque populaire" – comme ce serait le cas dans un vrai village – et le dynamique gardien des lieux vous indiquera les détails les plus pittoresques : les cuisines "à fumer" avec leurs demi-portes ou leurs portes à doubles ventaux, la construction particulière des murs des étables et des granges, les pains de sucre suspendus au plafond pour calmer les enfants trop énervés (du pain imprégné de pálinka était donné aux plus infernaux), le poulailler posé au-dessus de la porcherie pour tenir les volatiles au chaud en hiver, ainsi que les ingénieuses serrures de bois qui garantissaient que "Dieu lui-même ne parviendrait pas à entrer".

Le skanzen, au 2, Rákóczi utca, face au principal arrêt de bus, est ouvert de 10h à 18h d'avril à octobre et jusqu'à 14h le reste de l'année. En face, vous trouverez un petit restaurant nommé le *Denna* et les bus reliant le village à Kaposvár sont fréquents.

SZIGETVÁR (13 000 habitants)

Szigetvár fut d'abord une implantation celtique, puis romaine (du nom de Limosa) avant d'être conquise par les Magyars au IXe siècle. Très tôt, on comprit l'importance stratégique de la ville et, en 1420, on bâtit une forteresse sur une petite île (Szigetvár signifie "château de l'Île") située dans la partie marécageuse de l'Almás. Toutefois, Szigetvár ne serait pas si différente des autres villes de Transdanubie Méridionale sans les événements de septembre 1566.

Tout un mois durant, les 2 500 soldats hongrois et croates de Miklós Zrínyi tinrent tête aux 100 000 turcs qui les assiégeaient. Les forces turques étaient dirigées par Soliman, qui tentait pour la septième fois de marcher sur Vienne. Lorsque les réserves en vivres et en eau des défenseurs furent épuisées – et que Maximilien, l'empereur des Habsbourg basé à Győr, leur eût refusé des renforts –, Zrínyi ne trouva d'autre issue à la situation qu'une sortie-suicide. Tandis que le château brûlait derrière eux, les combattants s'affrontèrent sauvagement au corps à corps et de nombreux Hongrois (dont Zrínyi) trouvèrent la mort. Un quart environ des forces turques succombèrent également. Quant à Soliman, il fut saisi d'une crise cardiaque ; on installa tant bien que mal son corps sur une chaise durant la bataille pour motiver les troupes et éviter les conflits de puissance jusqu'à l'arrivée de son fils, qui devait reprendre les commandes. Ainsi, parmi toutes les grandes

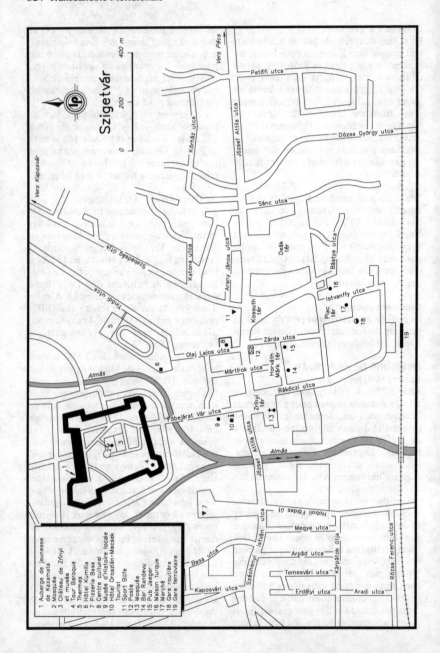

Szigetvár

400 m

200

0

Vers Pécs

Petőfi utca

Vers Kaposvár

Kőrnáz utca

József Attila utca

Dózsa György utca

Sánc utca

Szepesség útja

Katona utca

Arany János utca

Tinódi utca

Deák tér

Bástya utca

Kossuth tér

Istvánffy utca

Piac tér

Olaj Lajos utca

Zárda utca

Mártírok utca

Horváth Márk tér

Rákóczi utca

Főbejárat Vár utca

Zrínyi tér

Almás

József Attila utca

Almás

Hoboli Földes út

Megye utca

Basa utca

Árpád utca

Kárpátok útja

Temesvári utca

Kaposvári utca

Erdélyi utca

Aradi utca

Rózsa Ferenc utca

Széchenyi István utca

1 Auberge de jeunesse de la Kamata
2 Mosquée
3 Château de Zrínyi
4 Tour Baroque et musée
5 Thermes
6 Hôtel Kumilla
7 Pizzeria Basa
8 Centre culturel
9 Musée d'Histoire locale
10 Hôtel Oroszlán-Mecsek
11 Tourist
12 Sport Büfé
13 Poste
14 Bar Randevu
15 Mosquée
16 Pub Jaeger
17 Maison turque
18 Marché
19 Gare routière
19 Gare ferroviaire

figures de l'histoire hongroise, Zrínyi et ses soldats sont célébrés comme de véritables héros qui n'ont pas hésité à se sacrifier pour leur patrie. *Péril à Sziget*, un poème épique du XVIIᵉ siècle rédigé par l'arrière petit-fils de Zrínyi (lui-même brillant général) immortalise ce siège et reste l'une des épopées les plus lues en Hongrie.

On peut aujourd'hui loger au château, dans une auberge de jeunesse installée dans les casemates du mur nord, et admirer quelques intéressants monuments de l'époque ottomane. Cependant, Szigetvár reste une ville délabrée, par laquelle passent sans s'arrêter les véhicules en provenance ou à destination de ce qui fut la Yougoslavie. Peut-être, au moment où vous viendrez la visiter, les thermes autrefois réputés auront-ils rouvert et l'activité aura-t-elle repris dans la magnifique maison de la Culture construite par Imre Makovecz.

Orientation et renseignements

Les gares routière et ferroviaire se trouvent côte à côte, légèrement au sud du centre ville. Prenez Rákóczi utca jusqu'à l'admirable place baroque Zrínyi tér. De l'autre côté de la place, Vár utca mène au château. Mecsek Tourist, ouvert de 8h30 à 16h du lundi au vendredi, se trouve dans le hall de l'hôtel Oroszlán (☎ 73 310 116), au 2, Zrínyi tér. La poste principale est au 28, József Attila utca. Il y a une banque K&H au 4, Széchenyi utca et une OTP au 4, Vár utca.

L'indicatif téléphonique de Szigetvár est le 73.

Château de Zrínyi

Notre héros ne reconnaîtrait sans doute pas le château qu'il a si vaillamment tenté de sauvegarder il y a plus de 400 ans. Les Turcs en ont en effet renforcé les bastions et y ont ajouté des bâtiments. Au XVIIIᵉ siècle, les Hongrois l'ont reconstruit. Aujourd'hui, seuls de rares éléments présentent un intérêt historique : les murailles de 3 à 6 mètres d'épaisseur reliées par quatre bastions, la **tour baroque** qui couronne le mur méridional, la **mosquée du sultan Soliman**, qui date du XVIᵉ siècle,

avec son court minaret de brique au toit de métal, ainsi qu'une résidence d'été construite en 1930 par le comte Andrássy et qui renferme aujourd'hui le **musée Miklós Zrínyi**.

Bien entendu, les expositions du musée se concentrent sur le siège et ses principaux acteurs. On y chante partout les louanges de Zrínyi, on y décrit avec force détails la façon dont Soliman construisit en 16 jours un pont sur la Dráva, afin d'attaquer Szigetvár, et les miniatures des soldats hongrois capturés, coupés en morceaux ou brûlés vifs, sont toujours effroyables. A Sebestyén Tinódi, le très apprécié poète et ménestrel du XVIᵉ siècle né à Szigetvár, la ville a également dédié un autel. La mosquée voisine, construite l'année même du siège, abrite une galerie d'art plutôt lénifiante, mais ses arches, ses niches et les inscriptions en arabe qui ornent ses murs valent le coup d'œil. Les musées ouvrent de 9h à 16h du mois d'avril au mois d'octobre (de 10h à 15h le reste de l'année).

Autres curiosités

Le minuscule **musée d'Histoire locale**, dans le salon de thé Múzeum (1, Vár utca), présente un assortiment assez hétéroclite de sculptures sur bois, de broderies et d'objets de valeur "empruntés" aux églises environnantes, mais aussi une belle collection d'enseignes de boutiques des XVIIIᵉ et XIXᵉ siècles, ainsi que des serrures et des clés provenant du château.

Les fenêtres cintrées "en dos d'âne" et le toit hexagonal de l'**Église catholique baroque** sont les seuls indices extérieurs signalant que cet édifice, construit en 1569, fut jadis la mosquée du pacha Ali. L'autel et les fresques du plafond estompées par le temps, qui représentent les morts de Zrínyi et de Soliman, furent peints en 1789 par István Dorffmeister.

La **maison Turque** du XVIᵉ siècle, au 3, Bástya utca, près de la gare routière, était probablement un caravansérail pendant l'occupation. Elle renferme une exposition sur l'implantation turque de

Szigetvár et ouvre tous les jours de mai à septembre, de 10h à 12h et de 14h à 16h.

L'**église catholique** de Turbék, à 4 km au nord de la ville, sur la route de Kaposvár, fut édifiée à l'origine pour être le tombeau du sultan Soliman. Cependant, conformément à la tradition, seul le cœur du grand guerrier repose ici : son fils et successeur, Selim II, fit rapatrier le corps en Turquie.

Un vaste **marché** se tient près de la gare routière, dans Istvánffy utca.

La "guerre des eaux" permanente opposant les **thermes** de Szigetvár et leurs concurrents plus chanceux d'Harkány a dû prendre fin à l'heure qu'il est (elle s'est soldée par la fermeture des thermes de Szigetvár), ce qui vous donne le droit de vous détendre à la piscine, même sans être malade. Elle se trouve au 23, Tinódi utca, non loin de l'hôtel Kumilla.

Où se loger

L'auberge de jeunesse *Kazamata* (312 817) dans les casemates de la muraille nord du château, propose 10 dortoirs où l'on peut s'installer pour 290 Ft par personne. Elle est ouverte de mi-avril à mi-octobre, mais n'est pas très agréable.

L'*Oroszlán* (☎ 312 817), au 2, Zrínyi tér, dispose de 33 chambres purement fonctionnelles (simples à 1 470 Ft, doubles à 2 070 Ft), mais l'hôtel est central et le personnel serviable.

Une ancienne école de musique au 6, Olaj Lajos utca, a été transformée en hôtel de 32 chambres, le *Kumilla* (☎ 310 150), qui porte le nom de la sœur adorée de Soliman, qui était aussi celui de sa femme russe. Les doubles avec douches sont à 1 700 Ft. Certaines chambres sont meublées à l'ancienne.

Si les distractions vous intéressent plus que les visites, éloignez-vous un peu du centre pour aller séjourner au château de *Domolos* (☎ 311 222), à Zsibót, à 6 km au nord-est de Szigetvár. Cet hôtel, installé dans un manoir du XIXᵉ siècle construit par Mihály Pollack en bordure d'un petit lac, propose promenades à cheval, sauna,

tennis, location de bicyclettes et parties de pêche. Les simples vont de 1 600 à 2 200 Ft, les doubles de 1 900 à 2 600 Ft selon la saison et la partie de l'hôtel dans laquelle se trouve la chambre.

Où se restaurer

Ni le *Sport Büfé*, au 15, József Attila utca, ni le *Kert*, en face de la gare ferroviaire, ne sont pittoresques, mais ils pratiquent des tarifs imbattables. Si vous recherchez une ambiance jeune, courez au *Basa*, un ancien restaurant hongrois typique de Széchenyi utca reconverti en pizzeria "branchée" ouverte jusqu'à 23h. Le meilleur moyen de s'y rendre consiste à traverser le parc en direction de l'ouest à partir de l'entrée du château. Vous ne pouvez pas le manquer : c'est le seul édifice du secteur.

Le restaurant de l'hôtel *Kumilla* est calme, mais agréable, surtout par temps chaud, lorsqu'on s'installe en terrasse.

Distractions

Allez vous renseigner au *centre culturel Tinódi*, dans Olaj Lajos utca, sur les éventuels événements culturels de Szigetvár. Les *Journées de Zrínyi*, festival qui a lieu début septembre, est la principale attraction de la ville.

La bière la moins chère de Hongrie est désormais servie au *Gilde*, dans József Attila utca, mais vous risquez de ne guère apprécier la foule qui s'y presse. Allez plutôt vers Horváth Márk tér, qui relie Zrínyi tér à Zárda utca. Le *Randevú* attire une clientèle plus raisonnable. C'est au *Jaeger* que l'on s'amuse et que l'on se bagarre le plus, au milieu d'un nuage de fumée à l'odeur suspecte (très rare en public en Hongrie). L'excellente discothèque *Pálma* se trouve juste derrière.

Comment s'y rendre

Szigetvár figure sur la ligne ferroviaire reliant Pécs à Nagykanizsa. Entre cette dernière et Barcs, le train suit le cours de la Dráva, avec de très beaux paysages, notamment du côté de Vízvár et de Bélavár. Pour vous rendre en Croatie, descendez à Murakeresztúr (deux arrêts avant Nagykanizsa), où passent des trains pour Zagreb, Ljubljana et la côte adriatique.

Chaque jour, 10 bus vont à Pécs et plusieurs autres à Kaposvár. De plus, quelques départs quotidiens sont organisés pour Barcs, Mohács, Szentlörinc et Zalaegerszeg. En revanche, il n'y a qu'un bus par jour pour Nagykanizsa et Siklós. De Barcs, située à 32 km à l'ouest, sur la frontière croate, 4 bus partent chaque jour pour Zagreb.

La pittoresque région de l'Ormánság (voir le chapitre *Plaine de l'Ormánság*) est accessible à partir de Szigetvár, mais seuls 3 bus quotidiens se dirigent vers Sellye. En train, il faut changer à Szentlörinc.

NAGYKANIZSA (55 000 habitants)

Située en bordure du canal reliant la Zala au nord à la Mura, sur la frontière croate, Nagykanizsa a attiré une série d'envahisseurs successifs, dont les Celtes, les Romains, les Avars et les Slaves, avant de voir arriver les Magyars. Au début du XIVe siècle, Charles-Robert, premier roi d'Anjou, céda la ville à la famille Kanizsay, qui fit construire un château près du canal, à l'ouest de l'actuel centre ville. Ce château fut fortifié après la chute de Szigetvár, mais ni cela, ni l'attitude héroïque du capitaine György Thury ne l'empêchèrent de succomber aux Turcs. Pendant près de 90 ans, la ville resta un important centre administratif. Il fallut cependant attendre plus de deux siècles pour qu'elle commençât à connaître un réel développement, avec la construction de la ligne de chemin de fer reliant l'Adriatique à Budapest et la découverte de pétrole dans les champs traversés par la Zala, à l'ouest.

Nagykanizsa n'est pas particulièrement réputée pour ses monuments (il ne reste rien du château, réduit en cendres par les Habsbourg au XVIIIe siècle), ni pour ses divertissements, trop occupée qu'elle est à ses exploitations pétrolières, ses fabriques de meubles et d'ampoules électriques ou ses brasseries, qui produisent de la bière pour l'ensemble du pays. Toutefois, on

peut envisager d'y faire étape : de Nagykanizsa, on rejoint sans peine la Transdanubie Occidentale, le lac Balaton, et même les plages de l'Adriatique.

Orientation et renseignements

La gare ferroviaire se trouve au sud du centre ville. De là, prenez Ady Endre vers le nord ; après une quinzaine de minutes de marche, vous atteindrez Fő utca, la rue principale. La gare routière est située dans le centre ville, du côté ouest d'Erzsébet tér.

Zalatours (☎ 93 313 303) se trouve au 13, Fő út et Ibusz (☎ 93 314 353) est juste à côté de l'hôtel Central au 21, Erzsébet tér. Le premier est ouvert du lundi au vendredi de 8h à 16h30, le second ferme une heure plus tôt.

Il y a une banque OTP sur Deák tér, à l'angle de Sugár út. La poste est située dans Zrínyi Miklós utca, à l'est du marché tout proche.

L'excellente librairie Szrínyi, dans la cour du 8, Fő utca, propose des publications étrangères.

L'indicatif téléphonique de Nagykanizsa est le 93.

A voir

Le **musée György Thury**, dans Fő utca, présente une remarquable exposition intitulée "L'homme et la forêt de Zala" qui n'a pas grand-chose à voir avec le bois ni avec la forêt, en dehors de quelques scies utilisées dans l'Antiquité, de systèmes de brûlage du charbon ou d'ustensiles de cuisine fabriqués à base d'écorces, ainsi que d'exquis couteaux et fusils de chasse. On y trouve en revanche de fascinantes illustrations contemporaines du château de Kanizsa : l'une d'elles, en particulier, en représente une version turque idéalisée datant de 1664, dépeignant 14 minarets à l'intérieur des murailles. Le musée est ouvert du mercredi au dimanche, de 10h à 18h.

La **galerie d'Art** du musée se trouve dans la maison de l'Homme de Fer, qui tire son nom d'une armure qui, sur sa façade, servait jadis d'enseigne à un quincaillier.

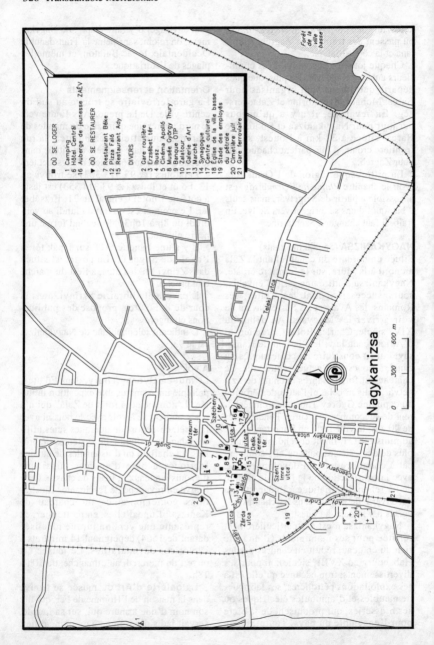

OÙ SE LOGER

1 Camping
6 Hôtel Central
16 Auberge de jeunesse ZAÉv

▼ **OÙ SE RESTAURER**

7 Restaurant Béke
12 Pizza Faló
15 Restaurant Ady

DIVERS

2 Gare routière
3 Erzsébet tér
4 Ibusz
5 Cinéma Apolló
8 Musée György Thury
9 Banque OTP
10 Zalatour
11 Galerie d'Art
13 Marché
14 Synagogue
17 Centre culturel
18 Église de la ville basse
19 Stade des employés
   du pétrole
20 Cimetière juif
21 Gare terroviaire

Forêt de la
ville basse

Nagykanizsa

0   300   600 m

La galerie présente de petites sculptures, ainsi que diverses œuvres réalisées par des artistes locaux. Elle est ouverte du mardi au jeudi de 8h à 17h et le vendredi jusqu'à 12h.

La **synagogue** néo-classique, construite au début du XIXe siècle dans une cour derrière le 6, Fő utca (qui abritait autrefois une école juive) se trouve dans un état déplorable (elle a récemment servi d'entrepôt au musée). A l'extérieur, une plaque commémore les 3 000 juifs qui y furent rassemblés le 26 avril 1944, puis déportés vers les camps de la mort en Allemagne. L'état du **cimetière juif**, près de la gare dans Ady Endre utca, est tout aussi consternant.

Dans Szent Imre utca, l'**église franciscaine de la ville Basse**, dont la construction débuta en 1702, mais resta en suspens pendant un siècle, renferme quelques œuvres de stuc et une chaire rococo. Mais ne manquent surtout pas les fonts baptismaux, élaborés à partir du tombeau de pierre sculptée du général turc Mustapha.

Même sans rester pour la séance, faites un tour dans le cinéma **Apolló** (ancien théâtre municipal) dans les jardins Károly, qui donnent dans Rozgonyi utca. C'est là un exemple unique d'Art Nouveau et d'architecture populaire hongroise, dessiné en 1926 par István Medgyaszay. Ce dernier fut également l'architecte du ravissant théâtre Petőfi, à Veszprém.

Le grand **marché** se tient dans Zárda utca, au-delà de Fő utca en venant d'Erzsébet tér qui, au Moyen Age, était la place du marché.

Activités culturelles et/ou sportives

La forêt de la ville Basse, à 4 km à l'est du centre ville, comporte un lac assez étendu sur lequel on fait de la barque. La location des bateaux est ouverte de mai à octobre.

Si vous avez envie de nager, il vous faudra pousser jusqu'aux thermes de Zalakaros, à 18 km au nord-est, près du Petit Balaton (Kis Balaton). La source, qui jaillit du sol à une température de 92°C, fut découverte au début des années 60 par des prospecteurs de pétrole. Aujourd'hui, une

demi-douzaine d'hôtels l'entourent. Zalatour (6, Gyógyfürdő tér, ☎ 318 202) pourra vous réserver une chambre dans son propre établissement, le *Thermál*, au prix de 1 250/1 750 Ft la simple/double avec douche, ou 1 000/1 200 Ft avec lavabo seulement.

Où se loger

Le *Zalatour Kemping* (☎ 312 023), au 1, Vár utca, à l'ouest du centre ville, propose de minuscules cabines disponibles de mai à mi-octobre au prix de 380 à 500 Ft.

Zalatour vous trouvera une *chambre chez l'habitant* pour 500 Ft environ ou, en été, une place dans les *dortoirs* d'une école d'agronomie ou de commerce. Si ceux-ci sont fermés (ce qui est possible), essayez l'auberge de jeunesse *ZAÉV* (☎ 312 340) au 24, Fő utca, qui dispose de doubles avec douches sur le palier pour 660 Ft. Attention : en semaine, l'endroit est souvent complet avec les ouvriers qui y logent.

L'hôtel *Centrál* (☎ 311 495) au 23, Erzsébet tér, construit en 1912, a certes le charme d'une époque oubliée, mais son nom en dit assez long. Les simples/doubles sont à 3 300/3 950 Ft avec s. d. b. et à 2 500/3 300 Ft sans. Bien moins cher, le *Pannonia* (☎ 312 188), au 4, Sugár út, aura peut-être réouvert après rénovation.

En ce qui concerne l'hôtel des thermes de Zalakaros, reportez-vous au paragraphe *Activités culturelles et/ou sportives*.

Où se restaurer

Le meilleur rapport qualité/prix de la ville se trouve au *Béke*, au 7, Fő utca, mais il existe également un certain nombre de restaurants intéressants légèrement plus au sud, dans Ady Endre utca. Citons entre autres le *Belvárosi* au n°7, l'*Ady* au n°5 et la *Pizza Faló* au n°3. Le *Kanizsa Club* fait à la fois pizzeria haut de gamme (ouverte jusqu'à 24h) et bar (jusqu'à 4h du matin) dans une belle cour baroque (entrée par le 8, Fő utca).

Le restaurant de l'hôtel Centrál (voir *Où se loger*) est censé être le meilleur de la ville, mais ne m'a pas emballé.

Distractions

L'orchestre symphonique de la ville se produit au *centre culturel Sándor Hevesi* (☎ 311 468), aux 5-9, Széchenyi tér, où fonctionnent également un théâtre et une maison des Jeunes. Le stade d'Olajbányász ("ouvrier du pétrole"), accessible par Ady Endre utca, accueille les Journées de Kanizsai, fête de la bière, mais aussi festival culturel et sportif, qui a lieu début septembre et dure quatre jours.

La Kanizsai, la bière locale, n'attend pas le festival pour couler à flots, en particulier à la brasserie *Pepita az Oroszlánhoz*, à l'hôtel Centrál.

Comment s'y rendre

De Nagykanisza, six trains se dirigent au nord vers Szombathely et d'autres villes de Transdanubie Occidentale et au sud vers Zagreb, Ljubljana et Split. La liaison est directe pour Budapest (220 km, l'un des plus longs trajets ferroviaires de Hongrie), ainsi que pour les stations balnéaires de la rive sud du lac Balaton. Si vous vous dirigez vers les rives nord ou ouest du lac

(Keszthely ou Tapolca), il vous faudra changer à Balatonszentgyörgy.

Avec un réseau ferroviaire aussi complet, les adeptes des voyages en bus vont être déçus. Un bus part toutes les demi-heures pour Zalakaros et il y en a environ une demi-douzaine par jour pour Zalaegerszeg, Keszthely, Kaposvár et Balatonmagyaród, sur le Petit Balaton. En outre, un seul départ quotidien est organisé pour Budapest, Sopron et Szeged, deux pour Pápa et Pécs et trois pour Szombathely.

Comment circuler

Nagykanizsa est une ville propice à la marche, et les moins courageux, qui préfèrent les transports en commun, devront s'armer de patience. De la gare ferroviaire, le bus n°19 rejoint la gare routière et le centre ville. Le n°21 vous déposera au camping. Le n°15 a son terminus près du lac, dans la forêt de la ville Basse, mais vous pouvez aussi prendre le train pour Budapest et descendre au premier arrêt, Nagyrécse. Pour appeler un taxi, composez le 312 222.

La Grande Plaine

La Grande Plaine (Nagyalföld) est constituée d'immenses prairies qui s'étendent sur des centaines de kilomètres au sud-est de Budapest. Elle couvre la moitié du territoire national, mais ne regroupe qu'un tiers de la population hongroise.

Après Budapest et le lac Balaton, la Grande Plaine ou *puszta* est la région de Hongrie la plus célèbre à l'étranger. C'est tout le romantisme du pays qui s'y exprime : son nom évoque les robustes bergers luttant l'hiver contre le vent et la neige et s'efforçant l'été de ne pas se laisser gagner par la folie, lorsque les fameux *délibábok* (mirages) s'élèvent du sol brûlant pour égarer les troupeaux. Ce mythe de la Grande Plaine provient sans doute de certains tableaux du XIX\ siècle, tels que *Tempête sur la Puszta*, ou *Le Triste Bandit de grands chemins*, peints par Mihály

La Grande Plaine
(Nagyalföld)

Munkácsy, ou encore des vers du poète patriote Sándor Petőfi, qui l'évoquait comme « Mon monde et ma maison… L'Alföld, la mer ouverte ».

Toutefois, cet aspect imaginaire ne représente qu'une facette de l'histoire de la Grande Plaine : on ne classe pas aussi aisément une telle région. Si les pâturages abondent à l'est, une vaste partie du sud de la Grande Plaine se consacre à l'agriculture, et le centre à l'industrie légère. La gracieuse architecture de Szeged et de Kecskemét, les lieux de villégiature le long de la Tisza, les thermes de la région de Hajdúság, les champs de paprika de Kalocsa appartiennent tout autant à la Grande Plaine que les *csikósok* (cow-boys) qui font claquer leur fouet.

Il y a cinq siècles, la région n'avait rien d'une plaine. Couverte de forêts, elle se trouvait à la merci permanente des débordements de la Tisza ou du Danube. Puis vinrent les Turcs, qui abattirent les arbres, détruisant de surcroît une protection naturelle contre la violence des vents. Les habitants durent fuir vers le nord et les villes de commerce, ou *khas*, soumises à la juridiction d'un sultan. Désormais qualifiée de *puszta* (de *pusztít*, "dévaster" ou "ravager"), la région devint le domaine des bergers, pêcheurs, serfs en fuite et hors-la-loi. Il fallut attendre le XIXe siècle pour que les travaux d'assainissement et d'irrigation permissent l'agriculture intensive, notamment dans la Plaine Méridionale.

Les Hongrois divisent généralement la Grande Plaine en deux parties : la première, entre le Danube et la Tisza, s'étend des contreforts de Hautes Terres du Nord à la frontière serbe. La seconde, située "au-delà de la Tisza" (Tiszántúl), est bordée par la région nord-est de la Hongrie et par la Roumanie.

Toutefois, cette délimitation ne permet pas de bien cerner la Grande Plaine. Pour évoquer les itinéraires généralement suivis par les voyageurs et les centres d'intérêt, c'est en trois parties qu'il convient de diviser la région : Plaine Centrale, Plaine Orientale et Plaine Méridionale.

La Plaine Centrale

La Plaine Centrale, qui débute à l'est de Budapest et s'étire jusqu'à la Tisza, Szolnok et Jászberény, est la plus petite des trois. Si elle semble moins prometteuse que les deux autres, elle n'en comporte pas moins quelques centres d'intérêt non négligeables : les thermes et les installations touristiques des stations qui bordent la Tisza attirent des visiteurs hongrois et étrangers qui arrivent chaque année par bus entiers. Pourtant, la Plaine Centrale est souvent considérée avec un certain mépris par les touristes, qui la traversent sans s'arrêter, pour gagner des zones "plus riches".

Si la Plaine Centrale fut un carrefour dès l'époque néolithique, elle n'acquit une réelle indépendance qu'après l'invasion mongole du XIIIe siècle. Dans une tentative d'affermir sa position, le roi Béla IV vint s'installer dans la région avec les Jász, ou Jazygiens, obscur peuple de bergers dont le nom apparaît encore dans certaines villes, et les Kun (Cumans), venus de Sibérie Occidentale et réputés pour leurs talents de cavaliers. La région souffrit beaucoup de l'occupation turque et des guerres d'indépendance du XVIIIe et du XIXe siècles. Toutefois, le sel de Transylvanie et le bois des Carpates l'incitèrent à se lancer dans le commerce et, avec la construction de la ligne de chemin de fer Budapest-Szolnok et les travaux d'aménagement des fleuves, l'industrie s'y développa à son tour dès le milieu du XIXe siècle.

SZOLNOK (81 000 habitants)

C'est un "acte de donation" du roi Géza Ier, en 1075, qui mentionne pour la première fois Szolnok (appelée Zounok à l'époque). Depuis, la ville est restée la principale localité de la Plaine Centrale. Au fil du temps, elle a beaucoup souffert : au moins une fois par siècle en moyenne, elle fut pillée ou dévastée. Le dernier désastre remonte à 1944 : les bombardements des

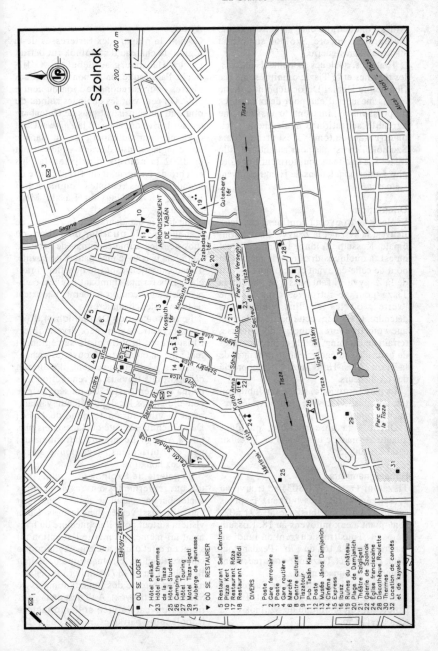

Szolnok

0   200   400 m

OÙ SE LOGER ■
7   Hôtel Pelikán
23 Hôtel et thermes de la Tisza
25 Hôtel Student
26 Camping
27 Hôtel Touring
29 Motel Tisza-ligeti
31 Auberge de jeunesse

OÙ SE RESTAURER ▼
5   Restaurant Self Centrum
10 Pizza Kert
17 Restaurant Róza
18 Restaurant Alföldi

DIVERS
1   Poste
2   Gare ferroviaire
3   Poste
4   Gare routière
8   Marché
9   Centre culturel
9   Tiszatour
11 Pub Tabán Kapu
12 Poste
13 Musée János Damjanich
15 Express
16 Ibusz
19 Ruines du château
20 Plage de Damjanich
21 Théâtre Szigligeti
22 Galerie de Szolnok
24 Église franciscaine
28 Discothèque Roulette
30 Thermes
32 Location de canoës et de kayaks

Alliés l'ont détruite dans sa quasi-totalité. Aujourd'hui encore, Szolnok semble au stade de l'après-guerre.

Toutefois, quelques monuments anciens, les thermes et la Tisza, omniprésente (ce fleuve que Daniel Defoe dépeint comme « trois mesures d'eau pour deux mesures de poissons »), laissent au visiteur une agréable sensation d'apaisement : ici, on dirait que le temps s'est arrêté. Mais Szolnok n'en est pas pour autant une ville triste. Ses habitants, qui forment l'une des plus jeunes populations de Hongrie, savent s'amuser !

Orientation

Szolnok se trouve au confluent des deux fleuves, la Tisza et la Zagyva. Sa rue principale, Kossuth út, longe la Tisza d'ouest en est, à quelques dizaines de mètres au nord de celle-ci, avant de rejoindre le pont de la Zagyva. Il faut passer le pont de la Tisza pour se retrouver dans la zone "verte", où les citadins viennent se détendre. C'est dans cette partie de la ville que vous trouverez auberge de jeunesse, terrain de camping, hôtels et piscines. Près du parc, s'étend également un bras mort de la Tisza (Alcsi-Holt-Tisza), très apprécié des promeneurs.

La gare ferroviaire, située sur Jubileumi tér, à l'ouest de la ville, se trouve légèrement décentrée.

Quant à la gare routière, quelques minutes de marche la séparent de Tiszatour et de Kossuth tér.

Renseignements

Tiszatour (☎ 56 424 803) se trouve au 4, Ságvári körút. Les bureaux Express (☎ 56 374 402) et Ibusz (☎ 56 371 602) sont quant à eux mitoyens au 18, Kossuth Lajos út. Tous trois ouvrent du lundi au vendredi de 8h à 16h ou 17h. Pendant tout l'été, Express et Tiszatour vous recevront également le samedi matin.

Il est possible de changer de l'argent au bureau de poste du 1, Baross út. Enfin, l'indicatif téléphonique de Szolnok et sa région est le 56.

A voir

Comme la plupart des forteresses de la région, le château de Szolnok fut détruit par les Habsbourg au début du XVIIIe siècle. Par la suite, on fit bon usage de ses pierres pour la reconstruction du centre ville. On peut voir les quelques **ruines du château** qui subsistent près de Gutenberg tér, sur la rive orientale de la Zagyva. C'est également sur Gutenberg tér – et dans le «parc anglais», juste derrière – que s'établit en 1902 la **colonie d'artistes** la plus célèbre de Hongrie, dont firent partie de grands peintres réalistes comme Adolf Fényes, István Nagy et Lászlo Mednyánszky.

Sur la rive occidentale de la Zagyva, ne manquez pas le **quartier de Tabán**, où subsistent les dernières fermes de Szolnok. Autrefois le coin le plus pauvre de la ville, Tabán est aujourd'hui le quartier "branché". Des fermes flambant neuves, équipées de tout le confort moderne, y jouxtent de très vieilles chaumières.

Le **musée János Damjanich** (4, Kossuth tér) retrace à travers divers objets l'histoire de la ville et de sa région. Il renferme en outre des découvertes archéologiques. Malheureusement, il subissait d'importants travaux de rénovation lors de ma dernière visite. Ce musée porte le nom d'un héros local qui défendit vaillamment la ville durant le siège de 1849 ; Damjanich fut exécuté quelques mois plus tard à Arad (ville aujourd'hui roumaine) par les Autrichiens, avec douze autres généraux hongrois.

La **galerie de Szolnok** (2, Koltói Anna út), qui renferme les œuvres de peintres contemporains, paraît assez décevante pour une ville aussi versée dans les arts. On la visitera surtout pour l'architecture du bâtiment lui-même, qui mérite l'attention : il s'agit en effet d'une ancienne **synagogue** construite en style romantique par Lipót Baumhorn en 1898 (Baumhorn fut également l'architecte des fameux temples de Szeged et Gyöngyös). A l'ouest de la galerie, se trouvent l'**église et le monastère franciscains** baroques, réalisés en 1757, qui restent aujourd'hui les deux monuments les plus anciens de la ville. En face, on peut admirer une étonnante statue du Christ assis, mélange de styles baroque et populaire.

Activités culturelles et/ou sportives
Szolnok, ville thermale, dispose de plusieurs établissements où "prendre les eaux". Les thermes du Parc de la Tisza, de l'autre côté du fleuve, n'ouvrent que l'été. Non loin de là, se trouve un petit lac sur lequel on fait de la barque. Pour ceux qui préfèrent la terre ferme, un haras tout proche propose des promenades à cheval.

Plus près du centre ville, juste avant de franchir le pont, dans Sóház utca, la rive de Damjanich offre une piscine d'eaux thermales couverte et une autre en plein air, ouverte de mai à septembre, ainsi qu'un immense solarium. Enfin, l'établissement thermal le plus sérieux, situé dans l'hôtel Tisza, construit dans un style turc burlesque avec, çà et là, quelques notes Art Déco, est l'endroit rêvé pour une après-midi de *farniente*. Ces thermes sont ouverts tous les jours de 8h30 à 16h mais, curieusement, ferment aux mois de juillet et août.

Non loin du parc de la Tisza, sur le bras mort du fleuve, qui forme une sorte de lac, kayaks et canoës en location vous attendent.

Où se loger
Chambres chez l'habitant. Chacun des trois bureaux de tourisme (voir *Renseignements*) possède une liste de chambres chez l'habitant. En passant par Tiszatour, par exemple, il vous en coûtera environ 500 Ft pour une double, de 900 à 1 100 Ft pour un appartement. Toutefois, il est fort probable que Tiszatour cherche à vous imposer en priorité une chambre dans l'un des trois établissements hôteliers qu'il détient !

Auberge de jeunesse. Malgré sa mauvaise situation géographique (à l'extrême ouest du parc de la Tisza), l'*auberge de jeunesse* (☎ 344 705) offre des prestations intéressantes. Cet ancien village de

vacances propose des chambres doubles ou triples, ainsi que des dortoirs répartis dans 21 bungalows, où vous pourrez dormir pour 550 Ft par personne. Les 16 petits cottages pour six (250 Ft par personne), tout comme le terrain de camping voisin, restent ouverts de mai à septembre. L'ensemble dispose d'un restaurant et d'un *büfé* et prête gratuitement barques et kayaks aux gens qui y séjournent.

Motels et camping. Tout près, le motel de Tiszatour, le *Tisza-ligeti* (☎ 424 403), et le terrain de *camping*, de l'autre côté de la route, proposent tous deux des bungalows et des emplacements où planter sa tente. Les chambres minuscules du motel (15 en tout, réparties dans trois bâtiments, avec douches communes) vous coûteront de 1 050 à 1 150 Ft selon la saison.

Le camping, ouvert de mai à septembre, dispose de 70 bungalows, avec trois catégories de confort. Les prix vont de 780 et 980 Ft pour une chambre double, très sommaire et sans eau chaude, à 2 850 et 3 500 Ft pour un bungalow "de luxe" comprenant deux chambres à coucher, un salon, une cuisine et une salle de bains. A noter : les résidents ont accès au sauna du village de vacances pour soldats, mitoyen.

Hôtels. Autre propriété de l'agence Tiszatour, l'hôtel *Touring* (☎ 376 003), près de l'entrée du parc, dispose de 37 chambres. Les prix varient de 1 750 à 2 280 Ft pour une simple et de 2 600 à 3 100 Ft pour une double. Toutes sont équipées d'une salle de bains ou d'une douche.

Sur l'autre rive de la Tisza, et donc plus proche du centre ville, aux 12-14, Mártirók útja, l'hôtel *Student* (☎ 339 688) propose 89 chambres avec douches, au prix modique de 1 300 Ft pour une à trois personnes. Avec son bar très convivial, cet hôtel est sans doute le meilleur endroit à fréquenter pour les voyageurs en mal de compagnie.

Toujours en bordure du fleuve, l'hôtel *Tisza* (☎ 371 155), au 2, Verseghy Park, accueille les nostalgiques du "bon vieux temps". Construit en 1928 au-dessus d'une source thermale, il propose 29 chambres, un établissement de cure et une ambiance d'avant-guerre. Les prix varient avec les saisons de 2 550 à 2 950 Ft pour une simple et de 3 400 à 3 800 Ft pour une double. Un conseil : demandez une des chambres de 108 à 111. Ce sont les plus belles, avec vue sur le jardin et le fleuve.

Si vous tenez à séjourner en centre ville, le *Pelikán* (☎ 343 855) est fait pour vous. Situé au 1, Jászkürt utca, c'est un bel exemple de ce dont on était capable en Hongrie dans les années 60. Il s'agit en effet d'un énorme bloc de ciment surélevé, comportant 96 chambres, un restaurant, un bar, un club de billard et une boîte de nuit avec serveuses "topless". Les prix des simples/doubles sont de 2 650/3 700 Ft, petit déjeuner compris.

Où se restaurer

Dans la tiédeur d'une nuit d'été, même si la nourriture n'y est pas excellente, vous aurez plaisir à dîner en plein air au restaurant de l'hôtel *Tisza,* ; vous pourrez voir flâner les Hongrois qui viennent prendre le frais le long de la rivière. Si vous tenez à bien manger, le nouveau restaurant *Gösser*, au 9, Kossuth Lajos utca, est à tenter.

Pour être sûr de ne pas sortir déçu, on se dirigera vers le *Róza*, au 34, Petőfi Sándor utca. Un peu à l'écart du centre, ce restaurant sert de délicieuses spécialités hongroises qui valent le détour. Attention : vous trouverez porte close après 22 h. Si vous affectionnez les endroits "dans le vent", essayez le *Pizza Kert*, sur Pólya Tibor utca, dans le quartier de Tabán. Enfin, pour vous restaurer à petits prix, choisissez le self *Centrum*, dans Ságvári körut, derrière le marché.

Bon à savoir : les couche-tard ou les lève-tôt trouveront une *épicerie* ouverte 24 h sur 24 près de la Galerie de Szolnok, au 5, Szapáry utca.

Distractions

Le *centre culturel municipal* (☎ 344 133), au 1, Hild János tér, en face de l'hôtel

Pelikán, vous renseignera sur les concerts prévus à l'église Franciscaine et vous dira si le célèbre orchestre symphonique de Szolnok ou le non moins prestigieux chœur Béla Bartók se produiront. Vous aurez peut-être la chance d'assister à une représentation de la troupe de danse Renaissance.

Le *théâtre Szigligeti*, en face de l'hôtel Tisza au 1, Tisza-part, dont la rénovation récente a coûté 7 millions de dollars, est resté à l'avant-garde du théâtre hongrois depuis les années 70, lorsque Gábor Székely, aujourd'hui directeur de la très influente compagnie Jószef Katona, à Budapest, insuffla une foi nouvelle à ses troupes. Ainsi ce théâtre fut-il le premier d'Europe de l'Est à monter *le Docteur Jivago* (1988), ce qui, à l'époque, représentait un véritable défi. Aujourd'hui, c'est György Spiró, romancier et auteur dramatique, qui en a pris la direction.

Pour boire un verre dans un environnement plaisant, installez-vous au *Tabán Kapu*, un café-jardin au 14, Pólya Tibor utca. La discothèque *Roulette* du restaurant Moment, près de l'hôtel Touring, vous fera transpirer jusqu'à 3h du matin le week-end. Enfin, le haut de Sütő utca, au-delà de Baross utca, constitue une sorte de quartier chaud de la ville, avec des clubs "topless", un bar populaire (Lúdláb) et un cinéma.

Comment s'y rendre

Szolnok bénéficie d'un excellent réseau ferroviaire : la ville est reliée avec Budapest, Debrecen, Nyíregyháza, Békéscsaba, Varsovie, Bucarest et des dizaines d'autres villes, sans changement. (Pour Miskolc, prendre toutefois la correspondance à Hatvan ; et changer à Hódmezővásárhely pour Szeged.)

Étant donné cet exceptionnel réseau, les liaisons par bus sont tout juste satisfaisantes. Il existe 8 départs quotidiens pour Kecskemét et Kunszentmárton, 6 pour Szeged, 5 pour Gyöngyös et Tiszakécske, 4 pour Eger, 3 pour Tiszafüred et 2 pour Karcag.

Entre mi-avril et fin octobre, vous devriez pouvoir rejoindre par le fleuve la ville de Csongrád, située à 90 km au sud, à bord de l'un des bateaux qui s'y rendent. Renseignez-vous chez Mahart, au 6, Zalka Máté sétány, à Szolnok.

Comment circuler

De la gare ferroviaire, les bus n°s 6, 7, 8, 15 ou 24 vous amèneront à Kossuth tér. Si vous vous rendez à l'auberge de jeunesse ou dans tout autre hébergement du parc de la Tisza, prenez le n°15. Le n°24 va jusqu'à la gare routière des longues distances. Pour le bassin de canoë-kayak de la Tisza, montez dans le n°6. Enfin, vous pouvez obtenir un taxi en téléphonant au 341 144.

JÁSZBERÉNY (30 500 habitants)

Jászberény était le principal centre politique, administratif et économique des Jász, dès le XIVe siècle, mais son développement fut très lent, la population ayant tendance à s'amenuiser.

La plus grande attraction de la ville a toujours été la **corne de Lehel**, qui fut pendant des siècles le symbole de la puissance des chefs Jazygiens. Aujourd'hui, le nom de Lehel évoque avant tout pour les Hongrois une marque de réfrigérateurs, dont le fabricant produit également des systèmes d'air conditionné dans une usine située à quelques kilomètres à l'ouest de la ville.

Orientation et renseignements

La rue principale de Jászberény est en fait une longue place (Lehel vezér tér) parallèle à l'étroite partie citadine de la Zagyva. La gare routière se trouve à l'ouest, sur Petőfi tér. La gare ferroviaire est encore plus à l'ouest, près de l'université (la seconde en importance) de Rákóczi út.

Il y a une banque OTP au 28, Leher vezér tér, mais vous pouvez également changer de l'argent chez Ibusz (☎ 57 311 042), au n°17 de la place. Ibusz est ouvert de 8h à 16h30 en semaine, et le samedi jusqu'à 13h. La poste se trouve aux 7-8, Lehel vezér tér.

L'indicatif téléphonique de Jászberény est le 57.

A voir et à faire

Le **musée Jász**, installé dans ce qui fut autrefois l'état-major militaire des Jázygiens, au 5, Táncsics Mihály utca, passe en revue tout ce qui concerne la vie quotidienne et la culture des Jász : des costumes aux sculptures du bois, en passant par le dialecte (vous impressionnerez vos amis hongrois en citant quelques mots de cette langue morte : *daban hoaz* veut dire "bonjour", *dan* "eau", *hah* "cheval" et *sana* "vin").

Cependant, toutes les sections du musée conduisent à la corne de Lehel, une œuvre byzantine du VIIIe siècle sculptée dans l'ivoire. La légende raconte qu'un chef Magyar nommé Lehel (ou Lél) fut capturé pendant la bataille d'Augsbourg en 955 contre les armées allemandes unifiées et que, juste avant d'être exécuté, il frappa le roi à la tête avec la corne. L'arme présumée du meurtre, richement sculptée d'oiseaux, de scènes de batailles et de satyres anatomiquement corrects, ne semble pas avoir trop souffert de l'incident.

Le musée met également en lumière des natifs de la ville qui se sont distingués, dont le peintre András Sáros, spécialiste de l'aquarelle, et l'actrice du XIXe siècle Róza Széppataki Déryné. Vous l'ignorez peut-être, mais vous connaissez cette Mme Déry : elle est immortalisée à jamais dans cette incontournable statue de porcelaine de Herend représentant une femme vêtue d'une large jupe d'organza en train de jouer de son *lant* (luth) et d'embrasser le vent.

Regardez les fresques qui ornent le plafond de l'**église paroissiale**, sur Szentháromság tér. Cette église fut édifiée en 1774 par András Mayerhoffer et József Jung, deux maîtres de l'architecture baroque. L'**église et le monastère franciscains**, dans Hatvani út, datent de la fin du XVe siècle, mais furent lourdement "baroquisés" 300 ans plus tard. Au 5, Hatvani út, les **thermes** sont ouverts toute l'année de 7h à 14h ou de 14h à 21h, selon qu'il s'agisse d'une semaine "paire" ou "impaire".

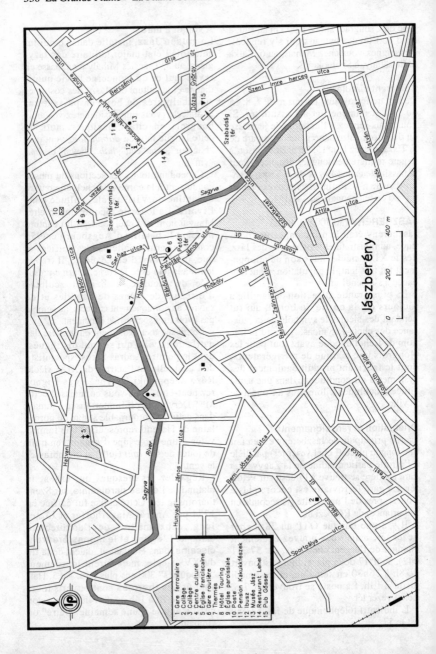

Jászberény

0 200 400 m

1 Gare ferroviaire
2 Collège
3 Collège culturel
4 Église franciscaine
5 Gare routière
6 Thermes
7 Hôtel Touring
8 Église paroissiale
9 Poste
10 Pension Kakukfészek
11 Ibusz
12 Musée Jász
13 Restaurant Lehel
14 Pub Gösser

Où se loger

Ibusz peut vous trouver une *chambre chez l'habitant* : il en a quarante sur sa liste. En été, demandez à loger en *dortoir*, dans les universités du 15 ou du 55, Rákóczi út.

L'hôtel *Touring* (☎ 312 051) au 3, Serház utca, sur le minuscule bras de la Zagyva, est un endroit propre et central, mais ses prix sont un peu excessifs : de 1 590 à 2 070 Ft pour une simple, de 2 340 à 2 820 Ft pour une double, petit déjeuner compris.

La pension *Kakukkfészek* (☎ 312 345), avec ses 9 chambres au 8, Táncsics Mihály utca, est pratique pour visiter les musées et le centre ville.

Où se restaurer

Le *Kolibri*, un restaurant-buffet où l'on déguste pizzas, pâtes et légumes divers au 1, Táncsics Mihály utca, est ouvert jusqu'à 21h en semaine et 2h du matin le week-end. Le *Gösser*, dans Dózsa György út, propose une nourriture de style brasserie dans un cadre plutôt chic et ferme à minuit. Le *Lehel* est un restaurant hongrois "à l'ancienne" (c'est-à-dire pré-1989) au 34, Lehel vezér tér, qui sert des pörkölt trop cuits et de la galuszka savonneuse, mais ses prix défient toute concurrence.

Distractions

Le *centre culturel Déryné*, au 33, Lehel vezér tér, sera votre meilleure source d'informations. Si vous vous trouvez à Jászberény au début du mois d'août, renseignez-vous sur le festival annuel de Csángó, qui donne la vedette à la musique folklorique hongroise traditionnelle de Transylvanie.

Le *Pannonia*, un bar miteux situé juste en face, fait office de discothèque les vendredis et samedis soirs.

Comment s'y rendre

Jászberény se trouve à mi-chemin entre Hatvan et Szolnok sur la ligne de chemin de fer. Ces deux villes représentent deux noyaux très importants du réseau hongrois, si bien que toutes les destinations de l'est sont accessibles de l'une ou de l'autre. Bien entendu, Hatvan et Szolnok sont directement reliées à Budapest.

De fréquents départs en bus sont organisés vers les villes suivantes : Budapest (15 par jour), Gyöngyös (10), Szolnok (8), Hatvan (7) et Kecskemét (6). Il existe également des liaisons quotidiennes avec Szeged et Mátraháza (3 chacune) et avec Miskolc, Debrecen et Baja (2 chacune). Des dizaines de bus relient par ailleurs chaque jour Jászberény avec les autres villes Jász de la région.

Comment circuler

Les bus 4 et 7 assurent la liaison entre la gare ferroviaire et la gare routière, d'où l'on peut marcher jusqu'au centre-ville.

TISZAFÜRED (14 000 habitants)

Il y a une dizaine d'années à peine, Tiszafüred était une petite ville paisible au bord de la Tisza. Les choses changèrent dès l'instant où l'on entreprit d'endiguer le fleuve, ce qui donna naissance à un plan d'eau de 100 km^2 qui allait faire la joie des vacanciers. Même s'il ne correspond pas tout à fait aux descriptions dithyrambiques des brochures, qui le présentent comme "le lac Balaton de la Grande Plaine" (le vrai Balaton fait cinq fois sa taille et ses côtes sont bien plus animées), le lac Tisza (Tisza-tó) et sa principale station balnéaire, Tiszafüred, représentent pour les nageurs, pêcheurs et autres navigateurs de plaisance une étape agréable sur la route de l'Hortobágy (à 30 km à l'est), de Debrecen ou d'Eger et des Hautes Terres du Nord. Le lac reste tout de même très apprécié des familles venues d'Allemagne ou des Pays-Bas et en août l'animation y bat son plein.

Orientation et renseignements

Tiszafüred se trouve au nord-est du lac. Des gares routière ou ferroviaire, situées dans Vasút utca, il faut marcher de 10 à 15 minutes pour atteindre la plage du lac et les deux campings. Pour parvenir au centre ville, suivez Baross Gábor utca vers le sud.

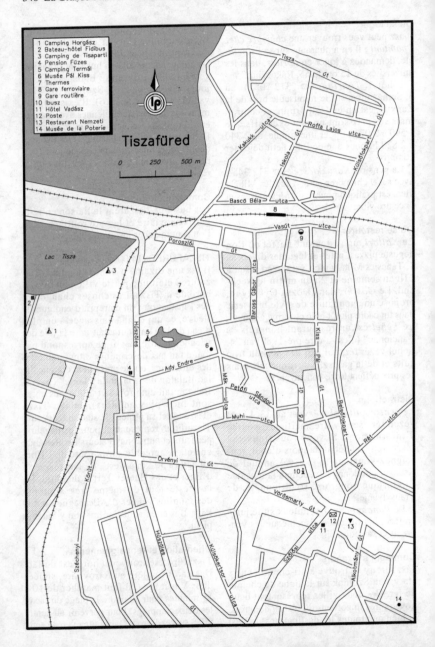

1 Camping Horgász
2 Bateau-hôtel Fidibus
3 Camping de Tisaparti
4 Pension Füzes
5 Camping Termál
6 Musée Pál Kiss
7 Thermes
8 Gare ferroviaire
9 Gare routiàre
10 Ibusz
11 Hôtel Vadász
12 Poste
13 Restaurant Nemzeti
14 Musée de la Poterie

Tiszafüred

0   250   500 m

Ibusz (☎ 59 352 047) au 30, Fő út, se fera un plaisir de vous changer de l'argent. Kormorán Info (☎ 59 352 896), une agence au 27, Ady Endre utca, vous aidera pour sa part à obtenir un permis de pêche ou à louer un bateau.

La poste se trouve à l'angle de Fő út et Szőllősi út. Pour appeler un taxi en ville, composez le 59 311 906.

L'indicatif téléphonique de Tiszafüred et ses environs est le 59.

A voir

Tiszafüred est surtout une station balnéaire, mais n'en comporte pas moins quelques sites dignes d'intérêt. Le **musée Pál Kiss**, par exemple, est situé dans un magnifique manoir (1840), juste au sud des thermes de la ville au 6, Tariczky sétány. La majeure partie des objets exposés concernent la vie quotidienne des pêcheurs, et quelques poteries réalisées par des artisans locaux viennent s'y ajouter. On y trouve également une excellente exposition de selles hongroises à travers les âges (celle de bois sculpté, qui date du XVIIIe siècle paraît particulièrement éprouvante pour le postérieur !).

La zone située au sud de Szőllősi út est pleine de chaumières traditionnelles et aux jardins potagers soignés où s'alignent fleurs et légumes : une bouffée de nature bienvenue après l'infernal brouhaha de la plage. L'une d'elles, la **maison Gáspár Nyúzó**, au 12, Malom utca, (allez demander la clé au n°9) est l'ancienne résidence d'un potier et renferme des catapultes de l'Antiquité, des râteliers, des meubles et des assiettes décorées d'oiseaux, d'étoiles et de fleurs aux couleurs légères, uniques dans la région. La maison est ouverte de mai à septembre de 10h à 16h. A Tiszafüred, plusieurs potiers sont encore en activité. Vous pouvez visiter l'atelier de l'un d'eux, Imre Szűcs ; pour cela, demandez au musée de vous indiquer comment vous pouvez le rencontrer.

Activités culturelles et/ou sportives

Les thermes de Tiszafüred, à l'extrémité nord de la ville, près du lac, sont constitués de quatre bassins en plein air ouverts de mai à septembre, associés à un sauna et à de nombreux services de soins médicaux.

Au camping d'Horgász, vous pourrez louer des bicyclettes (400 Ft par jour), des VTT (600 Ft), ainsi que des bateaux à moteur. Si vous préférez voir un autre que vous-même au gouvernail, contactez la péniche-hôtel le Fidibus, amarrée près de la plage : le personnel vous renseignera sur les promenades en bateau qu'elle organise. Celles-ci ont généralement lieu trois fois par jour en saison (10h, 16h et 21h) et coûtent 150 Ft par personne. Les parties de pêche sur le lac sont plus chères, à 1 400 Ft.

Où se loger

Tiszafüred possède 3 campings, ouverts de mai à septembre. L'*Horgász* (☎ 351 220), au bord du lac, est le plus grand. On y trouve des snacks, un restaurant, des installations de loisirs (dont des tennis) et deux maisons de vacances (de 750 à 950 Ft pour une double avec douches communes). Si tout est complet (ce qui est généralement le cas en été), demandez à la réception du camping qu'elle vous trouve une *chambre chez l'habitant* en ville. La plage publique est située juste derrière le camping. Le *Tiszaparti* (☎ 351 132), à quelques minutes de marche vers l'est le long du lac, au-delà des roseaux, est réservé aux possesseurs de tentes ou de caravanes. Enfin, le *Termál* (☎ 352 911), mal situé le long d'une route bruyante, au sud des thermes, propose des bungalows aux mêmes prix que ceux de l'Horgász, ainsi que des courts de tennis.

L'hôtel *Fidibus* (☎ 351 818), installé sur un bateau amarré près de la plage publique, réclame 1 500 Ft pour ses simples et 1 800 pour ses doubles. Le bar en plein air, sur le pont, est particulièrement agréable pour profiter d'un coucher de soleil.

Le *Füzes* (☎ 351 854), au sud des campings et des thermes, au 31/b, Húszöles út, est une pension de 10 chambres, avec des doubles à 1 500 Ft. Toutes les chambres disposent d'une douche et d'une télévision. Au sous-sol se trouvent un restaurant et un bar animé.

Le *Vadász* (☎ 351 910) dans le centre ville, au 4, Szőllősi utca, est un petit établissement de 8 chambres que vous adorerez si vous préférez vous tenir à l'écart de la foule. Les doubles y coûtent 1 200 Ft avec s. d. b., les simples 1 000 Ft sans s. d. b.

Où se restaurer

Installés dans les campings ou en bordure de plage, les petits snacks ne manquent pas à Tiszafüred. Le *Nemzeti*, au 8, Fő út, est un restaurant enfumé situé près de la place centrale (Piac tér), où l'on passe de la musique tzigane le soir. La direction gère également le *Délibáb*, un salon de thé au 31, Fő utca.

Dans un style plus aéré, l'agréable terrasse du restaurant de la pension *Füzes* vous tend les bras : à vous de trouver de la place. A la brasserie *Jäger*, au 8, Eper utca, vous pourrez déguster une bière maison.

Achats

Tiszafüred regorge de boutiques vendant tout l'attirail du parfait pêcheur, entre autres *Profi*, en face de la poste, le grand magasin *Tiszatáj,* sur Béke tér, ainsi que la boutique de sports nautiques *Vasvill*, au 2/a, Ady Endre utca. Cette dernière offre également des possibilités de location de matériel.

Comment s'y rendre

Tiszafüred se trouve sur la ligne de chemin de fer reliant Karcag (point de transfert lorsqu'on vient de Szolnok) à Füzesabony, d'où l'on peut continuer jusqu'à Eger ou Miskolc. La ligne n°108, à l'est de Debrecen, passe à travers la région d'Hortobágy.

Une dizaine de bus par jour relient Tiszafüred à Abádszalók, autre station balnéaire du lac, plus au sud. Parmi les destinations desservies quotidiennement, figurent aussi Budapest, Szolnok et Karcag (3 bus), Eger, Szeged et Jászberény (2), ainsi que Miskolc, Debrecen et Hajdúszoboszló (1).

ENVIRONS DE TISZAFÜRED

Karcag (24 000 habitants)
Pour aller en train de Szolnok à Tiszafüred, il faut changer à Karcag, à 45 km au sud.

En attendant votre correspondance, allez jeter un coup d'œil à cette ville historique qui fut jadis le siège des chefs Kun, ou visitez ses thermes à Berekfürdő, à 13 km au nord (l'arrêt se trouve également sur la ligne de Tiszafüred).

Célèbre à travers tout le pays pour son hôpital spécialisé dans les soins aux grands brûlés, Karcag possède également une faculté de médecine et un centre de sciences. Ses monuments historiques se trouvent à proximité de la gare, au sud-est de la ville et du terminus des bus, juste à l'ouest de Kossuth tér.

Le **musée Nagykun**, au 4, Kálvin utca, renferme une belle collection d'objets artisanaux, dont de nombreuses poteries et des tapis tissés, caractéristiques de Karcag, mais son principal centre d'intérêt réside dans les décorations de fer forgé que les artisans locaux continuent de façonner. Non loin de là, la **maison de la Poterie**, au 1, Erkel Ferenc utca, présente les œuvres du plus célèbre potier de la ville, Sándor Kántor. Enfin, à quelques centaines de mètres, vous trouverez une **maison de village** meublée dans le style régional au 16, Jókai utca.

En cas de petit creux, essayez le restaurant *Kunsági*, dans Dózsa György út, qui vous servira des spécialités Kun (viande crue ?). Si vous devez passer la nuit en ville, Ibusz (☎ 312 405), aux 11-13, Kossuth tér, vous fournira une *chambre chez l'habitant*, à moins que vous ne préfériez les dortoirs de l'*école d'agronomie* (☎ 312 744), au 1, Szentannai Sámuel utca.

Berekfürdő

Certains estiment que Berekfürdő possède les plus beaux thermes de la région ; mais existe-t-il réellement une différence entre les autres établissements du pays et cet endroit où, comme partout ailleurs, les mamans font barboter leurs bébés dans les pataugeoires, tandis que les papas et les jeunes des environs dévalisent les vendeurs de bière et de lángos ? Il faut tout de même préciser que les eaux de Berekfürdő sont réputées aussi bénéfiques que celles

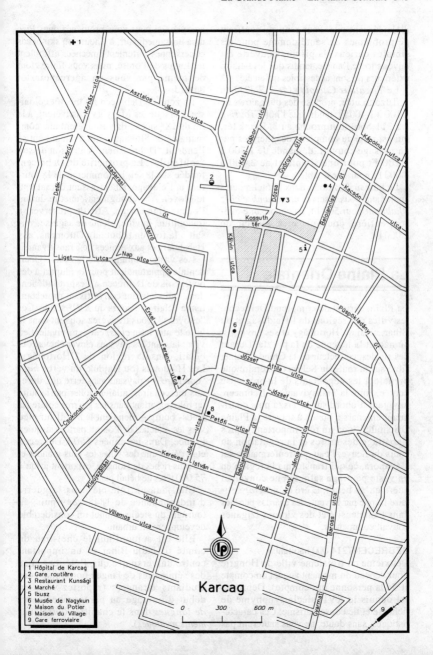

Karcag

0   300   600 m

1 Hôpital de Karcag
2 Gare routière
3 Restaurant Kunsági
4 Marché
5 Ibusz
6 Musée de Nagykun
7 Maison du Potier
8 Maison du Village
9 Gare ferroviaire

d'Hajdúszoboszló. Pour ceux qui souffrent de problèmes de santé comme pour les simples curieux, la piscine couverte est ouverte toute l'année, tandis que les bassins extérieurs ne sont accessibles qu'en été.

Le *Tiszatour Camping* (☎ 312 321) au 1, Tűzoltó utca, propose des bungalows de 1 100 à 1 400 Ft, tandis que l'hôtel *Touring* (☎ 311 666) tout proche au 3, Berek tér, qui est relié au complexe des thermes par un passage couvert, demande de 1 700 à 2 200 Ft pour une simple et de 2 400 à 3 000 Ft pour une double.

Le bureau Tiszatour, dans l'hôtel, pourra également vous réserver une *chambre chez l'habitant* pour 500 Ft, ou encore une maison entière pour un prix moyen de 2 000 Ft.

La Plaine Orientale

La Plaine Orientale comprend Debrecen, les villes des régions de l'Hajdúság et du Bihar, ainsi qu'Hortobágy et ses environs, où naquit la légende de la puszta. Durant des siècles, ce secteur de la Grande Plaine, situé sur la route du Sel (cet itinéraire que prenaient les négociants de la précieuse denrée, entre la Transylvanie et Debrecen, navigant d'abord sur la Tisza puis continuant en chars à bœufs à travers la Plaine Orientale), joua un rôle important. Après l'abattage des arbres et la régulation du cours du fleuve, l'eau que renfermait le sol s'évapora, ce qui transforma la région en un vaste pâturage salin qui ne convenait guère qu'au bétail. L'ère du *pásztor* solitaire frappé par le vent, des csárdas perdues dans l'immensité et des violons tziganes pouvait commencer.

DEBRECEN (214 000 habitants)

Deuxième ou troisième ville de Hongrie (tout dépend du moment auquel on compte et de la personne qui compte), Debrecen est depuis le XVIᵉ siècle synonyme de richesse et de conservatisme. Ces caractéristiques, sans doute, ne vous sauteront pas aux yeux si vous vous promenez dans Piac utca un samedi soir, à l'heure où skinheads et personnes fortement éméchées affrontent les forces de l'ordre, mais vous finirez tout de même par vous en apercevoir tôt ou tard.

La zone de Debrecen fut très tôt colonisée. Lorsque les Magyars y arrivèrent, à la fin du IXᵉ siècle, ils y trouvèrent une communauté de Slovaques qui avaient baptisé l'endroit "Dobre Zliem" en raison de son "sol fertile". La prospérité de Debrecen, fondée sur le sel, le commerce de la fourrure et l'élevage, alla croissant durant tout le Moyen Âge et augmenta encore durant l'occupation turque. Afin de préserver sa tranquillité, la ville, pleine de sagesse, versait à la fois un tribut aux Ottomans, aux Habsbourg et aux princes de Transylvanie.

Les vastes domaines de la Plaine Occidentale appartenaient pour la plupart à des bourgeois de Debrecen à l'esprit indépendant, qui s'étaient convertis au protestantisme éclairé au cours du XVIᵉ siècle. Ces "citoyens" (vous trouverez souvent dans la ville le mot latin *civis*, citoyen) vivaient en ville, laissant les paysans élever chevaux et bétail dans la région de l'Hortobágy. Les Haïdouks (ou Hajdúk, du verbe *hajt*, "conduire") – paysans sans terre qui, devenus mercenaires, allaient jouer par la suite un rôle important dans les guerres contre les Habs- bourg – menaient le bétail sur pied vers les marchés de l'ouest, parfois jusqu'en France. Dans les années 1500, Debrecen était déjà l'une des villes les plus grandes et les plus riches de Hongrie, exportant jusqu'à 75 000 têtes de bétail par an.

Elle joua un rôle clé dans la guerre d'indépendance de 1848-1849 puis, au tournant du siècle, connut un considérable développement urbain.

Elle est aujourd'hui le chef-lieu du comté d'Hadju-Bihar et un important centre universitaire qui, l'été, organise des séminaires de langue hongroise pour étudiants étrangers (reportez-vous en début d'ouvrage au paragraphe *Cours de langues* dans le chapitre *Renseignements pratiques*).

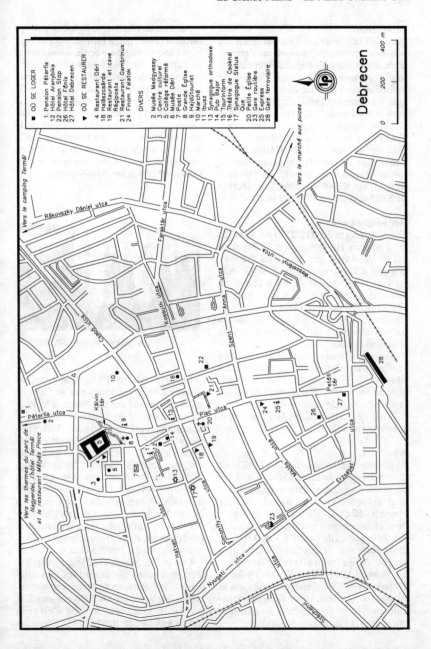

Debrecen

0 200 400 m

OÙ SE LOGER
- 1 Pension Péterfia
- 12 Hôtel Aranybika
- 22 Pension Stop
- 26 Hôtel Fönix
- 27 Hôtel Debrecen

OÙ SE RESTAURER
- 4 Restaurant Defri
- 18 Halászcsárda
- 19 Restaurant et cave
- 21 Restaurant Gambrinus
- 24 Finom Falatok

DIVERS
- 2 Musée Medgyessy
- 3 Centre culturel
- 5 Collège réformé
- 6 Musée Déri
- 7 Poste
- 8 Grande Église
- 9 Hajdútourist
- 10 Marché
- 11 Marché
- 13 Synagogue orthodoxe
- 14 Pub Bajor
- 15 Tourinform
- 16 Théâtre de Csoknai
- 17 Synagogue Status Que
- 20 Petite Église
- 23 Gare routière
- 25 Express
- 28 Gare ferroviaire

Vers le camping Termál

Vers le marché aux puces

Rákovszky Dániel utca

Faraktár utca

Wesselényi utca

Csapó utca

Kossuth utca

Anna utca

Szent utca

Vers les thermes du parc de Nagerdei, l'hôtel Termál et le restaurant Mátyás Pince

Péterfia utca

Kálvin tér

Hatvan utca

Piac utca

Miklós utca

Simonffy utca

Erzsébet utca

Nyugati — utca

Petöfi tér

Orientation

Il est difficile de se perdre à Debrecen. Un boulevard périphérique élevé sur l'emplacement des murs d'origine entoure la cité intérieure, nommée Belváros. Celle-ci est divisée en deux par Piac utca, qui part de la gare ferroviaire et Petőfi tér pour remonter vers le nord jusqu'à Kálvin tér, site de la Grande Église et centre de Debrecen. Toutes les curiosités de Debrecen sont regroupées non loin de Kálvin tér, à l'exception du parc de Nagyerdei, aire de loisirs située à 3 km au nord. La gare routière est sur Külső Vásártér, à la jonction de Széchenyi utca et Erzsébet utca.

Renseignements

Tourinform (☎ 52 312 250) est situé au 20, Piac utca, Hajdútourist (☎ 52 319 616) est au 2/a, Kálvin tér, dans la galerie marchande d'Udvarház, face à la Grande Église. Il est ouvert de 8h à 16h30 en semaine. Ibusz (☎ 52 315 555), près de l'hôtel Aranybika, aux 11-13, Piac utca, et Express (☎ 52 318 332), au n°77, ont les mêmes horaires, mais Ibusz ouvre en plus le samedi matin.

La poste se trouve aux 5-9, Hatvan utca et il y a une banque OTP juste à côté. La librairie Csokonai, au 45, Piac utca, possède un bon rayon de littérature étrangère et une sélection de cartes routières.

L'indicatif téléphonique de Debrecen et ses environs est le 52.

A voir

La **Grande Église** néo-classique (1823) est devenue le symbole de Debrecen, à tel point que les mirages, dont certains prétendent avoir été victimes dans la Grande Plaine au début du siècle, avaient trait à ses deux clochers, mais posés à l'envers sur le sol. Elle accueille jusqu'à 3 000 fidèles entre ses murs, ce qui fait d'elle la plus grande église protestante de Hongrie. Le 14 avril 1849, Lajos Kossuth y lut la déclaration de l'Indépendance après que la Hongrie se fut affranchie de l'emprise autrichienne. Ne manquez pas le magnifique orgue dans la tribune derrière la chaire.

Au nord de l'Église, se trouve le **collège réformé** (1816) qui, à partir du Moyen Age, abrita une prestigieuse école secondaire et un institut de théologie. Au rez-de-chaussée, on y admire des expositions d'art religieux et d'objets sacrés (dont un calice du XVIIe siècle réalisé à partir d'une noix de coco) et on y apprend l'histoire de l'école. Montez ensuite voir les 650 000 volumes de la **bibliothèque** ainsi que **l'oratoire**, où la nouvelle Assemblée nationale se réunit en 1849 et où, en 1944, fut proclamé le gouvernement provisoire d'après-guerre.

Le collège réformé

Les expositions d'artisanat local du **musée Déri**, à quelques pas du Collège réformé, donnent une très bonne idée de ce qu'était la vie dans la puszta et chez les bourgeois qui peuplèrent Debrecen jusqu'au XIXe siècle. Les interprétations romantiques de l'Hortobágy et de la Passion du Christ par Mihály Munkácsy font la fierté du musée et sont exposées dans une partie spéciale. L'entrée est flanquée de quatre bronzes superbes que l'on doit à Ferenc Medgyessy, natif de la ville, qui a par ailleurs son propre **musée-mémorial Medgyessy**, dans une ancienne maison bourgeoise du 28, Péterfia utca.

Une simple promenade le long de Piac utca, puis dans l'une des petites rues adjacentes, aux maisons de façades néo-classiques, baroques ou Art Nouveau, est déjà un plaisir. Széchenyi utca, où s'élève la **petite église calviniste** (1726), avec sa tour en forme de bastion, présente un intérêt tout particulier. La **synagogue conservative Status Que** (1909), à l'angle de Bajcsy-Zsilinszky utca et Kápolnás utca, vaut le coup d'œil, mais encore faut-il que le gardien vous laisse entrer. La **synagogue orthodoxe**, en ruines, est en face, au 6, Pásti utca.

Tous les jours, d'excellents fruits et légumes sont en vente au **marché** couvert de Csapó utca, mais le **marché aux puces**, près du grand complexe sportif de Vágó híd utca, est plus pittoresque. Pour vous y rendre, prenez le bus n°30 ou 30/a devant la gare ferroviaire. Le matin, ce marché attire une foule bigarrée d'Ukrainiens, Polonais, Roumains, Tziganes et Hongrois de Transylvanie, qui viennent vendre absolument de tout, depuis des chaussures d'occasion jusqu'au… caviar. En outre, un fascinant marché aux chevaux se tient le vendredi matin.

Activités culturelles et/ou sportives

Le parc de Nagyerdei propose des promenades en barque, ou à pied le long de chemins verdoyants, mais sa principale attraction sont ses thermes, un complexe offrant des piscines, couvertes et découvertes, d'une eau minérale fraîche et brunâtre, ainsi qu'un sauna et tous les types de thérapies possibles et imaginables. Ces thermes sont ouverts tous les jours jusqu'à 18h30.

Où se loger

Camping. Le meilleur terrain de camping de Debrecen est le *Termál* (☎ 312 456), géré par Hajdútourist, au 102, Nagyerdei körút, au nord-est du parc de Nagyerdei. On y loue des tentes pour 300 Ft et des bungalows 4 personnes entre 1 500 et 2 500 Ft, selon la catégorie et la saison.

Chambres chez l'habitant et Collèges.

Hajdútourist et Ibusz peuvent vous trouver une *chambre chez l'habitant* pour 500/600 Ft la simple/double, ou un appartement 4 personnes pour 1 500 à 2 500 Ft. En raison du nombre de collèges et d'universités de la ville, les *hébergements en dortoirs* ne manquent pas l'été. Les prix sont de 200 à 300 Ft par personne. Faites votre réservation chez Hajdútourist ou Express (voir *Renseignements*). Les dortoirs de l'*école technique de machinistes*, un peu décentrés au 84, Bokányi Dezső utca, après le marché aux puces, sont ouverts aux voyageurs tout au long de l'année.

Pensions. Le *Péterfia* (☎ 323 582) possède 9 chambres dans une charmante maison au 37/b, Péterfia utca. Les doubles y coûtent 1 000 Ft avec douche et 1 300 avec s. d. b. Vous trouverez le *Stop* (☎ 320 301), plus central, au 18, Batthyányi utca. C'est un établissement sympathique, avec des doubles à 1 500 Ft.

Hôtels Le *Debrecen* (☎ 316 550) est un hôtel de 86 chambres situé face à la gare au 9, Petőfi tér. Les doubles coûtent 1 120 Ft avec douche sur le palier, 1 925 Ft avec douche dans la chambre et 2 500 Ft avec s. d. b., petit déjeuner compris. Mais l'établissement est bruyant et assez mal entretenu. Faites un meilleur choix en descendant au *Főnix* (☎ 313 355), qui propose 51 chambres au 17, Barna utca, une petite rue relativement calme dans le même quartier. Les simples/doubles sont à 1 800/2 200 Ft avec douche ou sans à 700/1 200 Ft.

Au *Termál* (☎ 311 888), dans le parc de Nagyerdei, les chambres vont de 1 550 à 2 240 Ft, petit déjeuner et entrée aux thermes compris. L'établissement de cures *Nagyerdő* (☎ 310 588) au 5, Pallagi út, est beaucoup plus grand – et plus cher – avec 106 chambres.

L'*Aranybika* (☎ 316 777), un hôtel Modern Style de 250 chambres aux 11-15, Piac utca, reste le "must" absolu de la ville, malgré la récente ouverture du pimpant *Civis*, de l'autre côté de Kálvin tér. Les prix de l'Aranybika débutent à 3 150/4 100 Ft, petit déjeuner compris.

Où se restaurer

Pour manger debout mais pour pas cher du tout, essayez le *Finom Falatok*, au n°69 de

Piac utca, à l'extrémité sud. L'équivalent, au nord, est le traiteur du n°10 : goûtez-y les fameuses saucisses de Debrecen. Le *Halászcsárda* du 4, Simonffy utca sert des plats de poisson simples et bon marché jusqu'à 21h.

Les plus romantiques choisiront le *Régiposta*, une auberge du XVIIᵉ siècle qui passe de la musique tzigane au 6, Széchenyi utca. Les autochtones, pour leur part, se précipitent au *Serpince a Flaskához*, au 2, Miklós utca, un restaurant installé dans une cave où l'on déguste d'excellentes spécialités, dont un chou farci qui fait la fierté de Debrecen. Passez devant la bouteille remplie de galets (*flaska*), puis descendez. Le *Gambrinus*, au fond d'une longue cour au 28/b, Piac utca, est également fortement recommandée.

Rendez-vous favori des étudiants, le *Mátyás Pince* est un bar-restaurant installé dans une cave historique au 1, Ajtó utca. Les végétariens ne sont pas oubliés : le *Civis* les accueille au 29, Piac utca, avec plus de 40 spécialités végétarienne, ou encore le *Déri*, près du musée Déri, dans Perényi utca. Enfin, il vous faudra faire la queue si vous tenez à déguster une pizza ou des pâtes chez *Gilbert Pizza*, dans le centre commercial d'Udvarház, sur Kálvin tér.

Vous trouverez une *épicerie* ouverte 24h sur 24 au 75, Piac utca.

Distractions

Debrecen se targue d'être une cité très culturelle. Renseignez-vous au *théâtre Csokonai*, au 10, Kossuth Lajos utca, ou au *centre culturel Kölcsey* (☎ 319 812), derrière le musée Déri, aux 1-3, Hunyadi János utca. Pour les concerts, adressez-vous à l'hôtel Aranybika (ils ont lieu dans la salle Bartók) ou dans la Grande Église. Le bureau des Jeunes de Mezon, au 2, Batthyány utca, vous dira tout sur les concerts de musique plus populaire.

Parmi les événements musicaux à suivre de près, figurent le festival de Printemps des arts du spectacle, qui a lieu en mars, le concours de chant Bartók en juillet (les années impaires seulement), le célèbre Car-

naval des Fleurs du 20 août, ainsi que les *Dzsessznapok* (Journées du jazz) en octobre.

De mai à septembre, la musique disco hurle jusqu'au petit matin le week-end au *Kiri Giri Újvígadó*, dans le parc de Nagyerdei, ainsi qu'au pub *Bajor*, dans Bajcsy-Zsilinszky utca.

Le cinéma *Híradó*, sur Petőfi tér, passe des films étrangers six fois par jour, mais la sélection est meilleure au *Víg*, situé dans un immeuble sophistiqué juste derrière l'hôtel Aranybika.

L'Alliance française se trouve 1, Doczy Joseph utca.

Comment s'y rendre

Debrecen est desservie par 24 trains quotidiens, dont 6 express qui effectuent en 3 heures le trajet à partir de Budapest-Nyugati, via Szolnok. Des départs internationaux sont organisés chaque jour de Debrecen vers Košice, en Slovaquie, Varsovie en Pologne, Baia Mare, Oradea et Bucarest en Roumanie, ainsi que vers Moscou.

Les villes du Nord et du Nord-Ouest – Nyíregyháza, Nyírbátor, Tokaj et Miskolc – sont accessibles de préférence par train, même s'il part presque un bus par jour pour Miskolc. Pour Eger, prenez le train jusqu'à Füzesabony, puis changez, ou empruntez l'un des deux bus quotidiens directs.

Pour le secteur sud, prenez de préférence le bus, ou un combiné train-bus. Chaque jour 6 trains partent pour Békéscsaba (dont 2 via Gyula) et 2 pour Szeged. Pour cette dernière destination, vous pouvez également prendre un bus jusqu'à Békéscsaba, puis poursuivre en train.

On peut se rendre à l'étranger en bus, avec environ 4 départs par semaine pour Košice en Slovaquie et Oradea en Roumanie.

Comment circuler

Le tram n°1 (le seul de Debrecen) est idéal à la fois pour se déplacer et pour admirer la ville. Il part de la gare ferroviaire et se dirige vers le nord, suivant Piac utca jusqu'à Kálvin tér, puis continue sa route jusqu'au parc de Nagyerdei, où il fait demi-tour.

Les autres transports en commun se prennent pour la plupart à l'extrémité sud de Petőfi tér. Les bus nᵒˢ 12 et 18, ainsi que le trolleybus n°2, relient les gares routière et ferroviaire. Les contrôleurs ne chôment pas à Debrecen, si bien que voyager "à l'œil" – surtout sur les lignes 30 et 30/a vers le marché aux puces – est assez risqué. Et ne comptez pas sur leur magnanimité : ils se montrent intraitables et vous feront débourser les 800 Ft d'amende sur le champ.

ENVIRONS DE DEBRECEN
L'Erdőpuszta
Si l'atmosphère de la ville commence à vous peser, allez prendre l'air dans la "Plaine boisée", une zone protégée de forêts de pins et d'acacias, de lacs et de sentiers, située à l'est et au sud-est de Debrecen. **Bánk** dispose d'un haras et d'un splendide arboretum, ainsi que d'un petit musée de village au 93/a, Fancsika utca. Au **lac de Vekeri**, vous attendent des barques en location, un autre centre équestre et la pension *Paripa* (☎ 52 368 148).

Pour vous rendre à Bánk, prenez soit le bus direct de Debrecen, soit celui à destination de Vértes ou de Létavértes. Les bus qui vont à Hosszúpályi s'arrêtent à Vekeri. La meilleure carte de la région est la récente *Debrecen Környékének* ("environs de Debrecen"), éditée par *Cartographia*.

HORTOBÁGY (2 050 habitants)
Ce petit village situé à 40 km à l'ouest de Debrecen, se trouve au centre de la région de l'Hortobágy, autrefois célèbre pour ses rudes cow-boys, ses auberges et ses bandes de Tziganes. Aujourd'hui, on y vient surtout pour explorer son parc national de 52 000 hectares, une réserve naturelle qui abrite des milliers d'oiseaux et de plantes que l'on ne trouve d'ordinaire qu'au bord de la mer.

Il est vrai que le reste du secteur de l'Hortobágy ne survit que par le tourisme ; aussi les démonstrations équestres, les csikósok costumés et les vendeurs d'objets souvenirs se montrent-ils à la limite de l'agressivité vis-à-vis des visiteurs. Le choc produit par l'apparition soudaine de nuages sombres surgis de nulle part pour voiler un soleil resplendissant, ou l'envie d'être témoin d'un mirage vous attireront peut-être dans cet Hortobágy. Dans ce cas, vous risquez d'être déçu : ces mythes n'ont jamais existé que dans l'esprit des peintres ou des poètes romantiques.

Orientation et renseignements
Les bus s'arrêtent sur la route principale (n°33) près du centre du village ; la gare ferroviaire est située à l'extrémité de Kossuth utca. Hajdútourist (☎ 52 369 039), ouvert de 8h à 18h30 en semaine et jusqu'à 13h le samedi, se trouve près de la galerie et à l'angle de la csárda d'Hortobágy. L'indicatif téléphonique de la région est le 52.

A voir
Le pont aux Neuf-Arches qui enjambe l'Hortobágy, une rivière marécageuse, est le pont de pierre le plus long (et sans doute le plus peint et le plus mis en scène) de Hongrie. Juste avant d'y parvenir, au 2, Petőfi tér, se trouve l'**Hortobágyi csárda**, une auberge où les porteurs de sel venaient se restaurer sur la route reliant la Tisza à Debrecen. La progression était difficile dans les chemins boueux et les chars à bœufs ne pouvaient guère couvrir plus d'une dizaine de kilomètres par jour. C'est pourquoi les auberges de Látókép, Kadarcs et Hortobágy sont espacées de 12 km les unes des autres. Ces établissements fournissaient en outre du travail aux pauvres violonistes tziganes qui, à l'origine, ne vivaient pas dans cette partie de la Hongrie. Ainsi les termes "csárda" et "musique tzigane" sont-ils devenus synonymes depuis cette époque.

Le pont aux Neuf-Arches

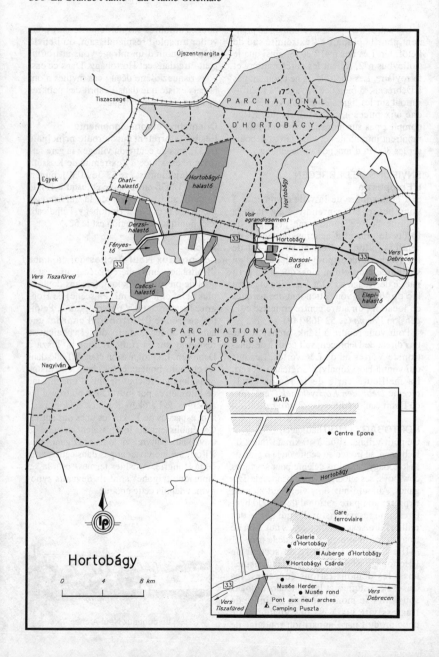

Hortobágy

0   4   8 km

La **galerie d'Hortobágy**, située juste derrière le restaurant, offre un pot pourri des créations artistiques qui ont traité le thème de l'Hortobágy : certaines sont romantiques à l'extrême, d'autres très évocatrices. Remarquez le ciel immense dans certaines œuvres de László Holló ou d'Arthur Tölgyessy, et allez le voir : finalement il ne correspond pas à la réalité. La galerie est ouverte tous les jours sauf lundi de 9h à 17h en été, mais ferme plus tôt l'hiver.

Le **musée du Berger**, installé dans une grange du XVIIIᵉ siècle sur Pétőfi tér, en face de la csárda, propose une belle exposition sur la nourriture, les vêtements et la musique des vachers à cheval, des bergers et des gardiens de cochons. Prenez le temps de regarder de près les vestes finement brodées et les longues capes qu'ils portaient. Les horaires sont les mêmes qu'à la galerie.

Le **Musée rond** au toit de chaume, tout proche, ouvert de mai à octobre et dépendant du parc national, est consacré à l'écologie de la région. Vous y verrez une beau diaporama sur l'Hortobágy, avec commentaires en francais, anglais et allemand.

Máta, à 2 km environ au nord de la ville, est le centre de l'élevage équin de l'Hortobágy. C'est là qu'est entretenue la race des puissants chevaux de Hongrie, les Nonious. Gérés par l'État jusqu'à une période récente, les chevaux, attelages et troupeaux de bœufs gris et de moutons aux longues cornes en tire-bouchon, ont été rachetés par une société germano-hongroise spécialisée dans l'hôtellerie et l'équitation. Même si vous ne montez pas à cheval et si les spectacles de rodéo ne vous passionnent pas, allez jeter un coup d'œil aux écuries qui abritent quelque 350 chevaux et de très beaux attelages anciens.

L'endroit est très fréquenté le premier dimanche de juillet, lorsque Máta organise les Journées internationales du cheval (certaines manifestations débutent déjà les vendredi et samedi précédents), ainsi que les 19 et 20 août, durant la Foire du Pont, une initiative visant à recréer les vieilles foires de "hors-la-loi" qui se tenaient là au siècle dernier.

Chevaux de la race Nonious

Activités culturelles et/ou sportives
A **Máta**, le centre équestre d'Epona propose de nombreuses activités en rapport avec le cheval : spectacles équestres avec lassos par les csikósok (850 Ft par personne), promenade de deux heures en carriole à travers la puszta pour voir bétail, moutons et, qui sait, quelques apparitions plus sauvages (850 Ft), randonnées à cheval (de 500 à 800 Ft), ainsi que des leçons d'équitation pour 1 000 Ft l'heure.

Parc national d'Hortobágy. Le Musée rond organise lui aussi des promenades de 2 heures en carriole à travers le parc national pour 800 Ft. Un bus vous conduira du musée au point de départ (la borne du kilomètre 79 sur la route n°33) à 9h30 et 13h30 chaque jour de mai à septembre. Vous pourrez également y louer des bicyclettes (200 Ft par jour) ou un bateau à aubes pour naviguer sur l'Hortobágy.

Pour admirer les plus belles parties du parc (les zones fermées au public situées au nord de la route n°33 et les marécages salins au sud), il faut être accompagné d'un guide et se déplacer à cheval, en carriole ou à pied. Pour cela, contactez Aquila (☎ 386 348) en écrivant à Boîte postale 8, 4015 Debrecen. Il s'agit d'une société privée qui organise des promenades consacrées à l'ornithologie. Le prix est d'environ 2 000 Ft pour la journée.

Avec son terrain contrasté et ses sources d'eau pure, le parc offre certains des meilleurs postes d'observation des oiseaux de toute l'Europe. Quelque 310 espèces différentes (le continent en compte 410 au total) ont été repérées ici au cours des vingt dernières années : grèbes, hérons, aigrettes, spatules, cigognes, pies-grièches, milans, fauvettes et aigles. L'outarde, l'un des oiseaux les plus grands du monde (1 mètre de hauteur pour 20 kg) bénéficie de sa propre réserve dont l'accès est limité pour nous, pauvres mammifères bipèdes !

Où se loger

L'été, l'hébergement est ici une chose rare, aussi vous faudra-t-il sans doute pousser jusqu'à Debrecen ou Tiszafüred, où le choix est plus vaste. Le *Puszta Camping* (☎ 369 039), en face de la csárda, propose des bungalow à 700 Ft ou des tentes en location de mai à septembre. Hajdútourist vous aidera à trouver des *chambres chez l'habitant*. Vous pouvez également tenter votre chance, en frappant aux portes du 23, Kossuth utca ou du 28, Czinege János utca.

L'établissement le plus central est l'*Hortobágy Fogadó* (☎ 369 137) aux 1-3, Kossuth utca. Les simples/doubles sont à 550/900 Ft (petit déjeuner compris), avec douches sur le palier. Le confort est réduit au minimum, mais l'endroit est agréable et le personnel sympathique. Si l'auberge est complète, mais que vous teniez à séjourner ici, descendez à l'hôtel *Hortobágy* (☎ 369 071), un petit bloc de béton situé à Borsós, à 2 km à l'est, qui propose des doubles au prix fort (1 800 Ft).

Au nouvel hôtel-club *Epona* (☎ 369 092), à Máta, vous aurez le choix entre 54 luxueuses chambres et 24 maisons (avec écurie particulière attenante). L'hôtel comporte aussi une piscine, des installations de remise en forme et quelques restaurants dispersés dans la campagne. Le prix à payer pour avoir accès à ce coin de paradis se situe lui aussi dans des sphères supérieures : 4 800/5 300 Ft pour une simple/double.

Où se restaurer

Bien sûr, l'endroit est touristique et un peu cher, mais vous ne pouvez visiter Hortobágy sans prendre un repas à l'*Hortobágyi Csárda*, l'auberge la plus célèbre du pays. Commandez un plat de canard, mettez-vous dans l'ambiance tzigane, admirez le style kitsch qui recouvre le moindre centimètre carré de murs. Et recomptez bien votre monnaie...

On ne trouve guère d'autres établissements dans les environs. L'hôtel *Fogadó* abrite un petit restaurant assez sommaire et il existe un *büfé* très rudimentaire en face, dans Kossuth utca. A Máta, l'*Epona* comprend un restaurant hongrois et un autre servant une cuisine internationale ; le *Nyerges*, près des paddocks, est un endroit plaisant si les vents se montrent cléments.

Comment s'y rendre

Hortobágy, située sur la ligne Debrecen-Füzesabony, est desservie par 10 trains quotidiens en haute saison, un peu moins le reste de l'année. Le dernier repart pour Debrecen à 20h20. Un bus quotidien allant d'Hajdúszoboszló à Eger s'arrête à Hortobágy et à partir d'Hajdúszoboszló, deux bus directs s'y rendent en été (de juin à fin août).

RÉGION D'HAJDÚSÁG

La région d'Hajdúság est une zone de loess dans la Plaine Orientale, au nord de Debrecen, où s'établirent les Haïdouks, communauté médiévale de conducteurs de bestiaux et de hors-la-loi devenus mercenaires, réputés pour leur férocité. Lorsqu'en 1604,

.es Haïdouks aidèrent István Bocskai, prince de Transylvanie et gros propriétaire terrien de la région de Tiszántúl, à repousser les forces des Habsbourg à Álmosd, au sud-est de Debrecen, ils se virent anoblis et l'on attribua des terres à quelque 10 000 d'entre eux – autant, en vérité, pour maintenir ces talents militaires à portée de main qu'en guise de remerciement. Ils bâtirent alors sept villes fortifiées dans la région. De nombreuses rues dans les villages de la région suivent encore les cercles concentriques des anciennes murailles. L'Hajdúság continua d'être considéré comme un secteur administratif à part jusqu'à la fin du XIXe siècle, mais perdit ce statut privilégié par la suite. Aujourd'hui, l'Hajdúság compte parmi les régions les moins peuplées de Hongrie.

Hajdúszoboszló (24 500 habitants)

Hajdúszoboszló n'était autre qu'une ville typique de l'Hajdúság jusqu'à ce jour de 1925 où des prospecteurs de pétrole et de gaz naturel découvrirent une source d'eau minérale. Aujourd'hui, avec son gigantesque complexe thermal, les plages de son parc et ses équipements de loisirs, elle constitue un site de villégiature très apprécié, à 20 km à peine de Debrecen.

Si elle est, comme je me le suis un jour laissé dire dans une agence de voyages, "le Balaton du pauvre", Hajdúszoboszló possède également son aspect sérieux : plus d'un million de visiteurs y viennent chaque année chercher la guérison en se baignant dans ses eaux thérapeutiques.

Orientation. La large rue (route n°4) renferme à peu près tout ce dont vous pouvez avoir besoin. Elle traverse la ville et change quatre fois de nom : Debreceni út, Szilfákalja út, Hősök ter et Dózsa György utca. Le parc et les thermes, réunis sous l'appellation "centre de vacances", occupent le nord-est d'Hajdúszoboszló. Hősök tere (le centre-ville) se trouve à l'ouest. La gare routière est sur Fürdő utca, à quelques centaines de mètres de l'entrée principale des thermes. La gare ferroviaire est envi-

rons à trois km plus au sud, sur Déli sor. Les bus nos 1, 4 et 6 relient les deux gares et il y a une station de taxi sur Hősök tere.

Renseignements. Le nouveau bureau de Tourinform (☎ 52 362 448) se trouve au 2, Szilfákalja út. Hajdútourist (☎ 52 362 966) est au 2, József Attila utca, près de l'entrée principale des thermes, juste avant l'hôtel Délibáb. Il ouvre du lundi au vendredi de 7h30 à 16h et le samedi matin l'été. Cooptourist est au coin de la rue, au 44, Szilfákalja út, près de la poste. Ibusz (☎ 52 362 041) se situe dans la partie la plus ancienne de la ville, aux 4-6, Hősök tere.

La poste centrale se trouve sur Kálvin tér. Il y a une grande banque OTP près du magasin Bocskai ABC, dans Szilfákalja út.

L'indicatif téléphonique d'Hajdúszoboszló est le 52.

A voir et à faire. Le principal attrait d'Hajdúszoboszló réside dans ses **thermes**, composés d'une dizaine de bassins d'eaux minérales, de plusieurs saunas, d'un solarium et d'un centre de soins. A l'exception des piscines découvertes, l'ensemble est ouvert tous les jours jusqu'à 18h30.

Derrière l'**église calviniste** (1717), près d'Hősök tere, se trouve tout ce qui subsiste de la forteresse édifiée au XVIe siècle et détruite par les Turcs en 1660 : une vingtaine de mètres de murailles et une petite tourelle. En face, une statue d'István Bocskai s'élève, minuscule par rapport à l'étalon démesuré qu'il chevauche.

Au bas de Bocskai utca, après l'**église catholique** baroque (où, au début des années 70, a prié le pape Jean-Paul II qui s'appelait encore Karol Wojtyla, évêque de Cracovie), vous verrez le **musée Bocskai** au n°12, un temple à la mémoire du prince István et de ses précieux Haïdouks. Parmi les selles, pistolets et poignards qu'il renferme, figure l'étendard de Bocskai, point de ralliement de la cavalerie des Haïdouks, représentant le prince aux prises avec un léopard (qui, mystérieusement, se transforme en lion dans certaines versions postérieures). On y voit des expositions

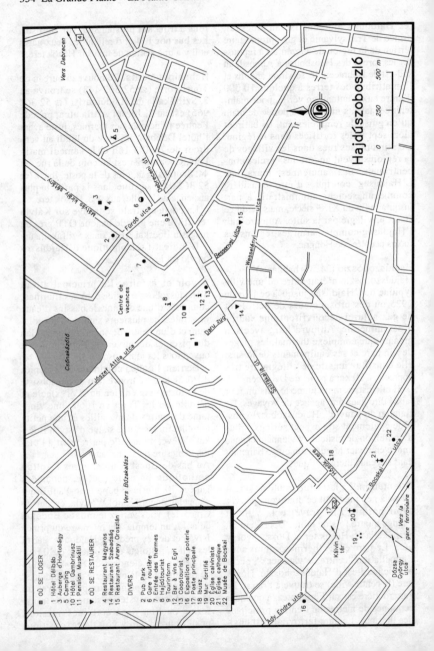

Hajdúszoboszló

OÙ SE LOGER
■ 1 Hôtel Délibáb
3 Auberge d'Hortobágy
5 Camping
10 Hôtel Gambrinusz
11 Pension Muskátli

▼ OÙ SE RESTAURER
4 Restaurant Magyaros
14 Restaurant Szabadság
15 Restaurant Arany Oroszlán

DIVERS
2 Pub Park
6 Gare routière
7 Entrée des thermes
8 Hajdútourist
9 Tourinform
12 Bar à vins Egri
13 Cooptourist
16 Exposition de poterie
17 Poste principale
18 Ibusz
19 Mur fortifié
20 Église calviniste
21 Église catholique
22 Musée de Bocskai

consacrées aux réalisations de la ville et au développement des thermes, avec quelques curieuses affiches Art Déco et des instruments médicaux qui pourraient fort bien provenir d'une salle de torture médiévale.

Une ravissante chaumière au 2, Ady Endre utca, abrite l'**exposition de poteries István Fazekas**, où l'on admire les poteries noires caractéristiques du village de Nádudvar, tout'proche (voir le paragraphe sur Nádudvar). Cependant, pour ne pas le manquer, il vous faudra être à Hajdúszoboszló un lundi entre 8h et 16h.

Des courts de tennis sont à votre disposition au Gázlánd Court, à l'est du centre de vacances dans Szép Ernő utca. A l'opposé, au 4, Újvárosi utca, Búzakalász vous organisera des promenades à cheval ou en carriole dans la campagne environnante.

Où se loger. Le choix est immense dans cette ville touristique, et les prix varient considérablement avec les saisons.

Hajdútourist gère le *terrain de camping* (☎ 362 427) situé dans le parc en bordure de la bruyante autoroute. Il propose des cabines pour 4 personnes à 2 000 Ft, de miavril à octobre.

En haute saison, environ un foyer sur trois propose des chambres chez l'habitant et les pancartes "Szoba kiadó" (chambres à louer) poussent comme des champignons après la pluie le long des rues calmes d'Hajdúszoboszló, surtout Wesselényi utca et Bessenyei utca. Si vous n'avez pas envie de chercher, Ibusz, Hajdútourist ou Cooptourist se feront un plaisir de le faire pour vous et vous demanderont de 600 à 900 Ft pour une chambre. Il existe aussi des appartements à louer pour 1 500 Ft ; vous pourrez même disposer d'une maison entière (6 personnes) à partir de 3 800 Ft.

Parmi les nombreuses pensions de la ville, la plus moderne et la plus centrale est le *Muskátli* (☎ 361 027), au 5, Daru zug, qui propose une douzaine de doubles plus ou moins spacieuses pour 2 000 à 2 500 Ft. L'établissement dispose également d'un agréable restaurant en terrasse. Le *Fortuna* (☎ 362 126), en face d'Hajdútourist, au

4, József Attila utca, est un peu vétuste, mais les tarifs en tiennent compte : 1 100 Ft la double avec douche, 600 Ft sans douche. Au 3, Mátyás király sétány, l'*Hortobágy* (☎ 362 357) offre un meilleur rapport qualité/prix dans ses 4 pensions de famille situées à proximité des thermes. Pour 750 Ft par personne, vous serez logé en demi-pension, avec un inconvénient toutefois : on ne peut ni entrer, ni sortir de l'hôtel entre 8h et 15h30. Enfin, l'hôtel *N°1* (☎ 362 642), avec ses 120 chambres réparties dans deux bâtiments au 1, Mátyás király sétány, est plus cher, avec des simples de 1 350 à 1 750 Ft et des doubles de 1 750 à 2 300 Ft.

Parmi les grands hôtels offrant des installations thermales (qui proposent tous des forfaits cure d'une ou deux semaines), le *Délibáb* (☎ 362 366) au 4, Jószef Attila utca, dispose de simples de 1 300 à 2 000 Ft et de doubles de 1 700 à 2 200 Ft dans son aile la moins chère. Les tarifs du *Béke* (☎ 361 411), 197 chambres, sont plus élevés encore : simples à 1 850/2 200 Ft, doubles à 2 200/3 500 Ft. Ce dernier se trouve dans le parc, à l'est des thermes, au 10, Mátyás király sétány.

Où se restaurer. Il existe des dizaines de buvettes vendant lángos, saucisses et glaces le long de Szilfákalja út et dans le parc. Près de l'hôtel Gambrinusz, la *Kakas Csárda*, qui se prétend ouverte en nonstop, est un buffet-restaurant bon marché.

Le restaurant *Szabadság*, au 54, Szilfákalja út, sert les habituelles spécialités hongroises jusqu'à 23h30. Deux alternatives, le *Magyaros*, avec musique tzigane au 3, Mátyás király sétány, et le très chic *Arany Oroszlán*, au 14, Bessenyei utca, satisferont davantage vos papilles.

Si vous optez pour une pizza ou des pâtes, essayez le *Mini Vendéglő*, sur Gólya zug. Enfin, l'*Halászcsárda*, au 4, Jókai sor, sert jusqu'à minuit des plats de poissons bon marché.

Distractions. Après une longue journée passée à barboter dans une eau minérale brunâtre, vous serez surpris de voir une foule nombreuse rôder du côté de la discothèque *Oázis*, à l'angle de Szilfákalja út et de Daru zug. Essayez aussi le night-club de l'hôtel *Délibáb*. La pension *Rózsakert*, au 35, Wesselényi utca, abrite un bar "topless" ouvert jusqu'à 6h du matin. L'entrée coûte 200 Ft.

L'*Egri* est un sympathique bar à vins situé en étage au 48, Szilfákalja út. Enfin, le pub *Park* sert la bière pression la moins chère de la ville, à l'angle de Fürdő utca et Mátyás király sétány.

Comment s'y rendre. Les trains allant de Debrecen à Budapest s'arrêtent à Hajdúszoboszló plusieurs fois par heure toute la journée, et de nombreux bus font de même. Pour les autres destinations, mieux vaut choisir le bus : trois par jour pour Miskolc, un pour Eger (via Hortobágy), Szeged et Jászberény, ainsi qu'un départ par semaine (le vendredi) pour Satu Mare en Roumanie. Un service direct biquotidien pour Hortobágy est également prévu en été, de juin à fin août.

Nádudvar (8 600 habitants)
Cette bourgade proprette située à 18 km à l'ouest d'Hajdúszoboszló, facilement accessible par l'un des cinq bus quotidiens qui relient les deux villes, est la capitale de la poterie noire.

A partir de la station de bus de Kossuth Lajos tér, tournez à gauche et dirigez-vous vers l'ouest en direction de Fő utca. Sur votre trajet, vous trouverez l'**église catholique** néo-classique, quelques pierres tombales bien conservées de soldats soviétiques tombés pendant la Seconde Guerre mondiale, ainsi qu'un immense centre culturel flambant neuf, au n°152, où Ferenc Fazekas a son **atelier de poterie**. L'argile utilisée, riche en fer, est collectée et entreposée pendant un an avant d'être transformée en pichets, jarres ou chandeliers, puis décorée, fumée dans un four en céramique, enfin polie de façon à donner aux objets cet aspect noir brillant caractéristique. Ferenc prend généralement plaisir à faire des

démonstrations de son art aux visiteurs et ses productions sont en vente dans la petite boutique voisine.

Le restaurant *Csillag*, sur Kossuth Lajos tér, sert une cuisine hongroise très honnête et vous trouverez au 128, Fő utca un *ÁFÉSZ Presszo* qui vend sandwiches et boissons. Avec Hajdúszoboszló et Debrecen si proches, il est absurde de passer la nuit à Nádudvar. Mais si vous manquez le dernier bus, qui part de la ville à 15h, vous pourrez loger chez l'habitant au 106, Fő utca ; on trouve également des chambres doubles particulièrement chères (2 650 Ft) au *Vadászház* (pas de téléphone) dans un bois en lisière de la ville.

Hajdúböszörmény (31 000 habitants)
Hajdúböszörmény, à 20 km au nord-ouest de Debrecen, fut le premier chef-lieu de la région d'Hajdúság. La configuration de la ville est caractéristique d'un village Haïdouk : les maisons entourent la Vieille Ville circulaire et sont protégées par des murailles externes. Même s'il faut reconnaître que les monuments d'Hajdúböszörmény ne sont pas en très bon état, la ville reste la plus intéressante des sept implantations haïdouk. En outre, les imposants bâtiments des XVIIIe et XIXe siècles sur Bocskai tér, confèrent à la ville un prestige rarement égalé dans les agglomérations de la Plaine Orientale.

Orientation et renseignements.
Hajdúböszörmény est dominée par deux vastes places – Bocskai tér et Kálvin tér – qui constituent les deux cœurs de cette ville circulaire. C'est sur Kálvin tér que vous prendrez le bus pour Debrecen. La gare ferroviaire se trouve pour sa part à 1,5 km, à l'extrémité de Bíró Péter utca.

Hajdútourist (☎ 52 371 416), ouvert en semaine de 8h à 16h30, se trouve en bordure d'un morne quartier d'habitations au 2, Karap Ferenc utca. La poste centrale, où l'on peut changer de l'argent, est sur Kálvin tér.

L'indicatif téléphonique d'Hajdúböszörmény est le 52.

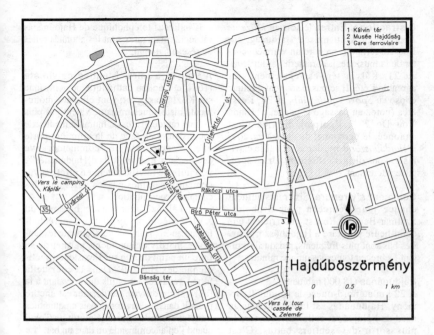

A voir. L'énorme **église catholique** de Kálvin tér impressionne plus par ses dimensions que par son histoire (elle date de la fin du siècle dernier). Jetez plutôt un coup d'œil à l'**église calviniste** gothique sur le côté ouest de la place (ses travaux de rénovation doivent être terminés). Vous pouvez demander les clés au bureau de l'église, au 2, Benedek István utca.

Bocskai tér comporte de nombreux bâtiments originaux du XVIIIe siècle, mais le plus intéressant est la maison jaune baroque, du côté sud, qui renferme le **musée Hajdúság**, avec des expositions consacrées à l'archéologie et à l'histoire des Haïdouk, et possède une agréable cour d'une époque antérieure. Les chênes alentour constituaient une défense naturelle à l'époque où l'ensemble servait de quartier général aux Haïdouk. Au milieu de Bocskai tér, se dresse la statue d'un groupe de Haïdouk à l'allure redoutable, apparemment prêts à se battre, accompagnés de leur

"patron", István Bocskai, à l'aspect plus civilisé.

A Józsa, à 7 km au sud de la ville sur la route de Debrecen, se trouve la **tour en ruines de Zelemér** : c'est tout ce qui subsiste d'une église du XIVe siècle.

Où se loger et où se restaurer. Le *Káplár Camping* (☎ 371 388) propose plusieurs jolies fermes à louer au 92, Polgári út, mais elles se trouvent à 4 km au nord-ouest de Bocskai tér avec des liaisons par bus peu fréquentes. Demandez à Hajdútourist de vous trouver une *chambre chez l'habitant*, pour environ 500 Ft. Il n'y a aucun hôtel à Hajdúböszörmény. Le restaurant *Trio*, dans Kossuth Lajos utca, au sud de Bocskai tér, sert une cuisine italienne acceptable 7 jours sur 7 et le *Hambi*, sorte de fast-food au 7, Mester utca, est censé être ouvert sans interruption. Le *Délibáb Halászcsárda* est un restaurant de poissons sans arêtes, très couleur locale, au 12, Iskola utca.

Distractions. Entrez le soir au *Múzeum Presszó*, près du musée Hajdúság, sur Bocskai tér, pour prendre un verre et écouter de la musique. La brasserie-jardin *Mozi*, au 21, Kálvin tér, est également très agréable l'été. Il se passe souvent quelque chose au *Sport Youth Club*, au 24, Kassa utca (notez au passage le panneau "Hajdú You Do ?" à l'entrée). Si rien n'est annoncé, le personnel du *centre culturel d'Hajdúböszörmény*, derrière l'église calviniste, vous dirigera sûrement sur un spectacle intéressant.

Comment s'y rendre. Six trains quittent chaque jour Debrecen pour Szabolcs-Szatmár-Bereg, à l'ouest, et s'arrêtent une demi-heure plus tard à Hajdúböszörmény. Les bus sont plus fréquents, puisqu'ils quittent Debrecen toutes les quinze minutes.

Hajdúnánás (18 000 habitants)
A 22 km au nord-ouest de Hajdúböszörmény, Hajdúnánás est la ville la plus au nord de l'Hajdú, et celle qui vous fera le plus sortir des sentiers battus. C'est aujourd'hui une ville de marché qui dessert le comitat nord d'Hajdú-Bihar, mais son principal attrait réside dans ses thermes – à bien moins grande échelle qu'Hajdúszoboszló toutefois – qui attirent des touristes polonais et slovaques. La ville a également le mérite d'être le pionnier européen de l'élevage d'autruches.

Orientation et renseignements. Le centre de la ville est Köztársaság tér : des bus interurbains s'arrêtent légèrement au nord de cette place, dans Kossuth utca et Nyíregyházi utca. La gare ferroviaire se trouve à 2 km au sud de la place, à l'extrémité de Bocskai utca, une avenue bordée d'arbres. Le complexe des thermes est situé à l'ouest de la gare.

Hajdútourist, ouvert de 7h30 à 16h en semaine, se trouve dans le centre commercial à l'est de Köztársaság tér, au 2, Dorogi utca. La poste et la banque OTP ne sont pas très loin de la place centrale, au nord, dans Kossuth utca.

L'indicatif téléphonique de Hajdúnánás est le 52, mais rares sont les abonnés reliés au réseau national.

A voir et à faire. L'**église calviniste** (1687) et l'**église catholique** néo-classique sur Köztársaság tér, sont classées monuments historiques, mais ne valent pas plus qu'une rapide visite. La muraille médiévale reconstruite en face de la première porte une récente plaque commémorative dédiée "aux martyrs juifs d'Hajdúnánás" : 900 juifs de la ville furent en effet sauvagement assassinés par les nazis dans les camps de concentration.

Le **Tájház**, une maison haïdouk du XVIIIe siècle où officiait un maréchal-ferrant au 21, Hunyadi utca, ouverte les lundis et mardis uniquement, permet de se faire un point de vue sur l'existence quotidienne des Haïdouk. Dans la cour de la ferme, regardez les outils qui servaient à la fabrication du vin. Ce dernier est encore produit dans les environs, mais en quantités limitées (on m'a conseillé plutôt un Tokaj quand j'en ai commandé un dans un bar. "Le nôtre est trop aigre", m'a dit le garçon…).

Allez visiter le **marché** pittoresque qui se tient non loin de Kossuth utca, en face d'une usine de vêtements qui semble dominer Hajdúnánás.

La plupart des visiteurs viennent à Hajdúnánás pour son **Strandfürdő**, un immense complexe de cinq piscines d'eau minérale découvertes. Bien que loin d'égaler les thermes d'Hajdúszoboszló ou de Debrecen, ce quartier constitue un coin de verdure agréable en été. Fürdő utca est bordée de maisons de vacances, qui seront pour la plupart prochainement privatisées et offriront sans doute des hébergements.

Où se loger. Un *terrain de camping* (☎ 381 858) se tient près des thermes au 7, Fürdő utca, mais sans bungalows. Hajdútourist pourra vous trouver un *hébergement chez l'habitant* (qui vous coûtera plus cher qu'une chambre au Béke). L'unique hôtel d'Hajdúnánás est l'auberge *Béke* (Hajdúnánás 89), qui propose 10 chambres

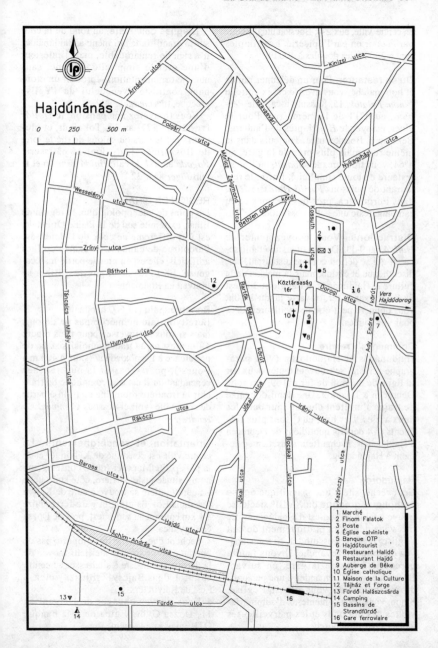

Hajdúnánás

0   250   500 m

1 Marché
2 Finom Falatok
3 Poste
4 Église calviniste
5 Banque OTP
6 Hajdútourist
7 Restaurant Halidó
8 Restaurant Hajdú
9 Auberge de Béke
10 Église catholique
11 Maison de la Culture
12 Tájház et Forge
13 Fürdő Halászcsárda
14 Camping
15 Bassins de Strandfürdő
16 Gare ferroviaire

en centre ville, aux 2-4, Bocskai utca. Entrez par la cour ou par l'épicerie. Les simples sont à 280 Ft, les doubles à 400 Ft.

Où se restaurer. Pour un déjeuner rapide et bon marché, vous avez le choix entre le *Finom Falatok*, 15, Kossuth utca, et le *Rézbika*, au n°11 de la même rue. Pour le dîner, essayez le *Hajdú*, près de l'auberge Béke au 6, Bocskai utca. Toujours dans la même rue, mais plus près de la gare, au n°64, vous trouverez le *Jóbarát*, où l'on se restaure en toute simplicité. Enfin, le restaurant de poissons *Fürdő Halászcsárda*, dans Fürdő utca, près des thermes et du camping, reste une autre possibilité.

Distractions. Vous pouvez tenter le *Halidó*, au 9-11, Dorogi utca, un établissement, qui se définit comme restaurant, bar, discothèque et casino, mais la maison de la culture d'Hajdúnánás, à l'angle sud-ouest de Köztársaság tér, ouverte jusqu'à 20h, vous donnera peut-être de meilleures idées pour vos soirées.

Comment s'y rendre
Hajdúnánás et Hajdúdorog (voir paragraphe suivant) se trouvent toutes deux sur la ligne de chemin de fer n°109, qui relie Debrecen à Tiszalök. Une demi-douzaine de trains s'arrêtent chaque jour dans les deux villes. Les bus, eux, sont plus fréquents : 14 départs quotidiens de Debrecen à Hajdúnánás, le chauffeur s'arrêtant également à Hajdúdorog.

Hajdúdorog
Cet évêché, site d'une magnifique **église catholique grecque** du XVIIIᵉ siècle, se trouve à 6 km au sud-est d'Hajdúnánás. Le bus vous déposera pratiquement devant l'église, près de Kossuth tér. Si vous arrivez en train, en revanche, il vous faudra parcourir 2 km de la gare, en suivant Böszörményi út. Demandez à une personne du presbytère de vous ouvrir l'église. Sinon, vous vous contenterez d'admirer les voûtes des plafonds et les merveilleuses icônes à partir du porche.

L'église calviniste, au fond de la cour sur la grand-route qui mène à Hajdúnánás, n'a rien de remarquable, mais l'intérieur d'une grande simplicité – blanc, sans aucune ornementation – produit un étonnant contraste avec celui de l'église grecque, très chargé.

Vous trouverez une pension, le *Dollár* (☎ 52 382 577) au 33, Tokaji út, et plusieurs petits bars ou salons de thé le long de Böszörményi út, dont la pâtisserie *Pagoda* au n°7, le café *Hajdú* au n°16 et le pub *Jäger* au n°32.

REGION DE BIHAR
Du point de vue topologique, la région de Bihar, extrémité sud de la Plaine Orientale, est fort différente de celle de l'Hajdúság. Parcourue de canaux, parsemée de lacs artificiels, elle est en grande partie marécageuse. Entre les deux guerres, Bihar se trouvait en Roumanie.

Berettyóújfalu (17 600 habitants)
Berettyóújfalu ne mérite pas un détour, mais si vous la traversez pour vous rendre à Bucarest ou à Oradea, choisissez-la, de préférence à Püspökladány (situé à 40 km à l'ouest), pour y passer la nuit. Sachez cependant qu'il est très compliqué de franchir la frontière roumaine en train à partir de cette ville (voir ci-dessous *Comment s'y rendre*).

Orientation et renseignements. Le centre ville est constitué de Kálvin tér et de la plus petite Marx tér (qui a conservé son nom), située juste derrière, côté sud-ouest. La gare routière se trouve à côté de Kálvin tér, dans Eötvös utca, la gare ferroviaire à 1 km environ au sud-ouest, près de Dózsa György utca.

Sachant que la ville ne comporte pas de bureau de tourisme, le meilleur moyen de la découvrir consiste à s'adresser au centre culturel, dans Bajcsy-Zsilinszky utca, à l'est de Kálvin tér.

Vous pouvez changer de l'argent au 11, Dózsa György utca ou à la banque OTP, au n°5 de la même rue.

Pour appeler Berettyóújfalu de l'extérieur, il vous faudra l'aide de l'opérateur.

A voir. L'**église calviniste** baroque et l'**Hôtel de ville** néo-classique, sur Kálvin tér, sont classés monuments historiques, mais il est plus intéressant de poursuivre sa route jusqu'au 36 de Kossuth utca, où le **musée Bihar** expose d'intéressants échantillons de l'artisanat local.

Le **marché**, à l'angle de Dózsa György utca et Kádár utca, près de l'énorme réservoir d'eau, paraît mener un combat perdu d'avance contre les colporteurs ukrainiens, polonais et roumains, qui persistent à ignorer toutes les pancartes rédigées en plusieurs langues les engageant à cesser leur commerce illégal et à quitter les lieux. Vous ne trouverez pas grand-chose à acheter, mais l'atmosphère est animée.

A 2 km à l'est de Berettyóújfalu, se trouve le principal intérêt de la ville : les ruines de l'**église d'Herpály**, datant du XIIIe siècle, l'un des rares exemples d'architecture romane qui subsistent dans la Hongrie orientale. Pour vous y rendre à pied, suivez Bajcsy-Zsilinszky utca, qui se prolonge en Vörös Hadsereg utca, jusqu'à la route n°42. Les ruines se trouvent en face, au sommet d'un petit promontoire. Prévoyez un pique-nique ou arrêtez-vous au Torony Presszó tout proche pour un rafraîchissement.

Les villes de **Furta** et **Zsáka**, à 10 km au sud de Berettyóújfalu, ont conservé certaines de leurs traditions populaires. La seconde possède deux belles églises du XVIIIe siècle.

Où se loger et où se restaurer. Des *chambres chez l'habitant* seront probablement disponibles aux n°87 et 93 de Kossuth utca. C'est un quartier vert et sympathique, bien qu'un peu décentré. Légèrement à l'ouest, à l'endroit où Kossuth utca croise la route n°42, se trouvent le camping *Tranzit* et un restaurant ouvert jour et nuit.

Le *Bihar Forgadó* (Berettyóújfalu 429) au 2, Marx tér, est une auberge miteuse de 15 chambres où les simples/doubles coûtent 500/800 Ft (douches à l'étage), mais elle a l'avantage d'être très centrale. La pension *Angéla* (Berettyóújfalu 400), au nord de Kálvin tér au 51, Kossuth utca, est mieux entretenue, mais bien plus chère : ses 11 doubles avec s. d. b. coûtent 2 500 Ft, petit déjeuner compris. Et n'en demandez pas trop au personnel : ici, personne n'a jamais entendu parler de l'église d'Herpály !

Le *Bakonszegi Finom Falatok*, au 9, Dózsa György utca, est un petit restaurant bon marché et bien central idéal pour le déjeuner. Pour un repas plus substantiel, entrez à l'*Hullám*, au 13, Kádár utca, près du petit canal. Le *Barbie*, au n°10 de la même rue, est parfait pour prendre une glace lorsque le soleil brille. Au sous-sol de l'hôtel Bihar Fogadó, se trouvent un restaurant et un petit bar.

Distractions. Le *Gösser*, un bar situé dans une cour dans Dózsa György utca, juste avant le marché, reste ouvert jusqu'à 24h. Vous pouvez également jeter un coup d'œil à la discothèque *Palace*, au 28, Rákóczi utca.

Parmi les quelques autres lieux nocturnes, figurent le *Herpály Presszó* au 23, Vörös Hadsereg, et le *Csiff-Land*, au 3, Móricz Zsigmond utca, où l'on sert de la bière dans un jardin.

Comment s'y rendre. Berettyóújfalu est bien desservie par les bus en provenance de Debrecen (2 ou 3 par heure) ou de Békéscsaba, via Gyula. Un bus quotidien venant d'Hajdúszoboszló s'y arrête également avant de poursuivre vers Szeged. Les bus à destination des villes roumaines que sont Oradea ou Cluj-Napoca sont rares et leurs horaires varient selon les saisons. Renseignez-vous chez Volán à la gare routière.

Berettyóújfalu est située sur la ligne de chemin de fer n°101 reliant Püspökladány à la Roumanie. Les trains internationaux, cependant, ne s'y arrêtent pas. Il vous faudra donc prendre le train local jusqu'à Biharkeresztes (15 minutes de trajet), puis changer de train.

La Plaine Méridionale

La Plaine Méridionale couvre la région située au sud de la Tisza et à l'est du Danube. On y trouve les villes et les sites les plus intéressants de la Grande Plaine, ce qui n'empêche pas cette dernière de paraître ici plus immense encore que dans ses autres zones avec, çà et là, de belles propriétés et de rares *tanya* (exploitations agricoles) qui viennent en rompre la monotonie. La Plaine Méridionale étant encore moins bien protégée que le reste de la région, elle fut entièrement dévastée par les Turcs. Avec ses faibles précipitations et ses fréquentes sécheresses, elle reste la zone la plus chaude de la Grande Plaine ; l'été s'y prolonge jusqu'à la mi-octobre.

KECSKEMÉT (104 000 habitants)

A mi-chemin entre le Danube et la Tisza, au cœur de la Plaine Méridionale, Kecskemét est entourée de vignobles et de vergers qui ne s'arrêtent pas toujours aux limites de celle qu'on nomme la "cité-jardin". Son architecture pittoresque, ses beaux musées et l'excellente spécialité régionale de *Barackpálinka* (liqueur d'abricot) la caractérisent, et le parc national de Kiskunság – puszta de la Plaine Méridionale – s'étend à ses portes.

L'histoire s'est montrée clémente envers Kecskemét, aujourd'hui chef-lieu du comitat le plus étendu de Hongrie. Tandis que, durant la période ottomane, les autres villes de la Grande Plaine étaient administrées par les redoutables *spahis*, qui n'hésitaient pas à s'emparer de ce qu'ils voulaient sans demander d'autorisations, Kecskemét, tout comme Szeged, était une ville *khas*, directement soumise à la loi et à la protection du sultan. Au XIXᵉ siècle, les paysans de la région résolurent de planter des vignes et des vergers pour exploiter le sol sablonneux, peu fertile. Née chanceuse, Kecskemét sortit indemne de l'épidémie de phylloxéra qui, en 1880, dévasta tous les vignobles de Hongrie ; sans doute le sable

y est-il pour quelque chose. Aujourd'hui, la région produit un tiers du vin hongrois, quoiqu'il faille reconnaître que ce "vin de sable" léger et sans grand caractère n'est pas le meilleur du pays. La ville est également gros producteur de foie gras et les vastes élevages (dont certains comptent des dizaines de milliers d'oies) ont largement contribué à accroître la population des renards hongrois.

La prospérité agricole fut exploitée avec sagesse (la ville parvint à se dégager de l'ensemble de ses dettes féodales en 1832) et aujourd'hui, Kecskemét peut s'enorgueillir d'une architecture qui compte parmi les plus spectaculaires du pays. Art Nouveau et Romantique hongrois prédominent, donnant à la ville un aspect fin de siècle.

Kecskemét était – et reste – également un important centre culturel : un groupe d'artistes s'y établit en 1912 et le compositeur Zoltán Kodály la choisit pour fonder son Institut d'éducation musicale, désormais mondialement connu. Deux autres fils du pays ont aussi fait leur chemin : László Kelemen, qui créa ici le premier théâtre itinérant de province à la fin du XVIIIᵉ siècle, et József Katona (1791-1830), père du théâtre hongrois moderne.

Orientation

Kecskemét est une ville de places qui communiquent entre elles, ce qui déroute un peu au début, dans la mesure où l'on perçoit difficilement le passage d'une place à l'autre. La gare routière et la principale gare ferroviaire se trouvent côte à côte dans le parc József Katona. De là, il suffit de prendre Rákóczi út et de marcher 10 minutes pour parvenir à Szabadság tér, la première des places. Si vous descendez du train à la station Kecskemét KK, prenez Halasi út vers le nord jusqu'à Batthyány utca, qui mène à Kossuth tér.

Renseignements

Pusztatourist (☎ 76 483 493), au 2, Szabadság tér, et Ibusz (☎ 76 322 955) aux 1-3, Széchenyi tér, sont ouverts de 7h30 à 16h en semaine et jusqu'à midi le samedi pendant l'été. Express (☎ 76 329 326), dont le personnel est peu coopérant, se trouve décentré au 11, Dobó István körút. Ses horaires en semaine sont les mêmes que les deux premiers, mais ce bureau n'ouvre jamais le samedi. Cooptourist (☎ 76 481 694) est aux 9-11, Két templom köz.

Il y a une banque Budapest sur Katona József tér, près de Trombita utca ; la poste centrale se situe à quelques minutes de marche de là, au 10, Kálvin tér.

La librairie Babel au 10, Vörösmarty utca, est spécialisée dans les publications étrangères.

L'indicatif téléphonique de Kecskemét est le 76.

A voir

Kecskemét regorge de musées, d'églises et de monuments très intéressants. Même si la plupart se trouvent regroupés dans une zone relativement compacte, mieux vaut donc choisir ses visites avec soin.

Autour de Kossuth tér. Sur le côté est de Kossuth tér, s'élève l'**église franciscaine de Saint-Nicolas,** dont certaines parties remontent au XIIIe siècle. L'**Institut Kodály d'éducation musicale** est installé dans un monastère baroque situé juste derrière au 1, Két templom köz.

Toutefois, le principal monument de la place est l'**Hôtel de ville,** un très joli bâtiment fin de siècle conçu par Ödön Lechner, qui mêle Art Nouveau et éléments folkloriques pour produire un style "hongrois" bien particulier. (Un autre bel exemple de ce style est le Cinéma Otthon, un bâtiment restauré sur Széchenyi tér). Le carillon de l'hôtel de ville égrène des extraits d'œuvres de Ferenc Erkel, Kodály, Mozart, Hændel et Beethoven, plusieurs fois par jour. En outre, des groupes de touristes sont admis dans la **salle du Conseil,** dont les plafonds sont recouverts de peintures de fleurs ou de fresques représentant des héros hongrois et des scènes historiques peintes par Bertalan Székely, qui avait tendance à idéaliser le passé. A l'extérieur, et peut-être encore recouvert

d'un buisson de rhododendrons, le **mémorial de József Katona** marque le lieu où le jeune dramaturge s'effondra, foudroyé par une crise cardiaque en 1830.

Hôtel de ville Art Nouveau de Kecskemét

Vous ne pouvez manquer la petite tour de la **Grande Église** catholique (1806) – également appelée Vieille Église – en passant dans Széchenyi tér. Les grandes plaques, sur sa façade, honorent les citoyens de la ville morts pendant la guerre d'indépendance de 1848-49, ainsi qu'un régiment de cavalerie qui combattit vaillamment durant la Première Guerre mondiale.

Szabadság tér. En remontant vers le nord-est pour parvenir sur Szabadság tér, vous passerez devant l'**église calviniste** et le **Nouveau Collège** du XVIIe, une version tardive du style romantique hongrois qui lui donne l'allure d'un château de Transylvanie. Sur la même place, vous découvrirez deux autres monuments qui figurent parmi les plus beaux de la ville. Le **Palais**

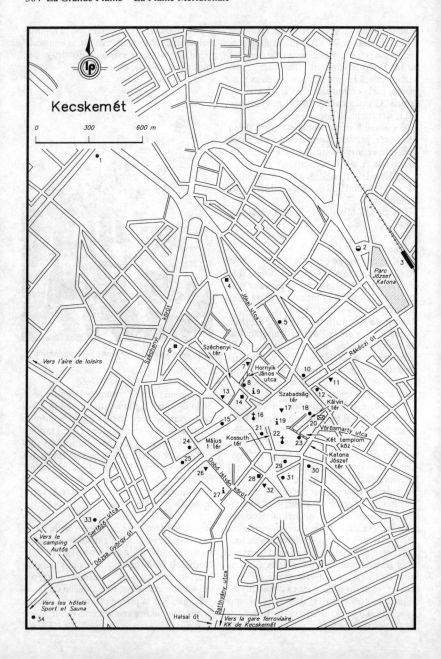

■ OÙ SE LOGER		8	Cinéma Otthon
		9	Ibusz
4	Pension Color	10	Maison de la Technologie
6	Pension Fábián		(synagogue)
14	Hôtel Aranyhomok	12	Palais Cifra et galerie
28	Hôtel Három Gúnár	15	Centre culturel
		16	Grande Église
▼ OÙ SE RESTAURER		18	Nouveau Collège
		19	Pusztatourist
7	Pizzeria Italia	20	Poste
11	Cafétéria Hírős	21	Hôtel de ville
13	HBH Bajor	22	Église Saint-Nicolas
17	Restaurant Liberté	23	Institut Kodály
26	Pub Casablanca	24	Musée du Jouet
32	Restaurant Jalta	25	Musée d'Art naïf
		27	Express
	DIVERS	29	Théâtre József Katona
		30	Musée de la Photographie
1	Discothèque Club Robinson	31	Banque
2	Gare routière	33	Musée d'Art populaire
3	Gare ferroviaire	34	Ancienne base soviétique
5	Marché		

chamarré (Cifrapalota), recouvert de tuiles multicolores en majolique, abrite aujourd'hui la **galerie de Kecskemét**. N'y allez pas seulement pour les œuvres d'István farkas ou de László Mednyánszky (quoique les toiles réalistes de ce dernier sur la guerre soient admirables), mais montez aussi au premier étage, où se trouve la (bien nommée) **Salle décorative** pour y admirer l'impressionnant paon de stuc, les curieuses fenêtres, ainsi que quelques tuiles supplémentaires. La **maison de la Technologie**, ce bâtiment de style mauresque de l'autre côté de Rákóczi út, était autrefois une synagogue. Il renferme aujourd'hui des expositions et sert de salle de conférences.

Musées. Le premier **musée de la Photographie** de Hongrie, installé dans une synagogue orthodoxe au 12, Katona József tér, n'a pas fait des débuts très convaincants avec ses reproductions de cartes de visites de grands écrivains et hommes politiques hongrois. Il est ouvert du mercredi au dimanche de 10h à 18h. La synagogue, pour sa part, est toujours utilisée par les membres de la minuscule communauté de la ville, qui s'y réunissent les jours de fêtes juives.

Le **musée d'Art naïf** qui, de l'avis de certains, est le plus beau de la ville et le seul d'Europe (si l'on excepte celui de Paris), se trouve dans Gáspár András utca, au sud du centre culturel moderne de Május 1 tér. Les thèmes habituels sont abordés ici, mais la chaleur et le talent de Rozália Albert Juhászné et les visions délirantes de Dezső Mokry-Mészáros (entre autres *Vie sur une autre planète* et *Serpent sacré*) vous tiendront en haleine. Le musée est ouvert le mardi de 12h à 18h et du mercredi au dimanche de 10h à 18h.

Le **musée du Jouet de Szórakaténusz**, face au n°11, présente en revanche une collection fort décevante de poupées du XIXe et début du XXe siècles, de trains en bois et autres jeux de société, présentés au petit bonheur derrière des vitrines. Cependant, le musée consacre la majeure partie de son temps et de son argent à organiser des spectacles et des visites commentées pour enfants. On y parle beaucoup d'Ernő Rubik, l'inventeur de l'exaspérant Rubik Cube.

Le grand-père de tous les musées de la ville se trouve plus à l'ouest, au 19, Serfőző utca, non loin de Dózsa György út ; c'est le

musée d'Artisanat hongrois, neuf pièces qui constituent une vieille ferme typique pleine à craquer de broderies, de sculptures sur bois, de meubles, d'outils et de textiles... Sans doute a-t-on voulu en faire un peu trop ! Le musée est ouvert du mercredi au dimanche de 9h à 17h.

Autres curiosités. En continuant vers l'ouest le long de Dósza György út, au-delà de la voie ferrée, on remarque sur la gauche un certain nombre de bâtiments désaffectés cernés par une haute clôture : ils appartiennent à l'ancienne **base militaire soviétique,** l'une des plus importantes du pays.

Le **marché** de Kecskemét se trouve derrière l'église Piarist dans Jókai utca, au nord de Szabadság tér. Le **marché aux puces,** particulièrement animé, s'étend au sud-est de la ville, dans Kulső Szegedi út.

Si les chevaux vous intéressent, reportez-vous au paragraphe consacré au parc national de Kiskunság.

Activités culturelles et/ou sportives
Kecskemét dispose d'eaux thermales en abondance et l'été, les quatre piscines de Szék-tó ou le lac du "parc de loisirs", situés dans Sport utca, sont particulièrement agréables.

En face de la base soviétique abandonnée, dans Izsáki út, se trouve en outre une immense piscine couverte ouverte toute l'année de 6h à 21h chaque jour.

Où se loger
Camping. L'*Autós Camping* (☎ 329 398) au 5, Sport utca, à l'ouest du centre ville, est fréquenté par de très nombreux touristes allemands et hollandais venus avec leurs caravanes. Si vous n'avez pas le choix, sachez tout de même que les bungalows sont à 1 700 Ft et qu'il y a des bicyclettes en location. Le camping est ouvert de mi-avril à mi-octobre.

Chambres chez l'habitant et Pensions.
Pusztatourist et Ibusz vous procureront une *chambre chez l'habitant* pour 600 Ft environ dans l'un des grands immeubles du sud-ouest du centre ville. Consultez Express pour les *dortoirs* (de 200 à 300 Ft par personne) du *GAMF Kollégium* (☎ 321 916) au 10, Izsáki út. La pension *Juniperus* (☎ 329 118) au 285, Kisfái utca, est membre de l'Association des auberges de jeunesse.

Le centre ville ne compte que deux pensions. Le *Fábián* (☎ 323 477), dans une vieille maison reconvertie au 4, Lugossy utca, propose 5 doubles avec douches, frigidaires et cuisine en accès libre pour 1 500 Ft. Un peu plus au nord, au 26, Jókai utca, les 8 chambres de la pension *Color* (☎ 324 901) sont moins jolies et plus chères : 1 700 Ft la double, petit déjeuner compris.

Logement à la ferme. Le séjour à la ferme représente une expérience formidable, pour peu que l'on ait son propre véhicule, l'envie de se reposer au calme et la possibilité de rester un minimum de trois jours. Un peu à l'écart de Kecskemét, donc, vous trouverez *tanya világ* ("le monde des fermes"), une zone très photogénique de chaumières et de puits disséminés au milieu des champs de moutarde et de vergers. Pusztatourist dispose de dizaines de fermes à louer dans toute la région, pour des prix variant de 3 100 à 3 600 Ft. Méfiez-vous toutefois, car beaucoup d'entre elles se trouvent dans un rayon de 30 km de Kecskemét, à Bugac, dans les vignobles d'Helvécia au sud-ouest et à Lajosmizse, un centre équestre au nord-ouest.

Hôtels. L'*Aranyhomok* (☎ 486 286) au 3, Széchenyi tér, est l'hôtel le plus grand et le plus vilain de la ville, avec 113 chambres et une multitude de dépendances, dont un bar de strip-tease assez mal famé ouvert jusqu'à 3h du matin. Les simples/doubles avec s. d. b. sont à 2 700/3 700 Ft. Plus petit et bien plus séduisant, le *Három Gúnár* (☎ 483 611) est formé de quatre anciennes maisons bourgeoises rassemblées du 1 au 7, Batthyány utca (le nom de l'hôtel signifie "les trois jars"). La n°308 est la meilleure de ses 45 chambres. Les simples sont à 2 500 Ft, les doubles vont de 2 800 à 3 300 Ft. L'hôtel dispose d'un restaurant médiocre, d'un bar populaire avec terrasse et d'un bowling en sous-sol.

Plus éloigné, le *Sport* (☎ 323 090), délabré, mais propre, au 15/a, Izsáki út, propose 13 minuscules doubles au prix de 1 200 Ft. Ce n'est pas une affaire et l'endroit est décentré. Le *Sauna* (☎ 329 139), au 3, Sport utca, est au contraire un vaste établissement moderne situé dans un environnement calme à proximité des thermes. Les simples/doubles sont à 2 590/2 970 Ft, petit déjeuner compris. L'hôtel comporte un restaurant, un sauna et une salle de musculation.

Où se restaurer
Pour dépenser peu de temps et d'argent (sans trop s'éloigner des gares), essayez la cafétéria *Hírős*, au 3, Rákóczi út, qui est ouverte jusqu'à 21h. Le *Jalta*, au 2, Batthyány utca, est un bar à vins et un restaurant bon marché qui sert des spécialités slaves.

Ne comptez pas découvrir la moindre ressemblance entre les pizzas de l'*Italia*, sur Hornyik János utca, et une quelconque spécialité des *mammas* italiennes, mais au fond, ce n'est pas trop mal. Si vous avez envie d'une bonne cuisine germano-hongroise, entrez au *HBH Bajor* au 4, Csányi utca, derrière le centre culturel. Le *Casablanca*, qui surplombe Május 1 tér, au 1, Dobó István, est le rendez-vous des yuppies, qui se retrouvent sur sa large terrasse.

Le *Liberté*, sur Szabadság tér, reste le meilleur restaurant de Kecskemét, et peut-être même de toute la Hongrie provinciale. Lors de ma dernière visite, il était fermé pour cause de négociations entre la municipalité et les propriétaires du bâtiment historique qui l'abrite. A l'heure où vous lisez ces lignes, il a fort bien pu rouvrir. A la fois restaurant et café, le *Liberté* dispose ses tables sur la place en été et sert des plats de canard ou de porc pleins d'originalité et préparés avec soin. Les prix ne sont pas excessifs et vous n'en sortirez pas déçu.

Sur la route n°5 qui mène à Bugac, vous pourrez enfin vous arrêter à la *Szélmalom Csárda*, au 167, Városföld utca, un "restaurant-moulin" situé à quelques kilomètres de la ville.

Distractions
Kecskemét est une ville de musique et de théâtre. Il faudrait être fou pour ne pas assister à une seule représentation. Rendez-vous tout d'abord au centre culturel Ferenc Erdei (☎ 327 466) au 1, Május 1 tér, qui finance certains spectacles et représente une bonne source d'information sur l'ensemble des manifestations culturelles. Construit au XIXe siècle, le *théâtre József Katona*, sur Katona József tér, donne des représentations théâtrales et des concerts de l'orchestre symphonique de Kecskemét. Avec un peu de chance, vous assisterez peut-être à un concert d'orgue dans la Grande Église.

Parmi les événements marquants de l'année, figurent les Journées culturelles de Printemps et la Foire artisanale, qui se tiennent en mars, le Festival international de musique Kodály en été, et les foires agricoles et artisanales organisées une année sur deux en septembre (la prochaine est pour 1994).

La discothèque *Club Robinson* au 2, Akadémia körút, un lieu incontournable de Kecskemét pour les amateurs de danses endiablées, reste ouverte jusqu'à 3h du matin. Le *Fordan Billiárd Club* distribue boissons et queues de billard jusqu'à 4h dans une petite rue reliant Klapka utca et Villám István utca.

Achats
Pour les produits de l'artisanat propre à la Plaine Méridionale, entrez chez Bokréta, sur Kossuth tér, près de Pusztatourist. Le musée d'Art naïf hongrois dispose d'une intéressante galerie d'objets d'art et de cadeaux en vente au sous-sol. Pour le vin, Helvécia, qui est le plus gros producteur de la Plaine Méridionale, possède un magasin de vente au détail au 1, Rákóczi út.

Comment s'y rendre

Bus. Étant donné sa position centrale, on ne sera pas surpris d'apprendre que Kecskemét est bien desservie par bus, avec des départs fréquents vers les destinations les plus lointaines. Des bus pour Lajosmizse, Kiskunfélegyháza, Nagykörös et Budapest démarrent ainsi toutes les vingt minutes environ.

Parmi les autres destinations, figurent Csongrád et Szarvas (10 bus par jour chacune), Békéscsaba et Jászberény (9), Szolnok et Baja (8), Székesfehérvár et Gyula (5), Eger (3) et Pécs (2). Enfin, il y a au moins un départ par jour pour Miskolc, Hajdúszoboszló, Mátraháza, Hévíz, Debrecen et Balatonfüred.

Train. Kecskemét se trouve sur la ligne reliant Budapest-Nyugati à Szeged, d'où les trains franchissent la frontière en direction de Subotica et Belgrade. Pour se rendre à Debrecen et dans les autres villes de la Plaine Orientale, il faut changer à Cegléd.

Quatre fois par jour, un petit train très lent quitte la gare de Kecskemét KK, au sud du centre ville, pour Kiskőrös. Là, prenez la correspondance pour Kalocsa.

Comment circuler

Les bus nos 1 et 11 relient les gares routière et ferroviaire au terminus local des bus, derrière l'hôtel Aranyhomok. De la gare de Kecskemét KK, prenez le n°2 jusqu'au centre.

Pour vous rendre aux piscines, à l'hôtel et au camping situés dans Sport utca, les nos 11 et 22 sont parfaits. Le n°13 passe au marché aux puces. Pour appeler un taxi, composez le 321 021.

Enfin, vous trouverez des voitures en location chez Fő Taxi, dans Hornyik János utca, et chez Cooptourist.

LE PARC NATIONAL DE KISKUNSÁG

Le parc national de Kiskunság est constitué d'une demi-douzaine "d'îlots" de terre représentant une surface totale de 35 000 hectares. La majeure partie du parc –

étangs alcalins, dunes et "déserts" herbeux – reste inaccessible aux touristes, mais pour voir de près ce fragile environnement et, qui sait, apercevoir les troupeaux de chevaux galopant dans la campagne, rendez-vous à **Bugac**, une steppe sablonneuse qui s'étend à 30 km au sud-ouest de Kecskemét. De là, vous aurez sur la Grande Plaine une vue plus complète que d'Hortobágy.

Le meilleur moyen (mais aussi le plus onéreux) d'admirer les paysages de Bugac consiste à s'inscrire à une visite organisée chez Pusztatourist (2 500 Ft) ou chez Express, à Kecskemét : vous serez conduit en car jusqu'au parc, où vous embarquerez sur une carriole pour vous promener parmi des bergers en habits traditionnels, des moutons de race *racka* et du bétail gris, soigneusement "disposés" le long de votre itinéraire. Puis vous assisterez à un spectacle équestre et déjeunerez dans la csárda de Bugac.

Bétail gris

Toutefois, si les groupes de touristes allemands du troisième âge ne vous attirent pas, prenez plutôt le **petit train** à la gare de Kecskemét jusqu'à Bugac felső (ne des-

En haut : détail de construction à Eger (TZ)
En bas : porte en fer forgé figurant la Foi, l'Espoir et la Charité, à Eger (TZ)

En haut : aération des literies à Hollókő (SF)
En bas à gauche : détail d'une porte en fer forgé baroque à Eger (SF)
En bas à droite : église du XVIe siècle à Hollókő (SF)

cendez pas à Bugacpuszta, ni à Bugac). Le train traverse les champs de tournesols, des vignobles et des élevages d'oies, si bien que le trajet est déjà un plaisir. Arrivé à la gare, il vous faudra marcher 10 minutes pour parvenir à la csárda de Bugac, où vous suivrez l'itinéraire fléché jusqu'à l'entrée du parc (80 Ft). Là, vous avez le choix entre la promenade en carriole (500 Ft) ou une marche supplémentaire de 4 km pour atteindre le **musée de Herder**, un bâtiment rond, construit à l'image de ces moulins actionnés par des chevaux, qui renferme une exposition sur la faune et la flore de Kiskunság, ainsi que des fers à marquer, des pipes de bois sculpté, des manteaux de peaux de bêtes brodés et une blague à tabac fabriquée à partir d'un scrotum de bélier. Le musée est ouvert tous les jours sauf lundi, d'avril à octobre, de 10h à 17h.

Vous aurez encore tout le temps nécessaire à la visite des haras avant le **spectacle équestre** prévu à 13h (l'horaire peut varier). Peut-être assisterez-vous à l'entraînement de quelques Nonius à l'allure hautaine, à qui l'on apprend à réaliser des figures que la plupart des chiens refuseraient d'effectuer (s'asseoir, faire le mort, se rouler sur le dos). Mais si l'on vient ici, c'est surtout pour voir les gardiens de troupeaux faire claquer leurs fouets, monter à cru, se provoquer l'un l'autre dans des courses effrénées et, surtout, effectuer les "cinq en main", un numéro à couper le souffle dans lequel le csikós fait galoper cinq chevaux à vive allure, en restant lui-même debout sur le dos des deux derniers.

La *csárda de Bugac*, avec ses soupes gulyás et ses orchestres de musique folklorique, est bien plus sympathique qu'elle n'y paraît. Un camping avec bungalows y est rattaché et l'on peut monter à cheval pour 700 Ft l'heure. Pusztatourist pourra également vous trouver un *hébergement chez l'habitant* ou un séjour à la ferme pour 1 700 Ft en chambre double. Si vous n'avez pas réservé, repérez les pancartes "Zimmer frei" dans la rue principale de Bugac (la ville). Vous devriez au moins trouver une chambre au 37, Béke utca.

Si vous n'allez pas observer les oiseaux ou boire une pálinka d'abricot à la csárda, le temps risque de vous paraître long entre le déjeuner et le prochain train, qui part à 18h15. Dans ce cas, essayez de trouver une place dans le train de 15h50, normalement réservé aux voyages organisés, ou prenez le bus pour Kecskemét près de la csárda (4 par jour).

De Bugac, vous pouvez également vous rendre à Kiskunfélegyháza, d'où partent de fréquents bus à destination du chef-lieu.

KALOCSA (20 000 habitants)

Il y a fort à parier que Pál Tomori, archevêque de Kalocsa et commandant en chef des armées qui menèrent la bataille décisive de Mohács au XVIe siècle, ne reconnaîtrait pas sa ville aujourd'hui. La dernière fois qu'il la vit, juste avant de se lancer à l'assaut des Turcs, Kalocsa était une ville gothique du Danube, dotée d'une merveilleuse cathédrale du XIVe siècle. A présent, une église baroque du XVIIIe s'élève à la place de celle-ci et la rivière s'est déplacée de 6 km vers l'est, résultat des travaux de régulation du XIXe siècle.

Tout comme Esztergom, Kalocsa est un archevêché fondé par le roi Étienne en 1009. La ville connut son apogée au XVe siècle lorsque ses fortifications, les marécages qui l'entouraient et le fleuve faisaient d'elle une cité aisément défendable. Mais elle fut totalement brûlée pendant l'occupation turque et dut attendre le XVIIIe siècle pour être reconstruite.

Même si elle n'a jamais eu l'importance d'Esztergom, Kalocsa a joué un rôle-clé après 1956. Pendant 15 ans, tandis que József Mindszenty, l'archevêque ultra-conservateur d'Esztergom et, par là même, primat de Hongrie, se réfugiait à l'ambassade américaine de Budapest, le prélat de Kalocsa se trouva contraint de jongler avec le gouvernement pour préserver la position de l'Église – et son existence même – dans un état marxiste athée par définition. Aujourd'hui, Kalocsa est une ville paisible, célèbre tant pour son paprika et son artisanat que pour son passé mouvementé.

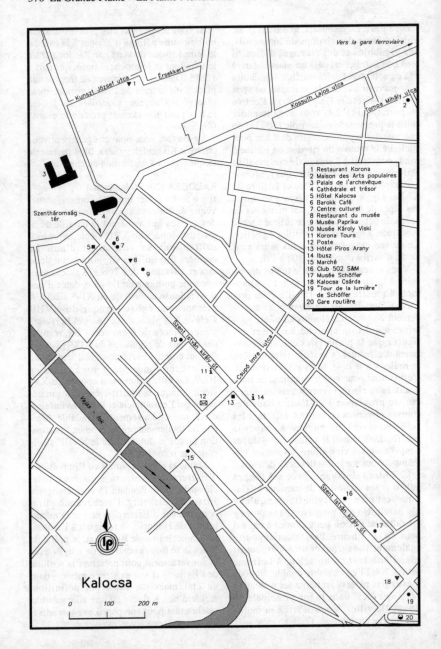

Vers la gare ferroviaire

Kunszt József utca

Érsekkert

Kossuth Lajos utca

Tompa Mihály utca

Szentháromság tér

Szent István király út

Vajas-fok

Cseszkó Imre utca

Szent István király út

Kalocsa

0   100   200 m

1 Restaurant Korona
2 Maison des Arts populaires
3 Palais de l'archevêque
4 Cathédrale et trésor
5 Hôtel Kalocsa
6 Barokk Café
7 Centre culturel
8 Restaurant du musée
9 Musée Paprika
10 Musée Károly Viski
11 Korona Tours
12 Poste
13 Hôtel Piros Arany
14 Ibusz
15 Marché
16 Club 502 S&M
17 Musée Schöffer
18 Kalocsa Csárda
19 "Tour de la lumière" de Schöffer
20 Gare routière

Orientation et renseignements

Les rues de Kalocsa se déploient en éventail à partir de Szentháromság tér, site de la cathédrale et du palais épiscopal. La gare routière est située à l'extrémité de Szent István király út, l'avenue principale. La gare ferroviaire, elle, se trouve au nord-est, dans Mártírok tere, à 20 minutes de marche du centre ville en suivant Kossuth Lajos utca.

Ibusz (☎ 64 361 361) est au 28, Szent István király út. En face, au n°6, se trouve Korona (☎ 64 361 676), une autre agence. Toutes deux sont ouvertes en semaine de 7h30 à 16h. Korona ouvre parfois le samedi.

Vous pouvez changer de l'argent chez Ibusz. La poste principale est située près du marché, dans Csupó Imre utca. Pour appeler un taxi, composez le 64 362 200.

L'indicatif téléphonique de Kalocsa est le 64.

Cathédrale de Kalocsa

C'est dans Szent István király út ou à proximité que se situent à peu près tous les centres d'intérêt de Kalocsa. Cette rue commence à Szentháromság tér, où la **colonne de la Trinité** (1786) se dégrade à vue d'œil. La **cathédrale de Kalocsa**, la quatrième construite sur ce site, fut terminée en 1770 sous la direction d'András Mayerhoffer. C'est un chef-d'œuvre d'art baroque, avec un intérieur éblouissant, rose et doré, plein de stucs et de bas-reliefs. Certains pensent que la sépulture de la crypte est celle du premier archevêque de Kalocsa, Asztrik, qui apporta la couronne qu'offrit le pape Sylvestre II au roi Étienne, légitimant ainsi la domination de ce converti au christianisme sur la Hongrie.

Le **Trésor de l'archevêché**, situé à l'arrière de la cathédrale et en haut d'un escalier en colimaçon (ouvert tous les jours de 9h à 17h) contient des objets d'or et de pierres précieuses, ainsi que des vêtements. Sachez que le large buste de saint Étienne fut coulé à l'occasion de l'exposition du Millénaire, en 1896, et qu'il est constitué de 48 kg d'argent et de 2 kg d'or. Parmi les

autres objets de grande valeur, vous pourrez admirer un reliquaire de sainte Anne datant du XVIe siècle et un ostensoir baroque d'or et de cristal.

Palais de l'archevêque

La Grande Salle et la chapelle du Palais (1776) comportent de magnifiques fresques de Franz Anton Maulbertsch, que vous n'aurez la chance d'admirer qu'à l'occasion d'un concert. La **bibliothèque épiscopale**, en revanche, est ouverte aux visiteurs, par groupes de moins de dix personnes, tous les jours de 12h à 14h. Elle renferme 120 000 volumes, dont plusieurs codicilles du XIIIe siècle, une Bible ayant appartenu à Martin Luther et annotée de sa main, des manuscrits enluminés et des poèmes gravés dans des feuilles de palmiers provenant de l'actuel Sri Lanka.

Musées

Avec Szeged, Kalocsa est le plus gros producteur de paprika, cet "or rouge" (*piros arany*) si cher aux cordons-bleus hongrois. Les opinions divergent sur la façon dont cette variété de piment doux parvint pour la première fois en Hongrie (elle proviendrait soit de l'Inde, via la Turquie, soit du Nouveau Monde, mais des documents datant du XVIIe siècle la mentionnent déjà). Vous saurez tout sur sa culture, sa production et ses bienfaits (elle est riche en vitamine C) après une visite au **musée du Paprika** (6, Szent István király út), qui reconstitue l'une de ces granges à l'intérieur desquelles on faisait sécher les piments assemblés en longues guirlandes, avant de les réduire en poudre. Si vous vous trouvez là au mois de septembre, ne manquez pas de vous rendre dans l'un des villages voisins pour regarder les champs verts se transformer en tapis rouges.

Le **musée Károly Viski**, au 25, Szent István király út, est aussi riche en folklore et en productions artisanales que le musée Paloc à Balassagyarmat, dans les Hautes Terres du Nord, mais il est aussi plus hétéroclite, puisqu'il retrace la vie et les coutumes des populations souabe (*Sváb*), slovaque (*Tót*), serbe (*Rác*) et hongroise de la région. Il est passionnant de voir la transformation des fermes, qui passent d'une très grande simplicité au début du XIXe siècle à des décors très chargés et sophistiqués cinquante ans plus tard, avec l'accroissement des richesses : murs, meubles, portes, pas un seul centimètre carré n'échappait aux pinceaux des célèbres "femmes peintres" de Kalocsa. Lors des mariages pourtant, les fiancés et leurs familles s'habillaient de noir, tandis que les invités portaient des vêtements gais, chargés de broderies, art dans lequel les femmes de Kalocsa excellaient.

. Le musée possède également une collection de pièces de monnaie, de l'Antiquité à nos jours.

En dehors du musée, les endroits où l'on peut contempler les peintures sur meubles et sur les murs ne manquent pas : parmi eux, figurent entre autres la **gare ferroviaire**, la **maison des Arts populaires**, au 7, Tompa Mihály utca, et le **Juca néni csárdája** (csárda de la tante Judy), un restaurant pour touristes en bordure du Danube, à 5 km au sud-ouest de Kalocsa, où vous attendent des décoratrices d'œufs, des peintres sur murs et des brodeuses en pleine action. Certains trouveront mièvres, voire un peu tapageurs, les motifs de fleurs-et-paprika (en particulier le motif Richelieu) d'aujourd'hui. Comparez-les avec ceux des musées et faites-vous votre opinion.

Une exposition des œuvres futuristes de Nicolas Schöffer, né à Kalocsa, mais installé à Paris, peut être admirée au **musée Schöffer**, au 76, Szent István király út. Si vous n'avez peur de rien, allez jeter un coup d'œil à sa "sculpture cinématique", un assemblage dans le style "meccano" de poutres d'acier, de lumières aveuglantes et de miroirs censé préfigurer l'art du XXIe siècle.

Où se loger

Le *Duna Camping* (☎ 362 534), à 5 km au sud-ouest de la ville, dans Meszezi út, fonctionne de mi-mai à mi-septembre. En outre, Ibusz pourra vous procurer une *chambre chez l'habitant* à Kalocsa ou dans ses environs ou une place en dortoir, en été à l'*école d'agronomie*, sur Asztrik tér.

L'hôtel *Pirosarany* (☎ Kalocsa 200) au 37, Szent István király út, est dans un état de dégradation avancée, mais ses prix sont corrects : 300 Ft la simple, 470 Ft la double (sans s. d. b.). L'hôtel propose aussi quelques triples avec douche.

L'hôtel *Kalocsa* (☎ 361 244) au 4, Szentháromság tér, dispose de 29 chambres réparties dans un bâtiment principal et une annexe. Il ne pourrait pas être plus différent du premier, tant pour son apparence que pour ses prix : installé dans les anciens bureaux de l'épiscopat construits en 1780 et récemment restaurés, il réclame 3 600/4 000 Ft pour une simple/double, mais accorde parfois des réductions.

Où se restaurer

Pour ne pas payer trop cher, on a le choix entre la *Kalocsa Csárda*, au 89, Szent István király út, proche de la gare routière et ouverte jusqu'à 23h, et le *Korona*, près du Palais de l'archevêque dans Kunszt József utca. Les amateurs de pizzas essayeront l'*Oázis*, au 31, Szent István király út.

Le restaurant *Museum*, au 6, Szent István király út, dispose d'une cave datant du Moyen Age et d'une ravissante cour dans laquelle on installe les tables en été. Le restaurant de l'hôtel Kalocsa, lui, est vraiment très moyen.

Si vous devez prendre le ferry qui traverse le Danube à Gerjen, au sud-ouest de Kalocsa, ou si vous demeurez au camping, le restaurant *Juca néni csárdája* se trouve dans le secteur (voir la rubrique *Musées* ci-dessus).

Distractions

Le *centre culturel de Kalocsa*, installé dans un séminaire baroque du XVIIIe siècle aux 2-4, Szent István király út, est ouvert tous les jours jusqu'à 20h. Demandez si des concerts sont prévus dans la Grande Salle du Palais de l'archevêque ou dans la cathédrale. Le salon de thé *Barokk*, dans le même bâtiment, propose des billards à une clientèle d'étudiants.

Le festival du Folklore, qui se tient également à la même période à Baja, Mohács et Szeksárd, de l'autre côté du fleuve, a lieu tous les deux ans en juillet.

Vous trouverez, dans Szent István király út, du côté de la gare routière, deux établissements très appréciés : le *Soproni Ászok*, au n°87, et un autre bar au nom étrange, le *Club 502 S&M*. Il règne une très bonne ambiance dans le second.

Achats

Quelques souvenirs de Kalocsa sont débités en série à la coopérative du 13, Tomori Pál utca, puis expédiés dans toutes les *népművészeti bolt* (boutiques d'artisanat) de Hongrie. Inutile, donc, de les acheter ici. Si toutefois vous avez un cadeau à faire, c'est chez Szigma, au 49, Szent István király út, que vous trouverez le plus vaste choix de la ville. Si votre budget est limité, allez voir chez Márta Kovács, au 17, Szent István király út, appartement I/17, qui vent des broderies de Kalocsa. Vous pouvez également acheter du paprika de Kalocsa en petits paquets cadeaux, en vente au musée du Paprika (voir ci-dessus : *Musées*).

Comment s'y rendre

Kalocsa est située à l'extrémité d'une voie de desserte pour Kiskőrös, ville natale du plus grand poète hongrois Sándor Petőfi (1823-1849), qui abrite aujourd'hui son musée. De là, vous pourrez prendre les correspondances pour Budapest et, au-delà de la frontière, pour Subotica et Belgrade. Un petit train très lent (2 heures) relie Kiskőrös à la plus petite des deux gares de Kecskemét (Kecskemét KK), au sud de la ville.

Il est donc plus facile de voyager en bus, que l'on aille à Kalocsa ou qu'on en sorte. Les départs sont fréquents pour Budapest, Baja (surtout via Hajós) et Solt, où l'on doit changer pour Kecskemét. Il existe également des liaisons avec Kiskunhalas (5 par jour), Szeged (4), Székesfehérvár (3), Nagykőrös (2) et Szolnok (1). Enfin, un bus part chaque jour pour Arad, en Roumanie, à 5h35.

ENVIRONS DE KALOCSA

Si vous voyagez par bus entre Kalocsa et Baja, vous passerez sans doute par **Nemesnádudvar** et **Hajós**, deux villages souabes fondés au XVIIIe siècle par Marie-Thérèse. Tous deux semblent n'être constitués que de caves à vins creusées dans le sol de lœss : à lui seul, Hajós en possède 1 500 ! Si vous n'êtes pas pressé, arrêtez-vous à la pension *Judit*, au 1, Borbíró sor (ou même dans n'importe laquelle de ces caves qui vous semblera ouverte) pour boire un verre d'Hajósi Cabernet, l'un des meilleurs vins rouges de la Grande Plaine.

Pour aller en bus de Kalocsa à Kecskemét, changez à **Solt**, un centre d'élevage de chevaux où l'on peut pratiquer l'équitation ou conduire des carrioles. *L'Hôtel du château Teleki* (☎ 76 328 863), installé dans un château, propose des chambres doubles de 3 500 à 4 000 Ft au 1, Kalimajor utca. Solt produit un bon Merlot demi-sec.

BAJA (40 000 habitants)

Sur le Danube, à une cinquantaine de kilomètres au sud de Kalocsa, Baja était une ville fortifiée qui a beaucoup souffert pendant l'occupation turque. Elle fut repeuplée au XVIIIe siècle par des Allemands et des Serbes. Avec son port sur le Danube, Baja est aujourd'hui un important carrefour commercial. Toutefois, on la connaît davantage comme station balnéaire et centre sportif : c'est un site idéal pour prendre un peu de repos avant de poursuivre son périple.

Baja jouit du plus bel environnement de toutes les villes du sud de la Hongrie. L'une de ses places s'ouvre sur un des bras du Danube et, juste en face, on aperçoit deux îles, vouées aux loisirs, avec des plages et des forêts. Le pont qui traverse le fleuve, au nord, est particulièrement important : c'est la porte de la Transdanubie. Il n'en existe qu'un seul autre entre celui-ci et Budapest (à Dunaföldvár, à 75 km au nord).

Orientation

Une rue piétonne relie les trois principales places de Baja : Vörösmarty tér, Ságvári

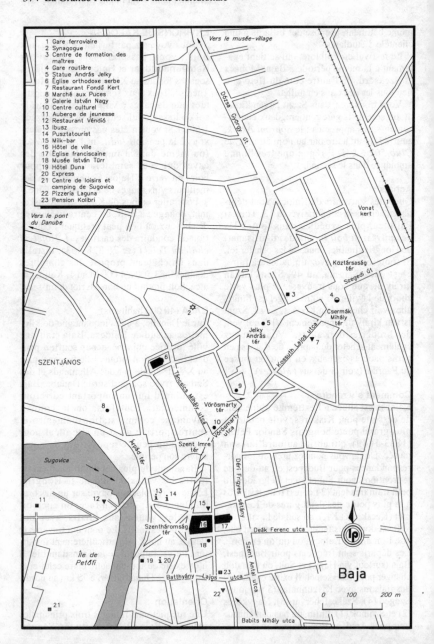

1 Gare ferroviaire
2 Synagogue
3 Centre de formation des
  maîtres
4 Gare routière
5 Statue András Jelky
6 Église orthodoxe serbe
7 Restaurant Fondŭ Kert
8 Marché aux Puces
9 Galerie István Nagy
10 Centre culturel
11 Auberge de jeunesse
12 Restaurant Véndió
13 Ibusz
14 Pusztatourist
15 Milk-bar
16 Hôtel de ville
17 Église franciscaine
18 Musée István Türr
19 Hôtel Duna
20 Express
21 Centre de loisirs et
   camping de Sugovica
22 Pizzeria Laguna
23 Pension Kolibri

Vers le musée-village

Vers le pont
du Danube

Dézsa György út

Vonat
kert

Köztársaság
tér

Szegedi út

SZENTJÁNOS

Csermák
Mihály
tér

Jelky
András tér

Kossuth Lajos utca

Táncsics Mihály utca

Vörösmarty
tér

Vörösmarty utca

Sugovica

Árpád tér

Szent Imre
tér

Déri Frigyes sétány

Szenthárom ság
tér

Deák Ferenc utca

Île de
Petőfi

Szent Antal utca

Batthyány Lajos utca

Babits Mihály utca

Baja

0   100   200 m

tér et Szentháromság tér. La dernière se situe sur le fleuve Kamarás-Danube (ou le Sugovica, comme on l'appelle ici), un bras du Danube qui coupe les îles de Petőfi et de Nagy Pandúr de la terre ferme avant d'aller se jeter dans le fleuve principal. Le terminus des bus se trouve sur Csermák Mihály tér ; la gare ferroviaire est à quelques minutes de marche au nord, au-delà de Vonat kert ("jardin du train").

Renseignements

Les trois bureaux de tourisme sont regroupés sur Szentháromság tér : Pusztatourist (☎ 79 321 237) au n°8, Ibusz (☎ 79 321 644) au n°7 et Express (☎ 79 311 396) au n°5. Ils ouvrent tous de 7h30 à 16h en semaine. Seul, Ibusz vous accueillera le samedi jusqu'à midi.

Vous trouverez une banque OTP près de Pusztatourist, au 4, Szentháromság tér. Pour appeler un taxi, composez le 79 311 817.

L'indicatif téléphonique de Baja est le 79.

À voir

Szentháromság tér, une immense place, très pittoresque avec ses maisons baroques et néo-classiques, malheureusement transformée en véritable parking, est dominée par l'**Hôtel de ville** et sa "promenade des Veuves", donnant sur le Danube.

À l'est de la place, dans Deak utca, s'ouvre le **musée István Türr**, du nom d'un héros de la ville qui combattit en 1848-1849 dans la guerre d'Indépendance, puis en 1860 aux côtés de Garibaldi, au sud de l'Italie. L'exposition majeure du musée, intitulée "La vie sur le Danube", décrit la faune aquatique, les méthodes de pêche et de construction des bateaux. Une autre concerne les groupes ethniques qui peuplent Baja et ses environs : Magyars, Allemands, Slaves du sud (Bunyevác, Sokac) et – ce qui est surprenant pour la Hongrie – Tziganes. Toutes ces populations ont vécu côte à côte dans cette région pendant plusieurs siècles. Les sculptures sur bois réalisées par des Tziganes, inhabituelles, sont assez belles, mais ne manquez pas

l'exquise dentelle noire des Slaves du Sud, les tissages de Nagybaracska, au sud de Baja, et les objets d'or ciselé qui faisaient jadis la renommée de la ville. Baja ne pouvait décemment oublier ses enfants célèbres, parmi lesquels figurent Türr, le peintre István Nagy, et András Jelky, un apprenti tailleur du XVIIIe siècle qui partit d'abord pour Paris, puis sillonna la Chine, le Japon, Ceylan et Java pendant dix ans avant de revenir en Hongrie rédiger ses mémoires. Vous trouverez sur Jelky tér, une statue représentant ce Hongrois pas comme les autres, revêtu comme il se doit de ses plus beaux vêtements chinois.

La **galerie István Nagy**, dans Arany János utca, était autrefois la maison de la famille Vojnich, puis abrita après la guerre une colonie d'artistes. Elle tient son nom d'un peintre majeur de ce qu'il est convenu d'appeler l'école d'Alföld. D'autres artistes de ce courant sont également exposés là, dont Gyula Rudnay, ainsi que des créateurs "indépendants", comme le cubiste Béla Kádár et le sculpteur Ferenc Medgyessy.

Pour leur intérêt architectural, allez admirer l'**église franciscaine** (1728) située derrière le musée Türr et abritant un fabuleux orgue baroque, et l'**église orthodoxe serbe**, qui s'élève au cœur d'une paisible place à hauteur du 21, Táncsics Mihály utca. L'iconostase qu'elle renferme vaut réellement le détour.

Mais s'il vous faut choisir, courez tout droit à la **synagogue** néo-classique du 7-9, Munkácsy Mihály utca. Désormais transformée en bibliothèque municipale, elle se visite en semaine jusqu'à 18h et le samedi jusqu'à 13h. À droite en passant la grille d'entrée, vous apercevrez un mémorial dédié aux victimes du fascisme. Au-dessus des colonnes du tympan de la synagogue (la façade située juste au-dessous du toit), une inscription en hébreu signale que "Ceci n'est autre que la maison de Dieu et la porte du paradis". À l'intérieur, le tabernacle, avec ses pilastres corinthiens, est surmonté de deux lions tenant une couronne, tandis que quatre colombes tirent gaiement un rideau bleu semé de sainfoin.

Le **musée-village de Bunyevác** présente des vêtements, outils, objets décoratifs et meubles typiques des Slaves du Sud dans une vieille ferme au 51, Pandúr utca, à Baja-Szentistván, située à une demi-heure de marche du centre de Baja.

Au nord du pont qui mène à l'île de Petőfi, sur Árpád tér, se tient l'un des **marchés aux puces** les plus animés de Hongrie, où se côtoient Serbes, Roumains et Hongrois de Transylvanie.

Activités culturelles et/ou sportives

Le complexe de Sugovica, sur l'île de Petőfi, offre parties de pêche, canotage, mini-golf et tennis à tous ceux qui sont disposés à payer.

La piscine couverte de l'île, à l'extrémité de la passerelle, est ouverte tous les jours sauf mercredi de 6h à 20h. L'auberge de jeunesse propose des barques et des canoës en location, ainsi qu'un court de tennis.

Fuyez les plages publiques de l'île pour rejoindre celles de Szentjános (en ville) ou de l'île de Nagy Pandúr, bien moins fréquentées. Sachez toutefois que vous devrez atteindre cette dernière à la nage, à moins que vous ne préfériez marcher un long moment, d'abord vers le sud jusqu'à Homokváros, puis vers le nord jusqu'à la plage.

Où se loger

L'*auberge de jeunesse* IYHF (☎ 324 022), à l'extrémité nord de l'île de Petőfi, dispose de 16 doubles au prix de 1 120 Ft et de 14 dortoirs pour 250 Ft par personne. Elle est ouverte de mai à septembre.

Les bungalows du *camping de Sugovica* (☎ 321 755), tout proche, sont chers, mais se trouvent dans l'un des campings les mieux aménagés de Hongrie (il a récemment reçu une distinction internationale pour cela). Ils coûtent de 1 880 à 2 370 Ft pour 2 personnes selon la saison. Les deux bungalows les plus "isolés" sont les n°sR9 et R10. Le camping dispose d'un restaurant, le *Regatta*.

Les 5 chambres de la pension *Kolibri* (☎ 321 628) au 18, Batthyány utca, tenue

par une famille ayant vécu longtemps en Algérie et parlant français, sont étroites et trop chères, à 1 200 Ft la simple et 1 500 Ft la double. Mais l'établissement est bien situé, près de Szentháromság tér.

Ibusz et Pusztatourist vous réserveront une *chambre chez l'habitant* pour 400 ou 700 Ft. En été, demandez à Express une place en dortoir à l'*institut de formation des maîtres József Eötvös*, au 2, Szegedi út.

La façade du *Duna* (☎ 323 224) au 6, Szentháromság tér, vient de recevoir une couche de peinture verte, mais cela n'a eu aucune influence sur l'atmosphère de cet endroit merveilleusement vieillot. A deux pas du Danube (certaines des 49 chambres ont vue sur le fleuve), l'hôtel propose des doubles à 1 400 Ft avec douche ou s. d. b., et 1 100 Ft sans. Si vous êtes plusieurs – ou si vous pouvez vous l'offrir – choisissez la n°118, une suite de deux pièces avec une magnifique terrasse surplombant le fleuve (2 500 Ft).

Le *Sugovica* (☎ 321 755), situé sur l'île dans le complexe de loisirs, est l'hôtel le plus cher de la ville, avec des simples allant de 2 150 à 3 850 Ft et des doubles de 2 690 à 4 390 Ft, selon la saison (petit déjeuner compris). Toutes les chambres sont avec s. d. b., télévision, mini-bar et balcon sur le parc ou le fleuve. Vous disposerez même d'un amarrage privé et d'un treuil si vous arrivez en bateau.

Où se restaurer

Ni le restaurant du *Duna*, ni son pub (ouvert jusqu'à minuit) ne sont très conviviaux, mais le café, sur la place, est un lieu formidable pour les mois les plus chauds. Toutefois, pour manger dehors, rien ne vaut le *Véndió*, à quelques minutes de marche de l'autre côté du pont, à l'extrémité nord de l'île de Petőfi.

Le fromage fondu n'est certes pas la spécialité de la Hongrie : pourtant, le *Fondű Kert*, un petit établissement sympathique situé dans la cour du 19, Kossuth Lajos utca, ouvert tous les jours jusqu'à 23h, ne désemplit pas. Une part de fondue accompagnée d'une salade vous calera pour la journée. La *Laguna Pizzeria*, au sud de la pension Kolibri, dans Babits Mihály utca, attire une clientèle jeune, soit à l'intérieur, soit devant, sur le parking.

Pour ne pas trop dépenser, choisissez l'*Aranygolyó* au 9, Csermák Mihály tér, près de la gare routière, mais sachez qu'il ferme le week-end.

Le *milk bar*, au 2, Apponyi utca, entre Bartók Béla utca et Szentháromság tér, a lui aussi des horaires d'ouverture limités, mais est il est parfait pour un petit déjeuner ou un repas sans viande.

Vous trouverez une *épicerie* ouverte jour et nuit à Tóth Kálmán utca, près de la centrale téléphonique qui a l'allure d'une arche de Noé (même le nid de pie y figure !).

Distractions

Le *centre culturel József Attila*, dans Vörösmarty utca, sera votre source de renseignements pour toutes les manifestations de Baja. Demandez si des concerts sont prévus dans l'ancienne église serbe (transformée en école de musique et en salle de concerts) de Batthyány utca.

Tous les deux ans, Baja unit ses forces à celles de Kalocsa, Szekszárd et Mohács pour organiser ce qui représente peut-être le plus grand festival de folklore du pays. Le prochain devrait avoir lieu en juillet 1995, mais mieux vaut s'en assurer auprès des bureaux de tourisme.

Le centre culturel organise des soirées dansantes certains week-ends. L'été, le bar *Aranykagyló* de l'auberge de jeunesse fait discothèque tous les soirs jusqu'à 2h. Enfin, le bar *König Pilsner*, au 2, Vörösmarty utca, est parfait pour boire un verre dans le calme.

Comment s'y rendre

Bus. Une vingtaine de bus partent chaque jour pour Kalocsa, Szeged et Mohács ; il y a au moins 10 départs pour Szekszárd, Pécs, Kecsbemét et Budapest. Parmi les autres destinations desservies quotidiennement, figurent Békéscsaba (2 bus), Csongrád (1), Hévíz (1), Jászberény (1), Kaposvár (3), Oroszháza (2) et Szolnok (1).

Des bus internationaux se rendent à Timisoara, en Roumanie, le vendredi et le samedi, et à Subotica, en Serbie, le vendredi.

Train. Les liaisons ferroviaires avec Baja ne sont pas particulièrement développées. La ligne n°154 relie Bátaszék et Kiskunhalas ; il vous faudra changer à la première pour Szekszárd et Budapest, tout comme pour Pécs et les villes de Transdanubie Méridionale. De Kiskunhalas, il est impossible d'atteindre une quelconque ville intéressante sans avoir à changer au moins une fois (une exception toutefois : le rapide pour Budapest).

ENVIRONS DE BAJA
Forêt de Gemenc

De mai à fin août, un petit train va de Pörböly, à 14 km à l'ouest de Baja, jusqu'à la forêt protégée de Gemenc, en suivant le cours du Danube, qui effectue parfois de stupéfiants virages en épingle. La réserve est magnifique et propice à la chasse. A partir du terminus de Bárányfok, vous pourrez poursuivre votre périple vers Szekszárd ou d'autres points de Transdanubie Méridionale.

La meilleure façon de programmer un tel voyage consiste à prendre le train de 6h54 de Baja à Pörböly. Là, on monte dans le petit train, qui part à 7h30. Parvenu au delta de Szomfova (11 km plus loin et une heure plus tard), vous pouvez soit revenir vers Pörböly, soit attendre le train de 12h15, qui vous permettra de parcourir 19 km supplémentaires jusqu'à Bárányfok. Un service de bus couvre les cinq derniers kilomètres jusqu'à Szekszárd. Attention toutefois : depuis quelques temps, les trains ne respectent leurs horaires que si un groupe de touristes se présente, ou encore le week-end. Mieux vaut donc se faire confirmer les horaires et les dates par la gare avant de partir, ou téléphoner au service de renseignements au 324 144, pour ne pas se retrouver bloqué dans le Gemenc, au milieu de chasseurs fous qui courent dans tous les sens.

Pour de plus amples renseignements sur la forêt de Gemenc, consultez le paragraphe *Environs de Szekszárd* dans le chapitre sur la *Transdanubie Méridionale*.

SZEGED (186 000 habitants)

Szeged (déformation d'un terme hongrois signifiant "île") est la ville la plus étendue et la plus importante de la Plaine Méridionale et se situe juste à l'ouest du confluent de la Tisza et de la Maros. Pour certains, sa culture et sa beauté font de Szeged (Segedin en allemand) la véritable capitale de la Grande Plaine, titre qu'elle mériterait davantage que Debrecen.

Quelques traces de la culture körös laissent à penser que ces adorateurs de la déesse-mère vivaient là il y a 4 000 ou 5 000 ans. L'une des premières implantations magyares de Hongrie se situait à 25 km au nord de la ville actuelle, à Ópusztaszer. Au XIIIᵉ siècle déjà, Szeged était un important carrefour commercial, aidé en cela par le monopole royal qu'elle exerçait sur le sel qui arrivait en bateau de Transylvanie sur la Maros. Sous l'occupation turque, elle bénéficia de protections, car le sultan possédait des propriétés dans les environs. Devenue ville royale libre aux XVIIIᵉ et XIXᵉ siècles, la ville continua de prospérer.

Un désastre s'abattit en mars 1879 lorsque la Tisza sortit de son lit et faillit bien rayer Szeged de la carte. 300 maisons furent détruites et la ville, sous la direction de Lajos Tisza, fut entièrement rebâtie avec l'aide de capitaux étrangers entre 1880 et 1883.

En conséquence, Szeged présente une uniformité architecturale inconnue partout ailleurs en Hongrie. Les larges avenues bordées d'arbres qui l'entourent, formant un cercle presque parfait, portent le nom de villes européennes qui ont contribué à sa résurrection (les sections Moscou et Odessa sont apparues après la guerre pour des raisons politiques, la seconde ayant été transformée en Temesvári körút, en l'honneur de Timisoara, où débuta la révolution roumaine en 1989).

Depuis la Seconde Guerre mondiale, Szeged est surtout connue comme une ville universitaire (en 1956, les étudiants y manifestèrent avant leurs camarades de Budapest) et culturelle. Représentations de théâtre et d'opéra et concerts de musique classique ou populaire y abondent, surtout l'été, durant les semaines du festival de Szeged.

Mais elle doit également sa réputation à ses spécialités gastronomiques : le paprika de Szeged, qui relève si bien le poisson de la Tisza dans la *szegedi halászlé* (soupe de poisson épicée), et le Pick, qui est le meilleur salami de Hongrie.

Orientation

La Tisza, rejointe par la Maros, coule à l'ouest, puis tourne brutalement vers le sud à travers le centre de Szeged, divisant la ville en deux aussi bien que le fait le Danube à Budapest. Toutefois, la comparaison des deux villes et des deux fleuves s'arrête là. A ce niveau, le cours de la Tisza forme un bras boueux sans prestige et l'autre côté de Szeged, loin de constituer le cœur palpitant de la ville, n'est qu'un large parc où prédominent les activités que sont entre autres le bronzage et la natation.

Les nombreuses places et rues circulaires de Szeged forment un dédale où l'on a peine à se retrouver, et le plan édité par *Cartographia,* à petite échelle et truffé d'erreurs, ne vous aidera guère. Heureusement, presque toutes les places comportent un large plan de quartier détaillé, avec des légendes en quatre langues.

De la gare ferroviaire, située sur Indóház tér, au sud du centre ville, choisissez entre le tramway et la marche à pied. La gare routière, pour sa part, se trouve à l'ouest, sur Mars tér, à une courte distance du centre par la rue piétonnière Mikszáth Kálmán utca.

Renseignements

Pour tous renseignements, vous pouvez vous rendre chez Tourinform (☎ 62 311 711) au 1, Victor Hugo utca. Szeged Tourist (☎ 62 321 800) dispose d'un service spécialisé pour les hébergements au 7

Klauzál tér. Ibusz (☎ 62 417 177) est tout près, au n°2. Ces bureaux sont ouverts de 8h à 16h ou 17h en semaine et jusqu'à 12h le samedi. Express (☎ 62 322 522) se trouve au 3, Kígyó utca et Cooptourist (☎ 62 312 158) est au 2, Kis Menyhért utca.

Le bureau de poste central est au 1, Széchenyi tér et il y a une banque OTP au 5, Klauzál tér, dans le bâtiment où le héros de la révolution qu'était Lajos Kossuth prononça son dernier discours avant d'aller s'exiler en Turquie en 1849.

L'indicatif de Szeged et de ses environs est le 62.

A voir

Commencez la visite de Szeged par Széchenyi tér, une place si large qu'elle ressemble à un parc. L'**ancien Hôtel de ville** néo-baroque la domine avec sa gracieuse tour et son toit de tuiles multicolores, tandis que les statues de Lajos Tisza, d'István Széchenyi et des terrassiers qui ont aidé à réguler le cours de la Tisza se dressent fièrement sous les noisetiers.

La rue piétonne Kárász utca conduit vers le sud à travers Klauzál tér. Tournez vers l'ouest dans Kölcsey utca, puis parcourez une centaine de mètres jusqu'au **palais de Reök** (1907), un hallucinant bâtiment Art Nouveau vert et lilas qui évoque un bibelot posé au fond d'un aquarium. Il abrite aujourd'hui une banque et vient d'être rénové de fond en comble.

Plus au sud, Kárász utca débouche sur Dugonics tér, où s'élève la **faculté des Sciences Attila József**, du nom d'un de ses plus célèbres "anciens". József (1905-1937), poète vénéré, fut renvoyé de l'établissement en 1924 pour avoir rédigé les vers suivants : "Je n'ai pas de père/ Je n'ai pas de mère/ Je n'ai pas de dieu/ Et je n'ai pas de pays" durant la période ultra-conservatrice qu'était la régence de l'amiral Miklós Horthy. Au centre de la place, se trouve une **fontaine musicale** construite pour marquer le 100e anniversaire de l'inondation. Elle "joue" de trois à cinq fois par jour de mai à octobre. Les horaires exacts y sont affichés.

A partir de l'angle sud-ouest de Dugonics tér, suivez Jókai utca jusqu'à Aradi vértanúk tere. La **porte des Héros**, au sud, fut érigée en 1936 en l'honneur des gardes Bblancs d'Horthy, que l'on avait chargés de "nettoyer" la nation des "Rouges", après la défaite de la République des Conseils en 1919. Les peintures murales "fascisantes" ont aujourd'hui disparu et les appareillages électriques Art Déco sont cassés, mais les brutales sculptures vous donneront tout de même des frissons dans le dos.

Dóm tér, quelques mètres plus loin à l'est, compte les monuments les plus importants de Szeged. Le **Panthéon national**, avec ses quatre-vingts statues et reliefs de notables disposées le long des arcades qui entourent la place, constitue un cours accéléré sur l'art, la culture et l'histoire de la Hongrie. Même l'Écossais Adam Clark, qui supervisa la construction du pont des Chaînes, à Budapest, y est complimenté, mais ne comptez pas y trouver la moindre trace féminine.

La **tour Saint-Demetrius**, l'édifice le plus ancien de la ville, de style roman, est le seul vestige d'une église datant du XIIe siècle. A la place de cette dernière, s'élève aujourd'hui l'**église votive** à deux tours, un bâtiment de briques brunes sans grâce dont la construction fut entreprise après l'inondation, mais dut attendre 1930 pour être achevée. Le seul objet digne d'intérêt, à l'intérieur, est l'orgue, avec ses dix mille tuyaux répartis dans la tribune, le dôme et le chœur. Au lieu d'y perdre votre temps, allez jeter un coup d'œil à l'intérieur de l'**église orthodoxe serbe** (en espérant que vous y parviendrez : les horaires d'ouverture sont assez fantaisistes !) pour y admirer la fantastique iconostase : un "arbre" central en or, avec soixante icônes accrochées à ses "branches".

Dóm tér accueille la plupart des manifestations du festival d'été annuel, mais vous l'auriez sans doute deviné tout seul : les gradins destinés aux 6 000 spectateurs y restent installés tout au long de l'année comme des décorations de Noël que les organisateurs estiment inutile de ranger

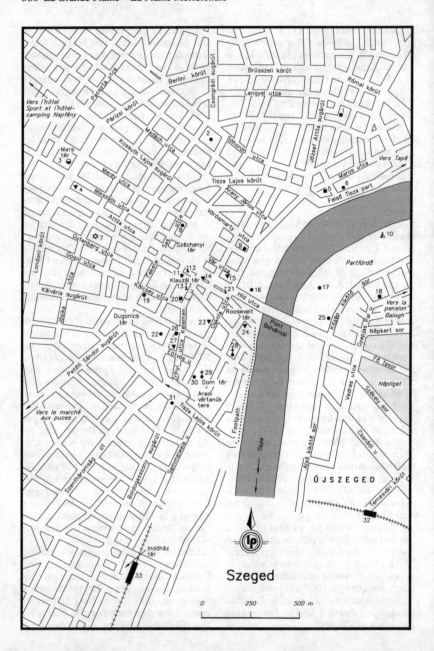

Szeged

0   250   500 m

"puisque de toute façon, disent-ils, il faudra les ressortir l'an prochain !". Dommage pour la place !

Oskola utca, l'une des plus anciennes rues de la ville, démarre de Dóm tér pour mener à Roosevelt tér et au palais de l'Éducation (1896), qui renferme aujourd'hui le **musée Ferenc Móra**. L'intérêt de ce dernier réside dans sa collection d'art folklorique du comitat de Csongrád, récemment restaurée et mise à jour avec

des commentaires intelligents rédigés en plusieurs langues. Cette collection, associée à une exposition unique de découvertes de vestiges Avars remontant au VIIe siècle et disposés de manière à rappeler la yourte d'un clan, fait de ce musée l'un des meilleurs de Hongrie. Le parc qui s'étend derrière le bâtiment, nommé Várkert, comporte les ruines de ce qui fut le **château de Szeged**. Ce dernier servit de prison au XVIIIe siècle avant d'être réduit à néant après l'inondation.

Les autres centres d'intérêt de la ville se trouvent un peu à l'écart. La **Grande Synagogue**, édifice Art Nouveau construit en 1903 par Lipót Baumhorn, est la plus belle maison de prières juive de Hongrie et reste très fréquentée par les fidèles. Si la grâce et les dimensions de la structure ne vous impressionnent pas vues du dehors, l'intérieur bleu et or ne manquera pas de le faire. La coupole, ornée d'étoiles et de fleurs (représentant l'Infinité et la Foi) paraît s'élever vers le véritable ciel et le tabernacle de bois d'acacia sculpté, décoré de métal, est un chef-d'œuvre. La synagogue se trouve à l'angle de Jósika utca et de Gutenberg utca. Elle est ouverte tous les jours sauf samedi de 9h à 12h et de 14h à 17h.

Les rues voisines, qui forment l'ancien quartier juif de la ville, comportent plusieurs autres bâtiments intéressants, dont l'**Ancienne Synagogue** (1843) au 12, Hajnóczy utca.

Pour tous ceux que la fabrication du salami passionne, la **fabrique de salami** au 10, Felső Tisza part, ouvre ses portes aux visiteurs les mardis et jeudis après-midi. En revanche, ne prenez pas la peine de marcher jusqu'au **musée du Paprika** : celui-ci n'offre qu'une mesquine collection de cosses poussiéreuses dans le centre culturel de Szentmihálytelek, dans la banlieue sud-ouest de la ville. Attendez plutôt le musée de Kalocsa.

Tapé est un village de pêcheurs sur la Tisza, au nord-est de Szeged, remarquable pour son artisanat (en particulier ses tissages). Toutefois, en dehors d'une **collection**

privée que l'on peut admirer au 4, Vártó utca, tous les jours sauf lundi de 15h à 18h (passez sous les cerisiers et sonnez), vous n'en trouverez guère de traces aujourd'hui.

Szeged possède deux grands **marchés** de fruits et légumes : l'un se tient sur Mars tér, site de la célèbre **prison des Étoiles** réservée aux prisonniers politiques des années 50, l'autre s'étend au nord de Széchenyi tér, sur Szent István tér. Le **marché aux puces**, pour sa part, est situé près de Vám tér, au début de Szabadkai út.

Activités culturelles et/ou sportives

Sur l'autre rive de la Tisza, dans les bois d'Újszeged (nouveau Szeged), on trouve des piscines et des établissements thermaux dans Partfürdő utca, ainsi que des plages tout le long du fleuve. Cependant, le meilleur endroit pour se baigner reste la banlieue de Sziksósfürdő, à 12 km à l'ouest de la ville. Outre une plage traditionnelle, une piscine et des barques, ce secteur possède une plage sauvage.

Szeged Tourist pourra sans doute vous organiser des visites en bicyclette, mais ne loue pas les vélos sans guide. Pour des locations simples, contactez la quincaillerie (*ezermester*) à l'extrémité d'Arany János utca, près du Várkert. Szeged est idéale pour circuler en vélo puisqu'elle fait partie des rares villes de Hongrie dotées de nombreuses pistes cyclables.

Où se loger

Camping. Il y a 3 campings à Szeged et dans les environs, ouverts d'avril à septembre et équipés de bungalows. Au *Napfény* (☎ 325 800), dans le "centre de vacances" du 4, Doroszmai út, à l'ouest du centre ville, ces derniers coûtent 2 200 Ft pour deux personnes.

Le *Partfürdő* (☎ 430 843), sur Közép kikötő sor à Újszeged, et le *Sziksósi Camping* à Sziksósfürdő, vous demanderont pour leur part 300 à 600 Ft pour vous héberger dans leurs maisons de vacances.

Chambres chez l'habitant et collèges. Szeged Tourist possède une liste de

chambres chez l'habitant allant de 250 à 400 Ft par personne. Les appartements pour quatre vous coûteront 2 000 Ft. En été, le *collège Apáthy* (un nom plutôt malheureux), du côté ouest de Dóm tér, possède des doubles à 1 200 Ft. Les chambres de l'*université des Sciences Attila József*, sur Dugonics tér, sont moins belles, mais moins chères aussi (de 300 à 400 Ft par personne).

Auberges de jeunesse et pensions. L'auberge de jeunesse *Sport*, non loin de Napfény (voir *Campings*) au 74/c, Kossuth Lajos utca, propose des doubles à 850 Ft, petit déjeuner compris. L'hébergement en dortoirs revient à 400 Ft par personne.

Le *Bornemisza* (☎ 323 330) au 5, Szent György tér, est l'une des rares pensions du côté "ville" de la Tisza. Ses 4 doubles sans s. d. b. coûtent de 700 à 900 Ft. La plupart des autres pensions se trouvent à Újszeged ; parmi elles, figurent le *Balogh* (☎ 353 659) au 13/3, Fürj utca, et le *Fortuna* (☎ 353 754) au 8, Pécskai utca.

A l'*Aranylabda* (☎ 324 082), 27, Budai Nagy Antal utca, à Tápé, il faut compter 1 800 Ft pour une double avec s. d. b., un prix surprenant étant donné son emplacement (quoiqu'il faille reconnaître que l'établissement est nettement supérieur à ses concurrents). Le restaurant de l'Aranylabda est très apprécié des gens du quartier.

Hôtels et motels. Le *Napfény* (voir *Campings*) dispose d'un motel de 130 chambres ouvert de mai à septembre et d'un hôtel de 44 chambres ouvert toute l'année. Au motel, les doubles sont à 650 ou 750 Ft, selon la saison. Les simples/doubles de l'hôtel, quant à elles, coûtent 1 900/ 2 400 Ft ; toutes ont la douche. Le restaurant du Napfény n'est pas fantastique et son bar attire routiers, prostituées et touristes égarés là par hasard sur la route de Szeged (comme ces deux religieuses allemandes que j'y ai trouvées partageant une bonne bouteille !). L'hôtel *Petro* (☎ 431 428) au 6, Kállay utca, à Újszeged ouvre tout l'été et réclame de 1 200 à 1 400 Ft pour une chambre.

L'hôtel le plus central de Szeged est le *Royal* (☎ 475 275) au 1, Kölcsey utca. Ses 110 chambres sont réparties dans deux ailes, une moderne et une ancienne, récemment rénovées. Les doubles avec s. d. b. sont à 3 800 Ft, les simples/doubles sans s. d. b. à 1 700/2 800 Ft, mais sachant que l'endroit est toujours bondé, il ne serait pas étonnant de voir ces prix s'envoler.

Les deux hôtels les plus grands et les plus chers de la ville sont le *Hungária* (☎ 310 649), situé sur une route bruyante au 1, Maros utca, mais offrant une belle vue sur le fleuve (doubles de 3 600 à 4 300 Ft), et le *Forrás* (☎ 430 811), un établissement thermal de 162 chambres au 16-24, Gyapjas Pál utca, à Újszeged. Les simples y coûtent de 3 000 à 3 200 Ft, les doubles de 3 500 à 3 900 Ft selon la saison. Les chambres mansardées du dernier étage sont bien moins chères : de 1 800 à 2 000 Ft la simple, de 2 400 à 2 700 Ft la double.

Où se restaurer

Vous trouverez tout près de la gare routière un petit restaurant très bon marché, le *Gulyás Csárda*, sur Mars tér. Le *Hági*, au 3, Kelemen utca, dans le centre, pratique lui aussi des prix raisonnables et sert une nourriture fort acceptable.

Ne vous laissez pas impressionner par l'appellation *Vecchia Bologna*, un restaurant situé dans une vieille demeure élégante au 4, Vár utca. Vous n'y trouverez pas la moindre trace de spaghetti ou de cuisine italienne. Toutefois, les plats hongrois qu'on y sert sont supérieurs à la moyenne. Mais si vous tenez à la pizza, essayez-le *Domino*, au 10, Kárász utca, ou le *Katakomba*, dans une ancienne cave au 1, Nagy Jenő utca, non loin de Széchenyi tér.

Au 5, Zrínyi utca, le *Pagoda* sert une cuisine chinoise approximative dans un décor rouge d'un goût très discutable, mais il permet de varier de la nourriture hongroise et dispose d'une salle non-fumeurs. L'établissement est fermé le mardi. Par ailleurs, vous mangerez de vraies salades (ou presque) et des gyros au *Jumbo Grill*, 4, Mikszáth Kálmán utca.

Le must de la ville est le *Tisza Halászcsárda*, au 14, Roosevelt tér. Cet établissement est sans conteste le meilleur restaurant de poissons en Hongrie. La carpe ou le poisson-chat que l'on vous sert a sans doute quitté depuis un bon moment les eaux de la Tisza, mais le plat n'en est pas moins délicieux.

Le restaurant le plus guindé de Szeged est l'*Alabárdos*, au 13, Oskola utca, où de prétentieux serveurs officient sous l'œil sévère d'un maître d'hôtel emphatique parmi les groupes de touristes allemands venus admirer "Segedin". Ne manquez pas de passer un moment au *Virág*, sur Klauzál tér, l'un des salons de thé les plus agréables de la ville avec ses pâtisseries à emporter ou à déguster debout au n°1 de la place. Il dispose de tables à l'intérieur et en terrasse au n°8. Les machines à café de Herend, dans le second, sont de véritables pièces de musée.

Distractions

Vos meilleures sources d'information seront Szeged Tourist et le centre culturel Béla Bartók (☎ 312 060) au 3, Vörösmarty utca. Le *Théâtre national*, en face, est depuis toujours le centre de la vie culturelle de Szeged et programme souvent opéras et ballets. Pour les pièces de théâtre, rendez-vous au *Petit Théâtre*, au 3, Horváth Mihály utca. La centrale de réservations pour le Festival de Szeged, un mois de théâtre, d'opéra et de danse organisé chaque année de mi-juillet à mi-août, se trouve au 2, Kiss Mihály utca. Mais Szeged ne se contente pas de ces spectacles hautement culturels. Elle regorge également de bars, clubs et autres points chauds ouverts la nuit, surtout autour de Dugonics tér. Au 1, Toldy utca, le *JATE Club*, dont le nom correspond à l'acronyme de l'université Attila József, est l'endroit idéal pour rencontrer des étudiants. L'immense discothèque *Tiszagyöngye*, dans Közép kikötő sor, à Újszeged, est ouverte le week-end jusqu'à 4h. Le *B&P Caffe* au 4, Kölcsey utca, attire un public varié et intéressant. Cet établissement ferme après tous les autres, au petit matin.

L'Alliance française se situe 19B, Szücs utca.

Lanterne du Théâtre national de Szeged

Achats

La boutique de la fabrique de salami, au 10, Felső Tisza part, fait la joie des carnivores. Le paprika de Szeged est vendu en petits paquets cadeaux dans toute la ville. Il est, paraît-il, bien meilleur que celui de Kalocsa (un avis à se faire confirmer auprès de Pusztatourist !).

Comment s'y rendre

Bus. Le service routier est très satisfaisant au départ de Szeged, avec des bus fréquents pour Békéscsaba, Csongrád, Ópusztaszer, Makó et Hódmezővásárhely. Parmi les autres destinations, figurent Budapest (6 bus par jour), Debrecen (2), Eger (2), Gyöngyös (2), Gyula (8), Kecskemét (7), Mohács (7), Pécs (6), Székesfehérvár (4), Tiszafüred (2) et Veszprém (2). Certains bus passent également les frontières vers Arad (1 par jour du mardi au vendredi) et Timisoara (1 par semaine le mardi), vers Senta en Serbie (Zenta en hongrois) et Subotica (tous les jours).

Train. Szeged est située sur la ligne de chemin de fer principale qui mène à Budapest-Nyugati. Une autre ligne relie la ville à Hódmezővásárhely et Békéscsaba, où l'on peut prendre une correspondance pour Gyula ou la Roumanie. Enfin, des trains partent pour Subotica, en Serbie, cinq fois par jour.

Bateau. En été, on peut atteindre Csongrád, à 70 km au nord, par voie fluviale, à bord des ferries Mahart. De mi-juin à fin août, les départs se font à l'embarcadère de Felső Tisza part, près de l'hôtel Hungária, à 7h et 15h30 le samedi et le dimanche. Le trajet est agréable, mais dure deux fois plus longtemps qu'en bus, le ferry s'arrêtant à Szentes, Csanytelek et Mindszent. De temps à autre, des liaisons sont également organisées vers Senta, au sud. Renseignez-vous chez Mahart.

Comment circuler

Le tramway n°1 vous mènera de la gare ferroviaire à Széchenyi tér. Après la place, il tourne vers l'ouest dans Kossuth Lajos sugárút et se dirige vers le pont Izabella, devant lequel il fait demi-tour. Descendez là si vous allez au complexe de Napfény.

Vous pouvez vous rapprocher davantage de ce dernier à bord des bus 75 ou 78, qui s'arrêtent juste en face, dans Kossuth Lajos sugárút. Descendez après avoir franchi Izabella híd, le pont qui traverse la voie ferrée. Le meilleur bus pour Szentmihálytelek et le marché aux puces est le n°76. Pour Tapé, montez dans le 73. Pour Sziksósfürdő, les n°s 2/t et 7/t se prennent devant la gare principale. Vous pouvez appeler un taxi en composant le 470 470, et Cooptourist (voir *Renseignements*) propose des locations de voitures.

L'ÓPUSZTASZER

A 25 km au nord de Szeged, ouvert de mai à octobre, le **parc national et mémorial historique** commémore l'événement le

plus important de l'histoire hongroise :
l'*honfoglalás* – ou conquête – du bassin
des Carpates par les Magyars en 896.
Contrairement à ce que croient beaucoup
de gens (y compris des Hongrois), le parc
ne correspond pas à l'endroit où Árpád,
monté sur son destrier blanc, pénétra pour
la première fois en "Hongrie". Cet épisode
se déroula dans la vallée de Munkács, restée territoire hongrois jusqu'à la Première
Guerre mondiale, mais appartenant
aujourd'hui à l'Ukraine.

Toutefois, conformément aux écrits d'un
auteur que l'on connaît sous le nom
d'"Anonyme", c'est à cet endroit, nommé
Szer, qu'Árpád et les sept chefs qui lui
avaient juré fidélité tinrent leur première
assemblée. Aussi fut-il décidé en 1896 que
le **monument du Millénaire** serait édifié
ici (les historiens ont situé la date de la
conquête entre 893 et 895, mais le gouvernement de l'époque n'était pas prêt à célébrer le millième anniversaire avant 1896).
C'est également dans l'Ópusztaszer, choisi
symboliquement, que se fit la redistribution
des terres par le gouvernement de coalition
après la Seconde Guerre mondiale.

Situé dans la Grande Plaine en haut
d'une colline peu élevée, à 1 km de la
grande route, le parc est un endroit intéressant, mais sombre, qui paraît conscient de
la position qu'il occupe dans l'histoire hongroise. Outre le monument néo-classique
du Millénaire, représentant le très fier
Árpád, on y voit les ruines d'une **basilique
romane** et d'un monastère du XIe siècle,
dont les fouilles sont encore en cours, ainsi
qu'un excellent **musée en plein air** constitué d'une ferme, de moulins, d'un ancien
bureau de poste, d'une école et de petites
maisons prélevées dans des villages de la
région. Dans l'une d'elles, où vivait un cul-
tivateur d'oignons de Makó, qui ne man-
quait visiblement pas d'humour, est accro-
chée une pancarte indiquant : "Ma voisine,
sortez d'ici si vous ne venez me voir que
pour alimenter vos commérages".

À l'ouest du parc, près du petit lac, un
musée reconstituant l'intérieur de la tente
d'un chef magyar est actuellement en

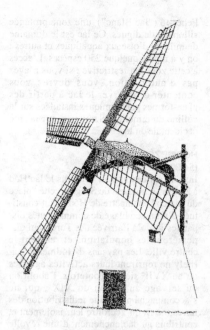

Moulin à vent

construction pour recevoir la **peinture
panoramique** intitulée *L'Arrivée des Hongrois*. Réalisé par Árpád Feszty à l'occasion de l'exposition du Millénaire, qui se
tint à Budapest en 1896, cette œuvre gigantesque (15 mètres sur 120) fut sérieusement
endommagée durant la Seconde Guerre
mondiale et se trouve encore en cours de
restauration. Vous pourrez toutefois en
admirer une reproduction (miniaturisée,
bien sûr, mais qui permet de se faire une
idée) à la *Szeri Csárda* à Árpád-liget, à
proximité du parc. Le *Szeri Camping*
(☎ 375 123) attenant, au n°111, dispose de
14 bungalows (800 Ft pour une double avec
douches communes), et l'on peut louer des
chevaux en face pour 200 Ft l'heure.

FEHÉR-TÓ

À 5 km de Szeged, sur la route de l'Ópusztaszer, vous passerez par la rive est du

Fehér-tó ("lac Blanc"), une zone protégée sillonnée de digues. Ce lac est le domaine de milliers d'oiseaux aquatiques et autres : on y a repéré quelque 250 espèces. L'accès à cette zone est restrictive : si vous n'avez pas d'autorisation, vous devrez vous contenter d'observer le lac à partir des plate-formes panoramiques installées sur la colline du cimetière Szatymaz, sur la côte occidentale du lac.'

HÓDMEZŐVÁSÁRHELY

(54 000 habitants)

Installé sur ce qui était autrefois le lac Hód à 25 km au nord-est de Szeged, cette "place du marché champêtre de Hód" était constituée d'un assemblage de communautés disparates jusqu'à l'arrivée des Turcs, qui dispersèrent les populations et rasèrent le centre ville. Les paysans d'Hódmezővásárhely ne reprirent leurs activités agraires qu'au XVIIe siècle. Toutefois, l'abolition du servage au milieu du XIXe, qui ne s'accompagna pas d'une redistribution des terres, ne fit qu'accroître leur isolement et contribua au déclenchement d'une révolte agraire conduite en 1894 par János Kovács Szántó, événement qui fait aujourd'hui la fierté des habitants et que le régime communiste monta en épingle.

L'artisanat, en particulier la poterie, a une riche tradition à Hódmezővásárhely : les 400 artisans indépendants qui travaillaient au milieu du XIXe siècle en firent le plus grand centre de poterie de Hongrie. Aujourd'hui, on ne voit pas plus de produits de cet artisanat (hors des musées) que dans n'importe quelle autre ville du pays, mais l'influence de la dynamique colonie d'artistes se ressent au-delà de Kohán György utca : des galeries d'art et du festival d'Automne aux pancartes portant les noms des rues, signées par d'éminents artistes.

Orientation

Avec leurs 48 000 hectares, Hódmezővásárhely et sa banlieue constituent la seconde ville de Hongrie en superficie, caractéristique qui ne devrait guère gêner les visiteurs dans la mesure où tout ce qui les intéresse est regroupé au centre-ville. La gare routière se trouve à deux pas d'Andrássy út, dans Bocskai utca, à 10 minutes de marche à l'est de Kossuth tér, où se situe le centre ville. La ville possède deux gares ferroviaires : Hódmezővásárhely vm et Hódmezővásárelyi Nepkert. La première se trouve au sud-est du centre ville, à l'extrémité de Mérleg utca, la seconde tout à fait au sud, à l'extrémité d'Ady Endre utca.

Renseignements

Szeged Tourist (☎ 62 341 325) est installé dans un ancien grenier à blé, près de la Vieille Église au 1, Szőnyi utca. Ibusz (☎ 62 341 220) se trouve aux 5-7, Andrássy út. En semaine, les deux bureaux sont ouverts de 8h à 16h (mais Ibusz ferme à midi le vendredi). L'été, Szeged Tourist reste ouvert le samedi jusqu'à 12h.

La poste se situe à l'angle nord-est de Kossuth tér et il y a une banque OTP au 1, Andrássy út. L'indicatif téléphonique de Hódmező -vásárhely est le 62.

Poterie

Le **musée János Tornyai**, au 16, Szántó Kovács János utca, porte le nom d'un membre marquant de l'école des Beaux-Arts d'Alföld. On y voit quelques vestiges archéologiques très anciens, mais sa véritable raison d'être réside dans l'artisanat d'Hódmezővásárhely : meubles peints, broderies peu communes et poteries caractéristiques de la région. La collection de pichets, jarres et assiettes, que l'on offrait surtout pour les mariages, est la plus belle de toutes et présente les différents styles réalisés en fonction des époques dans la ville et portant le nom des quartiers : Csúcs (blanc et bleu), Tabán (brun) et Újváros (vert et jaune) entre autres.

D'autres poteries sont exposées à la **maison de la poterie de Csúcs**, qui fut celle du maître-potier Sándor Vékony, au 101, Rákóczi utca (ouverte de 13h à 17h, du mardi au dimanche), ainsi qu'à la **maison des Arts populaires**, composée de deux chaumières qui s'élèvent fièrement parmi des immeubles au 21, Árpád utca. Elles sont ouvertes du mardi au vendredi de 13h à 17h et le samedi de 11h à 17h et sont aisément accessibles par Nagy Imre utca.

Peinture

Il faut être membre de la **colonie d'artistes** de Kohán György utca, fondée au début du siècle, pour être admis à l'intérieur, mais on peut aller admirer une sélection de leurs œuvres à la **galerie d'Alföld**, en face de Szeged Tourist, dans une ancienne école calviniste néo-classique. Bien sûr, c'est l'école d'Alföld qui domine ; vous risquez de sortir un peu déstabilisé après avoir vu ces chevaux, ces puits et ces cow-boys de la Plaine à travers le regard de Tornyai, István Nagy ou József Koszta. Mais il y a bien d'autres tableaux à apprécier, comme ces femmes grenouilles du peintre Menyhért Tóth (*Vierge paysanne*) ou l'œuvre de l'impressionniste János Vaszary (*Prières*).

Autres curiosités

On dit que les paysans de Hódmezővásárhely étaient si pauvres qu'ils ne trouvaient de confort que chez Dieu. A en juger d'après les lieux de culte de la ville (une douzaine en tout, représentant cinq ou six religions ou sectes différentes), cela semble vrai. Rares sont ceux qui représentent des monuments remarquables, mais jetez tout de même un coup d'œil à la **Vieille Église** calviniste "baroque populaire", datant du début du XVIIIe siècle, et à la **synagogue** (1906), combiné d'Art Nouveau et d'"éclectisme hongrois", en cours de rénovation sur Szent István tér, qui possède de magnifiques vitraux.

Sans doute vous étonnerez-vous devant le long mur de pierre qui s'étend sur près de 4 km entre la gare routière et la partie ouest d'Hódmezővásárhely. Il s'agit d'une **digue anti-inondations** construite en 1881, deux ans après l'inondation de Szeged. Le canal Hódtó, juste à côté du mur, ne paraît pas bien méchant, mais c'est sans doute ce que disaient les habitants de Szeged, avant 1879, de la paisible Tisza.

Renseignez-vous chez Szeged Tourist ou auprès du personnel du musée János Tornyai sur la ville antique récemment mise au jour au **Czukor Major**, propriété située à 50 km au nord-est d'Hódmezővásárhely.

Activités culturelles et/ou sportives

Les thermes du 1, Ady Endre utca, au sud de Kossuth tér, comportent des bassins d'eaux froides et chaudes ouverts tous les jours de 8h à 20h, mais le Mártély, à 10 km au nord-ouest, en bordure d'un bras mort de la Tisza, est la véritable zone de détente de la ville, où l'on peut louer des barques, pêcher et nager.

L'auberge de Vándorsólyom, à 4 km au nord-est de la ville, sur la route n°47 (Kutasi út) en direction d'Orosháza, organise randonnées à cheval et promenades en carrioles (voir le paragraphe suivant).

Où se loger

Dans le Nepkert, au 1, Ady Endre utca, le *Thermál Camping* (☎ 345 072) loue 3 bungalows pour 4 personnes, inconfortables, mais proches du centre, pour 1 600 Ft. L'autre camping se trouve à Mártély (☎ 342 753), avec des bungalows de 350 à 390 Ft par personne et des tentes pour 240 à 290 Ft par personne. Il est ouvert de mai à septembre.

Szeged Tourist propose des *chambres chez l'habitant* pour 450 Ft la double. L'été, les dortoirs de l'*école d'Agronomie*, à l'est de Kossuth tér au 15, Andrássy utca, sont accessibles au prix de 200 Ft par personne.

Hódmezővásárhely ne s'est toujours pas remise de la fermeture de son grand hôtel, le vieux *Fekete Sas*, mais il reste cependant d'autres établissements acceptables. Le *Fáma* (☎ 344 444), au 7, Szeremlei utca, à quelques minutes de la gare routière sur une avenue bordée de cerisiers, demande 1 495 Ft pour une double avec s. d. b., 1 265 Ft sans. Le nouveau *Pelikán* (☎ 345 072) au 1, Ady Endre utca, près des thermes, fait payer ses 16 chambres de 1 000 à 2 400 Ft selon la saison (toutes avec douche et terrasse). Les jeunes gérants sont sympathiques et chaleureux.

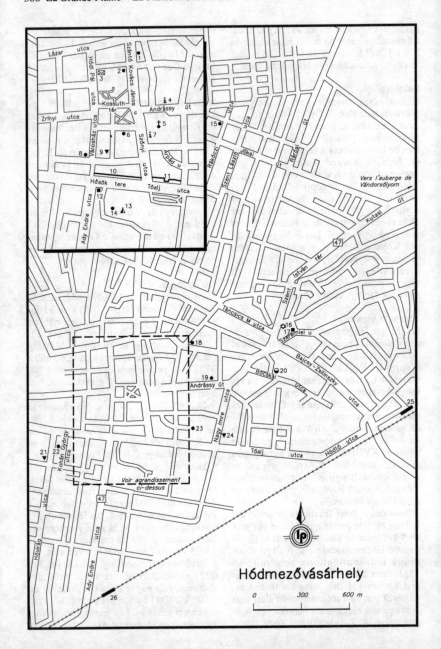

Hódmezővásárhely

0   300   600 m

1	Musée János Tornyai
2	Centre culturel
3	Poste et banque
4	Ibusz
5	Vieille Église
6	Galerie Alföld
7	Szeged Tourist
8	Cave à vins Szőlőfürt
9	Pizzeria Phœnix
10	Digue anti-inondations
11	Digue anti-inondations
12	Pension Pelikán
13	Camping Thermál
14	Thermes
15	Maison de la Poterie
16	Synagogue
17	Hôtel Fáma
18	Boutique de poteries
19	École d'agronomie
20	Gare routière
21	Restaurant Hódtava
22	Maison des artistes
23	Maison des Arts populaires
24	Restaurant Bogolyvár
25	Gare ferroviaire principale
26	Gare ferroviaire de Népkert

Les amateurs de chevaux ne pourront descendre ailleurs qu'au *Vándorsólyom* (☎ 341 900) (voir ci-dessus *Activités culturelles et/ou sportives*). Les doubles avec s. d. b. y sont à 1 400 Ft et l'hôtel propose un petit restaurant et un bar.

Où se restaurer
L'un des restaurants les moins chers d'Hódmezővásárhely est l'*Hódtava*, au 4, Hóvirág utca. Ne vous formalisez pas si votre voisin de table a de la peinture sur les vêtements ou de l'argile sous les ongles : la colonie d'artistes se trouve à deux pas. Le *Phoenix*, à quelques minutes de là, dans le bâtiment de l'hôtel de ville de Tóth Sándor utca, est un restaurant-pizzeria plutôt cher. Au 31, Nagy Imre utca, au sud d'Andrássy út, se trouve le *Bogolyvár*, le meilleur restaurant de la ville, qui n'est pas pour autant le plus cher. Par temps chaud, il est agréable de s'installer en terrasse pour y paresser une heure ou deux.

Distractions
Le *centre culturel Petőfi* (☎ 341 750) est au 7, Szántó Kovács János utca. Si vous vous trouvez là en octobre, consultez les dates du festival d'Automne, un événement artistique à l'échelle nationale qui se déroule au musée János Tornyai.

Szántó Kovács János utca regorge de bons bistrots. La cave à vins *Hordó*, dans Városház utca, est agréable pour boire un verre. Quelques mètres plus loin, le *Phoenix* fait discothèque jusqu'à 4h, avec un programme jazz le lundi soir.

Achats
Si vous aimez les poteries, allez visiter la boutique qui fait l'angle entre Petőfi Sándor et Kinizsi utca, ou encore le showroom de la fabrique de porcelaine d'Alföld, sur Kálvin tér.

Comment s'y rendre
Deux lignes de chemin de fer traversent Hódmezővásárhely et tous les trains qui y passent desservent les deux gares de la ville, espacées de 2 km. La ligne n°130 relie Makó, capitale de l'oignon hongrois et ville natale de Joseph Pulitzer, à Szolnok. La ligne n°135 relie pour sa part Szeged à Békéscsaba.

Les bus à destination de Szeged, Békéscsaba, Makó, Szentes et la zone balnéaire de Mártély sont très fréquents. Il y a au moins 3 départs quotidiens pour Csongrád, Szolnok, Jászberény, Budapest, Oroshárza, Szeghalom et Baja. Un bus par jour au moins se rend à Paradfürdő, Tiszafüred, Miskolc, Debrecen, Hajdúszoboszló, Gyöngyös et Pécs.

Comment circuler
Les bus locaux sont rares, mais si vous avez la patience d'attendre, ils vous mèneront partout où vous souhaitez aller. De la gare ferroviaire principale, prenez le 1 ou le 7 jusqu'à la gare routière et Kossuth tér. Le 3 va de Hódmezővásárhelyi Népkert au centre ville.

Pour l'auberge de Vándorsólyom, prenez le 9 à la gare routière. Enfin, composez le 341 074 pour appeler un taxi.

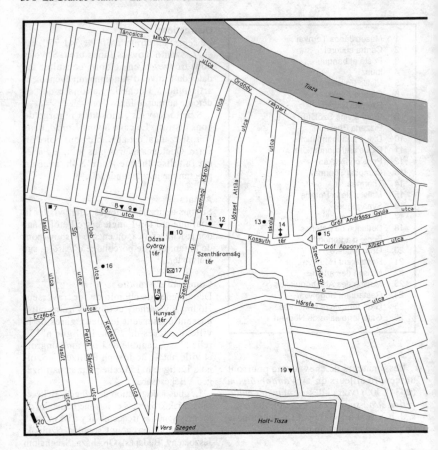

CSONGRÁD (21 000 habitants)

Le XIIIe siècle n'a pas été très tendre envers la ville de Csongrád (du terme slave Černigrad, "château noir"). Jadis capitale royale du comitat de Csongrád, la ville et sa forteresse furent si endommagées par l'invasion mongole, en 1241, que le siège de la royauté fut transféré à Szeged.

Csongrád ne s'est jamais vraiment remise de l'invasion et son développement fut très lent. Jusque dans les années 20, elle ne constituait même pas une véritable ville. En conséquence, l'Öregvár (Vieille Ville) n'a guère changé depuis le XVIIe siècle :

c'est un paisible village de pêcheurs, avec des chaumières et des rues étroites, sur une rive de la Tisza.

Quelques villes de Hongrie dégagent une atmosphère sympathique ; Csongrád en fait partie. En flânant sous les tilleuls de la rue principale ou sur la rive de la Tisza jusqu'à la Vieille Ville par une chaude après-midi d'été, vous ne manquerez pas de le constater.

Orientation et renseignements

Csongrád est située sur la rive est de la Tisza, non loin de l'endroit où le Körös la rejoint, à 65 km au nord de Szeged. Au sud

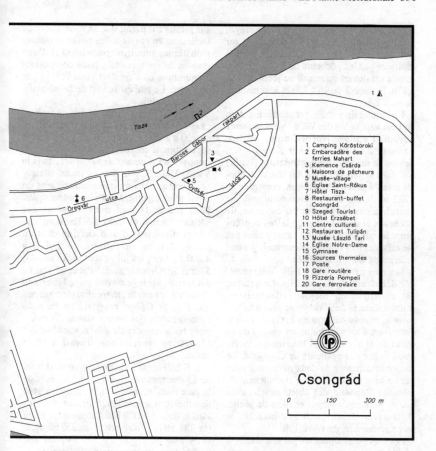

1 Camping Köröstoroki
2 Embarcadère des ferries Mahart
3 Kemence Csárda
4 Maisons de pêcheurs
5 Musée-village
6 Église Saint-Rókus
7 Hôtel Tisza
8 Restaurant-buffet Csongrád
9 Szeged Tourist
10 Hôtel Erzsébet
11 Centre culturel
12 Restaurant Tulipán
13 Musée László Tari
14 Église Notre-Dame
15 Gymnase
16 Sources thermales
17 Poste
18 Gare routière
19 Pizzeria Pompeii
20 Gare ferroviaire

Csongrád

0   150   300 m

de la ville, un bras mort (le Holt-Tisza) fait office d'aire de détente. La gare routière se trouve sur Hunyadi tér, à 5 minutes de Fő utca, la rue principale. La gare ferroviaire est encore à 5 ou 10 minutes à l'ouest.

Szeged Tourist (☎ 63 381 232) au 14, Fő utca, est ouvert en semaine de 8h30 à 16h. Le centre culturel Kossuth (☎ 63 381 414) est au 8, Szentháromság tér.

Poste et banque OTP se trouvent au nord de la gare routière, sur Dózsa György tér. Pour obtenir un taxi, composez le 63 381 231.

L'indicatif de Csongrád est le 63.

A voir et à faire

Le **musée László Tari**, au 2, Iskola utca, est dédié aux milliers de *kubikosok* (terrassiers) qui quittèrent Csongrád et ses environs au XIXe siècle pour travailler aux projets de régulation des rivières et à la construction de canaux. Certains d'entre eux se rendirent sur des sites aussi lointains qu'Istanbul ou Varsovie, où on les traitait en esclaves : ils travaillaient de 5h à 20h, recevaient une nourriture minimale et n'avaient droit qu'à de rares pauses-cigarette. Le musée comporte également les restes de tombeaux Avars du VIIIe siècle retrouvés non loin de là à Felgyő, ainsi que quelques superbes sculptures sur bois (supports de toitures, linteaux, portes) réalisées par les pêcheurs de Csongrád. Le musée est ouvert du mardi au jeudi de 13h à 17h, le samedi de 9h à 12h et le dimanche de 9h à 17h.

En sortant du musée, prenez la direction de l'est vers la Vieille Ville : vous passerez devant l'**église Notre-Dame**, édifice baroque de 1769 puis, sur Kossuth tér, devant le magnifique **gimnázium** (lycée) bâti dans le plus pur style Art Nouveau hongrois et l'**église Saint-Rókus**, construite en 1722 sur le site d'une mosquée turque. Ne cherchez pas les fresques d'ouvriers, de pêcheurs et de scènes populaires censées orner les plafonds de cette église : elles ont été effacées lors d'un ravalement. Il y a une galerie aux 9/11, Kossuth tér.

Les rues pavées de la Vieille Ville protégée débutent un peu plus loin. Le quartier est constitué en majorité de maisons d'habitation et de résidences secondaires, mais le **musée-village** au 1, Gyökér utca, est ouvert à tous et donne un aperçu de ce qu'était, il n'y a pas si longtemps, la vie quotidienne des pêcheurs de Csongrád. Le musée se compose de deux maisons reliées par un long toit de chaume et contenant du mobilier d'époque, des objets usuels, ainsi que de nombreux pièges et filets de pêche. Il est ouvert du mercredi au dimanche, de mai à septembre, de 13h à 17h.

Les **thermes**, alimentés par une source à 46 °C, s'élèvent dans un grand parc à la hauteur des 3/5, Dob utca, et sont ouverts en semaine (généralement de 10h à 19h). Les piscincs découvertes sont également accessibles de 10h à 19h, mais l'été seulement. Szeged Tourist peut vous organiser parties de pêche et promenades sur le fleuve à partir du camping de Köröstoroki, ainsi que des locations de bicyclettes.

Où se loger

Le *camping de Köröstoroki* (☎ 381 185), sur la rive où le Körös rejoint la Tisza, à environ 3 km à l'est du centre ville, dispose de bungalows (installés fort heureusement sur pilotis : il paraît que la zone s'inonde facilement en cas de fortes pluies et que les moustiques sont insupportables) et d'une maison de vacances très laide comportant 5 chambres où l'on dort pour 900 Ft par personne. Le site est ouvert de la mi-mai à la mi-septembre.

Szeged Tourist propose des *chambres chez l'habitant* et des appartements allant de 900 à 1 700 Ft. Cependant, entre mai et septembre, il cherchera sans doute à vous imposer ses *maisons de pêcheurs*, dans la Vieille Ville. Si vous êtes en fonds, laissez-vous tenter : ces maisons constituent un mode d'hébergement des plus pittoresques. Pour passer la nuit dans l'une de ces bâtisses vieilles de deux siècles, dont certaines disposent d'une cuisine et d'un salon, il vous en coûtera de 2 500 à 4 800 Ft. Les plus jolies sont celles des 49, 57/b et 58, Öregvár utca. Si Szeged Tourist est fermé, arrangez-vous pour louer une chambre chez le maréchal-ferrant au 35, Baross Gábor rakpart, en face de l'embarcadère des ferries Mahart. A éviter pour les amateurs de grasses matinées : M. Kállay reprend son travail à 6h le matin.

L'*Erzsébet* (☎ 381 960) est un vieil hôtel de 13 chambres au 3, Fő utca, tout près de la gare routière. Les simples/doubles avec douche sont à 910/1 820 Ft, les doubles sans s. d. b. à 1 000 Ft. A l'ouest, le *Tisza* (☎ 381 594) a fière allure au 23, Fő utca. On y paie de 2 000 à 2 500 Ft pour une double avec douche et petit déjeuner.

Où se restaurer

Le choix le plus évident dans la Vieille Ville est le *Kemence*, une jolie csárda au 54, Öregvár. Il n'y a pas de poisson au menu (chose surprenante pour un village de pêcheurs), mais quoi que vous commandiez, accompagnez votre repas d'un verre de Csongrádi Kadarka. C'est le vin local, rouge rubis, au goût corsé.

L'hôtel *Erzsébet* abrite un bar qui sert repas légers et en-cas. En été, il sort ses tables sur le trottoir. En face, le *Fortuna* est un restaurant de spécialités "Yugoslav" installé dans une petite cour au 1, Jókai utca, et ouvert jusqu'à 2h du matin. Le récent *Pompeii* sert des spécialités italiennes et slaves dans une maison ancienne rénovée au 6, Kis Tisza utca.

Pour un repas classique, mais rapide et pas cher, choisissez le *Csongrád*, dans Fő utca, près de Szeged Tourist. Le *Pikoló*, juste à côté au n°11, est un nouvel établissement.

Comment s'y rendre

Bus. De Csongrád, on peut aller en bus jusqu'à Baja (2 par jour), Békéscsaba (2), Budapest (5), Eger (2), Gyula (1), Hódmezővásárhely (9), Kecskemét (8), Kiskunfélegyháza (10), Lajosmizse (4), Orosháza (4), Szentes (30) et Szolnok (3). Les 9 bus quotidiens pour Szeged passent par l'Ópusztaszer.

Train. Csongrád se trouve sur la ligne secondaire de 80 km entre Szentes à l'est et Kiskunfélegyháza à l'ouest. Mais en dehors de ces deux villes, mieux vaut choisir le bus, plus rapide et avec des départs plus fréquents.

Bateau. Si vous allez à Szeged en été, pensez aux ferries Mahart, qui descendent le cours du fleuve sur la distance séparant les deux villes. De mi-juin à fin août, les bateaux quittent le terminal des ferries à Baross Gábor rakpart à 7h et 16h samedi et dimanche. Sachez toutefois que le trajet dure 4 heures 30, soit deux fois plus de temps qu'en bus, avec des arrêts à Szentes, Csanytelek, Mindszent, puis devant une csárda, avant d'atteindre Szeged. Entre mi-avril et octobre, vous devriez pouvoir également rejoindre l'un des charters qui remontent le fleuve jusqu'à Szolnok, à 90 km au nord.

BÉKÉSCSABA (71 000 habitants)

Lorsqu'un Hongrois entend prononcer le nom de Békéscsaba, deux images très différentes lui viennent généralement à l'esprit : des saucisses grasses et de sanglantes émeutes. Le Csabai, qui n'est pas sans rappeler le *chorizo* portugais, est en effet fabriqué dans cette ville, qui fut en outre le centre du Vihar Sarok, où de violents affrontements éclatèrent en 1890 entre ouvriers agricoles et moissonneurs. Ce souvenir n'empêche pas Békéscsaba d'être aujourd'hui le chef-lieu du comitat de Békés (qui signifie "pacifique").

Békéscsaba fut dès le XIVe siècle une importante ville fortifiée. Durant l'invasion turque, elle fut rasée et sa population dispersée. Au début du XVIIIe, un émissaire des Habsbourg nommé János György Harruckern encouragea des habitants de Rhénanie et des Slovaques à s'implanter dans la région, qui devint alors un fief protestant. L'influence slovaque, surtout, se ressent – dans les panneaux des rues, bilingues, dans les écoles ou les clubs de langue slovaque – et la ville ne manque pas non plus de Serbes, Roumains et Tziganes.

Békéscsaba commença à se développer au XIXe siècle, dès l'instant où le chemin de fer y passa. En 1906, à la suite des premières révoltes agraires, András Áchim y fonda son Parti radical des paysans, importante force politique du pays pendant de nombreuses années. Vers 1950, Békéscsaba avait dépassé Gyula en importance et acquis le titre de chef-lieu… Une promotion que Gyula n'a pas encore pardonnée à sa petite sœur.

Avec une économie reposant essentiellement sur l'agriculture (riz, blé, bétail) et l'industrie alimentaire (le meilleur jus de pomme de Hongrie est mis en bouteilles ici), le comitat de Békés a sombré dans le marasme depuis le début des années 80 : son taux de chômage est l'un des plus élevés du pays et sa démographie décline nettement. Ce constat ne vous encouragera sans doute pas à visiter Békéscsaba ; pourtant, la ville reste un endroit agréable et sympathique, idéale pour une pause prolongée sur le chemin des thermes de Gyula ou de la Roumanie.

Orientation

La vétuste gare ferroviaire de Békéscsaba jouxte la gare routière ultra-moderne sur

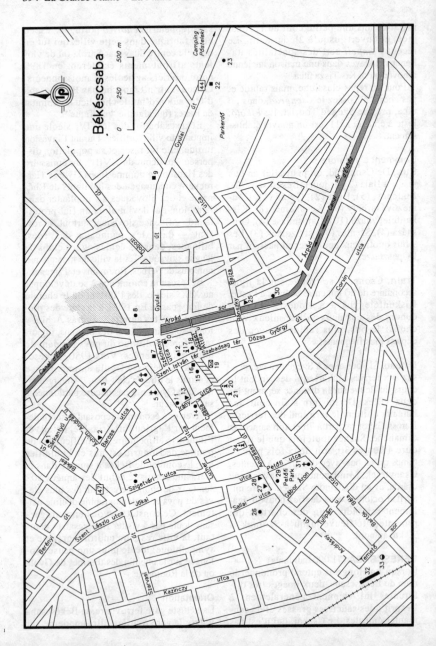

■ OÙ SE LOGER

7   Hôtel Körös
9   Stade couvert
     et auberge de jeunesse
16   Hôtel Fiume
22   Pension Troféa

▼ OÙ SE RESTAURER

2   Restaurant Bella Italia
13   Restaurant chinois
25   Halászcsárda
27   Saláta Szalon
28   Halbisztró

DIVERS

1   Fermes
3   Maison slovaque
4   Fermes
5   Petite Église
6   Grande Église
8   Moulin de Csabai
10   Musée Mihály Munkácsy
11   Centre culturel
12   Hôtel de ville
14   Cinéma Phaedra
15   Théâtre Jókai
17   Ibusz
18   Club Narancs
19   Poste
20   Cooptourist
21   Békés Tourist
23   Musée du Grain
24   Express
26   Marché
29   Arche de la Libération
30   Thermes
31   Église orthodoxe grecque
32   Gare ferroviaire
33   Gare routière

une place à l'extrémité ouest d'Andrássy út, la rue principale. Un long fragment de cette rue, entre Petőfi utca et Szent István tér, est aujourd'hui piétonnier. Au-delà, coule l'Élővíz-csatorna, un canal reliant Békéscsaba avec Békés au nord, Gyula à l'est et le Körös.

A l'est du canal, se trouve Parkerdő, zone de loisirs de la ville. Árpád sor, en bordure du canal, est un lieu paisible où il fait bon flâner par temps chaud.

Renseignements

Le personnel de Békés Tourist (☎ 66 323 448) au 10, Andrássy út, se montre généralement dévoué et bien renseigné. Le bureau est ouvert en semaine jusqu'à 16h. Cooptourist (☎ 66 326 545) et Express (☎ 66 324 201) se trouvent dans la même rue, respectivement aux n°s 6 et 29, tandis qu'Ibusz (☎ 66 321 571) est au 5, Szent István tér.

Il existe une banque OTP au 3, Szent István tér, mais vous pourrez aussi changer de l'argent chez Ibusz, juste à côté. La poste centrale est dans Andrássy út, en face de l'hôtel Fiume. L'indicatif téléphonique de Békéscsaba et ses environs est le 66.

A voir

Le **musée Mihály Munkácsy**, au 9, Széchenyi utca, présente des expositions consacrées à la nature et à l'écologie de la Grande Plaine, ainsi qu'au folklore et à la culture locale, mais c'est surtout Munkácsy (1844-1900), peintre romantique, qui y est à l'honneur. Certains trouveront sans doute ses tableaux de la Grande Plaine et de ses habitants un peu doucereux, mais dans le domaine des Beaux-Arts hongrois, cet artiste reste inégalé pour ses représentations d'une région et d'une époque (réelles ou imaginaires). Le jeune couple réservé dépeint dans *Novices* et *Séance de lecture au village* jouit visiblement d'un traitement de faveur. L'exposition ethnographique du bâtiment voisin, où l'on a accès sans supplément de prix, retrace l'histoire des groupes ethniques roumains, slovaques, allemands et hongrois de la région. Ne manquez pas les belles broderies slovaques et les meubles peints hongrois.

Anciens ou futurs agriculteurs trouveront sans doute un intérêt au **musée du Grain** installé au 65, Gyulai út dans plusieurs anciennes granges aux toits de chaume et empli de matériel et d'outils traditionnels. Le moulin à vent du XIXe siècle est l'un des plus beaux spécimens que l'on puisse encore admirer en Hongrie. Le musée est ouvert tous les jours sauf lundi et mardi de 10h à 16h, de mai à septembre.

La **Maison régionale slovaque**, au 21, Garay utca, est une merveilleuse ferme slovaque construite en 1865 dont les trois pièces regorgent de décorations et de mobilier rustiques. Souriez au gardien et il vous offrira un verre du pálinka de prune qu'il fabrique lui-même. La Maison est ouverte tous les jours sauf lundi jusqu'à 18h. De nombreuses autres fermes typiques sont dispersées tout autour, surtout dans Szigetvári utca et dans Sárkantyú utca. Celle du 17, Békési utca est appelée la **Maison des contes de fées** et les enfants l'adorent. Elle est ouverte du mardi au vendredi de 10h à 17h et jusqu'à 13h le week end. Juste à côté, au n°15, ont lieu, de temps en temps, des spectacles culturels slovaques.

Ne manquez pas le **moulin István Csabai**, un étrange édifice de briques rouges et grises datant du début du siècle. Le meilleur point de vue, pour l'admirer, est le petit pont situé près du musée Mihály Munkácsy. Il s'agit là du premier moulin à eau de Hongrie, et il fonctionne encore aujourd'hui. Si vous demandez gentiment, peut-être vous laissera-t-on entrer pour voir les anciennes saupoudreuses et tamis à farine.

La **Grande Église** luthérienne (1824) et la **Petite Église** du XVIIIe siècle (1745), situées l'une en face de l'autre sur Kossuth tér, attestent du profond enracinement de la ville dans le protestantisme. L'**église grecque orthodoxe** baroque, sur Gábor Áron utca, que l'on pourrait confondre avec n'importe quelle autre église calviniste, a été récemment ravalée.

Le splendide **Hôtel de ville**, dont la façade (1873) fut réalisée par l'architecte de Budapest Miklós Ybl, se trouve sur Szent István tér. Empruntez József Attila utca vers l'est, traversez le canal, puis prenez Árpád sor, une rue bordée de bustes des grands noms de la littérature hongroise. Au nord, vous verrez un "totem" sculpté assez moderne, de style Transylvanien, dédié aux martyrs d'Arad, 13 généraux exécutés en 1848 par les Habsbourg dans cette ville, située aujourd'hui en Roumanie. Vous trouverez un grand **marché** d'alimentation dans Sallai utca, juste au nord d'Andrássy út.

Quant au **marché aux puces**, il se tient devant le stade couvert (qui ressemble à un carburateur géant) dans Gyulai út, les mercredis et samedis. Le dimanche, on y vend des voitures.

Les **thermes d'Árpád**, ainsi que les piscines couvertes et découvertes, s'ouvrent près du restaurant de poissons Halászcsárda, dans Árpád sor.

Où se loger

Sur le site du *Pósteleki Camping* (☎ 327 197), à 5 km à l'est de la ville, vous trouverez une auberge de jeunesse et les ruines d'un vieux manoir. Toutefois, étant donné la faiblesse des moyens de transport dans ce secteur, l'ensemble n'est guère conseillé.

Toutes les agences de Békéscsaba (voir *Renseignements*) vous réserveront une *chambre chez l'habitant* pour 600 ou 700 Ft, mais demandez avant tout la chambre n°4 du deuxième étage de l'immeuble qui abrite les bureaux de Békés Tourist. C'est une chambre claire et très agréable donnant sur Andrássy út et présentant, qui plus est, le meilleur rapport qualité/prix de la ville. Si elle n'est pas disponible, Express pourra vous trouver une place en *dortoirs* dans l'un des établissements situés dans le secteur du Parkerdő.

Les 14 chambres de l'auberge de jeunesse *Sport* (☎ 349 449) sont situées à l'intérieur de l'abominable stade, en face du Parkerdő, dans Gyulai út. Les doubles coûtent de 1 000 à 1 200 Ft et toutes les chambres sont avec douche et télévision par satellite. Concerts et matches se déroulent dans le gigantesque auditorium, juste en face des chambres : autant renoncer à dormir si les Harlem Globe-trotters ou un groupe de hard rock sont programmés. En revanche, vous serez aux premières loges pour assister au spectacle.

L'hôtel *Körös* (☎ 441 741), assez mal entretenu, au 2, Kossuth tér, est situé juste à côté de ce qui remporte, à mon avis, la palme du bâtiment le plus laid de Hongrie. Il s'agit d'une maison-auditorium de jeunes datant des années 60, dont la forme évoque celle d'une raie-pastenague échouée sur le rivage. Avec s. d. b., les simples du *Körös* sont à 1 100 Ft, les doubles vont de 1 920 à 2 120 Ft. Sans s. d. b., ces dernières coûtent 1 400 Ft. Tous ces prix incluent le petit déjeuner. L'hôtel dispose d'un restaurant en terrasse, d'un bar et d'un salon de thé avec billard.

Le meilleur hôtel de Békéscsaba, qui est aussi l'un des plus beaux de Hongrie, est le *Fiume* (☎ 322 244) au 2, Szent István tér, rénové avec goût. Son nom est celui que portait jadis le port de Rijeka, en Croatie. Il comporte un restaurant de première catégorie, un grill sympathique interdit aux fumeurs, une brasserie et une pâtisserie. Les simples y sont à 2 960 Ft, les doubles vont de 3 500 à 4 550 Ft, selon la taille de la chambre, son emplacement et sa décoration. Choisissez-en une donnant sur la place.

Où se restaurer

Pour déjeuner sans trop grever votre budget, essayez l'*Iparosok Háza* au 10, Kossuth tér, qui sert des spécialités hongroises qui fleurent (un peu trop) le terroir. Si vous acceptez de manger debout, l'*Halbisztró*, au 31, Andrássy út, propose du poisson. Dans la même veine, vous trouverez un *Saláta Szalon* avec salades hongroises, en face de Petőfi Park et de l'inénarrable arche de la "Libération".

Pour un repas à la fois plus substantiel et plus dépaysant, essayez le *Bella Italia*, à l'angle de Baross utca et d'Áchim András utca. On y sert d'assez bonnes pâtes, pizzas et autres spécialités italiennes dans un décor pittoresque. Quant au *Vörös Sárkány* ("dragon rouge"), au 7, Irány utca, qui fait partie d'une chaîne de restaurants chinois basée à Budapest, c'est un établissement très apprécié qui attire beaucoup de monde. Aussi vaut-il mieux arriver tôt si l'on veut goûter la soupe aigre-douce, le bœuf à la sauce d'huître et les plats de tofu.

Le *HBH Bayor*, restaurant-brasserie de l'hôtel Fiume, fabrique sa propre bière et sert l'une des meilleures cuisines de la ville dans un décor clair et élégant. Par temps chaud toutefois, la viande risque de vous rester sur l'estomac : pour éviter cela, traversez le canal et entrez à l'*Halászcsárda*, un restaurant de poissons situé au 2, Árpád sor.

Pour satisfaire vos envies de douceurs, choisissez un gâteau à la pâtisserie Márvány, au 21, Andrássy út. Dégustez-le en terrasse, sur une jolie petite place. L'établissement reste ouvert jusqu'à 22h.

Distractions

Le *théâtre Jókai* (1875), magnifiquement restauré au 1, Andrassy út, et la *Grande Église* luthérienne sont les hauts-lieux culturels de Békéscsaba. Demandez au personnel de Békés Tourist ou du centre culturel (☎ 327 385) au 6, Luther utca, le programme des manifestations.

Le meilleur endroit de la ville pour prendre un verre est le *Club Narancs*, surtout fréquenté par des étudiants. On y boit de la bière au fond d'une cave voûtée, en écoutant parfois des concerts de musique internationale. L'établissement se trouve sur Szent István tér, en face du *Fiume*. En outre, la pension *Troféa*, au 61, Gyulai út, dispose d'une discothèque qui fonctionne les vendredis et samedis soirs jusqu'à 4h du matin.

Ne manquez pas d'aller voir un film dans la maison du cinéma Art Déco *Phaedra*, à l'angle d'Irány utca et Csaba utca. Vous aurez l'impression d'assister à une première des années 30.

Comment s'y rendre

Une dizaine de trains relient chaque jour Békéscsaba à la gare de Budapest-Keleti. Ils sont également fréquents (14 par jour) pour Gyula, la plupart continuant jusqu'à Vésztő. Pour Szeged, 9 départs par jour sont organisés. Enfin, 3 trains quotidiens internationaux partent de Békéscsaba pour Bucarest, via Arad et Brasov, 2 pour Oradea, via Gyula.

Pour des points plus au nord, comme Debrecen ou Nyíregyháza, 5 ou 6 bus s'y rendent directement chaque jour. Il y a des départs pour Gyula et Békés environ toutes les heures, 7 bus quotidiens vont à Szeged, mais un seul se rend à Budapest.

Comment circuler

Bien que la ville soit petite, les transports en commun ne sont pas très satisfaisants à Békéscsaba. Heureusement, les distances sont réduites : pour aller de la gare à Szent István tér, par exemple, il faut 20 minutes sans se presser. Les bus nᵒˢ 4 et 9 traversent la place pour se rendre au stade couvert, au musée du Grain et aux universités situées près du Parkerdő.

VÉSZTŐ (7 800 habitants)

Le **Monument historique national de Mágor**, à 4 km du village dont il porte le nom et à 40 km de Békéscsaba, comporte deux *kurgan*, ou tumulus, découverts en Hongrie et en Corée. Si les kurgans ne sont pas rares dans la Grande Plaine, ces deux-là sont particulièrement précieux sur le plan archéologique. Le premier est un véritable "millefeuille" d'objets de culte, de châsses et de tombeaux datant du IVᵉ siècle avant J.-C., le second renferme une église et un monastère du Xᵉ siècle. Mágor est ouvert tous les jours sauf lundi de 10h à 16h, d'avril à novembre. Le site est également au centre de la **zone préservée de Körös-Maros**, très riche en végétation aquatique et en vie sauvage.

Pour vous détendre, faites un tour à l'école d'équitation de Stabularios, à 2 km au nord. Vous y trouverez 14 chevaux (de 500 à 600 Ft l'heure), 2 étonnantes calèches à bord desquelles vous pourrez faire un journée le tour de la zone préservée (2 000 Ft par personne), et même un planeur en location (4 000 Ft l'heure).

Où se loger et où se restaurer

Pour le moment (le Stabularios construit actuellement une petite pension), l'hébergement le plus proche est le *Bélmegyer* (☎ 351 230), un merveilleux pavillon de chasse au milieu d'une épaisse forêt, à 9 km au sud-ouest. Les simples/doubles y sont à 550/1 000 Ft, mais les prix augmentent considérablement pendant la saison de la chasse (surtout en mai), lorsque lièvres et faisans abondent.

La *Réti Csárda*, dans Kossuth Lajos utca lorsqu'on pénètre à Vésztő du côté sud, ou le *Monostor*, proche du centre ville, sont deux restaurants qui pratiquent des prix raisonnables.

Comment s'y rendre

Mágor est un endroit où l'on se déplace aisément, même sans voiture. Renseignez-vous auprès de Békés Tourist, à Békéscsaba, sur les visites organisées : elles ont peut-être repris.

Sept trains quittent chaque jour Békéscsaba pour Vésztő, mais ils suivent un itinéraire détourné pour passer à Gyula et mettent donc 2 heures pour parcourir 64 km. Le bus direct pour Vésztő prend deux fois moins de temps, mais que faire une fois à destination ?

Mágor et la zone préservée se trouvent à 4 km au nord-ouest de Vésztő. Essayez de vous faire accepter à bord d'un des autocars de voyages organisés, généralement garés devant le restaurant Monostor. Sinon, il vous faudra marcher (ou y aller à cheval).

SZARVAS (19 000 habitants)

Szarvas est une jolie petite ville verdoyante à 45 km à l'ouest de Békéscsaba, en bordure d'un bras mort du Körös. Jadis ville de marché, elle souffrit beaucoup de l'invasion turque, qui décima sa population. Au XVIIIᵉ siècle, les Slovaques s'y installèrent en nombre. Toutefois, la meilleure chose qui arriva à la ville fut la visite de Sámuel Tessedik, prêtre luthérien et innovateur scientifique, qui créa là, en 1770, l'un des premiers instituts d'agronomie d'Europe. Cet homme des Lumières, considéré comme le père de l'ethnographie hongroise pour ses travaux de recherches sur "Le paysan en Hongrie : ce qu'il est et ce qu'il pourrait devenir" (1786), entreprit également de faire reconstruire la ville dévastée en forme d'échiquier. C'est ainsi qu'elle apparaît encore aujourd'hui.

Jusqu'à 1920, Szarvas était le centre géographique de la Hongrie. Oubliez un

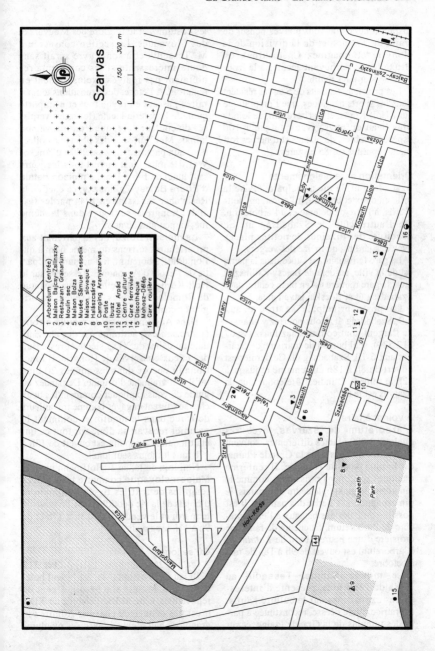

Szarvas

0 150 300 m

1 Arboretum (entrée)
2 Maison Bajcsy-Zsilinszky
3 Restaurant Granarium
4 Moulin sec
5 Maison Bolza
6 Musée Sámuel Tessedik
7 Maison slovaque
8 Halászcsárda
9 Camping Aranyszarvas
10 Poste
11 Ibusz
12 Hôtel Árpád
13 Centre culturel
14 Gare ferroviaire
15 Discothèque
16 Gare routière

Elizabeth Park

instant tout ce que vous pouvez penser du traité de Trianon et de la division de la Hongrie et imaginez Châteauroux ou Bruxelles se retrouvant acculés à la frontière de leur pays mutilé.

Les principaux attraits de Szarvas résident dans les sports nautiques, que l'on pratique sur l'Holt-Körös, et l'**arboretum**, de loin le plus beau du pays, avec quelque 1 100 espèces d'arbres, de plantes et d'herbes fort rares, réparties sur 85 hectares.

Orientation et renseignements

Szabadság út, la rue principale, divise la ville en deux et conduit, à l'ouest, au Holt-Körös, à l'aire de détente et à l'arboretum. De l'autre côté de Szabadság út, on découvre des dizaines de petites places avec des jardins, ou même des vergers.

La gare ferroviaire est située dans la partie est de la ville, au-delà de Bajcsy-Zsilinszky utca, la gare routière est en plein centre, dans Szabadság út et Bocskai István utca.

La poste principale se trouve aux 5-9, Szabadság út. Vous pourrez y changer de l'argent, tout comme chez Ibusz (☎ 67 312 520), seul bureau de tourisme de Szarvas aux 6-10, Szabadság út. Ce dernier est ouvert de 8h à 18h en semaine et jusqu'à 12h le samedi. L'indicatif téléphonique de Szarvas est le 67.

A voir et à faire

L'arboretum de Szarvas, avec ses quelque 3 000 plantes différentes, souvent inconnues ailleurs dans la Grande Plaine, est le plus beau de Hongrie. Il renferme quelques spécimens rarissimes, comme le pin géant, le ginkgo, le cèdre des marais, le pin espagnol ou l'herbe des pampas. Il est possible de louer des bateaux à l'embarcadère de l'arboretum, ou encore de faire une croisière d'une heure à bord du *Katalin II*. L'arboretum est ouvert de 9h à 18h de mai à octobre.

Le **musée Sámuel Tessedik** au 1, Vajda Péter utca, présente d'intéressantes expositions sur la culture Körös, adoratrice d'une déesse, reconstituée à partir des tumulus de la Grande Plaine, et sur les costumes et le folklore des Magyars et des Slovaques. La section consacrée à M. Tessedik et à son œuvre serait sans doute intéressante si les commentaires n'étaient pas rédigés exclusivement en hongrois. A l'étage, des expositions temporaires passent en revue tout et n'importe quoi, de la poterie locale (les brocs vernissés de couleur ocre, que l'on trouve non loin de Mezőtúr, sont des objets de collection) aux photographies satellites d'Angkor Wat. Le musée est ouvert tous les jours sauf lundi de 10h à 16h. La **maison natale d'Endre Bajcsy-Zsilinszky**, ce chef de la Résistance assassiné en 1944 par les fascistes hongrois, se trouve dans la même rue, un peu plus au nord.

La **maison Bolza**, qui appartenait aux propriétaires terriens du même nom à qui l'on doit l'arboretum, fait aujourd'hui partie de l'école d'Agronomie Tessedik, sur le Holt-Körös. Devant elle, s'élève la statue de Romulus et Remus, qui révèle les origines romaines de la ville.

Dans Ady Endre utca, le **moulin à roue** (*szárazmalom*) actionné par des chevaux date du début du XIXᵉ siècle et reste l'un des mieux conservés de Hongrie. Il fonctionnait encore dans les années 20 bien qu'il soit vraiment d'origine. Demandez au guide de vous expliquer comment les deux chevaux furent engagés comme travailleurs de force dans le moulin et comment le meunier recevait sa dîme sur tout ce qui était moulu. Le moulin est ouvert de 13h à 17h tous les jours sauf lundi.

Non loin de là, au 1, Hoffmann utca, la **Maison slovaque** comporte trois pièces remplies de textiles tissés à la main et d'objets de la vie quotidienne. Elle se visite le mardi et le vendredi de 13h à 17h et de 9h à 11h le samedi.

Où se loger

Avec ses 26 chambres, l'*Árpád* (☎ 312 120), au 64, Kossuth utca, est le seul hôtel de la ville. Malgré son besoin urgent de rénovations, cette bâtisse délabrée du XIXᵉ n'est pas dénuée de charme. Admirez le grandiose hall d'entrée, avec ses moulures

En haut : hôtel Krúdy sur le lac à Sóstófürdő, près de Nyíregyháza (SF)
En bas à gauche : église catholique à Nyíregyháza (SF)
En bas à droite : ancienne banque à Nyíregyháza (SF)

En haut : enseignes tombales de bois à Szatmárcseke, au nord-est
de la Hongrie (SF)
En bas à gauche : église calviniste de Tákos, au nord-est de la Hongrie (SF)
En bas à droite : église romane à Csaroda, au nord-est de la Hongrie (SF)

d'albâtre en état d'effritement avancé. On peut se représenter les fastueuses fêtes données ici à la fin du siècle dernier, en imagination bien sûr !. Aujourd'hui, les doubles avec s. d. b. sont à 1 350 Ft.

Le seul autre hébergement de Szarvas (hormis les *chambres chez l'habitant*, que l'on peut obtenir par l'intermédiaire d'Ibusz et qui coûtent de 600 à 800 Ft) est l'*Aranyszarvas Camping* (☎ 313 277), situé au-delà du fleuve et du parc Élisabeth. Des bungalows pour quatre coûtent 1 000 Ft. Ils ne sont disponibles que les mois les plus chauds, mais en dehors de juillet et août, où ils sont réservés à une colonie de vacances.

Où se restaurer

Le *Csobolyó*, ouvert jusqu'à minuit au 38, Szabadság út, est un agréable petit restaurant de spécialités hongroises. Le *Granarium*, installé dans une splendide maison ancienne au 2, Kossuth Lajos utca, est également une bonne adresse et présente l'avantage de rester ouvert tard dans la nuit : fermeture à 2h en semaine, à 4h le week-end.

La maison de thé *Aroma*, au n°15 de la même rue, propose quelques plats végétariens jusqu'à 20h (et 22h le week-end). La *Prima Pizzeria*, un peu plus loin au n°23, conviendra aux plus pressés.

Mais le meilleur restaurant de Szarvas reste l'*Halászcsárda*, un spécialiste de poissons situé au coin nord-est du parc Élisabeth, juste de l'autre côté du pont en venant de la ville. Il est ouvert jusqu'à 23h et sert ses clients en terrasse au bord du fleuve lorsqu'il fait beau.

Distractions

Le *centre culturel Péter Vajda*, à l'angle de Szabadság út et Béke utca, vous renseignera sur les éventuelles manifestations culturelles prévues à Szarvas. La discothèque *Spotlight*, à l'hôtel Árpád, est le lieu de rendez-vous du samedi soir, mais le public le plus jeune préfère la discothèque du restaurant le *Mohosz-Délép*, au sud du camping (ouverte jusqu'à 3h le week-end).

Pour vous y rendre, prenez le bus devant l'hôtel Árpád à partir de 19h.

Le *Graffiti Club*, un bar branché au 40, Kossuth Lajos Utca, reste lui aussi ouvert tard dans la nuit.

Comment s'y rendre

On peut atteindre Szarvas en bus à partir de Békéscsaba (5 départs quotidiens), Gyula (4), Kecskemét (6) et Oroszháza (2). La ville se trouve sur la ligne de chemin de fer n°125, qui relie Óroszháza à Mezőtúr sept fois par jour. De Békéscsaba, il est plus rapide de prendre le train express jusqu'à cette dernière gare, puis une correspondance.

GYULA (36 000 habitants)

Cette station thermale, qui peut se vanter de posséder le seul château médiéval en brique de la Grande Plaine encore debout, représente le lieu idéal pour recharger ses batteries avant de franchir la frontière roumaine, située à 4 km à l'est. Une importante population estudiantine y vit toute l'année, si bien qu'il s'y passe toujours quelque chose.

Une forteresse fut bâtie à Gyula (nom qui vient d'un titre donné aux commandants militaires chez les anciens Magyars) au XIVe siècle, puis investie par les Turcs, qui s'y maintinrent jusqu'en 1694. Comme Békéscsaba, Gyula tomba aux mains de la famille Harruckern après la guerre d'Indépendance avortée de Rákóczi, en 1703-1711. Les Harruckern installèrent des Allemands et d'autres groupes ethniques dans les différents quartiers de la ville, dont les noms subsistent encore aujourd'hui : "Grande" et "Petite ville roumaine" (Nagy Románváros, Kis Románváros), "Ville allemande" (Németváros) et "Ville hongroise" (Magyarváros). Dans les années 1860, Gyula refusa aux constructeurs du chemin de fer l'autorisation de faire passer le train par la ville, une aubaine que sa voisine, à 20 km à l'ouest, accepta avec empressement. En conséquence, Gyula se trouva reléguée sur une voie de desserte et son développement économique s'en res-

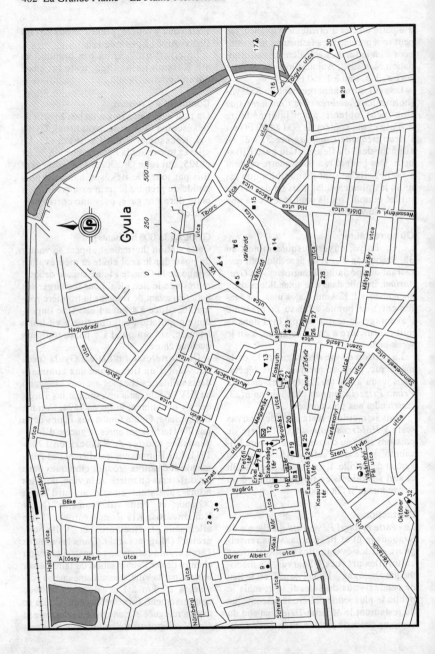

sentit. En 1950, elle perdit le titre de chef-lieu du comitat, qui fut transféré (après 500 ans, comme aiment à le souligner les habitants de Gyula) à Békéscsaba. Le ressentiment n'a pas disparu et une profonde rivalité subsiste désormais entre les deux villes. Tout est sujet à controverses : laquelle doit recevoir le plus de subventions, laquelle possède la meilleure équipe de football ou fait les meilleures saucisses (je pencherais pour ma part en faveur de celles de Gyula, plus épicées et moins grasses). Quoi qu'il en soit, les thermes de Gyula, son théâtre

d'été et sa proximité avec la Roumanie font qu'elle attire bien plus de visiteurs que sa rivale. Et si l'on recensait le nombre des natifs des deux villes qui se sont distingués en bien, Gyula l'emporterait haut la main. Le compositeur Ferenc Erkel, les artistes Mihály Munkácsy et György Kohán y sont nés et Gyula est la ville ancestrale de Dürer, le peintre allemand du XVIe siècle.

Orientation

En réalité, il y a deux villes en Gyula : le centre commerçant de Városház utca, à l'ouest, et le Várfürdő, "thermes du Château", situés dans un vaste parc à l'est. Les distances restent raisonnables et l'on se rend facilement d'une partie de la ville à l'autre. Le canal d'Élővíz, qui provient d'un bras du Körös et poursuit son cours jusqu'à Békéscsaba et au-delà, traverse le centre ville d'est en ouest.

La gare routière de Gyula se trouve au sud d'Eszperantó tér, dans Vásárhelyi Pál utca. Dirigez-vous vers le nord à travers le parc jusqu'à la place, puis sur le pont traversant le canal, pour atteindre le centre ville. La gare ferroviaire est située tout à fait au nord, à l'extrémité de Béké sugárút.

Renseignements

Votre meilleure source d'informations sera Gyulatourist (☎ 66 463 026) au 1, Eszperantó tér, ouvert en semaine de 8h à 16h30. Vous y trouverez aussi de très bonnes cartes de la région. Ibusz (☎ 66 463 084), qui ferme une demi-heure plus tard, se trouve au 3, Hét vezér utca et Békés Tourist (☎ 66 463 028) est au 1, Pálffy utca.

Il y a une banque OTP en face d'Ibusz, aux 2-6, Hét vezér utca. La poste centrale se trouve au 1, Petőfi tér.

L'indicatif téléphonique de Gyula est le 66.

A voir

Le **château de Gyula**, un édifice gothique qui surplombe d'immenses douves, date du XVe siècle, mais fut agrandi et rénové à plusieurs reprises au fil du temps. Les derniers travaux datent des années 50. Sous les voûtes de l'ancienne chapelle, est installé un petit **musée** retraçant l'histoire du château et de la ville. La **tour des Canons** du XVIᵉ siècle abrite désormais un café-bar à vins nommé *Rondella*, aux horaires un peu fantaisistes. A gauche de l'entrée du château, s'élève un nouveau monument dédié aux treize généraux hongrois retenus prisonniers ici avant leur exécution, en 1849.

Le **musée György Kohán**, dans le parc de Népkert, au 35, Béke sugárút, est la galerie d'art la plus importante de Gyula, avec plus de 3 000 œuvres léguées à la ville par l'artiste à sa mort, en 1966. Les grandes toiles bleu nuit et vert, représentant des femmes, des chevaux et l'implacable soleil d'été de la Grande Plaine, produisent un effet saisissant qui mérite une visite. Le musée est ouvert tous les jours sauf lundi de 9h à 17h.

L'**église paroissiale** baroque (1775), sur Szabadság tér, présente un intéressant plafond orné de fresques représentant des événements-clés de l'histoire hongroise et mondiale – dont un astronaute dans l'espace. L'**église orthodoxe roumaine** (1824), à l'est dans le parc de Gróza, renferme une belle iconostase (vous pouvez obtenir la clé à la maison située à droite de l'entrée de l'église), mais pour des icônes contemporaines du plus beau kitsch, rien ne peut rivaliser avec le **musée Marie** au 11, Apor tér, ouvert tous les jours de la semaine de 9h à 12h. Vous n'aurez jamais vu la Vierge sous tant de visages différents.

Sur la même place, au n°7, s'élève la maison natale de Ferenc Erkel, qui composa des opéras, mais aussi la musique de l'hymne national hongrois. Le **musée-mémorial Erkel**, au 17, Kossuth Lajos utca, retrace sa vie et son œuvre ; on y trouve également une salle dédiée à la famille Dürer. Le musée est ouvert tous les jours sauf lundi de 9h à 17h.

Au 4, Jókai Mór utca, se trouve la **maison Ladics**, un édifice du XIXᵉ siècle parfaitement conservé où vivait une famille bourgeoise très prospère. La maison Ladics est aujourd'hui un musée intéressant et

assez original pour la Hongrie : des visites guidées (en hongrois seulement) sont organisées toutes les demi-heures et donnent un bon aperçu de ce qu'était la vie dans une ville de marché hongroise. Le musée est ouvert tous les jours sauf lundi de 9h à 17h. Les salles du devant sont magnifiquement meublées.

La **maison Harrukern-Almássy**, près des thermes au sud du château, fut construite à la fin du XVIIIᵉ siècle, en partie avec les ruines de ce dernier (examinez la tour de droite). Elle abrite aujourd'hui une crèche.

Le grand **marché** de fruits, légumes et autres produits alimentaires se tient sur Október 6 tér, au sud de la gare routière. Le **marché aux puces** est situé près du terrain de football, dans Kétegyházi út.

Activités culturelles et/ou sportives

Les bains du château se trouvent dans un parc de 16 hectares à l'est du centre ville et comptent 22 piscines. Celles des thermes sont ouvertes toute l'année de 8h à 19h. Les bassins découverts sont accessibles de mai à septembre. L'été, on peut faire de la barque sur l'eau des douves du château.

Une société nommée Gallop propose des promenades à cheval ou en carrioles au *musée de la Ferme*, à 10 km au sud-ouest de Gyula, tous les jours de 9h à 17h. Le personnel de la pâtisserie *Foci*, dans l'hôtel Agro (voir *Où se loger*), vous fournira tous les renseignements nécessaires.

Où se loger

Camping. Des deux campings de la ville, le *Márk* (☎ 361 473) au 5, Vár utca, est le plus central, avec une belle vue sur le château. Mais c'est aussi le plus petit et il faut avoir sa tente ou sa caravane pour y dormir.

En revanche, le *Thermál* (☎ 463 551), au 16, Szélső utca, est un vaste terrain de camping ouvert toute l'année. On y trouve 20 chambres à quatre lits dans le motel adjacent, au prix de 1 500 Ft.

Chambres chez l'habitant et cités universitaires Gyulatourist peut vous réserver une chambre chez l'habitant pour 600 ou 700 Ft, ou encore un appartement entier, avec cuisine et salon, pour 1 500 à 2 500 Ft. Dans les nombreux établissements et écoles techniques de la ville, les dortoirs vous recevront pour 200 à 300 Ft par personne.

Pensions. Le *Family* (☎ 361 382) est une petite pension de 8 chambres au 13, Kossuth Lajos utca, avec des doubles à 700 Ft (douches communes). Près des thermes, le *Ferradiál* (☎ 463 146), ancienne maison de vacances de syndicat au 7/c, Part utca, demande 400 Ft par personne pour ses 60 chambres sans s. d. b. On peut également opter pour l'hébergement en pension ou en demi-pension (respectivement 3030 et 200 Ft en plus par jour).

Hôtels. L'hôtel le plus sélect – et le plus central – de Gyula est l'*Aranykereszt* (☎ 463 163), situé en bordure du canal au 2, Eszperantó tér. Outre ses 20 chambres avec téléphone et télévision, il propose un restaurant très apprécié et un bar avec deux pistes de bowling. Les doubles sont à 1 520 Ft, petit déjeuner compris.

Bien situé lui aussi aux 6-8, Béke sugárút, le *Komló* (☎ 463 014) est un bâtiment d'allure minable, mais à l'architecture intéressante, qui propose des doubles sans s. d. b. de 780 à 895 Ft ou avec s. d. b. de 1 010 à 1 120 Ft, petit déjeuner compris. Béke sugárút est une rue très passante : demandez une chambre sur cour au 2e étage.

On trouve de nombreux hôtels autour du parc du château, tous chics et modernes. Les tarifs varient grandement selon les périodes, la haute saison se situant de juin à septembre et pendant les fêtes de fin d'année.

L'hôtel le plus proche des thermes – auxquels il est même relié par un couloir – est le gigantesque *Erkel* (☎ 463 555) au 1, Várkert. Le prix de ses 400 chambres varie avec la saison et la situation (dans l'ancienne ou la nouvelle aile) de 2 000 à 2 600 Ft pour une double.

L'étonnant *Hőforrás* (☎ 361 544) au 2, Rábai utca, qui surprend par sa toiture arc-en-ciel et ses murs extérieurs festonnés, est un établissement plutôt familial au sud-est des thermes. Les simples (toutes avec s. d. b.) coûtent de 850 à 1800 Ft, les doubles de 1 250 à 2 300 Ft. L'hôtel propose également des bungalows regroupés autour du bâtiment principal, ainsi qu'un court de tennis et une salle de musculation.

L'*Agro* (☎ 463 522) au 5, Part utca, sur une rive calme du canal et entouré de beaux jardins, dispose de simples/doubles avec s. d. b. à 2 000/2 700 Ft, petit déjeuner compris. Dans la même rue, au n°15, le *Park* (☎ 463 711) demande de 1 050 à 1 350 Ft pour ses simples, 1 750 à 2 150 Ft pour ses doubles, petit déjeuner compris. Le *Park* a sa propre piscine, ainsi qu'un solarium et un sauna.

Où se restaurer

Le *Pizzakert* est une pizzeria populaire installée dans une cour au 16, Kossuth Lajos utca. Il est ouvert jusqu'à 22h en semaine (sauf lundi), jusqu'à minuit le week-end.

Si vous séjournez près du château et des thermes, le *Tölgyfa*, dans Tölgyfa utca, et le *Fehér Holló*, au 49, Tiborc utca, sont tous deux parfaits pour un repas hongrois typique, style csárda.

C'est à Gyula que l'on trouve le seul restaurant indonésien de toute la Hongrie. Si vous mourez d'envie de déguster *gado-gado*, *lumpia* ou *satay ayam*, courez droit chez *Asia*, au 15, Városház utca. L'établissement dispose d'une cour où l'on s'installe en été et reste ouvert jusqu'à minuit.

Le restaurant de l'hôtel *Aranykereszt* passe pour le meilleur de la ville, tant pour son service irréprochable que pour ses spécialités hongroises.

La pâtisserie-musée *Százéves* (*cukrászda*) situé sur Erkel tér (au nord de Szabadság tér) est un régal pour les papilles et pour les yeux. Créée en 1840, l'intérieur bleu Régence est décoré d'un mobilier Biedermeier et de miroirs aux cadres dorés. Cet établissement est l'une des cukrászda les plus belles de Hongrie.

Distractions

Le personnel du *centre culturel Ferenc Erkel* (☎ 463 5442), dans le parc au 35, Béke sugárút, vous indiquera les manifestations culturelles prévues à Gyula. Le principal événement de l'année est le festival de Théâtre de Gyula, qui se déroule de mi-juin à août dans la cour du château. Des concerts d'orgue ont également lieu dans l'*église paroissiale*. Enfin, un festival de danse est organisé aux alentours de la fête nationale (20 août). Le *Lido*, au 1, Városház utca, est un lieu nocturne très fréquenté qui ferme à 2h du matin (4h le week-end).

Plus chaude encore, la discothèque non-stop *Tiamo*, avec bar "topless", est située non loin de là, au 1, Kossuth Lajos utca. Les night-clubs des hôtels *Agro* et *Park* attirent des fêtards un peu plus mûrs.

Comment s'y rendre

Gyula est reliée à la ligne de chemin de fer Békéscsaba-Szolnok-Budapest par la ligne secondaire n°128.

Quatorze trains par jour suivent donc cette dernière jusqu'à Békéscsaba. En allant au nord de cette ville, vous atteindrez Vésztő, Szeghalom et, enfin, Püspökladány, où vous pourrez prendre la correspondance pour Debrecen. Mais ce n'est ni le moyen le plus rapide, ni le plus court d'y aller. Pour gagner du temps, mieux vaut prendre l'un des six bus quotidiens qui partent de Gyula. Il existe également des dizaines de bus pour Békéscsaba, d'où l'on peut atteindre la plupart des autres villes.

Le seul train international partant de Gyula se rend à Oradea, en Roumanie, deux fois par jour à 5h38 et 18h53. Peut-être trouverez-vous encore le bus international qui fait le trajet de Gyula à Subotica, en Serbie.

Comment circuler

Les bus nᵒˢ 2, 3 et 4, certes peu fréquents, relient la gare ferroviaire à Eszperantó tér. Pour le marché aux puces, prenez le n°1 à la gare routière.

Hautes Terres du Nord

Les Hautes Terres du Nord (Északi Felföld) constituent la zone montagneuse de la Hongrie. Contreforts des puissantes Carpates, elles s'étendent sur 300 km vers l'est, depuis la Boucle du Danube presque jusqu'en Ukraine. En réalité, le terme de "montagnes" leur convient assez mal : leur point culminant dépasse à peine 1 000 mètres ! Cependant, dans un pays plat comme la Hongrie, ce relief a son importance, tant sur le plan de l'environnement que dans le domaine touristique. Et il faut bien reconnaître qu'il a le mérite de rompre la monotonie du paysage de la Grande Plaine.

Les Hautes Terres du Nord comprennent cinq ou six massifs successifs, selon la façon dont on les compte. D'ouest en est, s'élèvent d'abord le massif de Börzöny, fief de la communauté slovaque de Hongrie, que l'on atteint à partir de Vác, puis ceux de Cserhát, Mátra, Bükk, Aggtelek Karst (que l'on peut considérer comme la région orientale de Cserehát) et Zemplén.

Les Hautes Terres du Nord présentent la plupart des caractéristiques qui s'appliquent aux régions montagneuses d'Europe : les versants sont couverts de forêts, mais la partie la plus basse est généralement cultivée. Châteaux et ruines y abondent et c'est là que subsistent encore les derniers villages traditionnels, en particulier dans le massif de Cserhát, avec le peuple Palóc, et dans les montagnes de Mezőkövesd, au sud du Bükk, avec les Mátyó. Les massifs sont parsemés de stations touristiques et de terrains de camping et le vin n'y manque pas : deux des meilleurs crus de Hongrie – le Tokaj et le Bikavér, ou "sang de taureau" – sont produits dans les Hautes Terres du Nord.

Toutefois, les Hautes Terres du Nord ne présentent pas qu'un aspect idyllique. On y trouve également le gros centre industriel de Miskolc, appelé durant la période socialiste "la ville sidérurgique qui travaille" (mais devenue une cité sans âme où sévissent chômage et désespoir). La vallée polluée de Sajó et les villes du comitat de Nógrád, durement éprouvées par la crise, appartiennent elles aussi à cette région.

Il est difficile de différencier tous les massifs, mais ceux-ci ont tout de même chacun leur personnalité. Le massif de Cserhát (accessible à partir de Balassagyarmat) n'est guère plus qu'une campagne classique au nord-est de Budapest, mais ses vallées abritent quelques-unes des communautés les plus pittoresques subsistant dans le pays. La région de Mátra, pour sa part, est la destination favorite des gens de la capitale et les équipements touristiques y abondent. On y accède par Gyöngyös. Le massif de Bükk, lui, abrite une faune particulièrement riche (l'un des quatre parcs nationaux de Hongrie en occupe une large zone). Pour s'y rendre, on a le choix entre les villes d'Eger ou de Miskolc, selon le secteur d'où l'on vient. Aggtelek, site d'un autre parc national, est réputé pour ses grottes karstiques. Le massif de Zemplén est le plus éloigné : Boldogkőváralja, au sud-ouest, et Sátoraljaújhely, au nord-est, vous mèneront jusqu'aux sentiers de montagnes, aux vignobles ensoleillés et aux châteaux. Enfin, le massif de Börzsöny est traité dans le chapitre sur la Boucle du Danube.

Le massif de Cserhát

Le massif de Cserhát – premier de la région – n'est guère impressionnant. Aucun de ses sommets ne dépasse 650 mètres d'altitude, il fait l'objet d'une agriculture intensive et sa population est nombreuse, si bien qu'il est peu propice à la randonnée. Toutefois, on ne visite pas les montagnes de Cserhát (à ne pas confondre avec Cserehát, région située au nord de Miskolc) pour y trouver la nature, mais pour admirer leur richesse culturelle.

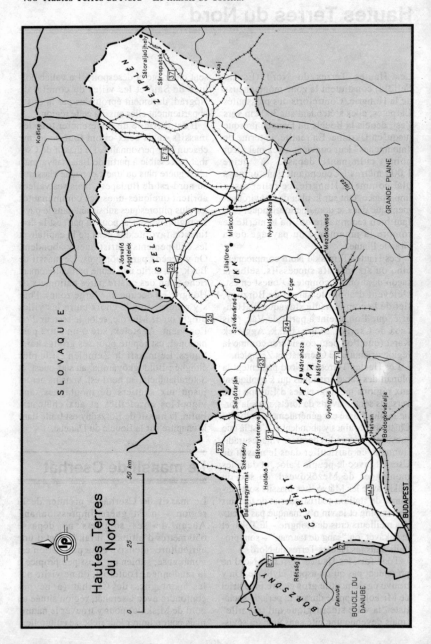

Les Palóc sont un groupe hongrois vivant dans les collines et les vallées fertiles du Cserhát. Les ethnologues ne sont toujours pas parvenus à se mettre d'accord sur les origines de cette population : s'agissait-il d'une communauté distincte qui se mêla par la suite aux Magyars, ou d'un groupe ethnique hongrois à l'origine, mais qui, par son isolement et l'influence slovaque, a peu à peu évolué à sa manière ? La question reste posée, mais une chose est sûre : les Palóc continuent à parler un dialecte particulier (détail peu commun dans un pays où le particularisme linguistique est à peu près inexistant). Et il n'y a pas si longtemps, la population revêtait encore les costumes traditionnels, surtout dans les villes comme Buják, Hollókő, Rimóc ou Örhalom. Aujourd'hui, vous ne verrez plus ces vêtements en dehors des musées ou des jours fériés, mais ils sont toujours là, à portée de main dans les armoires.

BALASSAGYARMAT (20 000 habitants)
En tant que centre de la région de Cserhát, Balassagyarmat s'attribue d'autorité le titre de "capitale des Palóc", persiste et signe en consacrant un musée à cette culture si particulière. Située juste au sud de l'Ipoly et de la frontière slovaque, Balassagyarmat a souffert plus que d'autres de l'occupation turque : son château fut réduit en miettes et la ville laissée à l'abandon pendant des années. Elle retrouva sa gloire perdue au XVIIIe siècle, recevant alors le titre de chef-lieu du comitat de Nógrád, mais se vit retirer cette distinction après la Seconde Guerre mondiale au profit de la "nouvelle ville" de Salgótarján. Aujourd'hui, ses quelques monuments baroques n'attirent pas les foules. Seul, son lien avec la culture Palóc la sauve de l'anonymat.

Orientation et renseignements
La gare ferroviaire se trouve à 20 minutes de marche au sud du centre ville, à l'extrémité de Bajcsy-Zsilinszky utca, la gare routière est derrière l'Hôtel de Ville, dans Rákóczi fejedelem útja, l'artère principale qui traverse Balassagyarmat.

Vous pouvez toujours entrer chez Ibusz (☎ 35 312 415) aux 46-48, Rákóczi fejedelem útja, mais son personnel semble plus intéressé par les Magyars qui réservent des voyages organisés en Grèce ou aux Canaries que par les touristes étrangers. Vous lui préférerez donc le représentant de Nógrád Tourist (☎ 35 312 186) qui se montre très dévoué et que vous trouverez dans la Galerie municipale (Városi Képtár), face à l'ancien Hôtel de Ville, aux 5-7, Köztársaság tér. Les heures d'ouverture sont celles de la galerie.

La poste est située au 24, Rákóczi fejedelem útja et il y a une banque OTP au n°44 de la même rue.

L'indicatif téléphonique de Balassagyarmat est le 35.

Musée des Palóc
Situé dans le parc de Palóc, du côté de Bajcsy-Zsilinszky utca, ce musée fut construit tout spécialement pour abriter la plus riche collection hongroise d'objets Palóc. C'est une visite obligée pour tous ceux qui souhaitent visiter les villages traditionnels du massif de Cserhát. L'exposition principale, intitulée "Du berceau au tombeau", au premier étage, passe en revue les différentes étapes de la vie des Palóc, mais les commentaires ne sont rédigés qu'en hongrois.

Vous pourrez tout de même admirer des poteries, de superbes gravures sur bois, la reconstitution d'une naissance, d'une classe et d'un mariage, ainsi que des objets votifs utilisés lors des très importantes *búcsúk* (fêtes des saints), auxquelles on venait assister quelle que fût la distance à parcourir. Cependant, la dextérité des femmes Palóc, qui manient l'aiguille mieux que quiconque, surpasse tout le reste : leurs travaux, de la broderie florale caractéristique, bleue et rouge, aux points presque microscopiques blancs sur blanc, sont admirables. Remarquez le meuble de la salle du mariage rempli de chefs-d'œuvre artisanaux, et les tissus de couleurs différentes que portaient les femmes en fonction de leur âge : rouge pour la jeu-

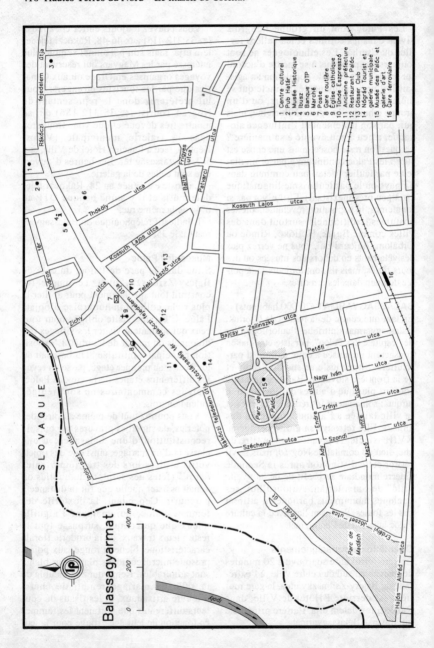

Balassagyarmat

1	Centre culturel
2	Pub Határ
3	Musée Historique
4	Ibusz
5	Banque OTP
6	Marché
7	Poste
8	Gare routière
9	Église catholique
10	Tünde Eszpresszó
11	Ancienne préfecture
12	Restaurant Palóc
13	Gösser Club
14	Nógrád Tourist et galerie municipale
15	Musée des Palóc et galerie d'art
16	Gare ferroviaire

SLOVAQUIE

nesse, bleu pour l'âge adulte, marine pour les femmes mûres et noir pour la vieillesse. Un musée en plein air, où l'on trouve une **maison Palóc** du XVIIIᵉ siècle et son écurie, a été installé derrière le bâtiment principal.

A l'étage de ce dernier, une **galerie d'art** expose les œuvres d'Oszkár Glatz, ce peintre qui, jusqu'à sa mort en 1958, révéla au monde l'existence du peuple Palóc à travers ses peintures. Ses travaux sont plutôt mièvres, mais le visage effrayé de la paysanne du *Voleur de poulets* vaut à lui seul la visite.

La salle du fond est pour sa part dédiée aux deux écrivains du XIXᵉ siècle originaires de la région : le dramaturge Imre Madách et le romancier satirique Kálmán Mikszáth. Vous retrouverez ces deux messieurs sur la place en sortant, sous forme de statues. Le musée est ouvert tous les jours sauf mardi et mercredi de 9h à 12h et de 14h à 17h.

Autres curiosités
La **galerie municipale**, au coin de la rue, est consacrée aux peintres, sculpteurs et autres artistes contemporains du comitat de Nógrád et cela vaut la peine d'y jeter un coup d'œil lorsque vous passerez au bureau de tourisme. La plupart des expositions sont assez amusantes, surtout les œuvres du sculpteur Zoltán Csemniczky, *Serveuse de bar* et *Homme dans sa baignoire*, en particulier. Les thèmes du cirque et des contes de fées de Ferenc Jánossy sont traités de façon presque surréaliste. La galerie est ouverte de 10h à 12h et de 14h à 18h.

La collection du **musée d'Histoire locale**, installé dans une belle demeure du XVIIIᵉ siècle, au 107, Rákóczi fejedelem útja, honore d'autres natifs de la région, dont l'artiste Endre Horváth, qui vécut là et dessina plusieurs billets de banques (dont le provocateur billet de 20 Ft comportant un homme à peu près nu saisissant un marteau et des gerbes de blé). Le musée est ouvert de 9h à 17h du mardi au vendredi.

Située sur Köztársaság tér, l'**Ancienne Préfecture** (1834), imposant bâtiment néo-

classique, mérite bien une petite visite, tout comme, quelques rues plus loin à l'est, l'**église catholique** du XVIIIᵉ siècle avec son autel rococo.

Dans la forêt de **Nyírjes**, à 3 km au sud du centre ville, vous trouverez un lac de pêche et plusieurs sentiers de randonnée.

Où se loger et où se restaurer
La fermeture du camping, jadis situé près des piscines dans Szabadság út, et celle de l'hôtel-casino Ipoly, au 3, Bajcsy-Zsilinszky utca, ne vous laissent pour l'heure qu'une seule possibilité d'hébergement : les *chambres chez l'habitant* (mais n'hésitez pas à vérifier d'abord si, par hasard, l'un ou l'autre n'aurait pas rouvert). Le représentant de Nógrád Tourist (voir *Renseignements*) s'occupera de vos réservations (600 à 700 Ft la chambre) à Balassagyarmat, Szécsény ou Hollókő (une précaution non seulement conseillée, mais obligatoire pour la location de certaines chaumière rénovées à Hollókő). Consultez les paragraphes suivants sur cette ville et celle de Szécsény.

En outre, il existe une multitude d'établissements de restauration rapide du côté du marché de Thököly utca. Le *Palóc* fait à la fois self bon marché et restaurant traditionnel au 19, Rákóczi fejedelem útja. Pour prendre un verre ou un en-cas, essayez le *Tünde Eszpresszó*, situé dans une vieille maison magnifiquement restaurée au n°31 de la même rue, ou le *Gösser Club* tout proche au 14, Teleki László utca. Le *salon de thé* de Bajcsy-Zsilinszky utca, face au parc de Palóc, propose d'excellentes glaces.

Distractions
Demandez au personnel du *centre culturel Imre Madách* – l'étonnant immeuble neuf qui fait l'angle au 50, Rákóczi fejedelem útja – le programme des manifestations prévues à Balassagyarmat.

Ce centre organise aussi des soirées discothèque, en général les vendredis et samedis. Le pub *Határ*, juste à côté au n°48, dispose de quelques tables de billard.

Comment s'y rendre

On peut atteindre Balassagyarmat en empruntant la voie ferrée qui serpente à partir de Vác. Le trajet dure près de 2 heures. Le bus sera deux fois plus rapide. Si vous venez en train de Budapest ou des régions de l'Est, changez à Aszód. Deux trains quotidiens partent également de Balassagyarmat à 7h35 et 14h35 pour Lučenec, en Slovaquie.

Une douzaine de bus relient chaque jour la gare Népstadion de Budapest avec Balassagyarmat. Il y a également un bus par jour pour Hatvan et pour Gyöngyös, deux pour Pászto et plusieurs pour Vác et Salgótarján. Le bus à destination de cette dernière ville s'arrête à Szécsény, où l'on doit changer pour Hollókő.

SZÉCSÉNY (6 700 habitants)

A 18 km à l'est de Balassagyarmat, dans la photogénique vallée d'Ipoly, sur la frontière slovaque, Szécsény est généralement délaissée par les touristes, qui lui préfèrent son voisin, moins étendu, mais mieux connu, le village d'Hollókő. Toutefois, alors que ce dernier ne présente qu'un intérêt folklorique, Szécsény revêt une signification historique. En 1705, en effet, dans un campement situé derrière ce qui est aujourd'hui le château de Forgách, la Diète nomma Ferenc Rákóczi II prince de Hongrie et commandant en chef des forces Kuruc, qui luttaient pour leur indépendance contre les Autrichiens.

Orientation et renseignements

La gare se trouve à 2 km au nord du centre ville, sur la route de Litke. Les bus vous laisseront à l'arrêt situé derrière la tour du Feu, sur Király utca. Tourinform (☎ 32 370 770) a installé son bureau dans le centre culturel Rákóczi, ouvert de 8h30 à 16h30, mais le personnel ne pourra que vous renseigner. La poste se trouve au 1, Dugonics utca, une rue qui débouche sur Király utca, et la banque OTP est à l'ouest de l'hôtel de ville, au 86, Rákóczi út.

L'indicatif téléphonique de Szécsény est le 32.

Château de Forgách

L'imposant château qui se dresse à l'extrémité d'Ady Endre utca fut construit au XVIIIe siècle à partir des ruines d'une forteresse médiévale mise en pièces 50 ans auparavant par les troupes vengeresses des Habsbourg. Au milieu du XIXe siècle, il passa aux mains des Forgách, une famille noble qui y fit quelques ajouts. Aujourd'hui, le château abrite une étonnante association d'expositions regroupées sous le nom de **musée Ferenc Kubinyi**.

Au premier étage, vous trouverez donc une petite exposition d'apothicaire ainsi que quelques salles décorées d'une façon qui aurait bien plu à la famille Forgách. Au second, après les découvertes remontant à l'âge de pierre et de bronze, vous verrez une assez déroutante exposition sur la chasse, avec un certain nombre d'objets "utiles" (ronds de serviettes, coupes, crosses de pistolets) taillés et ciselés à partir des carcasses de nos amis à poils ou à plumes.

Dans la tour nord-est, d'où l'on aperçoit une portion de la forteresse d'origine, le **musée du Bastion** risque de vous effrayer plus encore. Outre des cartes de la région et des expositions sur le rôle que joua le château initial dans l'histoire, le bastion comporte un attirail complet d'instruments de torture : chevalets (souvenez-vous du supplice du même nom), jougs, piloris, auxquels s'ajoute un banc de flagellation.

Les personnes sensibles ne seront pas les seules à chercher refuge dans la **maison-mémorial de Sándor Csoma Kőrösi**, près de l'entrée principale. Csoma Kőrösi (1784-1842) était un moine franciscain qui se rendit au Tibet et rédigea le premier dictionnaire anglais-tibétain. Le Dalaï-lama lui rendit hommage en visitant la Hongrie à l'occasion du 150e anniversaire de sa mort. Les expositions sont ouvertes du mercredi au dimanche de 10h à 16h (17h le week-end).

Église et monastère franciscains

Le monastère et l'église franciscains de Haynald Lajos utca ne se visitent qu'accompagné d'un guide (parlant seule-

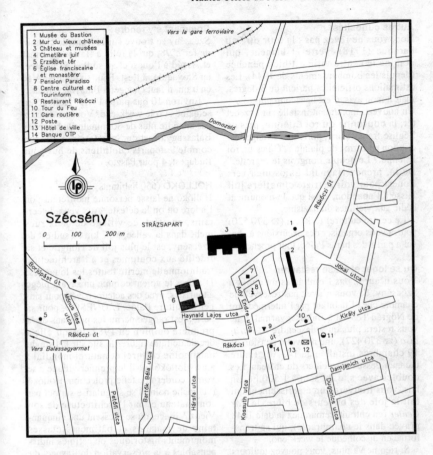

1 Musée du Bastion
2 Mur du vieux château
3 Château et musées
4 Cimetière juif
5 Erzsébet tér
6 Église franciscaine
   et monastère
7 Pension Paradiso
8 Centre culturel et
   Tourinform
9 Restaurant Rákóczi
10 Tour du Feu
11 Gare routière
12 Poste
13 Hôtel de ville
14 Banque OTP

Vers la gare ferroviaire

Domozsló

Szécsény

STRÁZSAPART

0   100   200 m

Rákóczi út

Jókai utca

Ady Endre utca

Király utca

Rákóczi út

Borjúpást út

Mónus Illés utca

Haynald Lajos utca

Vers Balassagyarmat

Rákóczi út

Bartók Béla utca

Hársfa utca

Petőfi utca

Kossuth utca

Dugonics utca

Damjanich utca

---

ment hongrois et allemand) de 10h à 16h. Mais cette condition ne doit pas vous décourager. Certaines parties de l'église datent du XIVe siècle et le monastère a été restauré pour retrouver son prestige de jadis. Après des mois d'abandon, il accueille à nouveau les novices. Dans la sacristie, le guide vous montrera le plafond voûté, avec des sculptures vieilles de 500 ans représentant des saints, des fleurs et des fruits (les sculptures des piliers furent détruites par les Turcs en 1552, lorsqu'ils occupèrent Szécsény), et vous indiquera l'endroit où les musulmans avaient creusé un mihrab, dans le mur sud. Dans l'église, les autels sont bel et bien en bois, même s'ils semblent de marbre, et la chaire richement sculptée date du XVIIIe siècle.

A l'intérieur du cloître (du XVIIe siècle, mais comportant des parties de l'église remontant au XIVe), allez voir les cellules et, à condition qu'ils aient rouvert, la bibliothèque, la salle à manger et la salle Rákóczi, où le nouveau prince convoqua son cabinet de guerre. Les fresques, que l'on distingue à peine, sont gothiques, avec quelques ajouts géométriques des Turcs.

Autres curiosités

Non, vous ne rêvez pas : la **tour du Feu**
baroque (1718), verte et blanche, qui
domine le centre ville est bien penchée
(depuis les bombardements de 1944). Les
estimations officielles parlent de 3 degrés,
mais à mon avis, c'est beaucoup plus.

Un nouveau monument installé sur Erzébet
tér, la **couronne du roi Étienne**, près de
l'église franciscaine, porte une étrange inscription en forme de plainte : "Où es-tu, roi
Étienne ? Le peuple hongrois te regrette."
De là, prenez Haynald Lajos utca vers
l'ouest pour voir le triste **cimetière juif**
laissé à l'abandon, ainsi que le monument
dédié aux victimes du nazisme.

Le centre culturel Rákóczi (☎ 370 520)
pourra vous organiser des excursions à cheval à partir des haras Palóc, tout proches.

Où se loger et où se restaurer

Vous n'aurez pas l'embarras du choix à
Szécsény. Si vous n'avez pas réservé une
chambre chez l'habitant par l'intermédiaire
de Nográd Tourist à Balassagyarmat, il ne
vous restera plus qu'à descendre au *Paradiso* (☎ 370 427), une nouvelle pension de
19 chambres installée au 14, Ady Endre
utca, au-dessus des celliers du château. Les
doubles avec s. d. b. sont à 1 500 Ft. En
bas, vous trouverez un établissement qui
fait la joie des buveurs de bière, le *Vár
Center* (en entrant, remarquez la date 1648
gravée dans le chambranle), qui se transforme en discothèque le week-end.

Si rien ne va plus, vous pouvez toujours
essayer de planter votre tente dans Strázsapart, un parc de 8 hectares situé derrière le
château, près de l'endroit où Ferenc
Rákóczi prit le commandement des forces
anti-Habsbourg.

Le *Marka Presszó*, à l'arrêt de bus, propose sandwichs et boissons jusqu'à 22h. Le
büfé, en face, sera parfait si vous avez un
petit creux en attendant le bus. Au 95,
Rákóczi út, au sud du château, le *Rákóczi*
sert la bouillie traditionnelle jusqu'à 22h.
Si vous préférez les habitudes culinaires du
XXᵉ siècle, mieux vaut essayer le restaurant de la pension *Paradiso*.

Comment s'y rendre

Szécsény se trouve sur la ligne de chemin
de fer n°78, qui la relie à Balassagyarmat
et Aszód à l'ouest et au sud, et à Lučenec,
en Slovaquie, à l'est. Pour se rendre à Vác
en train, il faut changer à Balassagyarmat.

Environ 10 bus partent pour Hollókő en
semaine et 6 le week-end. Vous ne devriez
pas attendre plus de 30 minutes le bus pour
Balassagyarmat ou Salgótarján. Enfin, on
compte 9 départs quotidiens de bus pour
Budapest, 4 pour Pászto.

HOLLÓKŐ (650 habitants)

Hollókő ne laisse personne indifférent : on
l'adore ou on le déteste. Aux yeux de certains, en effet, ce village de deux rues
niché dans la vallée, à 17 km au sud-est de
Szécsény, est le plus joli de Hongrie et sa
fidélité aux coutumes et à l'architecture
traditionnelle mérite toutes les louanges.
D'autres le voient comme un savant piège
à touristes, avec des acteurs payés pour sin-
ger la culture Palóc. L'UNESCO, pour sa
part, s'est rangée parmi les partisans de la
première opinion en 1987, lorsqu'elle a
décidé de faire figurer le site sur la liste du
patrimoine culturel et naturel mondial :
ainsi Hollókő fut-il le premier village à se
voir accorder une telle protection. Hollókő
("la roche noire") se singularise surtout par
son château et par l'architecture de son
Vieux Village, où se dressent une cinquantaine de maisons et bâtiments classés
monuments historiques ou estimés indispensables à la préservation de l'aspect du
village.

Pourtant, ce que l'on voit n'est pas du
tout d'époque. Plusieurs fois depuis le
XIIIᵉ siècle, le village a été détruit par le
feu (le dernier incendie date de 1909), mais
les villageois reconstruisaient toujours
leurs maisons telles qu'elles étaient auparavant, reconstituant le même clayonnage et
utilisant la même argile.

Contrairement à ce que racontent les
brochures touristiques (et quelques guides
pleins d'illusions), les femmes en habit traditionnel – jupes brodées de bleu et de
rouge, coiffes décorées –, se font rares dans

les rues du village. Si vous tenez à les voir déambuler dans cette précieuse tenue, il vous faudra pousser plus à l'est jusqu'aux villages hongrois de Transylvanie comme Szék (Sic en roumain). Certains dimanches matins cependant, aux fêtes importantes que sont Pâques ou le 15 août, ou encore à l'occasion des mariages, on peut avoir la chance d'en apercevoir une ou deux.

Orientation et renseignements

Ne soyez pas déçu en gravissant la colline qui mène à Hollókő : c'est la "Nouvelle Ville" que l'on aperçoit d'abord. Elle a tout juste 30 ans et ne présente donc pas d'intérêt particulier. Le bus s'arrête dans Dózsa György utca, au sommet de Kossuth Lajos utca ; il vous faudra descendre pour parvenir au Vieux Village.

La responsable du bureau de tourisme au 68, Kossuth Lajos utca, a des horaires fantaisistes. Si vous trouvez porte close, allez chercher de l'aide à la Kamra Galéria au

n°86 de la même rue. S'il se passe quelque chose en ville – mariage (rare) ou enterrement (plus fréquents dans ce village vieillissant) –, tout sera fermé pendant quelques heures au moins.

La poste du 76, Kossuth Lajos utca, vous changera de l'argent.

Curiosités

Le village et sa merveilleuse **architecture** constituent en eux-mêmes l'intérêt touristique majeur.

Promenez-vous le long des deux rues de pavés ronds, entre les maisons blanchies à la chaux aux portiques de bois sculptés et aux toits à bardeaux rouges. La plupart d'entre elles sont entourées de vignes et le vin produit est conservé dans les celliers qui donnent également sur la rue.

L'**église en bois** se trouve à l'embranchement des deux rues du village. Construite au XVIe siècle pour servir de grenier, puis convertie en église en 1889,

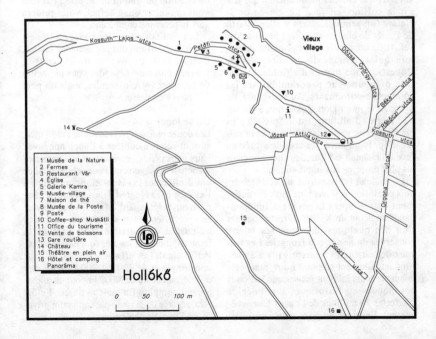

1 Musée de la Nature
2 Fermes
3 Restaurant Vár
4 Église
5 Galerie Kamra
6 Musée-village
7 Maison de thé
8 Musée de la Poste
9 Poste
10 Coffee-shop Muskátli
11 Office du tourisme
12 Vente de boissons
13 Gare routière
14 Château
15 Théâtre en plein air
16 Hôtel et camping Panoráma

Hollókő

0   50   100 m

elle est aussi austère à l'intérieur qu'à l'extérieur.

On rencontre également plusieurs petits musées installés dans des maisons traditionnelles. Le premier est le **musée de la Poste** (80, Kossuth Lajos utca), ouvert de 10h à 17h d'avril à octobre. Le **musée du Village**, à côté, est ouvert du mardi au dimanche de 10h à 16h. Les trois pièces habituelles (cuisine, salon décoré, salle de travail) sont remplies de poteries artisanales, meubles peints, oreillers brodés, et un intéressant pressoir à vin datant de 1872 est installé dans la cour. Toutefois, vous auriez presque intérêt à risquer un coup d'œil à travers les fenêtres pour admirer les vrais intérieurs des villageois. Le **musée de la Nature**, au 99, Kossuth Lajos utca, ouvert de 9h à 17h, sauf lundi et mercredi, étudie la faune et la flore de la région préservée qui entoure le village.

Château d'Hollókő

On atteint le château par le chemin qui gravit la colline, en face du musée de la Nature (on peut également y aller à partir de l'arrêt de bus, en marchant jusqu'à József Attila utca, puis en empruntant le chemin qui se trouve là en direction de l'ouest). A 365 mètres d'altitude, le château offre une vue panoramique sur les sommets environnants. Au sud-ouest, on aperçoit le mont Dobogókő, qui, avec ses 518 mètres d'altitude, est le "pic" le plus élevé de cette partie des Cserhát, et la vallée d'Ipoly au nord. La colline située en face du château est l'un des sites hongrois les plus propices aux pique-niques.

Le château fut construit au XIIIe siècle, puis consolidé 200 ans plus tard. Partiellement détruit après la guerre d'Indépendance au début du XVIIIe, il reste pourtant l'un des quelques châteaux les mieux conservés du nord de la Hongrie. Les travaux de restauration entrepris il y a 25 ans sont actuellement au point mort, mais certaines rumeurs laissent penser que le Fonds des monuments historiques aurait décidé d'affecter 70 millions de Ft pour leur achèvement. Les gens du pays vous conseilleront de passer sous la clôture (il paraît que tout le monde le fait) pour voir de plus près la tour de cinq étages.

Un village du nom de Hollókőváralja se dressait autrefois à l'ouest du château, au bas de la colline. Aujourd'hui, vous n'y découvrirez que les fondations d'une église gothique du XVe siècle (et encore ! Si vous cherchez bien…). Pour avoir la meilleure vue sur le château dressé au-dessus de la ville, rendez-vous sur le **mont Kerek** (337 mètres), au nord de la nouvelle ville.

Activités culturelles et/ou sportives

Nógrád Tourist, à Salgótarján, organise de très touristiques leçons d'artisanat ("gravures sur bois pour les hommes, broderie pour les femmes, chacun conservant son œuvre à la fin). Mais si le manque d'authenticité vous pèse, allez voir la dynamique directrice de la Kamra Galéria au 86, Kossuth Lajos utca. De la poterie à la recherche de plantes médicinales, en passant par la réalisation d'un toit de chaume ou l'équitation, elle peut tout vous organiser ou, à défaut, vous guidera vers la personne compétente.

Les collines et vallées situées à l'ouest du château offrent des promenades faciles. Cserhát Tourist vous fournira une carte, *A Cserhát Turistatérképe*, qui vous permettra de préparer votre itinéraire, mais on peut fort bien s'en passer.

Où se loger

Les douze *maisons paysannes* de Petőfi utca, surtout celles meublées à l'ancienne, avec leurs murs peints, représentent le sommet en matière d'hébergement. Pour cela, n'oubliez pas d'effectuer la réservation longtemps à l'avance chez Nógrád Tourist (voir le chapitre sur Salgótarján). Mais si vous n'aviez rien prévu, tentez tout de même votre chance au bureau de tourisme ou auprès de la femme qui détient les clés (qui habite au 16, Petőfi utca). Les prix sont de 600 Ft pour une simple et de 720 à 1 200 Ft pour une double, ou encore de 3 000 Ft pour un appartement complet. La maison du 20, Petőfi utca, séparée de la route par son jardin privatif, est l'une des plus belles.

Des *chambres chez l'habitant* sont disponibles au 77, Kossuth Lajos utca (400 Ft la simple) et à la Kamra Galéria (800 Ft par personne pour un appartement en étage avec chambre double, cuisine et s. d. b.). Au 98 de la même rue, vous pourrez louer la ferme tout entière à son propriétaire, qui habite au 2, József Attila utca, près de l'arrêt de bus.

Le *Panoráma* est un centre de vacances qui comporte un hôtel de 9 chambres, 4 maisonnettes et un camping récent sur Sport út, sur la colline, juste au sud de l'arrêt de bus. Allez-y si tout le reste est complet.

Où se restaurer

Il y a peu de restaurants à Hollókő. Le *Vár*, au 95, Kossuth Lajos utca, est un établissement apparemment classique, à un détail près : les villageois étant des gens qui se lèvent tôt, et donc, se couchent tôt, il ferme à 19h30 le soir !

Mais vous pouvez également essayer le *Muskátli*, un salon de thé qui sert des repas au 61, Kossuth Lajos utca, et reste ouvert jusqu'à 23h pendant le week-end.

La petite *maison de thé* voisine de l'église, au 4, Petőfi utca, comporte un *bar à vins* dans sa cave. Enfin, le rendez-vous des villageois se nomme l'*ÁFÉSZ Italbolt* et se situe au 48, Kossuth Lajos utca, près de l'arrêt de bus.

Distractions

Sur la colline, à l'est du château, le théâtre en plein air programme des spectacles de musique et de danse folklorique dès qu'un car de touristes arrive. Renseignez-vous auprès du bureau de tourisme.

Achats

Ne vous laissez pas refroidir par les bibelots pour touristes vendus dans les magasins ou par de vieilles femmes dans la rue et entrez chez Szövőház ("la maison du métier à tisser") au 94, Kossuth Lajos utca, où vous trouverez des objets faits main et de jolis tissus brodés et où vous verrez en outre les femmes pratiquer leur art sur de gigantesques métiers à tisser. Cherchez les

anciennes nappes et serviettes blanches brodées blanc sur blanc : leur qualité est mille fois supérieure à celle des autres, plus modernes.

Vous pouvez acheter des objets fabriqués par les vieilles gens du village au centre de jour du 63, Kossuth Lajos utca, ou encore ceux d'Ágnes Kelemen, qui habite au n°77 de la même rue. La Kamra Galéria est spécialisée dans l'artisanat et les objets typiques, mais modernes.

Comment s'y rendre

Szécsény est la porte d'Hollókő : une dizaine de bus par jour font la liaison entre les deux villes pendant la semaine, six le week-end. On change ici pour se rendre à Salgótarján (à moins que vous ne preniez l'un des deux bus directs, à 4h ou 20h). L'après-midi, un bus part pour Pászto (2 le week-end), d'où l'on peut prendre le train, soit en direction du nord, vers Salgótarján, Somoskőujfalu ou Lučenec en Slovaquie, soit vers le sud et Hatvan, où passe la ligne principale Budapest-Miskolc.

SALGÓTARJÁN (49 000 habitants)

Après un ou deux jours idylliques passés à Hollókő ou dans l'un des villages du Cserhát, l'entrée dans cette cité moderne située à 25 km à l'est de Szécsény fait l'effet d'une douche froide. Ravagée par un incendie en 1821, puis par de graves inondations à la fin du siècle dernier, Salgótarján ne compte presque aucun bâtiment antérieur au début du siècle. Et vous vous en apercevrez dès votre descente du train : tours immenses et blocs de béton vitrés qui s'alignent inlassablement distinguent cette ville des pittoresques collines de Medves.

Ces dernières, exploitées jusqu'au siècle dernier pour leur charbon, ont fait le succès de Salgótarján. Tout comme à Miskolc, les communistes trouvèrent parmi les mineurs et les ouvriers de la ville de nombreux sympathisants qui leur apportèrent leur soutien pendant la République des Conseils et après la guerre. Ainsi ce soutien valut-il à Salgótarján le titre de chef-lieu en 1950 et des travaux de reconstruction dans les

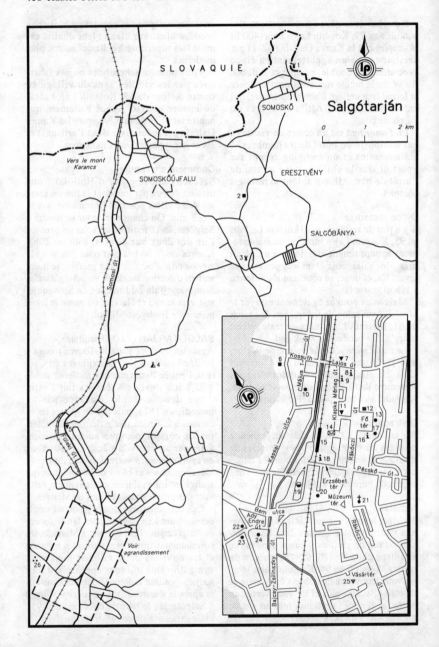

■ OÙ SE LOGER

2   Hôtel Salgó
4   Camping Tóstrand
6   Pension Galcsik
12 Hôtel Karancs

▼ OÙ SE RESTAURER

5   Restaurant Tarján
7   Nemzeti Büfé
11 Oázis Büfé
25 Restaurant Salgó

DIVERS

1   Château de Somoskő
3   Château de Salgó
8   Cooptourist
9   Express
10 Discothèque des étudiants
13 Bar Zodiac
14 Poste
15 Gare ferroviaire
16 Ibusz
17 Centre culturel
18 Nógrád Tourist
19 Gare routière
20 Hôtel de ville
21 Église catholique
22 Mine
23 Musée de la Mine
24 Marché
26 Ruines du château de Baglyaskő

Orientation et renseignements

Ayant pratiquement absorbé la ville de Somoskőújfalu, à 10 km au nord, Salgótarján fait désormais figure de grosse agglomération. Les gares routière et ferroviaire se trouvent côte à côte à l'ouest du centre ville et il y a une importante station de taxis sur Erzsébet tér.

Toutes les grandes agences possèdent un bureau dans la ville. Nógrád Tourist (☎ 32 310 660), sur la passerelle au dessus d'Erzsébet tér, peut également vous renseigner sur Hollókő et les autres villes du comitat. Elle ouvre de 7h30 à 16h30 en semaine. Ibusz (☎ 32 314 356) pratique les mêmes horaires au 9, Fő tér. Cooptourist (☎ 32 312 909) au 11, Rákóczi út, se trouve à proximité d'Express (☎ 32 310 757), située pour sa part au 5, Klapka Mérleg út. Toutes deux sont également ouvertes le samedi matin jusqu'à midi.

Vous trouverez des banques à côté de Nógrád Tourist, ou encore au 22, Rákóczi út, face à Erzsébet tér. La poste principale est dans Klapka Mérleg út, non loin d'Express.

L'indicatif téléphonique de la zone de Salgótarján est le 32.

A voir

Le **musée de la Mine**, seul site touristique de la ville, se trouve dans Ady Endre utca, à quelques minutes à pied de la gare routière. Ouvert de 9h à 15h, il présente des cartes et des échantillons géologiques, de vieux uniformes et une statue de sainte Barbara, protectrice des mineurs, qui se dresse fièrement près des vieilles pancartes communistes appelant à la nationalisation des mines. Tout cela en fait un endroit à peu près dénué d'intérêt. En revanche, il suffit de traverser la rue pour trouver une vraie mine qui continue d'être "exploitée" par des comédiens vêtus de tenues de travail impeccables. On peut se promener au fond des puits et essayer d'imaginer les sensations éprouvées par ceux qui travaillaient sous terre, surtout lorsque les gardiens vous lancent le *Jó szerencsét !* ("Bonne chance !"), salut traditionnel des travailleurs de la mine.

années 60. Aujourd'hui, la ville connaît un important taux de chômage (la dernière mine a fermé en 1992), mais ne souffre pas du même sentiment désespéré que l'on ressent dans d'autres cités de ce type.

En dehors des châteaux de Salgó et de Somoskő et, peut-être, des randonnées dans les collines de Karancs, au nord-ouest (voir *Environs de Salgótarján*), la ville offre peu d'intérêt pour les voyageurs, qui sont rares à y faire escale.

C'est sans doute pour cette raison, et pour la nombreuse et sympathique population estudiantine qui vit ici – on trouve une dizaine d'universités et d'écoles de commerce – que Salgótarján vaut la peine qu'on s'y arrête.

A quelques marches de la gare ferro-viaire, à l'ouest, se trouve le **pic de Meszes**. Suivez les stations de la Croix après le socle qui supportait, il y a quelques années à peine, la statue des Partisans, et traversez l'ancien parc de l'Amitié soviéto-hongroise pour aller admirer une magnifique vue sur la ville et les montagnes environ-nantes. Légèrement, au sud, à **Baglyaskő**, subsistent les décombres d'un château du début du XIVe siècle construit sur un volcan.

Où se loger

Le *Tóstrand Camping* (☎ 311 168), à 4 km au nord de la ville, sur la route de Somoskő, possède deux motels ouverts toute l'année, soit 19 chambres allant de 800 à 1 000 Ft la double. Un motel non chauffé (700 Ft la double) et une auberge de jeunesse IYHF (200 Ft par personne) sont ouverts pour leur part de mi-avril à mi-octobre. Non loin de là, se trouvent un lac où l'on peut faire de la barque, des courts de tennis et une piscine.

Pour des *chambres chez l'habitant* dans l'un des nombreux grands immeubles de la ville (environ 500 Ft), consultez Nográd Tourist. Express pourra vous réserver une place en *dortoir*.

L'un des meilleurs rapports qualité/prix de Salgótarján reste la petite pension *Galc-sik* (☎ 316 524), au 2, Alkotmány út, dans l'une des parties les plus intéressantes (et les plus anciennes) de la ville. Une double avec douche dans ce nouvel établissement coûte 800 Ft.

Le plus bel hôtel, le *Karancs* (☎ 310 088), se trouve au 21, Fő tér et propose 84 chambres équipées de tout le confort moderne, ainsi que d'un bar, un restaurant et un night-club. Les simples y sont à 2 800 Ft, les doubles à 3 300 Ft. Dans la zone de verdure d'Ereszvény, l'hôtel *Salgó* (☎ 310 558), qui accueille surtout des séminaires, est à égale distance des châteaux de Salgó et de Somskő. Ses 38 chambres (doubles allant de 1 200 à 1 500 Ft) sont toutes avec douche. L'hôtel propose un sauna, un court de tennis, ainsi que deux petites pistes de ski à proximité.

Où se restaurer

Au 33, Kossuth Lajos utca, le *Nemzeti Büfé* est un restaurant bon marché ouvert jusqu'à 20h. L'*Oázis*, dans Klapka Mérleg út, de l'autre côté de Fő tér, n'est pas plus cher, mais beaucoup plus animé.

Le restaurant de l'hôtel *Karancs* présente un orchestre de Tziganes qui jouent les principaux airs du répertoire. Si vous vous trouvez sur la route de Somoskő et du cam-ping, l'agréable restaurant *Tarján*, au 120, Füleki, ne vous décevra pas.

La pâtisserie la plus appréciée de la ville est le *Dobó*, dans Rákóczi út, au nord de l'hôtel Karancs. Vous trouverez une épice-rie ouverte à peu près 24h sur 24 sur Erzsé-bet tér.

Distractions

Le *centre culturel Attila József* (☎ 310 503), sur Fő tér, est le haut lieu de Salgó-tarján. Pour se renseigner sur les boîtes de nuit et les concerts, mieux vaut s'adresser au bureau d'information des jeunes, juste à côté au n°19. La morne statue qui s'élève juste devant, sur la place, représente le poète Miklós Radnóti, qui mourut dans un camp de concentration nazi.

Vous trouverez plusieurs bistrots de chaque côté de Rákóczi út, au nord de Fő tér, mais sachez qu'aucun ne vaut le *Zodiac*, sur la place (ouvert jusqu'à 2h). Cet établissement fort sympathique dispose de quelques tables de billard.

Allez voir la *discothèque* du week-end, une initiative des étudiants de la ville, amé-nagée dans un bâtiment du côté sud de Május 1 út.

Comment s'y rendre

Des bus quittent fréquemment Salgótarján à destination de Balassagyarmat et Szécs-sény. Ils vous mèneront également à Buda-pest (6 départs quotidiens), Pászto (6), Eger (4), Miskolc (2), Hollókő (2) et Parádfürdő (2), dans les collines de Mátra. Enfin, un bus part chaque jour pour Gyön-gyös et Hatvan.

Une voie ferrée relie Salgótarján à Hat-van au sud, où l'on rattrape la ligne principale Budapest-Miskolc, et à Somos-kőújfalu et Lučenek, en Slovaquie, au nord.

Comment circuler

Pour aller à l'hôtel Salgó, prenez le bus n°11/b en face de la gare jusqu'à la zone de loisirs d'Eresztvény et descendez devant le restaurant Napsugár. De là, vous pourrez aussi vous rendre au château et gravir la colline, mais pour cela, il est tout de même préférable de ne descendre qu'à Salgóbá-nya. Autre possibilité : prendre le bus n°1 jusqu'à Zagyvaróna, l'ancien quartier minier de la ville. Arrivé au terminus, emprunter Örhegy utca vers l'ouest, puis suivre le chemin qui mène au château. Le bus n°11/a va également à Eresztvény, mais continue ensuite jusqu'à Somoskő. On peut l'attraper au carrefour situé au bas de l'hôtel Salgó, mais il est tout aussi simple de marcher d'un château à l'autre.

ENVIRONS DE SALGÓTARJÁN

La région offre quelques promenades inté-ressantes. Le **château de Salgó**, à 8 km au nord-est du centre ville, a été construit au XIIIe siècle au sommet d'un cône basal-tique à 625 mètres d'altitude dans les col-lines de Medves. Lorsque le château de Buda tomba aux mains des Turcs en 1541, Salgó joua un rôle de forteresse, mais dut lui aussi se rendre 23 ans plus tard. Livré à l'abandon après le départ des Turcs au XVIe siècle, il doit surtout sa renommée à la visite qu'y fit Sándor Petőfi. Ce dernier y trouva l'inspiration pour écrire *Salgó*, l'un de ses plus beaux poèmes. A présent, c'est en imagination seulement que l'on peut reconstituer à par-tir des ruines ce que devaient être la cour intérieure, la tour et le bastion, mais le point de vue que l'on a de ce coin paisible sur Somoskő et la Slovaquie est excellent.

Pour visiter le château de Somoskő, situé en territoire slovaque, il faut une autorisa-tion spéciale que l'on se procure chez Nógrád Tourist (voir *Orientation* et *Rensei-gnements* dans la section sur Salgótarján). Ne suivez surtout pas mon exemple en vous faufilant sous les barbelés qui entou-rent l'édifice : les gardes-frontières hon-grois qui m'ont vu ressurgir n'étaient pas très contents ! Le **château de Somoskő**, construit au XIVe siècle à partir d'un bloc de basalte, résista aux Turcs plus longtemps que celui de Salgó et ne tomba pas avant 1576. Ferenc Rákóczi l'utilisa en 1706 pen-dant la guerre d'Indépendance ; c'est pour-quoi il fut partiellement détruit par les Autrichiens. Ce château est bien plus grand et plus intéressant que le premier, aussi les Slovaques ont-ils jugé bon d'en poursuivre la restauration. Aujourd'hui, des toits de bois coniques recouvrent deux des bastions. Il est très amusant de flâner à l'intérieur du château, dans ce qu'il reste de l'ancien palais, et même dans les casemates, si leur entrée n'est pas bloquée. N'oubliez pas d'aller voir les formations de basalte au nord-est de l'édifice (coulées de lave figées en d'énormes "tuyaux d'orgue"). Le seul point intéressant du côté hongrois reste la **cabane-souvenir de Petőfi**, en l'honneur d'une visite du poète en 1845 (visite qui ne fut pas aussi inspiratrice que la première).

Si vous aimez l'aventure et disposez de temps, suivez le sentier de randonnée qui longe la frontière slovaque sur 4 km, de Somoskőújfalu jusqu'au **mont Karancs** (727 mètres d'altitude). De la tour panora-mique située au sommet du "Palóc Olym-pus", vous apercevrez les hautes mon-tagnes des Tatras. Avant de partir toutefois, munissez-vous de *A Karancs, a Medves és a Heves-Borsodi-Dombság Turistatérképe*, la carte *Cartographia* de la région, conti-nuation du massif de Cserhát, de Salgótar-ján à l'est jusqu'à Ózd.

Pour tout ce qui concerne les transports, voir *Comment circuler* dans le paragraphe consacré à *Salgótarján*.

Le massif de Mátra

Le massif de Mátra, qui peut se vanter de posséder les points culminants de la Hon-grie (le Kékestető, 1 015 mètres et le Galyatető, 965 mètres), est le plus déve-

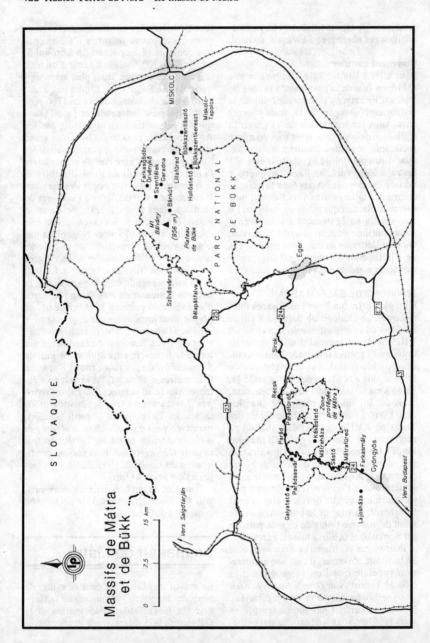

Massifs de Mátra
et de Bükk

loppé et le plus aisément accessible de tous les massifs des Hautes Terres du Nord. C'est là que se réfugient les citadins avides d'air pur. Mais cette popularité ne doit surtout pas vous dissuader d'y faire un tour. Hébergements et distractions ne manquent pas dans la région : randonnées et cueillette de champignons l'été, chasse et ski l'hiver, il y en a pour tous les goûts.

On peut atteindre le massif de Mátra à partir de différentes villes, comme Eger ou Pászto, mais Gyöngyös en est le centre, dans tous les sens du mot. Cette ville est également la capitale de la région viticole de Gyöngyös-Visonta, surtout réputée pour ses vins blancs. Si les rieslings, le Leányka et le muscatel sucré font tous l'objet de nombreux éloges, la contribution majeure des montagnes de Mátra au monde du vin reste le Hárslevelű, un cru jaune-vert à la fois relevé et légèrement sucré. Méfiez-vous toutefois : c'est un vin qui se boit facilement !

GYÖNGYÖS (37 000 habitants)
Petite ville pittoresque au pied du massif de Mátra, Gyöngyös (dont le nom dérive d'un terme hongrois signifiant "perle") devint un important centre de commerce lors de l'occupation turque, puis se rendit célèbre par ses textiles. Aujourd'hui, les gens viennent admirer les églises de la ville (on y trouve la plus grande église gothique de Hongrie) ou se contentent de prendre un ou deux verres de vin avant d'entreprendre des excursions en montagne.

Orientation et renseignements
La gare routière se trouve dans Koháry utca, à 10 mn à l'est de Fő tér, la place principale. La gare ferroviaire est dans Vasút utca, à l'extrémité de Kossuth Lajos utca. On peut tout voir à pied.

Mátra Tourist (☎ 37 311 565), au 2, Szabadság tér, est ouvert de 8h à 17h en semaine et jusqu'à 12h les samedis d'été. Ibusz (☎ 37 311 861) se situe au 6, Kossuth Lajos utca et ferme à 16h.

Vous trouverez une grande banque OTP près de Mátra Tourist. La poste centrale est dans Páter Kiss Szalez utca, près du centre culturel. Pour demander un taxi, téléphonez au 37 311 126.

L'indicatif téléphonique de Gyöngyös est le 37.

A voir
Le **musée de Mátra** est installé dans un ancien manoir qui appartenait jadis au baron d'Orczy, dans le parc Dimitrov (ou Orczy). Vous le trouverez dans Kossuth Lajos utca, à l'est de Fő tér. Il propose des expositions consacrées à l'histoire de Gyöngyös. L'accent est surtout mis sur Benevár, un château du XIVe siècle au nord-est de Mátrafüred (aujourd'hui en ruines), et sur l'histoire naturelle de la région de Mátra (avec la reconstitution d'un mammouth). On raconte que les balustrades qui entourent le musée ont été fabriquées à partir des canons des armes à feu laissées sur les champs de bataille des guerres napoléoniennes.

L'**église Saint-Barthélémy** s'élève dans Szent Bertalan utca, non loin de Kossuth Lajos utca, une rue animée bordée de maisons du XIXe siècle aux couleurs pastel. Construite au XIVe siècle, elle est aujourd'hui la plus grande église gothique de Hongrie. Ces caractéristiques ne se repèrent pas à première vue toutefois, car toutes les décorations baroques (y compris l'étonnante galerie en hauteur, à l'intérieur) furent réalisées 400 ans plus tard. Le joli petit bâtiment baroque situé derrière l'église était autrefois une école jésuite et abrite désormais un conservatoire de musique. La **statue de la Vierge**, à l'angle, resta longtemps le symbole de Gyöngyös, mais fut enlevée et remplacée par un mémorial des soldats soviétiques après la guerre. Elle réapparut mystérieusement, une nuit de 1992.

Située sur Nemecz József tér, l'**église franciscaine** fut construite à la même époque que l'église Saint-Barthélémy, mais a elle aussi subi d'importants changements, avec l'ajout des fresques et de la tour baroque au XVIIIe siècle. Son occupant le plus célèbre – ou presque – fut János

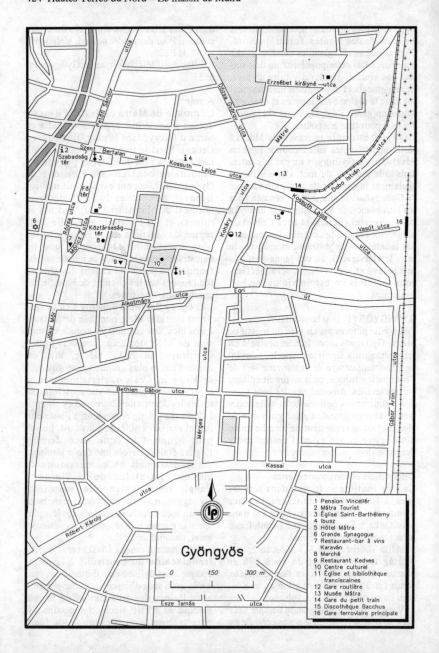

Gyöngyös

0   150   300 m

1 Pension Vincellér
2 Mátra Tourist
3 Église Saint-Barthélemy
4 Ibusz
5 Hôtel Mátra
6 Grande Synagogue
7 Restaurant-bar à vins
  Karaván
8 Marché
9 Restaurant Kedves
10 Centre culturel
11 Église et bibliothèque
  franciscaines
12 Gare routière
13 Musée Mátra
14 Gare du petit train
15 Discothèque Bacchus
16 Gare ferroviaire principale

Bottyán, dit "l'aveugle", un commandant héroïque qui servit sous les ordres de Ferenc Rákóczi durant la guerre d'Indépendance. L'ancien monastère (1727), rattaché à l'église, contient la **bibliothèque du Mémorial Széchenyi**, seule collection historique hongroise à avoir survécu à l'occupation turque. Parmi les 16 000 volumes (dont à peine quelques ouvrages de théologie), figurent 217 incunables, qui comptent parmi les plus précieux du pays. La bibliothèque est ouverte tous les jours sauf jeudi et dimanche de 9h à 18h, et jusqu'à 13h le samedi.

Depuis le XVe siècle, Gyöngyös abrite une communauté juive assez importante ; les deux splendides **synagogues** sont là pour en témoigner. La plus ancienne des deux, un monument néo-classique construit en 1816, se dresse au nord de Vármegye tér. La **Grande Synagogue**, récemment rénovée, fut dessinée par Lipót Baumhorn en 1930, vingt ans après qu'il eût terminé son chef-d'œuvre de Szeged. Elle renferme aujourd'hui un grand magasin dans Gárdonyi Géza utca. Vous trouverez un grand **marché** découvert sur Köztársaság tér, en face de l'hôtel Mátra.

Activités culturelles et/ou sportives

Deux petits trains partent de la gare d'Elöre, près du musée Mátra. Le premier se dirige vers Mátrafüred, à 8 km au nordest. C'est la plus jolie façon d'entrer dans le massif de Mátra. Le second se rend à Lajosháza, à 11 km au nord-ouest. Les destinations qu'il dessert n'offrent guère d'intérêt, en dehors d'un bon point de départ de randonnées – soit vers l'est, le long de Nagy Völgy ("Grande Vallée"), où l'on passe devant une série de bassins hydrographiques, soit vers le nord, jusqu'au mont Galyatető. Sur la route de Mátrafüred, descendez à Farkasmály, où se présenteront un bon nombre de celliers où déguster les crus locaux. Le meilleur moment pour cela se situe en fin d'après-midi. Pour repartir, attendez le train ou sautez dans un bus en provenance de Mátrafüred, mais vous n'aurez aucune difficulté à parcourir à pied les trois kilomètres qui séparent ce village de Gyöngyös.

Les horaires des trains varient considérablement en fonction des périodes de l'année et des jours de la semaine, et même si les heures des départs sont affichées bien en évidence, mieux vaut demander des précisions par téléphone en appelant le 312 447. Sachez déjà que le train pour Lajosháza ne fonctionne que de mai à septembre (6 trains par jour au maximum), tandis qu'une dizaine de trains assurent chaque jour la liaison avec Mátrafüred en saison (d'avril à octobre).

Où se loger

Le *camping* le plus proche se trouve à Sástó, à 3 km au nord de Mátrafüred. A Gyöngyös, Mátra Tourist et Ibusz pourront vous réserver une *chambre chez l'habitant* pour 600 Ft.

Le *Vincellér* (☎ 311 691), au 22, Erzsébet királyné utca, est une charmante petite pension mais elle pratique des prix outranciers, avec des doubles allant de 3 000 Ft à 3 200 Ft. Le *Mátra* (☎ 313 063), central mais plutôt miteux, tout près de Fő tér au 2, Mátyás király utca, est le seul hôtel de la ville. Ses 45 chambres, toutes avec douche ou s. d. b., vont de 2 100 à 2 600 Ft la simple et de 2 900 à 3 300 Ft la double selon la saison.

Où se restaurer

Le café-restaurant de l'hôtel *Mátra* est sans doute l'établissement le plus populaire de la ville pour déjeuner ou prendre une bière. Essayez l'une de ses spécialités de *csülök* (pieds de porc, bien meilleurs qu'il n'y paraît). *Il Caminetto* sert jusqu'à 22h30 des pizzas et des pâtes version Magyar à l'extrémité d'une ruelle étroite située à hauteur du 21, Kossuth Lajos utca.

Pour vous restaurer à prix serrés, entrez au *Kedves*, 9, Széchenyi utca, près du marché. Le restaurant-cellier *Karaván*, dans Móricz Zsigmond utca, au sud de Fő tér, attire beaucoup de jeunes (sans doute grâce à ses tables de billard). Le *König*, dans Arany János utca, peut également être recommandé.

Le restaurant de l'hôtel *Vincellér* est l'endroit de Gyöngyös où il faut être vu. Le service y est sympathique et les prix étonnamment modérés.

Distractions

C'est sur Nemecz József tér, au *centre culturel Mátra* (une "construction finnoise fonctionnelle", m'a-t-on dit), orné d'immenses vitraux, que la population de Gyöngyös vient se distraire. Entrez vous renseigner.

Le café de l'hôtel *Mátra* reste apprécié, tout comme le *Mambo* dans Szent Bertalan utca et le *Gondola* au 5, Kossuth Lajos utca.

L'établissement nocturne en vogue est le *Bacchus*, situé au 1, Kármán József utca, au sud du musée de Mátra. Cette discothèque de qualité vous fera danser jusqu'à 3h du matin.

Comment s'y rendre

Bus. Gyöngyös est très bien desservie par bus. Vous n'attendrez jamais plus de 20 minutes pour Budapest, Eger, Mátrafüred et Mátraháza.

En outre, il y a 12 départs par jour pour d'autres destinations du massif de Mátra (Parád, Parádfürdő, Recsk et Sirok), et l'on peut également se rendre en bus à Jászberény (12 par jour), Hatvan (8), Szolnok (5), Salgótarján (4), Kecskemét (3), Miskolc (2) et Balassagyarmat, Hajdúszoboszló et Tiszafüred (1 chacune).

Train. Les choses sont moins faciles en train. Gyöngyös se trouve sur une voie secondaire, à 13 km de la ligne Budapest-Miskolc. Une dizaine de trains par jour relient la ville à Vámosgyörk.

DE GYÖNGYÖS A EGER

La route n°24 serpente dans le massif de Mátra, puis prend soudain la direction de l'est. Si vous disposez d'un véhicule, l'itinéraire jusqu'à Eger (située à 60 km) est enchanteur ; on traverse quelques-uns des plus beaux paysages des Hautes Terres du Nord. Les bus pour Mátrafüred et Mátraháza sont fréquents (plus que pour Parád, Parádfürdő, Recsk et Sirok), mais la meilleure approche reste le petit train dont le terminus se trouve à Mátrafüred.

Mátrafüred

Mátrafüred est une jolie petite station balnéaire située à 340 m d'altitude. Mátra Tourist (☎ 37 313 333) y a son représentant au 4, Pálosvörösmarty utca.

De Mátrafüred, il est possible de partir en randonnée vers divers points des montagnes, à condition de s'armer de la carte intitulée *A Mátra Turistatérképe*. L'un des sentiers, en direction du nord-est, passe par les ruines de **Benevár** après 30 minutes de marche environ et continue jusqu'au **mont Kékestető**, 12 km plus loin. Un autre, vers le nord-ouest, prend la même route jusqu'à Sástó, à 3 km, puis continue à travers les montagnes sur 6 km jusqu'à Mátraháza.

Où se loger et où se restaurer. Le principal établissement de la ville est l'*Avar* (☎ 37 313 195), une monstruosité de 114 chambres située à quelques minutes de marche de la gare, dans la rue en pente Parádi utca. On y trouve une piscine intérieure chauffée, des saunas, une salle de musculation et un court de tennis. Les doubles avec s. d. b. sont trop chères, à 3 000 Ft, mais vous ne paierez qu'un quart de cette somme si vous prenez l'une des 19 chambres de "classe touriste" du dernier étage.

Au 7, Béke utca, un ancien complexe de vacances syndical composé de 7 immeubles, le *Hegyalja* (☎ 37 313 105) accepte désormais les hôtes payants. Les simples avec s. d. b. vont de 780 à 1 040 Ft, les doubles de 1 560 à 2 080 Ft selon la saison. Il est probable que le personnel insistera pour vous faire prendre les repas au restaurant. Si vous parvenez à résister, allez dîner au *Benevár* tout proche, petit établissement sympathique au 10, Parádi utca, où l'on passe souvent de la musique et qui ferme à 23h.

Vous trouverez un grand bar à vins au 59, Hegyalja utca.

Sástó

Le *camping* (☎ 37 374 025) de Sástó est le plus élevé de Hongrie (520 mètres d'altitude) et certainement l'un des plus sympathiques. Centré autour du minuscule "lac des taureaux" où l'on peut pêcher ou se promener en barque, et d'une tour panoramique de 54 mètres, le complexe du camping, ouvert de mai à mi-octobre, propose une grande variété d'hébergements : bungalows de 2e catégorie pour 3 personnes (650 Ft), chambres doubles sans s. d. b. au motel (800 Ft) ou maison au bord du lac avec s. d. b., frigidaire et TV (1 700 Ft). Les langós n'y manquent pas et l'on trouve également un restaurant et une petite épicerie.

Mátraháza

Tout proche du **mont Kékestető**, Mátraháza, la station de sports d'hiver du pays, est construite à flanc de montagne à 715 mètres au-dessus du niveau de la mer et à 5 km de Sástó. C'est un village charmant qui sert de point de départ, soit à de courtes promenades dans les environs immédiats, soit à des randonnées plus lointaines et plus aventureuses.

Sur la route de Mátraháza, vous passerez devant deux hôtels-clubs construits à l'origine pour attirer les touristes étrangers. L'hôtel *Bérc* (☎ 37 374 095) possède 98 chambres, une grande piscine couverte, des installations de remise en forme, un bowling de 10 pistes, des courts de tennis et des bicyclettes en location. Les doubles avec s. d. b. sont à 2 880 Ft. Demandez une chambre au 3e étage avec vue sur les montagnes de Kékes. L'*Ózon* (☎ 37 374 004), avec ses 48 chambres situées dans un parc tranquille, est un établissement moderne grand luxe, plutôt tape-à-l'œil, qui pratique des prix en conséquence : les simples/doubles avec balcon sont à 3 000/4 700 Ft, petit déjeuner compris. Les chambres sans balcon coûtent 2 300 Ft.

Dans le village même de Mátraháza, le vieux *Pagoda* (☎ 37 374 023) propose des dizaines de chambres de styles différents réparties dans 4 bâtiments situés dans un grand jardin. Les prix sont variables, mais

attendez-vous à payer environ 1 100 Ft pour une simple avec s. d. b. et 860 Ft sans (multipliez ces prix par deux pour obtenir celui des doubles). Au dernier étage du bâtiment B, 14 petites chambres avec lavabo sont proposées à 350 Ft par personne. Le *Sport*, installé dans le bâtiment A, est le restaurant de la ville.

Près du Pagoda, se trouve l'arrivée de la piste de ski qui part du haut du mont Kékestető. La montagne n'est pas équipée de remonte-pentes, aussi les skieurs qui souhaitent s'offrir une descente doivent-ils prendre les navettes qui font sans cesse l'aller-retour entre le haut et le bas. La **tour de la Télévision** de 9 étages, est ouverte au public ; elle offre une vue magnifique sur le paysage. L'ancienne tour, en face, abrite aujourd'hui l'hôtel *Hegycsúcs* (☎ 37 374 086). Si vous préférez séjourner au sommet de la montagne, vous paierez moins cher à l'auberge *ÉDOSZ* (700 Ft).

Montez encore sur 2 km par la route n°24, où se déroulent des courses de Formule 2 et 3 au mois d'août, et vous passerez devant le *Vörösmarty* (☎ 37 374 057), qui était autrefois le seul hôtel pour étrangers du massif de Mátra. Les doubles du bâtiment principal (avec douches sur le palier) sont à 700 Ft. L'hôtel propose également des maisonnettes pour 4 personnes à 600 Ft. Quant à la csárda, nombreux sont les randonneurs qui s'y arrêtent pour s'y restaurer.

Parádsasvár

Juste après le Vörösmarty, la route se divise : vers le nord-est, elle mène au mont Galyatető, vers le nord à Parádsasvár, où l'on met en bouteille la *gyógyvíz* (eau médicinale) la plus efficace et la plus odorante. Arrêtez-vous pour la goûter si l'odeur ne vous écœure pas. La fabrique de verre voisine produit un cristal de grande qualité. Dans la petite boutique qui s'y trouve (ouverte jusqu'à 15h en semaine et 13h les samedis et dimanches), les prix sont légèrement inférieurs à ceux de Budapest. Au 11/a, Kossuth Lajos utca, une nouvelle auberge, le *Vendégház* (☎ 36 364 148), propose des chambres à partir de 1 300 Ft.

Parád et Parádfürdő

Parád et Parádfürdő se chevauchent et constituent désormais une longue ville. Ne manquez surtout pas le **musée des Carrosses**, installé dans les écuries de marbre rouge de Cifra, qui appartenaient jadis au comte Károlyi : c'est l'un des musées les plus intéressants de Hongrie. Observez l'intérieur des carrosses de diplomates ou chefs d'États, richement décorés de brocarts de soie, les carrosses fermés utilisés au XIXᵉ siècle pour les rendez-vous galants et les brides comportant jusqu'à 5 kg d'argent.

Vous trouverez un hébergement au charmant *Sanatorium* (☎ 36 364 004) au 372, Kossuth Lajos utca, avec des doubles à 650 et 1 030 Ft (sans et avec s. d. b.). Le restaurant du *Sanatorium* compte quelques fresques des années 30 assez intéressantes.

Recsk et Sirok

La route continue jusqu'à Recsk, un village qui vécut de l'infamie, tout comme les prisons de Vác ou de Fő utca à Budapest : c'est en effet le site d'un camp de travaux forcés des premières années du communisme. Ensuite, vous filerez droit sur Sirok, dernière ville du massif de Mátra. Les ruines d'un château du XIVᵉ siècle, perchées au sommet d'une montagne, offrent une vue superbe sur les massifs de Mátra et de Bükk et sur les montagnes de Slovaquie.

Le massif de Bükk

Le Bükk (un nom qui signifie "hêtre", arbre que l'on trouve en quantité dans la région) forme un poumon vert autour d'Eger et de la ville industrielle de Miskolc. Bien que la majeure partie de la région ait été exploitée pour sa richesse en minerais, traités dans les usines de Miskolc et d'autres villes de la vallée de Sajó, à l'est, une large étendue du territoire (environ 400 km²) constitue aujourd'hui un parc national. Le Bükk grouille d'animaux sauvages et l'on trouve près de 500 grottes dans les montagnes.

Le plateau de Bükk, zone calcaire située entre 800 et 900 mètres d'altitude, est particulièrement intéressant. Suivre en voiture ou à bicyclette la route en zig-zag (une autorisation spéciale est requise pour cela : demandez-la à Eger Tourist, à Eger) ou, à pied, l'un des nombreux sentiers de randonnée qui partent de Szilvásvárad et mènent à Lillafüred ou Miskolc, représente une expérience inoubliable.

Avec un peu de chance, vous rencontrerez un troupeau des habitants les plus célèbres de la région : les chevaux Lippizaner. Parmi eux, se trouvent de magnifiques bêtes, grises ou blanches, qui font la fierté de l'école espagnole d'équitation de Vienne. On les élève dans la région depuis un siècle.

EGER (66 000 habitants)

Tout le monde aime Eger. On comprend pourquoi au premier coup d'œil : une architecture baroque magnifique préservée donne à la ville un aspect décontracté, presque méditerranéen. C'est là qu'est né le célèbre Egri Bikavér ("sang de taureau"), un vin mondialement connu. Eger est entourée de deux des plus belles chaînes montagneuses des Hautes Terres du Nord. Les Hongrois eux-mêmes visitent la ville pour toutes ces raisons, mais aussi parce que leurs ancêtres y vainquirent les Turcs pour la première fois en 170 années d'occupation.

L'histoire du siège du château d'Eger est entrée dans la légende. En 1552, sous le commandement d'István Dobó, 2 000 soldats hongrois résistèrent à plus de 100 000 Turcs pendant un mois entier. Comme vous le dira n'importe quel Hongrois en culottes courtes, les femmes d'Eger jouèrent un rôle crucial dans la bataille, jetant du haut des remparts de la poix et de l'huile bouillantes sur l'armée ennemie. Si l'on en croit la légende, le vin eut lui aussi son importance dans le dénouement. Dobó, dit-on, motivait ses hommes en les faisant boire. Lorsque les Hongrois, redoublant d'ardeur, reprenaient le combat (le vin rouge dégoulinant encore de leurs barbes), des rumeurs circulaient dans les rangs des Turcs, persuadés que les assiégés buvaient du sang de taureau, dont ils tiraient leur force.

Lorsque les Turcs revinrent en 1596, ils réussirent à s'emparer de la ville, qu'ils transformèrent en capitale de province. Ils y érigèrent plusieurs mosquées et autres monuments jusqu'à ce qu'ils en soient chassés, à la fin du XVIIe siècle. Tout ce qui subsiste de cet héritage ottoman (le plus septentrional d'Europe) est un petit minaret solitaire qui semble pointer un doigt long et osseux vers le ciel pour manifester son indignation.

Au début du XVIIIe siècle, Eger joua un rôle central dans la tentative de Ferenc Rákóczi de renverser les Habsbourg ; une grande partie du château fut ensuite rasée par les Autrichiens. Puis, aux XVIIIe et XIXe siècles, Eger, qui détenait le statut de siège épiscopal depuis l'époque du roi Étienne, devint une cité florissante et acquit la majeure partie de sa magnifique architecture.

Eger se situe dans la vallée d'Eger, entre les massifs de Bükk et de Mátra. Bien qu'elle ne représente pas un point de chute particulièrement pratique pour se rendre dans ces montagnes (contrairement à Miskolc ou Gyöngyös), on peut atteindre ces dernières via Szilvásvárad. Une raison supplémentaire de visiter cette région à la fois charmante et sympathique.

Eger est une ville propice aux promenades à pied : on trouve des choses intéressantes à chaque coin de rue et la majeure partie du centre ville (avec ses 175 bâtiments ou monuments classés) est interdite aux voitures.

Orientation

Le centre d'Eger se trouve à quelques minutes à pied de la gare routière. Ronde, construite dans le style très particulier des années 60, celle-ci se situe dans Barkóczy utca.

De la gare ferroviaire principale, dirigez-vous vers le nord le long de Deák Ferenc utca, soit à pied, soit en bus avec le n°10, 11 ou 14 jusqu'à la gare routière et au centre ville. La gare ferroviaire d'Egervár, qui dessert Szilvásvárad et d'autres points plus au nord, est à 5 minutes de marche du château, au nord.

Renseignements

Très compétent, le personnel de Tourinform (☎ 36 321 807) au 2, Dobó István tér, vous fournira tous les renseignements nécessaires sur Eger et ses environs. Eger Tourist (☎ 36 311 724) au 9, Bajcsy-Zsilinszky utca, est spécialiste de l'hébergement. Ibusz (☎ 36 312 526) est installé dans une cour, à quelques pas d'Eger Tourist et Express (☎ 36 310 757), parfait pour les auberges de jeunesse, se trouve au 28, Széchenyi utca. La plupart des bureaux restent ouverts jusqu'à 16h en semaine, 12h le samedi.

La poste principale (au 22, Széchenyi utca) est ouverte jusqu'à 20h en semaine et 14h le samedi. Il y a une banque OTP au n°2 de la même rue. Welcome Tours (☎ 36 311 711), au 5, Jókai utca, loue des voitures. La librairie aux 12-14 de Széchenyi utca propose une bonne sélection de cartes de la ville et des montagnes environnantes.

L'indicatif téléphonique d'Eger et ses environs est le 36.

Le château d'Eger

Pour admirer la ville vue d'en haut, remontez la rue pavée à partir de Dózsa György tér et vous parviendrez au château d'Eger, construit au XIIIe siècle après l'invasion mongole. Il est ouvert tous les jours sauf lundi de 9h à 17h. La majeure partie de l'édifice est récente, mais on peut encore admirer les fondations de la **cathédrale Saint-Jean**, qui date du XIIe siècle, mais fut détruite par les Turcs.

A l'intérieur du palais épiscopal (1470), le **musée István Dóbo** présente les maquettes de ce que devait être la cathédrale lors de sa construction, ainsi que des meubles, tapisseries et porcelaines provenant du château. Au rez-de-chaussée, une statue de Dóbo trône dans la **salle des Héros**. Le bâtiment du XIXe siècle, à l'ouest de la cour, abrite une **galerie d'art**

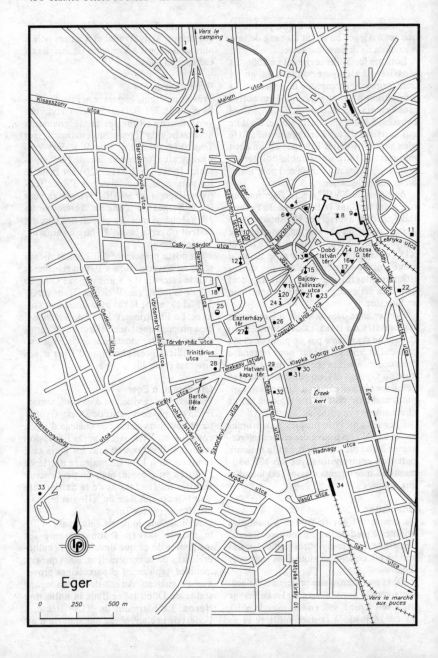

Eger

0   250   500 m

exposant les portraits de personnalités hongroises contemporaines, ainsi que plusieurs œuvres de Mihály Munkácsy.

Le **tombeau de Géza Gárdonyi**, auteur de la toujours célèbre *Éclipse de lune ascendante* (qui raconte le siège turc et que l'on étudie dans les écoles) se trouve dans le bastion sud-est au-dessus de l'entrée du château. La visite des casemates souterraines (comprise dans le prix d'entrée du château), construites après le siège, part du guichet où l'on achète les billets.

Eszterházy Tér

De retour dans la ville, vous commencerez votre promenade par la **cathédrale d'Eger** (1836) sur Eszterházy tér, un bâtiment monolithique conçu par le même architecte qui travailla plus tard à la cathédrale d'Esztergom, plus vaste encore. Malgré ses dimensions et ses autels richement décorés, l'intérieur est étonnamment sobre. Si vous avez de la chance, vous entendrez jouer de l'orgue baroque. En face, se trouve la **maison de la Culture**, large bâtiment de style Copf qui porte aujourd'hui le nom de Károly Eszterházy (évêque d'Eger qui fut l'un des fondateurs de l'école) après avoir été trop longtemps l'école normale Ho Chi Minh. La fresque (1778) peinte au plafond de la **bibliothèque**, au premier étage de l'aile sud, constitue un chef-d'œuvre de trompe-l'œil représentant le concile de Trente, avec un éclair mettant le feu à des écrits hérétiques. La bibliothèque contient des centaines de codices et de manuscrits précieux, dont certains sont exposés. Au sixième étage de l'aile est, l'observatoire possède des instruments d'astronomie datant du XVIIIe siècle ; en montant trois étages supplémentaires, on parvient au pont d'observation, d'où l'on jouit d'une magnifique vue sur la ville et les vignobles environnants.

Les musées de la maison de la Culture sont ouverts du mardi au vendredi de 9h30 à 13h, et jusqu'à 12h samedi et dimanche. Les tickets d'entrée sont disponibles au guichet de l'entrée donnant sur Eszterházy tér. La chapelle ornée de fresques et la salle de cérémonie ne se visitent que sur rendez-vous.

Autres curiosités

Continuez vers le nord dans Széchenyi utca jusqu'à l'**église cistercienne** (1743), au n°15. La théâtrale sculpture d'autel baroque de saint Francis Borgia, en stuc blanc et doré, vaut bien le coup d'œil. Pour parvenir à l'**église orthodoxe serbe**, avec sa gigantesque iconostase dorée, il faut traverser le **musée Vitkovics** au 55, Széchenyi utca, ou passer par l'entrée de derrière, située dans Vitkovics utca.

Revenez sur vos pas dans Széchenyi utca et tournez à gauche dans Dr Sándor Imre utca. Traversez le torrent et suivez Markhót Ferenc utca jusqu'au **minaret**, haut de 40 mètres et désormais surmonté d'une croix. Les non claustrophobes s'attaqueront à l'étroit escalier en colimaçon de 100 marches pour atteindre le sommet. En quittant le minaret, revenez au torrent et tournez à gauche dans Zalár József utca. Vous êtes à présent sur Dobó tér, site du marché de la ville à l'époque médiévale.

Du côté sud de la place, s'élève l'**église minorite** (1773), l'une des plus belles constructions baroques de Hongrie. Le retable de la Vierge et de saint Antoine (protecteur de l'église) est de Johann Kracker, ce peintre de Bohême à qui l'on doit aussi la fresque de la bibliothèque de la maison de la Culture et la belle chaire rococo. Des statues d'István Dobó et des Hongrois mettant les Turcs en déroute remplissent la place. Une exposition d'histoire et d'art populaire Palóc vous attend dans l'ancien monastère du 2, Dobó tér.

A partir de Dobó tér, revenez vers l'est jusqu'à Dózsa György tér, puis tournez à droite dans Kossuth Lajos utca, autre très jolie rue où s'élèvent de nombreux trésors architecturaux. Au n°17, se dresse l'ancienne **synagogue orthodoxe**, construite en 1893 et désormais intégrée dans un centre commercial. Vous passerez ensuite devant divers bâtiments baroques et éclectiques. L'**église franciscaine**, qui s'élève au n°14, date de 1755 et fut construite sur le site d'une mosquée. Au n°9, c'est la **Préfecture** que l'on peut admirer, avec sa grille de fer forgé placée au-dessus de la porte principale de la Foi, l'Espoir et la Charité et réalisée par Henrik Fazola, un artiste originaire de Rhénanie qui s'établit à Eger au milieu du XVIIIᵉ siècle. Descendez dans le passage et vous verrez deux autres œuvres admirables du même auteur : grilles de fer forgé baroques qui symbolisent désormais Eger à la place du minaret. En fer forgé lui aussi, le balcon de la **maison Provost** (n°4), de style rococo, est également l'œuvre de Fazola.

Vous découvrirez un petit **musée du Vin** au 1, Városfal utca, légèrement au nord de la gare routière. Il est ouvert tous les jours jusqu'à 20h sauf le lundi.

L'immense **marché aux puces**, situé au sud du centre ville, là où débute Kertész utca, est desservi par le bus n°5. Il suffit de voir la foule pour savoir où descendre. Le **marché** couvert, où l'on trouve fruits et légumes, se tient pour sa part sur Katona István tér.

Vin

Le musée du Vin propose des dégustations des célèbres vins d'Eger, mais on peut tout aussi bien aller les goûter dans l'un des celliers encore exploités de la prometteuse **vallée des Belles Femmes** (Szépasszony-völgy), toute proche. Le meilleur moment pour visiter cette vallée se situe en fin d'après-midi.

Faites le tour de la cathédrale. Derrière celle-ci, prenez Trinitárius utca jusqu'à Bartók Béla tér, puis continuez tout droit dans Szépasszony-völgy utca. Virez à gauche en redescendant la colline pour pénétrer dans la vallée. Là, vous trouverez des dizaines de caves, dont certaines avec musiciens, d'autres soigneusement fermées pendant que leurs propriétaires font la fête ailleurs. C'est là qu'il convient de goûter le fameux "sang de taureau" (seul vin rouge produit à Eger), ainsi que tous les blancs : le Leányka d'Eger, l'Olaszrizling d'Eger et le Tramini d'Eger.

Près du restaurant, laissez-vous guider par votre odorat : le cellier n°8 dégage une bizarre odeur d'humidité, mais on ne trouve pas plus authentique. Le n°16 est géré par une Sud-Africaine nommée Elsa. Un orchestre tzigane se produit au n°20, tandis que le n°38 propose des tables à l'extérieur (bon à savoir pour les fumeurs) et d'énormes siphons de verre pour aspirer le vin directement des fûts. Le n°41 est un cellier calme et accueillant. La *Kulacs*

Csárda est un bon établissement aux prix modérés où l'on peut dîner après avoir fait le tour des celliers environnants. Veillez toutefois à consommer avec modération : ces verres de 10 cl à 10 Ft environ se boivent facilement. Si vous avez besoin d'un taxi pour rentrer, la course jusqu'à Dobó tér vous coûtera un peu plus de 100 Ft. Les celliers ont des horaires très variables, mais certains restent ouverts jusque tard dans la soirée.

Activités culturelles et/ou sportives

Érsek kert, vaste parc situé au sud du centre d'Eger, propose des piscines couvertes et découvertes ouvertes de 8h30 à 19h, ainsi que des bassins d'eaux thermales datant de l'époque turque (ouverts de 12h à 18h, certains jours de la semaine étant réservés aux hommes, les autres aux femmes). Entrez par Fürdő utca, près de Petőfi tér, ou par Hadnagy utca.

A environ 6 km d'Eger, à Ostoros, un lac artificiel attire de nombreux citadins qui viennent y prendre le frais en été, quand le soleil tape dur. Pour vous y rendre, prenez le bus pour Noszvaj.

En été, on peut louer des bicyclettes devant l'hôtel Eger, ou encore à l'Autós Camping. Les adeptes d'équitation se rendront au Haras d'Egedhegy (☎ 312 804), à 3 km à l'est d'Eger, avec le bus pour Noszvaj.

Où se loger

Camping. L'*Autós Camping* (☎ 310 558), au 79, Rákóczi utca, à environ 4 km au nord du centre ville, est accessible par le bus n°10, 11 ou 12, que l'on prend devant la gare ferroviaire, ou par le n°5, 11 ou 12 à partir de la gare routière. Le camping comporte également un motel de 40 chambres et 16 bungalows. Les simples/doubles sans s. d. b. sont à 680/1 020 Ft.

Auberges de jeunesse. Mauvaise nouvelle : la très populaire maison Buttler, dans Kossuth Lajos utca, a été fermée. Mais traversez la rue et entrez à l'*Unicornis* (☎ 312 886) au 2, Dr Hibay Károly

utca. Plutôt quelconque, cet hôtel possède toutefois un étage de dortoirs, avec des lits à 300 Ft seulement, petit déjeuner compris.

Chambres chez l'habitant et collèges.

Eger Tourist pourra vous réserver des *chambres chez l'habitant* de 500 à 1 000 Ft, ou encore des appartements entiers pour 1 200 à 4 000 Ft. Si vous voulez éviter de payer la commission ou arrivez après la fermeture des bureaux, essayez de trouver des chambres au 7 et au 19, Almagyar utca, au sud du château au 16 et au 29, Szervita utca, à l'ouest de ce dernier, ou encore dans Mekcsey István utca.

En juillet et août, le *centre de formation des maîtres* (☎ 312 399) au 2 et 6, Leányka utca, juste au-dessus du château, et au 4, Egészégh
áz utca (☎ 312 377), propose des chambres de 2 ou 4 lits avec lavabo de 300 à 400 Ft par personne, et des doubles avec douche à 1 100 Ft.

Motels. Le *Tourist* (☎ 310 014) au 2, Mekcsey István utca, est un motel géré par le comitat disposant de 56 chambres réparties dans 3 bâtiments (demandez l'ancienne aile) et situé à 5 minutes du château, au sud. Les doubles sont à 850 Ft sans s. d. b., à 1 610 Ft avec. Les 14 chambres du *Mini* (☎ 311 388) sont encore moins chères : doubles sans s. d. b. à 700 Ft. Cet établissement se trouve au 11, Deák Ferenc utca, non loin de la cathédrale.

Hôtels Le *Minaret* (☎ 320 473) au 5, Harangöntő utca, est un hôtel très familial qui propose des simples/doubles avec douche à 2 000/2 600 Ft. Le *Korona* (☎ 313 670) au 5, Tündérpart, dans une petite rue tranquille perpendiculaire à Széchenyi utca, dispose de 22 doubles allant de 1 900 à 3 600 Ft selon la saison. L'hôtel comporte également un restaurant avec une bonne carte de vins.

Si vous n'êtes pas limité par l'argent, descendez sans hésiter à la *Maison du Sénateur* (☎ 320 466), une merveilleuse auberge du XVIIIe disposant de 11 chambres au centre de Dobó tér : c'est le meilleur hôtel de la

Hongrie provinciale. Les simples vont de 2 100 à 3 100 Ft, les doubles de 2 900 à 3 900 Ft selon la saison. Réservez à l'avance. Le *Park* (☎ 413 233), un peu rétro, et son hideux voisin l'*Eger* au 1, Szálloda utca (même numéro) possèdent un total de 214 chambres, mais demandez à être logé dans l'une des 34 chambres situées dans le parc, de préférence avec vue sur les jardins. Ces hôtels disposent de toutes les installations que l'on est en droit d'attendre à ce prix : piscine, sauna, salle de musculation, piste de bowling et trois restaurants. Les simples du Park vont de 3 000 à 4 200 Ft, les doubles de 3 100 à 4 300 Ft. A l'Eger, les simples coûtent de 2 050 à 2 700 Ft, les doubles de 2 475 à 3 500 Ft.

Où se restaurer

Très bon marché, le self *Express*, sur Pyrker tér, au nord de la gare routière, ferme le soir à 20h. Dans le même style, vous trouverez également la partie self-service du *Vörös Rák*, dans Szent János utca. Le *Planétás*, aux 5-7, Zalár József utca, près de Dobó István tér, sert une bonne nourriture à prix très raisonnables.

Le *Gyros*, au 10, Széchenyi utca, ne propose que des salades grecques et des souvlakis de ce côté du Danube. Le *Kondi* est un salad-bar au n°2 de la même rue, mais les salades sont toutes avec mayonnaise.

C'est au *Talizmán*, 23, Kossuth Lajos utca, que l'on déguste de bonnes spécialités hongroises à des prix abordables. Le *HBH Bajor* au 1, Bajcsy-Zsilinszky utca, lui fait concurrence : il sert jusqu'à 22h le même type de plats, en plus léger. Toutefois, les gens de la région recommandent le *Mecset Pince*, près de l'hôtel Minaret dans Harangöntő utca.

En face du HBH Bajor, au n°8, le *Belvárosi* est une csárda très centrale. Le *Fehér Szarvas*, au-dessous de l'hôtel Park au 8, Klapka György utca, est le meilleur restaurant d'Eger. C'est surtout en automne et en hiver qu'on apprécie puisqu'il sert des spécialités de gibier (son nom signifie "le cerf blanc"). L'été, mieux vaut dîner en plein air, à la terrasse du restaurant de l'hôtel *Park*.

Les amateurs de pâtisseries essaieront le *Várkapu* au 28, Kossuth Lajos utca. Mais pour savourer quelque chose de vraiment différent, entrez au *Pallas Presszó*, au 9, Dobó utca : ce salon de thé, installé dans une cour à l'allure de grotte, possède une fontaine et des chaises de fer forgé blanc aux coussins de velours somptueux. Sublime !

Distractions

Le centre culturel du Comitat (☎ 313 428) au 8, Knézich Károly utca, face au minaret, ou le guichet du 3, Széchenyi utca, vous renseigneront sur les concerts et les pièces de théâtre à l'affiche à Eger. Les représentations ont lieu au *théâtre Géza Gárdonyi* (☎ 311 984) au 1, Deák Ferenc utca, à la maison de la Culture et dans la cathédrale d'Eger.

Pour des distractions moins haut de gamme, l'un des lieux les plus populaires de la ville (sans doute parce qu'il reste ouvert jusqu'à 4h du matin) est le café *Pool*, assez décentré au 1, Ráchegy utca. La discothèque *Katedrál Studio*, aménagée dans une église du XVIIIe siècle déconsacrée de Trinitárius utca, accueille les foules jusqu'à 3h le week-end. Au bas des marches de la cathédrale, un établissement bizarre à l'aspect de grotte nommé le *Kazamata* propose piscine, boissons et danse jusqu'au petit matin.

Sur Dobó tér, de nombreux cafés et bars à vins installent leurs tables dehors en été. Parmi eux, figurent l'*Arany Oroszlán* au n°5 et le *Borkóstoló* au n°7. L'*Alabárdos*, un bar sympathique situé au 7, Ések utca, reste ouvert jusqu'à 1h en semaine et 4h le week-end.

Comment s'y rendre

La ville est bien desservie par bus, avec des départs toutes les 30 minutes pour Felsőtárkány dans le massif de Bükk, Gyöngyös, Mezőkövesd, Noszvaj, Szilvásvárad et Bélapátfalva. Parmi les autres destinations, figurent Békéscsaba (2 bus par jour), Budapest (9), Hatvan (12), Kecskemét (2), Debrecen (1) et Miskolc (6). N'oubliez pas que les bus pour Miskolc ne passent par le massif de Bükk que le dimanche (départs à 7h et 11h25). Les autres jours, il prend l'ennuyeuse route E71 via Mezőkövesd.

Côté rail, Eger se trouve sur une voie secondaire reliant Putnok à Füzesabony. Pour Budapest, Miskolc et Debrecen, il vous faudra donc changer à Füzesabony. Néanmoins, 3 trains directs partent chaque jour pour la capitale.

ENVIRONS D'EGER

Mezőkövesd (18 000 habitants)
Si la vie quotidienne et les traditions des paysans hongrois vous intéressent, allez passer la journée à Mezőkövesd, à 14 km au sud-est d'Eger. Cette ville est la capitale des Mátyó, un peuple Magyar réputé pour ses broderies et son artisanat.

A partir de la gare routière, prenez Mátyás király utca vers l'est – Borsod Tourist (☎ 40 312 614) se trouve au n°153 – jusqu'au centre culturel et au **musée des Mátyó**, sur Hősök tere. Les expositions de ce musée expliquent les différences régionales qui caractérisent les broderies des Mátyó et leur développement historique : passage du blanc sur blanc et des roses bleues et rouges aux franges métalliques, qui furent interdites au début des années 20 parce que leur coût trop élevé ruinait certaines familles. Les Mátyó n'ont jamais été un peuple riche : la plupart de leurs terres étant accaparées par les grands propriétaires, nombre d'entre eux se trouvaient contraints de s'engager comme travailleurs saisonniers au XIXe et au début du XXe siècle.

De l'autre côté de la place, après l'**église catholique**, avec sa fresque criarde représentant un mariage Mátyó, pénétrez dans l'une des ruelles qui partent de Mátyás király utca et vous découvrirez un monde totalement différent : chaumières et maisons blanchies à la chaux, devant lesquelles de vieilles femmes brodent les motifs des roses caractéristiques des

Mátyó. Parmi les allées (*köz*) les plus intéressantes pour flâner, figurent Patkó, Kökény et Mogyoró, mais le vrai centre de l'activité s'appelle Kis Jankó Bori utca, du nom d'une Hongroise célèbre qui vécut et broda ici ses célèbres motifs aux "cent roses" durant près de 80 ans. Au n°24, les trois pièces de la maison de Bori, qui a plus de 200 ans, font désormais office de musée où sont exposés broderies et meubles peints. Dans la même rue, vous pouvez également visiter les maisons des n°s 1, 12, 19 (coopérative des artisans) et 32, où vous regarderez les femmes travailler. La plupart de leurs œuvres sont en vente soit directement auprès des artistes, soit dans la boutique d'art populaire de Hősök tere. Avec la ville d'Eger si proche, il n'y a pas

Intérieur d'une vieille ferme à Mézőkövesd

grand intérêt à séjourner à Mezőkövesd. Toutefois, si vous manquez votre bus (ce qui est peu probable : il y en a 30 par jour) ou si vous avez besoin de prendre le train pour Miskolc tôt le matin, descendez à la pension *Fáradt* (☎ 40 311 405), face à la station de bus au 12, Széchenyi utca. Cette pension propose des doubles avec douche pour 1 000 Ft. L'hôtel *Ádám* (☎ 40 313 100) au 1, Nyárfa út, pratique à peu près les mêmes prix pour ses 5 chambres, installées dans une ancienne ferme restaurée. Si vous avez faim, essayez l'*Halászcsárda*, au 165, Mátyás király utca, ou encore le *HBH Bajor*, au 1, Mártírok útja.

SZILVÁSVÁRAD (1 800 habitants)

C'est par la ville de Szilvásvárad, située à une trentaine de kilomètres d'Eger, que l'on accède le plus facilement à la partie occidentale des Bükk. Jusqu'à la fin de la Seconde Guerre mondiale, le domaine privé du comte pro-fasciste Palavicini (qui, dans les années 20, rasa tout un village pour punir ses habitants qui se révoltaient) représentait une journée d'excursion à partir d'Eger. Cependant, la beauté du site et les promenades faciles dans la vallée de Szalajka vous inciteront sans doute à vous y arrêter plus longtemps.

Orientation et renseignements

Descendez du train à la première des deux gares de Szilvásvárad-Szalajkavölgy, puis suivez Egri út, la rue principale, vers l'est, pendant une dizaine de minutes jusqu'au centre ville. Tous les points d'intérêt ou presque sont regroupés là. La gare principale de la ville se trouve à 2 km au nord. Le bus en provenance d'Eger vous déposera au centre ville.

Vous ne trouverez pas de bureaux de tourisme à Szilvásvárad, mais ceux d'Eger vous fourniront tous les renseignements nécessaires, ainsi que la carte de *Cartographia* du massif de Bükk, intitulée *A Bükk Turistatérképe*.

Il y a une banque OTP au 30/a, Egri út. La poste est au n°12 de la même rue.

Comme à Eger, l'indicatif téléphonique de Szilvásvárad est le 36.

A voir et à faire

Certaines personnes ne viennent à Szilvásvárad que pour se promener à bord du **petit train** qui traverse la vallée de Sza-

lajka. Avec ses trois wagons à ciel ouvert, celui-ci quitte la gare neuf fois par jour de mai à septembre (4 départs seulement en avril et en octobre). La gare (Szalajkavölgy-Lovaspálya) se trouve près du circuit découvert de courses automobiles.

Le petit train serpente sur environ 5 km entre viviers à truites, torrents et petites chutes bouillonnantes avant d'atteindre le terminus de **Szalajka-Fátyolvízesés**. Là, on peut, soit rester à bord pour revenir au point de départ, soit rentrer à pied jusqu'à Szilvásvárad, sentiers de randonnée ombragés riches en magnifiques points de vue, assurés pendant 1 heure 30.

Le **musée de la Forêt** propose quelques objets intéressants, dont une scie du XVIe siècle actionnée par l'eau et des soufflets de forge utilisés par les charbonniers dans la région. Il est ouvert de 9h à 16h d'avril à octobre.

De Szalajka-Fátyolvízesés, 15 minutes de marche suffisent pour parvenir à la **grotte d'Istállóskő**, où furent découverts en 1912 des vestiges de poteries paléolithiques. Vous pouvez également escalader le **mont Istállóskő**, point culminant du massif de Bükk (958 mètres). L'endroit représente également un excellent point de départ pour le plateau de Bükk, mais là, rien n'est prévu pour se restaurer, aussi vaut-il mieux emporter son casse-croûte.

A Szilvásvárad, les **deux circuits** (l'un couvert, l'autre découvert, construits à l'occasion des Championnats du monde de course automobile par équipes) organisent des parades de Lippizaners et des courses de chars tous les week-ends d'été, mais les horaires sont variables. Renseignez-vous aux guichets ou lisez les panneaux d'informations entre deux courses.

Si vous avez envie de monter à cheval ou de conduire vous-même une carriole, allez au **haras des Lippizaners**, au sommet de Fenyves utca. Vous apprendrez tout ce qu'il faut savoir sur cette intelligente race de chevaux et sur la façon dont son élevage s'est implanté ici après avoir débuté au XVIe siècle dans une ville nommée Lipica, près de Trieste, en visitant le

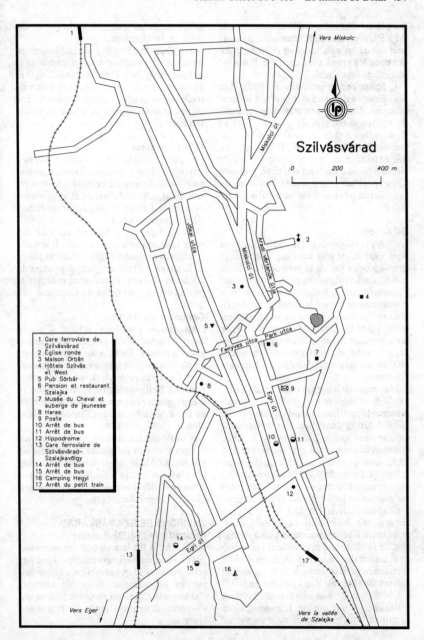

Vers Miskolc

Szilvásvárad

0   200   400 m

Vers Eger

Vers la vallée de Szalajka

1 Gare ferroviaire de Szilvásvárad
2 Église ronde
3 Maison Orbán
4 Hôtels Szilvás et West
5 Pub Sörbár
6 Pension et restaurant Szalajka
7 Musée du Cheval et auberge de jeunesse
8 Haras
9 Poste
10 Arrêt de bus
11 Arrêt de bus
12 Hippodrome
13 Gare ferroviaire de Szilvásvárad-Szalajkavölgy
14 Arrêt de bus
15 Arrêt de bus
16 Camping Hegyi
17 Arrêt du petit train

musée du Cheval, installé dans une écurie du XVIIIe siècle, au 8, Park utca. Mais le seul fait de les voir, en chair et en os, galoper dans les prairies à flanc de collines est une image inoubliable.

L'**église ronde** protestante (1840), avec ses colonnes doriques et son dôme impressionnant, évoque une tentative provinciale de copier la cathédrale d'Eger. Elle se trouve dans Aradi vértanúk útja, après le torrent en venant de Miskolci út. Au 58, Miskolci út, une maison du XVIIe siècle nommée **maison d'Orbán** présente des expositions consacrées à la flore, la faune et la géologie du parc national de Bükk.

Où se loger

Le *Hegyi Camping* (☎ 355 207) au 36/a, Egri út, est géré par Eger Tourist et se trouve à deux pas de la gare de Szilvásvárad-Szalajkavölgy. On peut réserver par l'intermédiaire du bureau de tourisme (voir *Renseignements* dans le chapitre sur *Eger*). Une petite maison pour deux personnes coûte 1 020 Ft. L'hôtel Szilvás, dans Park utca, possède lui aussi un *terrain de camping* équipé de maisons de vacances (400 Ft par personne) derrière son bâtiment principal.

L'auberge de jeunesse *Plútó* (☎ 355 155, ext 26), au-dessus du musée du Cheval, présente le meilleur rapport qualité/prix de la ville. Un lit dans l'une des 9 chambres en commun coûte 250 Ft la nuit, avec douches communes. Le *Szalajka* (☎ 355 257), une pension de 12 chambres au 2, Egri út, demande 900 Ft pour une double avec lavabo (douches sur le palier), mais ses mansardes sont miteuses et mal aérées.

L'hôtel *Szilvás* (☎ 355 211), ancien manoir des Palavicini au 6, Park utca, représente l'hébergement le plus intéressant de la ville. Les prix varient beaucoup en fonction des saisons et de la qualité de la chambre (avec douche, s. d. b. ou simple cabinet de toilette). Vous paierez de 1 100 à 1 800 Ft pour une simple, de 1 400 à 2 300 Ft pour une double. L'endroit, situé au milieu d'un grand parc avec de vastes salles communes, une bibliothèque et une terrasse, est charmant.

Le *West* (☎ 355 166), un établissement moderne de 16 chambres situé au bas de la colline au 5, Park utca, réclame 2 400 Ft pour une double. Il possède un court de tennis et une salle de gymnastique. L'une de ses chambres dispose d'une immense terrasse.

Où se restaurer

En saison, on trouve de nombreux *snacks* à l'entrée du parc à Szalajka-Fatelep, promenade facile à partir du centre de Szilvásvárad. Pour acheter boissons et sandwichs, essayez le *Sörbár* au 5/a, Jókai utca, derrière la maison Orbán.

Le *Szalajka* au 2, Egri út, est l'un des rares vrais restaurants de la ville. Il sert des spécialités de truites pêchées dans la vallée de Szalajka. Le tarif des plats dépendant du poids du poisson, faites-vous préciser le prix au départ pour éviter les surprises.

Comment s'y rendre

Huit trains par jour relient Eger à Szilvásvárad et la plupart continuent jusqu'à Putnok. De là, vous pouvez passer en Slovaquie (via Bánréve) ou continuer vers l'est jusqu'à Miskolc. Pour vous rendre à Szilvásvárad à partir du centre d'Eger, prenez le train à la gare d'Egervár, au nord du château dans Gárdonyi Géza utca.

Les bus à destination ou en provenance d'Eger sont très fréquents et, même s'ils s'arrêtent à Mónosbél et Bélapátfalva, sont plus rapides que le train. Vous trouverez également des bus pour Ózd (5 par jour), Miskolc (2) et Putnok (1).

ENVIRONS DE SZILVÁSVÁRAD

Bélapátfalva (3 400 habitants)
Les trains et les bus en provenance ou à destination de Szilvásvárad passent par cette petite ville qui semble n'exister que par sa gigantesque usine de ciment, d'allure archaïque, qui recouvre tout ce qui l'entoure d'une pellicule de poussière blanche.

Détrompez-vous toutefois : l'une des constructions romanes les mieux préservées de Hongrie s'élève à quelques minutes de là. Il s'agit de l'**abbaye** construite en 1232 par des moines cisterciens français. On l'atteint en marchant vers l'est à partir du centre du village sur 2 km environ (laissez-vous guider par les pancartes "Apátság Múzeum"). Sur la route, vous remarquerez une autre pancarte donnant l'adresse où se procurer la clé ("templom kulcsa"). L'église, construite en forme de croix, est installée dans un vallon au pied du mont Bélkő. Ne manquez pas la scène populaire du Calvaire datant du XIXe siècle, toute proche.

MISKOLC (212 000 habitants)

Deuxième ville de Hongrie (peut-être à égalité avec Debrecen) et centre industriel très important, Miskolc n'est pas une ville que l'on aime d'emblée. Large métropole polluée entourée de raffineries, d'usines de ciment et de cités-dortoirs, elle fut une ville minière spécialisée dans l'industrie sidérurgique, relativement prospère et particulièrement engagée à l'époque du communisme. Elle fait aujourd'hui figure de dinosaure. Nombreux sont les habitants qui ont perdu leur emploi et leur enthousiasme. L'alcoolisme est très répandu : on s'enivre dans les lieux publics, et pas seulement le week-end. La drogue est omniprésente parmi les jeunes, les skinheads envahissent les rues et les hôtels ferment les uns après les autres.

Dans ces conditions, pourquoi venir à Miskolc ? Essentiellement pour sa situation privilégiée au pied du massif de Bükk, qui en fait un point de départ idéal pour les excursions dans le parc national. Les eaux thermales de Miskolc-Tapolca figurent parmi les plus bénéfiques de Hongrie et la banlieue ouest de Diósgyőr possède l'un des châteaux les mieux préservés de la région. Quant à Miskolc elle-même, elle n'est pas totalement dénuée d'intérêt. Malgré tout ce que vous lirez dans les prospectus édités sous l'ancien régime, la ville a tout de même servi de site à un ou deux

événements au cours du millénaire qui précéda l'arrivée du socialisme.

Orientation

Miskolc est une ville longue et étroite qui s'étend d'est en ouest entre la pauvre vallée de Sajó et les contreforts du massif de Bükk. Széchenyi út, l'artère principale, est une rue piétonne bordée de quelques vieux bâtiments non dénués d'intérêt. Ceux qui entourent la porte Sombre, une voûte du XVIIIe siècle, sont particulièrement pittoresques. La plupart des sites dignes d'intérêt se présentent dans les environs immédiats de cette rue.

La gare ferroviaire est située dans la partie est de la ville, sur Zója tér, à 15 minutes en tram du centre ville. La gare routière est sur Búza tér, à 5 minutes de marche de Széchenyi út.

Renseignements

Les employés de Borsod Tourist (☎ 46 350 666) au 35, Széchenyi út, figurent parmi les moins bien renseignés et les moins coopératifs de Hongrie. Même réserver une chambre chez l'habitant paraît au-dessus de leurs forces, bien qu'ils prétendent en détenir une liste de 70. Mieux vaut donc s'adresser à Ibusz (☎ 46 324 411) aux n°s 3-9, ou à Express (☎ 46 339 474) au n°56. Cooptourist (☎ 46 328 812), au n°14, propose des locations de voitures (voir ci-dessous *Comment circuler*). Ces agences sont généralement ouvertes de 8h à 16h30 en semaine et jusqu'à 12h le samedi.

Vous pouvez changer de l'argent chez Ibusz ou à la banque OTP du 15, Széchenyi út. La poste principale se trouve sur Hősök tere. L'indicatif téléphonique de Miskolc est le 46.

La librairie du 54, Széchenyi út vend quelques publications étrangères et des cartes, dont celles de la région de Bükk et de Zemplén, éditées par *Cartographia*. L'Alliance française se situe Kossuth utca 11.

A voir

Le **Deszka Templom** est une église en bois de style transylvanien située au nord

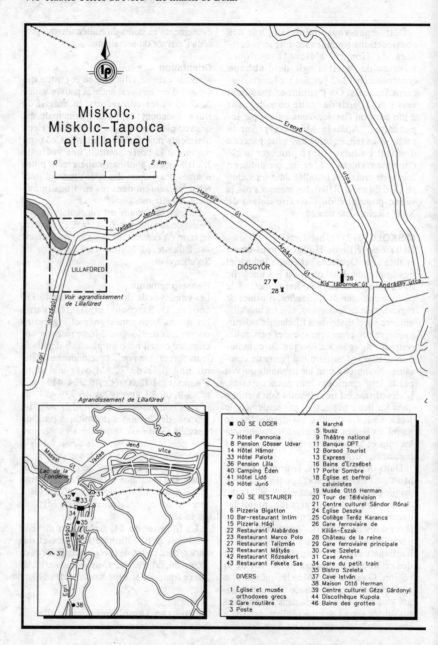

Miskolc, Miskolc–Tapolca et Lillafüred

0   1   2 km

LILLAFÜRED

Voir agrandissement
de Lillafüred

DIÓSGYŐR

Agrandissement de Lillafüred

Lac de la
Fonderie

OÙ SE LOGER

7   Hôtel Pannonia
8   Pension Gösser Udvar
14 Hôtel Hámor
33 Hôtel Palota
36 Pension Lilla
40 Camping Éden
41 Hôtel Lidó
45 Hôtel Junó

▼ OÙ SE RESTAURER

6   Pizzeria Bigatton
10 Bar-restaurant Intim
15 Pizzeria Hági
22 Restaurant Alabárdos
23 Restaurant Marco Polo
27 Restaurant Talizmán
32 Restaurant Mátyás
42 Restaurant Rózsakert
43 Restaurant Fekete Sas

DIVERS

1   Église et musée
    orthodoxes grecs
2   Gare routière
3   Poste

4   Marché
5   Ibusz
9   Théâtre national
11 Banque OPT
12 Borsod Tourist
13 Express
16 Bains d'Erzsébet
17 Porte Sombre
18 Église et beffroi
    calvinistes
19 Musée Ottó Herman
20 Tour de Télévision
21 Centre culturel Sándor Rónai
24 Église Deszka
25 Collège Teréz Karancs
26 Gare ferroviaire de
    Kilián-Észak
28 Château de la reine
29 Gare ferroviaire principale
30 Cave Szeleta
31 Cave Anna
34 Gare du petit train
35 Bistro Szeleta
37 Cave István
38 Maison Ottó Herman
39 Centre culturel Géza Gárdonyi
44 Discothèque Kupola
46 Bains des grottes

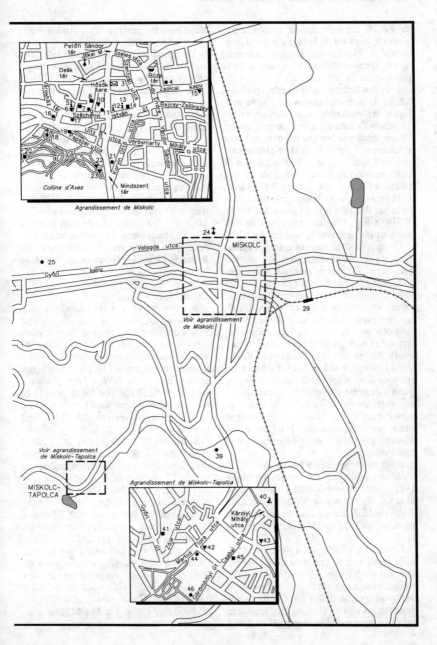

Agrandissement de Miskolc

Colline d'Avas

MISKOLC

Vologda utca

Győri kapu

Voir agrandissement
de Miskolc

Voir agrandissement
de Miskolc-Tapolca

MISKOLC-
TAPOLCA

Agrandissement de Miskolc-Tapolca

Károlyi
Mihály
utca

de Petőfi tér. Si vous ne comptez pas visiter le nord-est de la Hongrie ou la Roumanie du Nord, entrez y jeter un coup d'œil. Demandez la clé au bureau de la paroisse, au 21, Pálóczy utca.

L'**église orthodoxe grecque**, splendide édifice de la fin du baroque qui s'élève au 7, Deák tér, possède une iconostase de 16 mètres de haut composée de près de cent icônes. Assurez-vous que le guide, qui vous y escortera à partir du **musée orthodoxe**, près de l'entrée principale, n'oublie pas de vous montrer la *Vierge Noire de Kazan*, offerte à l'église par Catherine II la Grande, et la *croix du mont Athos* apportée à Miskolc par des immigrants grecs à la fin du XVIIIe siècle. L'église et le musée se visitent tous les jours sauf le lundi de 10h à 18h.

Le **musée Ottó Herman**, au 1, Papszer utca, au sud du centre, possède l'une des plus riches collections de découvertes néolithiques (dont certaines proviennent du Bükk), une belle collection ethnographique et une exposition d'œuvres d'art. De là, montez jusqu'au sommet de la verte **colline d'Avas** ; la meilleure façon d'y accéder consiste à prendre Mélyvölgy utca à partir de Papszer utca. Tournez à droite dans l'allée étroite et passez devant les quelque 800 celliers à vins creusés dans la paroi calcaire. La tour de la Télévision, au sommet de la colline, offre une vue superbe sur le massif de Bükk. Par temps clair, on aperçoit même les Carpates à l'ouest, au-delà des cités dortoirs et de la zone industrielle.

Dans un cimetière au bas de la colline, s'élève une **église calviniste** gothique (1414) avec un intérieur de bois peint. Le clocher, situé un peu à l'écart, date du XVIe siècle. Adressez-vous au bureau de la paroisse, au 14, Papszer utca, pour obtenir la clé.

Il faut aller à Diósgyőr, à l'ouest de Miskolc, pour voir le **château de la Reine**, avec ses quatre tours. Commencée au XIIIe siècle, cette construction fut gravement endommagée au début du XVIIIe et dut attendre les années 50 pour être restaurée (très mal et en partie seulement). Les **bains**

du **château**, juste à côté, sont ouverts jusqu'à 18h en été.

Un grand **marché** couvert se tient près de Búza tér, dans Zsolcai kapu, une rue pas très sympathique pleine de bars à billards et de pubs, située près de la gare routière.

Activités culturelles et/ou sportives

L'hôtel Sárga Csikó, à Miskolc-Görömböly, au sud de la ville sur la route n°3 vers Budapest, possède une école d'équitation. Pour y parvenir, prenez le bus n°4 ou 104 à la gare routière.

Si vous manquez de temps pour visiter les célèbres bains des grottes de Miskolc-Tapolca (voir le paragraphe *Environs de Miskolc*), faites tout de même un tour à la piscine et aux bains d'Erzsébet, sur Erzsébet tér. Ils sont ouverts tous les jours sauf le lundi jusqu'à 18h, et jusqu'à 12h le dimanche.

Où se loger

Ibusz vous réservera des *chambres chez l'habitant* au prix de 400 à 600 Ft, soit moins cher que chez Borsod Tourist, mais elles seront sans doute situées dans les grands immeubles qui entourent la ville. L'un des hébergements les plus avantageux reste le dortoir du *collège Teréz Karancs* au 156, Győri kapu (moins de 300 Ft la nuit). Express pourra vous trouver un lit à la *cité universitaire* (☎ 366 111), dans Egyetemváros.

Situé au 107, Széchenyi út, l'hôtel *Hámor* (☎ 353 617) est central et bon marché. Cependant, l'établissement ne dispose que de 17 chambres qui, étant donné leur prix (850 Ft la double avec s. d. b.), sont prises d'assaut. Le tout récent *Arany Korona* (☎ 358 400) aux 19-20, Kisavas I sor, jouit d'une situation pittoresque au milieu des celliers à vins de la montagne d'Avas, mais si vous rentrez tard la nuit, l'endroit n'est pas éclairé et vous aurez du mal à retrouver votre chemin. Ses 10 chambres doubles vont de 2 220 à 2 600 Ft, petit déjeuner compris.

Le *Gösser Udvar* (☎ 344 425) ne possède que 6 chambres qui ne valent pas le prix qu'on en réclame : 2 500 Ft pour une double, mais il est central au 7, Déryné utca et vous n'aurez peut-être pas le choix, si tous les hôtels sont complets et les bureaux de tourisme fermés. Son bar-restaurant (avec tables de billard) attire une clientèle jeune et bruyante.

Le meilleur hôtel de Miskolc est le *Pannonia* (☎ 329 811), au 2, Kossuth Lajos utca. On y trouve un restaurant, des brasseries, une très populaire pâtisserie Rori, ainsi que 34 chambres aux prix de 2 700/3 750 Ft, petit déjeuner compris.

Consultez le paragraphe *Environs de Miskolc* pour les possibilités d'hébergement dans la banlieue sud de Miskolc-Tapolca.

Où se restaurer

Le *Bigatton*, une pizzeria claire et propre à l'angle de Széchenyi utca et Kossuth Lajos utca, figure parmi les meilleurs établissements de Miskolc. Les propriétaires gèrent également la pâtisserie *Capri*, au 16, Széchenyi út, qui n'est toutefois pas aussi bonne que le *Rori*, à l'hôtel Pannonia.

Le restaurant-buffet *Lufi*, dans une petite cour proche de Borsod Tourist, s'efforce de proposer des salades de style occidental et n'y réussit pas si mal. C'est un bon choix pour le déjeuner, mais pour manger léger, allez plutôt à l'*Intim*, au 4, Déryné utca, où l'on sert presque exclusivement salades et volailles. C'est le restaurant préféré des étudiants de Miskolc, et un endroit idéal pour faire des rencontres.

La terrasse du café-restaurant *Gold Fässl*, installé à l'hôtel Pannonia, est un endroit agréable pour dîner en été, mais les prix peuvent être élevés. Vous paierez beaucoup moins cher au *Palotás*, juste en face dans la rue, mais l'établissement est plutôt lugubre et son bar à vins attire une clientèle d'ivrognes. Près de la gare routière, le *Hági*, au 5 Zsolcai kapu, reste le seul restaurant acceptable du quartier.

Sur la colline d'Avas, l'*Alabárdos* (16, Kisavas I sor) passe pour le meilleur restaurant de la ville, mais il jouit d'une réputation très surfaite. On y sert une cuisine traditionnelle hongroise très classique. Vous trouverez beaucoup d'autres établissements sur la colline, mais mon préféré reste le pseudo-restaurant chinois *Marco Polo* au 6, Kisavas I sor. La musique tzigane fait partie des avantages que l'on trouve à dîner au restaurant haut de gamme de l'hôtel *Arany Korona*.

A Diósgyőr, le *Talizmán*, au 14, Vár utca, est à recommander pour sa carte pleine d'imagination et sa situation agréable sur une avenue bordée de châtaigniers, au-dessus du château de la Reine.

Distractions

Même si ce n'est pas à Miskolc qu'est né le premier groupe punk de Hongrie (ce mérite revient à Szeged, avec CPG), la ville est réputée pour être un centre de musique punk et hard rock. Les meilleurs groupes du moment se produisent au *centre culturel Géza Gárdonyi*, dans Sütő János utca, au sud de la ville, du côté de Miskolc-Tapolca. Toutefois, renseignez-vous au préalable auprès des bureaux de tourisme car il est question de fermer ce centre.

Le centre culturel municipal (☎ 387 844) se trouve au 30, Széchenyi tér. De nombreuses représentations théâtrales ont lieu au *centre culturel Sándor Rónai*, au 3, Mindszent tér. Le *Théâtre national* (1857), dont la très populaire comédienne Róza Széppataki Déryné brûla les planches au XIXᵉ siècle, s'élève au 1, Déryné utca, tandis que la salle de concert de l'orchestre symphonique est située dans Régi Posta utca. Pour ces deux dernières salles de spectacle, on peut se procurer des billets aux guichets du 4, Kossuth Lajos utca. L'église minorite baroque (1734) propose régulièrement des concerts d'orgue sur Hősök tere. Chaque année en juillet et août, se tient l'Été de Miskolc, un festival de théâtre et de musique qui a surtout pour cadre le château de Diósgyőr.

Avec ses nombreux cafés et restaurants, la montagne d'Avas est un endroit propice aux sorties nocturnes. Si vous préférez rester en ville, c'est sans doute à l'*Intim* que vous passerez les meilleures soirées. Près du *cinéma Kossuth*, au 1, Széchenyi út, se trouve le *Jereván*, un très sélect night-club avec strip-tease ouvert jusqu'au petit matin. Il faut cependant savoir que les véritables réjouissances ne commencent qu'après 24h.

Comment s'y rendre
Bus. Une vingtaine de bus quittent chaque jour la ville pour Debrecen. Vous avez tout intérêt à choisir ce moyen de locomotion si vous allez vers le sud, même si les départs sont peu fréquents : un seul bus quotidien pour Békéscsaba, Kecskemét et Gyula. En outre, de 6 à 8 bus partent chaque jour pour Eger. Si vous voyagez un dimanche, choisissez soit celui de 7h, soit celui de 11h25 : tous deux suivent un itinéraire pittoresque dans les montagnes de Bükk en passant par Felsőtárkány, excellent point de départ de randonnées en montagne. Si vous décidez de vous y arrêter, choisissez l'hôtel *Szikla* (☎ 36 320 904), qui jouit d'un emplacement privilégié.

Enfin, des bus internationaux quittent Miskolc quatre fois par semaine pour Košice, en Slovaquie.

Train. Miskolc est desservie par 20 trains quotidiens en provenance de Budapest-Keleti, et par 12 autres qui partent pour Nyíregyháza, via Tokaj. Trois d'entre eux continuent jusqu'à Debrecen, mais en général, il vous faudra changer à Nyíregyháza. Enfin, 6 trains quittent chaque jour Miskolc pour Sárospatak et Sátoraljaújhely.

Si vous souhaitez quitter la Hongrie, sachez qu'il y a des départs quotidiens pour Košice en Slovaquie (5), Varsovie (1) et Cracovie (1). L'été, un train direct se rend en Roumanie, mais le reste de l'année, vous devrez changer à Püspökladány. Pour Lvov, Saint-Pétersbourg et Moscou, vous prendrez la correspondance à Nyíregyháza.

Comment circuler
Les tramways n°s 1 et 2 partent de la gare ferroviaire et traversent la ville dans toute sa longueur en passant par Széchenyi út, avant de faire demi-tour à Diósgyőr. On peut également atteindre cette dernière ville à bord des bus 1 ou 101. Pour se rendre à Miskolc-Tapolca, prenez le 2 ou le 102 à Búza tér. Cooptourist (voir *Renseignements*) loue des Lada à 2 400 Ft par jour avec kilométrage illimité.

ENVIRONS DE MISKOLC
Miskolc-Tapolca
Les vertus curatives des eaux de la banlieue sud, au-delà de l'université, à 7 km du centre de Miskolc, attirent les baigneurs depuis le Moyen Age. Les **Bains des grottes**, nettement moins authentiques avec leur eaux "légèrement radioactives" et la violente douche qui vous fouette à la sortie, sont plus récents (1959). L'ensemble est ouvert tous les jours de 9h à 18h. La plage du parc, au centre ville, propose des piscines découvertes et un tobbogan géant.

Miskolc-Tapolca, la zone de loisirs de Miskolc (on y trouve 20 courts de tennis), déborde d'activité pendant tout l'été. Görömbölyi út, qui longe la plage, est bordée de discothèques, cafés et petits restaurants (la discothèque *Kupola* est l'endroit à la mode) qui restent ouverts tard le soir et l'on trouve une dizaine d'hôtels, pensions et maisons de vacances dans le secteur. Le haut du panier est sans doute le prétentieux *Junó* (☎ 364 133) aux 2-4, Csabai út, une construction moderne (verre et béton) avec night-club, courts de tennis et chambres doubles à 3 400 Ft. Le *Lidó* (☎ 369 800) avec ses 57 chambres au 4, Győri utca, est une sorte de bunker qui propose des doubles à 1 200 Ft. L'*Eden Camping* (☎ 368 917) au 1, Károlyi Mihály utca, dispose de bungalows pour 4 personnes à 2 400 Ft.

Vous pouvez réserver une chambre chez l'habitant du lundi au vendredi de 8h à 16h par l'intermédiaire de Volántourist (☎ 368 119), au 4, Kiss József utca. Côté restaurants, le *Fekete Sas*, au 3, Thaly Kálmán utca, et le *Rózsakert*, dans Görömbölyi út, sont à recommander.

Les bus n°s 2 et 102 desservent Miskolc-Tapolca au départ de Búza tér, à Miskolc.

Lillafüred

A 320 mètres au-dessus du niveau de la mer, Lillafüred s'étend à 10 km à l'ouest de Miskolc, à l'intersection des vallées formées par deux torrents, le Garadna et le Szinva. Station balnéaire depuis le début du siècle, Lillafüred ne comporte que quelques rares curiosités touristiques, mais représente une agréable dépaysement après la grisaille de Miskolc. Elle sert également de point de départ à de nombreuses promenades et randonnées dans l'est du massif de Bükk.

Pour certains, venir à Lillafüred n'est qu'un prétexte pour prendre le petit train au départ de Miskolc. Celui-ci effectue en effet l'un des trajets les plus divertissants de Hongrie. Tandis que l'on serpente à travers la forêt, il suffit presque de tendre la main pour atteindre les branches des châtaigniers et des bouleaux.

Grottes. Lillafüred possède trois grottes calcaires ouvertes au public : la **grotte d'Anna**, près de l'hôtel Palota, la **grotte d'István**, à environ 500 mètres par la route de montagne menant à Eger, et la **grotte de Szeleta/Petőfi**, au-dessus du village sur la route de Miskolc. Toutes trois se visitent avec un guide de 9h à 17h (fermeture le lundi, horaires réduits l'hiver). Avec ses stalactites, ses stalagmites, ses petites baignoires creusées dans la roche et ses larges cavités, celle d'István est la plus belle. Tout près, au 33, Erzsébet sétány, s'élève la **maison Ottó Herman** (1835-1914), où le célèbre archéologue, ethnologue et naturaliste mena ses recherches.

Le **lac de la Fonderie** (Hámor-tó), qui tire son nom d'un haut fourneau installé là au début du XIXᵉ siècle par un Allemand qui voulait exploiter le minerai de fer de la région, offre parties de pêche et promenades en barque (50 Ft l'heure) sur ses eaux couleur de jade.

Randonnées. Les sentiers de randonnée du massif de Bükk sont très bien balisés, mais si vous prévoyez quelque chose de plus sérieux qu'une simple promenade de santé, munissez-vous d'une carte de la région et de bouteilles d'eau.

Bon nombre de belles promenades peuvent être entreprises au départ des terminus des deux lignes du petit train, à **Garadna** et à **Farkasgödör-Örvénykő**, mais rien n'est prévu pour les randonneurs dans ces secteurs et il faut être prêt à dormir à la belle étoile si l'on rate le dernier train. Ne manquez pas d'aller observer les charbonniers et, en automne, les champignons de la forêt. (Un centre d'inspection des champignons est prévu en saison pour les plus craintifs : il se présente à l'entrée du parc, avant d'atteindre Lillafüred en venant de Miskolc.)

Vous trouverez une *maison de vacances* à **Szentlélek**, où vous pourrez passer la nuit avant d'entreprendre l'ascension du **mont Bálvány** (956 mètres) et d'aller à **Bánkút**, situé à l'ouest et doté d'un *terrain de camping*. D'excellentes promenades partent de ce village, soit vers le sud et **Nagy-mező**, soit vers l'est et **Nagy Csipkés** (869 mètres).

Hollóstető, à 6 km au sud de Lillafüred, représente un autre bon point de départ pour les randonnées et a l'avantage de proposer un *terrain de camping* et une *auberge de jeunesse* (☎ 46 343 183). A 45 minutes à l'est, se cache **Bükkszentkereszt**, autre petite station tranquille qui offre d'excellentes randonnées et une *auberge* (☎ 46 343 165). **Bükkszentlászló** est située plus à l'est, à 1 heure 30 de marche. De là, vous pourrez sauter dans l'un des fréquents bus qui retournent à Miskolc.

Un club de sports local organise des sorties en VTT ou de simples locations de bicyclettes. Contactez-le par téléphone (☎ 46 383 087) ou par l'intermédiaire de l'hôtel Palota.

Où se loger et où se restaurer. Outre les possibilités déjà mentionnées dans le paragraphe précédent, vous trouverez quelques établissements dans Lillafüred même. Le village est dominé par le *Palota* (☎ 46 354 433), une construction étrange de faux style gothique qui fait désormais office de palace après avoir été pendant 40 ans une maison de vacances syndicale. Cet édifice symbolise Lillafüred depuis 1930, époque à laquelle les "nantis" de la société hongroise y descendaient en été, passant leur temps à bien manger, bien boire et danser. L'hôtel évoque le film *Shining*, avec Jack Nicholson dans le rôle d'un fou dangereux, et si vous y séjournez, vous aurez du mal à vous ôter cette idée de l'esprit. Les tarifs varient en fonction des saisons et du standing de la chambre : de 950 à 1 700 Ft pour une simple et de 1 700 à 3 100 Ft pour une double. L'hôtel dispose de plusieurs restaurants bien équipés (verrières, immense cheminée), dont le très chic *Mátyás Terem*, et d'une terrasse donnant sur un beau jardin.

La pension *Lilla* (☎ 46 379 299), installée dans un parc derrière le Palota, au 7, Erzsébet sétány, possède 6 doubles sans s. d. b. au prix de 1 400 Ft. Avec les assiettes peintes qui ornent les murs, son coquet petit restaurant offre un changement bienvenu après le faste du Palota, et le personnel est nettement plus sympathique.

Vous trouverez plusieurs vendeurs de lángos et de saucisses dans les environs. Le bistrot *Szeleta* sert pour sa part d'honnêtes repas très bon marché à l'ombre des grands arbres.

Comment s'y rendre. Les bus 1 et 101 en provenance de Miskolc ont pour terminus le parc de Majális. De là, prenez le 5 ou le 15, qui partent à peu près toutes les 30 minutes pour Lillafüred. Le n°15 continue sa route vers Garadna, Szentlélek et Bánkút. Le n°68 part toutes les 30 minutes d'Andrássy tér, à Miskolc, pour aller à Bükkszentlászló. De Miskolc, vous avez le choix entre le bus et le petit train. L'idéal consiste à partir en bus et à revenir en train.

La gare de Kilián-Észak, où se prend le petit train de Miskolc, est située à l'ouest de Miskolc, tout près de Kiss tábornok út (presque à Diósgyőr).

Le petit train offre l'un des trajets les plus agréables de Hongrie, mais il n'y a que 4 ou 5 départs quotidiens entre octobre et avril (deux fois plus en été), aussi vaut-il mieux connaître les horaires. De Lillafüred, le train parcourt encore 6 km jusqu'à Garadna.

Une autre ligne du petit train se dirige sur Papírgyár – l'usine de papier un peu trop odorante qui pollue le ruisseau de Szinva) et couvre 23 km entre Kilián-Észak et Farkasgödör-Örvénykő. Trois départs par jour sont organisés de mi-mai à septembre.

Aggtelek Karst

Si les grottes de Lillafüred ne vous ont pas impressionné, parcourez 60 km vers le nord jusqu'à la région montagneuse du parc national d'Aggtelek. Les grottes de Baradla constituent le plus important complexe de stalactites d'Europe, avec 25 km de tunnels creusés dans la roche (dont 7 situés en territoire slovaque). Vous ne pouvez manquer ces stupéfiantes enfilades de stalactites noirs et rouges, ces stalagmites en forme de pyramides et ces immenses cavernes.

En été, la visite des grottes comprend généralement un court concert d'orgue dans la caverne des concerts (j'ai eu droit pour ma part à une musique des Pink Floyd) et, si les eaux sont assez hautes, une promenade en canot sur la "Styx". L'éclairage souterrain est parfait et vous n'aurez aucune difficulté à distinguer les étranges formations aux formes de dragons, de tortues ou de xylophones.

AGGTELEK (600 habitants)

Les grottes de Baradla comportent trois entrées : la première au village d'Aggtelek, la deuxième 6 km à l'est, à Jósvafő, et la troisième à 15 km au nord, dans la ville slovaque de Domica. Les grottes de Béke, autre réseau de tunnels situé au sud-est, servent désormais de sanatorium souterrain. Les visites guidées démarrent de ces trois points, mais on peut se joindre à elles à l'entrée d'Aggtelek, qui représente le meilleur point de départ, non seulement

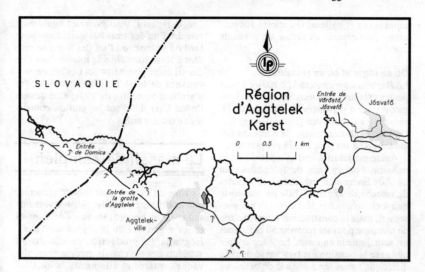

parce qu'elle est la plus accessible des trois, mais aussi parce que le village propose diverses possibilités d'hébergement. Enfin, c'est de là que vous verrez, sur une durée relativement courte, le plus de choses.

Orientation et renseignements
Le personnel de la grotte vous fournira tous les renseignements nécessaires, ainsi que la carte intitulée *Aggtelek, Jósvafő és kórnyéke* (Aggtelek, Jósfavő et leurs environs), excellente pour les randonneurs. Pour plus de détails, contactez la direction du parc national d'Aggtelek (☎ 48 312 700) à Jósvafő.

L'indicatif téléphonique d'Aggtelek et ses environs est le 48, mais tous les numéros ne sont pas reliés au réseau.

Les grottes de Baradla
Les grottes sont ouvertes toute l'année de 8h à 17h en été et jusqu'à 15h l'hiver. Les visites de quatre-vingt dix minutes (5 personnes minimum, 150 Ft par personne) débutent à l'entrée d'**Aggtelek** à 10h, 13h et 15h, avec un départ supplémentaire à 17h en été. Les visites durent deux heures (180 Ft) partent de l'entrée de **Vörös-tó** à

Jósvafő à 8h40, 12h15 (le week-end seulement) et 13h. Enfin, des visites d'une heure (120 Ft) sont également organisées à partir du même endroit à 15h et 17h l'été. Pour cela, un bus spécial (75 Ft) vous prendra à l'entrée d'Aggtelek. La température dans les grottes est généralement de 10°C, avec un taux d'humidité supérieur à 95% : n'oubliez pas de vous munir d'un pull-over.

Les passionnés de spéléologie seront sans doute tentés par la visite de cinq heures (800 Ft par personne, 10 participants minimum), à laquelle on doit s'inscrire à l'avance auprès de la direction du parc. Les candidats à cette dernière doivent être chaussés de bottes en caoutchouc et chaudement vêtus. Des lampes et des casques leur seront prêtés.

Un petit **musée** situé près de l'entrée d'Aggtelek propose des expositions relatives à la faune et à la flore que l'on trouve à l'intérieur des grottes et dans la campagne environnante.

Randonnées
On peut rejoindre d'excellents sentiers de randonnée au-dessus du musée. La promenade offre de superbes points de vue sur

montagnes et vallées. On atteint Jósvafő assez facilement, au terme de 6 km de marche.

Où se loger et où se restaurer

Le *Baradla Camping* (☎ 312 700), où vous pourrez planter votre tente ou louer un bungalow pour 4 personnes de 800 à 1 500 Ft, se trouve à l'entrée des grottes d'Aggtelek. On peut également passer la nuit dans des *dortoirs* de 8 lits pour 250 Ft par personne.

Autre possibilité fort sympathique, la pension *Family* (pas de téléphone) au 24, Ady Endre utca, est située à 15 minutes de marche de la grotte. Elle ne comporte que 4 chambres (de 500 à 700 Ft par personne), mais la construction d'une maison de tourisme pouvant recevoir 50 personnes est actuellement en cours. Le jeune couple qui gère la pension est très versé dans la diététique : vous ferez donc là de délicieux repas végétariens.

Les 70 chambres du Cseppkő (Aggtelek 7), installées sur un site panoramique au-dessus de l'entrée des grottes, constituent le meilleur hôtel de la région, avec un restaurant, un bar, une terrasse, un court de tennis et un sauna. Les doubles y coûtent 2 100 Ft, petit déjeuner compris.

Si vous comptez suivre deux visites guidées, à partir des entrées d'Aggtelek et de Jósvafő, vous pouvez envisager de descendre à l'hôtel *Tengerszem* de Jósvafő, qui propose des doubles allant de 1 100 à 1 300 Ft. Pour cela, effectuez votre réservation au camping de Baradla.

Comment s'y rendre

A partir de Miskolc, on atteint Aggtelek soit en bus, soit en train (celui pour Tornanádaska). La gare de Jósvafő-Aggtelek se trouve à quelque 10 km à l'est de Jósvafő et à 6 km d'Aggtelek ; à chaque arrivée d'un train, un bus local vient chercher les passagers pour les conduire dans l'une ou l'autre ville. Par ailleurs, des bus directs quittent Miskolc, Gyöngyös et Eger pour Aggtelek. Ils repartent pour Miskolc à 16h50 et 17h20, et pour Gyöngyös et Eger à 15h15.

A la rigueur, vous pourriez également prendre l'un des trois bus quotidiens pour Ózd ou Putnok, ou l'un des 5 qui se rendent à Kazinbarcika, puis monter dans l'un des 10 trains pour Miskolc. Les bus en provenance de Miskolc, Gyöngyös et Eger s'arrêtent au centre du village ou devant l'hôtel Cseppkő. Pour les grottes, choisissez ce dernier arrêt.

Le massif de Zemplén

La zone du Zemplén est loin de présenter une uniformité parfaite. Sur les versants sud et est, se trouvent les villes de marchés et les vignobles de la région de Tokaj-Hegyalja. La production de vin attirait autrefois des marchands grecs, serbes, slovaques, russes et allemands, dont l'influence transparaît dans l'architecture, la culture et le vin jusqu'à nos jours. Le nord du Zemplén, sur la frontière slovaque, constitue la région la plus sauvage du pays (pour peu que l'on puisse qualifier ainsi autre chose qu'un jeune qui a bu trop de *pálinka*) et regorge de châteaux en ruines et de villages misérables.

BOLDOGKŐVÁRALJA (1 200 habitants)
Le train reliant Szerencs (située sur la ligne principale Budapest-Miskolc-Nyíregyháza) à Hidasnémeti, près de la frontière slovaque, s'arrête dans une dizaine de villages producteurs de vin tout au long de son pittoresque itinéraire qui serpente dans la photogénique vallée de Hernád. Certains, comme Tállya ou Gönc, sont intéressantes en eux-mêmes, tandis que d'autres servent de pied à terre pour excursionner dans le sud du Zemplén. Mais aucun d'entre eux ne combinent ces deux fonctions aussi parfaitement que Boldogkőváralja, charmant village doté d'un important château.

Orientation

En prenant le train à Szerencs, choisissez une place à droite près de la vitre pour ne pas manquer l'apparition de l'impressionnant château. Le train s'arrête de l'autre côté de l'autoroute, à environ 2 km du château. Pour parvenir alors jusqu'à ce dernier, suivez la route goudronnée ou empruntez l'un des nombreux chemins qui partent du village pour arriver à l'entrée principale.

Château de Boldogkő

Le principal intérêt de Boldogkőváralja réside dans son château, perché au sommet d'une montagne et jouissant d'une splendide vue panoramique sur le sud du massif de Zemplén, la vallée de Hernád et les vignobles voisins. Construit au XIIIe siècle à l'origine, le château fut consolidé 200 ans plus tard, mais tomba progressivement en ruines après la révolte des Kurucs à la fin du XVIIe siècle. Aucun musée n'est malheureusement là pour expliquer qui était qui et qui faisait quoi, mais il suffit de se promener dans la cour irrégulière, de monter jusqu'aux remparts et d'admirer le paysage au coucher du soleil pour comprendre comment Bálint Balassi, poète fanfaron du XVIe siècle, tomba amoureux de cet endroit et y produisit quelques-unes de ses plus belles œuvres. Le château est ouvert aux visiteurs d'avril à octobre de 8h à 16h.

Autres curiosités

Le **centre d'Histoire du village**, situé dans Kossuth Lajos utca et ouvert tous les jours sauf lundi de 10h à 16h, propose quelques expositions intéressantes consacrées à Balassi et à quelques natifs de la région qui se rendirent célèbres à l'étranger (l'un d'eux créa le premier journal hongrois aux États-Unis), ainsi qu'aux costumes traditionnels locaux. Une échoppe de forgeron y a également été reconstituée.

Entre Boldogkőváralja et Boldogkőújfalu, un village situé à 3 km au sud, s'étend la "**mer de pierres**" (*tengerkő*) composée de roches volcaniques, seul phénomène naturel de ce type dans toute la Hongrie.

Randonnées

Les randonneurs commenceront leur promenade à partir du flanc nord du château.

Des sentiers balisés, ponctués de châteaux en ruines, mènent à **Regéc**, à 15 km à l'est via Arka et Mogyoróska. De là, vous pourrez, soit revenir sur vos pas jusqu'à Boldogkőváralja, soit suivre la route qui part vers l'ouest jusqu'à la gare de Fony (5 trains par jour dans chaque direction), située à 10 km.

Les plus courageux, ou les mieux préparés, poursuivront leur marche jusqu'à **Gönc**, à 8 km au nord, où l'on fabrique depuis des siècles les fûts dans lesquels vieillissent les vins de Tokaj. Gönc se trouve sur la ligne de chemin de fer reliée à Szerencs. Selon le trajet que vous choisirez, munissez-vous de la carte du Zemplén nord ou sud.

Où se loger et où se restaurer

Malheureusement, l'auberge de jeunesse du château de Boldogkő a été fermée pour permettre au gouvernement de décider ce qu'il va faire de cette prestigieuse construction (un casino, peut-être ?). Il ne reste donc plus que l'auberge *Tekeries* au 41, Kossuth Lajos utca. S'il n'y a pas de place, essayez l'ancienne *ferme* du n°75, près du musée du village.

Dans l'enceinte du château, un *büfé* vend boissons et en-cas. Pour un repas plus substantiel, il vous faudra quitter le site et aller au petit *restaurant* sans nom situé sous les larges châtaigniers, au centre du village, et ouvert jusqu'à 21h. Une fois assis, ne rentrez pas dans le jeu des oies qui viennent quémander de la nourriture en se dandinant fièrement.

Comment s'y rendre

Boldogkőváralja se trouve sur la ligne de chemin de fer reliant Szerencs à Hidasnémeti. Huit trains allant dans chaque direction s'y arrêtent chaque jour.

TOKAJ (5 300 habitants)

Les vins de Tokaj, pittoresque village de vignobles et de nids de cigognes à l'extrémité sud-est des montagnes de Zemplén, sont célèbres depuis des siècles. Tokaj n'est en fait qu'un des 28 villes et villages du Tokaj-Hegyalja, une région de 5 000 hectares productrice de vin, sur les faces sud et est du massif de Zemplén, mais son nom s'est imposé et il est aujourd'hui synonyme du vin de Hongrie le plus renommé.

Le sol volcanique, le climat ensoleillé et le bouclier protecteur que forment les montagnes offrent des conditions idéales à la viticulture. Déjà au Moyen Age, les vins de Tokaj s'exportaient vers la Pologne et la Russie. Leur popularité connut son apogée aux XVIIe et XVIIIe siècles, époque à laquelle ils comptaient parmi leurs fans quelques grands noms comme Louis XIV, qui qualifiait le Tokaj de "vin des rois et roi des vins", ou Voltaire, pour qui ce breuvage ne pouvait avoir été donné que par un Dieu infiniment bon.

Toutefois, les vins de Tokaj peuvent sembler un peu vieillots et trop sucrés pour nos palais modernes, en particulier les digestifs, classés d'après le nombre de *puttony* (rasades) d'essence sucrée d'Aszú que l'on ajoute aux vins de base. Mais Tokaj produit également quelques crus moins doux : le Szamorodni (qui rappelle le sherry), le Furmint et l'Hárslevelű, qui est le plus sec d'entre eux.

Aujourd'hui, le tranquille village de Tokaj n'a rien conservé de sa trépidante activité ni de son prestige d'antan, mais il reste un lieu idéal pour flâner un peu et goûter aux vins "royaux" de la Hongrie.

Orientation et renseignements

Tokaj se situe à l'intersection de la Tisza et du Bodrog, au pied du pic de Tokaj. La gare ferroviaire se trouve au sud du centre ville, dans Baross Gábor utca, où un large plan de la ville est affiché.

Là vous pouvez, soit attendre le bus, soit remonter à pied pendant 15 minutes Bajcsy-Zsilinszky utca vers le nord jusqu'à la rue principale (Rákóczi út) et Kossuth tér. C'est de cette dernière que partent les bus interurbains.

Depuis la fermeture de l'agence Borsod Tourist, autrefois située dans Rákóczi út, il n'y a plus de bureau de tourisme dans la ville.

Le bureau central de Miskolc organise donc toute l'année des visites-dégustations au cellier Rákóczi à Tokaj (550 Ft) et dans un vignoble, en septembre-octobre, la visite étant suivie d'une dégustation de vins et d'un repas (2 100 Ft).

La poste se trouve au 24, Rákóczi út et il y a une banque OTP un peu plus loin, au n°35.

L'indicatif téléphonique de Tokaj est le 41.

A voir

Ouvert tous les jours sauf le lundi de 9h à 17h, le **musée de Tokaj**, au 7, Bethlen Gábor utca, ne vous laissera rien ignorer de l'histoire de la ville, de la région du Tokaj-Hegyalja et de sa production de vin. Les expositions montrant comment France, Italie, Amérique et Afrique du Sud tentèrent sans succès de copier le vin de Tokaj sont particulièrement intéressantes : c'est sans doute la variété alsacienne qui se rapproche le plus de ce dernier. Une superbe collection d'art liturgique (icônes, crucifix médiévaux, triptyques) est exposée au rez-de-chaussée.

Un peu plus bas dans la rue, dans une ancienne église grecque orthodoxe située au n°23, la **galerie de Tokaj** présente les œuvres d'artistes locaux : à elles seules, les peintures de József Székely valent la visite. Derrière la galerie, dans Serház utca, la **Grande Synagogue**, vieille de plus d'un siècle et utilisée comme caserne par les Allemands durant la Seconde Guerre mondiale, arbore fièrement sa nouvelle couleur jaune-canari.

De l'autre côté du Bodrog, s'élève ce qu'il reste du **château de Tokaj**, un édifice du XVIe siècle qui formait jadis le triangle de défense avec les châteaux de Tállya et de Szerencs, jusqu'au jour où les Habsbourg des rasèrent. On peut l'atteindre à bord des ferries pour voitures qui traversent le Bodrog jusqu'à 19h (21h en été). Un vieux **cimetière juif** s'étend non loin de là.

Le **marché** découvert se tient sur Szépessi köz, près du musée de Tokaj.

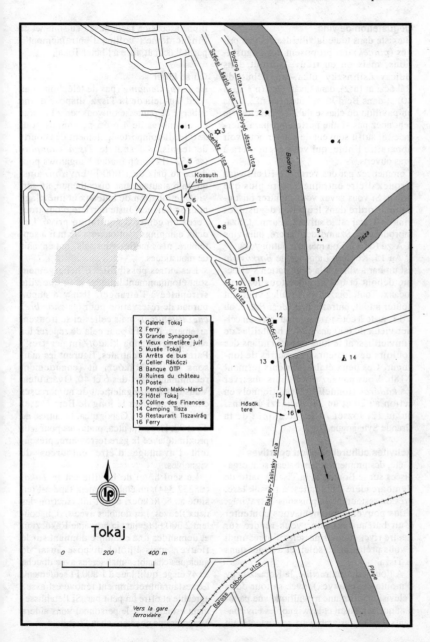

1 Galerie Tokaj
2 Ferry
3 Grande Synagogue
4 Vieux cimetière juif
5 Musée Tokaj
6 Arrêts de bus
7 Cellier Rákóczi
8 Banque OTP
9 Ruines du château
10 Poste
11 Pension Makk-Marci
12 Hôtel Tokaj
13 Colline des Finances
14 Camping Tisza
15 Restaurant Tiszavirág
16 Ferry

Tokaj

0   200   400 m

Vers la gare
ferroviaire

Dégustation de vins

Il existe dans toute la ville des celliers privés (*pincék*) qui proposent des dégustations, mais on en trouve surtout dans Bajcsy-Zsilinszky utca, au début de Rákóczi út (n°2), dans Óvári utca (n°s 36 et 40) et dans Bem József utca (au n°2, dans un pavillon de chasse du XVIe siècle). Ne renoncez pas si une porte vous paraît fermée : il suffit souvent de sonner pour voir apparaître l'hôte, qui vous accueillera à bras ouverts.

Commencez par des verres de 10 cl : vous risquez d'être entraîné à boire plus que prévu. Si vous savez vous montrer raisonnable, l'ordre dans lequel on déguste les vins de Tokaj est le suivant : Furmint, Szamorodni sec, Szamorodni sucré, puis vins d'Aszú (de 3 à 5 ou même 6 puttonyok).

Au 15, Kossuth Lajos tér, le *Borkóstoló* est un bar à vins où la dégustation s'effectue debout et qui propose tous les crus locaux. Toutefois, si vous voulez vraiment goûter à tout, entrez au *Rákóczi Pince*, au n°13, juste à côté : vous y trouverez un cellier vieux de 600 ans où les bouteilles de vin vieillissent le long des murs dans des couloirs de plusieurs kilomètres de longueur. Ces deux établissements ferment à 18h. Vous pouvez par ailleurs observer les *kádárok* (tonneliers) traditionnels en action au 20 et au 28, Rákóczi út, ainsi qu'au 12, József Attila utca, près de la Grande Synagogue.

Activités culturelles et/ou sportives

L'été, des promenades en bateau sont organisées sur le Bodrog et la Tisza à partir de l'embarcadère des ferries, à Hősök tere, près du restaurant de poissons Tiszavirág. Vous pouvez également vous contenter d'un bateau-taxi pour vous rendre sur l'autre rive, où vous passerez l'après-midi à vous prélasser au soleil et à nager dans la Tisza.

A l'ouest du centre ville, la Kopasz-hegy ("montagne chauve"), avec sa tour de la Télévision, offre une magnifique vue panoramique sur Tokaj et les vignobles environnants. Les moins ambitieux se contenteront d'une ascension facile jusqu'au sommet de Fináncz-domb ("colline d'entraînement") par Rákóczi út, face à l'hôtel Tokaj.

Où se loger

Le *Tokaj Camping* (pas de téléphone), au nord, au-delà de la Tisza, dispose d'une auberge de jeunesse où vous serez hébergé en chambres de 4 ou 6 personnes pour 250 Ft. Il comporte également des courts de tennis. Au sud, le *Tisza Camping* (☎ 352 012) propose des bungalows pour deux au prix de 1 000 Ft environ, ainsi qu'un restaurant, une discothèque, un service de location de bateaux et une plage pour se baigner. Juste derrière, vous trouverez un centre d'équitation privé. Les deux campings sont ouverts de mai à septembre, mais méfiez-vous : ils sont envahis de moustiques.

Les autres possibilités d'hébergement sont étonnamment limitées pour une ville si réputée à l'étranger. Il n'y a aucun bureau de réservation pour les *chambres chez l'habitant*, mais celles-ci se trouvent aisément. Il suffit pour cela de repérer les enseignes "Szoba kiadó/Zimmer frei". Parmi les plus centrales, figurent les maisons du 12, Rákóczi út (chaudement recommandée) et des 6 et 40, Óvári utca. Vous trouverez également de nombreuses chambres à louer le long de Bem József utca et de Bethlen Gábor utca. D'autres, au 27 et 33, Hegyalja utca, pratiques pour leur proximité avec la gare ferroviaire, présentent l'avantage d'être entourées de vignobles.

Le seul hôtel de la ville est le *Tokaj* (☎ 352 344), un établissement tape-à-l'œil situé au 5, Rákóczi út, à l'intersection des deux fleuves. Les doubles avec s. d. b. coûtent 2 300 Ft (évitez la bruyante Rákóczi út et demandez une chambre donnant sur le fleuve), mais l'hôtel dispose aussi de quelques chambres mal aérées avec douche au 4e étage, qu'il loue à 1 800 Ft seulement. Le restaurant récemment rénové est assez agréable et offre un petit bar. Si l'établissement est complet, le personnel vous aidera à trouver une chambre chez l'habitant.

La pension *Makk-Marci* (☎ 352 336), au 1, Liget köz, dispose de 5 chambres, toutes avec douche, au prix de 1 150 Ft la simple et 1 775 Ft la double.

Où se restaurer

La *Tiszavirág Halászcsárda*, au 23, Bajcsy-Zsilinszky, sert une assez bonne soupe de poisson, ainsi que divers plats préparés à base de produits provenant de la Tisza. La pizzeria du *Makk-Marci*, ouverte jusqu'à 22h, est un lieu agréable pour un repas rapide.

Vous pouvez aussi essayer le pub *Dreher*, au 17, Kossuth Lajos tér, pour une cuisine plus hongroise.

Le restaurant de l'hôtel *Tokaj* est cher, mais la qualité des plats justifie ses prix. En été, installez-vous en terrasse au bord du Bodrog, à condition de ne pas avoir oublié les produits anti-moustiques. Dans la même catégorie de prix, le *Róna*, situé au 19, Bethlen Gábor utca, propose des concerts le week-end et reste ouvert jusqu'à 24h.

Distractions

La maison de la Culture, au 52, Kossuth Lajos utca, vous fournira le programme des manifestations organisées à Tokaj.

Le week-end, l'hôtel *Tiszavirág* fait discothèque. Une autre discothèque se tient presque toutes les nuits en été au *Tisza Camping*, au bord du fleuve. Toutefois, l'endroit à la mode reste la discothèque hebdomadaire du *centre culturel du château de Tokaj*, situé à Szerencs, à 18 km à l'ouest.

Achats

Du vin, du vin, et encore du vin : voilà ce que vous trouverez dans l'ensemble des magasins et celliers de Tokaj. Le choix est très étendu, de la modeste bouteille de furmint nouveau à l'Aszú six-puttonyos. Assurez-vous que la bouteille est correctement bouchée, surtout si on a tiré directement le vin d'un fût. Dans le cas contraire, vous vous trouveriez contraint de la boire tout de suite.

Comment s'y rendre

Tokaj n'est pas très bien desservie par bus, avec seulement 7 départs par jour pour Szerencs, capitale hongroise du chocolat, où l'on peut tout aussi bien se rendre en train. Quelque 13 trains relient quotidiennement Tokaj à Miskolc et Nyíregyháza : changez dans cette dernière ville pour Debrecen. Pour aller vers le nord jusqu'à Sárospatak et Sátoraljaújhely, prenez le train pour Miskolc et changez à Mezőzombor (14 trains par jour).

En été, le ferry offre un autre moyen d'atteindre Sárospatak à partir de Tokaj. On le prend à l'embarcadère du Bodrog, non loin de la Grande Synagogue. Entre mi-juin et fin août, les départs ont lieu le samedi à 7h30 et 15h30 et le dimanche à 7h30. Il faut 2 heures pour parcourir les 37 km.

SÁROSPATAK (15 000 habitants)

Contrairement à ce que l'on pourrait penser en regardant la carte, la ville du "torrent boueux" n'est pas la porte de la zone nord du massif de Zemplén (cette distinction revient à Sátoraljaújhely, à 12 km au nord). Sárospatak est toutefois célèbre pour son collège et son château, bel exemple de fort de la Renaissance que l'on peut encore admirer en Hongrie. En outre, la ville constitue une halte pratique sur la route de la Slovaquie.

Sárospatak a joué dans l'histoire hongroise un rôle bien plus important que ses dimensions pourraient le laisser supposer. Ville royale libre, productrice de vin depuis le début du XVe, elle devint vite un puissant centre calviniste puis, 200 ans plus tard, servit de base à la résistance aux Habsbourg. Parmi les anciens élèves de son collège calviniste, auquel Sárospatak doit son surnom d'"Athènes de Hongrie", figurent les plus éminentes personnalités de l'histoire politique et littéraire hongroise, dont Kossuth Lajos, le poète Mihály Csokonai Vitéz et le romancier Géza Gárdonyi.

Sárospatak regorge de constructions conçues par l'architecte "organique" Imre Makovecz, sur lequel les habitants de la ville ont des opinions très partagées.

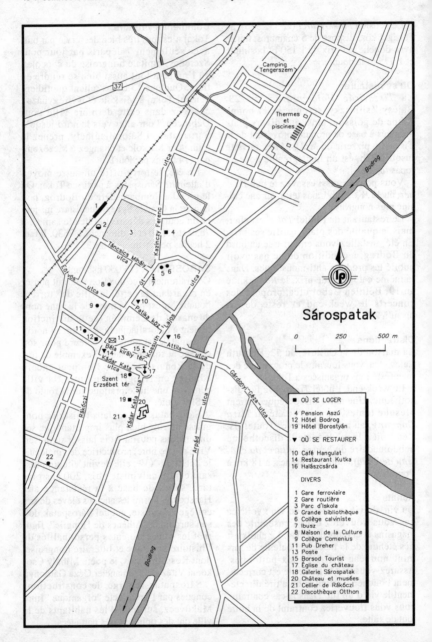

Camping
Tengerszem

Thermes
et
piscines

Bodrog

Sárospatak

0   250   500 m

Bodrog

■ OÙ SE LOGER

4 Pension Aszú
12 Hôtel Bodrog
19 Hôtel Borostyán

▼ OÙ SE RESTAURER

10 Café Hangulat
14 Restaurant Kutka
16 Halászcsárda

DIVERS

1 Gare ferroviaire
2 Gare routière
3 Parc d'Iskola
5 Grande bibliothèque
6 Collège calviniste
7 Ibusz
8 Maison de la Culture
9 Collège Comenius
11 Pub Dreher
13 Poste
15 Borsod Tourist
17 Église du château
18 Galerie Sárospatak
20 Château et musées
21 Cellier de Rákóczi
22 Discothèque Otthon

Orientation et renseignements

Sárospatak est une ville compacte installée sur le Bodrog et ses bras morts, très appréciés. Les gares routière et ferroviaire se trouvent côte-à-côte à l'extrémité de Táncsics Mihály utca, au nord-ouest du centre ville : traversez le parc d'Iskola vers l'est pour rejoindre Rákóczi út, la rue principale.

Borsod Tourist (☎ 41 323 073), situé au 50, Kossuth Lajos út, derrière la gracieuse église du château, est ouvert de 8h à 16h en semaine et jusqu'à 12h le samedi en été. Ibusz (☎ 41 323 620), au 3, Rákóczi út, pratique les mêmes horaires. Ces deux agences font également bureaux de change.

La poste principale est au 45, Rákóczi út, près de Béla király tér. Pour appeler un taxi, composez le 41 323 744. L'indicatif téléphonique de Sárospatak est le 41.

Le château des Rákóczi

C'est par là que doit commencer toute visite de la ville. Pénétrez sur les terres du château en traversant les douves asséchées de Kádár Kata utca. Bien que la partie la plus ancienne, la **Tour rouge** de 6 étages (actuellement en cours de rénovation), date du XVe siècle, le **palais** Renaissance fut construit au siècle suivant, puis agrandi par ses propriétaires les plus célèbres, la famille Rákóczi de Transylvanie. Celle-ci occupa les lieux jusqu'en 1711, lorsque l'échec de la guerre d'Indépendance contre les Habsbourg contraignit Ferenc Rákóczi à s'exiler en Turquie. Le château tomba alors aux mains de la royauté autrichienne.

Aujourd'hui, les ailes du palais remontant à la Renaissance et les ajouts réalisés au XIXe renferment un **musée** consacré à la révolte des Rákóczi et aux derniers habitants du château, avec des chambres à coucher et des salons chargés de mobilier, de tapisseries, de porcelaines et de verreries d'époque. La petite pièce aux cinq baies vitrées, au premier étage, près de la salle des Chevaliers, présente un intérêt tout particulier avec sa rose de stuc au milieu d'un plafond voûté. C'est là que les nobles firent inscrire leurs noms *sub rosa* (littéralement

"sous la rose", qui signifie "en secret" : l'expression vient de cet épisode) lors du soulèvement des Kurucs contre l'empereur des Habsbourg en 1670. Admirez également la **salle de la Cheminée**, avec son superbe foyer Renaissance et, à l'extérieur dans la cour, la **galerie Lorántffy**, une loggia du XVIIe siècle liant l'aile est du palais à la Tour rouge et qui aurait fait un décor idéal à l'histoire de *Roméo et Juliette*.

Vous aurez ensuite le choix entre une promenade dans les **casemates** vides du château ou la visite de deux autres expositions présentées dans les caves de l'aile est. Celles-ci sont consacrées à l'histoire du vin et de sa fabrication dans la région de Tokaj-Hegyalja, ainsi qu'à la vie traditionnelle des paysans de Pusztafalu, un village montagnard situé au nord de Sárospatak, sur la frontière slovaque.

Autres curiosités

De retour dans Kádár Kata utca, allez jeter un coup d'œil au **cellier à vins Rákóczi**, construit en 1684, mais inutile de chercher à y boire un verre, sauf si vous êtes plus de cinq personnes prêtes à dépenser 400 Ft pour avoir ce privilège.

L'**église du Château**, sur Szent Erzsébet tér, est l'une des plus grandes églises baroques de Hongrie rattachées à un château. Depuis le XIVe siècle, elle est passée à plusieurs reprises des catholiques aux protestants (et vice-versa). C'est aux calvinistes que l'on doit le clocher, situé comme toujours à l'écart de l'église. L'énorme autel baroque fut apporté de l'église carmélite du château de Buda à la fin du XVIIIe siècle. L'orgue, provenant de l'ancienne ville hongroise de Košice (désormais slovaque) et vieille de 200 ans, est encore utilisée lors des nombreux concerts organisés tout au long de l'année. La statue qui s'élève devant l'édifice a pour auteur Imre Varga et représente la vénérée sainte Élisabeth, une reine de Hongrie du XIIIe siècle née à Sárospatak, accompagnée de son mari Louis IV.

De l'autre côté de la place, la **galerie de Sárospatak** présente les œuvres du sculpteur János Andrássy Kurta, ainsi que quelques expositions temporaires.

L'histoire du célèbre **collège calviniste**, situé au nord d'Erzsébet tér, dans Rákóczi út, est présentée au **musée-mémorial Comenius**, dans le dernier des bâtiments d'origine du collège, une salle de physique du XVIIIᵉ siècle. Cette collection doit son nom à János Amos Comenius, un humaniste originaire de Moravie qui mit en place le système pédagogique du collège à la fin du XVIIᵉ siècle et créa le premier manuel d'enseignement illustré pour enfants, *Orbis Pictus*. La parole est donnée à de nombreux élèves illustres du collège en divers points du musée. Ainsi l'écrivain Zsigmond Móricz évoque-t-il les "après-midi de chien passées au collège de Patak", tandis que le missionnaire Sándor Babos envoie des correspondances de Mandchourie, dont une paire de chaussures destinées aux pieds bandés des Chinoises. Dommage que le commentaire explicatif parle de "jouet d'enfant"...

Cependant, c'est avant tout dans sa **grande bibliothèque**, avec ses 75 000 volumes, que réside le principal intérêt du collège. Située dans le bâtiment principal, elle est installée dans une longue salle ovale dotée d'une galerie et d'un plafond en trompe-l'œil qui simule l'intérieur d'une coupole. Les visites se font avec un guide (généralement en hongrois, mais vous pouvez vous contenter de le suivre de loin), du lundi au samedi de 9h à 17h et le dimanche jusqu'à 13h. Les billets se retirent dans la salle 31, au premier étage.

L'ancienne **synagogue** du 43, Rákóczi út, près de la poste, abrite aujourd'hui un magasin de meubles. L'ensemble des 1 200 Juifs qui vivaient à Sárospatak avant la Seconde Guerre mondiale ont été déportés : presque tous ont péri dans les camps de la mort nazis.

Où se loger

Le *Tengerszem Camping* (☎ 323 753), en face du complexe thermal nommé Végardó, dispose de 10 bungalows disponibles d'avril à mi-octobre. Il se trouve au

2, Herceg utca, à 2 km des gares. On s'y rend à bord des bus de la ville, assez peu fréquents, que l'on prend soit à la gare, soit devant le centre commercial de Bodrog, dans Rákóczi út.

Borsod Tourist propose appartements et *chambres chez l'habitant* allant de 1 000 à 1 800 Ft, mais Ibusz vous proposera probablement la même chose à des prix inférieurs. L'été, Borsod Tourist pourra également vous loger en dortoirs dans l'un des centres de formation pour professeurs, de préférence dans le charmant *Collège Comenius* (☎ 324 211), un bâtiment Art Nouveau situé aux 5-7, Eötvös utca, pour environ 300 Ft par personne.

L'hôtel *Borostyán* (☎ 311 611), 28, Kádár Kata utca, dispose de 13 chambres dans un monastère restauré du XVIIᵉ siècle, dans l'enceinte du château. C'est un endroit très agréable. Les chambres (simples et doubles) avec s. d. b. sont à 1 200 ou 1 000 Ft sans s. d. b. Le *Bodrog* (☎ 323 744) au 58, Rákóczi út, est un bloc de béton sans charme disposant de 50 chambres en centre ville. Les doubles vont de 2 200 à 2 600 Ft, les simples (minuscules) coûtent 1 500 Ft. Toutes sont avec douche ou s. d. b. et l'hôtel comporte un grand restaurant et une brasserie. A la rigueur, mieux vaut tenter le tout récent *Aszú* (☎ 324 657), une pension située au 27, Kazinczy Ferenc utca et possédant 4 doubles.

Où se restaurer

Le restaurant de l'hôtel *Borostyán*, dans ce qui fut sans doute la chapelle du monastère, est l'établissement le plus pittoresque de la ville. On y mange correctement à des prix raisonnables, mais le service est assez désinvolte. Installez-vous en terrasse l'été. L'*Halászcsárda*, dans Kossuth Lajos út, est un restaurant modeste, mais vous ne pouvez pas être déçu en choisissant sa soupe de poisson "tout en un". Pour payer encore moins cher (et se restaurer encore plus vite) essayez le *Kutka*, au 2, Béla király tér, qui sert une clientèle d'étudiants jusqu'à 21h le soir. Au n°14 de la même place, le *Finom Falatok* propose des plats substantiels, mais décevants. Enfin, le glacier du 16, Rákóczi út, attire tous les fins gourmets de la ville, et la boutique ne désemplit pas de l'ouverture à la fermeture.

Distractions
Le personnel de la maison de la Culture de Sárospatak (☎ 323 811), bâtiment anthropomorphique situé au 6, Eötvös utca et construit par Imre Makovecz en 1983, vous dira tout sur les spectacles proposés en ville. N'oubliez pas de vous renseigner sur les concerts d'orgue à l'*église du Château*. Certaines manifestations organisées dans le cadre du Festival d'arts de Zemplén, à la fin du mois d'août, se déroulent à Sárospatak.

Le week-end, il se passe généralement quelque chose dans l'un ou l'autre des hôtels, ou encore à l'*Otthon*, un restaurant discothèque situé au sud du centre ville, près d'Arany János utca. Si vous vous trouvez sur la route n°37 en direction de Miskolc et que les jambes vous démangent, faites une escale à la *Gomboshegyi Csárda* : c'est l'endroit idéal pour danser.

Si vous préférez boire un verre dans le calme, vous avez le choix entre le pub *Dreher*, dans Bártok Béla utca, à l'angle de l'hôtel Bodrog, et l'*Hangulat*, au 23, Rákóczi út.

Comment s'y rendre
Bus et Train. La majeure partie de la région de Zemplén est difficilement accessible en bus à partir de Sárospatak, quoiqu'il reste possible de monter à bord du seul et unique bus qui se rend chaque jour au joli village d'Erdőbénye, d'où l'on peut rejoindre Baskó et Boldogkőváralja. Mieux vaut donc prendre l'un des huit trains quotidiens qui partent de Szerencs pour la vallée d'Hernád et choisir comme point de chute l'une des villes situées sur cette ligne : Abaújkér, Boldogkőváralya ou Korlát-Vizsloy. Pour le nord de la région de Zemplén, prenez le train ou le bus (il y en a une vingtaine par jour) pour Sátoraljaújhely.

Une douzaine de trains relient quotidiennement Sárospatak et Sátoraljaújhely avec

Miskolc. Quatre d'entre eux continuent jusqu'à Slovenské Nové Mesto, en Slovaquie. De là, on peut prendre une correspondance pour Košice ou un bus pour Trebišov. Si vous venez de Debrecen, de Nyíregyháza ou de Tokaj, changez à Mezőzombor.

Bateau. L'été, la façon la plus sympathique de se rendre à Tokaj, à 37 km au sud, consiste à emprunter un ferry Mahart. Demandez à un bureau de tourisme où se trouve le nouveau point d'embarquement. De mi-juin à fin août, des bateaux naviguent également sur le Bodrog le samedi (départs à 10h10 et 18h10) et le dimanche (départ à 10h10). Le trajet dure 2 heures 30.

SÁTORALJAÚJHELY (20 500 habitants)
Les Rákóczi prirent possession de Sátoraljaújhely au XVIIe siècle (ils s'installèrent dans Kazinczy utca) et, tout comme Sárospatak, la ville joua un rôle important dans la lutte pour l'indépendance qu'ils menèrent contre les Autrichiens. Par la suite, elle devait encore servir de champ de bataille : en 1919, des combats eurent lieu dans les montagnes et les ravins voisins entre Slovaques et partisans communistes, et d'autres se tinrent là aux derniers jours de la Seconde Guerre mondiale.

Aujourd'hui, Sátoraljaújhely (que l'on peut approximativement traduire par "nouvelle implantation du campement" et que l'on prononce "Cha-tour-ol-ya-oui-hè") est une paisible ville-frontière entourée de forêts et de vignobles et surmontée de Magas-hegy, la "montagne haute", qui s'élève à 509 mètres d'altitude. Si elle ne mérite pas une visite à elle seule, la ville représente un bon point de départ pour les randonnées dans le nord du massif de Zemplén, ou encore pour passer la frontière slovaque.

Orientation et renseignements
Les gares routière et ferroviaire sont côte à côte à 2 km au sud du centre ville. Vous risquez d'attendre très longtemps le bus local, aussi vaut-il mieux prendre votre

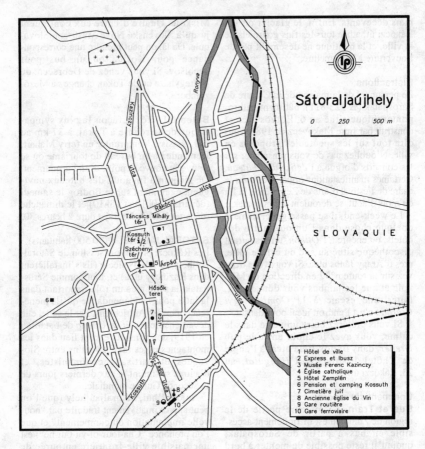

Sátoraljaújhely

0   250   500 m

SLOVAQUIE

1 Hôtel de ville
2 Express et Ibusz
3 Musée Ferenc Kazinczy
4 Église catholique
5 Hôtel Zemplén
6 Pension et camping Kossuth
7 Cimetière juif
8 Ancienne église du Vin
9 Gare routière
10 Gare ferroviaire

courage à deux mains et suivre Fasor jusqu'à Kossuth Lajos utca, passer devant le vieux cimetière juif et Hősök tere, puis continuer jusqu'à Széchenyi tér. Au-delà de cette dernière, vous trouverez deux autres places (Kossuth tér et Táncsics Mihály tér), puis vous parviendrez à Kazinczy utca.

Express (☎ 41 322 563) et Ibusz (☎ 41 321 757) sont toutes proches l'une de l'autre au 22 et au 26, Kossuth tér. Toutes deux ouvrent en semaine de 8h à 16h.

Il y a une banque OTP au 13, Széchenyi tér. Pour la poste, allez au 10, Kazinczy utca. Vous pouvez appeler un taxi en composant le 41 322 400.

L'indicatif téléphonique de Sátoraljaújhely est le 41.

A voir

L'**église du Vin**, un édifice néo-gothique en état de décomposition avancé, vous accueille à votre arrivée, avec les sceaux des villes du Tokaj-Hegyalja en porcelaine de Zsolnay qui décorent ses façades. Inutile de fantasmer sur cet édifice digne de Frankenstein : il sert aujourd'hui d'entrepôt et de point de vente de vins à prix réduits.

L'**église catholique** baroque de Széchenyi tér, avec son intérieur austère, n'est guère plus intéressante, même si c'est là que les enseignements de Martin Luther furent pour la première fois livrés au public hongrois.

On peut faire le même commentaire de l'**Hôtel de Ville** au 5, Kossuth tér, qui fut lui aussi le site d'un événement mémorable : en 1830, Lajos Kossuth, alors avocat, y prononça un discours public depuis le balcon donnant sur la place.

Situé au 11, Dózsa György utca, le **musée Ferenc Kazinczy** tire son nom du patriote et réformateur de la langue hongroise qui travailla ici au XIXᵉ siècle. Il couvre l'histoire de la ville en accordant une place privilégiée à la famille Rákóczi.

Où se loger et où se restaurer

Les possibilités d'hébergement sont assez limitées à Sátoraljaújhely. Demandez à Ibusz de vous trouver une *chambre chez l'habitant*, ou à Express de vous obtenir une place en dortoir au *collège* local. Vous trouverez peut-être une chambre dans la maison du 17, Dózsa György utca.

La pension *Kossuth* (☎ 321 164) se trouve au 1, Török utca, près de Várhegyi utca, au dessus du centre ville, côté sud-ouest. La meilleure façon de s'y rendre consiste à prendre Árpád utca vers l'ouest depuis Széchenyi tér, mais sachez que ses 23 chambres (1 150 Ft pour 1, 2 ou 3 personnes, avec douches communes) sont souvent prises d'assaut par des groupes d'étudiants. Un *terrain de camping* de dimensions réduites s'étend à côté.

Rattaché à la pension Kossuth, l'hôtel *Zemplén* (☎ 322 522) aux 5-7, Széchenyi tér, est un immeuble peu engageant au-dessus du principal supermarché de la ville, mais vous ne trouverez rien de plus central. Les doubles (pas de simples) avec s. d. b. sont à 1 955 Ft.

Le restaurant de poisson l'*Ezüstponty* ("carpe d'argent") et la salle à manger de l'hôtel *Zemplén* ont le même propriétaire et proposent des menus identiques. L'unique différence réside donc dans l'heure de fermeture (c'est le second qui reste ouvert le plus tard, jusqu'à 22h).

Le *Zemplén Bisztró* au 2, Dózsa György utca, propose des repas simples à prix très bas.

Distractions

Si vous vous trouvez à Sátoraljaújhely à la fin du mois d'août, demandez aux bureaux de tourisme le programme du Festival des arts de Zemplén.

Comment s'y rendre

Bus. Des bus fréquents passent dans les villes et villages du nord des montagnes de Zemplén : 6 par jour pour Füzér, 10 pour Hollóháza (avec un arrêt à Füzér en chemin), 2 pour Telkibánya et 1 pour Hidasnémeti, d'où l'on peut prendre un train vers le nord pour Košice (6 par jour) ou vers le sud pour Miskolc (16), ou encore vers Szerencs et les villes de l'extrémité ouest du massif de Zemplén (8).

Train. Une douzaine de trains par jour relient Sátoraljaújhely avec Sárospatak et Miskolc. Quatre d'entre eux passent ensuite la frontière slovaque à Slovenské Nové Mesto, où l'on peut prendre une correspondance pour Košice, ou un bus pour Trebišov. Si vous venez de l'est ou du sud (soit de Debrecen, de Nyíregyháza ou de Tokaj), vous devrez changer à Mezőzombor pour atteindre Sátoraljaújhely.

ENVIRONS DE SÁTORALJAÚJHELY

Füzér (600 habitants)

Petit village idyllique situé à 25 km à l'ouest de Sátoraljaújhely, Füzér constitue une excursion facile et fort satisfaisante dans le massif de Zemplén. Vous y verrez les ruines du **château de Füzér**, construit au XIIIᵉ siècle au sommet d'une colline. L'**église calviniste** présente un plafond peint similaire à ceux que l'on trouve dans les régions de Tiszahát et d'Erdőhát, au nord-est.

Depuis l'arrêt de bus du village, suivez le sentier abrupt balisé en bleu et vous parviendrez bientôt au château, installé à

370 mètres de hauteur sur un rocher escarpé. Cet édifice revendique sa part de gloire pour avoir été choisi comme "coffre-fort" pour entreposer les insignes royaux de Visegrád, un peu plus d'un an après la désastreuse défaite de Mohács, en 1526. Comme la plupart des châteaux de la région, celui-ci fut gravement endommagé par les Autrichiens après la révolte avortée des Kurucs, à la fin du XVIIe siècle. Toutefois certaines parties de la chapelle, une tour et les murailles extérieures subsistent. L'endroit est tranquille, parfait pour admirer le panorama sur les montagnes et la lointaine Grande Plaine.

L'église calviniste – à ne pas confondre avec l'église catholique baroque, dotée d'absurdes peintures murales contemporaines représentant le malheur et la tristesse – se trouve plus bas, au village. Allez chercher la clé à la maison du 17, Szabadság utca. Les cinquante panneaux du plafond ont été décorés de figures géométriques et de fleurs en 1832 par un artiste local.

Vous ne trouverez ni hébergement, ni restaurant à Füzér, en dehors d'une petite boutique-café située derrière la station de bus. De là, vous devrez donc rentrer à Sátoraljaújhely, ou prendre l'un des 12 bus quotidiens pour parcourir les 9 km qui séparent le village de celui d'**Hollóháza**, point le plus au nord du pays et troisième centre de porcelaine après Herend et Zsolnay. Là, vous trouverez un hébergement fruste, mais bon marché (400 Ft par personne) à l'auberge de jeunesse *Castle* (Hollóháza 6) à László tanya.

De Füzér ou Hollóháza, on peut très bien partir en randonnée à travers le massif de Zemplén : plusieurs sentiers bien balisés y démarrent. N'oubliez pas de vous munir d'eau potable, d'un sac de couchage et de la carte de la région nord des montagnes de Zemplén, *A Zempléni Hegység Turistatérképe – Északi Rész*, éditée par *Cartographia*.

Consultez le paragraphe *Comment s'y rendre* de la section consacrée à *Sátoraljaúhely* pour tous renseignements liés au transport.

Le Nord-Est

Sur la carte, le coin nord-est de la Hongrie n'apparaît guère que comme la continuation des Hautes Terres du Nord, ou même de la Grande Plaine. Toutefois, il diffère tant de ces deux dernières sur les plans physique, culturel et historique qu'on en a fait une région à part. Le Nord-Est ne comprend grosso-modo qu'un seul comitat (Szabolcs-Szatmár-Bereg) bordé par la Slovaquie, l'Ukraine et la Roumanie.

Le Nord-Est n'est ni montagneux, ni plat. C'est une région de petites crêtes et de collines douces formées à partir du sable que le vent a apporté du bassin de la Tisza. Hormis les industries basées autour de Nyíregyháza, cette zone est presque entièrement dédiée à l'agriculture – les pommes représentent la principale production –

avec, çà et là, quelques rangées de peupliers ou de bouleaux surgissant de temps à autre dans la campagne.

Avant la régulation du cours de la Tisza, au siècle dernier, de larges parties du Nord-Est se trouvaient régulièrement inondées ou isolées par des marais. Cela permit de protéger la région de la dévastation que subirent les autres parties du pays durant l'occupation turque. Ainsi le Nord-Est a-t-il toujours été plus peuplé que la Grande Plaine. On a également pu y sauver de l'oubli les églises en bois caractéristiques de la région, ainsi que diverses constructions médiévales.

Avant la Seconde Guerre mondiale, la majorité des Juifs hongrois vivant en dehors de Budapest étaient installés dans le

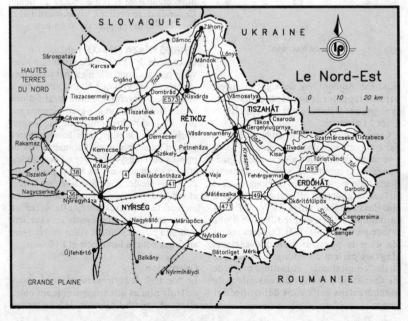

Fleur de tournesol

Nord-Est. Aujourd'hui, des signes viennent partout rappeler leur présence dans les synagogues délabrées et les cimetières livrés à l'abandon.

Cependant, l'isolement du Nord-Est n'a pas comporté que des avantages. Le développement de la région s'en ressentit grandement et le comitat de Szabolcs-Szatmár-Bereg reste le plus pauvre de Hongrie, avec un taux de chômage officiel de 23%, voire plus dans certaines villes. Le Nord-Est est par ailleurs le lieu de prédilection d'une grande partie des 500 000 Tziganes recensés dans le pays, si bien que certains Magyars parlent de "Hongrie asiatique" ou de "comitat noir" et mettent en garde les touristes, à qui ils déconseillent de se rendre dans cette zone défavorisée et pauvre.

En réalité, cet isolement et cette hétérogénéité du Nord-Est font figurer cette région parmi les plus intéressantes de Hongrie sur le plan touristique. C'est là que vous verrez la vraie vie paysanne – il n'y manque rien : ni les routes sales, ni les carrioles attelées aux chevaux de trait, ni les toits de chaume. Rien n'est surfait ou artificiel dans le Nord-Est : on y retrouve ce qu'était la vie dans la plupart des provinces hongroises il y a cinquante ans.

Région de Nyírség

Deux fleuves, le Szamos et la sinueuse Tisza, découpent le Nord-Est en régions distinctes, dont la plus vaste est le Nyírség, "région des bouleaux", dont les steppes et les collines herbeuses s'étendent à l'est et au sud de Nyíregyháza et de Nyírbátor. La vie de ses habitants fut régentée par les débordements de la Tisza et les marécages qui s'étendaient là il y a encore un siècle. Cependant, le Nyírség est aujourd'hui la zone la plus développée du Nord-Est.

NYÍREGYHÁZA (118 000 habitants)
La capitale de la région du Nyírség a mauvaise presse, quand elle n'est pas totalement ignorée. Il est vrai que Nyíregyháza est le centre commercial et administratif d'une région très pauvre et n'a pratiquement pas profité du développement de la Hongrie occidentale. De plus, la ville ne présente guère d'intérêt historique : domaine privé de princes de Transylvanie durant des siècles, elle fut reconquise par les Slovaques à la fin du XVIIe siècle. Toutefois, avec ses places et ses jardins bien entretenus, alliés à une architecture intéressante, elle offre un séjour agréable et représente un excellent tremplin pour les autres villes du Nyírség, ainsi que pour la Roumanie et l'Ukraine.

Orientation
Le "centre" de Nyíregyháza est composé de trois places qui communiquent entre elles – Kossuth Lajos tér, Hősök tere et

Országzászló tér – entourées d'immeubles de béton et d'un boulevard périphérique. Au nord, les rues mènent au Sóstófürdő, vaste zone de loisirs de la ville couverte de bois et de parcs et dotée d'un grand complexe thermal. La gare ferroviaire se trouve à 1 km au sud-ouest du centre ville, sur Állomás tér. La gare routière est à quelques minutes de marche au nord, sur Petőfi tér.

Renseignements

Nyírtourist (☎ 42 311 544) au 3, Dózsa György utca, près de l'hôtel Szabolcs-Korona, sera votre meilleure source d'informations. L'agence est ouverte de 7h30 à 16h30 en semaine, et jusqu'à 13h les samedis d'été. Express (☎ 42 311 650) au 2, Arany János utca, et Ibusz (☎ 42 312 122) au 10, Országzászló tér, semblent toutes deux plus intéressées par la vente de voyages organisés à l'étranger, mais vous fourniront tout de même les renseignements de base et vous aideront à trouver un hébergement.

La poste centrale se trouve au 4, Bethlen Gábor utca, en face de l'hôtel de ville, et il y a une agence Dunabank au 1, Rákóczi utca. La boutique du 13, Kálvin tér, vend de bonnes cartes de la région.

L'indicatif téléphonique de Nyíregyháza est le 42.

A voir

Le centre ville compte quelques églises, dont l'**église évangéliste** baroque située sur Luther tér, et l'**église catholique** (1840) qui domine Kossuth Lajos tér et possède un beau carrelage d'arabesques aux couleurs pastel.

Ici, beaucoup de constructions valent davantage qu'un simple coup d'œil : visitez la **Préfecture**, avec sa splendide salle de réunions Nagy Terem, sur Hősök tere, ou le bâtiment bleu et blanc Art Nouveau qui abrite une banque sur Országzászló tér. Et ne manquez surtout pas l'étonnant **Centre culturel** (1981) sur Szabadság tér, inspiré, paraît-il, des "principes du métabolisme japonais". Cette construction n'est toutefois pas très appréciée et les habitants

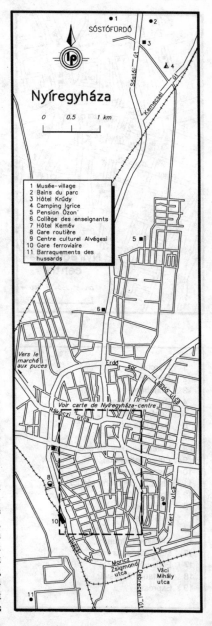

Nyíregyháza

0   0.5   1 km

1 Musée-village
2 Bains du parc
3 Hôtel Krúdy
4 Camping Igrice
5 Pension Ózon
6 Collège des enseignants
7 Hôtel Kemév
8 Gare routière
9 Centre culturel Alvégesi
10 Gare ferroviaire
11 Barraquements des hussards

Vers le marché aux puces

Voir carte de Nyíregyháza-centre

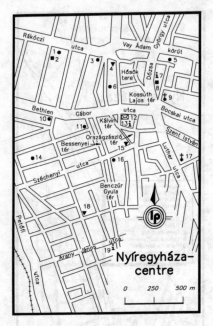

Nyíregyháza-centre

0   250   500 m

1	Marché
2	Pension Senátor
3	Dunabank
4	Pub HBH Bajor
5	Centre culturel
6	Salle des fêtes
7	Nyírtourist
8	Hôtel Szabolcs-Korona
9	Église catholique
10	Discothèque Metropole
11	Théâtre Zsigmond Móricz
12	Poste
13	Pub Ibusz
	et Gösser
14	Bains Júlia
15	Pâtisserie Omnia
16	Musée András Jósa
17	Église évangéliste
18	Restaurant Sasvár
19	Express

de la ville avouent parfois avoir peur d'y pénétrer (ils trouvent le bâtiment chancelant sur les côtés).

Les véritables centres d'intérêt sont limités à Nyíregyháza. Le **musée András Jósa**, au 2, Benczúr Gyula tér, propose des expositions sur l'histoire de la ville, ainsi que sur le peintre romantique Gyula Benczúr et le romancier Gyula Krúdy, tous deux nés à Nyíregyháza.

Le **musée-village** en plein air présente beaucoup plus d'intérêt. Situé dans Tölgyfa utca, à Sóstófürdő, il est ouvert d'avril à octobre, tous les jours sauf lundi de 9h à 17h. Même s'il n'a pas les dimensions de son homologue de Szentendre, ses charmantes fermettes, ses écoles, ses puits et son magasin, permettent une prise de connaissance avec l'architecture et les traditions des diverses régions du comitat de Szabolcs-Szatmár-Bereg. Toutes les nationalités qui composent cette région aux ethnies si diverses sont représentées ici, y compris les Tirpák slovaques, qui vivaient dans des fermes isolées. Beaucoup de ces *bokor tanyák* existent encore à l'ouest de Nyíregyháza.

A Huszártelep, au sud-ouest de la ville, se trouve l'**ancienne caserne de Hussards** du XIXe siècle. Située sur Guszev utca, elle est aujourd'hui occupée par des familles tziganes et surnommée le "Harlem de Nyíregyháza". Comme dans le reste de la Hongrie, les Tziganes ne sont guère appréciés ici. Toutefois, les visiteurs en quête de culture et de musique tziganes devront se contenter de les rencontrer dans les villages et rester à l'écart de Guszev utca : l'endroit est dangereux et la police elle-même refuse d'y assurer la sécurité en permanence, n'y effectuant que quelques rondes périodiques.

Le **marché aux puces**, plus intéressant que le marché normal de Búza tér, attire Roumains, Polonais, Tziganes et Ukrainiens, qui viennent y vendre leur traditionnel bric-à-brac. Une large sélection d'animaux de basse-cour est également proposée là. Prenez le bus 1 ou 1/a à l'ouest de Rákóczi utca et continuez jusqu'au terminus.

Activités culturelles et/ou sportives

Les bains du parc du Sóstófürdő, à 4 km du centre ville, forment un lieu idéal pour les chauds après-midi d'été. Six immenses piscines d'eau pure, alimentées par des sources, un sauna, un solarium, etc. : tout est prévu pour la détente. Le complexe est ouvert tous les jours de 9h à 18h. Toutefois, si vous fuyez la foule, vous lui préférerez sans doute le Júlia Fürdő au 16, Malom utca. Équipé de trois grandes piscines, ce dernier est ouvert tous les jours de 9h à 19h.

Le centre culturel d'Alvégesi (☎ 310 648) au 41, Honvéd utca, loue des vélos de courses 10 vitesses, qui pourront constituer une bonne solution au problème de distances qui se pose lorsqu'on décide de visiter les régions éloignées du Tiszahát et de l'Erdőhát, à l'est. Par ailleurs, Nyírtourist propose des sorties en kayak de juin à août.

Une société du nom de Papírhajó (☎ 312 311, ext 181), spécialisée dans les sports nautiques, vous organisera également promenades sur la Tisza ou location de planches à voile. Elle se situe au 2, Tünde utca. Son nom signifie "bateau de papier".

Où se loger

Il y a deux campings à Sóstófürdő : le Fenyves (☎ 315 171), qui dispose d'une auberge de jeunesse où vous serez logé pour 200 Ft la nuit dans une cabine à 4 ou 6 lits, et l'Igrice (☎ 313 235), à Blaha Lujza sétány, dont les bungalows, disponibles de juin à septembre, coûtent de 800 à 1 200 Ft la nuit.

Ibusz et Nyírtourist vous trouveront des chambres chez l'habitant pour 700 à 850 Ft (pour 2 personnes) et, l'été, des places dans les dortoirs des collèges locaux pour 300 à 500 Ft par personne. Si ces agences sont fermées, allez directement au centre de formation des maîtres (☎ 341 222) situé au 31, Sóstói út, ou à l'institut d'agronomie de Rákóczi utca, de l'autre côté du boulevard périphérique. L'été, Village Tourism (☎ 310 535) au 5, Hősök tere, propose des logements chez l'habitant dans des maisons, à Nyíregyháza et dans tout le comitat pour 250 à 500 Ft par personne.

L'hôtel Paradise (☎ 314 822), dont les 26 chambres situées au 76, Sóstói út sont assez chères, est néanmoins membre de l'IYHF et dispose d'une auberge de jeunesse.

Fuyez le Central, avec ses prix prohibitifs et son personnel revêche de Nyár utca, et préférez-lui le Szabolcs-Korona (☎ 312 333) aux 1-3, Dózsa György utca, un hôtel plein de charme et de recoins datant du début du siècle, dont les 80 chambres sont disposées le long d'interminables couloirs. Les simples/doubles avec s. d. b. y coûtent 1 000/1 700 Ft, ou 850/1 300 Ft avec douche. Les doubles avec simple lavabo sont à 800 Ft.

Aux 58-60, Bethlen Gábor utca, l'hôtel KEMÉV (☎ 310 606) est un bloc de béton inintéressant qui propose des doubles minuscules, mais il pratique des prix en conséquence : 920 Ft avec s. d. b., 690 Ft sans. De plus, sa situation à proximité des gares est fort pratique. Le Senátor (☎ 315 777), près du marché au 11 Búza tér, est un petit hôtel de 15 chambres. Les doubles avec s. d. b. sont à 1 300/1 700 Ft, à 1 000 Ft sans s. d. b.

Au 2, Csaló köz, près du Sóstófürdő, l'Ózon (☎ 311 084) dispose de 19 doubles modernes à 2 300 Ft. Le Krúdy (☎ 312 424), vieille construction branlante en bordure du lac du Sóstófürdő, ouvert seulement de mai à septembre, est le moins cher des trois établissements situés à l'écart de la ville, avec des doubles à 1300 Ft. Jetez un coup d'œil à la statue de la jeune fille portant une cruche d'eau, devant l'hôtel : en passant derrière elle, puis sur sa gauche, vous la verrez changer de sexe.

Où se restaurer

L'Imbisz Grill, au 4, Rákóczi utca, est parfait pour un repas rapide et bon marché avant 19h, tout comme le Nádudvar, sur Országzászló tér. Le Szabolcs-Korona dispose d'un self-service : entrez-y par Kossuth Lajos tér.

Plus confortable, le HBH Bajor est un restaurant flambant neuf situé sur la charmante place qu'est Hősök tere, au n°6. On y sert une bonne cuisine hongroise traditionnelle accompagnée de bière. Malheureusement, la musique est un peu forte. Le *Gösser*, même type d'établissement au 10, Országzászló tér, est moins cher et propose une carte italienne avec des salades fraîches. Le *Pater*, quant à lui, sert ses clients en terrasse jusqu'à 24h au 37, Széchenyi utca.

Autre bon restaurant hongrois, le douillet *Sasvár* se trouve au 25, Kiss Ernő utca.

Le *Kispipa*, plébiscité par les habitants de la ville, est sombre et peu accueillant. Il se situe au 6, Dózsa György utca, près de l'ancien hôtel *Európa*, où le violoniste tzigane Gyula Benczi joua pendant 50 ans "avec chaleur, avec gentillesse, avec tout son cœur", si l'on en croit la plaque apposée au mur.

Pour se régaler de gâteaux et autres sucreries, il faut essayer la pâtisserie *Omnia*, au 1, Széchenyi utca. Vous aurez du mal à en trouver une meilleure dans toute la Hongrie.

Distractions

Renseignez-vous au joli *théâtre Zsigmond Móricz* de Bessenyei tér ou au *centre Culturel* (☎ 314 433) du 9, Szabadság tér, pour connaître le programme des spectacles. Et si un concert est prévu à l'église évangéliste, courez-y.

Le *Korona-Szabolcs* dispose d'un bar populaire face à Kossuth Lajos tér et sa grande église. Son night-club reste ouvert jusqu'à 4h du matin. Vous pouvez aussi essayer l'*Unicum* au 2, Búza tér, ou le *Zefirusz* tout proche. La clientèle jeune, pour sa part, préfère le bar *Beatles* (prononcez "BAI-aht-lesh"), situé dans Fürdő utca, au Sóstófürdő.

Les discothèques les plus populaires, ouvertes le week-end seulement, sont le *Metropole* au 24, Bethlen Gábor utca, et celle que l'on nomme le *Zoo*, installée dans le bizarre centre culturel. Évitez de sauter trop violemment si vous êtes placé près d'un des murs de ce bâtiment et ne faites pas trop de bruit en sortant : le poste de police, la prison et la perception sont mitoyens.

Comment s'y rendre

Nyíregyháza se trouve sur la ligne de chemin de fer reliant Debrecen à Miskolc ; il y passe au moins un train par heure en direction de la première et 14 par jour pour la seconde.

En outre, 7 trains partent quotidiennement de Nyíregyháza pour Vásárosnamény, 7 autres pour Mátészalka, avec un arrêt à Nyírbátor et Nagykálló. En outre, 3 express quotidiens pour Lvov, Kiev et Moscou s'y arrêtent.

Les bus desservent généralement les villes proches de Nyíregyháza et ne se trouvant pas sur la ligne de chemin de fer avec, toutefois, des départs fréquents pour Nagykálló.

Pour atteindre des villes du Tiszahát ou de l'Erdőhát, allez en train à Vásárosnamény, Mátészalka ou Fehérgyarmat (changez à Mátészalka), où vous prendrez ensuite le bus.

Comment circuler

Tout (à l'exception du Sóstófürdő) se visite facilement à pied. Prenez le bus n°7 ou 7/a devant les gares routière et ferroviaire pour atteindre le centre ville.

Le bus n°8 ou 8/a vous mènera pour sa part au Sóstófürdő.

ENVIRONS DE NYÍREGYHÁZA
Nagykálló (10 000 habitants)
Située à 14 km au sud-est de Nyíregyháza, cette ville poussiéreuse (ou boueuse selon la saison) peut se vanter de posséder d'importants monuments classés sur Szabadság tér : une **église calvininiste** baroque, avec un clocher séparé dont la première construction date du XVe siècle, et la splendide **Ancienne Préfecture** réalisée en style Copf, qui devint par la suite un asile psychiatrique de renom. En août, Nagykálló organise un grand Festival d'artisanat à l'intérieur d'une curieuse grange circulaire au toit orné d'ailes.

Cependant, la plupart des touristes attirés par Nagykálló sont des pèlerins juifs qui viennent se recueillir sur la **tombe d'Isaac Taub Eizik** à chaque anniversaire de sa mort (en février ou en mars, selon le calendrier liturgique judaïque). Ce rabbin-philosophe du XVIIIᵉ siècle prônait une approche plus humaniste de la prière et de l'étude. Sa petite tombe, dans le vieux cimetière de Nagybalkányi út, peut être visitée à condition d'aller chercher la clé chez András Barna, au 6, Széchenyi utca, non loin de la place principale.

A chaque arrivée de train, un bus vient chercher les voyageurs à la gare et les dépose sur Szabadság tér. On ne trouve pas d'hébergement à Nagykálló, mais le *Belvárosi Presszó*, à l'ouest de la place dans Kossuth Lajos utca, vend des sandwichs, et le café *Rozoga* ("le délabré") vous accueille non loin de là, à l'angle de Korányi Frigyes utca.

NYÍRBÁTOR (14 000 habitants)

Au centre de la charmante région de Nyírség, à 35 km au sud-est de Nyíegyháza, la ville de Nyírbátor vaut le détour. On y trouve deux églises gothiques construites à la fin du XVᵉ siècle par István Báthori, un cruel prince de Transylvanie dont la famille est associée à cette ville. La prospérité économique et l'influence politique de la famille Báthori, qui s'accrurent entre le XVᵉ et le XVIIᵉ siècle, profitèrent à Nyírbátor. Cette dernière est également un centre musical : au mois d'août, le festival intitulé "Les Journées de Nyírbátor" attirent des visiteurs venus de toute la Hongrie.

Orientation et renseignements

Nyírbátor est une ville compacte et tous ses centres d'intérêt sont facilement accessibles à pied. Les gares routière et ferroviaire se trouvent au nord, dans Ady Endre utca. De là, Kossuth Lajos utca mène à Szabadság tér, au centre ville.

Le petit bureau de Nyírtourist (☎ 42 311 525) au 14, Szabadság tér, est ouvert en semaine de 8h à 16h.

La poste principale se trouve au sud de Szabadság tér et il y a une banque OTP juste en face du bureau du tourisme.

L'indicatif téléphonique de Nyírbátor est le 42.

A voir

L'**église calviniste**, perchée sur une petite colline dominant la ville, près de Báthori István utca, est l'une des plus belles églises gothiques de Hongrie. Le plafond voûté est un chef-d'œuvre et les longues fenêtres en ogives inondent de lumière l'austère intérieur blanc. La dépouille d'István Báthori repose dans un tombeau de marbre à l'arrière de l'église : celui-ci est surmontée des armoiries de la famille, ornées de dragons mythiques. Le **clocher** de bois datant du XVIIᵉ siècle, placé à l'écart de l'église comme le voulait la coutume calviniste, est doté d'un toit gothique surmonté de quatre petites tourelles. Vous pouvez monter jusqu'en haut (20 mètres) "à vos risques et périls". La femme du pasteur, qui vit dans le presbytère juste derrière l'église, possède les massives clés médiévales de l'église et du clocher. Les visites se font de 8h à 12h et de 14h30 à 16h.

L'**église minorite** de Károlyi Mihály utca est un autre apport des Báthori. Gothique à l'origine, elle fut dévastée par les Turcs en 1587, puis reconstruite en style baroque 130 ans plus tard. Cinq autels spectaculaires, sculptés à Prešov (désormais en Slovaquie) en 1730, occupent la nef et le chœur, le plus intéressant étant le premier sur la gauche, intitulé **autel de la Passion de Krucsay**, avec ses myriades d'expressions représentant la peur, la nostalgie et la dévotion. Pour entrer, sonnez à la porte du presbytère, à l'endroit marqué "házfőnök".

Non loin de là, le **musée István Báthori**, installé dans le monastère du XVIIIᵉ siècle, possède une très belle collection ethnographique ainsi que quelques objets médiévaux en rapport avec la famille Báthori ou avec les églises qu'elle fit construire. Il est ouvert tous les jours de 10h à 18h l'été et de 8h à 16h l'hiver.

Où se loger

Le choix est limité en matière d'hébergements : le mieux à faire est de demander une *chambre chez l'habitant* au personnel de Nyírtourist (de 600 à 700 Ft pour une double).

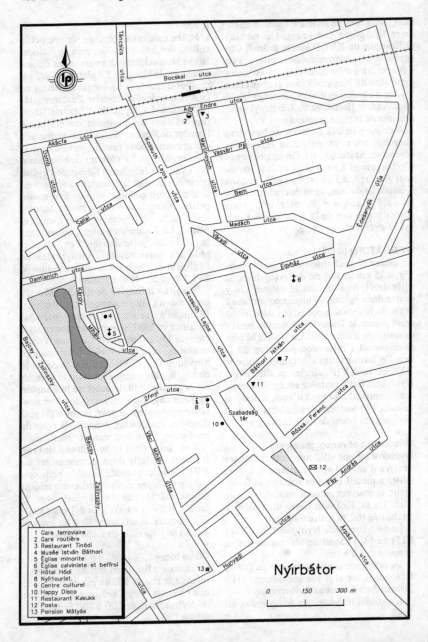

1 Gare ferroviaire
2 Gare routière
3 Restaurant Tinódi
4 Musée István Báthori
5 Église minorite
6 Église calviniste et beffroi
7 Hôtel Hódi
8 Nyírtourist
9 Centre culturel
10 Happy Disco
11 Restaurant Kakukk
12 Poste
13 Pension Mátyás

Nyírbátor

0   150   300 m

La pension *Mátyás* (☎ 381 657), au 8, Hunyadi, possède 9 chambres à 1 580/1 800 Ft la simple/double, tandis que le *Bástya*, sa rutilante annexe, en réclame 2 700 à 3 000 Ft. Le seul autre établissement de la ville est le charmant hôtel *Hódi* (☎ 381 012), situé dans une petite cour au 12, Báthori István utca. Ses 11 chambres sont équipées d'un mini-bar, d'une télévision par câble et autres fantaisies de grande classe, et l'hôtel possède un restaurant et un bar. Ses simples/doubles sont à 3 100/3 850 Ft.

Où se restaurer
Le restaurant *Tinódi*, face à la gare ferroviaire au 13, Ady Endre utca, reste ouvert jusqu'à 22h et il y a un petit *büfé* à l'angle, au 21, Martinovich utca.

L'hôtel Bástya dispose d'un bar et d'un petit restaurant nommé le *Troféa*, qui sert des spécialités de poisson et de gibier. Le *Kakkuk*, au 20, Szabadság tér, est aujourd'hui le seul restaurant vraiment indépendant de la ville. Des menus journaliers, préparés avec soin, sont proposés à des prix très raisonnables. Le *Kakkuk Presszó*, idéal pour boire un verre ou un café, se trouve à droite en entrant.

Distractions
Durant le Festival de musique, au mois d'août, des concerts sont donnés dans l'*église calviniste*. Pendant l'année, des récitals d'orgue se tiennent de façon sporadique au même endroit. Renseignez-vous auprès de Nyírtourist ou du centre culturel (☎ 311 748), sur Szabadság tér.

Le bar-discothèque *Happy*, à l'extrémité du grand hôtel de ville couleur sable situé sur Szabadság tér est ouvert jusqu'à 24h en semaine et jusqu'à 3h le week-end. Le bar à vins *Belvárosi*, dans Báthori István utca, convient parfaitement aux amateurs d'alcool ; il ferme à 21h.

Comment s'y rendre
En provenance de Nyíregyháza, 7 trains s'arrêtent à Nyírbátor sur leur trajet jusqu'à Mátészalka. Une dizaine de trains Debrecen-Mátészalka font de même. A Mátész-

zalka, vous pouvez prendre l'un des 8 trains qui partent vers le nord pour Záhony, sur la frontière slovaque, ou l'un des 3 autres qui se dirigent vers l'est et Carei, en Roumanie. De très rares bus longues distances partent de Nyírbátor : la plupart des bus ne desservent que les villages qui entourent la ville.

ENVIRONS DE NYÍRBÁTOR
Máriapócs (2 000 habitants)
Située à 12 km à l'ouest de Nyírbátor, cette ville possède une belle **église catholique grecque** renfermant une stupéfiante iconostase d'or qui s'élève à quelque 15 mètres de hauteur jusqu'au plafond voûté. Construite au milieu du XVIIIe siècle, cet édifice est très vite devenu un important lieu de pèlerinage en raison de sa **Vierge Noire pleurante**, qui occupe fièrement le côté nord de l'église, au-dessus de l'autel.

Le pape Jean-Paul II en personne s'y précipita dès son arrivée en Hongrie, en 1991, pour rendre hommage à cette icône miraculeuse, une visite qui explique pourquoi l'église se trouve en si bon état aujourd'hui. Le haut personnage devait pourtant bien savoir (contrairement à beaucoup d'autres) que l'icône présente ici n'est qu'une copie de l'originale et date du XIXe siècle. La vraie se trouve à Vienne, dans la cathédrale Saint-Étienne.

Tous les trains reliant Nyírbátor à Nyíregyháza s'arrêtent à la gare de Máriapócs, où un bus vous emmène au centre ville, distant de 4 km. Un autre moyen de s'y rendre, plus pratique, consiste à prendre l'un des 5 ou 6 bus directs qui partent d'Ady Endre utca, à Nyírbátor. Vérifiez les horaires des trains et bus à Máriapócs pour le retour.

Régions du Tiszahát et de l'Erdőhát

Les parties les plus traditionalistes du comitat se situent à l'est et au sud de la Tisza. On s'y réfère communément par leur situation géographique : "derrière la Tisza" (Tiszahát) et "derrière les bois" de Transylvanie (Erdőhát). En raison de leur isolement, elles ont conservé leurs coutumes, en particulier dans le domaine de l'architecture. La région possède quelques-uns des plus beaux exemples de constructions hongroises typiques et d'intérieurs d'églises peints (ou tout au moins ceux qui ont échappé à la réquisition faite par le régime communiste pour alimenter le musée-village de Szentendre. Elle est également le site du cimetière le plus original de Hongrie.

Avec ses collines, sa Tisza omniprésente et le doux vert argenté de ses peupliers, cette région est l'une des plus belles du pays.

Elle est aussi, malheureusement, l'une de celles où il est le plus difficile de circuler. Si vous ne disposez pas d'un véhicule, préparez-vous à de longues heures d'attente pour vous déplacer de village en village. Heureusement, les distances restent réduites. Si vous êtes à pied, mieux vaut commencer par prendre le train ou le bus à Nyíregyháza ou à Nyírbátor jusqu'à Vásárosnamény, que vous utiliserez comme point de départ.

Renseignements

Bereg Tourist (☎ 44 371 113), à Vásárosnamény, se trouve au 9, Szabadság tér, à quelques minutes de marche à l'est de la gare ferroviaire. Il couvre la région du Tiszahát, qui s'étend à l'est et au nord de la Tisza. Szatmár Tourist (☎ 44 310 410), au 3, Bajcsy-Zsilinszky utca, à Mátészalka, s'occupe pour sa part de l'Erdőhát.

Pour les rares abonnés reliés au réseau national, l'indicatif téléphonique est le 44.

A voir et à faire

Vásárosnamény. Vásárosnamény, paisible petite ville de 9 000 habitants, fut jadis un important relais de poste situé sur la lucrative route du Sel qui partait des forêts de Transylvanie, suivait le cours de la Tisza, puis traversait la Grande Plaine jusqu'à Debrecen. Elle ne retiendra pas longtemps votre intérêt, même si le **musée Bereg**, au 13, Rákóczi utca, présente une petite collection assez intéressante de broderies, tissages et œufs de Pâques peints à la main, une forme d'artisanat local très répandue. Observez de près le point de croix de Bereg, mélanges de styles très divers.

Tákos. L'**église calviniste** de Tákos, une construction du XVIIIe siècle aux murs de pisé, se trouve à 8 km de Vásárosnamény sur la route 41. On peut y admirer un spectaculaire plafond composé de caissons peints de fleurs bleues et rouges, ainsi qu'une chaire "baroque populaire" magnifiquement sculptée posée sur une meule géante.

A l'extérieur de ce que les villageois nomment la "Notre-Dame aux pieds nus de Hongrie", s'élève un **clocher** parfaitement conservé, qui faillit être transporté à Szentendre il y a quelques années.

Csaroda. Non loin de Tákos, à l'est, Csaroda possède une **église romane** plus ancienne encore, puisqu'elle date du XIIIe siècle. On doit sans doute cet édifice au roi Étienne, qui avait décidé de faire construire au moins une église pour dix villages. L'église est un monument hybride très réussi, avec un mélange de fresques de styles oriental et occidental associées à quelques peintures murales populaires plutôt rudimentaires.

Ferme de la région du Tiszahát

Tarpa. Encore 8 km plus à l'est, se trouve la sortie d'autoroute pour Fehérgyarmat, qui vous fera traverser Tarpa, une ville de 2 500 habitants détenant l'un des derniers exemples de **moulins actionnés par chevaux** qui existent encore en Hongrie. Ce moulin a subi de nombreux avatars (il abrita un bar, un cinéma, puis une salle de bal) avant d'être rénové à la fin des années 70. Malgré tout, il ne supporte pas la comparaison avec celui de Szarvas, au sud-est de la Hongrie.

Szatmárcseke. Pour parvenir à Szatmárcseke, site des mystérieux **monuments funéraires** en forme de bateaux ornant les tombes, parcourez encore 5 km vers le sud, en direction de Tivadar et de la Tisza. Tournez vers l'ouest après le fleuve et continuez sur 7 km. Les *kopjafák* sculptés du cimetière sont uniques en Hongrie et chacune des entailles et cannelures possède sa propre signification : statut marital, position sociale, âge, etc.

La seule pierre tombale du cimetière est celle de Ferenc Kölcsey, l'auteur des paroles de l'*Himnusz*, le plaintif hymne national hongrois.

Turistvándi. Un **moulin à eau** du XVIIIe siècle merveilleusement restauré s'élève à Turistvándi, en bordure d'un petit bras de la Tisza situé à 4 km au sud de Szatmárcseke. Le parc qui l'entoure est idéal pour les pique-niques.

Où se loger et où se restaurer

Si vous visitez d'abord Nyíregyháza, rendez-vous chez Village Tourism, sur Hősök tere, et réservez-y vos hébergements. A l'heure qu'il est, l'hôtel *Bereg* (☎ 371 764), au 4, Beregszászi utca, à Vásárosnamény, a sans doute réouvert. Dans le cas contraire, demandez à Beregtourist de vous trouver une *chambre chez l'habitant* dans cette ville et dans les autres villages de la région. Les prix vont de 500 à 600 Ft.

Le camping *Tiszavirág* (☎ 371 076) se trouve sur l'autre rive de la Tisza, à Gergelyiugornya.

A Mátészalka, l'hôtel *Szatmár* (☎ 311 429) est situé au 8, Szabadság tér.

Le *Csarodai Kúria* (pas de téléphone), vieux manoir transformé en auberge au 52, József Attila utca, à Csaroda, dispose de 4 chambres à 3 lits au prix de 250 à 300 Ft par personne.

A Tivadar, le *Katica Camping* situé dans Petőfi utca et le *Diós Camping* proposent tous deux des bungalows.

A Szatmárcseke, l'auberge *Kölcsey* (Szatmárcseke 9) au 6, Honvéd utca, est une vieille baraque délabrée disposant de 8 chambres dans une rue paisible et ombragée. Dommage qu'elle soit en si mauvais état, car elle ferait à coup sûr un hôtel formidable. Ne soyez pas surpris lorsqu'on vous tendra deux draps déchirés en vous disant d'aller faire votre lit vous-même. Les doubles sont à 650 Ft.

Comment s'y rendre

C'est en voiture ou en vélo (que vous pouvez louer à Nyíregyháza) que l'on visite le mieux cette partie de la Hongrie. Si vous n'avez ni l'un ni l'autre, vous pouvez vous rendre en bus vers certaines des destinations mentionnées ci-dessus à partir de Vásárosnamény, Mátészalka ou Fehérgyarmat, mais les départs sont rares. Vérifiez bien les horaires de retour avant de vous mettre en route.

De Nyíregyháza, une demi-douzaine de trains par jour se rendent à Vásárosnamény, et il y en a à peu près autant pour Mátészalka, via Nagykálló et Nyírbátor. Seuls deux directs quittent chaque jour Nyíregyháza pour Fehérgyarmat. Avec les autres, vous devrez changer à Mátészalka.

Région du Rétköz

La zone du Rétköz, située au nord de Nyíregyháza, est un peu plus basse que le reste du Nord-Est et fut longtemps en proie aux inondations. L'agriculture n'était possible que sur les îles les plus vastes de ces marécages infestés de moustiques, et l'isolement de la région entraîna le développement de puissants clans familiaux, ainsi qu'un riche patrimoine de légendes et de mythes populaires. Aujourd'hui, tout cela appartient au passé et vous n'en verrez pas traces.

KISVÁRDA (19 000 habitants)

Située à 46 km au nord de Nyíregyháza et centre de la région de Rétköz, Kisvárda représentait un bastion important durant l'occupation turque et des vestiges de sa forteresse y sont encore visibles. 25 km à peine séparent la ville de l'Ukraine, et il est bien plus agréable d'y passer la nuit plutôt qu'à Záhony si vous entendez poursuivre votre périple.

Kisvárda traverse une phase active de rénovation. Dans le centre ville, on reconstruit et l'on repeint les façades des maisons et des boutiques. Une fois ces travaux terminés, le village sera l'un des plus intéressants du Nord-Est hongrois.

Orientation et renseignements

Les gares routière et ferroviaire de Kisvárda se situent à 2 km au sud de Flórián tér, le centre ville. Des bus locaux attendent les voyageurs à chaque arrivée de train, mais il est très facile de marcher droit devant soi le long de Bocskai utca, Rákóczi utca et Szent László utca jusqu'en ville. La dernière section de Szent László utca est particulièrement pittoresque, chaque bâtiment ou presque ayant été récemment rénové ou repeint.

Nyírtourist (Kisvárda 181) est installé au rez-de-chaussée du très moderne centre culturel, sur la façade nord de Flórián tér. Il est ouvert de 7h30 à 16h en semaine.

La poste principale est au 4, Somogyi Rezső utca. Vous trouverez une banque OTP à l'angle de Mártírok útja et de Szent László utca.

Les téléphones de Kisvárda ne sont pas reliés au réseau national.

A voir et à faire

Flórián tér offre la traditionnelle **église catholique** gothique-baroque. L'**église calviniste** de la fin du XIXe occupe une position inconfortable juste à côté d'elle. Bien plus intéressante, la **bibliothèque municipale** de style Copf, récemment rénovée, fait aujourd'hui la fierté de la place.

Peut-être serez-vous tenté par l'achat de tissus ou de peaux de mouton que vendent Ukrainiens et Roumains sur Flórián tér. Dans ce cas, vérifiez avec soin votre monnaie.

Non loin de là, à l'est, sur Csillag utca, se trouve le **musée du Rétköz**. Il est installé dans une synagogue construite au début du siècle, lorsque les Juifs étaient encore nombreux dans le Nord-Est, avant que la terrible rafle opérée par les nazis ne vînt les décimer. Le bâtiment en lui-même présente autant d'intérêt que les expositions, avec son plafond orné de figures géométriques et ses vitraux jaunes et bleus. De nombreuses pièces et boutiques "typiques" de la région ont été reconstituées au rez-de-chaussée et le premier étage possède quelques œuvres d'art non négligeables, en particulier des peintures de Gyula Pál. A l'intérieur, par l'entrée ouest, est apposée une plaque commémorative portant plus de 1 000 noms de citoyens juifs de Kisvárda exterminés à Auschwitz.

Les ruines du **château de Kisvárda** se trouvent à environ 10 minutes de marche au nord-ouest de Flórián tér. Si certains pans de l'un des murs remontent effectivement au XVIe siècle, l'essentiel du château a été restauré. Un petit musée situé dans l'une des tours d'angle raconte l'histoire de l'édifice et de la ville. La cour sert aujourd'hui de théâtre en plein air, où l'on donne des représentations l'été.

Près des ruines, le **Várfürdő** est un petit complexe thermal de sources et de piscines, avec un sauna et des solariums. Il est ouvert de mai à septembre, de 9h à 19h.

Où se loger et où se restaurer

Vous découvrirez un *terrain de camping* ouvert de mi-mai à septembre derrière le Várfürdő.

Kisvárda ne possède pas d'hôtels. Si vous n'avez pas de tente et si vous ne

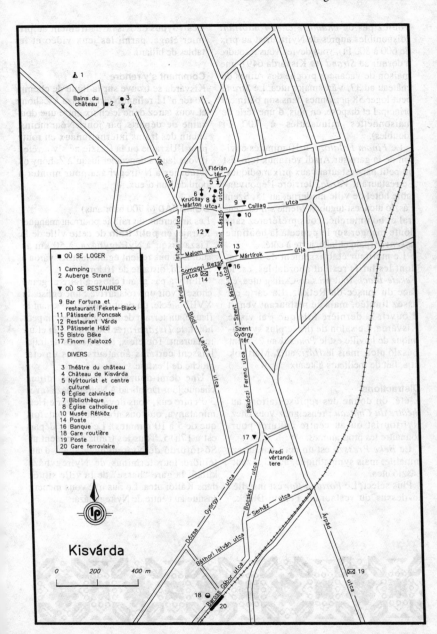

■ OÙ SE LOGER

1 Camping
2 Auberge Strand

▼ OÙ SE RESTAURER

9 Bar Fortuna et
restaurant Fekete–Black
11 Pâtisserie Poncsak
12 Restaurant Várda
13 Pâtisserie Házi
15 Bistro Béke
17 Finom Falatozó

DIVERS

3 Théâtre du château
4 Château de Kisvárda
5 Nyírtourist et centre
culturel
6 Église calviniste
7 Bibliothèque
8 Église catholique
10 Musée Rétköz
14 Poste
16 Banque
18 Gare routière
19 Poste
20 Gare ferroviaire

Bains du
château

Flórián
tér

Krucsay
Márton utca

Csillag   utca

Malom köz

Mártírok   útja

Somogyi Rezső
utca

Szent
György
tér

Aradi
vértanúk
tere

Vár   utca

István   utca

Szent László   utca

Bodi   utca

Várdai   utca

Sóstói   ltsa

Rákóczi Ferenc utca

Bocskai   utca

Serház   utca

György

Dózsa

Báthori István utca

Paross Gábor utca

Árpád   utca

Kisvárda

0   200   400 m

18

20

19

voulez pas de *chambre chez l'habitant* (disponibles auprès de Nyírtourist au prix de 600 à 800 Ft), vous devrez vous résoudre à dormir au *Strand* (☎ Kisvárda 649), une maison de vacances proche des ruines du château au 37, Városmajor utca. Le *Strand* peut loger 58 personnes dans son bâtiment principal et dispose, en plus, d'une série de maisonnettes minuscules à 700 Ft (doubles).

Le *Finom Falatozó*, à 10 minutes environ de la gare sur Aradi vértanúk tere, est un petit bar-restaurant aux prix modiques. Le restaurant *Várda*, derrière l'épouvantable hôtel de ville moderne, au 15, Szent László utca, est lugubre. Même s'il est central et bon marché, vous préférerez sans doute manger sur le pouce à la boutique *tejkenyér* (pain et lait), juste à côté.

Le meilleur établissement de la ville, dont les tarifs restent abordables, est le *Fekete-Black*, tout près de Csillag utca, en face du musée du Rétköz. La carte est assez limitée, mais ce restaurant venait d'ouvrir la dernière fois que j'ai visité Kisvárda. Le salon de thé le plus sympathique de la ville est le *Poncsak* au 2, Szent László utca, mais le *Házi*, au 2, Mártírok útja, fait de meilleurs gâteaux.

Distractions
L'été, on donne des représentations au *théâtre du Château* : renseignez-vous chez Nyírtourist ou au centre culturel pour connaître les programmes.

Le *Béke Presszó* est un petit bar assez minable, mais sympathique, au 33, Szent László utca.

Plus sélect, Le *Fortuna Bar* est installé au-dessus du restaurant Fekete-Black.

Les voyous de Kisvárda traînent au premier étage, parmi les jeux vidéo et les tables de billard.

Comment s'y rendre
Kisvárda se trouve sur la ligne de chemin de fer n°11 reliant Nyíregyháza à Záhony et vous aurez donc le choix entre une douzaine de départs par jour. Néanmoins, aucun des trains internationaux en route pour l'Ukraine ou la Russie ne s'y arrête : il vous faudra donc aller jusqu'à Záhony ou retourner à Nyíregyháza pour monter à bord de l'un d'eux.

DOMBRÁD (4 700 habitants)
Les amoureux du rail ne pourront manquer le trajet en **petit train** de cette ville de la Tisza jusqu'à Nyíregyháza, à 50 km au sud. Des bus relient également Kisvárda à Dombrád, distante de 10 km.

Il n'y a pas grand chose à faire ni grand chose à voir une fois arrivé : une église du XVIIIe siècle, un pont flottant traversant le fleuve, un terrain de camping avec un petit hôtel, le *Tiszapart* (☎ Dombrád 12) et un restaurant. Toutefois, les 2 heures de trajet laissent certains amateurs dans un état proche de l'extase.

Une demi-douzaine de trains relient chaque jour Dombrád à Nyíregyháza (avec 3 d'entre eux, vous devrez changer à Herminatanya, où vous n'attendrez toutefois que de 5 à 10 minutes). Le dernier départ est à 17h15. Tous les trains s'arrêtent au Sóstófürdő de Nyíregyháza avant d'atteindre leur terminus de Nyíregyháza külső, la gare "basse" de la ville située dans Kállói utca. Le bus n°2 vous mènera ensuite au centre de Nyíregyházá.

Glossaire

Si vous ne trouvez pas ici le mot que vous recherchez, regardez à la rubrique *Langue* situé en début d'ouvrage, dans *Présentation du pays*, ou encore dans les rubriques *Alimentation* et *Boissons*, dans le chapitre *Renseignements pratiques*.

AFA – taxe sur la valeur ajoutée (TVA)
Alföld – voir Nagyalföld
autóbusz – bus
autóbuszallomás – arrêt de bus
Avars – peuple du Caucase qui envahit l'Europe au VIᵉ siècle

bal – gauche
bejárat – entrée
borozó – bar à vins
Bp – abréviation de Budapest
büfé – snack-bar

Copf – style artistique transitoire entre la fin du baroque et le néo-classicisme
csárda – auberge et restaurant hongrois traditionnel
csatorna – canal
csikós – (pluriel *csikósok*) cowboy de la *puszta*
csomagmegőrző – consigne à bagages
cukrászda – café, salon de thé

D – sud
Dacia – nom romain de la Roumanie et des terres situées à l'est de la Tisza
db, drb – l'unité (dans les magasins)
de – le matin
dkg – décagramme
du – l'après-midi

É – nord
Éclectique – style artistique populaire hongrois pendant la période romane, provenant de diverses origines
élelmiszer – épicerie, provisions
em – étage
Empire ottoman – l'empire des Turcs, qui régnèrent en maître sur le sud-est de l'Europe jusqu'aux portes de Vienne à partir de la prise de Constantinople en 1453. Cet empire s'effondra totalement à la Première Guerre mondiale
erdő – forêt
érkezés – arrivées
eszpresszó, expresszó ou presszó – salon de thé où l'on sert également de l'alcool et des en-cas ; café noir serré
étterem – restaurant

falu – village
fasor – boulevard, avenue
felvilágosítás – renseignements
folyó – fleuve, rivière
fsz – rez-de-chaussée
Ft – forint (voir également HUF)

Haïdouks (hajdúk) – convoyeurs de betail souvent hors-la-loi, originaires de la *puszta*. Ils s'engagèrent comme mercenaires pour combattre les Habsbourg
híd – pont
HUF – forint (code international des monnaies)
Huns – tribu mongole qui ravagea l'Europe, principalement sous la direction d'Attila, au Vᵉ siècle de notre ère

Ibusz – réseau national hongrois d'agences de voyages : c'est le plus ancien du monde
ifjúsági szálló – auberge de jeunesse
indulás – départs

jobb – droite

K – est
kb – à peu pres
kemping – terrain de camping
KEOKH – bureau d'enregistrement des étrangers
kerület – département
khas – villes placées sous l'autorité d'un sultan pendant la période ottomane
kijárat – sortie
komp – ferry

körút, ou **krt** – boulevard périphérique
köz – allée, ruelle
közért – épicerie dont l'État est propriétaire
központ – centre-ville
krt – voir *körút*
Kurucs – mercenaires/partisans hongrois qui résistèrent à l'invasion des Habsbourg en Hongrie après le retrait des Turcs (fin du XVIIe, début du XVIIIe siècle)

lángos – spécialité hongroise de pâte à pain frite
lapidarium – collection d'objets en pierre (statues, frises, colonnes...)
lépcső – escaliers, marches
liget – parc

Mahart – compagnie de ferries transportant des passagers
Malév – compagnie aérienne hongroise
MÁV – réseau de chemin de fer national hongrois
mihrab – niche de prière orientée vers la Mecque
MNB – Banque nationale de Hongrie
Roman-mauresque – style artistique de nombreuses synagogues du XIXe siècle

Nagyaföld (*Alföld, Puszta*) – la Grande Plaine
Ny – ouest
nyitva – ouvert

ó – voir *óra*
OIH – Office du tourisme de Hongrie
óra, abréviation de **ó** – heure
oszt – département, rayon
OTP – banque d'épargne nationale

pálinka – eau-de-vie de fruits
pályaudvar, abréviation de **pu** – gare ferroviaire
Pannonie – nom que donnaient les Romains aux terres situées au sud et à l'ouest du Danube
panzió – pension
part – rive, berge
patika – pharmacie
pénzváltó – bureau de change

pince – cellier à vins
presszó – voir *eszpresszó*
pu – voir *pályaudvar*
puli – race de chiens de bergers hongrois à longs poils
puszta – terme géographique désignant communément les plaines désertes. Voir *Nagyalföld*
puttony – nombre de "giclées" d'essence sucrée d'Aszú ajoutées aux vins de base pour fabriquer certains vins de Tokaj

rakpart – quai
repülőtér – aéroport
Romany – langage et culture tziganes

sétány – promenade, rue piétonne
skanzen – musée en plein air présentant l'architecture de villages entiers
söröző – brasserie, bar à bières
stb – abréviation, équivalent de "etc."
strand – "plage" herbeuse où l'on peut se prélasser au soleil
sugárút – avenue
szálló ou **szálloda** – hôtel
sziget – île
szoba kiadó – chambre à louer

táncház – soirée avec danse et musique folkloriques
tér – place (en ville)
tilos – interdit
tó – lac
toalett – toilettes
Traité de Trianon – traité imposé aux Hongrois en 1920 par les Alliés victorieux, qui réduisit le pays au tiers de sa superficie initiale, permettant la création de nouvelles nations comme la Yougoslavie et la Tchécoslovaquie
Triple Alliance – alliance qui unit l'Allemagne, l'Autriche-Hongrie et l'Italie de 1882 à 1914 (à ne pas confondre avec les alliés de la Première Guerre mondiale, composés des membres de la Triple Entente et de leurs partisans)
Triple Entente – accord conclu entre la Grande-Bretagne, la France et la Russie, visant à contre-balancer la Triple Alliance, qui dura jusqu'à la révolution russe de 1917

turul – totem des anciens Magyars, en forme d'aigle, servant désormais de symbole national

u – voir utca

udvar – cour

út – route

utca, abréviation de **u** – rue

va, vm – arrêt de train ou gare

vágány – plate-forme, quai

vasútállomás – gare ferroviaire

vendéglő – sorte de restaurant

vm – voir *va*

Volán – compagnie nationale de bus de Hongrie

vonat – train

zárva – fermé

Équivalence des noms de lieux

Équivalences des noms de lieux
C   –   croate
F   –   français
A   –   allemand
H   –   hongrois
R   –   roumain
S   –   serbe
Sl –   slovaque
U   –   ukrainien

Baia Mare (R) – Nagybánya (H)
Balaton (H)– Plattensee (A)
Beregovo (U) – Beregaszász (H)
Boucle du Danube (F) – Dunakanyar (H)
Brasov (R) – Brassó
Bratislava (Sl) – Pozsony (H)

Cluj-Napoca (R) – Koloszvár (H)

Danube (F) – Duna (H), Donau (A)

Eger (H) – Erlau (A)
Eisenstadt (A) – Kismarton (H)
Esztergom (H) – Gran (A)

Grande Plaine (F) – Nagyalföld,
    Alföld ou Puszta (H)
Györ (H)– Raab (A)

Hautes Terres du Nord (F) – Északi
    Felföld (H)
Hongrie (F) – Magyarország (H), Ungarn (A)

Kisaföld (H) – Petite Plaine (F)
Košice (Sl) – Kassa (H)
Kőszeg (H) – Güns (A)

Lučenec (Sl) – Losonc (H)

Mukačevo (U) – Munkács (H)

Oradea (R) – Nagyvárad (H)
Osijek (C) – Eszék (H)

Pécs (H) – Fünfkirchen (A)

Roőnava (Sl) – Rozsnyó (H)

Satu Mare (R) – Szatmárnémeti (H)
Senta (S) – Zenta (H)
Sic (R) – Szék (H)
Sopron (H) – Ödenburg (A)
Subotica (S) – Szabadka (H)
Szeged (H) – Segedin (A)
Székesfehérvár (H) – Stuhlweissen-
    burg (A)
Szombathely (H) – Steinmanger (A)

Tata (H) – Totis (A)
Timisoara (R) – Temesvár (H)
Tirgu Mures (R) – Marosvásárhely (H)
Transdanubie (F) – Dunántúl (H)
Trnava (Sl) – Nagyszombat (H)

Uőgorod (U) – Ungvár (H)

Vác (H) – Wartzen (A)
Vienne (F) – Bécs (H), Wien (A)
Villány (H) – Wieland (A)
Villánykövesd (H) – Growisch (A)

Wiener Neustadt (A)– Bécsújhely (H)

Index

Guides Lonely Planet en français

Les guides de voyage Lonely Planet en français sont distribués en France, en Belgique, au Luxembourg, en Suisse et au Canada. Pour toute information complémentaire, écrivez à : Lonely Planet Publications – 71 *bis*, rue Cardinal Lemoine, 75005 Paris – France.

Afrique du Sud, Lesotho et Swaziland
Voyagez en Afrique australe et laissez-vous surprendre par la diversité de sa culture et son incroyable beauté. On ne peut choisir de meilleur endroit pour observer la faune africaine. Ce guide apporte tous les conseils essentiels aux voyageurs et des informations utiles sur les réserves naturelles.

Bali et Lombok
Cet ouvrage entraîne les voyageurs à la découverte de la magie authentique du paradis balinais. Lombok, l'île voisine, est restée à l'écart du changement : il en émane une atmosphère toute particulière.

Brésil
Des folies du carnaval à l'Amazonie qui abrite l'écosystème le plus riche de la terre, le Brésil est la patrie de toutes les démesures. Vous trouverez dans ce guide les informations complètes qui vous permettront de découvrir au mieux ce pays fascinant.

Cambodge
L'un des derniers pays à avoir ouvert ses frontières aux touristes, le Cambodge permet enfin aux visiteurs d'admirer les superbes ruines d'Angkor. Une première Lonely Planet.

Chine
Unanimement cité comme l'ouvrage indispensable pour tout voyageur indépendant se rendant en République populaire de Chine, ce guide vous aidera à découvrir ce pays aux multiples facettes.

États Baltes et région de Kaliningrad
L'Europe orientale, lointaine et singulière, recèle encore des trésors de lieux insolites. Partez pour une des dernières grandes aventures européennes, dans les trois États Baltes (Lituanie, Lettonie et Estonie), réputés pour posséder de véritables personnalités, fortes et bien distinctes les unes des autres. Kaliningrad et ses environs sont également traités.

Inde
Considéré comme LE guide sur l'Inde, cet ouvrage, lauréat d'un prix, offre toutes les informations pour vous aider à faire cette expérience inoubliable que représente un voyage dans ce pays.

Jordanie et Syrie
Deux pays loins des sentiers battus mais qui offrent aux voyageurs audacieux une incroyable richesse naturelle et historique... Des châteaux moyenâgeux, des vestiges de villes anciennes, des paysages désertiques incroyables et, bien sûr, l'antique Petra, capitale des Nabatéens.

La collection Guide de voyage est la traduction de la collection Travel Survival Kit. Lonely Planet France sélectionne uniquement des ouvrages réactualisés ou des nouveautés afin de proposer aux lecteurs les informations les plus récentes sur un pays,

Laos
Le seul guide existant sur ce pays, tout en longueur, où l'hospitalité n'est pas une simple légende. Une destination tropicale encore paradisiaque.

Mexique
Un mélange unique de cultures espagnole et indienne, une histoire fascinante et un peuple extrêmement hospitalier font du Mexique le paradis des voyageurs.

Myanmar (Birmanie)
Le Myanmar est l'un des pays les plus intéressants d'Asie. Ce guide donne toutes les clés pour faire un voyage mémorable dans le triangle Yangon-Mandalay-Pagan et explorer des endroits bien moins connus comme Bago ou le lac Inle.

Népal
Des informations pratiques sur toutes les régions népalaises accessibles par la route, y compris le Teraï. Ce guide est aussi une bonne introduction au trekking, au rafting et aux randonnées en vélo tout terrain.

Nouvelle-Zélande
Spectacle unique des danses maories ou activité plein air hors pair, la Nouvelle-Zélande vous étonnera quels que soient vos centres d'intérêt.

Pologne
Des villes somptueuses, Cracovie ou Gdansk, qui incarnent l'histoire millénaire de la Pologne aux lacs au charme paisible et aux montagnes redoutables, pratiquement inconnus des voyageurs, ce guide est indispensable pour connaître ce pays sûr et chaleureux.

Sri Lanka
A Sri Lanka, certaines régions sont interdites aux voyageurs. Mais ce livre vous guidera vers des lieux plus accessibles, là où la population est la plus chaleureuse, la nourriture excellente et les endroits agréables nombreux. Tout cela à des prix abordables.

Thaïlande
Ouvrage de référence, ce guide fournit les dernières informations touristiques pour chaque région, des indications sur les possibilités de randonnée dans les montagnes du Triangle d'Or et la transcription en alphabet thaï de la toponymie du pays.

Vietnam
Une des plus belles régions d'Asie ouverte depuis peu aux étrangers. Grâce à cet ouvrage, vous pourrez apprécier les paysages les plus reculés du pays mais aussi la culture si particulière du peuple vietnamien.

Guides Lonely Planet en anglais

Les guides de voyage Lonely Planet en anglais couvrent l'Asie, l'Australie, le Pacifique, l'Amérique du Sud, l'Afrique, le Moyen-Orient ainsi que certaines régions d'Amérique du Nord et d'Europe. Les *travel survival kits* couvrent un pays et s'adressent à tous les budgets ; les *shoestring guides* donnent des informations en condensé pour les voyageurs à petit budget ; les *walking guides* s'adressent aux randonneurs ; les *city guides* vous font découvrir une ville ; les *phrasebooks* sont des manuels de conversation.

Commandes par courrier

Les guides de voyage Lonely Planet en anglais sont distribués dans le monde entier. Si vous n'arriviez pas à vous procurer un de ces titres, vous pouvez nous passer commande directement. Si vous résidez en Europe, écrivez à Lonely Planet, Devonshire House, 12 Barley Mow Passage, Chiswick, London W4 4PH, G-B. Si vous résidez aux États-Unis ou au Canada, écrivez à Lonely Planet, Embarcadero West, 155 Filbert St, Suite 251, Oakland CA 94607, USA. Pour le reste du monde, écrivez à Lonely Planet, PO Box 617, Hawthorn, Victoria 3122, Australie.

Moyen-Orient
Arab Gulf States
Egypt & the Sudan
Egyptian Arabic phrasebook
Iran
Israel
Jordan & Syria
Yemen

Afrique
Africa on a shoestring
Central Africa
East Africa
Kenya
Swahili phrasebook
Morocco, Algeria & Tunisia
Moroccan Arabic phrasebook
South Africa, Lesotho & Swaziland
Trekking in East Africa
West Africa
Zimbabwe, Botswana & Namibia

Europe
Baltic States
Dublin city guide
Eastern Europe on a shoestring
Eastern Europe phrasebook
Finland
Hungary
Iceland, Greenland & the Faroe Islands
Ireland
Italy
Mediterranean Europe on a shoestring
Mediterranean Europe phrasebook
Poland
Scandinavian & Baltic Europe on a shoestring
Scandinavian Europe phrasebook
Switzerland
Trekking in Spain
Trekking in Greece

USSR
Russian phrasebook
Western Europe on a shoestring
Western Europe phrasebook

Amérique du Nord
Alaska
Canada
Hawaii

Amérique du Sud
Argentina, Uruguay & Paraguay
Bolivia
Brazil
Brazilian phrasebook
Chile & Easter Island
Colombia
Ecuador & the Galapagos Islands
Latin American Spanish phrasebook
Peru
Quechua phrasebook
South America on a shoestring
Trekking in the Patagonian Andes

Mexique
Baja California
Mexico

Amérique centrale
Central America on a shoestring
Costa Rica
La Ruta Maya

Lonely Planet Story

Maureen et Tony Wheeler, au retour du périple qui les avait menés de l'Angleterre à l'Australie par le bateau, le bus, la voiture, le stop et le train, s'entendirent demander mille fois : "Comment avez-vous fait ?".

C'est pour répondre à cette question qu'ils publient en 1973 le premier guide Lonely Planet. Écrit et illustré sur un coin de table, agrafé à la main, *Across Asia on the Cheap* devient vite un best-seller qui ne tarde pas à inspirer un nouvel ouvrage.

En effet, après dix-huit mois passés en Asie du Sud-Est, Tony et Maureen écrivent dans un petit hôtel chinois de Singapour leur deuxième guide, *South-East Asia on a shoestring*.

Très vite rebaptisé la "Bible jaune", il conquiert les routards du monde entier, et s'impose comme LE guide sur la région. Vendu à plus de cinq cent mille exemplaires, il en est à sa septième édition toujours sous sa couverture jaune, désormais familière.

Lonely Planet a aujourd'hui plus de 120 titres en anglais à son catalogue. Ces ouvrages ont gardé la même approche aventureuse que leurs prédécesseurs et s'adressent tout particulièrement aux voyageurs épris d'indépendance et capables de se débrouiller seuls.

Les guides Lonely Planet, à l'origine spécialisés sur l'Asie, couvrent désormais la plupart des régions du monde : Pacifique, Amérique du Sud, Afrique, Moyen-Orient et Europe. Les ouvrages sur la randonnée et les manuels de conversation (dans des langues inhabituelles comme le Quechua, le Swahili, le Népali ou l'Arabe égyptien) sont de plus en plus nombreux.

Tony et Maureen Wheeler continuent de voyager plusieurs mois par an. Ils écrivent et mettent à jour les ouvrages Lonely Planet et veillent à leur qualité.

Aujourd'hui l'équipe australienne de Melbourne se compose de plus de cinquante auteurs et autant de rédacteurs, cartographes et dessinateurs. Dix personnes travaillent dans les bureaux californiens d'Oakland. Lonely Planet s'est aussi implanté en Europe, avec l'ouverture d'un bureau à Londres en 1991 et la création d'une filiale à Paris en 1992. Le public francophone peut désormais découvrir ces ouvrages dans sa propre langue. En réalité, les équipes sont bien plus vastes si l'on tient compte des nombreux lecteurs qui contribuent à l'élaboration de ces guides en nous faisant part de leurs impressions et de leurs suggestions.

L'équipe de Lonely Planet est convaincue que les voyageurs peuvent apporter quelque chose de positif aux pays qu'ils visitent, non seulement en y dépensant de l'argent, mais aussi parce qu'ils en apprécient le patrimoine culturel et naturel.

Par ailleurs, en tant qu'entreprise, Lonely Planet contribue à aider les pays dont parlent ses ouvrages : depuis 1986, une part des bénéfices est versée à des organisations qui luttent contre la faim en Afrique, à des projets humanitaires en Inde, à des projets agricoles en Amérique centrale, à Greenpeace et à Amnesty International. En 1993, 100 000 dollars australiens ont ainsi été versés à ces causes.

La philosophie de base de Lonely Planet est résumée ainsi par Tony Wheeler : "N'attendez pas pour partir d'être sûr de la réussite : Partez !".